# RIQUEZA E MISÉRIA DO TRABALHO NO BRASIL

IV

# RIQUEZA E MISÉRIA DO TRABALHO NO BRASIL

# IV

## TRABALHO DIGITAL, AUTOGESTÃO E EXPROPRIAÇÃO DA VIDA: O MOSAICO DA EXPLORAÇÃO


*organização*
Ricardo Antunes

Bárbara Castro • Bruna Martinelli • Cílson César Fagini • Claudete Pagotto • Claudia Mazzei Nogueira • Fabiane Santana Previtali • Fabio Perocco • Fagner Firmo de Souza Santos • Filipe Oliveira Raslan • Hermes Augusto Costa • Hugo Dias • Jenny Chan • José de Lima Soares • Juliana Biondi Guanais • Lívia de Cássia Godoi Moraes • Luci Praun • Luciano F. Rodrigues-Filho • Luísa Barbosa Pereira • Mariana Shinohara Roncato • Marina C. de Carvalho Pereira • Mark Selden • Mauri Antônio da Silva • Michelangelo Marques Torres • Ngai Pun • Patrícia Maeda • Patrícia Rocha Lemos • Pedro H. Queiroz • Raquel Varela • Renán Vega Cantor • Ricardo C. Festi • Ricardo Lara • Rodrigo Meira Martoni • Rossana Cillo

*Direção editorial* Ivana Jinkings
*Edição* Bibiana Leme
*Coordenação de produção* Livia Campos
*Assistência editorial* Andréa Bruno
*Assistência de produção* Camila Nakazone
*Preparação* Mariana Echalar
*Revisão* Thaís Nicoleti
*Capa e diagramação* Antonio Kehl
sobre ilustração de Vitor Teixeira

*Equipe de apoio*: André Albert, Artur Renzo, Carolina Mercês, Clarissa Bongiovanni, Dharla Soares, Débora Rodrigues, Elaine Ramos, Frederico Indiani, Heleni Andrade, Higor Alves, Isabella Marcatti, Ivam Oliveira, Joanes Sales, Kim Doria, Luciana Capelli, Marina Valeriano, Marlene Baptista, Maurício Barbosa, Raí Alves, Talita Lima, Tulio Candiotto

CIP-BRASIL. CATALOGAÇÃO NA PUBLICAÇÃO
SINDICATO NACIONAL DOS EDITORES DE LIVROS, RJ

R466
Riqueza e miséria do trabalho no Brasil IV : trabalho digital, autogestão e expropriação da vida : o mosaico da exploração / organização Ricardo Antunes. - 1. ed. - São Paulo : Boitempo, 2019.
(Mundo do trabalho)

ISBN 978-85-7559-719-4

1. Sociologia do trabalho. 2. Trabalho - Pesquisa. 3. Trabalhadores - Condições sociais. 4. Trabalho - Efeito das inovações tecnológicas. 5. Relações trabalhistas. I. Antunes, Ricardo. II. Série

19-58437 CDD: 306.36
CDU: 316.74:331

Vanessa Mafra Xavier Salgado - Bibliotecária - CRB-7/6644



1ª edição: agosto de 2019
1ª reimpressão: junho de 2021

BOITEMPO
Jinkings Editores Associados Ltda.
Rua Pereira Leite, 373
05442-000 São Paulo SP
Tel.: (11) 3875-7250 / 3875-7285
editor@boitempoeditorial.com.br
www.boitempoeditorial.com.br | www.blogdaboitempo.com.br
www.facebook.com/boitempo | www.twitter.com/editoraboitempo
www.youtube.com/tvboitempo | www.instagram.com/boitempo

*Naquele destroço, o tempo parecia também naufragado.*
Mia Couto, *Terra sonâmbula*

*... a ordem social e humana nem sempre se alcança sem o grotesco,*
*e alguma vez o cruel.*
Machado de Assis, "Pai contra mãe"

# SUMÁRIO

Apresentação ..... 9

PARTE I – TRABALHO DIGITAL, IMIGRAÇÃO E A DERRELIÇÃO DO TRABALHO ..... 13

1. Proletariado digital, serviços e valor ..... 15
*Ricardo Antunes*

2. A política da produção global: Apple, Foxconn e a nova classe trabalhadora chinesa ..... 25
*Jenny Chan, Ngai Pun e Mark Selden*

3. A expropriação do tempo no capitalismo atual ..... 45
*Renán Vega Cantor*

4. Segurança social, trabalho e Estado em Portugal ..... 63
*Raquel Varela e Luísa Barbosa Pereira*

5. Subcontratação e exploração diferenciada dos trabalhadores imigrados: o caso de três setores na Itália ..... 83
*Rossana Cillo e Fabio Perocco*

6. Trabalho imigrante *dekassegui*: classe social, etnia e gênero ..... 101
*Mariana Shinohara Roncato*

7. Contrato zero-hora e seu potencial precarizante ..... 121
*Patrícia Maeda*

PARTE II – GÊNERO, GERAÇÃO E ADOECIMENTO: O MOSAICO DA EXPLORAÇÃO ..... 143

8. Quando gênero revela classe: mulheres e flexibilidade no setor da tecnologia da informação ..... 145
*Bárbara Castro*

9. A força de trabalho feminina no setor portuário e a saúde da trabalhadora e do trabalhador em tempos de modernização ..... 165
*Claudia Mazzei Nogueira e Marina Coutinho de Carvalho Pereira*

10. Trabalho, adoecimento e descartabilidade humana ..... 181
*Luci Praun*

11. Trabalho, adoecimento e cotidiano em tempos de modelo flexível: o caso dos metalúrgicos de Campinas e região ... 205
*Fagner Firmo de Souza Santos*

12. Intensificação do trabalho e superexploração na agroindústria canavieira ... 223
*Juliana Biondi Guanais*

13. O mercado sucroalcooleiro e as mutações do trabalho: o fim do cortador de cana ... 237
*Luciano Ferreira Rodrigues-Filho*

14. Sapataria Pandora: informalidade e desenvolvimento da indústria de calçados de Nova Serrana (MG) ... 257
*Filipe Oliveira Raslan*

15. Precarização e flexibilização do trabalho no contexto da reestruturação e descentralização produtiva na indústria de Catalão (GO) ... 283
*José de Lima Soares*

16. O setor aeronáutico: financeirização e estratégias de intensificação do uso da força de trabalho na Embraer ... 303
*Lívia de Cássia Godoi Moraes*

17. Estratégia do capital e intervenção social das corporações empresariais no Brasil: a responsabilidade social das empresas ... 325
*Michelangelo Marques Torres*

18. O jovem trabalhador no Brasil e a formação para o trabalho precário ... 347
*Cílson César Fagiani e Fabiane Santana Previtali*

19. Produtividade para a hospitalidade: as ocupações em atividades características do turismo como laboratório da precariedade ... 363
*Rodrigo Meira Martoni*

PARTE III – AUTOGESTÃO, GREVE, SINDICATO E REBELIÃO ... 381

20. A atividade grevista como desafio para o Norte e para o Sul ... 383
*Hermes Augusto Costa e Hugo Dias*

21. Zanon: uma experiência de fábrica sem patrão na Argentina ... 397
*Ricardo Colturato Festi*

22. Lutas do trabalho em Pernambuco: as greves no complexo de Suape de 2008-2012 ... 421
*Pedro H. Queiroz*

23. A autogestão em cooperativas: desafios à autonomia do trabalho ... 441
*Claudete Pagotto*

24. União Geral dos Trabalhadores e o sindicalismo entre o mercado e a sociedade ... 463
*Patrícia Rocha Lemos*

25. As experiências sindicais e de resistência no trabalho em *call centers* ... 477
*Bruna Martinelli*

26. Trabalho e crise social no Brasil contemporâneo ... 487
*Ricardo Lara e Mauri Antônio da Silva*

Bibliografia geral ... 499
Sobre os autores ... 543

# Apresentação

O volume IV de *Riqueza e miséria do trabalho no Brasil* agrupa os novos resultados do Grupo de Pesquisa Mundo do Trabalho e suas Metamorfoses (GPMT), sob minha coordenação, bem como do projeto de pesquisa "O uno e o múltiplo: redesenhando a nova morfologia do trabalho" (Bolsa de Produtividade CNPq). Seus objetivos centrais são explorar empírica e analiticamente os diversos e novos complexos problemáticos que estão presentes nos estudos sobre o trabalho.

As principais indagações que este volume IV persegue podem ser assim resumidas: como se desenha a *nova morfologia do trabalho*, qual a sua conformação atual, tendo em vista as inúmeras diferenciações entre países, regiões, ramos, setores produtivos etc., decorrentes da nova divisão internacional do trabalho? Quais são as mais significativas transformações laborativas que vêm caracterizando o capitalismo da era informacional-digital? Em continuidade ao projeto iniciado e desenvolvido com a publicação dos volumes anteriores (I, II e III), o que se busca é uma melhor compreensão dos principais significados decorrentes dos novos experimentos produtivos que resultam da acumulação flexível da era financeira e digital, agora sob o impacto da chamada *indústria 4.0*, que trará, por certo, profundas consequências ao mundo do trabalho e às suas atuais *formas de ser*.

A imbricação existente entre financeirização da economia, neoliberalismo exacerbado e reestruturação *permanente* do capital deflagrou recentemente a autodenominada indústria 4.0, concebida e conduzida pelos países capitalistas centrais com a intenção de intensificar ao limite as tecnologias digitais no ampliado mundo da produção. A chamada "internet das coisas", o uso amplificado da inteligência artificial, a automação e robotização em todos os espaços possíveis no mundo da produção (industrial, agrícola e de serviços, com suas conhecidas interconexões) são, uma vez mais, concebidos e desenhados pelas corporações globais com o objetivo precípuo de valorizar o capital. Tudo o mais, apesar do palavrório, é muito secundário.

Não é difícil antecipar, então, que essa nova fase, em curso no presente, acarretará novas mutações profundas no universo microcósmico do trabalho, ao atingir as cadeias produtivas globais de valor. E o farão ampliando o maquinário técnico-informacional-digital (o *trabalho morto*) e, consequentemente, reduzindo um vasto conjunto de atividades hoje existentes, que se tornarão supérfluas. Assim, o *trabalho vivo* presenciará um novo ciclo destrutivo, resultante da introdução de processos automatizados cada vez mais sob controle informacional-digital e comando financeiro.

Como pude indicar em *O privilégio da servidão* (Antunes, 2018), novos robôs, dotados de maior inteligência artificial e maior digitalização do espaço produtivo, invadirão a produção *em todos os espaços possíveis*, instaurando uma *nova fase ainda mais profunda de subsunção real do trabalho ao capital*. É diante desse cenário que *Riqueza e miséria do trabalho no Brasil IV* pretende oferecer uma melhor intelecção desse mosaico que compreende o trabalho em diversos quadrantes do mundo e no Brasil.

Na parte I, os principais elementos tematizados são os seguintes: o trabalho digital (ou do infoproletariado ou ciberproletariado), a explosão das empresas globais de terceirização total, o controle e a expropriação do tempo de trabalho e de vida, a derrelição das formas de contratualidade social, a generalização das terceirizações, a superexploração do trabalho dos migrantes globais e a explosão do trabalho intermitente ou dos que denominei *intermitentes globais* (de que é exemplo o Zero Hour Contract).

Na parte II, o foco é direcionado para a particularidade brasileira: as relações de gênero e classe no trabalho digital e no setor portuário, ambos emblemáticos para a economia global; os adoecimentos e padecimentos do trabalho; a superexploração na indústria do etanol; as informalidades na indústria de sapatos; as precarizações no setor automotivo, aeronáutico e turístico; a falácia da "responsabilidade social"; os desafios para a juventude que trabalha e o mito do "empreendedorismo".

Por fim, na parte III, as lutas de resistência são evidenciadas. As greves no contexto global e suas inter-relações com as distintas regiões, a experiência emblemática das fábricas ocupadas, os desafios da autogestão nas cooperativas, as greves e as ações sindicais e operárias finalizam o nosso livro.

Articulando pesquisas coletivas com investigações individuais (resultantes de teses de doutorado, dissertações de mestrado, pesquisas de pós-doutorado e graduação), integrando pesquisadores experientes e da mais alta qualidade com jovens graduandos e pós-graduandos, oferece-se, então, uma fotografia ampliada do complexo mosaico que compreende o mundo do trabalho hoje.

Agradeço a Luci Praun e Ricardo Festi, que integram o conselho editorial da coleção Mundo do Trabalho, pela importante ajuda na organização do material que compreende este volume.

***

Esta apresentação não poderia ser finalizada sem mais duas menções.

A primeira, muito especial, às batalhas de tantos procuradores do Ministério Público do Trabalho (MPT) pelo cumprimento da legislação social protetora do trabalho, em um país onde expressivos setores do empresariado não se cansam de desconsiderá-la e descumpri-la.

É como se a "dádiva do trabalho" (ou do emprego) pudesse tornar tudo o mais justificável, inclusive a sistemática burla pragmática. E esse agradecimento é feito em particular à procuradora Dra. Renata Coelho, do MPT em Brasília. Seu apoio e incentivo foram vitais para que esta publicação pudesse ser concretizada.

***

A segunda menção, ao contrário, é muito triste, mas também muito especial. Com profunda consternação, na madrugada de 3 de agosto de 2016, quando começávamos a desenhar este novo volume, fomos informados do falecimento de nosso querido amigo Filipe Raslan, ex-aluno de graduação, mestrado e doutorado no Instituto de Filosofia e Ciências Humanas (IFCH) da Unicamp.

Membro ativo de nosso grupo de pesquisa há muitos anos, Filipe havia feito, poucos dias antes, uma difícil cirurgia cardíaca, que, entretanto, aparentava ter transcorrido de modo positivo. Filipe já estava em sua casa, mas seu quadro de saúde se alterou, obrigando-o a nova internação, o que lamentavelmente não impediu seu falecimento.

Devo dizer que, ao longo de meus mais de 45 anos de atividade docente, Filipe foi, de longe, o mais solidário estudante com quem pude conviver. Muitos de nós, no IFCH e fora dele, tivemos a felicidade de conhecê-lo. Sua generosidade e solidariedade com os colegas eram tais que, remando contra o espírito tão "competitivo" e produtivista de nosso tempo, ele frequentemente abandonava seu trabalho de pesquisa para ajudar os colegas que necessitavam de auxílio.

Durante quase duas décadas, pude orientá-lo em seus estudos, desde a graduação até o doutorado. Durante anos, ele atuou na secretaria do GPMT; ajudou intensamente na organização de nossos seminários e nas reuniões de nosso grupo de estudos e também deu inestimável auxílio na preparação dos originais que resultaram nos volumes anteriores de *Riqueza e miséria do trabalho no Brasil*.

A morte o levou no auge de sua atividade: como docente, após o doutorado, participou de bancas de mestrado no IFCH e fora dele e tornou-se, por concurso público, professor do Centro Federal de Educação Tecnológica de Minas Gerais (Cefet-MG). Sua atividade não lhe permitia, entretanto, refletir e pesquisar sem olhar para o "exterior", para o universo societal e, em particular, para o mundo do trabalho, para os tantos desafios em busca de outra sociedade, longe das mazelas que presidem o mundo atual. Um capítulo especial de sua tese de doutorado está presente nas páginas deste volume.

É por isso que *Riqueza e miséria do trabalho no Brasil IV* é tão justamente a ele dedicado.

*Ricardo Antunes*
março de 2019

# PARTE I

# TRABALHO DIGITAL, IMIGRAÇÃO E A DERRELIÇÃO DO TRABALHO

# 1
# Proletariado digital, serviços e valor[1]

*Ricardo Antunes*

## A explosão do trabalho intermitente

As mais distintas modalidades de trabalho presentes no capitalismo informacional-digital-financeiro, ao contrário de tornarem inoperante a lei do valor, vêm ampliando suas formas de vigência, ainda que frequentemente sob a *aparência do não-valor*. Um valor torna-se um *não*-valor para criar *mais-valor*. Impossibilitado de se valorizar sem realizar alguma forma de interação entre *trabalho vivo* e *trabalho morto*, o capital procura aumentar sua produtividade do trabalho, ampliando os mecanismos de extração do mais-valor mediante a expansão do trabalho morto corporificado no maquinário tecnocientífico-informacional e também pela intensificação e diversificação do trabalho vivo, recriando novas formas de exploração e mesmo de superexploração da força de trabalho (Antunes, 2009 e 2018; Sotelo Valencia, 2012).

Nesse movimento, todos os espaços possíveis tornam-se potencialmente geradores de mais-valor, uma vez que os serviços que foram privatizados fizeram florescer novos mecanismos utilizados pelo capital, mecanismos estes desempenhados pelos trabalhadores e trabalhadoras (contemplando sempre a dimensão de gênero) que atuam nas tecnologias de informação e comunicação (TIC), *call center*, telemarketing, hotelaria, limpeza, comércio, *fast-food*, hipermercados, trabalho de *care* (cuidados) etc., que frequentemente realizam trabalhos intermitentes, temporários, informais, autônomos, desregulamentados, à margem da legislação social protetora do trabalho.

Um exemplo recente dessas "novas" formas de exploração do trabalho é encontrado na Itália, onde se desenvolveu uma modalidade de trabalho ocasional e

[1] Este capítulo é parte de nosso projeto de pesquisa junto ao CNPQ ("O uno e o múltiplo: desenhando a nova morfologia do trabalho") e apresenta algumas teses desenvolvidas em *O privilégio da servidão* (São Paulo, Boitempo, 2018).

intermitente, o trabalho pago a *voucher* pelas horas efetivamente trabalhadas. Uma vez que o trabalho pago por *voucher* obrigava o empresariado italiano a pagá-lo pelo salário mínimo legal (por hora trabalhada), esse mesmo empresariado não poucas vezes oferecia mais horas de trabalho excedentes, porém por um valor abaixo do mínimo obrigatório, o que significa uma precarização e uma superexploração ainda maiores do trabalho ocasional e intermitente. Os trabalhadores imigrantes foram, por certo, intensamente atingidos por essa pragmática nefasta que finalmente foi derrotada pelo sindicalismo italiano. Podemos citar também o exemplo do *zero hour contract*, forma de trabalho que se desenvolveu no Reino Unido e hoje se encontra em praticamente todos os países, ainda que com denominações diferenciadas. Nesse tipo de contrato, não há determinação prévia de horas de trabalho, pois o trabalhador fica à disposição do empresário, esperando sua chamada, independentemente do tempo que permaneça ocioso. E, quando é chamado para realizar alguma atividade (predominantemente de serviços), recebe estritamente pelo que fez e nada pelo tempo que ficou ocioso. E os capitais informáticos globais criaram, assim, uma nova forma de *escravidão digital*, que não para de se expandir. É por isso que a flexibilização total do mercado de trabalho é por eles exigida.

O caso mais emblemático é o da Uber, em que trabalhadores e trabalhadoras com automóveis próprios (seus instrumentos de trabalho) arcam com despesas de previdência, manutenção dos carros, alimentação etc., configurando-se como um assalariamento disfarçado de trabalho "autônomo". E, ao fazê-lo desse modo, as empresas se eximem dos direitos trabalhistas, burlando abertamente a legislação social em diversos países onde atuam. Com o *trabalho on-line*, que gera uma forte ampliação do tempo disponível para o trabalho, amplia-se ainda mais o que venho denominando *escravidão moderna na era digital* (Antunes, 2018).

Por que, então, essas modalidades de trabalho da era digital deixaram de ser a exceção para se tornar a regra no capitalismo da era digital-informacional? Como veremos, esse conjunto de mudanças no universo dos serviços fez com que, em grande parte, estes deixassem de ser improdutivos para o capital e se tornassem geradores de valor e de mais-valor.

## O trabalho nos serviços, produção imaterial e valor

Devemos a Marx a distinção seminal entre produção material e produção imaterial, particularmente quando o autor apresenta sua hipótese de que, para ser produtivo, *não é mais necessário trabalhar manualmente, mas ser parte de um órgão do conjunto do trabalho produtivo, executando qualquer uma de suas funções*. Acrescenta ainda que, se a *predominância da produção material é válida para o conjunto da produção coletiva*, ela *não é mais válida para o trabalho tomado isoladamente* (Marx, 2013, p. 577).

A proposição marxiana acrescenta que *só é produtivo o trabalhador que produz mais-valor* para o capitalista, isto é, *aquele que participa do processo de valorização do capital.* Marx cita o exemplo do professor, cuja atividade se encontra fora da esfera da produção material: o professor de uma escola privada é também produtivo, quando atua sob o comando direto do capitalista, dono da "fábrica de ensino". E lembra que o mesmo professor, quando atua na escola pública, é improdutivo, pois cria somente um *valor de uso*, ao contrário do primeiro, que gera *valor de troca*. E isso ocorre porque o professor da escola privada se insere em uma relação social voltada prioritariamente para a valorização do capital (Marx, 2013, p. 578).

Com isso queremos enfatizar que Marx reconhece a existência de atividades não materiais ou imateriais necessárias para a valorização do capital, mesmo sabendo que a *produção material é a forma dominante de produção no capitalismo*. Isso remete a um outro ponto central, referente aos significados de trabalho produtivo e improdutivo.

Em nossa leitura de Marx, o trabalho produtivo

1) ocorre quando cria mais-valor e valoriza o capital;
2) é a modalidade de trabalho paga por capital-dinheiro, e não por renda. Ao contrário, o pagamento por renda é aquele que caracteriza o trabalho improdutivo, que cria valores de uso, e não valores de troca;
3) é aquele que resulta do trabalho coletivo, social e complexo, e não mais individual. É por isso que Marx afirma que não é o operário individual que se converte no agente real do processo de trabalho em seu conjunto, mas, sim, uma capacidade de trabalho socialmente combinada;
4) é aquele que valoriza o capital, não importando se o resultado de seu produto é material ou imaterial;
5) depende de sua relação social e da forma social como se insere na criação e valorização do capital. É por isso que trabalhos idênticos quanto à sua natureza concreta podem ser produtivos ou improdutivos, dependendo da relação com a criação do valor;
6) tende a ser assalariado, mas o inverso não é verdadeiro, isto é, nem todo trabalho assalariado é produtivo.

Em contrapartida, o trabalho é improdutivo quando cria bens úteis e não está voltado para a produção de valores de troca. É por isso que o capital suprime todo trabalho improdutivo que é desnecessário, além de realizar a fusão entre atividades produtivas e improdutivas, sempre que possível.

No Livro II de *O capital*, Marx indicou importantes hipóteses para compreender as atividades de produção imateriais, especialmente em alguns setores de serviços. Sua principal indicação aparece quando, ao analisar a "indústria de transporte", o autor demonstra que há nessa atividade o desenvolvimento de um "processo de produção *dentro* do processo de circulação" (Marx, 2014, p. 231). E essa indicação é central para que ocorra uma melhor intelecção dos serviços (parte deles) como geradores de valor. Como Marx tem uma *concepção ampliada de indústria*, que inclui vários setores dos chamados serviços, torna-se possível compreender por que há um "processo de produção" no ramo do transporte, armazenamento, indústria do gás, ferrovias, navegação, comunicações etc., mesmo que essas atividades sejam geradoras de produção imaterial. A indústria de transportes, constituindo-se em uma forma de produção imaterial que atua na esfera da circulação, além de ser imprescindível para a concretização da produção material e da efetivação do mais-valor na produção de alimentos, faz vicejar dentro dela um "processo de produção" sem que nada de material seja efetivamente produzido.

Sabemos que esses exemplos não significam que o *mais-valor seja criada fora da produção*. Mas, no Livro II de *O capital*, Marx indica claramente que a produção não se limita à sua esfera material (ainda que esta seja dominante). É por isso que a formulação marxiana também destaca que uma coisa é gerar lucro, outra é criar mais-valor. Ao tratar do comércio no Livro III, Marx desenvolveu a tese de que a atividade comercial, embora seja necessária para a venda do que foi produzido, não gera mais-valor, sendo por isso improdutiva (Marx, 2017, em especial cap. 17, "O lucro comercial"). Ela se apropria de parte do mais-valor gerado na indústria, mas não é responsável por sua criação. Por isso Marx afirma que os trabalhadores do comércio têm similitudes com os demais trabalhadores: é um assalariado como qualquer outro, comprado como *capital variável* pela burguesia comercial, e não *como renda* (Marx, 2017, p. 334). Mas acrescenta que há uma diferença fundamental – a mesma existente entre o capitalista industrial e o comercial. Isso porque o proletariado industrial gera mais-valor, o que não ocorre com o assalariado do comércio (Marx, 2017, p. 334).

Em pleno século XXI, dadas as profundas mutações vivenciadas pelo capitalismo da era digital-informacional-financeira, é decisivo que se ofereça uma intelecção atualizada acerca do papel do trabalho nos serviços para a criação de mais-valor. Já indicamos anteriormente que estamos verificando o nascimento de novas formas de extração de mais-valor, especialmente nos setores de serviços e de produção não material que se expandem contemporaneamente. Isso porque a transformação mais notável da empresa flexível *não foi a conversão da ciência em principal força produtiva* (Habermas, 1975), mas, sim, *a imbricação progressiva entre trabalho e ciência, imaterialidade e materialidade, trabalho produtivo e improdutivo* (Antunes, 2018; Antunes e Praun, 2015; Vinícius Santos, 2013; Lojkine, 1995; Mészáros, 2004).

O crescimento do fenômeno social que Ursula Huws denominou *cybertariado* (Huws, 2003) e Ruy Braga e eu concebemos como *infoproletariado* (Antunes e Braga, 2009) é um forte exemplo da ampliação das atividades de serviços, que vêm participando crescentemente do processo de valorização do capital. Cada vez mais integradas nas cadeias produtivas de valor, convertem-se em partícipes decisivos do processo de geração do valor do capitalismo de nosso tempo. Tanto os trabalhos materiais quanto os imateriais, estando cada vez mais inter-relacionados nas cadeias produtivas, tornam-se parte integrante e subordinada à forma-mercadoria (Tosel, 1995; Lojkine, 1995; Antunes, 2018).

Outro exemplo dessa ampliação da lei do valor nas esferas anteriormente consideradas improdutivas evidencia-se na tendência global de expansão da *terceirização* em todos os ramos da produção e *em particular nos serviços*. Isso porque a *terceirização* é um dos mecanismos vitais do capitalismo para intensificar a exploração do mais-valor e, desse modo, aumentar a valorização do capital em setores que, no passado, eram desprezados. A expansão global de empresas terceirizadas que oferecem amplos "serviços industriais" é exemplar.

A Foxconn, por exemplo, é uma fábrica do setor de informática e tecnologias de comunicação que vem se expandindo na China e segue o modelo do Electronic Contract Manufacturing, isto é, trata-se de uma empresa terceirizada global que monta produtos eletrônicos para a Apple, Nokia e várias outras transnacionais. Na unidade de Longhua (Shenzhen), onde são montados os iPhones, desde 2010 aumentou muito o número de trabalhadores que cometem suicídio, em sua maioria denunciando a intensa exploração do trabalho a que estão submetidos (Ngai e Chan, 2012; Antunes, 2018).

Se a hipótese aqui apresentada é pertinente, as consequências *sociais e políticas* da proletarização no setor de serviços assume grande relevância. Podemos resumi-las na seguinte indagação: os trabalhadores e as trabalhadoras dos serviços são, em última instância, da classe média emergente, são expressão do chamado precariado ou fazem parte do que denominamos o novo proletariado de serviços? É o que veremos a seguir.

## Classe média, precariado ou novo proletariado de serviços?

Entendemos que os trabalhadores e as trabalhadoras do setor de serviços (*call centers*, telemarketing, indústria de software e tecnologias de informação e comunicação, hotelaria, shopping centers, hipermercados, *fast-food*, grande comércio, entre tantos outros) encontram-se cada vez mais distantes das modalidades de trabalho intelectual que particularizam as classes médias e estão cada vez próximos do que denominamos novo proletariado de serviços.

Se os segmentos mais tradicionais das classes médias são definidos por sua inserção na produção, na qual realizam trabalho predominantemente intelectual e trabalho não manual (como os médicos, os advogados e outros profissionais liberais), estamos presenciando uma expansão significativa dos assalariados médios, de que são exemplo os bancários, os professores, os assalariados de comércio, supermercados, *fast-food*, *call centers*, tecnologias de informação e comunicação etc., e eles vêm sofrendo um crescente processo de proletarização, aprofundando a formulação pioneira de Braverman (1977).

Como as classes médias, dadas suas oscilações estruturais típicas, se definem também por seus ideários e valores culturais, simbólicos, de consumo (Bourdieu, 2007), seus segmentos mais altos se distinguem da classe média baixa e se aproximam, no plano valorativo, das classes proprietárias. Mas seus estratos mais baixos, ao contrário, tendem, no plano da objetividade, a se aproximar da classe trabalhadora. É por isso que a consciência das classes médias aparece frequentemente como a consciência de uma não classe, ora mais próxima das classes proprietárias (como é o caso de gestores de médio e alto escalão, administradores, engenheiros, médicos, advogados), ora mais próxima das condições de vida e trabalho da classe trabalhadora, quando tomamos os segmentos mais pauperizados.

Assim, esses contingentes mais proletarizados, especialmente no setor de serviços, participam cada vez mais (direta ou indiretamente) do processo de valorização do capital. Os assalariados de *call centers*, telemarketing, hipermercados, *fast-food*, grande comércio, escritórios, hotéis e restaurantes encontram-se muito mais próximos desse novo proletariado que se expande em escala global e que tem sido responsável pela deflagração de várias lutas sociais, manifestações e greves no mundo atual.

Entretanto, se essa constatação nos diferencia daqueles que tendem a caracterizar esses trabalhadores como parte da classe média, também nos separa daqueles que os concebem como parte de uma suposta "nova classe", a "classe do precariado" (Standing, 2011).

Nosso trabalho anterior vem enfatizando que, desde a eclosão da crise estrutural do capital (Mészáros, 2002; Chesnais, 1996), amplia-se significativamente o processo de precarização estrutural do trabalho. O aumento da exploração do trabalho, que passou cada vez mais a se configurar como *superexploração* da força de trabalho, além de aumentar o desemprego, vem ampliando enormemente a informalidade, a terceirização e a precarização, em um processo que atinge não só os países do Sul mas também os países do Norte (Antunes, 2018; Sotelo Valencia, 2016).

Foi nesse contexto que o cenário social se alterou sobremaneira. Em Portugal, por exemplo, essas lutas se tornaram emblemáticas: em março de 2011, explodiu o descontentamento da "geração à rasca". Milhares de manifestantes, jovens e imigrantes, homens e mulheres precarizados, desempregados e desempregadas expressaram sua revolta através do movimento Precári@s Inflexíveis.

Na Espanha deflagrou-se o movimento dos Indignados, jovens que lutam contra as altas taxas de desemprego e a completa ausência de perspectiva de vida: estudando ou não, os jovens são candidatos ao desemprego ou, na melhor das hipóteses, ao trabalho precário.

Na Inglaterra, ocorreu um forte levante social que se iniciou depois que um taxista negro foi assassinado pela polícia. Jovens pobres, negros, imigrantes e desempregados se revoltaram e, em poucos dias, o levante atingiu várias cidades. Foi a primeira grande explosão social na Inglaterra (e em partes do Reino Unido) depois da revolta contra o Poll Tax, que selou o fim do governo Thatcher.

Nos Estados Unidos, floresceu o movimento de massas Occupy Wall Street, que denuncia a hegemonia dos interesses do capital financeiro e suas nefastas consequências sociais: o aumento do desemprego e do trabalho precarizado, que atingiu ainda mais duramente as condições de vida das mulheres, dos negros e dos imigrantes.

Na Itália, ocorreu o avanço dos novos movimentos de representação do precariado, com a eclosão em Milão, em 2001, do MayDay, que luta pelos direitos e por uma representação autônoma desse amplo e heterogêneo conjunto de trabalhadores e trabalhadoras, jovens, imigrantes, qualificados e não qualificados[2].

Esses exemplos, dentre tantos outros, constituíram a base de um amplo debate, especialmente nos países do Norte, acerca da emergência desse novo contingente da classe trabalhadora. E, dentro desse debate, o mais polêmico foi o que vislumbrou o advento de uma "nova classe", o *precariat* (Standing, 2011). Segundo Standing, o precariado é uma classe distinta daquela que se formou durante o capitalismo industrial, herdeiro da era taylorista-fordista. Ele se aproximaria, então, de uma nova classe mais desorganizada, ideologicamente difusa e facilmente atraída por "políticas populistas", suscetíveis até mesmo aos apelos "neofascistas". Com esse desenho crítico – ainda que a descrição do autor tenha informações relevantes –, essa nova classe assume contornos de "uma classe perigosa", em si e para si diferenciada da classe trabalhadora (Standing, 2011, p. 1-25)[3].

Nossa formulação caminha em direção oposta àquelas que concebem o precariado como uma nova classe. Entendemos que a classe-que-vive-do-trabalho, em sua nova morfologia, compreende vários e distintos segmentos – diferenciação que não é novidade na história da classe trabalhadora, sempre clivada por questões como gênero, geração, etnia, nacionalidade, migração, qualificação etc. Ao contrário, portanto, de se constituir como uma nova classe, o precariado é um setor diferenciado da classe trabalhadora, em suas heterogeneidades, diferenciações e fragmentações. Nos países capitalistas avançados, os mais precarizados, sejam jovens, imigrantes, negros etc., que compõem o *precariat*, já nascem sob o signo da corrosão dos direitos e lutam de todos os modos para conquistá-los.

Por outro lado, os setores da classe trabalhadora mais tradicionais, herdeiros do *welfare State*, lutam para impedir o desmoronamento ainda maior de suas condições de trabalho. Esses dois polos fundamentais da mesma classe-que-vive-do-trabalho, em sua aparente contradição, parecem ter seu futuro indelevelmente ligado: o jovem precariado, em suas lutas, quer o fim da precarização completa que o avassala e sonha com um mundo melhor. Os trabalhadores mais tradicionais, mais organizados sindical e politicamente, herdeiros do *welfare State*, por sua vez, querem evitar uma degradação ainda maior e se recusam a converter-se nos novos precarizados do mundo.

Como a lógica destrutiva do capital é múltipla em sua aparência, mas una em sua essência, esses polos vitais do mundo do trabalho sofrerão uma derrota

---

[2] Ver o site San Precario: <http://www.precaria.org/>.

[3] Ver outras críticas a essa concepção em *Global Labour Journal* (2016).

ainda maior, se não forem capazes de se conectar solidária e organicamente. Como entendemos a precarização como um processo, que pode tanto se ampliar como se reduzir, ela será resultado da capacidade de resistência, organização e confrontação da classe trabalhadora. Se esses dois segmentos forem capazes de construir laços de solidariedade e sentido de pertencimento de classe (Bihr, 1998), conjugando suas lutas cotidianas, eles poderão se contrapor com mais força e organização à lógica do capital, que é profundamente adversa ao trabalho.

E aqui o papel do novo proletariado de serviços é emblemático. Sua aglutinação como parte constitutiva e crescente da classe trabalhadora ampliada, como parte integrante de suas lutas, de seus embates e resistências, terá grande importância nas lutas do conjunto da classe trabalhadora.

Por fim, dada a conformação desigual e combinada da (nova) divisão internacional do trabalho, são necessárias algumas mediações, quando se trata de definir o precariado. E a primeira delas é dada pela clivagem Norte e Sul. Na periferia, o proletariado nasceu eivado da condição de precariedade. Basta lembrar que, no Brasil e em vários outros países da América Latina (para não falar dos Estados Unidos), cuja história é marcada pela existência do escravismo colonial, o proletariado floresceu a partir da abolição do trabalho escravo, de modo que sua condição de precariedade não é a exceção, mas um traço constante desde a origem.

Como no Sul não se desenvolveu nenhum tipo persistente de aristocracia operária, o proletariado sempre se confundiu com a condição de precariedade, e suas diferenças internas nunca foram tão acentuadas como no Norte. Aqui, ao contrário, historicamente se desenvolveu a aristocracia operária e posteriormente o proletariado herdeiro do *welfare State*. O advento recente do precariado tornou-se um traço expressivo de diferenciação que, entretanto, não encontra simetria com o proletariado do Sul. Na periferia, as clivagens dentro da classe trabalhadora não têm a intensidade dos países centrais, de modo que falar em "uma nova classe" torna-se um equívoco ainda maior.

Se parece plausível, então, reconhecer empiricamente a emergência recente do precariado como um dos polos mais precarizados da classe trabalhadora nos países centrais, na periferia ele é algo diferenciado, uma vez que é parte constitutiva do operariado desde suas origens, ainda que, no presente, ganhe novas configurações. Seja denominado precariado, seja denominado parte do novo proletariado de serviços, é constituído de trabalhadores e trabalhadoras que frequentemente oscilam entre a heterogeneidade em sua forma de ser (gênero, etnia, geração, qualificação, nacionalidade etc.) e a homogeneidade que resulta de sua condição precarizada, desprovida de direitos e de regulamentação contratual.

As formas de intensificação do trabalho, a burla dos direitos, a superexploração, a vivência entre a formalidade e a informalidade, a exigência de metas, a rotinização do trabalho, o despotismo dos chefes, coordenadores e supervisores, os salários degradados, o trabalho intermitente, os assédios, os adoecimentos e as mortes indicam um forte processo de proletarização e de explosão desse novo proletariado de serviços que se expande em escala global, diversificando e ampliando a classe trabalhadora.

E, se há uma nova morfologia do trabalho, é necessário constatar também o advento de uma nova morfologia das formas de organização, representação e luta da classe trabalhadora. E o mundo atual tem sido um excepcional laboratório para se compreender essa nova era das lutas sociais.

# 2

# A política da produção global: Apple, Foxconn e a nova classe trabalhadora chinesa[1]

*Jenny Chan*
*Ngai Pun*
*Mark Selden*

## Introdução

A magnitude do sucesso comercial da Apple é indissociável da escala de produção nas fábricas que formam sua cadeia de fornecimento, com as mais importantes delas localizadas na Ásia (Apple, 2012, p. 7). Como a principal fabricante de produtos e componentes para a Apple, a companhia taiwanesa Foxconn[2] emprega atualmente 1,4 milhão de trabalhadores apenas na China. É, assim, possível afirmar que o sucesso da Apple – que alcançou uma posição de domínio global, sendo descrita como "a marca mais valiosa do mundo" (Brand Finance Global 500, 2013) – está intimamente ligado à fortuna da Foxconn, que, por sua vez, ascendeu à posição de maior empregadora mundial do setor eletrônico (Dinger, 2010). Este capítulo explora as contradições entre capital e trabalho no contexto das cadeias de produção global da indústria de eletrônicos de uso pessoal. A partir dos conceitos de cadeias mercantis globais e do quadro das cadeias de valorização globais (Gereffi e Korzeniewicz, 1994; Bair, 2005; Gereffi et al., 2005), o capítulo analisa as dinâmicas de poder das cadeias de suprimento dominadas pelos compradores (*buyer-driven-chains*) no contexto de territórios nacionais que medeiam e acentuam as pressões globais.

O foco do capítulo recai sobre o trabalho na cadeia de suprimento de eletrônicos, incluindo as condições em que ocorre e suas características de agência, sendo essa uma posição teórica consistente com estudos recentes que tomam o trabalho como

---

[1] Tradução de Pedro H. S. Queiroz, revisão da tradução de Mariana Shinohara Roncato.

[2] A empresa-mãe da Foxconn é a Hon Hai Precision Industry Company, sediada em Taipé. O nome comercial Foxconn alude à capacidade da empresa de criar componentes eletrônicos com a agilidade e velocidade de uma raposa (em inglês, "*fox*").

elemento-chave nas cadeias ou redes de produção global (McKay, 2006; Smith et al., 2006; Taylor e Bain, 2008; Webster et al., 2008; Taylor et al., 2013). Particularmente, a concentração de capital na China e o importante papel desempenhado por contratantes asiáticos abrem novos terrenos para conflitos trabalhistas (Silver, 2003; Appelbaum, 2008; Silver e Zhang, 2009). Essa investigação avalia os incentivos para a Apple terceirizar e concentrar sua produção em um pequeno número de fábricas de montagem final na China. Também são examinados os riscos potenciais ou desincentivos que poderiam compelir a Apple a responder de maneira mais direta e responsável à publicidade negativa gerada pelas condições de trabalho e ações coletivas dos trabalhadores em suas cadeias de suprimento. Apesar do objetivo específico se concentrar na interação entre Apple e Foxconn, considera-se brevemente a relação da Apple com outros compradores (por exemplo, Dell) e contratantes (por exemplo, Pegatron). Consequentemente, a análise localiza mais amplamente os emergentes conflitos trabalhistas no setor de eletrônicos como um todo.

Os autores se baseiam em entrevistas realizadas com 14 gerentes e 43 trabalhadores fora dos principais complexos fabris da Foxconn, onde os empregados não estão sujeitos à vigilância da empresa. Os gerentes entrevistados eram responsáveis por gerenciamento da produção (4 gerentes), obtenção de mercadorias (3 gerentes), engenharia de produção (2 gerentes) e recursos humanos (5 gerentes). Todos os trabalhadores entrevistados eram migrantes rurais de 16 a 28 anos que trabalhavam na montagem (produtos semifinalizados e finalizados), no teste de qualidade (funcionalidade e aparência audiovisual), no processamento metálico e na embalagem. Os dados recolhidos nas entrevistas são complementados por observações de campo realizadas entre junho de 2010 e maio de 2013 em Shenzhen (Guangdong), Taiyuan (Shanxi) e Chengdu (Sichuan), que são os mais importantes centros industriais nas regiões costeiras, centro-norte e sudeste da China. Novos dados corporativos forneceram evidências sobre a replicação dos métodos de gerenciamento da Foxconn em outras fábricas, tensões entre a Foxconn e seus maiores compradores, episódios explosivos de protestos trabalhistas e experiências de trabalho e descontentamentos dos trabalhadores. As evidências primárias são suplementadas pelos relatórios anuais da companhia, estudos acadêmicos, relatórios de grupos de direitos trabalhistas e relatos jornalísticos.

## A política da produção global

A busca de maiores lucros pelas corporações tem se beneficiado do uso de eficientes tecnologias de transporte e comunicação, de políticas neoliberais de comércio e serviços financeiros internacionais, bem como da disponibilidade de imigrantes e do trabalho excedente. As multinacionais reduziram, quiçá eliminaram, as principais barreiras para a mobilidade de capital entre espaços de desenvolvimento desigual (Harrison, 1997; Harvey, 2011).

Dentro dos limites das cadeias globais de suprimento contemporâneas, acadêmicos (Henderson e Nadvi, 2011; Sturgeon et al., 2011) sublinham as assimetrias de poder entre compradores e contratantes, nas quais gigantescos varejistas e comerciantes de marca desempenham um papel decisivo no estabelecimento e domínio das redes globais de produção e distribuição. Sob as cadeias mercantis dominadas pelos compradores, Lichtenstein (2009) e Chan (2011) descobriram que os varejistas estadunidenses e comerciantes de marca exercem constante pressão sobre as fábricas, bem como sobre os provedores de serviços logísticos, para que os custos diminuam e a eficiência e a rapidez aumentem. "A determinação dos varejistas para cortar drasticamente os custos deixa pouco espaço para que os contratantes [localizados na China] mantenham padrões de trabalho" (Bonacich e Hamilton, 2011, p. 225).

A distinção entre varejistas e atacadistas tornou-se insignificante no que se refere ao controle sobre os fornecedores, dado que "a maioria dos varejistas globais desenvolveu com sucesso programas de etiquetagem privada (ou armazenamento privado), com os quais providenciam para que os manufatureiros ou contratantes produzam sua própria marca" (Bonacich e Hamilton, 2011, p. 218). Na indústria eletrônica, Lüthje (2006, p. 17-8) observa que as firmas de marca se concentraram no "desenvolvimento de produção, design e marketing", garantindo uma maior parcela sobre o valor criado do que a manufatura de hardware, a qual é, em grande parte, terceirizada e realizada por contratantes formalmente independentes. "Produtores sob contrato" emergiram para providenciar a montagem final e serviços de valor agregado para firmas de tecnologia e grandes varejistas (Starosta, 2010; Dedrick e Kraemer, 2011).

Contratantes asiáticos têm evoluído e crescido em tamanho e escala. Lee e Gereffi (2013) explicam o processo de evolução conjunta no qual a concentração de capital e a consolidação das empresas líderes de smartphones de marca na China e em outras bases de fornecimento globais têm avançado conjuntamente com a expansão da inovação no interior de suas grandes montadoras, notadamente Foxconn e Flextronics. Appelbaum (2008) verifica que os contratantes leste-asiáticos, desde a indústria de calçados e vestuários até a eletrônica, têm sido integrados verticalmente nas cadeias de suprimento. Starosta (2010) se concentra na ascensão dos "contratantes globais altamente concentrados" na indústria eletrônica, na qual servem a várias firmas de marca em diferentes mercados de produtos. Não apenas as tarefas de produção mas também a gerência dos inventários estão sendo crescentemente assumidas por fábricas estratégicas, resultando em relações de dependência mútua ainda mais fortes entre compradores e fornecedores. Gigantescas manufatureiras, em vez de pequenas oficinas, são mais capazes de "responder a ciclos de produtos cada vez menores e crescente complexidade do produto" (Starosta, 2010, p. 546). Ainda assim, YueYuen, maior produtor mundial de calçados, pôde passar menos de um terço do aumento de custo para seus consumidores, entre os quais a

Nike, quando "os custos subiram abruptamente" (Appelbaum, 2008, p. 74). A dura barganha realizada pelos grandes compradores sobre custos e lucros manteve os produtores na rédea curta, cortando frequentemente suas margens de lucro.

Na terceirização global, os fornecedores de eletrônicos se veem compelidos a competir uns com os outros para atender às rigorosas especificações de preço, qualidade do produto e tempo de mercado, gerando pressões salariais, bem como riscos de saúde e segurança nas fábricas, ao cortar margens de lucro (Smith et al., 2006; Chen, 2011). Brown (2010) argumenta que com frequência "as fábricas contratantes" não dispõem de suporte financeiro para os programas de responsabilidade corporativa requeridos pelas marcas; "pelo contrário, elas enfrentam margens de lucros reduzidas e custos adicionais que só podem ser suplantados por mais aperto sobre sua própria força de trabalho". Portanto, os produtores de mercadorias de alta tecnologia "focam suas preocupações laborais no custo, na disponibilidade *e* na capacidade de controle" como forma de aumentar a lucratividade no mercado de exportação (McKay, 2006, p. 42).

A adaptação ou resistência dos trabalhadores ao controle capitalista deve ser entendida nesse novo contexto de produção global, no qual a concentração de capital nos níveis nacional, setorial e/ou de firma reconfigurou a política de classe e trabalhista. Em seu estudo longitudinal do movimento trabalhista mundial desde 1870, Silver (2003) documentou a ascensão da nova classe trabalhadora em locais de investimento de capital para a indústria automobilística no século XX. Ela define "poder de barganha no local de trabalho" como o poder que "é conferido aos trabalhadores envolvidos em processos produtivos bem integrados, nos quais uma paralisação num ponto essencial é capaz de causar perturbações numa escala muito mais ampla do que a própria paralisação" (Silver, 2003, p. 29; Wright, 2000). Como exemplo recente, Butollo e Ten Brink (2012) e Hui e Chan (2012) relataram a greve de fábrica em uma fornecedora de partes em Nanhai (Guangdong) que paralisou toda a cadeia de fornecimento da Honda no sul da China, resultando em aumento salarial e maior participação dos trabalhadores nas eleições para o sindicato. Vitórias ocasionais e limitadas dos trabalhadores à parte, os ataques empresariais e/ou a repressão estatal aos protestos trabalhistas ainda são comuns.

Um Estado neoliberal colabora com as elites empresariais ao fornecer suporte em infraestrutura e garantir a lei e a ordem, facilitando, assim, a acumulação de capital e o crescimento econômico. Na transformação capitalista chinesa, por um lado, o Estado estimulou a geração de empregos e o desenvolvimento industrial com políticas públicas e investimentos financeiros de larga escala (Hung, 2009; Chu, 2010; Naughton, 2010); por outro lado, o Estado restringiu severamente a capacidade de auto-organização dos trabalhadores e fragmentou os direitos do trabalho e da cidadania entre os subgrupos dos trabalhadores, apesar das reformas legais pró-trabalho em andamento (Solinger, 1999 e 2009; Perry, 2002; Lee, 2007 e 2010; Pun et al., 2010; Selden e Perry, 2010). Em nossa pesquisa sociológica, exploramos a dialética da dominação e resistência do trabalho dentro da economia política da produção global de eletrônicos.

## Produção global e uma nova classe trabalhadora: Japão, China, Ásia Oriental

Entre 1990 e 2006, a expansão do comércio interno asiático respondeu por cerca de 40% do aumento total no comércio mundial (Arrighi, 2009, p. 22). O crescente domínio chinês remodelou as redes de produção regionais, anteriormente dominadas pelo Japão e suas antigas colônias Taiwan e Coreia do Sul. A ascensão do capitalismo japonês e leste-asiático nos anos 1950 e 1960 fazia parte da ordem geopolítica da Guerra Fria. Como forma de conter a propagação do comunismo e consolidar seu alcance econômico global, os Estados Unidos providenciaram recursos econômicos e militares para seus "Estados clientes", encorajando Taiwan e Coreia do Sul a abrir seus mercados para o comércio e os investimentos japoneses e estimulando o crescimento de um poder regional centrado na industrialização japonesa orientada para as exportações (Evans, 1995, p. 47-60; Selden, 1997). Firmas japonesas receberam empréstimos subsidiados para criar novas indústrias e exportar produtos acabados para mercados ocidentais. Nos anos 1960, Toshiba, Hitachi, Panasonic, Sanyo, Ricoh, Mitsubishi, Casio, entre outras, deslocaram-se para Taiwan para iniciar operações (Hamilton e Kao, 2011, p. 191-3). De maneira similar, as companhias de comércio japonesas começaram a terceirizar o abastecimento de vestuário e calçados a partir de Taiwan, Coreia do Sul e Hong Kong.

A partir de meados dos anos 1960, a IBM, líder em computação de negócios, transferiu sua produção baseada em trabalho intensivo dos Estados Unidos e Europa para a Ásia como forma de cortar custos. Os componentes microeletrônicos dos computadores IBM Sistema 360 foram montados por trabalhadores no Japão, e depois em Taiwan, porque "o custo do trabalho lá era tão baixo" que era mais barato do que a produção automatizada em Nova York (Ernst, 1997, p. 40). A RCA, a gigantesca consumidora de eletrônicos, rapidamente procurou "tirar vantagem do trabalho barato de Taiwan e do ambiente regulatório frouxo" na zona de processamento de exportações no final de 1960 (Ku, 2006; Ross, 2006, p. 243-4; Chen, 2011). A montagem de eletrônicos cresceu rapidamente em Taiwan, na Coreia do Sul, em Singapura e Hong Kong ("os Tigres Asiáticos") e, mais tarde, na Malásia, na Tailândia, na Indonésia e na Índia. No começo dos anos 1970, as Filipinas receberam fábricas manufatureiras para firmas de semicondutores, tais como Intel e Texas Instruments. Nesses países recém-industrializados, a maioria dos trabalhadores fabris eram mulheres jovens que haviam migrado das regiões rurais (Ong, 2010; Deyo, 1989; Koo, 2001; McKay, 2006).

No final dos anos 1970, a China estabeleceu zonas econômicas especiais para atrair capital estrangeiro e estimular as exportações como meio de integrar as economias regional e global. O influxo de capital chinês além-mar tem se combinado significativamente com o crescente capital vindo do Japão, dos Estados Unidos, da Europa e de outros países desde o início dos anos 1990 (Huang, 2003). Uma variedade de empresários de Hong Kong e Taiwan, cuja área de atuação vai do processamento de componentes baratos até a montagem de sofisticados microchips, investiram no Delta do Rio das Pérolas e na região da Grande Xangai (Leng, 2005). Em meados dos anos 1990, o Parque Científico Zhongguancun, em Pequim, e o Parque de Alta Tecnologia Zhangjian tornaram-se potências tecnológicas proeminentes, incentivadas pelo desenvolvimento industrial e pelo apoio dos governos locais (Segal, 2003; Zhou, 2008). Em duas décadas, a economia nacional chinesa passou de uma economia baseada na indústria pesada – com emprego para a vida toda e bem-estar garantido para os trabalhadores urbanos do setor estatal – para uma economia que se sustenta principalmente com investimentos privados e estrangeiros e uso maciço de trabalhadores que vieram de regiões rurais em indústrias leves direcionadas para a exportação (Friedman e Lee, 2010; Kuruvilla et al., 2011).

A Foxconn tornou-se a principal exportadora chinesa em 2001, acompanhando a promoção do país à Organização Mundial do Comércio (OMC) e a liberalização do comércio internacional. A Foxconn tem mantido a posição desde então (Foxconn Technology Group, 2009, p. 6). A expansão da Foxconn está entrelaçada com o desenvolvimento do Estado chinês através das reformas de mercado e, nos anos recentes, seguiu o deslocamento nacional das regiões litorâneas para o interior. O Estado chinês tentou balancear a economia, iniciando o projeto "Vá para o Oeste", pelo qual capital financeiro e recursos humanos foram canalizados para as províncias centrais e ocidentais (Goodman, 2004; McNally, 2004). Tirando proveito de menores níveis salariais, a estratégia foi designada para estimular o emprego e promover a unidade étnica, enquanto se obtém investimento estrangeiro. Ross (2006, p. 218) conclui que, em Chengdu, na província de Sichuan, "era impossível não esbarrar em alguma evidência da mão do Estado no estímulo à indústria de alta tecnologia".

A criação de uma nova classe industrial pelo capital doméstico e transnacional, sob os auspícios do Estado chinês em todos os níveis, levou, paradoxalmente, a uma quantidade cada vez maior de protestos motivados por vários fatores. Comparada aos trabalhadores mais antigos, a geração de empregados nascidos depois de 1980 possui fortes expectativas quanto a maiores salários, melhores condições de trabalho e perspectiva de ascensão na carreira (Pun e Lu, 2010). Desde meados dos anos 2000, a escassez de mão de obra[3] elevou os salários e fortaleceu o poder dos trabalhadores no mercado, embora os ganhos resultantes

[3] Gu e Cai (2011) concluem que a fertilidade chinesa é atualmente de 1,6 filho por mulher, ante cerca de 2,5 filhos por mulher na década de 1980. Nos próximos anos, a quantidade de jovens trabalhadores de 20 a 24 anos atingirá o pico. Além disso, o censo populacional chinês de 2010

de um maior nível do salário mínimo estatal e as vitórias grevistas tenham sido minados pela inflação (Selden e Wu, 2011). Assim como outras fábricas que recebem investimento estrangeiro, a Foxconn ajusta os salários básicos e recruta majoritariamente adolescentes e jovens adultos para trabalhar nas linhas de montagem. "Mais de 85% dos empregados da Foxconn são trabalhadores migrantes rurais de 16 a 19 anos", segundo um gerente de recursos humanos de Shenzhen (entrevista, 14 de outubro de 2011). Comparativamente, os dados nacionais de 2009 mostravam que 42% dos migrantes rurais tinham entre 16 e 25 anos e outros 20% tinham entre 26 e 30 (China's National Bureau of Statistics, 2010).

Nos anos recentes, a Foxconn se adaptou às mudanças no mercado de trabalho local para empregar mais homens do que mulheres, já que havia menos mulheres jovens disponíveis[4], revertendo assim o padrão histórico de uma força de trabalho feminizada na indústria de eletrônicos. As estatísticas da companhia mostram que os empregados do sexo masculino cresceram de 59% para 64% entre 2009 e 2011 (Foxconn Technology Group, 2012e, p. 12). Esse trabalho é empregado numa rede de produção cuja competitividade de mercado é fortalecida pela integração vertical, coordenação flexível entre diferentes instalações e montagem contínua de 24 horas. Produz componentes de hardware e realiza serviços de montagem para um grande número de companhias globais, sendo a Apple sua maior cliente (Chan, 2013).

## A relação comercial Apple-Foxconn

Apple, Foxconn e trabalhadores chineses são partes interessadas (*stakeholders*) da produção de alta tecnologia, mas as relações entre elas são altamente desiguais. A Apple Computer (posteriormente Apple Inc.) foi incorporada em 1977 e tem sede em Cupertino, no Vale do Silício (Califórnia). Desde seus primeiros anos, ela terceirizou a maior parte do processamento, montagem e embalagem dos componentes. Em 1981, a Apple, que tinha inicialmente produzido seus próprios computadores, começou a contratar fábricas *offshore* em Singapura, junto com contratantes de montagem final *onshore*, para intensificar a produção dos computadores Apple II (Ernst, 1997, p. 49-52). Em 1982, o ex-CEO da Apple, Mike Scott, comentou: "Nosso negócio era fazer o design, educar e fazer o marketing. Eu achava que a Apple deveria fazer o mínimo de trabalho possível... E deixar as subcontratadas se virarem com os problemas" (Ernst, 1997, p. 49). Nos anos 1990, a Apple, a Lucent, a Nortel, a Alcatel e a Ericsson "venderam a maior parte, senão

mostrou que a faixa etária de 0 a 14 anos compreendia 16,6% do total da população, 6,29% menor em comparação com os dados do censo de 2000.

[4] O National Bureau of Statistics registrou que o desequilíbrio de gênero atingiu a marca de 119:100 em 2009, antes de baixar levemente para 118:100 em 2010. Os dados de 2011 registram 117,8 bebês do sexo masculino para cada 100 do sexo feminino.

toda, da sua capacidade de produção própria – tanto interna quanto externa – para um quadro de grandes e altamente capacitados empregadores industriais sediados nos Estados Unidos, entre eles Solectron, Flextronics, Jabil Circuit, Celestica e Sanmina-SCI" (Sturgeon et al., 2011, p. 236). Hoje, a Apple tem um complexo próprio de produção do Macintosh em Cork, na Irlanda (Apple, 2013).

Se as vantagens competitivas da Apple residem na combinação de liderança corporativa, inovação tecnológica, design e marketing (Lashinsky, 2012), seu sucesso financeiro é inseparável de sua rede globalmente dispersa de fornecedores, localizados sobretudo na Ásia. A gerência eficiente da produção por fornecedores, inclusive montadores finais, é essencial para seu crescimento. O relatório anual de 2012 da Apple, enviado para a Comissão Norte-Americana de Segurança e Comércio, descreve um desafio para esse negócio altamente rentável:

> Substancialmente todos os produtos de hardware da companhia são manufaturados por parceiros terceirizados que estão localizados principalmente na Ásia. Atualmente uma concentração significativa dessa manufatura é realizada por uma pequena quantidade de parceiros terceirizados, com frequência em locações únicas. Alguns desses parceiros terceirizados são as únicas fontes de fornecimento de componentes e manufaturados de muitos dos produtos da companhia. (Apple, 2012a, p. 7)

A Apple identifica a concentração de sua base manufatureira em "locações únicas" e nas mãos de "uma pequena quantidade de parceiros terceirizados" como um risco potencial. No entanto, analistas observaram que, "por causa de seu volume" – e de sua agressividade –, "a Apple consegue grandes descontos em peças, capacidade de produção e frete aéreo" (Satariano e Burrows, 2011). Entrevistas de grupo com dois gerentes de produção de nível intermediário em Shenzhen, cidade industrial da Foxconn, revelam que, durante a crise global de 2008-2009:

> [a] Foxconn cortou preços de componentes (tais como conectores e quadros de circuitos impressos) e montagem para manter pedidos de grandes volumes. As margens de lucro foram cortadas. Mas a linha do fundo do poço foi mantida, isto é, a Foxconn não registrou perda no contrato do iPhone. [Como?] Cobrando uma recompensa por serviço de engenharia customizada e garantia de qualidade. A evolução dos iPhones se baseou em parte nas análises de pesquisa e sugestões construtivas de nossos engenheiros de produção. (Entrevistas, 10 e 19 de novembro de 2011)

Em 2009, na esteira da recessão, o governo chinês congelou o salário mínimo em todo o país. A Foxconn ajustou-se ao arrocho da Apple e de outros clientes corporativos, enquanto continuava a reduzir despesas de trabalho, inclusive salários (principalmente horas extras) e benefícios (entrevista, 9 de novembro de 2011).

As margens de operação da Foxconn – a proporção de dividendos restantes após o pagamento dos custos de operação, tais como salários, matérias-primas e gastos administrativos – têm declinado de forma constante nos últimos seis anos, de 3,7% no primeiro trimestre de 2007 para apenas 1,5% no terceiro trimestre de 2012, mesmo com o aumento do total de dividendos no mesmo período com o crescimento dos pedidos (Figura 1)[5]. Em contraste, as margens de operação da Apple atingiram um pico de 39,3% no começo de 2012, partindo de níveis iniciais de 18,7% em 2007. As mudanças indicam a crescente capacidade da Apple de pressionar a Foxconn a aceitar margens mais baixas, enquanto esta se acomoda às demandas da Apple em relação a mudanças técnicas e grandes pedidos. As margens da Foxconn são constantemente espremidas por gigantes tecnológicos, entre os quais, mas não apenas, a Apple. Enquanto a Foxconn tem expandido suas fábricas no interior da China (e outros países), os custos de expansão e salários crescentes têm impactado ainda mais os dividendos.

**Figura 1: Margens operacionais: Apple e Foxconn comparadas 2007-2012***

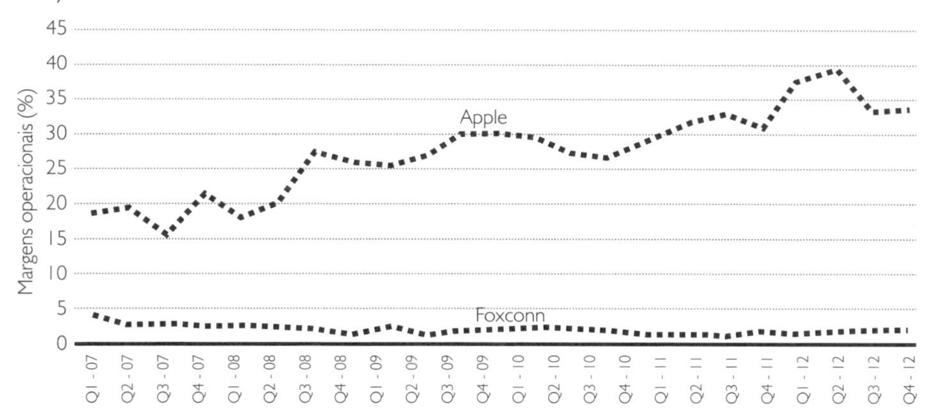


Fonte: Q1 2007 a Q3 2011, ver Bloomberg (2012); Q4 2001 a Q3 2012, ver Wikinvest (2013) para Apple; Q4 2011 a Q3 2012, ver Foxconn Technology Group (2012a; 2012b; 2012c; 2012d)

* Dados de janeiro de 2007 a setembro de 2012 são resultados não consolidados para a Foxconn. A partir do Q4 2012, a Foxconn anunciou resultados consolidados.

Doze grandes grupos de negócios dentro da Foxconn competem em "velocidade, qualidade, engenharia de serviço, eficiência e valor agregado" para maximizar os lucros (Foxconn Technology Group, 2009, p. 8). "Dois 'grupos empresariais da Apple' – IDPBG (Integrated Digital Product Business Group) e IDSBG (Innovation Digital System Business Group) – foram as estrelas ascendentes nestes últimos anos", declarou um gerente de produção da Foxconn de Chengdu.

[5] As receitas ou vendas líquidas da Foxconn aumentaram de 51,8 bilhões em 2007 (Foxconn Technology Group, 2009, p. 11) para 131 bilhões em 2012 (Foxconn Technology Group, 2013b). Durante o mesmo período, as vendas líquidas da Apple dispararam de 24,6 bilhões (Apple, 2011, p. 24) para 156,5 bilhões (Apple, 2012a, p. 24).

> O IDPBG foi criado em 2002. No começo, era apenas um pequeno grupo de negócios que cuidava dos contratos da Apple. Nós montávamos Macs e os enviávamos para as lojas de varejo da Apple nos Estados Unidos e em outros lugares. Posteriormente, recebemos mais pedidos de Macs e iPods da Apple. Em 2007, começamos a montar a primeira geração de iPhones. Desde 2010, também empacotamos iPads, em Shenzhen e nas novas fábricas de Chengdu. (Entrevista, 6 de março de 2011)

O IDPBG é responsável atualmente por algo entre 20% e 25% dos negócios da Foxconn. Para incrementar a competitividade, o fundador e CEO da Foxconn, Terry Gou, criou o IDSBG em 2010, quando a companhia ganhou os contratos do iPad. O IDSBG agora produz principalmente Macs e iPads, contribuindo com um montante de 15% a 20% dos lucros da empresa. "Aproximadamente 40% dos lucros da Foxconn são da Apple, sua maior cliente" (entrevista, 10 de março de 2011).

Dedrick e Kraemer (2011, p. 303) descobriram que empresas de computação atualmente "mantêm relacionamentos de longa duração" com seus principais contratantes, mas em alguns momentos transferem os contratos para aqueles que podem oferecer melhor qualidade, custo mais baixo ou mais recursos. O vice-presidente da Foxconn, Cheng Tianzong, disse a jornalistas: "Alguns grandes clientes estão muito preocupados com os suicídios de funcionários da Foxconn, mas muitos são nossos parceiros de longa data. Então isso não afeta as encomendas da Foxconn" (citado em Zhao, 2010). No entanto, logo após a onda de suicídios nas fábricas da Foxconn na primavera de 2010, a Apple transferiu algumas encomendas de iPhones e iPads à Pegatron para diversificar os riscos, segundo um gerente de mercadorias da fábrica de Chengdu (entrevista, 13 de março de 2011). A Apple aumentou o controle sobre a Foxconn ao repartir os contratos com a Pegatron, de propriedade taiwanesa. Essa diversificação mostra as assimetrias de poder entre a Apple e seus produtores, na medida em que a Foxconn e outras empresas buscam preservar posições de mercado como produtoras de iPhones e iPads.

A Apple (2013) obtém produtos e serviços "em prazos apertados" e "a um custo que representa o melhor valor possível" para seus clientes e acionistas. A Figura 2 mostra a distribuição de valor do iPhone entre a Apple e seus fornecedores. A força da Apple é bem ilustrada por sua habilidade para capturar extraordinários 58,5% do valor do iPhone, apesar de a manufatura de seu produto ser inteiramente terceirizada. Particularmente notável é que os custos do trabalho na China respondam pelo menor pedaço, apenas 1,8%, ou cerca de US$ 10 dos US$ 549 cobrados pelo iPhone no varejo. Esse inevitável movimento de redução de custos e maximização dos lucros é a fonte da pressão sobre os trabalhadores chineses empregados pela Foxconn, muitos dos quais produzindo produtos com a assinatura Apple. Enquanto Apple e Foxconn espremem os trabalhadores chineses e demandam jornadas de trabalho de doze horas para atender à demanda, os custos do trabalho chinês para processar e montar são praticamente invisíveis no sucesso mais amplo que aparece nos balanços da Apple. Outros grandes fornecedores de componentes (tais como Samsung e LG) capturaram mais de 14% do valor do iPhone. O custo das matérias-primas estava um pouco acima de um quinto do valor total (21,9%).

Representantes da Apple e outros grandes clientes monitoram regularmente os processos de qualidade na planta e o tempo de produção para o mercado. Um gerente de produção de nível intermediário da Foxconn lembrou: "Desde 2007, a Apple tem enviado gerentes de engenharia para trabalhar nas fábricas da Foxconn de Longhua e Guanlan, em Shenzhen, para supervisionar nosso desenvolvimento do produto e trabalho de montagem" (entrevista, 29 de novembro de 2011).

**Figura 2: Distribuição do valor do iPhone, 2011**

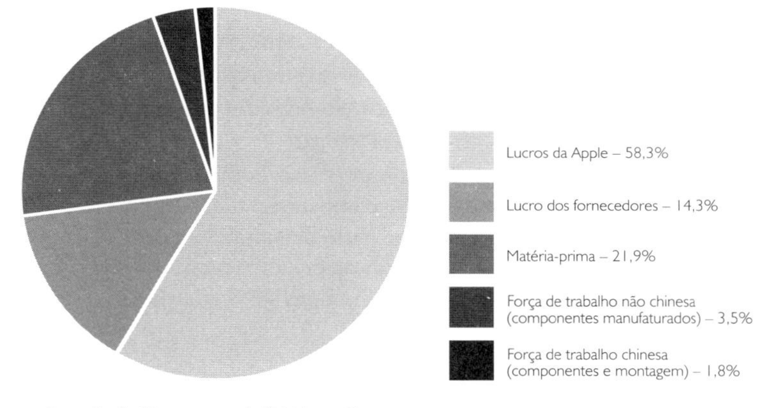


Fonte: adaptado de Kraemer et al. (2011, p. 5)

Um gerente de recursos humanos da Foxconn forneceu este relato testemunhal sobre o trabalho de supervisão da Apple:

> Quando Steve Jobs, CEO da Apple, decidiu remendar a tela para tornar mais resistente o vidro do iPhone quatro semanas antes do prazo para ser mandado às prateleiras das lojas, em junho de 2007, foi necessário fazer uma vistoria da montagem e acelerar a produção na fábrica de Longhua, em Shenzhen. Naturalmente, o código da Apple para os fornecedores sobre segurança do trabalhador e do local de trabalho, bem como as leis trabalhistas chinesas, foram todos deixados de lado. Em julho de 2009, isso causou um suicídio. Quando Sun Danyong, de 25 anos de idade, foi apontado como responsável pela perda de um dos protótipos do iPhone 4, ele pulou do 12º andar para a morte. Não apenas o curto prazo de entrega mas também a cultura do sigilo e a abordagem de negócios da Apple, centrada na criação de uma grande surpresa no mercado, dessa forma acrescentando valor de venda aos seus produtos, criaram pressões extremas que foram transferidas aos fornecedores e trabalhadores chineses. (Entrevista, 7 de março de 2011)

A atenção com os detalhes de aquisição e produção, inclusive mudanças de último minuto no design do produto e controle rígido dos preços, asseguram lucros tremendos para a Apple mediante terceirização. A política de compra e comercialização adotada pela Apple, a "cadeia de transmissão", entra em conflito diretamente com seus próprios padrões de trabalho para a cadeia de suprimento e a lei chinesa. Rastreando as demandas ao redor do mundo, a Apple ajusta seus prognósticos de produção diariamente. Como diz o CEO da Apple, Tim Cook: "Ninguém quer comprar leite estragado" (citado em Satariano e Burrows, 2011); "Inventário... é basicamente o mal. Você precisa gerenciá-lo como se fosse um negócio de laticínios: se o produto passa da data de validade, você está com um problema" (citado em Lashinsky, 2012, p. 95). A racionalização da cadeia de suprimento global de acordo com o princípio de eficiência do mercado e da "corrida contra o tempo" são os objetivos da Apple. Consequentemente, horas extras excessivas nas montadores finais e em outros fornecedores tornam-se necessárias para atender ao aumento da agenda de trabalho. Duas grandes fontes de pressão sobre o tempo de produção comumente sentidas pelos trabalhadores fabris e logísticos são bem documentadas pela Apple:

> Historicamente a companhia registra maiores vendas líquidas em seu primeiro trimestre fiscal (de setembro a dezembro), em comparação com os outros trimestres de seu ano fiscal, o que se explica, em parte, pela demanda sazonal dos feriados. A sincronização, real ou antecipada, da introdução de novos produtos pela companhia também pode ter um impacto significativo no nível de vendas líquidas registradas pela companhia em qualquer trimestre. (Apple, 2012a, p. 8)

Em um raro momento de sinceridade, Louis Woo, assistente especial do CEO da Foxconn, deu explicações para um programa de TV estadunidense em abril de 2012 sobre as pressões da Apple ou Dell:

> O problema das horas extras... Quando uma companhia como Apple ou Dell precisa incrementar a produção em 20% para o lançamento de um novo produto, a Foxconn tem duas opções: contratar mais trabalhadores ou aumentar a carga horária para os trabalhadores que [ela] já tem. Quando a demanda é muito alta, é muito difícil contratar 20% de pessoas a mais imediatamente. Especialmente quando você tem 1 milhão de trabalhadores – isso significaria contratar 200 mil pessoas de uma vez. (Citado em Marketplace, 2012)

O domínio de empresas gigantescas de tecnologia, notadamente a Apple, em termos de estabelecimento de preços, vigilância do processo de produção no local de trabalho, cronometragem da entrega dos produtos etc., tem profundas consequências sobre o processo de trabalho. A vantagem competitiva da Foxconn, base para assegurar contratos com a Apple e outras multinacionais de marca, articula-se a sua habilidade para manter a flexibilidade. A megafábrica tem de reorganizar em pouco tempo suas linhas de produção, pessoal e logística para ser capaz de responder às demandas. Enquanto fornecedores transnacionais como a Foxconn têm crescido rapidamente com "desenvolvimento interno e aquisição" (Sturgeon et al., 2011, p. 235), sua busca por lucros e melhores posições nas cadeias de valor globais tende a seguir o mesmo padrão: a emergência de poderosos "criadores de mercados", ou firmas líderes, em suas redes de fornecedores (Hamilton et al., 2011, p. 235). Os resultados na manufatura competitiva têm sido condições de trabalho coercivas e relações de trabalho litigiosas, terreno para o qual nos voltamos agora.

## Ações coletivas dos trabalhadores chineses

A Foxconn possui complexos fabris não apenas em Shenzhen e em todas as quatro principais municipalidades chinesas de Pequim, Xangai, Tianjin e Chongqing mas também em quinze províncias em todo o país (Figura 3). A Foxconn Taiyuan, no Norte da província de Shanxi, com 80 mil trabalhadores, é especializada em processamento metálico e montagem. Produz estojos de iPhone e outros componentes na cadeia ascendente de suprimentos e envia os produtos semifinalizados para Zhengzhou, um complexo maior da Foxconn localizado na província vizinha de Henan, para a montagem final. Em 2012, a sutil mudança nos requerimentos de produção do iPhone 4 para o iPhone 5 e a aceleração necessária para atender aos prazos de entrega da Apple colocaram os trabalhadores sob forte pressão. No entanto, o regime de produção firmemente integrado conferiu poder aos trabalhadores, habilitando-os a demonstrar sua força coletiva na luta por seus interesses.

**Figura 3: Complexos fabris da Foxconn na Grande China**

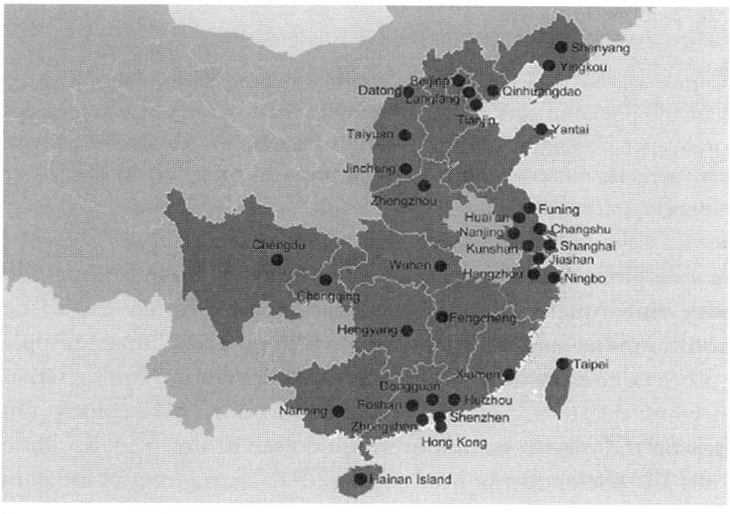

Fonte: Foxconn Technology Group (2013a).

A fábrica da Foxconn Taiyuan irrompeu em protestos em 23-24 de setembro de 2012. "Por volta de 23 horas do dia 23 de setembro de 2012", um trabalhador de vinte anos de idade relatou que "um grupo de seguranças espancou dois trabalhadores porque eles não conseguiram mostrar seus documentos de identidade para as suas equipes. Eles os chutaram até derrubá-los" (entrevista, 26 de setembro 2012). No dormitório masculino, trabalhadores que estavam passando foram alertados por gritos na escuridão. Uma testemunha ocular disse: "Nós xingamos os seguranças e pedimos que parassem. Éramos mais de trinta, então eles fugiram" (entrevista, 27 de setembro de 2012).

Logo após, um pelotão de cinquenta seguranças marchou em direção ao dormitório, enfurecendo os trabalhadores reunidos em assembleia. À meia-noite, dezenas de milhares de trabalhadores destruíram os escritórios da segurança, instalações de produção, ônibus, motocicletas, carros, lojas e cantinas do complexo fabril. Outros quebraram janelas, derrubaram cercas da empresa e pilharam supermercados e lojas de conveniência da fábrica. Os trabalhadores também viraram e incendiaram viaturas da polícia. O chefe de segurança da companhia usou o sistema de som de um carro de patrulha para se dirigir aos trabalhadores e ordenar que parassem as "atividades ilegais". A situação estava saindo do controle, cada vez mais trabalhadores se juntavam à multidão furiosa.

Por volta das três horas, oficiais do governo, batalhões de choque, forças especiais de segurança e equipes médicas estavam a postos na fábrica. Trabalhadores usaram celulares para enviar imagens ao vivo aos canais locais de TV. Nas duas horas seguintes, a polícia conteve a agitação dos trabalhadores, deteve os mais exaltados e assumiu o controle dos portões. A fábrica anunciou um dia de folga especial para todos os trabalhadores da produção na segunda-feira, 24 de setembro. Um trabalhador de 21 anos lembrou:

> Nós reivindicamos salários mais altos e melhor tratamento. Na minha opinião, o protesto foi causado por condições de trabalho muito insatisfatórias. Os abusos dos seguranças foram apenas a fagulha. Nos dois últimos meses, nós não tivemos direito nem mesmo a ausências remuneradas quando ficamos doentes. (Entrevista, 20 de setembro de 2012)

Com a demanda global dos consumidores pelo novo iPhone 5 atingindo o pico, os atrasos de embarque eram uma preocupação para a Apple. Em 21 de setembro de 2012 (oito meses após o lançamento do iPhone 4 na China), a Apple lançou o iPhone 5 e vendeu mais de 5 milhões de unidades em um fim de semana. O CEO Tim Cook declarou: "Estamos trabalhando duro para colocar um iPhone 5 nas mãos de todos os consumidores que quiserem um o mais rápido possível" (Apple, 2012b). Ciclos de produção cada vez mais apertados pressionaram os trabalhadores e a equipe de administração de tal forma que os trabalhadores da

Foxconn Taiwan não podiam nem mesmo tirar um dia de folga durante a semana, e os doentes eram obrigados a continuar a trabalhar.

Para justificar o uso de força paramilitar, a Foxconn culpou os trabalhadores, alegando que eles estavam brigando. Na declaração da companhia, lê-se:

> Uma disputa pessoal entre vários empregados degringolou em um incidente envolvendo cerca de 2 mil trabalhadores. O motivo dessa disputa está sendo investigado pelas autoridades locais e nós estamos trabalhando com elas, mas parece que não foi algo relacionado com o trabalho. (Citado em Nunns, 2012)

A causa subjacente é que os trabalhadores são sujeitados a um regime de gerenciamento opressivo, que os leva a atender demandas extremas de produção (Ruggie, 2012). A Foxconn, a Apple e muitas outras empresas multinacionais, assim como o governo chinês, têm mostrado até hoje pouco interesse em compreender a relação direta entre as práticas de compra das companhias e os problemas no local de trabalho. "No chão de fábrica", um trabalhador de dezoito anos nos informou: "A postura do supervisor da seção de processamento de metais é muito ruim... Nós estamos sendo coagidos a atender prazos de produção extremamente apertados" (entrevista, 29 de setembro de 2012). A investigação da "disputa pessoal" realizada pelos líderes da Foxconn os levou a desviar o olhar das condições de trabalho no chão de fábrica.

Em menos de duas semanas, em 5 de outubro de 2012, mais de 3 mil trabalhadores da Foxconn em Zhengzhou protestaram coletivamente contra o controle excessivamente rígido sobre a qualidade de produção na linha de montagem na Zona K. Do final de setembro ao começo de outubro de 2012, consumidores nos Estados Unidos e em outros lugares reclamaram de riscos nas telas de um lote do novo iPhone 5, levando a investigações de controle de qualidade na fábrica da Foxconn em Zhengzhou. De acordo com relatos, novos padrões de qualidade para defeitos de aparência que não excedessem 0,02 mm no iPhone 5 causaram dores de cabeça e cansaço visual aos trabalhadores. Enquanto os trabalhadores eram penalizados por não terem atendido aos novos padrões, houve brigas na tarde da sexta-feira entre trabalhadores e líderes de turma do controle de qualidade, resultando em lutas grupais e ferimentos.

Gerentes de produção gritaram com os trabalhadores de linha de montagem e ameaçaram demiti-los, se não "cooperassem e se concentrassem no trabalho". Li Meixia (pseudônimo) postou em seu microblog (Sina) que ela e seus colegas de trabalho estavam irritados e se retiraram da oficina. Em resposta, outro trabalhador postou uma declaração, a qual foi rapidamente removida em 6 de outubro:

> Não tivemos feriado durante as celebrações do Dia da Pátria e agora somos obrigados a consertar produtos defeituosos. A nova exigência de nível de precisão [da estrutura

de tela do iPhone 5] medida em 2 centésimos de milímetro não pode ser detectada por olho humano. Nós usamos microscópios para checar a aparência do produto. É incrivelmente rígido.

No processo de manufatura dos estojos, os trabalhadores eram ainda instruídos a usar equipamentos de proteção para prevenir arranhões no ultrafino iPhone 5, e a atenção aos mínimos detalhes em ritmo acelerado foi e é uma importante fonte de estresse, de acordo com os relatos. A greve em uma oficina paralisou dezenas de linhas de produção nas zonas K e L. Gerentes ameaçaram demitir as lideranças grevistas, e os chefes de turma do controle pediram que os trabalhadores do turno noturno aderissem aos rigorosos padrões de qualidade. A curta greve não alcançou a demanda dos trabalhadores por um intervalo razoável.

Dada a natureza dos sindicatos (Traub-Merz, 2012) e os rígidos controles da empresa tanto nas fábricas quanto nos dormitórios, os trabalhadores da Foxconn em Taiyuan e Zhengzhou não se organizaram transversalmente entre as fábricas, em escala mais ampla e de modo coordenado. No entanto, começaram a adquirir habilidades de comunicação pública e tomar consciência da necessidade de lutas conjuntas para conquistar direitos básicos. Logo após o protesto de setembro de 2012, um trabalhador, de 21 anos de idade e dois anos de experiência na Foxconn de Taiwan, escreveu uma carta aberta ao CEO da Foxconn, Terry Gou, e a fez circular em blogs:

> Carta ao CEO da Foxconn, Terry Gou.
>
> Se você não quer ser mais uma vez acordado bruscamente de seu sono profundo,
> Se você não quer ter de pegar um avião às pressas,
> Se você não quer ser mais uma vez investigado pela Associação de Trabalho Decente [Fair Labor Association],
> Se você não quer que sua companhia seja chamada mais uma vez de moedor de gente [*sweatshop*],
> Por favor, use o seu resto de humanidade para nos ver.
> Por favor, permita-nos um último resto de autoestima.
> Não deixe seus capangas caçarem nossos corpos e pertences,
> Não deixe seus capangas assediarem as trabalhadoras,
> Não deixe seus lacaios enxergarem os trabalhadores como inimigos,
> Não repreenda, ou pior, não bata nos trabalhadores por um erro de nada.[6]

No cenário densamente povoado da fábrica-dormitório, muitos trabalhadores migrantes rurais, alguns com dezesseis ou dezessete anos de idade, falaram de seu envolvimento nos protestos trabalhistas coletivos (Pun e Chan, 2013). Se a

[6] A carta foi traduzida pelos autores.

linguagem das greves e da participação dos trabalhadores é nova para alguns, não o é para outros. É ilustrativo o relato de uma trabalhadora adolescente na fábrica de Longhua, em Chenzhen:

> Eu não sabia o que era uma greve. Um dia meus colegas pararam de trabalhar, saíram da oficina e se reuniram no pátio. Eu os segui. Eles estavam contestando a subnotificação das horas extras, realizadas com consequente sub-remuneração dos trabalhadores. Passada boa parte do dia, o gerente de recursos humanos concordou em analisar os problemas e prometeu pagar os salários, se fosse comprovado erro da companhia. À noite, no dormitório, nossa "grande irmã" me explicou que eu havia participado de uma greve! (Entrevista, 15 de outubro de 2011)

As greves espontâneas e os protestos trabalhistas na Foxconn fazem parte de um espectro mais amplo de ações trabalhistas realizadas por toda a China nas últimas décadas (Pringle, 2013). A carta aberta dos trabalhadores taiwaneses para o CEO da Foxconn, Terry Gou, termina da seguinte maneira:

> Você deveria compreender que, trabalhando nas suas fábricas,
> Os trabalhadores vivem no degrau mais baixo da sociedade chinesa,
> Suportando a maior intensidade de trabalho,
> Ganhando o menor salário,
> Aceitando a regulação mais dura.
> E sofrendo discriminação em todo lugar.
> Mesmo que você seja o patrão, e eu um trabalhador:
> Eu tenho o direito de falar com você em pé de igualdade.

O sentido no qual a palavra "direito" é usada não se restringe àquele do direito legal. Os trabalhadores chineses querem negociar com os empregadores "em pé de igualdade". Estão reclamando tratamento digno e respeito no trabalho.

## Conclusão

Marx e Engels (2010, p. 43) analisaram o impulso irresistível do capital para criar novos mercados globais: "As velhas indústrias nacionais foram destruídas e continuam a ser destruídas diariamente. São suplantadas por novas indústrias [...]. Ao invés das antigas necessidades, satisfeitas pelos produtos nacionais, surgem novas demandas [...]". Produção, distribuição e consumo devem continuar eternamente, se lucros tiverem de ser alcançados e capital tiver de ser acumulado. Barreiras ao comércio devem ser reduzidas drasticamente em todos os níveis. No século XXI, os eletrônicos de consumo cresceram a ponto de se tornarem uma das indústrias de liderança global, e o trabalho chinês é central para seu desenvolvimento. Lançamentos cada vez mais rápidos de produtos, em ciclos cada vez mais curtos de finalização, colocam novas pressões sobre os trabalhadores terceirizados da rede de produção da Apple. Nos locais de trabalho, os prazos de entrega muito breves impostos pela Apple e outras multinacionais tornam difícil para os fornecedores se ajustarem aos limites legais de tempo de trabalho. Pressões de preço levam as firmas a comprometer a saúde e a segurança dos trabalhadores, bem como o pagamento decente. Na ausência de direitos trabalhistas fundamentais dentro do regime de produção global sustentado pela Apple e sua principal fornecedora, a Foxconn se tornou uma preocupação central para os trabalhadores chineses migrantes rurais, que estão no centro do setor de mais rápido crescimento da nova classe de trabalhadores industriais.

A integração de produtores asiáticos nas redes de produção global e regional, as agendas de entrega muito apertadas para produtos cobiçados e a crescente escassez de jovens trabalhadores como consequência das mudanças demográficas na China são fatores que aumentam o poder de barganha dos trabalhadores. A ascensão do "capitalismo neoliberal global" criou "oportunidades para a contra-organização" (Evans, 2010, p. 352), como atesta a ascensão de movimentos trabalhistas transnacionais e campanhas globais anti-*sweatshops*. Com trabalhadores conscientes das oportunidades apresentadas pela demanda da Apple e outros gigantes tecnológicos para o cumprimento de cotas de novos modelos e temporadas de compras relacionadas aos feriados, eles, os trabalhadores, juntam-se em dormitórios, oficinas ou fábricas para manifestar suas demandas. Tecnologias de internet e redes sociais permitem que eles disseminem cartas abertas e apelos urgentes por apoio (Qiu, 2009). A questão que permanece é saber se os trabalhadores conseguirão conquistar o direito à liberdade de associação e finalmente fortalecer um nascente movimento trabalhista que seja capaz de desafiar o modelo capitalista de produção.

A reação dos trabalhadores e da sociedade civil é um contrapeso histórico ao capital global, no Ocidente e no Oriente. Sob pressão pública, em fevereiro de 2013, a Foxconn declarou que os trabalhadores teriam eleições diretas para líderes sindicais. Se o sistema for implementado de forma justa, e se os sindicatos forem organizados para defender os direitos consagrados tanto na legislação sindical chinesa como nas leis trabalhistas contratuais e nas convenções internacionais, haverá um impacto sobre a balança de poder entre gerência e trabalhadores. No presente, a vasta força de trabalho na Foxconn e outros locais de trabalho está lutando para expandir direitos sociais e econômicos, passando por cima dos sindicatos controlados pelas empresas e pelo Estado. Uma nova geração de trabalhadores, sobretudo trabalhadores rurais, está se levantando para defender seus direitos e dignidade. A ação direta dos trabalhadores tem sido percebida por lideranças políticas e elites como tão ameaçadora da estabilidade social que o governo e os empregadores foram forçados a garantir certas concessões políticas e propor aumento dos salários mínimos. O Estado chinês também está tentando aumentar o consumo doméstico e, consequentemente, o padrão de vida, em parte como resposta à luta de trabalhadores e fazendeiros (Hung, 2009; Carrillo e Goodman, 2012). Apple e Foxconn se encontram sob a luz de holofotes que desafiam sua imagem corporativa e seu capital simbólico, exigindo pelo menos um trabalho de convencimento em prol de reformas trabalhistas progressistas. Se a nova geração de trabalhadores chineses for bem-sucedida na construção de sindicatos autônomos e organizações de trabalhadores, sua luta moldará o futuro do trabalho e da democracia não apenas na China mas em todo o mundo.

# 3
# A expropriação do tempo no capitalismo atual[1]

*Renán Vega Cantor*

Não tenha medo do sagrado e dos sentimentos, dos quais o laicismo consumista privou os homens, transformando-os em brutos e estúpidos autômatos adoradores de fetiches.

*Pier Paolo Pasolini,* Cartas luteranas

Caminhamos em silêncio. Num desses silêncios que são a melhor forma de comunicação.

*Luis Sepúlveda,* Mundo del fin del mundo

Neste capítulo, analisaremos uma parte crucial da expropriação dos bens comuns no mundo atual pelo sistema capitalista, mas sobre a qual pouco se reflete. Referimo-nos à expropriação do tempo da maior parcela dos seres humanos. Começaremos a exposição recordando brevemente que a expropriação inicial do tempo, quando surgiu o capitalismo industrial, estava relacionada à transformação de camponeses e artesãos em trabalhadores assalariados e limitava-se ao âmbito fabril. Em seguida, consideraremos as características gerais da expropriação do tempo em nossa época, destacando o papel das tecnologias da informação e comunicação. Por último, a partir dessa análise geral, apresentaremos o balanço de alguns aspectos emblemáticos da expropriação do tempo, tal como os supermercados, a sesta*, a noite, o *fast-food*, a memória e a história.

A respeito do papel das novas tecnologias da informação (NTI), é valido destacar que se enfatiza o papel que desempenharam como um fator importante, segundo a lógica do capital, de expropriar o tempo dos trabalhadores, tanto dentro como fora do âmbito laboral. Como esse é o objetivo prioritário deste ensaio,

---

[1] Tradução de Nathalia Cerri.

* O autor refere-se ao período de descanso após o almoço, praticado na maioria dos países hispânicos. (N. T.)

não consideraremos as múltiplas e contraditórias possibilidades dessas NTI como meio de comunicação e difusão de informação; isso merece outro tipo de estudo, que está fora do tema aqui proposto.

## Primeiros momentos do capitalismo industrial

Em um primeiro momento, a expropriação do tempo no capitalismo global dizia respeito preferencialmente aos trabalhadores em seu âmbito laboral, porque se tratava de converter os antigos camponeses e artesãos que controlavam seu tempo (algo muito diferente do tempo abstrato do capitalismo, regido pelo relógio), com seus ritmos lentos e pausados, no qual a atividade produtiva se misturava às festas, ao calendário religioso, ao Carnaval, ao descanso e à vida em comum. Os trabalhadores resistiram nesse primeiro momento, fugindo e abandonando os postos de trabalho, proclamando de maneira implícita o "direito à preguiça", um princípio prioritário na resistência à proletarização.

Quando o capitalismo conseguiu criar a primeira geração de trabalhadores assalariados, disciplinou-os segundo seus interesses de valorização e geração de lucros e começou a guiar-se pela célebre máxima "Tempo é dinheiro". Nesse segundo momento, os trabalhadores já haviam sido submetidos e não lutavam mais contra o novo ritmo temporal (o ritmo do cronômetro), mas a favor da diminuição do tempo de trabalho, o que indica que esse novo ritmo abstrato e vertiginoso do capital já havia sido aceito.

Um componente fundamental da luta histórica dos trabalhadores em todo o mundo, quando já haviam assumido sua condição de assalariados, foi concentrar-se em projetar a separação entre o tempo de trabalho no âmbito fabril – e, consequentemente, em todos os espaços de trabalho (escritórios, escolas, hospitais...) – e o restante do tempo, na qual se expressou a luta pelos três "oitos" (oito horas de trabalho, oito horas de estudo e oito horas de descanso).

Essa luta levou a importantes mobilizações e a conquistas épicas da classe trabalhadora, das quais a mais relevante, por seu simbolismo, é o Primeiro de Maio. Com essa celebração, arrancava-se do capital um dia ao ano, no qual os trabalhadores não eram submetidos ao ritmo infernal de seu despotismo e podiam marchar, gritar, protestar ou desenvolver atividades próprias de seu cotidiano. Foi nesses espaços externos ao cenário da fábrica, ainda que relacionados a ele, que se geriu e construiu uma cultura trabalhadora. Essa cultura desfrutava seu tempo livre à sua maneira: jogando futebol, bebendo nos bares, criando bibliotecas populares, estimulando grupos contra o consumo de álcool, fomentando a publicação de livros, jornais e revistas de trabalhadores, organizando passeios em torno dos povoados e das cidades em companhia de amigos.

Durante toda a época do fordismo, os trabalhadores conseguiram manter a separação entre o tempo de trabalho e o tempo de ócio. Inclusive, na época do Estado de bem-estar social e de suas diversas imitações em todo o mundo, os trabalhadores obtiveram como uma de suas conquistas fundamentais o direito de desfrutar de férias durante algumas semanas do ano. Para fazer frente a essa realidade, o capitalismo começou a mercantilizar o tempo livre dos trabalhadores e a transformá-lo em tempo de ócio, estimulando o consumo individual e familiar e fazendo esse tempo ser regido pela lógica do capital, para que, por exemplo, as férias fossem desfrutadas em hotéis, balneários ou praias, nos quais se desenvolve uma atividade mercantil que gera lucros. Por essa razão, Herbert Marcuse assinala que a uma sociedade livre corresponde um tempo livre e a uma sociedade repressiva um tempo de ócio.

## Generalização da expropriação do tempo

No mundo contemporâneo, a expropriação do tempo estendeu-se a todos os âmbitos da vida e não se limita, como antes, ao âmbito do trabalho. No capitalismo atual, a expropriação do tempo da vida expressa-se, de maneira paradoxal, na *falta de tempo*. Isso é ocasionado pelo culto da velocidade, pela aceleração de ritmos, pela dilatação dos trajetos nas cidades, pela incorporação das periferias urbanas mediante a generalização do automóvel, pelos engarrafamentos causados pelo excesso de veículos privados, pela transformação do ócio em mercadoria, pela onipresença escravizadora do celular, pela submissão à televisão, em frente da qual as pessoas passam boa parte de sua existência, pela ampliação da jornada de trabalho... Um ditado africano expressa de maneira contundente nossa falta de tempo: "Todo branco tem relógio, mas nunca tem tempo" (Chesneaux, 1996, p. 410).

Essa expropriação do tempo da vida está relacionada com a definição do poder em termos de controle do tempo alheio. Concretamente, segundo David Anisi:

> Todos partimos de uma igualdade básica. Independentemente de nossas coordenadas sociais, o dia tem 24 horas para todos. Tecnicamente, o tempo é algo impossível de produzir. Só o exercício do poder, ao nos apropriarmos do tempo dos outros, pode aumentá-lo. O poder se mede como a relação entre o tempo obtido dos outros e o tempo necessário para conseguir essa mobilização. (Anisi, 2006, p. 14)

Até agora, o capitalismo não havia conseguido expropriar o tempo de importantes setores da sociedade, se recordamos que "o tempo é o único recurso do qual podem dispor gratuitamente os que vivem na camada mais baixa da sociedade" (Senett, 2006, p. 14). Isso era aplicável a grande parte da população dos países periféricos e concernia também às pessoas que viviam nos territórios da antiga União Soviética e da Europa oriental. No caso dos nossos países, pobres e periféricos, somente interessavam ao capitalismo aquelas pessoas que se transformaram em trabalhadores assalariados, que eram potenciais consumidores de mercadorias materiais ou tinham direito a férias – como forma de expropriar seu tempo livre, convertido em tempo de ócio mercantil e comercializado na forma de pacotes turísticos. As pessoas mais pobres, que não podiam e não podem transformar-se em trabalhadores assalariados, que não têm dinheiro para consumir a vasta gama de mercadorias nem condições de viajar de férias, agora suportam a expropriação de seu tempo por meio, principalmente, do telefone celular, que se transformou num verdadeiro objeto de consumo de massa, tão onipresente hoje como os relógios de pulso. Todas as classes sociais usam celulares, ainda que diferentes em preço e qualidade, mas com a mesma finalidade de consumir tempo numa comunicação perpétua e, na maioria dos casos, desnecessária.

Assim também fazem os pobres, sem emprego e sem condições dignas de vida (sem escola, sem saúde, sem poder econômico, sem nenhuma perspectiva vital, presos em favelas, sem água potável...): eles investem o pouco que têm na compra de celulares ou cartões para fazer chamadas. Nesse sentido, podemos dizer que, hoje, nem mesmo os pobres podem dispor gratuitamente de seu tempo, pois têm sido expropriados e obrigados pelo capitalismo a usá-lo permanentemente para conversar ao celular ou para ver o lixo televisivo, com que não somente perdem seu tempo mas também geram lucros fabulosos para as corporações multinacionais que controlam e dirigem a economia dos telefones celulares.

No caso da antiga União Soviética e dos países da Europa oriental, as pessoas constatam a magnitude das mudanças ocorridas nos últimos vinte anos pelo "tempo perdido". Quando falam da época anterior a 1989-1991, concordam que sobrava tempo para ter amigos, fazer visitas, conversar e compartilhar. Hoje, não existe isso, porque o capitalismo tem imposto um ritmo frenético e veloz, e não há tempo para nada, nem para os amigos nem para desfrutar de alguma atividade cultural ou do gozo pessoal (ler, ver um filme, ir a um concerto ou ao teatro), algo que não somente era gratuito há um quarto de século, como mobilizava importantes setores da população.

Hoje o que predomina é o tempo quantitativo, vazio, homogêneo e abstrato, que se expressa, entre outras coisas, na generalização do lixo televisivo, ao mais puro estilo estadunidense. As bibliotecas estão vazias, a leitura e a compra de livros têm se reduzido dramaticamente. Em troca, a maior parte dos trabalhadores vive em péssimas condições, na busca diária de seu sustento, e um ritmo vertiginoso caracteriza sua existência pauperizada (ver Riechmann, 2006, p. 199 e seg.; Lewin, 2006, p. 478 e seg.).

Em síntese, com a universalização do capitalismo, o que vivemos hoje é a plena "subsunção da vida ao capital", o que significa que todos os aspectos da vida foram mercantilizados e submetidos à tirania do tempo abstrato. Em concordância com esse pressuposto, o capital rompeu a distância que separava do tempo do trabalho o tempo livre, ou o tempo da vida.

Isso foi conseguido com a utilização de múltiplas estratégias, entre as quais sobressai a flexibilização do trabalho, que não é mais do que a ampliação da jornada de trabalho e a volta de formas de exploração em que impera o mais-valor absoluto, a deslocalização de empresas para outros países e continentes, onde se podem submeter vastos contingentes de trabalhadores a ritmos infernais e prolongados de exploração diária (jornadas de quinze horas ou mais de trabalho) e, sobretudo, o emprego da tecnologia eletrônica e digital. Esse aspecto é tão crucial que merece ser tratado com algum detalhe.

Um primeiro dado, indicativo do fenômeno que comentamos, refere-se a um fato que contradiz os anúncios de alguns teóricos do trabalho, como André Gorz, que previam a redução do tempo de trabalho e o correlativo incremento do tempo livre e de ócio. Tem-se observado uma situação completamente oposta: um incremento inesperado do tempo de trabalho no mundo. Uma pessoa nascida em 1935 podia trabalhar 95 mil horas; previa-se para uma pessoa que nasceu em 1972 uma vida laboral de 40 mil horas; as pessoas recém-empregadas na primeira década do século XXI terão de trabalhar 100 mil horas (ver Berardi Bifo, 2007, p. 160). Toda uma vida de trabalho, no sentido literal do termo!

Se a esse fato acrescentarmos que um habitante médio dos Estados Unidos, onde o trabalho é uma doença, perde 1.500 horas do ano em seu automóvel (o que em 30 anos representa 45 mil horas), podemos compreender o predomínio do tempo não livre no capitalismo atual.

Da mesma maneira, a introdução de aparelhos microeletrônicos no âmbito do trabalho, em especial o telefone celular, tem rompido a separação entre o tempo de trabalho e o tempo livre ou, mais exatamente, o tempo de trabalho tem absorvido o tempo livre. Nesse caso, "o telefone celular tomou o lugar da cadeia de montagem na organização do trabalho cognitivo: o infotrabalhador deve ser ininterruptamente localizado e sua condição é constantemente precária" (Berardi Bifo, 2010, p. 27).

Ainda que não exista outro momento na história do capitalismo – como o das últimas décadas – em que se tenham exaltado tanto as liberdades individuais, o que temos na prática é que o tempo de trabalho se fragmentou e se parece cada dia mais com o trabalho escravo:

> Ninguém mais pode dispor de seu próprio tempo. O tempo não pertence aos seres humanos concretos (e formalmente livres), mas ao ciclo integrado de trabalho. Somente os desertores das escolas, os vagabundos, os fracassados, os ociosos desocupados podem dispor livremente de seu tempo. (Berardi Bifo, 2010, p. 27)

O que é mais significativo com relação à combinação do tempo de trabalho com o tempo livre é que as novas gerações de trabalhadores comumente a aceitam como algo normal, sobretudo os chamados trabalhadores cognitivos, porque concebem o trabalho como a parte mais importante da vida, e eles mesmos tendem a prolongar de maneira voluntária sua jornada de trabalho. Uma mudança antropológica e social tão importante se explica por múltiplas razões: a perda de vínculos humanos nas grandes cidades, onde os nexos entre as pessoas têm se convertido num envoltório morto e sem prazer; a mercantilização e o culto ao consumo como razão de ser da existência humana e dos trabalhadores, o qual se complementa com a crise dos projetos emancipatórios; o culto aos aparelhos tecnológicos como substitutos das relações com outros seres humanos; o êxito do capital em impor sua ideologia individualista, na qual as lutas coletivas se atenuam e se reduzem, e em alguns setores desaparecem, e na qual se enfatiza a questão do triunfo individual, que supostamente seria alcançado pela subordinação total aos interesses do capital. Em resumo:

> O efeito que se produziu na vida cotidiana durante as últimas décadas é o de uma dessolidarização generalizada. O imperativo da competência se tornou dominante no trabalho, na comunicação, na cultura, por meio de uma transformação sistemática do outro num competidor e até num inimigo. Uma máquina de guerra se esconde em todos os nichos da vida cotidiana. (Berardi Bifo, 2010, p. 87)

Como a lógica da mercantilização absoluta e do consumo se impôs como sinônimo de felicidade humana, as pessoas acreditam que devem trabalhar e endividar-se, ou seja, dedicar mais tempo ao trabalho, com a expectativa ingênua de ter mais dinheiro para comprar mais mercadorias que permitirão o desfrute do tempo livre. No entanto, o tempo livre está cada vez mais distante, precisamente porque uma vida não é suficiente para trabalhar tanto e conseguir dinheiro para pagar as dívidas que são feitas com a perspectiva de ter tempo livre algum dia. Assim:

> Quanto mais tempo dedicamos à aquisição de meios para poder consumir, menos tempo temos para poder desfrutar do mundo disponível. Quanto mais investimos nossas energias na aquisição de dinheiro, menos energia podemos investir no gozo [...]. Para ter mais poder econômico (mais dinheiro, mais crédito), é necessário empregar mais tempo no trabalho socialmente homologado. Mas isso supõe reduzir o tempo de gozo, de experimentação, de vida.
>
> A riqueza entendida como gozo diminui proporcionalmente ao aumento da riqueza como valor econômico, pela simples razão de que o tempo mental está destinado mais a acumular do que a desfrutar. (Berardi Bifo, 2010, p. 87)

A utilização dos instrumentos microeletrônicos e digitais no trabalho, além de fazer desaparecer o tempo livre, fragmenta e precariza ainda mais a atividade laboral. Essa precarização não é somente uma questão jurídica, na qual os indivíduos não têm direitos, mas supõe "a dissolução da pessoa como agente da ação produtiva e a fragmentação do tempo vivido" (Berardi Bifo, 2010, p. 91). Isso quer dizer que, no plano da organização do trabalho, se generaliza a individualização das tarefas, a ponto de o coletivo dos trabalhadores poder ser diluído, como ocorre no chamado trabalho em rede, no qual alguns indivíduos se conectam durante algum tempo para realizar um determinado projeto, em seguida se desconectam e voltam a conectar-se no momento em que têm um novo projeto. Dessa forma, entra em funcionamento a "dinâmica da descoletivização", uma conquista muito importante para o capitalismo de nossa época, porque

> o trabalho se organiza em pequenas unidades que autoadministram sua produção, as empresas apelam mais amplamente para os temporários e contratados e praticam a terceirização em grande escala. Os antigos coletivos não funcionam e os trabalhadores competem uns com os outros, com efeitos profundamente desestruturantes sobre as solidariedades trabalhadoras. (Castel, 2010, p. 24 e seg.)

Por isso, o capital reclama seu direito de mover-se livremente pelo mundo para "encontrar o fragmento de tempo humano à disposição para ser explorado pelo salário mais miserável" e, depois de usá-lo, jogá-lo no lixo. Isso é possível porque o tempo de trabalho foi fraturado, ou seja, reduzido a fragmentos mínimos, que podem se recompor rapidamente, e, por isso, o capital busca o lugar onde impera o salário mais miserável.

Ainda que a pessoa que trabalha seja juridicamente livre, o controle de seu tempo por um poder estranho, o do capital, torna-a escrava; simplesmente, "seu tempo não lhe pertence, porque está à disposição do ciberespaço produtivo recombinante" (Berardi Bifo, 2010, p. 92). Essa nova forma pode ser chamada de escravidão celular, a qual se evidencia de maneira contundente no BlackBerry, um aparelho que tem o nome de um instrumento usado na época da escravidão nos Estados Unidos: ele era atado aos tornozelos dos escravos para que eles não fugissem, para que seu tempo continuasse a pertencer, pela força bruta, aos escravocratas. Algo similar acontece hoje, já que o BlackBerry mantém os trabalhadores escravos de outros, principalmente dos patrões e dos empresários, com as mãos e o cérebro atados a esse aparelho insuportável.

O tempo de trabalho dos trabalhadores cognitivos foi "celularizado" porque se divide em fragmentos, em células, que o capital faz circular pela rede de maneira despersonalizada, e pelo telefone celular mantém-se uma conectividade perpétua, que obriga os trabalhadores precarizados a estar disponíveis, como escravos pós-modernos, sempre que o capital necessite deles. Isso é possível porque agora "a pessoa não é mais do que o resíduo irrelevante, intercambiável, precário do processo de produção de valor. Consequentemente, não pode reivindicar direito algum, nem pode identificar-se como singularidade, porque é um escravo do celular" (Berardi Bifo, 2010, p. 92).

O trabalhador converte-se assim num código de barras, que não tem importância como ser humano, por sua objetividade, mas somente porque é uma peça a mais de uma engrenagem que se conecta em rede, por meio do computador, da internet e, de forma mais íntima, do telefone celular. E, entre parênteses, se o objetivo é converter os seres humanos que trabalham num simples código de barras, como o de qualquer objeto que se vende em um supermercado, a escola e a universidade também se transformam para ser funcionais a esse propósito.

É o que vem acontecendo nos dias de hoje, com mudanças educacionais que têm como finalidade produzir terminais humanos que sejam compatíveis com um circuito produtivo, porque o objetivo explícito do capital é transformar os seres humanos em engrenagens da produção de valor no capitalismo e, para isso – ou seja, para transformá-los em códigos de barras –, é preciso eliminar as diferenças culturais e históricas nos processos de ensino. Isso se expressa, por exemplo, na nova língua da escola, em seus padrões universais de créditos, competências, mobilidade internacional, saberes comuns e homogêneos, acreditação internacional. Tudo isso não é mais do que a legalização administrativa e pretensamente pedagógica da nossa conversão em código de barras.

E isso tem a ver diretamente com os saberes. De fato:

> A produção do espaço produtivo do saber articula-se em estreita relação com a construção da tecnosfera digital de rede. A dinâmica da rede mostra uma duplicidade fundamental: por um lado, sua expansão requer uma potencialização dos agentes sociais do saber; mas, por outro lado, e ao mesmo tempo, submete a transmissão de saber a automatismos tecnolinguísticos moldados segundo o paradigma da competência econômica.
>
> Todo agente de sentido, se quer ser produtivo, operativo, deve ser compatível com o formato que regula os intercâmbios e torna possível a interoperabilidade generalizada no sistema. (Berardi Bifo, 2010, p. 98)

Em tais circunstâncias, a potência da internet não é mais do que uma despersonalização em grande escala, de liquidação da singularidade e da individualidade. Foram criadas "as condições para a reprodução ampliada de um saber sem pensamento, de um saber permanentemente funcional, operacional, desprovido de qualquer dispositivo de autodireção" (Berardi Bifo, 2010, p. 98 e seg.).

Obviamente, isso gera patologias na população em geral e nos trabalhadores em particular, porque a comunicação obrigatória tem se transformado numa epidemia. A lógica é simples, mas destrói a psique individual: temos de ser competitivos, se queremos sobreviver no capitalismo atual e, para sermos competitivos, temos de estar conectados o tempo todo, receber e enviar informações continuamente, lidar com uma massa cada vez maior de dados, fornecer nosso tempo, sempre, a quem o exija. Nunca somos donos do nosso tempo, nem de dia, nem de noite, nem nos fins de semana; devemos estar sempre prontos a entregar nosso tempo a quem o compre por uma ninharia. Isso gera um estresse permanente, porque temos de estar atentos à informação que recebemos e à que solicitam de nós, enquanto o tempo que temos disponível para a afetividade e as relações pessoais praticamente se reduz a zero. Com essas duas tendências, o psiquismo individual é devastado. Nessas condições, ocorre uma mudança transcendental:

> Enquanto o capital necessitou extrair energias físicas dos explorados e escravos, a enfermidade mental podia ser relativamente marginalizada. Pouco importava ao capital seu sofrimento psíquico, desde que você pudesse apertar porcas e operar um torno. Ainda que você estivesse tão triste como uma mosca sozinha numa garrafa, sua produtividade se ressentia pouco, porque seus músculos funcionavam. Hoje, o capitalismo necessita de energias mentais, energias psíquicas. E são precisamente elas que estão sendo destruídas. Por isso, as doenças mentais estão explodindo no centro da cena social. (Berardi Bifo, 2010, p. 179)

O capital tornou possível tudo isso porque, a partir do momento em que surge a medição do tempo, em horas, minutos e segundos, pode-se comprá-lo e vendê-lo, ou seja, o tempo se converte em mercadoria. Até pouco tempo atrás, isso parecia algo vago, mas hoje é graficamente evidente. Na Colômbia, e supomos que isso aconteça em outros países, pessoas que alugam celulares exibem anúncios em papel que dizem: "Vendem-se minutos", lema comercial que elas anunciam também de viva voz, dizendo: "minutos a 100 pesos". Inclusive, às operadoras de telefonia celular não importa tanto, ou pelo menos não exclusivamente, que os trabalhadores tenham um celular, mas, sim, que o usem ininterruptamente, que falem já não mais por minutos, mas por horas ou dias, e isso tem sido conseguido plenamente. Por isso, essas empresas oferecem cartões que têm cada vez mais minutos. Há cartões com os quais se pode falar durante 2 mil, 3 mil ou 5 mil minutos. Os trabalhadores compram esses cartões e são obrigados a consumi-los em um tempo determinado. Ou seja, tem forçosamente de falar cinquenta horas ou mais num curto período de tempo, em dois ou três meses. Isso, além de causar uma verdadeira neurose individual e coletiva, e uma conversa insubstancial para comunicar coisas triviais, que não exigem conexão telefônica, é um negócio espetacular para as operadoras de telefonia celular, à custa do tempo das pessoas.

Tudo isso que ressaltamos constitui uma verdadeira expropriação do tempo pessoal e produz uma neurose coletiva, que todos os dias suportamos nos ônibus, nas universidades, nos teatros, onde quer que seja, porque cedo ou tarde o insuportável som do celular interrompe qualquer atividade, por mais sublime que esta seja, como fazer amor. A esse respeito, na Espanha, 40% das pessoas interrompem relações sexuais para atender o celular. Além da expropriação do tempo pessoal, há outra expropriação igualmente grave, a da dignidade individual e da autoestima, porque até a pena e a vergonha foram perdidas: antigamente as conversas telefônicas eram privadas, das quais ninguém que estivesse por perto tinha por que se inteirar. Hoje, isso é coisa do passado, as pessoas falam e comentam seus assuntos pessoais diante de qualquer um. Essa expropriação da dignidade é como um esnobismo público permanente, conforme se evidencia com as mal denominadas redes sociais (Facebook e similares), nas quais se socializam pela rede, e de forma visual, as relações íntimas.

A generalização da conectividade perpétua tem como consequência a necessidade imperiosa de comunicar-se o tempo todo, enviar mensagens, averiguar onde o outro está e o que está fazendo. Quem não pode comunicar-se ou não recebe resposta entra em pânico, sente-se abandonado. O paradoxo está no fato de que as pessoas se comunicam todo o tempo, mas isso não é resultado de um enriquecimento das relações sociais, e sim, ao contrário, da morte das relações sociais. Isso indica que estamos vivendo uma catástrofe temporal, porque, na comunicação virtual e digital,

> A presença do corpo do outro torna-se supérflua, quando não incomoda e molesta. Não há tempo para ocupar-se da presença do outro. Do ponto de vista econômico, o outro deve aparecer como informação, como virtualidade e, portanto, deve ser elaborado com rapidez e evacuado em sua materialidade. (Berardi Bifo, 2010, p. 184)

Em conclusão:

> acabamos amando o distante e odiando o próximo, porque este último está presente, porque tem cheiro, porque faz barulho, porque incomoda, ao contrário do distante, que podemos fazer desaparecer com um *zapping* [...]. Estar mais perto daquele que está distante do que daquele que está do nosso lado é um fenômeno de dissolução política da espécie humana. A perda do próprio corpo comporta a perda do corpo dos outros em benefício de uma espécie de espectralidade do distante. (Virilio e Petit, 1996, p. 42 e 46)

Em consonância com o tempo virtual, instantâneo e imediato, impõe-se a velocidade, essa certa forma de fascismo que Pier Paolo Pasolini tanto denunciou em sua época, destacando o impacto da tecnologia na vida dos italianos das décadas de 1960 e 1970. E o culto à velocidade está na base das diversas formas de expropriação do tempo no mundo contemporâneo, as quais merecem uma breve análise.

## Expropriação do tempo nos centros comerciais e nos supermercados

Um espaço que rompe brutalmente o tempo são os centros comerciais e os hipermercados, que estabelecem uma jornada ininterrupta de quinze horas ou mais, todos os dias da semana. Os donos determinam que eles não fechem ao meio-dia, regra que seguem outros mercados e estabelecimentos. Assim, fratura-se o horário da sesta e os pequenos comerciantes e artesãos vão à falência. Isso tem consequências para o tempo livre urbano, porque "qualquer instante do nosso tempo livre é preenchido por algum tipo de conexão comercial, convertendo assim o tempo no mais escasso de todos os recursos" (citado em Angulo e Unzueta, 2004). Uma dessas consequências é que as pessoas que têm um horário de trabalho prolongado e/ou trabalham nos fins de semana descuidam dos filhos e familiares, o uso do automóvel privado aumenta e, consequentemente, os engarrafamentos e a poluição.

Em alguns supermercados dos Estados Unidos, ocorre uma das mais aberrantes formas de expropriação do tempo dos trabalhadores: de maneira quase inverossímil, não se permite que eles vão ao banheiro; dada a amplitude da jornada de trabalho, esses trabalhadores se veem obrigados a usar fralda no local de trabalho (citado em Carr, 2011; ver também Altvater e Mahnkopf, 2008, p. 112, nota 1). Devemos agregar a tão degradante expropriação do tempo e da dignidade das pessoas, a generalização do controle e a vigilância dos trabalhadores, situação que os empresários justificam com o argumento de que devem proteger-se contra o roubo do tempo por parte dos empregados. Tornou-se normal, embora não o seja de modo algum, que os empresários vigiem seus trabalhadores dia e noite, no posto de trabalho e fora dele, bisbilhotem seus correios eletrônicos (se usam a internet), gravem e registrem seus movimentos, controlem suas atividades pessoais por celular e mantenham contato permanente, inclusive quando os trabalhadores estão em casa ou em seus "momentos de ócio".

Nos centros comerciais, o *logos* cartesiano desapareceu para dar lugar a uma lógica mercantil implacável, que se resume na frase "Consumo, logo existo", e esse é, evidentemente, não só um consumo de mercadorias mas também de tempo, medido quantitativamente em dinheiro, o que expressa uma autêntica colonização do tempo pessoal.

Os supermercados e os centros comerciais expropriam o tempo das pessoas de diversas maneiras, porque são o principal lugar de "sociabilidade", ante a reclusão dos espaços públicos (parques, bibliotecas, teatros) e a sensação de insegurança que se proclama por toda a parte, mas de uma sociabilidade reduzida ao puro âmbito do consumo mercantil, do desfile de modas, do mundo sem contradições, onde tudo é limpo e iluminado e não há nem pobres nem ricos, porque todos estão unidos pelo desejo hedonista de consumir.

## Expropriação do tempo da alimentação

A expropriação do tempo das pessoas varre todos aqueles costumes e tradições inscritos num tempo lento, de modorra e quietude; eles são desprezados pelo capitalismo como expressão de atraso, preguiça, falta de competitividade, ineficiência, improdutividade e mil qualificativos desse estilo. Isso acontece com o encurtamento, o desaparecimento ou a transformação de coisas tão humanas como comer com tranquilidade ou fazer a sesta.

O *fast-food* é não apenas um tipo de comida mas também um estilo de vida, com uma temporalidade acelerada, na qual se perdem os nexos sociais que historicamente se criaram ao redor da mesa. Não vamos nos referir às consequências que ele tem para a saúde das pessoas, mas a seus efeitos no que tange à expropriação do tempo. A comida é uma das formas culturais mais importantes para qualquer sociedade, porque em torno dela se tecem relações humanas; à medida que os alimentos são preparados, consumidos e degustados, gestam-se tradições e costumes que dão identidade aos povos, porque "comer não é uma mera atividade biológica, é também uma atividade vibrantemente cultural" (Mintz, 2003, p. 78). O comer, em termos culturais, baseava-se até pouco tempo atrás no sentido da lentidão, um dos luxos mais preciosos que existem, porque uma boa comida requer e necessita de tempo para ser preparada e degustada.

Isso se despedaça com a imposição da comida rápida, cujo principal símbolo são as lanchonetes McDonald's, as quais constituem um modelo em pequena escala do que é o capitalismo realmente existente. Primeiro, em relação ao trabalho, vale lembrar que a força de trabalho empregada nessas lanchonetes é uma das piores expressões da flexibilização e da precarização, tanto pelos baixos salários como pelas condições de trabalho que não permitem protestar e organizar-se sindicalmente. Ainda que, à primeira vista, o trabalhador do McDonald's pareça polivalente, porque realiza uma série de tarefas na venda de hambúrgueres, na realidade ele tem um trabalho extremamente monótono e rotineiro, típico do fordismo, no qual é proibido de tomar qualquer iniciativa e não pode se comunicar com os clientes. Segundo, em relação aos consumidores, o objetivo do McDonald's é enchê-los de comida para que devorem rápido e sem pestanejar. Que comam a maior quantidade possível no menor tempo e desocupem o espaço, o qual é desenhado sem nenhum atrativo interessante e obriga as pessoas a comer e imediatamente ir embora. Como o objetivo é promover a rapidez, os pratos que os restaurantes de *fast-food* oferecem são poucos, homogeneizados e produzidos em série. Dessa forma, não apenas se come rápido, mas sempre o mesmo, com o pretexto de que assim se ganha tempo.

O argumento dominante para justificar a generalização do McDonald's é que o capitalismo atual é vertiginoso e a forma de comer também deve ser. Supõe-se que assim o consumidor esteja se beneficiando, o que no caso da comida rápida é completamente falso, e não apenas pelos problemas nutricionais e de saúde que origina mas também porque altera aspectos fundamentais das relações sociais: as pessoas, quando comem, estão cada vez mais solitárias e apressadas, porque precisam de tempo para o trabalho e devem dedicar a ele a maior parte de suas energias individuais. O *fast-food* não deixa tempo nem para a companhia, nem para a solidariedade, nem para a hospitalidade.

Temos de nos perguntar, além do mais, qual é o custo humano e ambiental da comida rápida, ou seja, em que medida a temporalidade acelerada do McDonald's destrói a temporalidade pausada da natureza e das sociedades campesinas. Em quantos dias ou semanas são destruídos os bosques do mundo, resultado de lentos processos de evolução natural nos quais vão ser produzidos os pastos que alimentam as vacas, que vão ser as fábricas de carne das quais provém a matéria-prima dos hambúrgueres? Nesse caso, a rapidez que se imprime ao comer suprime a importância dos saberes locais, sacrificados em nome de um produto universal superior, o hambúrguer *made in USA*, no qual se aplicam as mesmas fórmulas químicas e receitas que uniformizam e degradam o paladar e empobrecem os saberes do mundo. Em contraposição, devemos reivindicar a alimentação lenta, na qual se respeitem as tradições alimentícias locais, uma vez que a comida reflete valores humanos de bem viver e compartir, para além da eficiência e da produtividade do que se consumirá; que recupere os saberes artesanais que se transmitem de geração em geração, respeite o autóctone e o natural de um território determinado e seja um espaço de partilha entre familiares e amigos.

Não por acaso, o símbolo dos partidários da *slow-food* (comida lenta) é o caracol. Como explica Carlo Petrini: "Emblema da lentidão, esse animal cosmopolita e prudente é um amuleto contra a velocidade, a exasperação, a distração do homem impaciente demais para sentir e gostar, ávido para recordar o que acabou de devorar" (Petrini, 2006).

## Expropriação da sesta

Quanto à sesta, o desprezo a ela se tornou dominante. Ela é vista como o melhor exemplo daquilo que gera o atraso e o subdesenvolvimento, porque aqueles que a praticam e reivindicam são considerados preguiçosos e improdutivos. A sesta, nessa perspectiva, é uma tradição de vagabundos, que perdem tempo e não gostam de trabalhar; quem a faz gasta o dinheiro e o tempo dos outros, porque, enquanto dorme placidamente, os outros trabalham como burros de carga. Em outras palavras, a pessoa que faz sua sesta é vista como parasita.

Contra tantas opiniões discutíveis, próprias da era capitalista, que só mede a importância das coisas e das práticas humanas por seu caráter mercantilista e produtor de juros, a sesta pode ser considerada um direito humano fundamental, porque, do ponto de vista biológico, o organismo necessita descansar não apenas durante a noite, mas também uma vez ao dia; além disso, esse breve lapso depois do almoço, em que se pode dormir, é fundamental para o desenvolvimento de todas as atividades individuais. A sesta ajuda no rendimento individual, incrementa a capacidade de prestar atenção e concentrar-se em determinado trabalho, contribui para melhorar a vida sexual, a memória e a inteligência, atrasa o envelhecimento, reduz o estresse e a ansiedade. Segundo Sara C. Mednick, psicóloga e especialista em sono humano, a sesta é tão importante que "faz o cérebro operar com a máxima eficiência, o corpo ser mais ágil e saudável e, acima de tudo, não tem efeitos colaterais".

Se tudo isso é certo, a expropriação da sesta é um atentado contra a saúde dos seres humanos e, por isso, tem muito sentido considerar uma revolução reivindicá-la como um direito humano fundamental nestes tempos vertiginosos, em que não existe tempo para aquilo que não é regido pela lógica do lucro e da acumulação.

## A expropriação do tempo da noite

Não faz muitas décadas, a noite era dedicada ao descanso e ao repouso, salvo nas fábricas onde, desde os finais do século XIX, após a invenção da luz elétrica, o capitalismo implantou a jornada perpétua de 24 horas de trabalho, em unidades produtivas que quase nunca fechavam e nas quais as máquinas nunca paravam. Os trabalhadores tiveram de se adaptar à força a esse ritmo febril, dividindo-se em turnos e trabalhando durante a noite. Essa foi a primeira expropriação do tempo noturno, um momento em que o nosso relógio biológico, por disposição genética, diz que devemos nos dedicar ao descanso, porque nosso organismo está programado para isso, e não para ficar acordado e, muito menos, trabalhando.

Depois, quando a luz saiu das fábricas e se estendeu para as cidades, no século XX, o tempo cotidiano das pessoas alargou-se: elas podiam sair e perambular à noite. No último meio século, em quase todo o mundo, ocorreu outra mudança drástica, que se reflete até os dias de hoje: a televisão se converteu num instrumento permanente nos lares e o tempo de transmissão aumentou cada vez mais, até durar, hoje, as 24 horas do dia. Nesse caso, assistimos à expropriação do tempo pessoal das famílias, que começaram a dedicar parte substancial de suas vidas à televisão; em alguns casos, como nos Estados Unidos, supõe-se que cada pessoa veja em média sete horas diárias de televisão, razão pela qual esse aparelho se transformou num dos principais meios de educação de nossa época.

Essa expropriação da noite, que acompanha a rápida urbanização no mundo, produz mudanças significativas no comportamento dos seres humanos e uma alteração brusca do ambiente natural e dos ecossistemas, assim como de costumes e hábitos temporais das pessoas, que perdem qualquer vínculo direto e evidente com a natureza e somente se relacionam com o meio artificial, principalmente com a luz elétrica. Já dizia Pasolini, em um de seus últimos escritos, que os vaga-lumes haviam acabado na Itália, no começo da década de 1960, e que as novas gerações não tinham nem ideia de que eles haviam existido e, portanto, não podiam lamentar seu desaparecimento. Onde havia vaga-lumes, agora apareciam centros comerciais, propriedade do capital transnacional e, contra essa suposta modernização que adora o cimento, a luz de néon, o fulgor e o som dos aparelhos eletrônicos, Pasolini declara: "Eu, por mais multinacional que seja, trocaria toda a Montedison [um centro comercial] por um vaga-lume" (Pasolini, 1983).

Assim como desapareceram os vaga-lumes, desapareceram as estrelas à noite, ou melhor, nunca as vemos, porque não temos nem tempo nem espaço para olhar para cima. A luz artificial nos cega e estamos escondidos entre quatro paredes, diante da luz espectral da televisão.

## A EXPROPRIAÇÃO DA MEMÓRIA E DO PASSADO

Faremos menção ao aspecto crucial da expropriação da memória e do passado das sociedades, das culturas e dos seres humanos. Para começar, um ponto de partida crítico se refere à maneira pela qual o abuso dos aparelhos eletrônicos, principalmente a internet e o celular, está alterando o funcionamento do cérebro em geral e da memória em particular.

A respeito desse assunto, vale ressaltar que as denominadas tecnologias intelectuais têm um impacto direto sobre o funcionamento do cérebro, a ponto de, segundo estudos neurológicos, ser nosso próprio cérebro o que está se alterando, não apenas a forma como nos comunicamos. Isso foi confirmado por estudos que ressaltam o impacto contundente sobre a memória de longo prazo, a mais importante que temos, e a memória de curto prazo. A primeira guarda recordações que duram muito tempo, até por toda a vida. A segunda aloja lembranças que duram muito pouco, em muitos casos apenas alguns segundos.

A memória de longo prazo é a sede do entendimento, não apenas porque armazena dados e fatos, mas, o mais importante, conceitos e esquemas que permitem organizar dados dispersos. Como disse John Sweller, um estudioso do assunto: "Nossa capacidade intelectual provém, em grande medida, dos esquemas que adquirimos em longos períodos de tempo. Entendemos conceitos de nossas áreas de especialidade porque temos esquemas associados a esses conceitos" (citado em Carr, 2011, p. 153).

Hoje, com a sobrecarga de informações a que estamos expostos todos os dias por sistemas microeletrônicos, nós nos saturamos de dados assumidos pela memória de curto prazo, sem poder conectá-la com a informação armazenada na memória de longo prazo. Nesse caso, não temos condições de distinguir o relevante do irrelevante, ou, em outras palavras, estamos perdendo a memória e "nos transformando em desesperados consumidores de dados" (Carr, 2011, p. 153).

É sintomático da pressão a que estão sendo submetidos nosso cérebro e nossa memória de longo prazo que, em grande medida, os cultivadores da inteligência artificial estão adequando a memória de curto prazo à lógica de funcionamento dos computadores, o que quer dizer que "treinamos nosso cérebro para que preste atenção a bobagens", algo que tem consequências funestas para nossa vida intelectual. Em resumo:

> As funções mentais que estão perdendo a "batalha neuronal pela sobrevivência das mais ocupadas" são aquelas que fomentam o pensamento tranquilo, linear, aquelas que utilizamos para percorrer uma narração extensa ou um argumento elaborado, aquelas a que recorremos quando refletimos sobre nossas experiências ou contemplamos um fenômeno externo ou interno. As ganhadoras são aquelas funções que nos ajudam a localizar, classificar e avaliar rapidamente fragmentos de informação díspares em forma e conteúdo, os que nos permitem manter nossa orientação mental, enquanto somos bombardeados por estímulos. Essas funções são, não por acaso,

> muito similares às realizadas pelos computadores, que são programados para a transferência em alta velocidade de dados dentro e fora da memória. Mais uma vez, parece que estamos adotando em nós mesmos as características de uma tecnologia intelectual nova e popular. (Carr, 2011, p. 174 e seg.)

Para os apologistas das novas tecnologias da informação, isso significa que o cérebro se reduz a um instrumento que processa dados e, em tal caso, a inteligência humana já não se diferencia da chamada inteligência artificial. Essa concepção taylorista aplicada ao cérebro é muito bem reproduzida pelo Google, cujos gestores concebem a inteligência como um processo mecânico, constituído por uma série de passos que se podem separar, medir e otimizar, como o taylorismo fez com a divisão de tempos e tarefas para produzir parafusos e automóveis.

Nessa perspectiva, não surpreende que a memória dos seres humanos seja confundida com os espaços em que se armazena informação de computadores, sem esforço algum. A confusão é crítica porque dela se deduz que o computador pode substituir nossa memória biológica. Não por acaso, certos apologistas da tecnologia dizem sem titubear: "Com um clique no Google, memorizar longas passagens ou feitos históricos" já é algo obsoleto e, em tal caso, "memorizar é considerado uma perda de tempo" (Don Tapscott, citado em Carr, 2011, p. 220).

Assim, se reduzimos a memória humana a uma simples caixa que armazena informação de curto prazo, isso pode ser assumido pelos computadores; mas, se a concebemos como uma característica exclusivamente humana, que não se reduz a recordar informações descartáveis, mas essenciais para a nossa vida, por nos permitir não somente recordar mas também sentir, pensar e sobreviver, ter emoções e empatia, as coisas mudam substancialmente, porque a memória humana está viva, e a chamada memória informática não.

As transformações que estão gerando as novas tecnologias da informação sobre nosso cérebro e memória estão relacionadas com a lógica do capitalismo atual de inscrever os seres humanos no curto prazo ou, mais exatamente, no caráter instantâneo do tempo comercial, um perpétuo presente, sem passado nem futuro. O ritmo vertiginoso e acelerado do capitalismo somente deixa tempo para consumir e jogar os produtos no lixo, com que se anulam as diferenças temporais. Hoje:

> o processo produtivo se apresenta objetivamente como um grande fluxo informático que atravessa os espaços tradicionais, destruindo-os, e anulando as distâncias temporais com uma inaudita aceleração do tempo (quase até o desaparecimento das temporalidades tradicionais: noite, dia, trabalho, festas etc.). (Barcellona, 1992, p. 23)

Dessa forma, o capitalismo nos roubou o tempo e o espaço, portanto não há lugar para a memória, exceto quando esta pode transformar-se em uma mercadoria, em um bem de consumo, que a transforma e comprime, porque deixa de ser um patrimônio crítico do indivíduo e da sociedade e torna-se um instrumento insubstancial, que se reduz à memória informática, como indicamos anteriormente.

Nessas condições, desaparece o ser humano como sujeito histórico, com vínculos profundos com seu passado pessoal e social, para reduzir-se a mero consumidor, que vive num presente eterno, sem antes nem depois. Por isso, entre outras coisas, reformas educativas implementadas nos últimos anos em diversos países do mundo propõem claramente o abandono das noções temporais, para que os estudantes adquiram competências laborais e empresariais ligadas à produção e ao consumo imediatos, como coisas que são apresentadas como as únicas úteis que existem. Isso não é outra coisa senão afundar na barbárie, que, segundo Philip Rieff, é "a ausência de memória histórica. E isso é precisamente o que caracteriza a mentalidade mecanicista do tecnólogo" (citado em Riechmann, 2006, p. 231).

De outro ponto de vista, a expropriação da memória fortalece o capitalismo, se pensarmos que sua expansão mundial destrói outros espaços e outras temporalidades. Nesse sentido:

> O tempo real corre o risco de nos fazer perder o passado e o futuro a favor de uma "presentificação" que supõe uma amputação do volume do tempo. O tempo é volume. Não é apenas um espaço-tempo no sentido da relatividade. O volume e a profundidade do sentido, e o advento de um tempo mundial único que liquide a multiplicidade de tempos locais, são uma perda considerável da geografia e da história. (Virilio e Petit, 1996, p. 79)

Devemos enfatizar que existe outro elemento adicional, a expropriação da memória das lutas dos oprimidos, cujos feitos e conquistas, que se materializaram em importantes rebeliões e revoluções ao longo dos últimos séculos, desapareceram do imaginário das gerações contemporâneas, "educadas" segundo a lógica capitalista e neoliberal do fim da história e da ideologia Tina (*There is no Alternative*), que os obriga a pensar que este é o único mundo possível e tolerável e, mais do que isso, que ele é insuperável.

Por tudo isso, e para finalizar, um processo revolucionário no mundo de hoje deve recuperar outra visão do tempo, que reivindique a lentidão, a quietude, o prazer de desfrutar coisas fundamentais da vida que necessitam de tempo, a recuperação da memória dos vencidos e de suas lutas, para iluminar o tenebroso presente capitalista. Como dizia Oscar Wilde, o socialismo necessita de muitas tardes livres. Ou, segundo Pier Paolo Pasolini, devemos reivindicar os tempos lentos do ser, nos quais se possa contemplar

> um mundo agrícola com bosques e lenhadores, a comida "singela", a interpretação estética clássica [...], os costumes repetidos ao infinito, as relações duradouras e absolutas, as despedidas sofridas, os incríveis regressos a um mundo que não mudou. (Pasolini, 1981, p. 149)

# 4
# Segurança social, trabalho e Estado em Portugal

*Raquel Varela*
*Luísa Barbosa Pereira*

## Introdução

Neste capítulo analisamos a evolução histórica da segurança social em Portugal e a sua articulação com as mudanças na força de trabalho, discutindo três hipóteses principais.

Em primeiro lugar afirmamos que a segurança social não evoluiu de um sistema assistencialista (para franjas de miseráveis e enfermos ou setores restritos dos ofícios e do operariado) no século XIX para um sistema universal (e não restrito ou focado), acompanhando aquilo que seria uma evolução social natural do século XX. O nascimento da segurança social em Portugal dá-se através de um processo revolucionário, processo que modificou as relações laborais, nomeadamente aumentando o valor salarial para níveis que permitiam uma cobertura universal da proteção social. Não há um progresso linear no desenvolvimento do país, como muitos autores parecem sugerir (Lucena, 2000, p. 167), que, independentemente de fatores políticos, acabaria por se impor e alcançar um modelo de proteção universal europeu. Esse modelo existiu, e representou um salto histórico no nível da proteção social, qualitativo e não meramente quantitativo, só a partir de 1974-1975 e devido ao aumento da massa salarial (houve, nesses dois anos, uma transferência de riqueza do capital para o trabalho da ordem dos 18%).

A segunda hipótese do capítulo desdobra-se em três ideias relacionadas.

1) A primeira é que o volume de capitais acumulados a partir de 1974-1975 por meio dessa mudança foi alocado parcialmente – a partir da crise de 1981-1984 – para financiar e regulamentar a flexibilização do mercado laboral, com recurso ao desemprego e à precariedade, subsidiados pelos fundos da segurança social (simultaneamente, a segurança social foi usada para financiar diversos tipos de capital).

2) A segunda corresponde à ideia de que um contingente de desempregados e precários, hoje metade da força de trabalho, foi indispensável, a partir da crise de 2008, para criar as condições sociais que permitiram baixar os salários e diminuir o valor das pensões dos trabalhadores com relações laborais até então protegidas.
3) A terceira ideia é que há indícios para afirmar que está em curso uma tendência no mercado laboral português, que designamos de "eugenização da força de trabalho", em que o Estado define políticas globais que apontam para: a) a redução drástica das pensões e dos direitos dos reformados; e b) para o afastamento da força de trabalho menos qualificada, com mais direitos, do mercado de trabalho, para substituí-la por força de trabalho precária, mais formada, mais produtiva. As políticas em curso, que assinalaremos com detalhe, sugerem que essa mudança é e será realizada não só de forma paulatina, recorrendo ao expediente das reformas, mas diretamente com demissões maciças nos setores privado e público.

A terceira hipótese que colocamos é que o Estado tem tido um papel central nessa reconfiguração histórica do mercado de trabalho, sendo cada vez mais um Estado interventor e não um Estado liberal, ou neoliberal, ou ainda desregulador. Pelo contrário, desenha-se crescentemente um Estado que tem um papel central na inversão da queda tendencial da taxa de lucro pela transferência do salário social – salário necessário à manutenção e formação da força de trabalho – para formas de lucro/renda ou juros. E um Estado gestor e executor da flexibilização laboral e dos programas assistencialistas que atenuam a instabilidade social resultante da instabilidade laboral, mas que têm como contrapartida a descapitalização da segurança social.

Assim, numa imagem simples, cujos matizes desenvolveremos aqui, a segurança social "dos pais", a "geração de Abril", foi o fundo usado para criar as condições sociais para precarizar "os filhos" – fundo que teve uma dimensão econômica (prolongar a permanência dos filhos em casa e subsidiar o desemprego) e uma dimensão política (a criação de uma geração de jovens com níveis moleculares de organização político-social e de uma massa de pessoas dependente de programas assistencialistas). Mas esse amplíssimo contingente de precários e desempregados *grosso modo* corresponde, hoje, a metade do total da força de trabalho, o que criou uma fraqueza social objetiva no conjunto de todas as classes trabalhadoras e setores médios – no nível político e de organização – que permitiu fazer regredir de forma dramática os salários dos "pais" a partir da crise de 2008, para mantermos a metáfora. É possível, sugerimos, que a precarização e o desemprego dos "filhos" criem a pressão social, hoje, para a demissão dos "pais".

Veremos que esse é um processo complexo e desigual, e essa imagem mais não é do que a superfície de um problema intrincado que hoje se coloca à sociedade portuguesa, mas tem nas condições e nas relações laborais como um todo – empregados, desempregados e reformados – o centro da questão. A segurança social é hoje uma parte importante e central do Estado de bem-estar social. Centrar-nos-emos sobretudo na segurança social nascida em 1974, não abrangendo aqui o estudo do Estado de bem-estar social, que fizemos noutro livro (Varela, 2012a). Faremos uma breve nota histórica sobre o período assistencialista e previdenciário do século XIX e do Estado Novo.

No século XIX havia, *grosso modo:* 1) proteção social no âmbito restrito das caixas mutualistas e do movimento cooperativo, por um lado; e 2) assistência, ou caridade, focalizada em franjas de miseráveis, em grande medida para controle da saúde pública. Consideramos aqui a utilização do conceito de *proteção social* quando existe um âmbito mais vasto de manutenção (saúde) e formação (educação) da força de trabalho. Se a proteção social não é focalizada – isto é, dirigida a setores particulares –, mas universal, chamar-se-á *segurança social.* Utilizaremos o termo *assistência* quando nos referirmos aos programas que visam à reprodução biológica da força de trabalho, isto é, medidas, privadas ou públicas (ou de gestão privada, mas de utilização dos fundos públicos, como é mais comum), para a manutenção do exército industrial de reserva, ou seja, para evitar a morte (ou garantir a sobrevivência) dos desempregados e pobres.

Assim, no século XIX existe, para a maior parte da população, uma assistência, e não uma proteção social nem sequer uma segurança social. Eram políticas focalizadas, orientadas para setores da população, e não universais, ou seja, dirigidas ao conjunto da população. Eram, no caso da caridade e da assistência aos pobres, dependentes de instituições particulares, e o Estado tinha um papel "protetor dos estabelecimentos de caridade e fiscalizador de contas" (Oliveira Marques e Serrão, 1991, p. 233). O sistema se mantém assim – com mudanças, mas sem universalidade – até o golpe de Estado que põe fim à ditadura do Estado Novo.

Depois da Revolução de 25 de Abril de 1974, vários sindicatos e uma manifestação de trabalhadores dirigem-se ao Ministério das Corporações e Previdência Social, que passará a chamar-se Ministério do Trabalho e da Segurança Social. Cruz Oliveira, um dos militares do Movimento das Forças Armadas (MFA), conta como foi, com Francisco Pereira de Moura[1] e Victor Wengorovius[2], tentar acalmar os ânimos da população, que queria invadir o Ministério das Corporações:

> A multidão – era uma multidão, já de capacetes à Lisnave* e aquilo tudo! – ouviu o Pereira de Moura falar: "Sim, senhor, está tudo muito bem. Ok, mas vamos entrar!". Eu pensei que tinha de dizer qualquer coisa, anunciei que ia transformar aquilo em Ministério do Trabalho, o Wengorovius foi lá para cima pintar um letreiro a dizer Ministério do Trabalho e pô-lo na janela e pronto. Depois disse à multidão:

1 Dirigente do Movimento Democrático Português/Comissão Democrática Eleitoral (MDP/CDE).
2 Fundador do Movimento de Esquerda Socialista (MES).
* Ou seja, a multidão usava capacetes de segurança, como aqueles utilizados pelos funcionários da empresa de construção naval Estaleiros Navais de Lisboa (Lisnave). (N. E.)

uma prova de que estamos com a revolução é ir todos por aqui abaixo dizer que este agora é o Ministério do Trabalho. E assim foi, foi tudo por aí abaixo. (Entrevista, 24 de julho de 2012)

Em 1974 deixou de haver *previdência* e passou a haver *segurança*.

A mudança de nome é tão importante no conteúdo quanto na forma. Em Portugal, *grosso modo*, porque teve até pouco tempo atrás um dos melhores sistemas de saúde do mundo e durante muitos anos um excelente serviço educativo público (temos hoje mais pessoas com grau de doutorado do que tínhamos com bacharelado em 1970), a segurança social diz respeito a duas grandes áreas: as reformas/pensões, fruto do desconto dos trabalhadores ou da transferência do orçamento do Estado (no caso das pensões não contributivas), o que só foi possível por um aumento histórico na massa salarial; e as políticas chamadas "de ação social", que visariam remediar a pobreza e o desemprego involuntário.

Associadas à segurança social universal, que nasce em 1974 e 1975, vêm agregadas duas ideias fundamentais, interligadas: a primeira é o processo de transferência de rendimento do capital para o trabalho, o mais maciço de toda a contemporaneidade em Portugal, no valor de impressionantes 15% (ver Quadro 1). A segunda é a consagração social e pública da proteção e solidariedade universais, que pôs fim aos regimes discriminatórios, discricionários e caritativos e alargou ainda o âmbito da proteção social, consagrando a proteção não só no nível da manutenção e formação da força de trabalho – educação, saúde, pensões – mas também no nível da cultura, do esporte e do lazer.

**Quadro 1: Remunerações do trabalho**

| Ano | Rendimentos do trabalho | Rendimentos do capital |
|---|---|---|
| 1973 | 49,2% | 51,8% |
| 1974 | 54,6% | 55,4% |
| 1975 | 64,7% | 35,3% |
| 1976 | 63,8% | 36,2% |
| 1983 | 50,2% | 49,8% |

Fonte: M. Silva (1985).

É importante assinalar que essa inédita e assombrosa transferência de rendimento do capital para o trabalho – que nunca antes havia acontecido na história do país – se dá no meio de uma crise internacional, a crise de 1973, conhecida vulgarmente por crise do "choque petrolífero", que implicou uma dramática queda do PIB português. A taxa de crescimento cai de 10,78%, em 1972, para 4,92% em 1973, para 2,91% em 1974 e para -5,10% em 1975, entrando em 1976 na fase de expansão de um novo ciclo, acompanhando o ritmo da recuperação internacional. Essa crise vai ser ela própria um fator de aprofundamento da crise militar e da divisão dentro das classes dominantes no governo de Marcello Caetano (1968-1974), mas sobretudo estará na origem do impulso para a destruição de capitais que vai iniciar um aumento drástico das demissões (a taxa de desemprego duplica entre 1974 e 1975, de 2,1% para 4%), e a reação às demissões – ocupação de fábricas e empresas – será um dos fatores que explicarão a existência e o desenvolvimento do controle operário durante a revolução, talvez a razão mais determinante da progressiva extensão dos direitos sociais em 1974-1975[3].

Dessa irrupção social – que o presidente estadunidense Gerald Ford considerou passível de transformar todo o Mediterrâneo num "mar vermelho" e fazer cair os regimes da Europa do sul como um dominó[4] – saíram medidas como a nacionalização, sem indenização, de bancos e grandes empresas, uma reforma agrária e seis governos que, durante dois anos, não chegaram a ficar seis meses seguidos no poder. Noutros trabalhos prévios assinalamos com mais detalhe a relação estreita entre os momentos e períodos de conflitos sociais e a atribuição, de fato ou de lei, de direitos políticos, econômicos e sociais realizada entre 1974 e 1975[5].

Centremo-nos aqui no âmbito da segurança social. Em 1974 e 1975, toma-se uma série de medidas que serão consagradas num pacto social, a Constituição de 1976. São elas a criação de um sistema integrado de segurança social a que tem acesso toda a população; o aumento das prestações previamente existentes e a criação de uma série de outras, que passam a abarcar toda a população: aumento radical do valor das pensões e extensão da segurança social que, na Constituição, "protege os cidadãos na doença, velhice, invalidez, viuvez e orfandade, bem como no desemprego e em todas as situações de falta ou diminuição de meios de subsistência ou de capacidade para o trabalho"[6]. Consagra-se, já em setembro de 1974, a pensão social para pessoas com mais de 65 anos e a assistência médica na doença e na maternidade e o abono de família para os desempregados. O Fundo de Desemprego passa para a tutela do Ministério do Trabalho.

A questão fundamental para compreender o nascimento da segurança social, sem a qual é impossível compreender a evolução de toda a história do Estado de bem-estar social em Portugal, é o aumento de salários, isto é, a transferência daquilo que é uma parte do lucro, renda ou juro para salários. Nesses anos, o aumento do salário dá-se de várias formas: aumento do salário direto (e do salário em espécie), fixação de um salário mínimo (3.300 escudos em maio de 1974 e 4 mil escudos em maio de 1975), direito a subsídios (desemprego, férias, Natal, maternidade etc.), saúde e educação gratuitas; congelamento de preços, fixação de uma cesta de

[3] Desenvolvemos o impacto da crise cíclica de 1973 no processo revolucionário português, bem como a relação entre controle operário e direitos sociais, em Varela (2011a).

[4] *La Vanguardia*, Barcelona, 23 mar. 1975.

[5] Desenvolvemos a relação entre direitos sociais e conflitos políticos em Varela (2012b, p. 71-108, e 2011b, p. 151-75).

[6] Constituição da República Portuguesa, art. 63., n. 3, 1976.

compras. Massas consideráveis de capital são alocadas aos salários por outras formas, como nacionalizações sem indenização, intervenção do Estado nas empresas descapitalizadas (mais de trezentas ao todo). Fazem-se cortes diretos nos salários muito elevados (congelamento em 1975 dos salários superiores a 12 mil escudos).

Passa-se de 607 mil pensionistas do regime geral e da Caixa Geral de Aposentações* (CGA) em 1973 para 943 mil em 1975. Só na CGA as despesas passam de 7.700.000 euros em 1973 para 11.637.000 euros em 1975. No mesmo período, as receitas passam de 4.185.000 euros para 8.293.000 euros, ou seja, quase o dobro. Na CGA, a quotização média passa de 9,2 euros por beneficiário em 1973 para 17,1 euros por beneficiário em 1975. A despesa da segurança social passa de 4,5% do PIB em 1973 para 6,7% em 1975. A pensão média anual da segurança social sobe mais de 50% entre 1973 e 1975, segundo a base de dados Pordata[7].

Verifica-se que os salários diretos reais até caíram em 1974 e 1975, devido, entre outros fatores, à inflação, mas, no nível do Estado de bem-estar social e da segurança social – salário social –, os ganhos foram evidentes. Deve-se salientar que não só aumentaram os salários como foram reduzidas as disparidades salariais, isto é, atenuou-se a diferença entre os que ganham mais e os que ganham menos (M. Silva, 1985, p. 271). É particularmente óbvia a transferência de rendimento que significou o aumento das pensões. Um dos resultados sociais dessa mudança pode ser visto no índice de Gini, uma medida de verificação da desigualdade, que passa de 0,316 em 1974 para 0,174 em 1978 (ano em que atingiu o valor mais baixo), mas recomeça a crescer a partir daí (em 1983 já era de 0,210) (M. Silva, 1985, p. 272).

Destacamos este ponto: o aumento das remunerações alcançado nesse período não se dá, sobretudo, no salário direto, mas no salário social, ou seja, no nível do Estado de bem-estar social e, dentro dele, da segurança social. Essa constatação é importante para entender nosso argumento, que se sintetiza nesta ideia: a progressiva erosão dos salários pela mercantilização do Estado de bem-estar social e pela precarização do trabalho é demonstrativa do alcance extremamente limitado da eficácia de um pacto social que coloca uma parte substancial do salário nas mãos de um Estado que veio a revelar-se não como um árbitro da distribuição da riqueza entre partes desiguais (trabalho e capital), e sim como um gestor da transferência de salários para o capital, através de múltiplas medidas, desiguais e com ritmos diferentes, mas com uma direção comum: destruir o salário social e, portanto, fazer incidir a acumulação de lucro sobre o trabalho necessário (reprodução da força de trabalho), e não só sobre o trabalho excedente.

O caso óbvio e hoje indiscutível da mercantilização dos serviços públicos – a expensas da produtividade, mesmo do ponto de vista da contabilidade nacional

---

* Instituição portuguesa de previdência, responsável pela gestão do regime de segurança social dos funcionários públicos e trabalhadores equiparados admitidos até 2005. (N. E.)

[7] Disponível em: <https://www.pordata.pt/>.

oficial[8] – é particularmente oneroso na questão da segurança social, porque sistematicamente esse imenso bolo superavitário, supostamente preservado por um contrato social, é descapitalizado, erodindo assim as conquistas sociais prévias que asseguraram uma sociedade com padrões mais civilizados de saúde, educação, solidariedade e bem-estar.

Concluímos que o salário social é determinante porque, se é verdade que a queda das remunerações dos trabalhadores foi maior a partir de 1977, ela é muito mais acentuada se retirarmos as contribuições sociais, que fazem parte do salário e são transferidas para o Estado. Passa-se assim de 43,7% em 1973 para 57% em 1975 e 1976 e para 42,3% em 1983 (M. Silva, 1985, p. 270). Ou seja, sem contar as contribuições sociais, o salário em 1983 é mais baixo do que em 1973. Esses números nos permitem avançar com a explicação de que houve condições políticas – pela derrota da revolução em novembro de 1975 – para fazer diminuir os salários diretos muito rapidamente, mas não para mercantilizar ou diminuir o Estado de bem-estar social, o salário social, ao mesmo ritmo, nesse período.

O movimento operário português foi incapaz de forjar mecanismos de proteção social universais até 1974. O Estado de bem-estar social teve origem na situação revolucionária conhecida por Revolução dos Cravos, engendrada no ventre da maior guerra do país na contemporaneidade. A Europa central e a Europa setentrional também viram nascer da derrota de uma guerra a universalidade da proteção social, que

> conheceu uma aceleração extraordinária após a Segunda Guerra Mundial, com a emergência no Canadá e na Europa de um modelo de organização política. Conhecido como "Estado-Providência", baseado num acordo entre trabalhadores e capitalistas segundo o qual os primeiros prescindem da luta por uma revolução socialista a troco do bem-estar social e do aumento generalizado dos níveis de vida [...]. (Capucha, 1999, p. 134-7)

A revolução, essa aventura histórica de Portugal em 1974-1975, foi derrotada no seu momento insurrecional, o "assalto final" ao poder de Estado, o que levou alguns a questionar se teria havido uma revolução – argumento teoricamente frágil, na medida em que a vitória ou derrota de um processo revolucionário não implica que esse processo não tenha existido (Arcary, 2004a). Curiosamente, foi uma revolução que ameaçou muito mais o poder econômico do que o Estado (Arcary, 2004b). Portugal, pela revolução, tornou-se um país menos desigual, mas a limitação dessa revolução, nomeadamente no controle do Estado, fez que se entregasse a esse mesmo Estado uma massa de valores imensa que é hoje um dos principais mecanismos de financiamento do capital e de subtração do salário

[8] Guedes e Pereira (2012, p. 60) provam que a produtividade nos hospitais de gestão empresarial é mais baixa do que nos hospitais geridos pelo Serviço Nacional de Saúde.

necessário à manutenção dos trabalhadores. Um inferno cheio de boas intenções, porque, desde a segunda metade da década de 1980, a sua manutenção, sob o controle do Estado, exige uma desvinculação entre os beneficiários e os pagadores, que perdem controle sobre essa parte do seu salário.

## "Comprar os pais para vender os filhos?" Da segurança à assistência (1989-2012)

Em outro trabalho, propusemos como hipótese explicativa que o pacto social nascido em 1975 e consagrado na Constituição de 1976 se manteve por causa da intensa conflituosidade herdada da revolução – dez governos em dez anos, entre 1976 e 1985 – e que, no meio da crise econômica de 1981-1984, também no âmbito de um empréstimo internacional agregado a um conjunto de medidas então igualmente denominadas de "austeridade", se reduz o rendimento disponível do trabalho. A inflação teve nesses anos um papel destacado na desvalorização dos salários. Nesse trabalho anterior, argumentamos que, para tal processo ter-se dado, foram necessárias quatro condições, que procuramos sistematizar. Agora, acrescentamos e autonomizamos uma quinta condição, que é a utilização dos fundos da segurança social como forma de precarização da força de trabalho, aqui desenvolvida e contabilizada pelo estudo de Guedes e Pereira (2013). São, portanto, cinco os fatores que estão na base da erosão do pacto social (classificado por outros autores de emergência do período neoliberal):

1) Derrota do setor mais importante do movimento operário organizado como exemplo para todos os outros setores das classes trabalhadoras e dos setores médios – três anos de salários em atraso na Lisnave levaram à derrota desses trabalhadores, que assinaram o primeiro compromisso de empresa já feito em Portugal naqueles termos (de "paz social"), com efeito de arrastamento simbólico sobre os outros setores, à semelhança, como assinalam Stoleroff (2012) e Strath (1989), entre outros, do que acontece com a derrota dos mineiros sob Margaret Thatcher na Inglaterra, dos controladores aéreos nos Estados Unidos, dos operários da Fiat em Turim e, mais tarde, dos petroleiros no Brasil.
2) Ligação estreita com um sindicalismo fortemente apoiado na negociação, e não no confronto – embora mais ou menos pactuário, consoante fosse protagonizado pela União Geral de Trabalhadores (UGT) ou pela Confederação Geral dos Trabalhadores Portugueses (CGTP). Esse sindicalismo tinha fortes ligações com o regime democrático, por intermédio do Estado, que era visto não como um opositor, mas como um árbitro, pois as propostas eram direcionadas para o Estado, em vez de o serem para as empresas, como era característico do período da revolução (M. Lima, 1986, p. 541; Stoleroff, 1988, p. 160). Os principais

sindicatos de então, aceitando a necessidade de sair da crise mediante a manutenção do mesmo modelo de acumulação, consentiram que a "saída da crise" fosse realizada pela ajuda direta maciça às empresas, por um lado, e pela ajuda indireta por transferência para o Estado de parte dos custos da força de trabalho (casos das reformas antecipadas ou das isenções de contribuições para a segurança social), por outro lado. O papel do Estado, como moderador, no centro da concertação social, foi visto como uma forma de corporativismo, rejeitado pela CGTP durante um ano, findo o qual esta aderiu ao conselho, embora não tenha assinado todos os acordos[9]. Discutimos a hipótese de que o pacto social só se manteve, num aparente paradoxo, enquanto não havia pacto firmado, isto é, durante a revolução e a instabilidade dos dez anos seguintes, e que a existência jurídica do pacto – plasmada na concertação social – foi significando o fim desse mesmo pacto social. Ou seja, pactos sociais não dependem de acordos, mas da inexistência deles: mantêm-se enquanto há conflitualidade social.

3) Melhoria de vida e dos níveis de consumo das classes médias e trabalhadoras. Essa melhoria se deu e foi efetivamente sentida como tal, embora consideremos que não tenha se dado pelo aumento real de salários, e sim, entre outras razões, pelo aumento do crédito a juros baixos para a compra de habitação (que hoje constitui um pesadelo e um garrote sobre os salários, os quais desde então diminuíram vertiginosamente) e pelo barateamento de produtos básicos, com a entrada maciça da China e da Índia na produção para o mercado global. Esse fato foi associado então à entrada na Comunidade Econômica Europeia e à promessa de mobilidade e prosperidade social.
4) Mudanças no sistema internacional de Estados, logo depois da queda do Muro de Berlim e do fim da URSS. Não foi, cremos, o fim da URSS que determinou a erosão dos direitos sociais – argumento usado frequentemente –, porque essa erosão passou por difíceis negociações sindicais a montante. Mas parece ser um argumento vigoroso que o fim da URSS tenha sido visto com desesperança – sobretudo em países como Portugal, onde havia fortes partidos comunistas – por quem acreditava que havia "algures a leste" uma sociedade mais igualitária (Arcary, 2013). Não era, como sabemos, uma sociedade igualitária, e, num aparente paradoxo, porque se prende com a política de coexistência pacífica, a gestão da precariedade foi negociada também com os mesmos sindicatos[10] – de inspiração comunista – que tinham na URSS um exemplo e que advo-

[9] A CGTP assinou sete desses acordos.

[10] A esmagadora maioria dos sindicatos em Portugal negociou e aceitou os acordos que previam aposentadorias antecipadas.

garam, numa construção de memória que ainda não passou pelo crivo crítico, que o fim da URSS significou o fim das "conquistas adquiridas" no Ocidente.

5) Um quinto fator, não assinalado antes como autônomo por nós (Varela, 2012b, p. 98), é a utilização do fundo da segurança social para gerir a precariedade e o desemprego, criando um colchão social, seguindo as orientações do Banco Mundial, que evite disrupções sociais fruto da extrema pobreza, desigualdade ou regressão social. Essa utilização foi negociada caso a caso e, na maioria das vezes, aceita pelos sindicatos, sob a forma de reformas antecipadas – bancos, grandes empresas metalomecânicas (só na Lisnave, quase 5 mil trabalhadores antecipam em até dez anos a aposentadoria com a totalidade dos salários (P. Fernandes, 1999)), estivadores e trabalhadores portuários (o número é reduzido de 7 mil para os atuais 700 em todo o país)[11], setor das empresas de telecomunicações, para citar alguns exemplos. Em troca, conservam-se os "direitos adquiridos" para aqueles que já os tinham e ou não entram novos trabalhadores ou aqueles que entram ficam sob um regime de precariedade, o que implica uma redução substancial das contribuições para a segurança social. O que se verifica é uma estreita ligação entre a gestão da força de trabalho empregada, os fundos da segurança social e a criação crescente de medidas assistencialistas para atenuar os efeitos da conflitualidade social decorrentes de uma situação de desemprego que se afirma cíclica, mas crescente (subsídios de desemprego, apoio a *lay-off*, formação profissional, rendimento mínimo, rendimento social de inserção, subsídio social de desemprego, subsídio parcial de desemprego).

Essa questão, que vamos aqui desenvolver, remete-nos finalmente para a conclusão de que a segurança social não é insustentável por causa do aumento da expectativa média de vida – que, aliás, é não uma tragédia mas uma boa ventura permitida pelo desenvolvimento científico e social dos últimos cem anos. A sustentabilidade da segurança social depende das condições e relações laborais porque, dos 5,5 milhões de população ativa – diante dos 2,5 milhões de reformados e aposentados (ver Quadro 2) –, quase metade está desempregada ou em condições de precariedade laboral, o que origina a inversão da pirâmide, em que metade da força de trabalho aparece como passiva ou quase sem contribuições. No último estudo, publicado em 2008, Eugénio Rosa calculava que em média um trabalhador precário recebia menos 37% de salário que os trabalhadores com contrato sem termo (Rosa, 2008).

[11] Sob as reformas antecipadas no trabalho portuário, ver Decreto-lei n. 483/99, de 9 de novembro.

### QUADRO 2: FORÇA DE TRABALHO E PENSIONISTAS (2012)

| | |
|---|---|
| Total da população | 10.572.178 |
| População ativa | 5.543.000 |
| População desempregada (valor real) | 1.400.000 |
| População empregada com contrato sem termo fixo | 2.868.000 |
| Pensionistas (Caixa Geral de Aposentações) | 603.267 |
| Pensionistas (pensões de velhice) | 1.991.191 |

Fonte: Estatística do Emprego (INE), 3º trimestre de 2012 (Pordata).

Não acreditamos que o que deva inquietar os cientistas sociais e os historiadores do trabalho seja uma mudança radical na razão entre expectativa média de vida e bem-estar social – que, aliás, seria inexplicável com o espantoso crescimento da produtividade e do desenvolvimento tecnológico nos países centrais. O que nos obriga a refletir e a procurar soluções é justamente a desigualdade entre a produção e a distribuição da riqueza, que faz com que, como argumenta Sara Granemann (2013), o fundo da segurança social seja tão rico e superavitário (calcula-se já em torno de um terço da riqueza mundial) que tenha servido para a capitalização de empresas privadas, aqui e no resto do mundo, onde o duplo fenômeno de usar a previdência para precarizar as relações laborais e mercantilizar/privatizar a segurança social se estende (Granemann et al., 2012).

Alguns dos momentos mais importantes dessa relação imbricada entre fundo da segurança social e gestão do desemprego (Ministério da Solidariedade e Segurança Social, 2015) são:

1) Criação do subsídio de desemprego (Decreto-lei n. 20/85, de 17 de janeiro). Havia já subsídio de desemprego para a generalidade dos trabalhadores desde 1975 (Decreto-lei n. 169-D/75, de 31 de março), mas, em 1985, por imposição da então Comunidade Econômica Europeia (CEE), ele foi criado com associação entre o fundo da segurança social e o fundo de desemprego (a introdução da taxa social única, em 1986). Ou seja, juntaram-se no mesmo fundo o dinheiro das reformas e pensões e o do subsídio aos desempregados.
2) Instituição do regime jurídico da pré-reforma (Decreto-lei n. 261/91, de 25 de julho).
3) Permissão de isenção ou redução dos juros das dívidas à segurança social devidos por empresas em "situação econômica difícil ou objeto de processo especial de recuperação de empresas e proteção de credores" (várias formas ao longo dos anos).
4) Constituição dos fundos de pensões (Decreto-lei n. 415/91, de 17 de outubro).

5) Aumento da duração do subsídio de desemprego e criação do subsídio de desemprego parcial (1999).
6) Criação do Rendimento Mínimo Garantido (1996), substituído pelo Rendimento Social de Inserção (2003).
7) Sucessivos decretos que, consoante as empresas, permitem reformas antecipadas. Começam por permitir já aos 45 anos de idade, depois aos 55 e, ainda, aos desempregados com mais de 50 anos, que primeiro entram no fundo de desemprego, depois na pré-reforma e finalmente na reforma (vários decretos)[12].
8) Programa de Emprego e Proteção Social (Decreto-lei n. 84/2003, de 24 de abril). Redução do prazo de garantia para acesso ao subsídio de desemprego; acesso à pensão antecipada ao desemprego, acesso ao subsídio social de desemprego.
9) Subsídios da segurança social a *lay-offs*, formação profissional, remunerações em atraso.
10) Políticas Ativas de Emprego (Dias e Varejão, 2012).
11) Isenções nas contribuições para a segurança social e sucessivos perdões (o último dos quais em 2010, abrangendo todas as empresas, pequenas, médias e grandes).
12) Sucessão de dívidas das empresas com a segurança social. O total das dívidas, entre atuais, prescritas e consideradas incobráveis, ascende a milhares de milhões de euros desde 1988[13].

Em resumo, o que nos sugere essa cronologia? Em primeiro lugar, que a restruturação produtiva – nomeadamente a crescente introdução de tecnologia e maquinaria que eliminou maciçamente postos de trabalho na Europa e em Portugal – implicou escolhas. Entre essas escolhas, não esteve, em Portugal, a redução do horário de trabalho com vista ao pleno emprego, não esteve a taxação para a segurança social de acordo com a riqueza produzida. Pelo contrário, implicou eliminar postos de trabalho ou precarizá-los e usar para isso o fundo da segurança social. Isto é, numa imagem a que já nos referimos aqui, usar "o salário dos pais para pagar o desemprego dos filhos". Mas agora o desemprego dos filhos pode ser a moeda de troca, na reconfiguração do mercado laboral pós-2008, para demitir os pais.

Essa imagem não dá conta da complexidade do processo, uma vez que não há um corte geracional claro – a maioria dos que entram no desemprego tende a ser a força de trabalho mais velha e menos qualificada –, mas é fato que, por um lado, postergou-se a entrada no mercado de trabalho dos mais jovens, o que vai

[12] Ver, por exemplo, Decreto-lei n. 119/99, de 14 de abril; Decreto-lei n. 483/99, de 9 de novembro; Decreto-lei n. 125/2005, de 3 de agosto, entre outros.

[13] Para um estudo das dívidas das empresas com a segurança social, com dados da evolução destas, ver V. Lima (2012).

diminuir o salário disponível dos pais que têm de sustentar mais tempo os filhos, e, por outro, diminuiu-se o salário desses mesmos pais ao utilizar o valor que deveria ser colocado sobretudo em aposentadorias – e/ou investimentos que garantissem sua sustentabilidade – em programas de desemprego, *lay-offs*, programas de cunho assistencialista e focalizados (discricionários, e não universais).

Antes de se privatizarem as empresas nacionalizadas, os trabalhadores foram maciçamente colocados em diversos tipos de reformas antecipadas. As empresas, para não pagarem indenizações, pelo alto valor estipulado na lei, enviam de fato para a segurança social esse custo, e os fundos de pensões funcionam como indenizações dissimuladas para capitalizar e/ou beneficiar essas empresas, que sem isso não seriam ambicionadas no mercado das privatizações.

A criação de medidas legislativas, acima enumeradas, permitiu eliminar postos de trabalho e colocar um contingente da força de trabalho em situação de desemprego, desemprego parcial ou subsídios assistencialistas, com consequências sociais graves, como o prolongamento da dependência, salários vegetativos, abaixo do mínimo de subsistência, e, provavelmente, embora isso ainda precise ser mais estudado, uma certa apatia social nas camadas sociais mais pobres. Essa ideia nos remete ao texto de Cleusa Santos (2013) sobre as indicações do Banco Mundial para a criação de programas assistencialistas a fim de evitar os conflitos sociais e garantir a reprodução biológica da força de trabalho.

Desde o final dos anos 1980, são criados mecanismos de isenção para contribuições das empresas. A primeira dessas modalidades concedia isenção de até três anos, desde que as empresas depois contratassem o trabalhador com contrato sem termo. Neste momento, está em vigor o programa Políticas Ativas de Emprego (PAE), em que a empresa pode contratar o trabalhador por seis meses, com contrato precário e salário pago pela segurança social, e depois despedi-lo. As empresas podem ainda pagar uma parte do salário e o restante ser pago pelo subsídio parcial de desemprego.

A segurança social tem sido usada pelas empresas para evitar a queda da taxa média de lucro. As empresas entram em *lay-off*, em paralisação de produção total ou parcial, e os trabalhadores são pagos pela segurança social por um período de até seis meses. Muitas vezes, eles estão em formação profissional, paga parcialmente pela segurança social. Não sabemos quantas empresas entram em *lay-off* "falso", isto é, seis meses depois do *lay-off* elas declaram falência. Cabe também à segurança social o pagamento das remunerações em atraso, mediante certas condições. Como se verifica na Figura 1, esse valor tem crescido, passando de 26 milhões de euros em 2008 para quase 75 milhões em 2011 (Pordata, "Indemnizações compensatórias por salários em atraso"). Juntas, a formação profissional e as políticas ativas de emprego correspondiam, no final de 2011, a 1,4% do PIB, segundo o estudo de Guedes e Pereira (2012, p. 54).

**Figura 1: Indenizações compensatórias por salários em atraso**

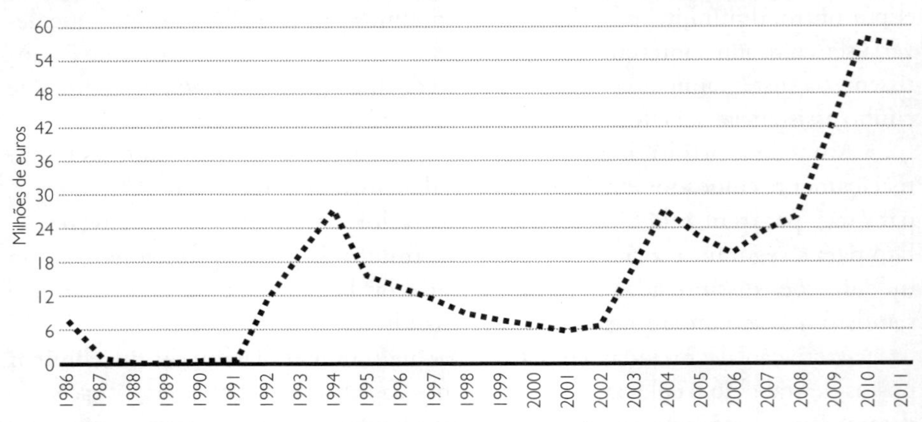


Fonte: Pordata, "Indemnizações compensatórias por salários em atraso".

O fundo de capitalização da segurança social também pode ser usado para o pagamento de juros da dívida pública, pois uma parte dele é necessariamente anexada a ela como investimento. Esse fundo – no valor de 10 bilhões de euros[14] – está "paralisado", não sendo usado para investimento em serviços públicos ou sociais, beneficiando quem descontou, por exemplo, para políticas de habitação social ou financiamento direto aos contribuintes para aquisição de casa própria (Granemann, 2013). É, porém, usado para financiamento indireto dos bancos, ao ser investido em títulos da dívida pública. Há ainda um momento burlesco, que é a utilização do fundo da segurança social português para "ajuda humanitária ao Kosovo" (Ministério da Solidariedade e Segurança Social, 2015). Referimos por último a névoa que envolveu a transferência dos fundos de pensão, nomeadamente da PT e da Banca, para o Estado, envoltos de fato no obscurantismo dos números, não se sabendo o valor (real, e não facial) dos títulos que foram transferidos para o Estado nem se a médio prazo terão sustentabilidade (essas empresas tiveram isenções fiscais como contrapartida da transferência desses fundos) (Rosa, 2005).

A segurança social é hoje um emaranhado complexo de leis que atingem uma série de setores[15] e que, *grosso modo*, dizem respeito a aposentadorias (de trabalhadores que descontam), pensões mínimas e pensões de invalidez, velhice, viuvez etc., bem como a programas assistencialistas que asseguram a reprodução biológica da força de trabalho em situações de carência, resultantes de doença, e ajuda no acesso a saúde, educação etc., além de alimentação (cantinas sociais), rendimento

[14] Valor calculado no final de 2011.

[15] Para uma análise detalhada dos vários regimes contributivos e extensão das medidas abrangidas pela segurança social, ver Lei de Bases da Segurança Social, Lei n. 4/2007, de 16 de janeiro.

mínimo, depois rendimento social de inserção. Essas políticas assistencialistas que caracterizam as últimas décadas de desenvolvimento mundial do capitalismo, como verificou Ana Elizabete Mota, tendem a aumentar sempre na proporção em que se diminui a amplitude do Estado de bem-estar social. Isto é, só crescem quando há destruição da solidariedade social universal (Mota, 1995).

Nas duas últimas décadas, essas políticas têm se estendido e se ampliado progressivamente ao desemprego, criadas e geridas usando os fundos de quem descontou para as pensões e aposentadorias. Para Fernando Marques (1997), no quadro de adaptação à CEE e ao mercado único, encetou-se uma série de medidas como "o subsídio de desemprego, as reformas [aposentadorias] antecipadas por motivo de desemprego, o apoio explícito às restruturações, as políticas ativas de emprego e a formação profissional" (citado em B. Fonseca, 2008, p. 78 e 79). Como referem Hespanha et al. (2000), a criação do Fundo de Estabilização Financeira, bem como a unificação da Segurança Social e do Fundo de Desemprego, constituíram medidas que anunciavam a relação entre os "problemas do (des) emprego e a necessidade de rentabilização das contribuições arrecadadas" (citado em B. Fonseca, 2008, p. 78).

Aquilo que se verifica ao longo dos anos 1980 e 1990 é a transferência de políticas universais de solidariedade que asseguravam a manutenção e formação da força de trabalho para políticas focalizadas que asseguram a reprodução social (biológica), com a consequente queda dramática daquilo que é o salário necessário do conjunto dos trabalhadores e deflagração da pobreza e da desigualdade social (M. C. Silva, 2013; Berhan, 2013). Põe-se em causa, durante esse período, o princípio da "universalidade", nas palavras de Hespanha (2000) (citado em B. Fonseca, 2008, p. 80).

Como assinala Manuel Carlos Silva (2013), esses setores sociais – desempregados, subempregados – não são franjas excluídas da sociedade, mas parte essencial do modo de acumulação, que criou a ideologia de que era necessário, no quadro da competição do sistema internacional de Estados, flexibilizar o mercado de trabalho para manter a competitividade e assim criar emprego. O que se verifica é que o desemprego e a flexibilização são duas faces da mesma moeda – crescem *pari passu* – e, o que é mais dramático, financiados com aquilo que deveria ser um fundo de proteção para um envelhecimento digno, com saúde e qualidade.

Finalmente, a revisão do código de trabalho, que entrou em vigor em 1º de agosto de 2012, não só vem baixar para a metade o valor das horas extras, que tinham particular importância para subir o salário dos trabalhadores do setor industrial, como vem facilitar as demissões. Em março de 2013, foram anunciadas, pela primeira vez na história do país, demissões em massa na função pública, cuja gestão, mais uma vez, recaiu com grande probabilidade sobre o fundo das pensões/aposentadorias, que é a maior fatia da segurança social. Essas demissões, anunciadas em março de 2013, tenderam, de forma assumida pelo XIX Governo Constitucional, a recair sobre a força de trabalho mais velha e menos qualificada[16], constituindo uma política de eugenia social, em que não há espaço no mercado de trabalho, nesse modelo de acumulação, para aqueles que não se adaptaram aos níveis de produtividade exigidos para fazer baixar o custo unitário do trabalho. Isso não é totalmente novo, uma vez que, já em 1999, o governo o tinha assumido, ao publicar mais um decreto que permitia a articulação entre a segurança social e os desempregados, referindo os que, "devido à idade ou qualificação, têm maior dificuldade de inserção na vida ativa"[17].

De um lado, o regime vê-se com uma força de trabalho mais envelhecida e pouco formada; de outro, com uma força de trabalho jovem, mais formada e mais produtiva. Como as taxas de desemprego são históricas, nessa fase de desenvolvimento verifica-se que tem sido uma escolha definir políticas que retiram do mercado de trabalho os que têm direitos para colocar nele os que não os têm, que, além de mais formados, têm tendencialmente menos capacidade de organização político-social e tendem a aceitar piores condições e relações laborais.

Nesse quadro, é ideológico associar a longevidade dos aposentados à insustentabilidade da segurança social. Cabe aos cientistas sociais uma crítica radical e séria à ideologia que criou um senso comum distópico, concebido, aliás, a partir de uma ideologia veiculada através de estudos sucessivos de governos em que se fazem previsões para 2020, 2050, 2060, quando nenhum dos estudos anteriores, rigorosamente nenhum, conseguiu prever nem as crises nem o desemprego, nem propor com rigor um estudo sobre a sustentabilidade da segurança social que não tenha sido, dois a cinco anos depois, substituído por outro estudo, uma vez que "as condições mudaram", isto é, os estudos foram incapazes de se mostrar sólidos e sérios. Mas é com base nesses estudos – tão determinados quanto improcedentes – que se fazem opções políticas que envolvem o bem-estar de milhões de pessoas.

É com base nestas duas premissas – estudos incapazes de prever a realidade ao fim de poucos anos e aumento da esperança média de vida – que se acena com a insustentabilidade de um sistema, que, mesmo perante múltiplas formas de descapitalização, é superavitário, o que é demonstrativo da tese de Sara Granemann (2013) de que a segurança social é um dos principais fundos de riqueza, em Portugal e no mundo, pela imensa quantidade de capitais, diretos do salário, que movimenta.

Assim, do ponto de vista da história do trabalho, a segurança social é, conclui-se, simultaneamente uma conquista histórica das classes trabalhadoras – o primeiro modelo universal foi criado durante a Comuna de Paris em 1781 –, baseada no princípio da solidariedade universal, e também um mecanismo de

[16] "Função pública: rescisões com menos qualificados avança em julho". *Ecofinanças*, 18 mar. 2013.

[17] Decreto-lei n. 119/99, de 14 de abril.

acumulação de capital que desapossa os trabalhadores de uma parte substancial de seus rendimentos. É um mecanismo de reprodução da força de trabalho, de contenção das disrupções sociais, um "antídoto" para os conflitos sociais, um retardador de situações disruptivas e um financiador do capital financeiro e outras formas de capitais.

A sua sustentabilidade, aqui demonstrada nos trabalhos de Renato Guedes e Rui Viana Pereira (2013) e de Eugénio Rosa (2013), é possível e não se prende com o aumento da esperança média de vida – que, insistimos, deve ser visto como uma conquista social e civilizacional, e não como uma agrura trágica –, mas com condições e relações laborais, e isso, como sabemos, depende de escolhas políticas.

## Conclusão

Paradoxalmente, aquilo que foi um ganho histórico – a segurança social universal conquistada no biênio revolucionário de 1974-1975 – transformou-se, por razões políticas, a partir do final da década de 1980, numa almofada social que financiou o desemprego e a precariedade. A montante, constituiu-se, para moldar essas novas relações laborais, a legitimação de um salário-família, tendo as famílias assumido o prolongamento do sustento de seus filhos; e, a jusante, os recursos da segurança social foram usados de forma sistemática para construir uma base assistencialista que acompanhasse a regulamentação da flexibilidade do mercado de trabalho, através de subsídios ao desemprego, subsídios a empresas, apoio a *lay-offs*, programas assistencialistas.

Esse processo, argumentamos aqui, pode ter aberto uma profunda ferida na sociedade portuguesa, aquilo que consideramos uma "eugenização da força de trabalho": os baixos salários dos mais jovens ameaçam a reprodução social destes, inclusive a biológica, e prolongam e retardam sua experiência de vida enquanto adultos plenos. Paralelamente, criam uma sociedade envelhecida, que é estereotipada (e achincalhada) como um tampão ao desenvolvimento do país, acusada de ser imóvel, ter "regalias" e ser pouco formada; de assim não permitir a entrada no mercado de trabalho da força mais formada e mais flexível. Criou-se a ficção, sem base científica, mas dada como indiscutível, de que os "direitos adquiridos" em Abril teriam sido a origem dos problemas que levaram o país à falência no quadro do competitivo mercado mundial e de que só por meio da precarização de todas as relações laborais e da redução dos salários e das aposentadorias ao nível de subsistência (em certos casos mesmo abaixo disso) esse quadro, que é apresentado como uma "guerra de gerações", se inverteria.

Uma ficção, porque aquilo que se tem verificado empiricamente na sociedade portuguesa são os limites históricos do modo de produção capitalista, uma vez que, nas últimas três décadas, se verificou, a par da progressiva flexibilização do mercado de trabalho, o aumento cada vez maior do desemprego e o aprofundamento das crises econômicas com taxas de crescimento anêmicas e, ainda, uma progressiva erosão da pequena e média propriedade, bem como uma acelerada proletarização das camadas médias da sociedade e, finalmente, um empobrecimento geral de quase metade da população para níveis pré-Revolução de Abril de 1974.

Criou-se a imagem, totalmente falsa, de que o aumento da esperança média de vida[18] seria a causa da insustentabilidade da segurança social, com base em estudos que se sucedem porque o anterior "falhou nas previsões" (Guedes e Pereira, 2013), escondendo que Portugal tem uma população ativa de cerca de 5,5 milhões e cerca de 2,5 milhões de reformados/aposentados e pensionistas, mas que, por via das relações e condições laborais, essa pirâmide é invertida e metade da força de trabalho – desempregada e precária – aparece como passiva, e não ativa. E essa inversão do mercado de trabalho se faz criando uma almofada social que usa diretamente os fundos da segurança social para múltiplas formas que são, por um lado, um financiamento às empresas e, por outro, a criação de programas de desemprego e/ou assistencialistas.

Essa aparência de guerra geracional em nada difere dos mecanismos históricos de divisão dos trabalhadores escravos, por exemplo, no Caribe, no final do século XVIII, onde, na ilha de São Domingos, então a mais produtiva das colônias, eles chegavam a ser divididos em "128 variedades" (James, 2001, p. 49), consoante a fração de sangue negro que tinham. A moderna divisão assenta sobre novas dicotomias. Para além do clássico homem/mulher, negro/branco, nativo/imigrante, são hoje constitutivas do pensamento hegemônico as dicotomias novo/velho, formado/não formado, empregado/desempregado, precário/com direitos, ativo/reformado. Diferenças reais e tão válidas para nos diferenciar enquanto seres humanos como gostar de tipos de comida, escolher nomes para os filhos, tamanho e peso, forma de andar ou timbre de voz, mas transformadas, nesse modelo de acumulação, em categorias de divisão e antagonismo social, tentando eliminar a essência constitutiva desse imenso volume de trabalhadores, que entre si partilham o fato de subsistirem por um salário (e não por renda, juro ou lucro), isto é, pela venda de suas forças físicas e intelectuais em troca de um salário – e que são, ou foram, em seu conjunto e de forma interdependente (isto é, uns não podem ser geridos como força de trabalho sem os outros), a origem de todo o valor produzido no país, da riqueza socialmente produzida, e hoje calculada (PIB) em cerca de 170 bilhões de euros/ano.

Na agonia de descer os salários para se recuperar da mais histórica queda da taxa de lucro, o Estado aplicou políticas, a partir de 2008, que ousaram um salto histórico: destruir o pacto social. Abriram, porém, uma caixa de Pandora. Está por provar que os "brandos costumes", essa antiutopia hercúlea apropriada por Salazar,

[18] A esperança média de vida com saúde depois dos 65 anos de Portugal é das mais baixas de toda a Europa, menos 7 a 8 anos do que países como a Dinamarca, Suécia, Irlanda, Reino Unido, entre outros. Ver Instituto Nacional de Estatística (2016).

subsistam à degradação das condições de vida da larga maioria dos trabalhadores. Paz, em Portugal, no Portugal contemporâneo, tem dois nomes: polícia política ou amplos direitos sociais. Todos os outros tempos históricos, na época contemporânea, são marcados pela ingovernabilidade e dialeticamente têm como consequência o entrave à acumulação, eufemisticamente convocada, fora dos meios científicos críticos, como "estabilidade social"[19]. Em 76 anos de constitucionalismo monárquico, houve 43 eleições gerais, sendo de 1 ano e 8 meses o tempo médio por legislatura. Entre 1910 e 1926, 7 eleições legislativas gerais, 8 eleições presidenciais (Oliveira Marques, 1980) e 39 governos (Paço, 2010, p. 10 e 141-61)! Na revolução de 1974-1975, houve 6 governos durante 19 meses e, entre 1976 e 1983, 10 governos, 2 dos quais interinos e 3 de iniciativa presidencial.

O papel do Estado tem sido não o de árbitro numa relação desigual, mas, sim, o de mecanismo dessa transferência de valor do rendimento do salário e das aposentadorias/pensões para as empresas e o setor privado. O Estado foi o executor da regulamentação da flexibilização laboral (e não, como erradamente se crê, da desregulamentação), uma vez que, como vimos, todas essas medidas são cuidadosamente acompanhadas de legislação estatal abundante e da utilização de fundos públicos que são, coercivamente, coletados por esse Estado. A gestão assistencialista do desemprego, a recapitalização de empresas, a titularização do fundo da segurança social, a mercantilização das funções sociais do Estado, a própria gestão da força de trabalho em sede de concertação social, todas essas mudanças foram feitas e realizadas tendo por epicentro o reforço do Estado e do seu papel, na dupla vertente de regulador e financiador cada vez mais presente, e não pela sua ausência, como erradamente se atribui à chamada "fase neoliberal". Ajudando a criação desse conceito polêmico e, cremos, inapropriado de neoliberalismo para caracterizar uma fase em que o papel do Estado não tem diminuído, mas, pelo contrário, tem se intensificado, já não apenas na vertente política e militar, mas claramente na dimensão econômica.

Esse Estado organiza-se num regime – democrático-representativo – cuja crise é visível, não só em Portugal mas em toda a Europa. Desse ponto de vista, do regime, é possível que estejamos também numa encruzilhada histórica que cruza regime e direitos laborais de forma compulsiva. Essa encruzilhada, cujo desfecho somos incapazes de antever, tem uma inovação histórica: a tendência para a bonapartização, ou seja, uma ditadura do Estado capitalista onde não existam ou sejam severamente restringidos os direitos sociais, não encontra hoje base social numa Europa em que simultaneamente se destroem direitos laborais e sociais, mas onde está viva a memória das derrotas do nazifascismo e do Estado Novo há quatro décadas e onde existe um amplo consenso em torno da necessidade do Estado

[19] É curioso notar que os grandes meios de comunicação se referem com frequência às greves como momentos de caos e à governação sem greves, ainda que com milhares de desempregados, como estabilidade, tendo como único critério não o bem-estar social mas a ausência de conflitos coletivos.

de bem-estar social (que une as camadas mais distintas de setores médios e trabalhadores até setores conservadores). Os limites para impor uma ditadura nesse contexto são, cremos, reduzidos.

O aumento das remunerações alcançado, como vimos, durante a Revolução dos Cravos não se dá no salário direto, mas sobretudo no salário social, ou seja, no nível do Estado de bem-estar social e, dentro deste, na Segurança Social. Em 1974 e 1975 criaram-se, por força da revolução, mecanismos impressionantes de transferência de rendimentos do capital para o trabalho – na ordem dos 15% – que hoje são um tesouro, cujos guardiães são reformados e aposentados que têm a moral de terem assinado um contrato social, na base do qual confiaram a uma pessoa que criam ser de bem, o Estado, a sua pensão. Esses guardiães, muitos, têm a memória histórica da revolução, isto é, da aprendizagem político-organizativa que falta genericamente à geração mais jovem. A segurança social é hoje uma mina de ouro que o Estado descapitaliza, não sem um crescente conflito com aqueles que a construíram e que para ela contribuíram e com legitimidade a reclamam.

Porque ser pobre deixou de ser um destino, um fado. Portugal já não é o país agrário e semianalfabeto que Amália cantava num fado, uma casa portuguesa "pobrezinha, mas com fartura de carinho". Viver bem, ter "um emprego bom já" (como na letra de uma música do *rapper* Boss AC que alcançou o *top* em 2011), isto é, ter trabalho, e não esmolas assistencialistas, descansar depois de trinta ou quarenta anos de trabalho, com saúde, qualidade de vida e respeito social, passou a fazer parte de exigências mínimas civilizacionais que reúnem um amplo consenso social.

O desemprego e a precariedade são a face visível das medidas contracíclicas e, aceitando que a sociedade é um reflexo de forças antagônicas, da incapacidade das estruturas políticas e sindicais representativas dos trabalhadores de resistir a elas. Está colocado à sociedade portuguesa um desafio histórico. "Comprar os pais para vender os filhos", isto é, manter ao longo dos últimos vinte anos os direitos adquiridos para a franja mais velha da população, que vinham de relações laborais construídas no pós-25 de Abril, e precarizar os mais jovens não parece ter oferecido garantias nem a pais nem a filhos, estando hoje toda a massa dos trabalhadores ameaçada de uma regressão histórica que talvez – não teremos infelizmente aqui tempo de explorar isso – só encontre paralelo histórico nos processos clássicos de proletarização (e acumulação primitiva) do final do século XIX e dos anos 1960, que começaram por ser "resolvidos" com o recurso à emigração extrema do campo para a cidade e do país para o estrangeiro, mas terminaram, sem mobilidade social e válvulas de escape, em revoluções – a segunda (Revolução de Abril de 1974) mais radical e extensa que a primeira (Revolução Republicana de Outubro de 1905).

# 5

# Subcontratação e exploração diferenciada dos trabalhadores imigrados: o caso de três setores na Itália

*Rossana Cillo*
*Fabio Perocco*

## Introdução

O crescimento da subcontratação nas últimas duas décadas faz parte do processo de difusão generalizada das externalizações como fenômeno global. Tal generalização deve ser atribuída à precarização estrutural do trabalho, que impede a diminuição da rentabilidade das empresas. As externalizações não são um fenômeno novo para a produção capitalista, já que, com o trabalho em domicílio e as *sweatshops*, elas têm acompanhado o desenvolvimento da manufatura e da indústria moderna (Goldstein, 2006)[1]. No entanto, durante as últimas décadas, o seu forte crescimento – junto com outros processos – teve um papel fundamental na transformação da produção mundial, na organização das cadeias produtivas globais, sobretudo ligando mais estreitamente os trabalhadores às necessidades das empresas privadas e dos organismos públicos. Além disso, com respeito ao passado, desenvolveu-se consideravelmente a externalização *in situ* ou "intramuros".

Na reorganização da produção mundial, as externalizações tornaram-se cada vez mais globais e transversais. Globais porque envolveram os países do Norte e do Sul e se desenvolveram tanto em nível transnacional, sob a forma de deslocalizações internacionais, como em nível infranacional, sob a forma de deslocalizações regionais e subcontratações. Transversais porque atravessaram as marcas do setor industrial e atingiram a agricultura e os serviços, envolvendo tanto o setor privado como o setor público (Huws e Podro, 2012).

---

[1] Mais recentemente, "houve um crescimento estável na subcontratação, inclusive na subcontratação internacional, na indústria de produção desde pelo menos os anos 1960" (Huws e Podro, 2012, p. 3; tradução nossa).

A subcontratação tornou-se um fenômeno estrutural das novas formas de divisão e organização do trabalho no quadro da economia neoliberal. A sua mundialização é fruto de diversos processos que se desenvolveram separadamente e, juntos, chegaram à redução dos custos de produção – e, antes de tudo, do trabalho. A globalização das externalizações e da subcontratação deriva antes de mais nada da aplicação dos princípios da *lean production* (gestão da produção otimizada do modelo toyotista). A passagem da fábrica fordista para a toyotista levou a uma diminuição do volume de produção realizado pela empresa-mãe, em razão da sua transferência para as empresas relacionadas – inclusive empresas com contrato público, subcontratação e subsubcontratação – e através da difusão da "empresa enxuta e difundida". Antunes calculou que a produção interna da fábrica fordista chegava a 75%, enquanto hoje, na fábrica toyotista, não passa de 25% aproximadamente (Antunes, 2012, p. 56). A reorganização da produção com base no modelo da acumulação flexível implicou uma grande segmentação do mercado do trabalho e, portanto, uma estratificação das condições de trabalho, que aumenta ao baixar entre os diferentes níveis de subcontratação, como no caso do setor têxtil nos Estados Unidos (Bernhardt et al., 2009) e na Itália (Zanin e Wu, 2009).

Em seguida, particularmente no setor dos serviços, a globalização das externalizações e da subcontratação foi favorecida pelas tecnologias da informação e da comunicação, que permitiram externalizar todas as funções de tratamento de informações e geraram uma nova estratificação da força de trabalho, baseada numa diversificação das formas de contrato para o desenvolvimento de uma mesma função e na reorganização dos espaços de trabalho, como se pode notar nos *call centers* (Abraham, 2008; Head, 2003; Huws, 2003 e 2009).

Além disso, a globalização da subcontratação foi favorecida pelo estabelecimento, dentro das empresas privadas e dos órgãos públicos, do princípio do "não contratamos", elevado a dogma universal da economia política contemporânea, o que provocou a difusão geral do trabalho precário e temporário. Externalização e subcontratação de um lado, trabalho precário e temporário do outro: trata-se de dois fenômenos distintos, com seus critérios de organização e formas de regulação jurídica, mas que se inserem ambos no processo de recuperação da rentabilidade das empresas.

Finalmente, a globalização da subcontratação também deriva das políticas de reestruturação dos sistemas de segurança social por meio da privatização dos serviços públicos, adotadas para limitar as despesas públicas e reduzir o custo da força de trabalho agindo sobre os salários indiretos. A aplicação dessas políticas favoreceu a proliferação das externalizações e transformou o sistema da subcontratação num elemento estrutural da organização do trabalho no setor público e da dualização do mercado do trabalho, como ficou evidente no setor de saúde na França, na Itália e no Reino Unido (Bernardotti, Dhaliwal e Perocco, 2007; Huws e Podro, 2012).

Nesses processos, que viram um uso crescente do trabalho dos imigrados, a fragmentação da produção e a do mercado de trabalho se misturaram com a recomposição das discriminações e a reconfiguração das desigualdades, nomeadamente em termos de nacionalidade, gênero e geração (Schierup, 2007), e submeteram camadas cada vez maiores de trabalhadores a condições de trabalho mais precárias, com menos direitos e uma exploração maior. Essas condições foram declinadas em diferentes graus de precarização e exploração, segundo distintas modalidades de aplicação da subcontratação, e contribuíram para uma nova geografia das condições e dos direitos do trabalho que, no que diz respeito aos trabalhadores imigrados, vão do trabalho regular e decente até o trabalho forçado, passando pelo trabalho irregular e pelo trabalho gravemente explorado (Carchedi, 2010; Clark, 2013). Essas novas formas de organização do trabalho e as novas estratificações (trabalhistas, sociais, jurídicas) contribuíram para a crise dos sindicatos e de seu modelo tradicional de intervenção, lançando um dos desafios mais importantes dos últimos anos, em nível nacional e internacional (Gumbrell-McCormick e Hyman, 2013).

Este capítulo examina a ligação entre as novas formas de organização do trabalho derivadas da externalização da produção pela subcontratação e a exploração diferencial dos trabalhadores imigrados em alguns setores da produção no contexto italiano. A exploração diferencial desses trabalhadores está ligada ao seu estatuto jurídico e à sua vulnerabilidade no mercado do trabalho. De um lado, eles sofrem uma série de discriminações institucionais derivadas da política migratória, que subordina a permissão de residência ao contrato de trabalho e os direitos sociais ao estatuto migratório (Basso, 2010). De outro, sofrem discriminações cotidianas no mercado e no lugar de trabalho, que se manifestam na seleção e no acesso ao emprego, na atribuição de funções e tarefas, na classificação profissional, nos salários, na mobilidade do trabalho (vertical e/ou horizontal), no acesso às ajudas sociais e de proteção da saúde (Ferrero e Perocco, 2011; Fondazione Moressa, 2012b).

No âmbito da subcontratação, a exploração diferencial dos imigrados se agrava porque o sistema de estratificações típicas da subcontratação se junta e se combina com a segmentação racial do mercado de trabalho e com as discriminações resultantes das políticas migratórias. A reorganização da produção em alguns setores provocou uma nova estratificação do mercado de trabalho – formalmente baseado no estatuto contratual – e uma fragmentação importante das proteções que contribuem para abrir caminho para as discriminações raciais no trabalho (Bernardotti, 2006; Krenn e Haidinger, 2008; Rovelli, 2008).

O capítulo analisa essa ligação nos setores da construção naval, da metalurgia e da construção na Itália, concentrando-se nos imigrados de primeira geração, que aí chegaram a partir dos anos 1990, e propondo-se as seguintes questões: como se impôs o sistema de subcontratação nesses setores? De que maneira a desigualdade do trabalho que afeta os imigrados se mistura e se junta com as estratificações do sistema de subcontratação? Como o sistema de subcontratação se torna terreno fértil para o enraizamento e a reprodução da exploração diferencial? E, finalmente, quais são as dificuldades encontradas pelos sindicatos no que diz respeito às condições de trabalho dos imigrados no setor da subcontratação?

O presente texto está baseado nos resultados do projeto europeu Craw (Challenging Racism at Work, financiado pela Direção-Geral de Emprego da Comissão Europeia, contrato VS/2012/0240), realizado em 2012-2013, em continuação ao projeto Ritu (Race Xenophobia in Trade Unions, financiado pela Direção-Geral de Pesquisa, 5º programa-quadro, contrato Serd-2002-00043), efetuado em 2002-2005. O projeto Craw visava analisar as condições de trabalho dos imigrados e as discriminações que sofriam em alguns setores da produção. No que diz respeito à Itália, a análise foi conduzida nos setores da construção naval e da metalurgia, já examinados pelo projeto Ritu, e no setor da construção. Os três estudos de caso desenvolvidos nesses setores envolviam os estaleiros navais Fincantieri de Marghera (Veneza), onde se constroem navios de cruzeiro, as fábricas da Electrolux de Conegliano e Susegana (Veneto), que produzem eletrodomésticos, e alguns estaleiros de construção civil da zona de Treviso[2].

Depois da revisão da literatura, dezesseis entrevistas foram realizadas com oito sindicalistas, membros nacionais e locais dos três principais sindicatos italianos (CGIL, CISL e UIL), quatro delegados sindicais (CGIL, CISL e UIL) e quatro trabalhadores imigrados, e realizou-se também a organização de três *workshops* para discutir os resultados com um comitê composto de especialista e sindicalistas convocados em diferentes momentos da pesquisa.

## A subcontratação na Itália e nos estudos de caso

Na Itália, a aplicação generalizada dos princípios do *just-in-time* e da produção *on-demand* implicou a ampliação e a intensificação do uso da subcontratação, que se desenvolveu paralelamente e graças ao aumento da flexibilidade e da precarização do trabalho. As etapas fundamentais desse aumento, em termos de flexibilidade do emprego, bem como de flexibilidade de prestação, constituíram-se por leis de reforma trabalhista adotadas nas últimas décadas: a Lei n. 196/1997, que introduz o trabalho provisório; o Decreto n. 368/2001, que reforçou o contrato por tempo determinado; a Lei n. 30/2003, que reforçou o uso do trabalho provisório e introduziu o trabalho intermitente e o trabalho acessório; e a Lei n. 92/2012, que estabilizou definitivamente a precariedade. Dessas etapas, a Lei n. 30/2003

---

[2] Os estudos de caso foram definidos após consulta a especialistas e sindicalistas. Fincantieri e Electrolux já foram objeto do projeto Ritu; o projeto Craw permitiu examinar a situação dos imigrados dez anos depois. No setor da construção civil, foi selecionada a região de Treviso, onde há predominância de pequenas empresas.

tem importância especial, porque eliminou a proibição de subcontratar mão de obra e modificou os estatutos da subcontratação de bens e serviços e do destacamento dos trabalhadores e do ramo de atividade[3], eliminando assim os obstáculos à subcontratação impostos por algumas normas do Código Civil[4].

Nos anos 2000, a subcontratação de bens e serviços se desenvolveu muito, juntamente com a nova regularização do mercado do trabalho e a liberalização da subcontratação de mão de obra. Ambas – subcontratação de bens e serviços e subcontratação de mão de obra – se desenvolveram juntas, de forma paralela e integrada, levando à maior precariedade e redução dos salários que já houve na Itália nas últimas duas décadas. São dois fenômenos distintos, mas que fazem parte do mesmo processo de desvalorização do trabalho.

## A subcontratação nos setores da construção naval, da metalurgia e da construção civil

A combinação dessas políticas de trabalho com leis penalizadoras sobre a imigração (Basso e Perocco, 2003; Basso, 2010) reforçou a exploração dos trabalhadores imigrados nos setores da produção orientados para a subcontratação e ampliou o espaço de enraizamento das discriminações, que são mais intensas quando o trabalho não é regular (Ceschi e Mazzonis, 2003). Os setores mais atingidos são os de construção naval e civil, metalurgia, têxtil, couro (Centro Nuovo Modello di Sviluppo, 2015a e 2015b), saúde e, cada vez mais, logística (Galossi e Ferrucci, 2014). Esses setores, que passaram por uma profunda reorganização baseada na subcontratação, empregam cada vez mais trabalhadores imigrados para os trabalhos menos qualificados, mais duros e mais perigosos.

No que diz respeito ao setor da construção naval, a empresa estatal Fincantieri[5], líder mundial na produção de navios de cruzeiro, é um exemplo da mistura de fragmentação do processo de produção e estratificação racial da força de trabalho. Nos anos 1980, a empresa chegou à liderança mundial reduzindo o custo do trabalho pela informatização do *design* dos navios, pelo planejamento do processo de produção e pela introdução de uma organização do trabalho muito flexível, baseada no emprego de assalariados diretos unicamente para a construção dos cascos e montagem e na subcontratação das operações do equipamento dos navios, caracterizada por um emprego maciço de trabalhadores imigrados.

Essa nova organização implicou a redução a um quarto dos assalariados diretos[6] e a diminuição à metade da incidência do custo do trabalho no volume de

---

[3] Ver os artigos do Título III do Decreto 276/2003, como modificados.
[4] A subcontratação é regulada pelo Código Civil, artigos 1.655 a 1.677.
[5] Analisamos aqui o sistema de subcontratação dos estaleiros de Marghera, Monfalcone e, em parte, Ancona.
[6] A Fincantieri contava com 36 mil assalariados em 1975, 30 mil em 1981, 20 mil em 1991 e 8.674 em 2004 (Ministero dei Trasporti, 2004).

negócios (Zanin, 2002; Basso, 2007). Hoje, os estaleiros italianos contam com aproximadamente 8.300 assalariados diretos, porém, se considerarmos as indústrias conexas, principalmente em subcontratação, esse número chega a cerca de 30 mil (Fincantieri, 2012, p. 48).

O setor da construção civil é outro exemplo dessa mistura. De um lado, conheceu a desintegração vertical do processo de produção das empresas, favorecida pela evolução das técnicas de trabalho e organização (uso de produtos industriais e montagem de componentes, processo de especialização e subcontratação) e pelas alterações legislativas. Por outro lado, conheceu um forte aumento do emprego de trabalhadores imigrados nas funções menos qualificadas, frequentemente de forma irregular (Unar, 2014)[7]. A união dessas duas tendências gerou uma extrema flexibilidade (de prestações e contrato) e uma redução do custo do trabalho. Além disso, produziu uma grande polarização da estrutura das empresas do setor, que repercute no mercado de trabalho e nas condições de trabalho.

A crise econômica levou a uma redução do número e do tamanho médio das empresas (de 3,2 trabalhadores por empresa em 2008 a 3 trabalhadores em 2010). Contudo, as empresas individuais cresceram, e isso por duas razões: de um lado, a crise acelerou a externalização da produção, o que se concretizou no falso trabalho autônomo; de outro, parte dos assalariados desempregados passou a trabalhar por conta própria para permanecer no setor (Ance, 2012). Essa solução foi adotada por um grande número de imigrados, levados pela necessidade de manter a permissão de residência: em 2010 havia cerca de 117 mil empresas geridas por proprietários estrangeiros, um número que passou a cerca de 125 mil em 2011 (Fondazione Moressa, 2012a).

O setor da metalurgia também apresenta características exemplares. A partir do fim dos anos 1970, a indústria metalúrgica italiana entrou em declínio e, desde os anos 1990, passou por importantes processos de restruturação. Em primeiro lugar, o Estado privatizou numerosas empresas nacionais e reduziu a ajuda ao setor, o que causou uma redução importante no número de trabalhadores. Em segundo lugar, várias empresas privadas se deslocaram para a Europa do Leste, o que acentuou a desindustrialização do tecido produtivo local e a concorrência entre os trabalhadores. Finalmente, as empresas que permaneceram na Itália reduziram os custos de produção através da subcontratação, favorecendo a reestratificação do mercado do trabalho em função do tamanho das empresas e das diferentes formas de contrato. Essas tendências se encontram na Electrolux-Zanussi, uma empresa de eletrodomésticos adquirida nos anos 1980 pela multinacional sueca Electrolux, que adotou um modelo de produção baseado no toyotismo.

[7] Tendências semelhantes estão presentes em outros países europeus, o que confirma se tratar de um processo geral que diz respeito também ao fenômeno dos trabalhadores destacados (Lillie, 2012; Eldring et al., 2012).

## A EXPLORAÇÃO DIFERENCIAL DOS TRABALHADORES IMIGRADOS NO ÂMBITO DA SUBCONTRATAÇÃO

No contexto italiano, o trabalho dos imigrados é marcado, de um extremo ao outro – do acesso ao emprego até o desemprego, das funções até o salário, da classificação profissional até a mobilidade, dos acidentes de trabalho até a segurança social –, por grandes desigualdades em relação aos trabalhadores nacionais (Fullin e Reyneri, 2011; Fondazione Moressa, 2012b). Essas condições de trabalho se somam a uma política migratória caraterizada pela precarização e criminalização dos imigrados, sobretudo pela aplicação de políticas seletivas, repressivas e discriminatórias (Basso, 2010).

Em relação aos trabalhadores nacionais, os trabalhadores imigrados (cerca de 2,3 milhões de pessoas, ou seja, 10% do total de trabalhadores) sofrem uma forte segregação no emprego, que os concentra principalmente no setor terciário e nas profissões manuais pouco qualificadas, como operários, mão de obra da construção civil, trabalhadores agrícolas, empregados domésticos, pessoal de limpeza, empregados domésticos (Fondazione Moressa, 2014, p. 44). Além disso, apresentam uma taxa maior de desemprego (17,3% contra 11,5% entre os trabalhadores nacionais), de subemprego (12,3% contra 4,5%) e de subqualificação (41,1% contra 19,9%), assim como uma maior precariedade contratual de trabalho, mais duradoura que para os trabalhadores nacionais. Se somarmos condições de trabalho estacionárias à antiguidade e à forte presença em empregos sem aumento salarial ligado à antiguidade ou possibilidade de progresso na carreira, tudo isso se reflete nos salários (salário médio mensal líquido de 959 euros contra 1.313 euros) (Unar, 2014, p. 255-63).

Esse conjunto de discriminações no trabalho se desenvolveu em dois níveis: nas empresas médias e grandes, os imigrados são empregados de forma regular, mas para trabalhos mais perigosos e degradantes, o que os subclassifica e penaliza na carreira; nas pequenas empresas ou nos ateliês em que trabalham frequentemente por subcontratação, onde boa parte da atividade fica oculta, as desigualdades são ainda mais fortes e as formas de exploração ainda mais graves.

Evidentemente a desigualdade no trabalho que atinge os imigrados não é determinada pelo sistema de subcontratação, é a subcontratação que se soma à desigualdade e contribui para mantê-la e alimentá-la. A combinação das estratificações do sistema com a *civic stratification*[8] devida às políticas migratórias expõe os imigrados à chantagem do empregador e os obriga a aceitar qualquer condição de trabalho. Além do mais, é preciso não esquecer que a precariedade do sistema de subcontratação atinge também os trabalhadores com contrato

[8] Morris (2002) falou da *civic stratification* (estratificação jurídica dos direitos, resultante da concessão ou limitação dos direitos pelo Estado num contexto de imigração), como de um sistema de desigualdade.

por tempo indeterminado, pois a duração desses contratos não é garantida se a empresa perder a adjudicação do contrato.

Como demonstrarão os estudos de caso, a investigação evidenciou não só uma diferença de condições entre assalariados de empresas contratantes e empresas subcontratadas mas também uma diferenciação das condições de trabalho entre os trabalhadores subcontratados. Essa diferenciação está baseada na fragmentação dos contratos, na nacionalidade dos trabalhadores (trabalhador nacional/estrangeiro), no estatuto do trabalhador estrangeiro (UE/extra-UE/neo-UE; com/sem papéis), na duração e no tipo de permissão de residência que possibilitam direitos diferenciais.

Nos estaleiros, o "modelo Fincantieri" se baseia na coexistência, num mesmo local de trabalho, de condições muito diferentes, embora interdependentes, entre trabalhadores diretos, principalmente nacionais, e trabalhadores subcontratados, principalmente imigrados. Como mostraram numerosas reportagens[9] e inquéritos judiciais, há um grande uso de trabalho irregular e semirregular, longa jornada de trabalho (até doze horas por dia), salários diretos e indiretos reduzidos pela "remuneração global"[10], uso de cartas de "demissão em branco" e "cartas liberatórias"[11] como instrumento de chantagem e a proibição de aderir a sindicatos. Na prática, há "dois estaleiros" em um só[12].

Com a crise, para manter a sua parte de mercado e aumentar a produtividade, a Fincantieri se reestruturou para reduzir ainda mais o número de assalariados diretos e aumentar a subcontratação. A redução no número de encomendas levou ao fechamento de muitas pequenas empresas por encomenda e subcontratação, deixando milhares de trabalhadores sem emprego ou com salários não pagos. Para manter a permissão de residência, os que continuaram trabalhando tiveram de aceitar condições de trabalho mais duras (Staglianò, 2010). A pesquisa desvelou que as empresas subcontratadas tentaram manter os lucros, apesar da perda de valor e volume de encomendas, reduzindo consideravelmente os salários, inclusive

---

9 "Lavoro Killer", *L'Espresso*, 21 fev. 2008; "Fincantieri, una storia italiana", episódio da série de tevê *Il lecito*, La7, 10 jul. 2012.

10 A "remuneração global" ou "salário global" é um sistema ilegal que as empresas usam para não pagar as contribuições sociais e aumentar a chantagem contra os trabalhadores. O contrato de trabalho prevê um número mínimo de horas que não corresponde à duração real do trabalho. Por outro lado, a retribuição real é determinada com base em uma negociação individual, na qual o salário inclui todos os direitos sociais (contribuição à seguridade social e seguro para horas de trabalho não cobertas por contrato, indenização por cessação de atividade, décimo terceiro salário, horas extras, licenças, férias, promoções).

11 É uma carta de consentimento emitida pelo precedente empreendedor sem a qual o trabalhador não pode trabalhar para outras empresas em subcontratação.

12 Existe uma organização do trabalho semelhante nos Chantiers de l'Atlantique, em Saint-Nazaire, também especializados na construção de navios de cruzeiro: ali foi introduzida a "montagem exótica", baseada nas externalizações e na contratação de trabalhadores imigrados (Patron, 2004). O uso da subcontratação é muito comum em países que lideram setores específicos da construção naval: é o caso da China, da Turquia e da Coreia do Sul, onde a relação de trabalho entre assalariados diretos e trabalhadores subcontratados é de 4:1 (Ludwig e Tholen, 2006).

o salário global, que permitia aos trabalhadores das empresas subcontratadas ganhar mais do que os assalariados da Fincantieri. Um responsável de província da Federação dos Empregados e Operários Metalúrgicos (Fiom) sublinhou:

> Antes, o salário global podia até ter valores mais elevados, mas, agora, [quanto] mais reduzida é a margem da empresa subcontratada, mais decaem as condições de trabalho dos assalariados subcontratados, igualmente em termos de retribuição. É uma das coisas às quais nos opomos há muitos anos no plano da organização, porque, para nós, é insustentável até do ponto de vista industrial, porque há o risco de se adaptar a capacidade de construir navios a um modelo que, mais cedo ou mais tarde, estará fora do mercado. Com efeito, enquanto as outras concorrentes investem e inovam, é possível forçar o mercado durante algum tempo, mas sem uma intervenção nas condições industriais, na tecnologia, na inovação, há o risco de se reduzirem as perspectivas.

Muitos trabalhadores subcontratados não obtiveram auxílios por desemprego em razão das frequentes irregularidades das contribuições sociais – vinculadas ao "salário global" – e da descontinuidade dos contratos de trabalho. Enquanto os assalariados diretos da Fincantieri tiveram acesso automático à indenização por desemprego parcial, os trabalhadores das empresas subcontratadas encontraram numerosas dificuldades, como sublinhou um responsável de província da Federação Italiana da Metalurgia (FIM):

> A crise excluiu muitos trabalhadores subcontratados. A Fincantieri está em desemprego parcial[13] há dois anos e os primeiros que pagaram o preço foram os trabalhadores subcontratados, que desapareceram no silêncio total. Outras empresas chegam às primeiras páginas dos jornais enquanto, aqui, nada: excluídos. Frequentemente, sem benefícios sociais. Sim, há acordos para indenização por desemprego parcial, mas, enquanto em outras empresas é normal, aqui a indenização por desemprego parcial é uma vitória.

As empresas subcontratadas menos atingidas pela recessão transformaram a crise em pretexto para piorar as condições de trabalho. Em particular, como explicou um responsável de província da Fiom e um trabalhador senegalês, a duração reduzida dos contratos de subcontratação, as frequentes falências das empresas subcontratadas e as numerosas trocas de razão social para não quitar pagamentos em atraso são usadas como instrumento de chantagem contra os imigrados, que, para não perder o emprego e, portanto, a permissão de residência, aceitam o prolongamento do tempo de trabalho, a intensificação dos ritmos e a redução de salários e de normas de segurança.

---

[13] Todos os assalariados diretos cumpriram desemprego parcial por rotação.

No setor da construção civil, os trabalhadores imigrados se encontram em situação semelhante de desigualdade: é o setor com a maior incidência de trabalhadores imigrados (quase 20%), concentrados principalmente nas profissões de estaleiro (90% dos quais encarregados de construção, acabamento, pintura e limpeza externa, ou manobras); somente 1,1% exerce profissões técnicas; em 2011, 58% dos trabalhadores imigrados eram empregados como operários não qualificados (contra 29,5% dos trabalhadores nacionais) e 11,5% como operários especializados (contra 35% dos trabalhadores nacionais). Essa situação se reflete nos salários: em média, os trabalhadores imigrados ganham mensalmente 133 euros menos que os trabalhadores nacionais (Ires e Fillea-CGIL, 2012).

Os trabalhadores imigrados foram os mais duramente atingidos pela crise. Entre 2009 e 2012, a diferença de salário entre trabalhadores imigrados e trabalhadores nacionais mais do que dobrou, passando de 4,1% para 10,5%; o recurso ao desemprego parcial foi, em média, maior entre os imigrados (Ires e Fillea-CGIL, 2012). A pesquisa de campo mostrou que os imigrados foram penalizados nos procedimentos de demissão e no acesso aos benefícios sociais; no que diz respeito ao acesso ao desemprego parcial, numerosas empresas, em vez de garantir uma rotação equitativa dos assalariados, favoreceram os trabalhadores nacionais. Isso está ligado também à subclassificação dos imigrados: eles não voltam a ser chamados sob pretexto de não possuir, em seus contratos, a qualificação necessária para algumas funções.

As condições de trabalho nas empresas subcontratadas são normalmente mais duras do que as das empresas contratantes: ritmos de trabalho mais intensos, tempos de trabalho mais longos, menos atenção com as medidas de segurança, uso mais frequente do salário global e do trabalho por peça. Outro fator de diferenciação que se soma à tipologia da empresa e ao estatuto jurídico do trabalhador é aquele entre trabalhadores imigrados com ou sem contrato. Os trabalhadores sem contrato, muito numerosos no âmbito da subcontratação, são ainda mais vulneráveis, porque, como explicou um responsável de província da Federação Italiana dos Trabalhadores da Madeira, da Construção e dos Setores Relacionados (Fillea-CGIL): "Os trabalhadores irregulares não são inscritos na Caixa de construção, não recebem salário regular e vivem sob uma espécie de chantagem e intimidação permanente dos empregadores, que são frequentemente *caporali*"[14].

Também no setor da metalurgia – embora menos que em outros setores – há uma diferenciação das condições dos trabalhadores imigrados e dos nacionais que depende principalmente do tipo de contrato e do tamanho da empresa. Em 2008, quase todos os trabalhadores provenientes de países fora da União Europeia estavam empregados como operários (Federmeccanica, 2008); trabalhavam principal-

[14] O "*caporale*" é uma prática de intermediação ilícita de mão de obra. Em inglês, é traduzido por *gangmaster*. No Brasil, a forma mais aproximada talvez seja "gato".

mente à noite e nas vésperas de feriados, também em razão de sua forte presença na siderurgia e nas fundições. Embora possuíssem um nível médio de escolaridade maior do que o dos trabalhadores nacionais, eram empregados em níveis inferiores e recebiam salários menores, em comparação com o salário médio global (1.186 euros contra 1.246 euros), que frequentemente eles tentavam completar com horas extras (Fiom-CGIL, 2008).

A crise reduziu o salário dos imigrados, em razão tanto de uma menor procura por horas extras e trabalho em três turnos como do "uso discriminatório – até racista" do desemprego parcial (Como, 2014, p. 165). O uso do desemprego parcial foi bem maior entre trabalhadores imigrados do que entre os trabalhadores nacionais (cerca de 1.200% contra cerca de 370%), sem contar a exclusão dos imigrados de alguns tipos de benefícios sociais por se concentrarem em empresas com menos de quinze assalariados ou em trabalhos de tempo parcial[15].

A pesquisa destacou que a intensidade da exploração diferencial e das discriminações muda em função da presença de sindicatos, que é mais importante entre os assalariados diretos das grandes empresas e quase inexistente entre os das empresas subcontratadas. Os entrevistados notam que, nas grandes empresas onde há sindicatos, não se registram episódios graves de discriminação, porque a ação sindical consegue obter um tratamento igual, como no caso da Electrolux. Ao contrário, nas subcontratadas, os imigrados são empregados de forma mais acentuada nas funções mais pesadas e mal pagas; são colocados em níveis mais baixos do que seus cargos reais, ou as promoções não lhes são reconhecidas. Há casos de explorações graves, definidas por um responsável nacional do sindicato União Italiana dos Trabalhadores da Metalurgia (Uilm) como "brutais". Um responsável de província da Fiom declarou que, "às vezes, a cooperativa à qual é conferida a subcontratação é um sistema de exploração grosseiro, no qual há até mesmo formas de ilegalidade muito fortes".

A desigualdade das condições, ligada ao tipo de empresa, se junta às discriminações institucionais: se os trabalhadores imigrados das grandes empresas contratantes conseguiram obter uma estabilidade de trabalho e contrato e obtiveram permissão de residência de longa duração ou, em alguns casos, até a nacionalidade, com a crise os trabalhadores imigrados da subcontratação frequentemente perderam, ou arriscaram-se a perder, a permissão de residência e encontram mais dificuldade para obter benefícios sociais.

No que diz respeito à Electrolux, até meados dos anos 2000, os trabalhadores imigrados recebiam um tratamento diferenciado: subclassificação, baixa

[15] Na Itália, trabalhadores de empresas com menos de quinze assalariados não têm acesso à *Cassa Integrazione Straordinaria* (caixa de indenização por desemprego parcial extraordinário, reservada a situações de crise estrutural, bem como aos processos de reestruturação e reconversão); trabalhadores com contrato de tempo parcial não têm acesso nem à *Cassa Integrazione Ordinaria* (caixa de indenização por desemprego parcial ordinário, para situações de dificuldades econômicas temporárias).

mobilidade, nenhum reconhecimento de promoções (Basso, 2007). Nos últimos anos, a empresa melhorou as condições de tratamento desses trabalhadores e reconheceu não só sua ascensão e antiguidade como também as relacionou à estabilidade (devida ao congelamento das contratações), introduzindo um código ético de "tolerância zero" contra a discriminação. Os benefícios sociais (subvenções de mobilidade, contratos de solidariedade, indenização do desemprego parcial), adotados depois de numerosas mobilizações dos trabalhadores, são um exemplo disso. Os entrevistados observam que não houve disparidade de tratamento entre trabalhadores imigrados e nacionais na aplicação dessas medidas, porque o desemprego parcial foi aplicado por rotação.

No entanto, nas cooperativas que realizam as operações de carga e descarga externalizadas da empresa e contratam principalmente imigrados, há uma grande precariedade contratual, maiores desigualdades e discriminações, e tudo isso independentemente do fato de trabalharem ao lado dos assalariados diretos (nacionais e imigrados). As condições dos trabalhadores das cooperativas são piores do que aquelas dos trabalhadores diretos e pioraram com a crise, como salientou um delegado sindical da Fiom:

> A relação entre o salário deles e o nosso é abismal. Não têm prêmios de produção, enquanto nós temos prêmios mensais. Mesmo o fato de trabalhar seis horas em períodos de crise [com o contrato emprego solidariedade] afeta o trabalho deles, porque, se eu trabalhar seis horas, o mesmo acontece com eles, o que afeta negativamente [o salário deles]. Frequentemente, eles só têm o direito à indenização do desemprego parcial em derrogação, enquanto nós temos direito à indenização do desemprego parcial ordinário.

## Novos desafios para os sindicatos

O sistema de subcontratação e seu uso sistemático da força de trabalho imigrante apresentaram novos desafios para os sindicatos. A pesquisa salientou três aspectos: a divisão/união dos trabalhadores; a escassa sindicalização dos trabalhadores imigrados da subcontratação; as novas práticas sindicais para desenvolver sua participação e lutar contra a exploração no setor da subcontratação. Antes de entrar no cerne do tema, devemos fazer uma rápida apresentação do panorama dos sindicatos italianos nos três setores examinados.

As confederações sindicais mais importantes na Itália são a CGIL (Confederação Geral Italiana dos Trabalhadores), CISL (Confederação Italiana dos Sindicatos dos Trabalhadores) e UIL (União Italiana do Trabalho). Cada confederação é dividida em categorias que se ocupam das negociações, da sindicalização e da proteção dos trabalhadores nos diferentes setores da produção. A CGIL, historicamente ligada aos principais partidos da esquerda, é o sindicato com o maior número de filiados (5.644.603 em 2011) e se impõe particularmente no Centro--Norte do país e no setor industrial. A CISL, o segundo maior sindicato em número de filiados (4.485.383 em 2011), era historicamente ligado ao partido da Democracia Cristã e está presente principalmente no setor público e nas indústrias do Norte. A UIL, historicamente ligada ao antigo Partido Socialista, está presente particularmente no setor público e na indústria e conta com um número menor de filiados (2.196.442 em 2011).

No que diz respeito à metalurgia e à construção naval, as confederações de referência são a Fiom-CGIL (Federação dos Empregados e Operários Metalúrgicos), que conta com 358.722 filiados; a FIM-CISL (Federação Italiana da Metalurgia), com 212.705 filiados; e a Uilm (União Italiana dos Trabalhadores da Metalurgia), com 90.416 filiados. As confederações de referência na construção civil são a Fillea-CGIL (Federação Italiana dos Trabalhadores da Madeira, da Construção e dos Setores Relacionados), que conta com 359.120 filiados; a Filca--CISL (Federação Italiana da Construção e Setores Relacionados), com 301.409 filiados; e a Feneal-UIL (Federação Nacional dos Trabalhadores da Construção e dos Setores Relacionados), com 162.017 filiados.

Desde 2005, a presença de imigrados nos sindicatos tem aumentado, seja em número de filiações, seja (parcialmente) em participação. Isso permitiu manter – e até aumentar em alguns setores e regiões – o número de filiados ativos, depois de um período de diminuição de filiação entre trabalhadores italianos ativos. Em 2011, as três confederações contavam com 1.011.606 imigrados inscritos, ou seja, 31% dos trabalhadores imigrados ativos: 410.127 na CGIL (15,5% de seus filiados ativos); 384.237 na CISL (16,7%); e 217.242 na UIL (16,4%) (Caritas, 2012, p. 272-4)[16].

## Divisão dos trabalhadores, sindicalização dos imigrados, novas práticas sindicais

Nos três setores, os sindicatos tiveram de encarar o desafio de elaborar uma estratégia de luta contra as desigualdades ligadas ao sistema de subcontratação, considerando tanto a estratificação da precariedade produzida pelo trabalho como a segmentação racial do mercado do trabalho.

Contudo, até agora, essa estratégia tem sido aplicada de forma parcial e fragmentada. A negociação coletiva por empresa ou territorial[17] realizada nos últimos anos – principalmente na Fincantieri – para afirmar o princípio de igualdade de

[16] Não há dados disponíveis para cada setor.

[17] O sistema de concertação foi instaurado em 1993 em dois níveis: uma negociação nacional e coletiva em nível setorial, que estabelece os níveis mínimos de salário (renováveis cada dois anos) e as condições mínimas de trabalho (renováveis cada quatro anos) que deverão ser aplicados nos contratos individuais de cada setor; um segundo nível de negociação, que não pode melhorar as condições estabelecidas em nível nacional e pode ser realizado diretamente nas empresas onde são representados os sindicatos, ou em nível territorial, para as empresas sem representação sindical.

tratamento foi condicionada pela crise e pelo crescimento dos ataques aos sindicatos. Depois da crise, as organizações de empregadores e os sindicatos discutiram, primeiramente, os problemas relativos ao impacto da crise. Esta última originou dificuldades cada vez maiores na assinatura dos contratos nacionais, o que teve consequências também para a negociação territorial ou por empresa: os contratos foram quase sempre assinados com atraso e, com frequência, as empresas concederam aumentos de salário somente depois de obter concessões à flexibilidade de horários de trabalho e redução de direitos. No âmbito da subcontratação, os sindicatos encontraram ainda mais dificuldades, pois a negociação por empresa ou territorial é inexistente em muitos casos e, às vezes, o contrato coletivo nacional nem é aplicado.

Um primeiro desafio para os sindicatos é a relação contraditória entre os assalariados da empresa-mãe e os da subcontratação. A deterioração das condições de trabalho provocada pela crise – que, como mostram os estudos de caso, afeta tanto os assalariados diretos quanto os trabalhadores subcontratados, ainda que de formas diferentes – teve graves consequências para as relações entre os trabalhadores. Na Fincantieri, por exemplo, a pesquisa revelou, de um lado, o fortalecimento da oposição entre o "estaleiro dos assalariados diretos" e o "estaleiro dos assalariados das empresas subcontratadas" e, de outro, uma maior aproximação e solidariedade entre os trabalhadores. No que diz respeito à oposição, um delegado sindical da Fiom observou que os imigrados são "o elo mais fraco sobre o qual se descarregam as angústias e as tensões do estaleiro, numa espécie de guerra entre pobres". Os trabalhadores nacionais consideram muitas vezes que os imigrados são concorrentes "desleais", "que roubam os empregos" e são responsáveis pelo agravamento das condições de trabalho, porque aceitam salários inferiores. Além disso, como explica um responsável de província do sindicato FIM, entre os assalariados diretos há um sentimento de superioridade em relação aos trabalhadores subcontratados, que não se deve a razões racistas, mas, sim, por "se sentir[em] numa condição de trabalho muito diferente e objetivamente superior" do ponto de vista do gozo de direitos, salários e tempos de trabalho. Quanto à aproximação entre os trabalhadores, segundo um delegado sindical da FIM, isso deriva dos mesmos fatores que levaram à presença de dois estaleiros em um só, ou seja, a deterioração das condições de trabalho, o que afeta todos os trabalhadores e, por isso, une objetivamente, numa tendência geral de nivelamento por baixo, os que haviam sido divididos pela estratificação do mercado do trabalho, obrigando-os a sofrer a precarização crescente.

O segundo desafio concerne à sindicalização dos trabalhadores imigrados da subcontratação contra as práticas antissindicais das empresas subcontratadas. No caso da Fincantieri, por exemplo, muitas dessas empresas demitem, ou não contratam, quem tem contato com os sindicatos. As dificuldades incluem também a sindicalização de grupos particulares de trabalhadores: por exemplo, no setor da construção, os sindicalistas enfrentam problemas na organização dos trabalhadores das empresas subcontratadas, os sazonais, os trabalhadores sem contrato, porque é complicado estabelecer uma relação durável e profícua, já que eles mudam frequentemente de cidade, empresa ou estaleiro. Também nos outros setores é muito difícil se aproximar e sindicalizar os trabalhadores sem contrato, porque eles não querem correr o risco de serem identificados, denunciados e expulsos da Itália.

A pesquisa sublinhou que, pelas mesmas razões, há entre os trabalhadores das empresas subcontratadas da Fincantieri uma redução da sindicalização e da participação[18], o que se reflete na ausência de delegados imigrados. Os trabalhadores imigrados da subcontratação se sindicalizam principalmente por questões de proteção, por conflitos sindicais individuais (raramente coletivos), para recuperar salários atrasados ou ter acesso a benefícios sociais.

No que diz respeito à construção, os entrevistados destacam que houve, no decurso do tempo, adesão e participação crescentes dos imigrados nas assembleias, nas reuniões de coordenação e nos congressos sindicais. Participam cada vez mais de greves e manifestações, assumem cargos de representantes (mesmo que em nível mais baixo) e colaboram com a organização das atividades. Já os imigrados assalariados da subcontratação aproximam-se dos sindicatos apenas para ter acesso a alguns serviços (pedidos de permissão de residência e reagrupamento familiar, declaração de rendimentos) e resolver situações delicadas e/ou graves violações de seus direitos.

Para encarar esses problemas, os sindicatos adotaram novas práticas. Em nível nacional, por exemplo, a CGIL lançou a campanha "Gli appalti sono il nostro lavoro. I diritti non sono in appalto" ("A subcontratação é o nosso trabalho, mas os nossos direitos não podem ser subcontratados"), que levou a uma proposição de lei popular baseada na proteção real dos trabalhadores subcontratados, à luta contra as práticas de concorrência desleal entre empresas e à manutenção do trabalho em caso de mudança da subcontratada. No que diz respeito à construção e à agricultura, a Fillea-CGIL e a Flai-CGIL (Federação dos Trabalhadores do Setor Agroindustrial) lançaram a campanha "Stop Caporalato" ("Não ao Emprego Ilegal") contra a exploração grave e o sistema ilegal de recrutamento de mão de obra no setor da subcontratação.

Em nível local, para favorecer a sindicalização dos trabalhadores subcontratados, os sindicalistas adotaram estratégias flexíveis. Na Fincantieri, por exemplo, abordam os trabalhadores nas cantinas ou nos portões, fora do horário de trabalho. Como explicou um responsável de província da Fiom:

> às vezes, temos dificuldades para falar com os trabalhadores das empresas subcontratadas que não são sindicalizados. Ao organizar assembleias que são também, ou somente, para os trabalhadores das empresas subcontratadas, temos de encarar os

[18] Com exceção de algumas empresas históricas que cuidam da pintura.

> limites das formas de organização, que são muito complicadas porque todos os direitos são monetizados. O trabalhador da subcontratação corre o risco de não ser pago nem pelas horas de assembleias sindicais previstas pelo contrato, porque o pagamento global incluiu tudo. Assim, às vezes somos forçados a inventar ocasiões para falar com esses trabalhadores.

Dessa maneira, em particular a Fiom-CGIL conseguiu superar uma parte dos obstáculos e manter um bom nível de envolvimento desses trabalhadores nas iniciativas comuns com os assalariados diretos:

> Quando organizamos iniciativas, nós nos dirigimos a todos os trabalhadores, porque são questões que dizem respeito aos estáveis, mas também aos trabalhadores das empresas subcontratadas. Recentemente organizamos duas greves: a greve do dia 5 de dezembro de 2012, contra o acordo separado dos trabalhadores da metalurgia e dos estaleiros, e uma greve de três horas que envolveu também os trabalhadores das empresas subcontratadas, pois, quanto mais as condições dos trabalhadores da Fincantieri são postas em discussão, tanto mais as condições da subcontratação se agravam.

## Conclusão

Historicamente, a utilização da força de trabalho migrante nos países ocidentais e em nível mundial foi um dos principais instrumentos de desvalorização da força trabalho em seu conjunto. Representou uma reserva de mão de obra que permitiu enfrentar as necessidades da produção capitalista, tanto pela diminuição do custo do trabalho como pela possibilidade de usar uma mão de obra superflexível, presa a uma situação de subordinação e vulnerabilidade diante das políticas migratórias e das discriminações institucionais (Potts, 1990).

Numa época neoliberal, essa condição particular tornou a imigração, de um lado, um campo de experimentação de novas formas de divisão e organização do trabalho pensadas para aumentar os lucros e a produtividade das empresas e, de outro, um elemento de reestratificação e recomposição do mercado do trabalho através do processo de substituição do trabalho estável pelo trabalho precário, pondo em concorrência os trabalhadores imigrados e os trabalhadores nacionais (Basso, 2010).

Os mesmos processos (necessidade de rentabilidade) que favoreceram o uso da imigração como instrumento para desvalorizar o trabalho também deram lugar a uma restruturação da organização da produção baseada no uso da externalização, o que tornou a subcontratação um fenômeno estrutural dos processos econômicos e produtivos contemporâneos.

Com respeito ao passado, a subcontratação conheceu duas evoluções: a generalização, principalmente no setor público, que se tornou (pelo menos na Itália) o primeiro produtor de subcontratação e trabalho não padronizado, e a "cientificação", ou seja, a operação científica (do ponto de vista do taylorismo). As últimas décadas viram a formação de uma verdadeira "política de subcontratação" – que se inscreve no processo mundial de recuperação da produtividade pela reorganização do processo de produção e pela precarização do trabalho e alimenta-se das reservas de mão de obra de baixo preço que constitui a força trabalho migrante.

Em resposta a esse novo contexto, os sindicatos tiveram de encarar novos desafios que, ao menos na Itália, estão longe de ser vencidos. Os principais sindicatos ainda estão ligados a um modelo de consenso e estratégia sindical baseados sobretudo na organização do trabalho e na composição das classes trabalhadoras de tipo fordista, um modelo difícil de aplicar em termos de intervenção e sindicalização dos trabalhadores subcontratados. Esse modelo também condiciona a intervenção junto aos trabalhadores imigrados: o crescimento significativo da sindicalização dos imigrados que ocorreu na Itália é devido aos serviços específicos dedicados a eles e, sobretudo, ao fato de que os sindicatos intervieram em empresas que já eram sindicalizadas e tiveram um grande aumento dessa força de trabalho; ao contrário, como também demonstraram os estudos de caso, a intervenção dos sindicatos junto aos trabalhadores imigrados da subcontratação é mais difícil e fragmentada, o que abriu o caminho para um enfraquecimento adicional dos sindicatos em termos de política, organização e adesão, suscetível de tornar ainda mais vulneráveis os trabalhadores mais precários.

# 6
# Trabalho imigrante *dekassegui*: classe social, etnia e gênero[1]

*Mariana Shinohara Roncato*

## Introdução

Por trabalhador imigrante *dekassegui* entende-se o conjunto da população brasileira que emigrou para o Japão especialmente a partir do início da década de 1990, constituindo assim o chamado "fenômeno *dekassegui*". Em 2015, havia mais de 173 mil brasileiros residentes em solo japonês, compondo um dos maiores contingentes de força de trabalho estrangeira naquele país[2].

A palavra *dekassegui* tem origem em dois verbos da língua japonesa: *deru* (出る) e *kasegu* (稼ぐ), que significam respectivamente *sair* e *ato de ganhar dinheiro*, aplicando-se assim a quem sai de seu lugar de origem em busca de trabalho por determinado período. Inicialmente, referia-se aos trabalhadores sazonais oriundos do campo que migravam para as regiões industriais, não tendo, portanto, nenhuma relação com os imigrantes estrangeiros. Foi somente com a entrada no país do contingente que compõe a força de trabalho estrangeira que o termo passou a designar também o trabalho dos imigrantes.

O sociólogo Pietro Basso, refletindo sobre o contexto europeu, afirma que o imigrante é o "protótipo do trabalhador flexível" (Basso, 2013, p. 34), sobre o qual recaem as condições tendencialmente mais precárias de trabalho. Existe nesse cenário um racismo institucional, que seria criador de leis restritivas e punitivas contra os imigrantes, e também um "racismo popular", que recriaria um verdadeiro "apartheid *moral e cultural*, no qual se procura encerrar os imigrantes e que

---

[1] Esta pesquisa é parte da dissertação de mestrado em sociologia *Dekassegui, cyber-refugiado e working poor: o trabalho imigrante e o lugar do outro na sociedade de classes*, defendida em 2013 no IFCH/Unicamp, sob orientação de Ricardo Antunes, com financiamento da Capes.

[2] Ministry of Health, Labour and Welfare (Kōseirōdōshō, 厚生労働省). Disponível em japonês em: <http://www.mhlw.go.jp/file/04-Houdouhappyou-11655000-Shokugyouanteikyokuhakenyukiroudoutaisakubu-Gaikokujinkoyoutaisakuka/0000110234.pdf>. Acesso em: jul. 2019.

caminha lado a lado com um apartheid *material* mais ou menos visível, porém real, do trabalho e da habitação" (Basso, 2013, p. 35). Desse modo, as condições de inferioridade material e social se encontram e são manifestadas no que ele chama de racismo de Estado (Basso, 2013).

Veremos que o fenômeno *dekassegui*, diferentemente de outros fluxos migratórios, tem sua particularidade no fato de se tratar de uma migração formada exclusivamente por descendentes de japoneses (*nikkei*) e seus cônjuges, assumindo um caráter de migração documentada, "não ilegal", em contraste com fenômenos semelhantes em outros países de capitalismo central com alta concentração de imigrantes. Entretanto, apesar de suas particularidades, podemos encontrar no Japão condições semelhantes às do contexto analisado por Basso, pois o "lugar do outro" etnicamente marcado na sociedade de classes é comum a todo imigrante não qualificado, que fica sujeito a uma inserção singular na classe trabalhadora. Tal constatação parece ser importante para entendermos a classe trabalhadora na contemporaneidade. Ademais, em consonância com a ideia de Basso, o *dekassegui*, como "protótipo do trabalhador flexível", experiencia as oscilações econômicas antes do trabalhador autóctone, pois sua inserção no mercado de trabalho, em razão das relações flexíveis de trabalho, faz com que ele seja o primeiro a ser afetado pelo desemprego, pela redução de salários etc.

Paralelamente, desde a década de 1990, a classe trabalhadora japonesa experimenta condições e relações de trabalho outrora pouco expressivas. Parte da classe trabalhadora, assim como o imigrante, não tem alternativa senão aceitar contratos de trabalho temporários, flexíveis e sem estabilidade, com pouca proteção social e rebaixamento do salário real. O aumento dos contratos de trabalho não regulares e da informalidade e a diversificação dos tipos de trabalho, como o *arubaito*[3] (trabalho de tipo temporário e informal) entre os jovens, os *part-time jobs*, a terceirização (*haken*), os *one call workers* e fenômenos como o dos *freeters* (jovens que vivem somente de trabalhos informais e temporários), bem como os cyber-refugiados, grupo constituído por trabalhadores que dormem/vivem em cibercafés ou outros estabelecimentos que funcionam 24 horas, geralmente trabalhando como *one call workers*, fazem parte do novo modelo japonês.

À luz dessas observações, percebemos que a construção social do "lugar do outro" na sociedade de classes se faz mediante a instrumentalização da classe social em conjunto com as relações sociais de sexo e raça/etnia. Esses marcadores sociais de diferença operam em conjunto com a divisão sexual-racial do trabalho, sendo funcional a individualização salarial, o rebaixamento do preço da força de trabalho, a maior precarização das condições de trabalho, a tentativa de fragmentação

[3] Expressão originária do alemão *Arbeit* (trabalho) modificada para a pronúncia japonesa. Nasceu como gíria estudantil na era Meiji (1868-1912) e difundiu-se por todo o Japão, designando qualquer forma de "bico".

política dos trabalhadores e a ampliação do exército industrial de reserva, entre outras relações de trabalho em que exploração e dominação caminham lado a lado.

Muito mais que um fenômeno isolado, a construção social do outro, através das diferenciações de sexo e raça/etnia parecem necessárias para a produção e reprodução das relações sociais capitalistas, nas quais a população trabalhadora imigrante é a figura paradigmática.

## O FENÔMENO *DEKASSEGUI*

O fenômeno *dekassegui* propriamente dito inicia-se em 1990, ano em que ocorreu a reforma da Lei de Controle de Imigração Japonesa (*nyūkanhōkaisei*, 入管法改正). Isso permitiu que descendentes de japoneses de até terceira geração pudessem obter visto de residência no país. Não por acaso, essa reforma de lei coincidiu com uma carência de força de trabalho na indústria de transformação, justamente o setor em que a maior parte dos *dekasseguis* seriam inseridos (Roncato, 2013).

Quando comparado a outros países de capitalismo central, o Japão nunca contou com presença maciça de estrangeiros em seu território[4] (Morris-Suzuki, 2006). Conforme explicita Atsushi Kondo, no pós-guerra, diferentemente dos países europeus, a reconstrução do Japão não foi fortemente marcada por "guest workers", ou seja, por força de trabalho imigrante (A. Kondo, 2002). As razões que explicariam a não utilização dessa força de trabalho num período de alto desenvolvimento econômico (1955-1973) seriam a grande migração do campo para a cidade, a automação por incorporação de tecnologias que dispensariam força de trabalho não qualificada, a utilização de força de trabalho em tempo parcial de donas de casa e estudantes e o sistema de extensão da jornada de trabalho (Kajita, 1994, citado em T. Kondo, 2004).

No entanto, a partir da década de 1980, o crescente envelhecimento populacional, a baixa natalidade e a maior escolarização da juventude permitiram que muitos jovens rejeitassem o trabalho na indústria de transformação, que consideravam oferecer pouca perspectiva de mobilidade profissional (Sasaki, 2006). A alta taxa de crescimento econômico, o desemprego em torno de apenas 2% no fim da década de 1990 e a escassez de força de trabalho nos setores automobilístico e eletroeletrônico criaram uma conjuntura[5] na qual a atração da força de trabalho imigrante se tornou funcional para essas empresas.

---

[4] Além de uma condição geográfica naturalmente isoladora, o Japão teve um período de autoisolamento de 1639 a 1854, conhecido como *Sakoku* (鎖国), quando houve a suspensão de qualquer tipo de intercâmbio com outros países, com exceção de uma abertura parcial de comércio com a Holanda, a Coreia do Sul e a China.

[5] Durante o *boom* econômico (1986-1991), a criação de 4,4 milhões empregos (aumento de 1,8%) produziu uma demanda de trabalho não qualificado (Cornelius, 1995, p. 379), e o crescimento econômico em torno de 5% ao ano (Hosokawa, 2011, p. 155) colaborou para a carência de trabalhadores nesse setor.

Antes da entrada dos brasileiros, na década de 1980, já havia imigrantes não qualificados em solo japonês oriundos da China, da Coreia do Sul, de Bangladesh e de outros países asiáticos. Em sua maioria indocumentados, eram considerados por vezes uma população com hábitos culturais hostis aos residentes locais. Nessa conjuntura, a entrada de descendentes japoneses parece ter sido bastante apropriada para o preenchimento desses postos de trabalho.

Segundo Fábio Ocada (2006), a classe empresarial japonesa tinha a preocupação de recrutar uma força de trabalho que fosse numerosa, participativa, produtiva e perseverante. Ocada compreende que, para agregar uma força de trabalho que possuísse as características mencionadas, houve a instrumentalização de um *ethos do gambarê*[6], presente na comunidade nipo-brasileira, em favor do aumento da produtividade do capital (Ocada, 2006).

A ideologia e o valor cultural expressos no *gambarê*, transmitido para parte da comunidade nipo-brasileira, poderiam ser traduzidos na persistência e na perseverança em face do "destino" dado pela vida (Ocada, 2006). Nesse raciocínio, tudo indicava que os *dekasseguis* que emigraram para o Japão, em teoria, seriam mais produtivos para o capital, quando comparados aos imigrantes indocumentados de outrora. Convenientemente adaptada à lógica da acumulação ampliada do capital (Ocada, 2006, p. 175), a entrada dos nipodescendentes se associou muito bem com a criação de ideologias próprias, ora de submissão, ora de superação e adaptação às relações sociais capitalistas, ressignificando-as quando necessário.

Em 1989, antes da reforma da Lei Migratória, 14 mil brasileiros residiam no Japão. Logo após a permissão de entrada de descendentes, em 1991, esse número subiu repentinamente para 191 mil. Oficialmente, a Reforma Migratória se justificava pela flexibilização da política migratória japonesa e pelo maior controle dos estrangeiros indocumentados, significando um importante passo para a modernização das políticas migratórias japonesas. Não somente no caso japonês, políticas migratórias – sejam elas restritivas ou não – sempre surgem em consonância com o mundo do trabalho e suas necessidades de aproveitamento desse contingente[7].

Do lado brasileiro, do ponto de vista do movimento que expulsa seus trabalhadores pela via da emigração, a conjuntura de recessão econômica e neoliberalismo do final da década de 1980 e 1990 não foi muito favorável para boa parte da classe trabalhadora. Patarra e Baeninger (2006) consideram que a recessão econômica que o Brasil estava atravessando naquele período, entre outros fatores, alterou substancialmente o volume de brasileiros que saíram rumo ao exterior. Para as autoras, houve a "busca de uma mobilidade social truncada no país dos anos da

[6] De influência confuciana, a expressão e o espírito do *gambarê* são usados, grosso modo, como forma de incentivo, perseverança e força. Tem um valor cultural capaz de moldar relações sociais, comportamentos individuais e coletivos, e denota superação diante das adversidades da vida (Ocada, 2006).

[7] O trabalho de Patrícia Villen (2015) demonstra essa relação, especialmente no caso brasileiro.

chamada década perdida que se dirigia, principalmente, para os países do Primeiro Mundo" (Patarra e Baeninger, 2006, p. 87). Assim, do ponto de vista demográfico, entre 1950 e 1980, o Brasil era considerado um país de população fechada[8] que, a partir da década de 1980, torna-se um país com expressiva saída de emigrantes (Patarra e Baeninger, 2006).

É importante destacar que, embora o empresariado japonês desejasse recrutar uma força de trabalho "de seus próximos", não são todos os nipodescendentes que emigram, mas apenas uma parte deles. Atualmente, a comunidade *nikkei* no Brasil conta com 1,5 milhão de pessoas e há uma seletividade dentro dessa comunidade - que não é homogênea - que faz com que apenas uma parcela decida migrar. Essa seletividade, do ponto de vista aqui adotado, ocorre principalmente em razão da classe social da qual faziam parte os *dekasseguis* antes de emigrar.

Segundo nosso entendimento (ver Roncato, 2013), o movimento *dekassegui* é constituído por *nikkeis* oriundos da classe trabalhadora brasileira e, talvez, por um número bastante diminuto de trabalhadores provenientes da fração da classe média em condições proletarizadas, que sofreu perdas significativas de padrão de vida na década de 1990 e para a qual mesmo o trabalho operário no Japão compensava do ponto de vista econômico. Ainda que existam motivações subjetivas (como busca de raízes, pertencimento ou "mito do retorno"), elas aconteceriam, no geral, desde que esses *nikkeis* fizessem parte de determinada fração da classe trabalhadora no Brasil.

Assim, desde 1990, a evolução da população brasileira residente no Japão passa a acompanhar o movimento da economia japonesa: aumento repentino após a Reforma Migratória e contínua progressão até a crise econômica de 2008. Como já mencionado, essa população era de 14 mil em 1989, saltou para 119 mil em 1991, cresceu para 176 mil em 1995, 254 mil em 2000 e atingiu seu pico em 2007, com 317 mil brasileiros oficialmente cadastrados[9].

É importante destacar que, no Japão, não há oficialmente permissão de entrada ou residência de imigrantes que exerçam trabalhos não qualificados. Apesar da carência de força de trabalho não qualificada nas indústrias japonesas e a presença de trabalhadores imigrantes não qualificados nesses locais, nunca houve *visto de trabalho* para essa população. Esse espaço carente de trabalhadores sempre foi preenchido de maneira aparentemente "marginal" à sociedade japonesa – referimo-nos aqui às conquistas sociais, como direitos trabalhistas e seguridades sociais concedidos à população japonesa. Assim como os imigrantes asiáticos indocumentados até a década de 1980, os brasileiros *dekasseguis* permanecem relativamente à margem do sistema de proteção social japonês.

---

8 Crescimento da população fechada significa que o "crescimento era resultante da diferença entre o número de nascimentos e o de óbitos" (Patarra e Baeninger, 2006, p. 87).

9 Ministry of Justice (Hōmushō, 法務省). Disponível em japonês em: <http://www.moj.go.jp/housei/toukei/toukei_ichiran_touroku.html>. Acesso em: jul. 2019.

Mais perseverantes, mais esforçados e considerados mais produtivos, os *dekasseguis* brasileiros passam a formar um dos maiores contingentes de imigrantes dentro do mercado de trabalho. Em 2015, dos 173 mil brasileiros residentes no Japão, a maior parte trabalhava na indústria, sendo que o setor automobilístico, o de eletroeletrônicos e as fábricas de marmita (*bentou-ya*)[10] eram os que mais empregavam essa população.

Após 25 anos de fluxo migratório, existem no Japão escolas, cabeleireiros, academias de ginástica, casas noturnas, restaurantes, açougues, supermercados etc. onde se fala português, se consomem produtos brasileiros e com atendimento voltado unicamente para brasileiros. Existem também serviços realizados em domicílio, como o de manicures, babás e terapeutas, além de salões de beleza em apartamentos e outros serviços majoritariamente informais.

A inserção no mercado de trabalho não se dá de maneira similar para todos os estrangeiros. Como ocorre em outros países, há uma clivagem dentro do mercado de trabalho: imigrantes não qualificados e imigrantes com qualificação profissional, uns e outros atraídos para esse mercado, não ocupam o mesmo lugar dentro da sociedade de destino (ver Villen, 2015)[11].

Filipinos, peruanos – a maior parte *nikkeis* –, chineses, vietnamitas e coreanos também têm uma alta representatividade no setor industrial, e os primeiros, assim como os brasileiros, são altamente terceirizados. Dos trabalhadores estrangeiros originários do G8, quase metade (44%) trabalha na área da educação[12] e pouquíssimos são trabalhadores operários. Aqui, é possível perceber uma divisão social do trabalho de acordo com a nacionalidade, operando em conjunto com a clivagem de raça e sexo e levando a uma segmentação do trabalho entre os próprios imigrantes.

## O *KAISHA* E O IMIGRANTE

A maior parte dos *dekasseguis* se insere na indústria japonesa, ou seja, em fábricas montadoras de autopeças e fabricantes de componentes eletroeletrônicos. É nessas fábricas, conhecidas como *kaisha*, que os *dekasseguis* passam a maior parte de seus dias como imigrantes. Em japonês, *kaisha* (会社) pode significar fábrica,

---

[10] Espécie de marmita, fabricada em escala industrial e largamente consumida em todo o Japão. Sua venda ocorre em supermercados, lojas de conveniência e outros. É consumida principalmente por trabalhadores na hora do almoço.

[11] Segundo Renato Ortiz, na concepção da sociedade japonesa, o *gaijin*, isto é, o estrangeiro, "não é um estrangeiro qualquer, um negro, um *dekassegui* brasileiro ou um imigrante coreano, em relação aos quais práticas discriminatórias são explícitas; a ele aderem as qualidades de prestígio, superioridade, enfim, de civilidade" (Ortiz, 2000, p. 139). Segundo esse raciocínio, mesmo sendo um *gaijin*, o *dekassegui* não se encaixaria na concepção do "outro" exótico simbolizado pelo homem branco ocidental. Destarte, do ponto de vista simbólico haveria duas categorias diferenciadas de estrangeiros, que, a nosso ver, nada mais são do que o reflexo das condições materiais de existência.

[12] Ministry of Health, Labour and Welfare (Kōseirōdōshō, 厚生労働省). Disponível em japonês em: <http://www.mhlw.go.jp/file/04-Houdouhappyou-11655000-Shokugyouanteikyokuhaken yukiroudoutaisakubu-Gaikokujinkoyoutaisakuka/0000110234.pdf>. Acesso em: jul. 2019.

empresa ou companhia. Formada por dois ideogramas (*kanji*), a palavra pode ser traduzida literalmente como *encontro* e *sociedade*, ou seja, o local para se encontrar na sociedade. É bastante usual em japonês dizer: "Vou ao *kaisha*" ou "Voltei do *kaisha*", em vez de: "Vou trabalhar" ou "Voltei do trabalho". Em tais expressões, o substantivo *kaisha* é usado para designar o trabalho em seu sentido amplo.

Como diz o antropólogo James Roberson, os japoneses têm o hábito de designar algo que lhes pertence utilizando a palavra "*uchi*", que significa o que está dentro, ou os de dentro (Roberson, 2003, p. 165), e utilizam a mesma palavra para *casa*. Por exemplo: "*uchi no kodomo*" ("minhas crianças") ou "*uchi no shujin*" ("meu marido") conotam algo que faz parte da vida do sujeito, algo que lhe pertence. O *kaisha* (a empresa, *company*) é considerado *uchi* pelo japonês (Roberson, 2003, p. 165), ou seja, algo que lhe pertence, que está em sua vida, em oposição ao que está fora dela, ou *outside* (Roberson, 2003, p. 165). Juntamente com a moral confuciana que dá origem ao *ethos do gambarê*, é possível dizer que, no mundo do trabalho japonês, há um ideário que considera a empresa algo que pertence ao sujeito, como se fosse a sua família, à qual ele se dedica de maneira perseverante (Fruin, 1980).

É dentro dessa cultura do trabalho que o *dekassegui* se insere, porém, como veremos, ele ocupa um lugar distinto daquele de seu companheiro de fábrica japonês, no qual a noção de pertencimento não parece casar muito bem com a condição de imigrante. Nas fábricas japonesas, a organização do trabalho segue predominantemente o modelo Toyota de produção[13]. A flexibilização das relações de trabalho, a intensificação do ritmo no processo de produção, o esforço na fragmentação da classe trabalhadora (por exemplo, a diversificação salarial), a tentativa de imposição e "aceitação" ideológica desse modelo e a criação de um ambiente que envolva o trabalhador são partes constituintes do toyotismo.

Os *kaisha*s (as fábricas) onde esses imigrantes se inserem são, em geral, de pequeno e médio porte, e com frequência subcontratados de empresas maiores. As regiões de residência dos brasileiros são um indicativo do nexo entre migração e trabalho, na medida em que abrigam indústrias que carecem desse contingente.

As cidades onde há maior concentração de brasileiros são Hamamatsu, Toyohashi, Toyota, Nagoya, Oizumi e Okazaki. São grandes polos industriais, com participação importante no montante da economia nacional proveniente da exportação de carros e eletroeletrônicos. A alta concentração de brasileiros na cidade de Toyota se deve ao fato de que ali se encontra a matriz do grupo Toyota (Toyota Group), cuja produção se estende a empresas subcontratadas não só da cidade, mas também de outras cidades vizinhas da província de Aichi.

Aichi, onde se encontra um grande número de imigrantes *dekasseguis* brasileiros, peruanos, vietnamitas e filipinos, é conhecida como *província produtora de*

[13] Sobre o modelo Toyota de produção e seu tratamento crítico, ver Antunes (2009b), Bernardo (2004), Bihr (1998), Gounet (1999), Harvey (2012) e Kamata (2011).

*mercadorias*. De 1977 a 2010, foi responsável pelos recordes de produção industrial do país. Assim sendo, não espanta a concentração de imigrantes pouco qualificados nessa região, bem como a concentração de imigrantes qualificados, oriundos dos países do G8, em cidades como Tóquio e Osaka, que têm características mais cosmopolitas e menos industriais, o que demonstra claramente a existência de um polo qualificado e outro não qualificado de estrangeiros no Japão.

Tudo indica que, apesar do impacto da crise econômica de 2008 sobre os imigrantes, a indústria japonesa requer constantemente essa força de trabalho, utilizando-a de maneira convenientemente funcional. Como esse contingente possui contratos de trabalho flexíveis e informais, o movimento de atração e retração dele é extremamente sensível a qualquer oscilação econômica. Quedas súbitas na produção industrial afeta esses trabalhadores antes de seus companheiros de fábrica japoneses. Por essa razão, em momentos de crise, eles podem perder o trabalho de maneira repentina, e qualquer melhoria ou recuperação de produção os atrai novamente.

A contratação *just-in-time* atrai não somente a população *dekassegui* no Japão, mas também descendentes à espera de trabalho no Brasil. Para Toshio Kondo, referindo-se ao *sistema Toyota de produção*, há indústrias japonesas que utilizam empresas de terceirização no Brasil para manter seu "estoque" de *dekasseguis* apenas no Brasil, não arcando nesse caso com os salários até necessitar dessa força de trabalho (T. Kondo, 2004, p. 8).

Há uma cooperação entre as empresas de terceirização e recursos humanos dos dois países (no caso do Brasil, localizadas em cidades onde há grandes comunidades japonesas). Elas vendem serviços como compra de passagens aéreas, trâmites para a obtenção de visto, traslado na chegada, instalação em alojamentos e até auxílio na contratação. Em compensação, as taxas e custos cobrados podem acabar endividando os *dekasseguis* antes mesmo de saírem do país, comprometendo parte dos seus primeiros meses de salário.

Do ponto de vista jurídico, a "legalidade" desse fluxo migratório resulta numa permanência razoavelmente estável, auxiliada por diversas instâncias que facilitam (e lucram com) a imigração, como agências de turismo, órgãos do governo e redes sociais institucionalizadas, entre outras. Porém, essa particularidade da imigração *dekassegui* não se traduz em uma melhor inserção no mercado de trabalho local, fazendo com que os imigrantes, em sua maioria, fiquem circunscritos a trabalhos de tipo não qualificado nas fábricas, com relações flexibilizadas, informais, e em condições fisicamente desgastantes, como longas jornadas, tarefas pesadas, repetitivas, turnos alternados etc.

Segundo Kondo, há uma forte tendência a contratar e estabelecer relações de trabalho de forma "*underground*" (T. Kondo, 2004, p. 16), isto é, à margem do sistema de proteção social japonês. Quando observamos os dados relativos a 2015, cerca de 55% dos brasileiros oficialmente registrados possuem contratos de trabalho terceirizados ou por empreitada, e o restante trabalha por tempo determinado (*keiyaku shain*), como *arubaito* ou informalmente. Brasileiros contratados formalmente pelo *kaisha* como trabalhadores efetivos (*seiki shain*), tais quais os japoneses, são raríssimos. Mas, como veremos, apesar de a informalidade crescer cada vez mais no Japão, o setor industrial ainda tem uma taxa de informalidade consideravelmente baixa, em comparação com outros setores da economia.

Com exceção dos brasileiros que trabalham no setor de serviços, geralmente voltados para a comunidade brasileira, os *dekasseguis* trabalham em fábricas de até trezentos funcionários. Apesar da mistura com funcionários japoneses, há relatos de que existem seções diferenciadas de imigrantes e de japoneses dentro dessas fábricas (Roncato, 2013). O trabalho executado no *kaisha* pode ser muito diversificado: inspeção e limpeza de peças de eletroeletrônicos e automóveis, montagem de placas (*kiban*) de componentes eletrônicos para carros, solda, entre outros. De todo modo, a repetitividade dos movimentos, a monotonia das tarefas e o aumento da intensidade parecem ser a tônica dos processos de trabalho no chão de fábrica[14].

A jornada de trabalho é bastante longa, pesada e intensiva, consumindo boa parte da vida dos *dekasseguis*. Não são incomuns relatos de turnos superiores a dez ou doze horas – de pé, com pouquíssimas e insuficientes pausas para o descanso, o que acaba comprometendo a saúde desses trabalhadores (Roncato, 2013). A alternância de turnos (*koutaisei kinmu-seido*, 交替制勤務制度) parece ser mais frequente entre trabalhadores imigrantes do que entre nacionais. Fábricas que funcionam 24 horas e param somente alguns domingos têm geralmente revezamentos de uma semana de turno diurno (*hirukin*) e uma semana de turno noturno (*yakin*) para cada operário. Segundo relatos de *dekasseguis*, os imigrantes tendem a aceitar mais facilmente os turnos noturnos (Roncato, 2013) a fim de aumentar sua renda[15], uma vez que um dos principais objetivos de sua estada é conseguir uma poupança. A posição vulnerável e os contratos flexíveis também os impelem a se submeter com mais frequência a condições de trabalho desgastantes.

É notável como a longa jornada de trabalho, a alternância de turnos e a intensidade de trabalho afetam negativamente a saúde dos *dekasseguis*. Depressão, síndrome do pânico, insônia crônica, estresse e outras doenças são relatados constantemente por brasileiros, e alguns desses sintomas persistem depois que eles retornam ao Brasil (Roncato, 2013). Em comparação com colegas de fábrica japoneses, a maior inconstância das relações de trabalho faz com que o imigrante não consiga estabelecer uma rotina, dificultando atividades e planejamentos fora do local de trabalho.

O salário dos *dekasseguis* é estabelecido em geral por hora trabalhada. Não havendo uma política nacional de *trabalho igual, salário igual* (*Douitsu Roudou Douitsu Chingin*, 同一労働同一賃金), a diferença entre os sexos é grande. Em

---

[14] Tais trabalhos, outrora rejeitados pelos japoneses, ficaram conhecidos como os *3 Ks*: *kitsui* (pesado), *kitanai* (sujo) e *kiken* (perigoso) (Hosokawa, 2011, p. 155).

[15] O adicional noturno pode chegar a 50% e a hora extra a 25% a do salário/hora.

épocas normais, fora do período de recessão, o salário dos *dekasseguis* pode variar de 900 ienes a 1.000 ienes por hora (US$ 7,50 a US$ 8,20 por hora) para a mulher e de 1.200 ienes a 1.300 ienes por hora (de US$ 9,90 a US$ 10,70 por hora) para o homem. A diferença salarial é bastante marcante e não se restringe apenas às imigrantes: as japonesas recebem 26,6% menos que seus colegas homens pelo mesmo trabalho (OCDE, 2015). Ou seja, os marcadores sociais de diferença servem para legitimar o barateamento da força de trabalho da mulher, uma vez que elas são associadas à fragilidade e a uma menor produtividade, entre outras supostas limitações biológicas (como a gestação) que justifiquem uma maior extração de mais-valor.

O salário por hora quase exclusivo para os imigrantes e menos recorrente para os operários japoneses é totalmente prejudicial para a vida dos imigrantes: muitos relatam não faltar ao trabalho, mesmo em caso de doença ou necessidade de ir a um hospital. Por não serem efetivos (*shain*), não têm participação em lucros e resultados, e apenas eventualmente recebem bonificações. O operário japonês, geralmente efetivado pela empresa, tem direito a duas bonificações anuais, no valor equivalente a até três salários médios de seu rendimento. Conforme depoimento de alguns *nikkeis*, há também uma diferenciação salarial entre imigrantes: como os brasileiros são considerados mais produtivos, eles têm maior salário/hora (Roncato, 2013). Aqui, a individualização salarial e contratual parece contrastar com as formas coletivas de trabalho demandadas (como os *círculos de controle de qualidade*); segundo Linhart, na prática o que a empresa moderna procura é "a possibilidade de dispor [...] de pessoas motivadas por valores individuais e aptas a trabalhar com outras em coletivos de geometria variável conforme as necessidades e pressões do momento" (Linhart, 2007, p. 117).

No total, a renda média mensal do operário *dekassegui* pode variar de 100 mil ienes (US$ 824) a 300 mil ienes (US$ 2.474 no caso do homem), caso consiga fazer muitas horas extras. Quando comparado à renda média do trabalhador brasileiro, ou mesmo à renda dos *dekasseguis* antes da migração, esse valor parece significativamente superior. No entanto, vale lembrar que o custo de vida no Japão é elevado e acaba consumindo parte considerável dessa renda. Conforme relato de brasileiros entrevistados, o mínimo necessário para cobrir despesas básicas mensais por pessoa seria de 100 mil a 150 mil ienes (de US$ 824 a US$ 1.238). Assim sendo, infere-se que o *dekassegui* tem uma renda mensal satisfatória para a sua manutenção e que o retorno ao Brasil dependeria do pouco que consegue poupar desse montante.

Segundo as pesquisas realizadas pelo sociólogo japonês Kiyoto Tanno (2009), o brasileiro pode ter um rendimento mensal maior que o do operário japonês. Entretanto, isso não se traduz em um custo maior para o patronato local, porque o operário japonês, por ter contrato efetivo, recebe, além do valor líquido do salário, bonificações, seguridades sociais e impostos, o que encarece a sua força de trabalho.

E é aqui que se encontra a funcionalidade da força de trabalho imigrante, pois, além de mais produtivos e perseverantes, os imigrantes são menos custosos para o capital e, como ocorre com as mulheres, esse rebaixamento é justificado por ser "o outro" etnicamente marcado dentro da sociedade de classes.

O caso japonês difere um pouco do de outros países de capitalismo central no que se refere à condição dos imigrantes não qualificados, pois neles o salário dos imigrantes é percebido como mais baixo do que a média salarial do trabalhador nacional. É possível que as características do mercado de trabalho japonês, tais como o envelhecimento populacional, o declínio da população economicamente ativa, a condição insular de seu território (que dificulta a entrada maciça de estrangeiros), a escolaridade e a qualificação profissional em alta da população, façam com que haja necessidade permanente de imigrantes não qualificados. Contudo, para a permanência dessa população constante e estável, que, além do mais, possua as características já mencionadas, é preciso que haja como contrapartida certa estabilidade e salários razoáveis. O Quadro 1 mostra o custo de contratação de um trabalhador japonês em comparação com um terceirizado *dekassegui*.

**Quadro 1: Custo de contratação do trabalhador japonês e do *dekassegui***

| Custo | Trabalhador efetivo | Terceirizado (*outsourcing*) |
|---|---|---|
| Salário | ¥ 299.500 (US$ 2.472) | ¥ 300.000 (US$ 2.477) |
| Bônus | ¥ 99.833 (US$ 824) | |
| Seguros sociais obrigatórios | ¥ 45.524 (US$ 375) | |
| Seguros sociais não obrigatórios | ¥ 15.574 (US$ 128) | |
| Custos administrativos | ¥ 5.990 (US$ 49) | |
| Seguro-desemprego | ¥ 21.564 (US$ 178) | |
| **Total** | **¥ 487.985 (US$ 4.030)** | **¥ 300.000 (US$ 2.477)** |

Fonte: Panfleto de empresa de terceirização (Hayashi, 1995, citado em Tanno, 2009; tradução nossa).

Segundo o Ministry of Health, Labour and Welfare[16], a renda familiar japonesa em 2013 era de 5.289.000 ienes anuais (US$ 43.700), ou cerca de 440 mil ienes mensais. Esse valor é bastante similar à renda de um casal heterossexual *dekassegui*, caso os dois trabalhem. Porém, vale recordar que a diferença substancial entre a população imigrante e a japonesa se deve ao tipo de contrato de trabalho e às seguridades sociais tendencialmente ausentes no caso dos primeiros.

Por outro lado, a renda familiar japonesa continua em queda. Entre 2000 e 2013, houve um recuo de 889 mil ienes[17]: de 50,9 mil dólares em 2000 para

[16] Disponível em japonês em: <http://www.mhlw.go.jp/toukei/saikin/hw/k-tyosa/k-tyosa14/dl/03.pdf>. Acesso em: jul. 2019.

[17] Se compararmos com a renda familiar média de 1996, a queda é ainda maior: de 6.610.000 ienes em 1996 para 5.289.000 ienes em 2013 (de US$ 54,7 mil para US$ 43,7 mil anuais), representando 20% a menos.

43,7 mil dólares em 2013, uma queda de 14% em pouco mais de uma década. Curiosamente, a pesquisa de tipo *survey* acerca das condições de vida da população (*Comprehensive Survey of Living Conditions*, 国民生活基礎調査) divulgou o índice de pobreza no Japão somente até 2009: naquele ano, 16% das famílias tinham renda anual de até 1.250.000 ienes (US$ 10 mil)[18]. Conforme dados do governo, em 2014, cerca de 30% da população percebia as condições de vida como "muito difíceis" e cerca de 33% como "um pouco difíceis", evidenciando um processo de empobrecimento cada vez maior da classe trabalhadora japonesa como um todo.

## A CLASSE QUE NOS UNE: INFORMALIDADE, SUPERPOPULAÇÃO RELATIVA E CYBER-REFUGIADOS

No Japão, a informalidade das relações contratuais de trabalho vem crescendo gradativamente desde o final da década de 1980, mas especialmente a partir da década de 1990. Para caracterizar a informalidade, adotamos aqui o critério utilizado no Japão: os trabalhadores ocupados e empregados (com exceção dos empregadores) se dividem em trabalhadores de tipo efetivo/regular (*seiki koyou*, 正規雇用) e não efetivo/irregular (*hiseiki koyou*, 非正規雇用), sendo estes últimos considerados informais.

São formais ou efetivos os trabalhadores contratados diretamente pela empresa por tempo indeterminado, que possuem estabilidade e direitos sociais garantidos. São os chamados *salaryman* (*sarariiiman*, サラリーマン), e sua figura mais representativa é o trabalhador homem *white-collar*.

Os trabalhadores não efetivos/irregulares[19] podem ser divididos em temporários (*part-time job*, パートタイム), *arubaito* (アルバイト), terceirizado (*haken shain*, 派遣社員), trabalhador por tempo determinado (*keiyaku shain*, 契約社員), trabalhador diário (*hiyatoi*, 日雇い) etc. A flexibilidade e a instabilidade das relações contratuais, a carência de direitos sociais e o baixo salário são suas características principais.

Em 1985, somente 16,4% dos trabalhadores empregados eram não efetivos (*hiseki*) e 83% efetivos (*seiki*). Em 1990, a proporção de trabalhadores não efetivos aumentou para 20,2%, passando gradualmente para 20,9% em 1995, 26% em 2000, 32,6% em 2005, 34,3% em 2010, 35,6% em 2012[20] e 37,4% em 2015[21].

---

[18] Disponível em japonês em: <http://www.mhlw.go.jp/toukei/saikin/hw/k-tyosa/k-tyosa10/2-7.html>. Acesso em: jul. 2019.

[19] Vale lembrar que a não regulamentação a que nos referimos aqui diz respeito à natureza do *status* jurídico do trabalhador, a qual não altera em nada a relação econômica do trabalhador com o capital. Em muitos casos, ele pode ser tão ou mais explorado que seu companheiro de tipo efetivo na empresa.

[20] *Statistics Japan*. Disponível em japonês em: <http://www.stat.go.jp/data/roudou/sokuhou/4hanki/dt/pdf/05500.pdf>. Acesso em: jul. 2019.

[21] Ministry of Health, Labour and Welfare (Kousei Roudoushō). Disponível em japonês em: <http://www.mhlw.go.jp/file/06-Seisakujouhou-11650000-Shokugyouanteikyokuhakenyukiroudoutaisakubu/0000103648.pdf>. Acesso em: jul. 2019.

Em relação à divisão sexual do trabalho[22], a informalidade sempre foi maior para as mulheres. Quando consideramos os mesmos dados de 1985, observamos que 32% das mulheres já eram informais e em 2000 essa proporção já era de 46,4%, chegando a 53,8% em 2010[23] e 56,7% em 2014[24]. Entre os homens, a informalidade sempre foi consideravelmente baixa, porém igualmente em ascensão. Em 1985, apenas 7,4% de trabalhadores homens não eram efetivos, subindo para 11,7% em 2000, 18,9% em 2010 e 21,8% em 2014. Quando atentamos para a disparidade de condições entre mulheres e homens, percebemos que é impossível analisar o mercado de trabalho apartado da divisão sexual que nele se manifesta.

Na informalidade, além da divisão sexual do trabalho, há uma nítida divisão racial. A despeito do crescimento geral de tipo de relação contratual, o setor industrial japonês sempre apresentou uma alta taxa de formalização (72,8% dos contratados), no mesmo período em que, na média de todos os setores, um em cada três trabalhadores japoneses se encontravam na informalidade. Porém, nesse mesmo setor, quase todos os *dekasseguis* possuem relações contratuais informais. Ou seja, na indústria de transformação japonesa, pelo menos até o momento, há uma persistência – entre japoneses homens – do emprego estável e vitalício, condição esta que nunca foi regra para mulheres e imigrantes.

Aqui, o sustentáculo da flexibilidade do modelo japonês é a divisão sexual-racial, com a qual se mantém um contingente marginal, mas ao mesmo tempo permanentemente disposto a vender sua força de trabalho sob condições que boa parte dos trabalhadores autóctone pode rejeitar. O *part-time job*, o *arubaito* e a terceirização são, por excelência, relações de trabalho precarizadas, cujas figuras representativas são o imigrante e a mulher, ainda que a classe trabalhadora japonesa como um todo penda cada vez mais para tal realidade.

Como exército industrial de reserva – mais do que nunca mundializado[25] –, esse contingente populacional cumpre o papel de regular o preço da força de trabalho e fornecer ao capital um "depósito inesgotável de força de trabalho disponível" (Marx, 2013, p. 718). Em outros termos, a população *dekassegui*, como parte da superpopulação relativa, cumpre o papel de comprimir os salários locais, além de estar em constante movimento de atração e repulsão por parte da indústria moderna (Marx, 2013).

---

[22] Para explicitação dessa noção, ver Kergoat (2009).

[23] Ministry of Health, Labour and Welfare (Kousei Roudoushō). Disponível em japonês em: <http://www.mhlw.go.jp/stf/shingi/2r9852000002k8ag-att/2r9852000002k8f7.pdf>. Acesso em jul. 2019.

[24] Ministry of Health, Labour and Welfare (Kousei Roudoushō). Disponível em japonês em: <http://www.mhlw.go.jp/bunya/koyoukintou/josei-jitsujo/dl/14b.pdf>. Acesso em: jul. 2019.

[25] Houve um progressivo aumento no volume dos fluxos migratórios internacionais, especialmente depois da década de 1990, com uma taxa de crescimento superior à taxa de crescimento populacional no mundo. Segundo dados da Organização Internacional para as Migrações, no ano de 2013 havia 214 milhões de pessoas vivendo fora de seu país de origem, em contraste com os 191 milhões de 2005. Disponível em: <https://nacoesunidas.org/mundo-tem-232-milhoes-de-migrantes-internacionais-calcula-onu/>. Acesso em: jul. 2019.

Nos mais de 25 anos de fenômeno migratório, o volume da população *dekassegui* – das mais diversas nacionalidades – não acompanhou de maneira proporcional "as necessidades médias de valorização do capital" (Marx, 2013, p. 705), ou seja, a necessidade de manutenção desse contingente populacional existe em paralelo com a sua descartabilidade em épocas de crise econômica e queda do volume de sua produção industrial. Assim, entende-se que, "com a acumulação do capital produzida por ela mesma, a população trabalhadora produz, em volume crescente, os meios que a tornam relativamente supranumerária. Essa lei de população é peculiar ao modo de produção capitalista [...]" (Marx, 2013, p. 706-7).

Não obstante, a superpopulação relativa não se reduz aos imigrantes. Trabalhadores informais, com trabalhos irregulares e outros tipos, também compõem a classe trabalhadora japonesa e fazem parte do chamado *working poor*, que se situa abaixo da linha da pobreza adotada pelo governo. A aparente falta de precisão desse fenômeno não o faz menos importante do ponto de vista do estudo das relações de trabalho e das implicações sociais e políticas decorrentes dele.

A informalidade, as relações e as condições de trabalho extremamente precárias no Japão deram lugar a fenômenos bastante particulares, como os cyber-refugiados (*netto kafe nanmin*, ネットカフェ難民) e os *McDonald's refugee* (*makudo nanmin*, マクドナルド難民), isto é, os modernos moradores de rua (*homeless*, ホームレス). São eles tanto moradores de rua como trabalhadores e, nos dois casos, "refugiam-se" onde podem, seja em cibercafés, seja em lojas de *fast-food*, desde que funcionem 24 horas por dia, pois o intuito é poder descansar para a nova jornada de trabalho.

Os caminhos que os levam a essa condição se assemelham: ausência de trabalho estável ou contrato de trabalho fixo, falta de recursos mínimos para se tornarem locatários e ao mesmo tempo impossibilidade de parar de trabalhar. Antes do cyber-refugiado das grandes cidades, já existiam trabalhadores pauperizados e sem teto que utilizavam os chamados hotéis-cápsula para não ter de pernoitar na rua. Hoje, porém, existem estabelecimentos relativamente baratos, que funcionam 24 horas por dia e oferecem equipamentos confortáveis, divisórias entre os computadores, chuveiros, lanches rápidos, kit de higiene pessoal e outros "atrativos" para os clientes. Em bairros como Ota, em Tóquio, por exemplo, é possível encontrar cibercafés que oferecem pacotes de pernoite a mil ienes (US$ 9), com serviço extra de banho etc.

Conforme Mizushima (2009), a rotina dos cyber-refugiados é excepcionalmente penosa: eles escolhem o estabelecimento onde se refugiarão de acordo com as necessidades de cada momento, como um lugar com chuveiro se querem tomar banho, divisórias entre as mesas (especialmente para as mulheres)[26], cadeiras

[26] Segundo a pesquisa realizada por Mizushima (2009), a condição agravada da cyber-refugiada é indicada pelo assédio e pelo olhar dos homens durante os pernoites nos cibercafés. Além da árdua tentativa de descansar ou dormir sentada em uma cadeira, ela ainda tem de se proteger do assédio sexual; por isso, a divisória (baia) entre as mesas é primordial para ela.

confortáveis se estiverem com dor nas costas, venda de lanches quando não têm dinheiro para uma refeição etc. No entanto, nenhuma alternativa consegue suprir minimamente as necessidades básicas de reposição física e dignidade humana. Quando não podem pagar o pernoite num cibercafé, resta-lhes passar a noite num *fast-food*, onde com 100 ienes (US$ 0,9) compram um café e passam a noite sentados em bancos ou apoiados nas mesas para descansar e esperar o trabalho no dia seguinte. São eles os chamados *McDonald's refugees*.

Denominada por Mizushima (2009, p. 81) *business da pobreza* (*hinkon business*, 貧困ビジネス), existe em torno do cyber-refugiado uma indústria de cibercafés, lojas de *fast-food* e conveniência, financeiras, agiotas, imobiliárias zero-zero[27], guarda-volumes[28], lavanderias, saunas etc. que têm nesses trabalhadores uma fonte de lucro. O *business da pobreza* se encontra não somente no âmbito da reprodução social desses trabalhadores mas também nas empresas de recursos humanos e terceirização estrategicamente localizadas nas imediações desses outros negócios.

Tornar-se um cyber-refugiado não altera o tipo de trabalho que essas pessoas exercem, pois é precisamente a condição precarizada que as leva a perder moradia e tornar-se um sem-teto. O trabalho que executam é do tipo *hiyatoi* (diário), conhecido também como *one call worker*, terceirização localizada (*spot haken*, スポット派遣) ou *digital hiyatoi* (デジタル日雇い). Por meio de uma ligação (*one call*) ou e-mail (*digital*), fez-se uma terceirização pontualmente localizada (*spot*), com contrato de apenas um dia na forma de *arubaito*. Além do contrato de um dia, existem outros mais duradouros, porém a flexibilidade, a instabilidade e os baixos salários, sem nenhuma seguridade social, são a sua marca principal.

Exercendo todos os tipos de trabalho, o cyber-refugiado se molda aos altos e baixos das demandas da produção local. Tanto no setor industrial como na construção civil e nos serviços, os *one call workers* preenchem as lacunas e as ausências de trabalhadores. Aqui também a discriminação sexual é visível: a mulher recebe menos e exige-se que tenha "boa aparência" (estar devidamente maquiada, por exemplo), independentemente do trabalho que realize.

A rotina dos cyber-refugiados se resume a jornadas de trabalho temporárias, refeições em *fast-foods* locais, procura de cibercafés de acordo com as suas necessidades e possibilidades e, após se acomodar, busca de trabalho em agência de recursos humanos via internet. Fenômeno bastante peculiar, o cyber-refugiado é um sem-teto que não dorme necessariamente na rua e, por essa razão, não se apresenta como o estereótipo do morador de rua: embora seja um sem-teto, não tem a

[27] Tipo de locação que geralmente antecede a condição de *homeless*, pois é destinada a pessoas que não cumprem requisitos mínimos para ser locatário. A denominação "imóvel zero-zero" se refere ao custo zero da locação, porque o locatário não precisa apresentar fiador, comprovar renda fixa ou pagar taxas administrativas. Em contrapartida, o contrato é de locação da "chave" e não do imóvel, assim o atraso de apenas um dia de aluguel pode resultar em despejo imediato (Mizushima, 2009).

[28] Lugar onde o cyber-refugiado deposita todos os seus pertences.

típica condição que, tendencialmente, o conduziria à mendicância, à inatividade ou a empregos marginalizados. Muito pelo contrário, a flexibilidade das relações de trabalho e a irregularidade do exercício do trabalho estão intimamente associadas ao que existe de mais moderno na indústria capitalista. Conforme Mizushima (2009), as empresas de terceirização para as quais os cyber-refugiados trabalham são as que obtiveram mais lucro no Japão.

Numa confluência de situações aparentemente contraditórias, o cyber-refugiado vive em condições de pobreza aliadas à tecnologia de ponta, é um sem-teto e, ao mesmo tempo, não é visível para quem está na rua, é um morador de rua e, ao mesmo tempo, um trabalhador inserido nos setores mais avançados do capitalismo japonês. O cyber-refugiado vive em condições abaixo do nível da classe trabalhadora local, formando o que Marx chama de superpopulação relativa:

> Ela recruta continuamente trabalhadores supranumerários da grande indústria e da agricultura e especialmente também de ramos industriais decadentes [...]. Seu volume se amplia à medida que avança, com o volume e a energia de acumulação, a "transformação dos trabalhadores em supranumerários". Mas ela constitui, ao mesmo tempo, um elemento da classe trabalhadora que se reproduz e perpetua a si mesmo e participa no crescimento total dessa classe numa proporção maior do que os demais elementos. (Marx, 2013, p. 718)

Com novas roupagens, o exército industrial de reserva continua em expansão e mais do que nunca mundializado. Mas, em contrapartida, há uma organização política desses trabalhadores, como no caso do primeiro sindicato dos trabalhadores *hiyatoi* (diário), criado em 2006, o *Fullcast Union* (フルキャストユニオン). Além desse, há também o sindicato dos terceirizados (*Haken Union*, 派遣ユニオン), que luta por melhores condições de trabalho dos informais. Desse modo, cyber-refugiados que queiram lutar por seus direitos têm a que se filiar.

Tanto os cyber-refugiados como os *dekasseguis* se mobilizam em atos públicos e passeatas. No contexto de desemprego causado pela crise econômica de 2008, houve uma experiência de manifestação conjunta entre *dekasseguis* e operários japoneses (Roncato, 2013). Assim, à luz dessas constatações, no que diz respeito tanto aos *dekasseguis* quanto à classe trabalhadora japonesa, como poderíamos compreender a articulação e a inter-relação entre essas duas frações de classe? Há tanto semelhanças como particularidades próprias a cada uma delas, isto é, elementos que as unem e outros que as afastam. Aqui, pensar a exploração e a dominação de forma articulada parece mais proveitoso para a nossa compreensão da classe trabalhadora japonesa como um todo, incluindo naturalmente a mulher e o imigrante.

Sendo considerados "o outro" na sociedade de classes, aos *dekasseguis* e às mulheres são atribuídos marcadores sociais e características que os classificam desigualmente, sendo que tal classificação sobrepuja a esfera da produção e penetra nas relações sociais na forma de preconceito e discriminação. Discriminações étnicas, raciais, sexuais e de origem fazem parte da trajetória migratória das *dekasseguis* e seus companheiros. Para além das desigualdades de tratamento determinadas pelo racismo de Estado (Basso, 2013) e pelo sexismo cristalizados nas instituições, não são raras as experiências discriminatórias e de assédio de natureza racista e sexista nas fábricas e nas ruas. A atribuição de características e juízos de valor negativos disseminados pela classe dominante faz do imigrante não qualificado[29] o preguiçoso, o que faz "corpo mole", o que carece de higiene pessoal, o arruaceiro, o barulhento, o criminoso; além disso, há uma hipersexualização da mulher brasileira.

Longe de serem pontuais, tais opressões e dominações são funcionais para acirrar a competição entre os trabalhadores e tentar minar a solidariedade de classes em benefício da empresa capitalista. Como bem diz Heleieth Saffioti acerca da noção de exploração/dominação e da articulação e nó entre classe, gênero e raça (Saffioti, 1997):

> Dado que a estrutura de classes é altamente limitativa das potencialidades humanas, há que se renovar, constantemente, as crenças nas limitações impostas pelos caracteres naturais de certo contingente populacional [...] como se a ordem social competitiva não se expandisse suficientemente, isto é, como se a liberdade formal não se tornasse concreta e palpável em virtude das desvantagens maiores ou menores com que cada um joga no processo de luta pela existência. Do ponto de vista da aparência, portanto, não é a estrutura de classes que limita a atualização das potencialidades humanas, mas, ao contrário, a ausência de potencialidades de determinadas categorias sociais que dificulta e mesmo impede a realização plena da ordem social competitiva. Na verdade, quer quando os mencionados fatores naturais justificam uma discriminação social *de fato*, quer quando justificam uma discriminação social *de jure*, não cabe pensá-los como mecanismos autônomos operando contra a ordem social capitalista. Ao contrário, uma visão globalizadora da sociedade de classes não poderá deixar de percebê-los como mecanismos coadjutores da realização histórica do sistema capitalista de produção. (Saffioti, 2013, p. 59; grifo nosso)

Assim, os marcadores sociais de raça/etnia e sexo, através das dominações que dela se legitimam, servem para dissimular e/ou "abrandar" (Saffioti, 2013) as tensões e os conflitos de classes existentes, ainda que, do ponto de vista da classe social, as semelhanças de condições que unem a classe trabalhadora sejam cada vez mais difíceis de encobrir.

[29] É importante lembrar que a estereotipagem negativa é direcionada quase exclusivamente ao imigrante não qualificado, ou seja, aos que ocupam um lugar inferior na estrutura de classes japonesa. São excluídos dessa estereotipagem os estrangeiros que se inserem em setores qualificados e de maior prestígio.

## Conclusão

Com a mundialização do capital, a crise e a recessão econômica após 2008, as transformações no mercado de trabalho japonês e a mudança demográfica carente de força de trabalho, o novo modelo japonês parece prescindir cada vez menos da força de trabalho imigrante, tal qual acontece em outros países de capitalismo central. O lugar etnicamente e sexualmente diferenciado que essa população ocupa dá origem a inserções desiguais dentro do mercado de trabalho, no tratamento no chão de fábrica, nas discriminações cotidianas, e acaba espraiando um maior controle sobre essa população e intervindo de forma negativa em sua vida, saúde e subjetividade.

Não obstante, em consonância com Basso (2013), não entendemos o trabalhador imigrante como uma classe social por si só, mas isso não significa a necessidade de analisar as particularidades desses novos imigrantes. Para compreendermos a classe trabalhadora hoje, parece ser imprescindível a compreensão das transversalidades de raça/etnia e sexo que expressam sua particularidade e seu lugar diferenciado na sociedade de classes, assim como a mobilização conjunta das categorias referidas (classe, raça/etnia e sexo).

O moderno imigrante, quando comparado à classe trabalhadora local, é semelhantemente explorado pelo capital, ao mesmo tempo que é possuidor de particularidades de opressões próprias. Assim, tomando emprestado o título do livro de Cecília Toledo, *Mulheres: o gênero nos une, a classe nos divide* (2005), podemos afirmar que, no caso do trabalhador imigrante e da mulher e sua inserção na sociedade de classes, a expressão adequada aqui seria: *Imigrante: a etnia nos divide, a classe nos une.*

Para a compreensão do imigrante e a consequente luta política que se pretende travar, a unidade de apreensão das categorias aqui citadas parece ser o caminho mais acertado. Concordando com Cinzia Arruzza, concebemos que

> Um projeto político que vise a criação de um novo movimento operário não pode deixar de se indagar sobre o modo como gênero e raça exercem uma influência sobre a composição social da força de trabalho e sobre sua subjetivação política enquanto classe. Esta necessita superar a questão da "opressão primeira" que dividiu movimentos feministas e movimento operário nas últimas décadas. O que é interessante não é tanto saber se a contradição entre capital e trabalho é mais importante ou mais "primeira" que a opressão das mulheres, e sim compreender a maneira como ambas se encontram hoje inteiramente imbricadas nas relações de produção capitalistas e no conjunto das relações de poder do capitalismo, o que dá lugar a uma realidade complexa. (Arruzza, 2011, p. 159)

Até o presente momento, mesmo que em terreno espinhoso, alguns indicativos de organização de classe se fazem presentes, ainda que marcados por diversas dificuldades e contradições. Especialmente depois da crise econômica de 2008, surgiram sindicatos *dekasseguis* que atuam em conjunto com os trabalhadores japoneses, brasileiros filiados aos sindicatos locais, bem como movimentos de imigrantes reivindicando melhores condições de vida. Esses são indicativos e potencialidades para uma maior solidariedade de classe entre imigrantes e trabalhadores autóctones.

# 7
# Contrato zero-hora e seu potencial precarizante[1]

*Patrícia Maeda*

## Introdução

O objetivo deste capítulo é esclarecer elementos do contrato zero-hora britânico, ressaltando o que está em debate no Reino Unido, mostrar que já houve experiência semelhante no Brasil e qual foi a posição do Poder Judiciário sobre sua licitude, apontar as iniciativas legislativas que tangenciam esse modelo contratual e, por todo o exposto, denunciar seu caráter precarizante.

Sennett (2006a, p. 13-14) afirma que apenas um tipo de ser humano pode prosperar nas condições sociais instáveis e fragmentárias do novo capitalismo: aquele que sabe lidar com relações de curto prazo, que privilegia sua habilidade potencial e, portanto, futura, em vez dos resultados já acumulados, que deixa de lado as experiências passadas, seguindo sempre em frente em busca de inovações. Uma das evidências desse quadro de instabilidade e fragmentação é o aumento do chamado contrato *flextime* (horário flexível) e especificamente do contrato zero-hora no Reino Unido, modelos de contrato de trabalho marcados por altos níveis de incerteza e imprevisibilidade.

A discussão sobre vantagens e desvantagens do contrato de trabalho em tempo parcial, com jornada inferior ao limite diário legal, gênero do qual o contrato com horário flexível e o contrato zero-hora são espécies, não é recente. Em pesquisa sobre os contratos atípicos na Europa ocidental, Meulders (1990, p. 168) já afirmava ser a possibilidade de conciliar a vida familiar e a vida profissional a grande vantagem do trabalho em tempo parcial, sobretudo para as mulheres; no

[1] Esta pesquisa é parte da dissertação de mestrado em direito intitulada *Trabalho no capitalismo pós--fordista: trabalho decente, terceirização e contrato zero-hora*, defendida em 2016 no Departamento de Direito do Trabalho e da Seguridade Social da Universidade de São Paulo, sob orientação de Walküre Lopes Ribeiro da Silva (USP) e coorientação de Angelo Soares, professor titular na Université du Québec à Montréal (UQAM), com bolsa do Programme des Futurs Leaders dans les Amériques (PFLA).

entanto, registrava que cada vez mais trabalhadores, principalmente homens e jovens do sexo feminino, afirmam aceitar o trabalho em tempo parcial por não conseguirem encontrar um trabalho em tempo integral. As desvantagens da contratação em tempo parcial eram a rotatividade maior que no trabalho em tempo integral, o baixo nível de qualificação do trabalho, seu aspecto pouco gratificante, a ausência de promoção e a falta de contato com colegas de trabalho. Outra desvantagem importante, que deveria ser corrigida pelo poder público, referia-se à proteção social, que era condicionada a um número mínimo de horas de trabalho por semana e a um período mínimo de contrato de trabalho, requisitos para o trabalhador se beneficiar das prestações de auxílio-doença e seguro-desemprego. No entanto, para as empresas, as vantagens do contrato em tempo parcial estavam ligadas ao aumento de flexibilidade, pois ele permitia melhoria na organização do trabalho, aumento da produtividade por hora, baixa taxa de sindicalização e diminuição do absenteísmo.

Esses argumentos – e problemas – remanescem até no que podemos considerar a *superação* ou a *máxima potencialidade* desse modelo contratual: o contrato zero-hora (CZH) ou *zero-hour contract*. Trata-se de um modelo de contrato de trabalho com jornada flexível que, de acordo com McGaughey (2014), surgiu nos anos 1980 no Reino Unido, difundiu-se sobretudo após os anos 2000 e, segundo o governo britânico (UK Government, 2015a), significa que "eles [trabalhadores] estão de plantão para trabalhar quando você [empresário] precisar deles; você não tem de dar trabalho a eles; eles não têm de trabalhar quando solicitados".

Embora esse modelo exista há mais de vinte anos, a discussão a respeito dele tornou-se relevante após a divulgação, em junho de 2013, de que uma grande rede varejista o utilizava em larga escala (Pennycook, 2013). Em seguida, surgiram na imprensa relatos de que o adotavam diversas redes de restaurantes e lanchonetes e outras grandes empresas, inclusive o Palácio de Buckingham (Neville, 2013). Esses relatos evidenciaram um modelo que já abrangia mais de 200 mil trabalhadores e trouxe ao debate questões importantes sobre o contrato zero-hora, como qual o seu significado, quais as vantagens e as desvantagens da sua adoção, quem estava contratado dessa maneira, quais os direitos e os benefícios desses trabalhadores, quais as obrigações dos empregadores.

Beck (2011, p. 209) adverte que, num sistema de subempregos flexíveis, não existirá o problema do desemprego, no sentido da falta de um posto de trabalho. O desemprego será integrado ao sistema empregatício sob a forma de modelos de subemprego. Dessa forma, podemos dizer que o desemprego é disfarçado com a divisão dos postos de trabalho, que antes eram ocupados por trabalhadores formais em jornada integral e agora são distribuídos a um número maior de trabalhadores precarizados.

## Consultas e pesquisas para legitimar decisão política neoliberal

O CZH é apresentado como a grande aposta do Estado para a flexibilidade nos negócios, facilitar a contratação de novos trabalhadores e fornecer caminhos para o emprego dos jovens (BIS, 2013, p. 4) e desempregados (Delni, 2014, p. 2).

O Departamento de Negócios, Inovação e Habilidades do governo britânico (Department for Business Innovation & Skills) relata o surgimento de algumas questões sobre o contrato zero-hora, nomeadas genericamente "exclusividade" e "transparência", que ensejaram a elaboração da consulta elaborada em 2013 (BIS, 2013, p. 16-7). Essas questões são basicamente as seguintes: a presença de "cláusula de exclusividade", pela qual se evita que o trabalhador preste serviços a outrem, ainda que o empregador não lhe ofereça trabalho; a falta de conhecimento sobre os termos, condições e consequências desse contrato para os trabalhadores; e a falta de observância e compreensão dos empregadores acerca de suas responsabilidades.

No relatório dessa consulta (BIS, 2013, p. 7 e 10-1), o governo britânico se refere ao contrato zero-hora como contrato de trabalho pelo qual *o empregador não garante ao trabalhador trabalho algum e o trabalhador não é obrigado a aceitar nenhum trabalho oferecido*, destacando que não há definição legal. Desse modo, o empregador tem a discricionariedade de variar o horário de trabalho do empregado, normalmente desde a jornada integral até "zero hora", e o empregado pode recusar o trabalho oferecido a qualquer hora. O discurso da flexibilidade e da liberdade contratual que permeia tal consulta é o que fundamenta e *legitima* essa *moderna* forma de contratação. Nesse passo, de acordo com o governo britânico, o contrato zero-hora é lícito, uma vez que as partes acordam assim livremente e não há vedação legal para tanto. De fato, conquanto não haja lei que a preveja, o próprio governo britânico relata o crescimento dessa forma de contratação, estimando a existência de cerca de 250 mil contratos zero-hora em 2013, número esse controvertido, como veremos.

Em razão dos resultados dessa pesquisa, o governo britânico faz uma consulta popular (BIS, 2014a) na qual submete, a propósito das cláusulas de exclusividade, as seguintes alternativas: legislar para banir o uso de cláusulas de exclusividade em contratos que não ofereçam garantia de trabalho; emitir orientações sobre o justo uso desse tipo de cláusulas; incentivar a elaboração de um código de boas práticas por representantes dos empregadores[2], provavelmente por setor, sujeito à aprovação do governo; confiar nas soluções já disponíveis na *Common Law* para que os indivíduos[3] enfrentem essas cláusulas.

[2] É importante frisar que não há proposta de participação do trabalhador na elaboração desse normativo.

[3] Notemos que, invariavelmente, esse documento trata o trabalhador como indivíduo, ressaltando sua subjetividade jurídica e encobrindo a questão de sua classe social.

No tocante à transparência do contrato zero-hora, o governo britânico (BIS, 2014a) admite a necessidade de aprimorá-la com as seguintes propostas: melhorar o conteúdo e a acessibilidade da informação, aconselhamento e orientação sobre contratos de trabalho e direitos e acesso dos trabalhadores zero-hora a benefícios; incentivar a elaboração de um código de boas práticas por representantes dos empregadores sobre o justo uso de contratos zero-hora, uma vez que é papel do empregador explicar com clareza a proposta de contrato; fornecer cláusulas-modelo para os contratos zero-hora.

O resultado dessa consulta (BIS, 2014b) revela mais de 36 mil respostas entre dezembro de 2013 e março de 2014, sendo 83% delas a favor da proibição de cláusulas de exclusividade nos contratos zero-hora, resultado de maior repercussão. A composição das respostas à consulta é bastante relevante: 654 respostas foram submetidas ao formulário oficial da consulta, das quais 68% por trabalhadores, 9% por grandes empresas, 3% por médias, 3,5% por pequenas, 3,5% por microempresas, 7% por sindicatos ou associações profissionais, 4% por governos locais, 1% pelo governo central e 1% por representantes de organizações empresariais.

É importante considerar que aproximadamente 36 mil mensagens eletrônicas foram enviadas por indivíduos ao governo britânico sobre os contratos zero-hora no período da consulta (19 de dezembro de 2013 a 13 de março de 2014), em razão da campanha promovida pela comunidade virtual britânica *38 Degrees* (Turffrey, 2014), cujos representantes se reuniram posteriormente com oficiais do BIS e, com base na campanha promovida e nos resultados da pesquisa, levantaram as seguintes questões que desejavam ver consideradas pelo governo britânico (BIS, 2014b, p. 12):

- conter o crescente número de pessoas contratadas mediante contratos zero-hora, uma vez que esse tipo de contrato deveria ser exceção, e não regra;
- igualdade em termos de flexibilidade para ambos – trabalhador e empregador –, de modo que não pudesse ser utilizada como ferramenta disciplinar;
- os contratos zero-hora deveriam ser aplicados apenas para determinadas circunstâncias, e não como forma de negar direitos aos trabalhadores;
- empregados não devem ser obrigados a se vincular a apenas uma empresa, sobretudo se não recebem horas suficientes de trabalho e, portanto, de salário;
- os anúncios de empregos devem dizer claramente se as vagas se referem a contratos zero-hora;
- os empregados devem ser mais bem informados sobre quando estão trabalhando; inexistência de informação sobre o número exato de pessoas que estão trabalhando sob contratos zero-hora atualmente.

Em consulta complementar em agosto de 2014 sobre como enfrentar a evasão potencial de empregadores em decorrência da proibição do uso da cláusula de exclusividade, o BIS (2014b, p. 6) reafirma a ausência da definição legal para o contrato zero-hora, com a "redução" de seu conceito para *amplamente conhecido como um contrato em que o empregador não garante nenhum trabalho ao indivíduo.*

Por fim, o BIS (2014b, p. 8) declara-se contrário ao uso de cláusulas de exclusividade nos contratos zero-hora, pois essas cláusulas prejudicariam a escolha e a flexibilidade para os indivíduos (trabalhadores) e seu uso *significaria que, quando nenhum trabalho é oferecido aos indivíduos, eles ficam impedidos de procurar trabalho onde quer que seja para ajudar a aumentar a sua renda, se assim o desejarem.*

No entanto, a conclusão sobre a consulta (BIS, 2015, p. 11-4) revela que o governo britânico enviará proposta de regulamentação para que a cláusula de exclusividade seja proibida nos contratos em que não se garanta determinado nível salarial semanal para o trabalhador, ainda com a exceção dos contratos de trabalho em que o salário for superior a 20 libras por hora. Assim, não é possível falar em banimento da cláusula de exclusividade, mas apenas em sua limitação.

O Escritório para Estatísticas Nacionais britânico (Office for National Statistics) reconhece que a falta de definição legal induz não só a medições diversas a respeito do contrato zero-hora por diferentes grupos, mas também a percepções diferentes para o empregador e o trabalhador sobre o que deveria ser considerado contrato zero-hora (ONS, 2014a, p. 1). Destaca ainda que, embora existam diferentes definições sobre esse contrato de acordo com cada órgão de pesquisa, em geral o elemento comum é a ausência de garantia de número mínimo de horas de trabalho. O ONS, por sua vez, adota a denominação "contratos que não garantem um número mínimo de horas" (*non-guaranteed hours contracts* – NGHC) no lugar de contrato zero-hora, alegando que essa nomenclatura seria mais útil e abrangente.

De outra perspectiva, o ONS (2014a, p. 2) estima que os empregadores estejam mais propensos a conhecer as cláusulas contratuais do que os trabalhadores, o que facilita o reconhecimento do modelo sem garantia de um número mínimo de horas pelo empregador. Esse fato, associado à possibilidade de um trabalhador manter ao mesmo tempo mais de um contrato zero-hora, pode justificar diferenças nos resultados das pesquisas.

Embora sejam aparentemente neutras as publicações e consultas do governo britânico, fato é que o contrato zero-hora representa uma profunda tensão nas relações de trabalho – tanto que foi um dos principais pontos de discussão na última campanha eleitoral no Reino Unido, no primeiro semestre de 2015.

Wood e Burchell (2015) ressaltam que o contrato zero-hora já existe há décadas no Reino Unido, e que o próprio ex-primeiro-ministro Tony Blair já prometia extingui-lo vinte anos atrás. No entanto, apenas em julho de 2013 é que passou a ser discutido na grande mídia, quando uma reportagem revelou que um grande varejista mantinha 90% de seus 23 mil empregados contratados sob essa modalidade. Embora o ONS estime que 6% dos empregos sejam sob contrato zero-hora, o que corresponde a 1,8 milhão de trabalhadores, e que haja aproximadamente o mesmo percentual de desempregados, segundo os autores não é possível separar e mensurar esses contingentes. Eles chamam a atenção para um simples exemplo: se uma pessoa está sob contrato zero-hora e nenhuma hora de trabalho lhe é oferecida em três semanas, ela deve ser considerada ainda contratada ou desempregada?

Beck (2011, p. 209) sintetiza a relação entre desemprego e subemprego precário:

> O desemprego desaparece, mas ao mesmo tempo ressurge de modo generalizado em novas formas de subemprego precário. Tudo isto quer dizer afinal que um desenvolvimento ambíguo e contraditório é posto em marcha, em razão do qual vantagens e desvantagens se associam indissoluvelmente, mas cujas consequências e riscos consideráveis continuam a ser imprevisíveis, justamente para a consciência e atuação políticas. É precisamente a isto que se refere quando se fala do sistema de subemprego da *sociedade de risco*.

Wood e Burchell (2015) destacam ainda que a questão-chave não é que esse contrato não ofereça horas de trabalho, mas sobretudo que não ofereça nenhuma segurança quanto ao horário de trabalho. Essa insegurança gera nos trabalhadores ansiedade, estresse e problemas no equilíbrio entre trabalho e vida pessoal, pois não é possível programar o pagamento de contas ou mesmo planejar a maternidade. Se, de um lado, o contrato zero-hora representa uma forma de programação flexível controlada pelo empregador, de outro, as pesquisas demonstram que ele destrói o bem-estar, a saúde e o equilíbrio entre vida e trabalho dos empregados. Além disso, o contrato zero-hora seria apenas uma forma específica da prática cada vez mais comum de horário flexível controlado pelo empregador, que, segundo pesquisas realizadas pela European Working Conditions Survey, aumentou no Reino Unido de 7% do total de contratos de trabalho em 2005 para 24% em 2010. Isso significa que cerca de 7 milhões de trabalhadores passaram a sofrer alterações de horário de trabalho controladas por seus empregadores, sem possibilidade real de resistência.

No tocante ao argumento da flexibilidade, Wood e Burchell (2015) afirmam que, na realidade, são os empregadores que possuem toda a flexibilidade para fornecer ou reter trabalho, conforme sua conveniência, ao passo que os trabalhadores em geral receiam recusar o trabalho quando lhes é oferecido, pois temem serem punidos com o não oferecimento de trabalho nas próximas semanas ou nos próximos meses.

Uma das principais medidas anunciadas por Ed Milliband na campanha do Partido Trabalhista britânico foi a proibição do contrato zero-hora. No entanto, como revelam Wood e Burchell (2015), a proposta real do Partido Trabalhista era reconhecer um contrato de horas regulares para os trabalhadores que tivessem trabalhado regularmente por doze semanas. Esta, porém, não se mostrava a melhor saída, pois basicamente apenas formalizaria uma situação já existente para abranger contratos escritos em conformidade com o contrato legal, além de incentivar a busca de novas estratégias pelos empregadores para evitar esse padrão de regulação ou não abranger um grande número de empregados que não se subsumiriam na hipótese, de modo que a proposta não resultaria em extinção desse modelo de contrato.

O Partido Conservador, por sua vez, para tentar amenizar a imagem negativa do contrato zero-hora, propôs a substituição da nomenclatura por "contrato de horas flexíveis", sendo esta a segunda tentativa de encobrir a realidade, pois, anteriormente, tentou-se substituí-la por "contrato de horas ativadas", conforme Mason (2015).

É interessante mencionar que o próprio candidato ao cargo de primeiro-ministro pelo Partido Conservador, David Cameron, admitiu durante a campanha que não poderia viver em um *exclusivo contrato zero-hora*. Na época dessa declaração, no entanto, a cláusula de exclusividade do contrato zero-hora[4] já havia sido banida em 26 de março de 2015, quando o Ato das Pequenas Empresas, das Empresas e do Emprego se tornou lei no Reino Unido, superando a questão. Ademais, a discussão acerca da exclusividade, à qual aderiu o candidato do Partido Liberal Democrata, Vince Cable[5], não só desviou o foco do verdadeiro problema da insegurança do horário de trabalho como também abriu espaço para certa permissibilidade para a cláusula de exclusividade, como vimos, de acordo com o padrão remuneratório do trabalhador (BIS, 2015, p. 14-5).

Standing (2013) critica a prática do contrato zero-hora como forma de manipulação das estatísticas de desemprego. O trabalhador é nominalmente empregado, mas, na realidade, se não é acionado para trabalhar, é desempregado e, pior, sem acesso a benefícios sociais. Essa falta de proteção social a que o trabalhador zero-hora está potencialmente submetido faz o autor recordar-se do horror vivenciado na Rússia nos anos 1990, após o colapso da União Soviética, pois, enquanto os economistas ingleses associavam o baixo desemprego russo ao seu mercado extremamente flexível, na realidade milhões de trabalhadores russos formalmente empregados ficaram sem trabalho ou salário, e muitos morreram de fome.

McGaughey (2014, p. 3), por seu turno, considera que o contrato zero-hora é potencialmente uma maneira de o empregador se esquivar do salário mínimo garantido ao trabalhador, desde a sua regulamentação em 1909. O salário mínimo é calculado de acordo com o número de horas efetivamente trabalhadas, com a obrigação implícita do empregador de fornecer uma quantidade razoável de trabalho nos contratos que silenciem sobre a jornada, conforme precedente jurisprudencial[6]. Esse direito do trabalhador seria, portanto, implícito. Ocorre que o contrato zero-hora contém cláusula expressa sobre a não obri-

---

4 Tema que já havia sido amplamente discutido, como vimos.

5 Frisemos que Vince Cable foi secretário de Estado durante o governo de David Cameron – no período de 12 de maio de 2010 a 11 de maio de 2015 – e assinou os relatórios dos resultados das consultas do governo britânico supramencionadas.

6 Caso *Devonald v Rosser & Sons*, citado pelo autor.

gação do empregador de fornecer qualquer trabalho, cuja licitude é questionável no contrato individual, no entendimento do autor, quando ela *não representa as expectativas razoáveis das partes*.

O projeto de lei (Parliament, 2013-2014, p. 1) que tramitou no Parlamento britânico na sessão de 2013-2014 anunciava prever a proibição do contrato zero--hora, que era definido como *um contrato ou acordo para a prestação de trabalho que não especifica as horas de trabalho garantidas e tem uma ou mais das seguintes características*: a) exige que o trabalhador esteja disponível para o trabalho, quando não há garantia de que esse trabalhador será necessário; b) exige que o trabalhador trabalhe exclusivamente para um empregador; c) o não oferecimento de um contrato que defina as horas de trabalho regulares após o trabalhador ter sido contratado por doze semanas consecutivas.

De acordo com a redação desse projeto, não se tratava exatamente de proibição da forma contratual em questão, pois o ordenamento jurídico britânico permitiria o contrato zero-hora pelo prazo máximo de doze semanas consecutivas. Além disso, o contrato zero-hora apenas seria reconhecido se não houvesse previsão de horas de trabalho a serem fornecidas ao trabalhador e, cumulativamente, se este tivesse de ficar à disposição do empregador ou lhe fosse exigida a exclusividade. Essa proposta não teve trâmite completado na sessão de 2013-2014, pelo que não gera efeitos jurídicos. Todavia, sua redação serve para compreender como tem sido debatida essa questão pelo Parlamento britânico.

Uma nova proposta foi apresentada na sessão de 2014-2015 (Parliament 2014-2015, p. 1). Embora defina de maneira mais ampla o contrato zero-hora, o fato é que deixa de pretender proibi-lo, passando apenas a regulá-lo:

> 1) Um contrato zero-hora é um contrato ou acordo para o fornecimento de mão de obra que:
> a) não especifica as horas de trabalho garantidas, ou
> b) especifica as horas de trabalho garantidas, mas o trabalhador é solicitado ou esperado para estar disponível para o trabalho por um período que exceda em 20% as horas de trabalho garantidas no contrato ou acordo.

Além disso, se o empregado recebe horas extras com adicional de 50%, não se aplicam os dispositivos desse projeto de lei. Fica a impressão de que a redação do projeto faz parecer algo bastante favorável, quase um benefício, ser contratado dessa forma. Rege os deveres do empregador (Parliament 2014-2015, p. 1-4) entre outros:

- especificar o mínimo de horas que a pessoa vai trabalhar oralmente antes do início do trabalho e por escrito no prazo de sete dias – o que pode ser zero;
- dar tratamento igualitário a trabalhador zero-hora e a trabalhadores regulares – com exceção da alocação de horas de trabalho;

- comunicar com antecedência de pelo menos 72 horas qualquer alteração (requerimento ou cancelamento) no período de emprego;
- considerar o requerimento do trabalhador zero-hora para horas de trabalho fixas e regulares após as doze primeiras semanas.

Além disso, as cláusulas de exclusividade são expressamente proibidas.

Não podemos avaliar se o projeto mais recente é mais benéfico ao trabalhador, mas é perceptível o movimento de ocultamento da precarização com a burocratização das comunicações, formalizações etc. O que remanesce é a flexibilização da jornada de trabalho, que certamente tem efeitos sobre a renda. Beck (2011, p. 208-9) explica que a partição da jornada de trabalho não combate o desemprego com o pleno emprego, mas com a generalização do subemprego. Assim, a redistribuição da renda se dá com o seu próprio rebaixamento e com a redução de garantias sociais e oportunidades profissionais, gerando novas incertezas e desigualdades sociais, numa espécie de "decadência coletiva".

## O contrato zero-hora na perspectiva dos entes sindicais

As organizações profissionais se pronunciam sobre o contrato zero-hora e uma das mais enfáticas é a que representa os trabalhadores nas instituições de ensino superior, a University and College Union (UCU, 2015). Esta denuncia que, entre outubro e dezembro de 2014, quase 700 mil trabalhadores do setor da educação estavam contratados no modelo zero-hora. Isso representa um aumento de 111 mil contratos em relação ao mesmo período do ano anterior. A secretária-geral da UCU, Sally Hunt, declara que não é aceitável a mentira de que esse modelo seja bom para empregados e empregadores, uma vez que mais de um terço dos profissionais do setor de ensino sob contrato zero-hora desejam trabalhar mais horas. Sally Hunt afirma ainda que essa é uma das piores formas de precarização em razão da insegurança que gera aos trabalhadores.

Em pesquisa anteriormente realizada pela UCU (2013), constatou-se que mais da metade das instituições de ensino superior do Reino Unido utiliza contrato zero-hora. O empregador com mais contratos zero-hora em 2013 foi a University of Edinburgh. Eram 2.712 trabalhadores acadêmicos zero-hora. O porta-voz da entidade patronal Universities and Colleges Employers Association (Ucea) responde que esses contratos são oferecidos a estudantes para trabalhar de modo compatível com o horário de estudos e a profissionais altamente qualificados que trabalham em cursos específicos. Para a UCU, no entanto, trata-se de uma maneira de evitar a aplicação da legislação relacionada a contratos de prazo determinado e tempo parcial, obstando o acesso a direitos e garantias como licença-saúde e licença-maternidade. Além disso, a UCU aduz que, sem renda garantida, os trabalhadores não conseguem planejar suas vidas, quer em base anual, quer mensal.

A UCU (2014, p. 19) adverte que a flexibilidade decorrente do contrato zero-hora não beneficia os trabalhadores, uma vez que estes são completamente dependentes de seu empregador para lhes fornecer trabalho e, portanto, salário. Esse nível de dependência os leva a assumir e conduzir o trabalho para além do que são pagos, particularmente com horas trabalhadas e não registradas ou pagas. O problema apontado seria comum entre milhares de docentes com salário por hora do setor de ensino superior, mas afeta especialmente aqueles trabalhadores sem horas mínimas garantidas e sem expectativa de trabalho dada por seu empregador.

A especificidade da jornada do professor também é objeto de estudo no Brasil. Dal Rosso (2008, p. 111-2) explica o problema da jornada do professor nas instituições de ensino privado com base em pesquisa efetuada no Distrito Federal. O ensino privado reproduz a lógica do mercado e o acirramento da concorrência entre instituições nos últimos anos. Nesse contexto, embora não se trate do modelo britânico, a contratação dos professores como horistas implica uma insegurança quanto à continuidade de seus empregos e uma incerteza quanto à carga horária que lhes será destinada nos semestres seguintes. Consequentemente os professores se submetem à maior carga horária possível no presente. É importante frisar que são computadas como horas trabalhadas apenas as horas de efetivo magistério. Assim, o tempo despendido na preparação das aulas, na correção de trabalhos e provas e em outras atividades acessórias, em geral, não é remunerado. O quadro delineado por Dal Rosso reflete uma condição bastante generalizada do trabalho do professor no ensino privado no Brasil, que tende a ser agravada no contexto do contrato zero-hora, em face da precarização que este já ocasiona no Reino Unido.

Stopes (2014) explica que, na London Metropolitan University (London Met), por exemplo, mais da metade dos professores – ou seja, 840 deles – estão contratados sob o modelo zero-hora. Em razão disso, esses profissionais não têm direito a férias remuneradas e trabalham sob as mesmas condições dos professores contratados com jornada regular, mas sem direito ao mesmo estatuto. O pesquisador também relata que, em geral, a remuneração ou não pelo preparo das aulas e outras atividades extraclasse varia de acordo com a instituição de ensino, em uma clara condição de discriminação e insegurança. Questionadas pelo autor sobre os problemas de precarização no ensino superior, as entidades deram respostas diversas: a London Met, por exemplo, diz que a precarização não é um problema, pois todos fazem isso; e a UCEA declara que a precarização não é um problema, porque não está acontecendo.

Brinkley (2015), com base nos resultados da Pesquisa da Força de Trabalho (Labour Force Survey – LFS), realizada pelo ONS nas residências no período de 2014-2015 (ONS, 2015), sugere que os trabalhadores sob contrato zero-hora estão insatisfeitos. Um percentual muito maior de pessoas sob contrato zero-hora desejaria obter mais horas de trabalho do que as pessoas em emprego regular – 40% e 12%, respectivamente. Na semana da pesquisa, cerca de 15% dos trabalhadores sob contrato zero-hora não obtiveram nenhum trabalho, em comparação com 9% das pessoas em empregos regulares. Pessoas sob contrato zero-hora também eram muito mais propensas a querer um novo emprego (22%) do que aquelas em emprego regular (6%). Brinkley adverte, todavia, de que os resultados da LFS podem não refletir a real diferença entre os trabalhadores zero-hora e os demais, pois as pessoas podem não estar à procura de um novo emprego porque acreditam que não há oportunidades de emprego regulares disponíveis. Portanto, o resultado de 22% de pessoas que buscam outro emprego pode não refletir a satisfação das demais 78%, que não o procuram. Ademais, os números para aqueles que não obtiveram trabalho incluem os que estavam doentes ou em férias e aqueles que recusaram horas de trabalho na semana da pesquisa, algo além daqueles a quem simplesmente não foram oferecidas horas de trabalho por seus empregadores.

A pesquisa LFS (ONS, 2015) revela também que os contratos zero-hora são mantidos de forma desproporcional por jovens (menos de 25 anos) e trabalhadores mais velhos (50 ou mais), que representam quase 60% dos contratos zero-hora no período de abril a junho de 2015. Com base nessas informações, Brinkley (2015) infere que esse modelo contratual fornece mais flexibilidade para algumas pessoas iniciarem ou terminarem suas carreiras no mercado de trabalho. No entanto, ressalta também ser plausível argumentar que, muitas vezes, é o único tipo de emprego em oferta para aqueles com baixas qualificações ou menos experiência em setores de baixa remuneração. Um pouco menos de 33% dos contratos zero-hora são para ocupações não qualificadas e outros 30% estão no setor de atendimento, vendas e outros empregos de baixa remuneração. As mulheres também são mais propensas a estar sob contrato zero-hora do que os homens, mas a diferença poderia facilmente ser explicada, segundo o autor, pela concentração desse modelo em áreas como cuidado (*care*) e hospitalidade e pelo desejo de maior flexibilidade por mulheres com responsabilidades familiares, argumento esse colocado em questão pelo Trades Union Congress (TUC), como veremos a seguir.

Por outro lado, o Chartered Institute of Personnel and Development (CIPD, 2013, p. 7), uma organização profissional que atua na área de *desenvolvimento de pessoas e recursos humanos*, divulgou pesquisa realizada em agosto de 2013 segundo a qual mais de 1 milhão de trabalhadores britânicos estavam vinculados a esse modelo contratual. Esse resultado, no entanto, diverge dos dados do ONS (2014a)[7] e da LFS (ONS, 2014b)[8].

Brinkley (2015) sugere que os dados da organização patronal CIPD são mais confiáveis, pois os trabalhadores que responderam à LFS, pesquisa realizada pelo

[7] O ONS apura 1,4 milhão de trabalhadores em contratos sem número mínimo de horas garantidas (NGHC) no período da quinzena iniciada em 20 de janeiro de 2014. Aponta ainda que 1,3 milhão de trabalhadores constavam nos registros das empresas, mas não trabalharam no referido período.

[8] A pesquisa LFS, órgão do ONS, apurou 583 mil trabalhadores sob contrato zero-hora no período entre outubro e dezembro de 2013.

ONS, nem sempre têm ciência de que estão sob contrato zero-hora, já que este não é um termo legal. Além disso, muitos contratos não mencionam a expressão zero-hora, ainda que contenham as cláusulas de não obrigatoriedade do empregador de fornecer horas de trabalho. O próprio ONS (2014a, p. 3) justifica com essas situações os diferentes resultados das pesquisas.

Ao rebater supostos mitos sobre o contrato zero-hora, o CIPD (2013, p. 37), pautado por resultados de sua própria pesquisa (Labour Market Outlook – LMO), afirma que os principais motivos pelos quais as empresas utilizam esse modelo contratual são a necessidade de *administrar flutuações na demanda* e *proporcionar flexibilidade ao indivíduo*, concluindo que os contratos zero-hora são desenhados tanto para os empregadores quanto para os indivíduos.

A pesquisa LMO (CIPD, 2013, p. 11) também revela que a grande maioria dos trabalhadores sob esse modelo contratual pertence ao setor de serviços – com destaque para limpeza, *care*[9], administração, *call center* e educação – e não à indústria. Esses resultados nos induzem a perquirir qual seria a flutuação na demanda no setor educacional, por exemplo. Haveria mais ou menos aulas, de acordo com a semana, com o dia? Dificilmente se justifica na prática a flutuação na demanda em períodos tão reduzidos em um setor cuja atividade é previamente planejada, como no caso do ensino superior.

O CIPD (2013, p. 38) indica alguns pontos de tensão no modelo do contrato zero-hora. A falta de aviso sobre a data de cancelamento do trabalho é um problema enfrentado por cerca de 50% dos trabalhadores zero-hora, conforme pesquisa Employee Outlook, também realizada pelo CIPD. A pesquisa sugere que, nesses casos, os empregadores estipulem como será a notificação do trabalhador. No caso da falta de notificação com o comparecimento do empregado no local de trabalho, o CIPD aponta como boa prática o pagamento das despesas de transporte e de uma hora de trabalho.

No tocante a eventual discriminação do trabalhador zero-hora – afinal, ele pode ser considerado um trabalhador (*worker*) ou um empregado (*employee*) –, o CIPD (2013, p. 33) diz que o indivíduo será um trabalhador ou um empregado não apenas com base nos termos do contrato, mas na realidade da relação de emprego. Perfeito até esse ponto. Todavia, de acordo com as diretrizes do CIPD (2013, p. 27), a realidade da relação de emprego é, em parte, medida pelos direitos que o trabalhador possui, em consonância com a informação fornecida pelo governo britânico. De fato, tanto as informações oficiais do governo britânico (UK Government, 2015b) quanto as do CIPD aglutinam as condições fáticas que conduzem ao reconhecimento do *status* do empregado com os direitos dele decorrentes como

---

[9] Esse resultado se coaduna com a informação de que 69% dos contratos de trabalho no setor de cuidado domiciliar no Reino Unido são firmados no modelo zero-hora, em comparação com os 13% que possuem jornada fixa (Rubery et al., 2015).

critérios para determinar qual o tipo de contrato de trabalho[10], de maneira que o reconhecimento de uma questão fática depende de sua própria consequência normativa. Isso redunda em um conceito "reiterativo": o indivíduo é empregado se detém direitos de empregado; se não possui direitos, não é empregado.

Contudo, de acordo com o TUC (2015, p. 31) e a UCU (2014, p. 9), as questões-chave analisadas pelos tribunais para decidir se a pessoa é um empregado não abrangem a análise dos direitos e garantias (estatuto), mas são as seguintes: o trabalhador deve prestar o trabalho pessoalmente, e não por um substituto; deve haver uma mutualidade de obrigações entre empregador e trabalhador[11]; o trabalhador deve estar sujeito a controle exercido pelo empregador.

O reconhecimento do *status* de empregado para o trabalhador zero-hora é um dos objetivos de negociação do TUC (2014a, p. 7), que representa cerca de 6 milhões de trabalhadores britânicos filiados aos 54 sindicatos que o compõem. Embora os contratos atípicos ainda representem a minoria dos postos de trabalho, o TUC considera preocupante o movimento do mercado de trabalho britânico em direção a formas de trabalho com baixos salários, menos segurança e mais exploração, com destaque para o contrato zero-hora.

O TUC (2014a, p. 3) é defensor de que a flexibilidade alegada para a difusão do contrato zero-hora beneficia majoritariamente o empregador, maximizando a flexibilidade de sua força de trabalho, retendo um grupo de trabalhadores flexíveis, que conhecem a prática de seus negócios e podem ser acionados com pouca antecedência. Aduz ainda que o contrato zero-hora permite ao empregador uma estratégia de manutenção dos salários baixos, pagando apenas o tempo efetivamente trabalhado e deixando de pagar ao trabalhador que comparece, mas não lhe é oferecido trabalho. Ressalta também que um em cada cinco empregadores consultados pelo CIPD reconhece o uso do contrato zero-hora para evitar custos de recrutamento e agenciamento de trabalhadores temporários[12]. Por fim, a entidade sindical afirma que outros empregadores se valem do contrato zero-hora para fugir das obrigações legais trabalhistas, como licenças de trabalho e indenizações por demissão.

O TUC (2014a, p. 4) reconhece que uma minoria de trabalhadores se beneficia da flexibilidade desse modelo, entre os quais profissionais qualificados em

---

[10] Exemplificamos: o trabalhador tem o *status* de empregado se a empresa deduz contribuições fiscais e Seguro Nacional sobre seus salários, se tem férias pagas, se tem direito a benefício contratual ou legal em razão de doença, maternidade ou paternidade, se pode aderir ao regime de pensões da empresa, entre outras condições.

[11] Por isso, Ewan McGaughey questiona a licitude do modelo do contrato zero-hora, caso a cláusula que preveja a não obrigação do fornecimento de horas de trabalho não represente as expectativas razoáveis das partes. A mutualidade é expressamente abordada no *leading case Autoclenz Ltd v Belcher*, também relatado pelo autor (McGaughey, 2014, p. 3).

[12] De fato, há essa informação: "Gestão de custos é também um tema comum que aparece na pesquisa. Ao todo, 28% dos empregadores relatam que eles usam contrato zero-hora para reduzir custos, 20% dizem que é para evitar taxas de recrutamento e de agências de trabalho e 20% informam que os contratos zero-hora são parte de uma estratégia mais ampla para manter os custos salariais baixos" (CIPD, 2013, p. 12).

posição de negociar boa remuneração para trabalhar em padrão flexível e enfermeiras que já contam com trabalho permanente e querem complementar sua renda. No entanto, tudo indica que essas situações benéficas sejam marginais em relação à classe trabalhadora como um todo. E, embora intuitivamente o contrato zero-hora nos remeta a uma situação de trabalho transitória, na realidade essa situação tende a perdurar. Isso porque 44% dos contratos zero-hora duraram dois anos ou mais com o mesmo empregador, e 25%, cinco anos ou mais, apesar de os empregadores argumentarem que o contrato zero-hora seja um passo para um emprego mais seguro.

Em suma, o TUC (2014a, p. 4-5) denuncia diversas formas de abuso experimentadas pelos trabalhadores zero-hora contratados em base diária, corroborando resultados de pesquisas do CIPD (2013):

- Baixo salário: a pesquisa do CIPD constatou que mais da metade dos trabalhadores sob contrato zero-hora ganham menos de 15 mil libras por ano, o que acontece com apenas 6% de todos os trabalhadores.
- Subemprego: os trabalhadores sob contrato zero-hora trabalham menos horas que os demais e são mais propensos a querer mais horas de trabalho que os demais. De acordo com a pesquisa do CIPD, 38% dos trabalhadores sob contrato zero-hora no setor privado gostariam de trabalhar mais, e 52% no setor público.
- Insegurança salarial: 75% dos trabalhadores zero-hora relatam que suas horas trabalhadas variam semanalmente em comparação com 40% dos demais trabalhadores. Essa variação de renda dificulta o pagamento de aluguel, hipoteca e outras despesas do lar, o acesso ao crédito e o planejamento financeiro para o futuro.
- Impacto nas famílias: contra o argumento patronal de que o contrato zero-hora é bom para aqueles que têm responsabilidades de cuidado – em regra as mulheres –, o TUC responde que a falta de trabalho garantido e a imprevisibilidade do trabalho de semana a semana (e de dia a dia) resultam em instabilidade de remuneração e de rotina/horários e dificultam muito o ato de providenciar o cuidado de crianças ou idosos.
- Lacuna de direitos trabalhistas: trabalhadores zero-hora perdem proteções básicas por não se qualificarem como empregados, em razão da falta de continuidade do serviço ou porque o empregador se vale da situação de trabalho incerto para fugir das obrigações legais trabalhistas.
- Abuso no trabalho: trabalhadores zero-hora são mais vulneráveis a maus-tratos e exploração no trabalho que os demais.

O Advisory, Conciliation and Arbitration Service (Acas, 2014, p. 8-9), organização que atua no aconselhamento sobre relações de trabalho e direitos trabalhistas, conciliação e arbitragem de problemas nos locais de trabalho, apresenta um relatório sobre o contrato zero-hora em que conclui pela necessidade de transparência no que diz respeito às cláusulas do contrato, sobretudo em relação ao nível salarial, possíveis horas de trabalho e direito a férias remuneradas.

Contudo, do nosso ponto de vista, a falta de transparência é apenas a ponta do *iceberg*, pois o problema é muito maior e mais complexo. O TUC (2014b) analisa os dados da LFS de 30 de abril de 2014 e conclui que o salário-hora médio do trabalhador zero-hora é um terço inferior ao dos empregados sob contrato permanente e que a maioria dos trabalhadores em contrato zero-hora recebe menos do que o *living wage* ("salário de subsistência").

*Living wage* é a expressão utilizada para designar o rendimento necessário para satisfazer as necessidades básicas e manter um nível de vida digno. É calculado pela Living Wage Foundation com base no custo de vida no Reino Unido. Não é obrigatório no sentido jurídico, pois os empregadores aderem a ele voluntariamente, conforme informações fornecidas na página *What is the living wage?*. Possui dois indicadores – um para a região de Londres (9,15 libras por hora) e outro para o resto do Reino Unido (7,85 libras por hora), e é historicamente superior ao salário mínimo nacional (6,50 libras por hora) – valores para o período 2014-2015, de acordo com cálculo da fundação.

Além da questão remuneratória, a dúvida sobre o *status* de empregado ou de trabalhador põe em risco diversos direitos e benefícios para o trabalhador zero-hora: licença remunerada por motivo de doença, maternidade, paternidade, adoção, guarda compartilhada; aviso prévio do desligamento; proteção contra demissão sem justa causa; direito a requerer jornada flexível; licença para resolver emergências com dependentes; indenização legal por demissão, segundo informações do próprio governo britânico (UK Government, 2015b), como vimos acima.

Destacamos que o TUC (2015, p. 3-4 e 38) tem uma publicação que trata do déficit de trabalho decente e do custo humano do contrato zero-hora no Reino Unido. No entanto, de sua leitura observamos que a questão do trabalho decente é abordada sob o prisma da negação do trabalho vulnerável, que seria um trabalho mais gravemente precário. Além disso, verificamos que a luta do TUC tem por horizonte a conquista do *status* de empregado pelo trabalhador zero-hora.

Nesse contexto, o TUC (2014a, p. 5-6) propôs diversas medidas ao governo britânico para evitar o excesso de exploração dos trabalhadores, como o direito do trabalhador de receber uma declaração por escrito do empregador a respeito das horas de trabalho, a obrigação do empregador de avisar com antecedência o cancelamento ou a disponibilidade de trabalho, o direito ao pagamento do tempo gasto no deslocamento e na espera por trabalho, além do reembolso das despesas com transporte quando o cancelamento é feito sem antecedência, o direito, caso o trabalhador se ative em horas regulares, a um contrato escrito garantindo esse padrão, exceto se solicitar expressamente permanecer sob contrato zero-hora, a reforma do regime de trabalho de modo a garantir a todos os trabalhadores o mesmo pacote básico de direitos daquele que detém o *status* de empregado, relacionados aqui, entre outros.

Uma das campanhas do Unite (2015), o maior sindicato britânico, com 1,42 milhão de membros de diversos setores, como indústria automobilística, construção civil, saúde, transporte rodoviário e de passageiros, entre outros, visa à promoção do trabalho decente e envolve cinco pontos: um salário com o qual se possa viver; trabalho em condições seguras; horas garantidas por semana; treinamento, desenvolvimento e oportunidades na carreira; voz coletiva e representação sindical. O terceiro item se refere expressamente ao contrato zero-hora, relacionando o trabalho flexível com insegurança. Parece-nos que, assim como no movimento sindical brasileiro, o horizonte de atuação dessa entidade sindical não avança para além da resistência ao movimento de redução de direitos.

## Jornada móvel e variável no Brasil

A Consolidação das Leis do Trabalho (CLT) toma como regra geral sobre o tempo de trabalho a norma contida no art. 4º: "Considera-se como de serviço efetivo o período em que o empregado esteja à disposição do empregador, aguardando ou executando ordens, salvo disposição especial expressamente consignada". Assim, o tempo de trabalho abrange o tempo de trabalho efetivo e o tempo em que o empregado fica à disposição do empregador.

No entanto, no Brasil, já houve uma experiência similar ao contrato zero-hora a partir de 1995 – no que diz respeito à flexibilização do tempo de trabalho – quando a rede de lanchonetes McDonald's introduziu o modelo da "jornada móvel e variável". De acordo com as cláusulas desse modelo contratual, o empregado é contratado sem jornada prefixada, com pagamento apenas das horas efetivamente trabalhadas, sem o cômputo das horas à disposição do empregador, o que representava expressiva insegurança do salário mensal, que poderia chegar a ser inferior ao piso salarial da categoria.

Na prática, o empregado ficava aguardando ser chamado para trabalhar em uma sala dentro do estabelecimento comercial – sala de *break* – durante a sua jornada. O tempo na sala de *break* não era considerado hora trabalhada.

O Tribunal Superior do Trabalho (TST) tem firmado entendimento sobre a ilicitude dessa forma de contratação. A 8ª Turma, em uma ação civil pública, já se pronunciou no sentido de que a ausência de estipulação de carga horária semanal e de horários de entrada e saída prejudica o empregado, pois o põe à disposição do empregador durante jornada integral sem a devida remuneração, violando os dispositivos referentes à jornada do trabalho. Dessa forma, há uma transferência do risco do negócio aos empregados, que passam a ter remuneração apenas pelo tempo em que há maior movimento na loja, em afronta aos artigos 4º e 9º da CLT[13].

[13] Acórdão disponível em: <http://aplicacao5.tst.jus.br/consultaunificada2/inteiroTeor.do?action=printInteiroTeor&format=html&highlight=true&numeroFormatado=RR%20-%209891900-16.2005.5.09.0004&base=acordao&rowid=AAANGhAA+AAAKi5AAC&dataPubli

Em outra decisão em sede de reclamação trabalhista, ou seja, dissídio individual, a 7ª Turma apurou o funcionamento da jornada móvel e variável: limites semanais de 8 a 44 horas de trabalho, com possibilidade de ser dispensado do trabalho após as duas primeiras horas trabalhadas, com a consequente dispensa do pagamento do restante da jornada integral. A trabalhadora, nos termos do contrato, receberia o salário correspondente à carga horária mensal efetivamente cumprida e os descansos semanais seriam calculados e pagos de acordo com a média de horas de efetivo trabalho da semana. Nessa decisão, ressalvou-se a possibilidade de contrato em tempo parcial, ou seja, por jornada inferior a oito horas diárias e salário por hora, mas a jornada deve ser prefixada. Isso porque exigir aleatoriamente do empregado uma jornada maior ou menor, conforme as necessidades do empreendimento, de modo que ele fique vinculado a uma jornada de oito horas, mas que pode ser reduzida ao bel-prazer do empregador, fere o princípio da comutatividade do contrato, a partir do qual é imperioso o conhecimento dos contratantes de antemão quanto à extensão de suas prestações. Portanto, a ausência de prefixação de jornada fere o disposto no art. 4º da CLT, além de transferir para o empregado os riscos do empreendimento[14].

No acórdão proferido na Segunda Câmara do Tribunal Regional do Trabalho da 15ª Região, concluiu-se que esse modelo contratual fere princípios constitucionais da dignidade da pessoa humana, da valorização do trabalho e da existência digna e os ditames da justiça social, pois é indispensável que a jornada a ser cumprida seja previamente estabelecida, tendo dela ciência o empregado, a quem deve ser informado não só o horário de trabalho, mas o salário mensal a ser auferido, não podendo ser desprezadas as suas necessidades pessoais, sociais e familiares. Embora seja permitido contratar o empregado mediante salário-hora, submeter o trabalhador a jornada aleatória ou móvel significa subjugá-lo ao arbítrio do empregado, contrariando o equilíbrio das relações contratuais com a predominância de interesses puramente econômicos, em detrimento dos valores humanísticos e sociais[15].

A 3ª Turma do TST considerou que a jornada móvel flexível ofende princípios constitucionais e representa desrespeito às normas protetivas da jornada de trabalho e submissão do trabalhador ao arbítrio do empregador, aduzindo ainda a variação e insegurança salariais. No entanto, gostaríamos de ressaltar os argumentos da desmercantilização do trabalho humano e da dignidade humana.

---

cacao=25/02/2011&localPublicacao=DEJT&query=arcos%20and%20dourados>. Acesso em: 18 nov. 2015.

[14] Teor do acórdão disponível em: <http://trt-3.jusbrasil.com.br/jurisprudencia/129349942/recurso-ordinario-trabalhista-ro-1700306-00388-2006-099-03-00-9/inteiro-teor-129349952>. Acesso em: 15 set. 2015.

[15] Teor do acórdão disponível em: <http://trt-2.jusbrasil.com.br/jurisprudencia/125105588/recurso-ordinario-ro-21854920105020464-sp-00021854920105020464-a28/inteiro-teor-125105598>. Acesso em: 15 set. 2015.

> Sob o ponto de vista jurídico, a desmercantilização do trabalho humano efetiva-se pela afirmação do trabalho digno. Entende-se que a dignidade no trabalho somente é concretizada pela proteção normativa e mais precisamente por meio da afirmação de direitos fundamentais trabalhistas. Nesse contexto, o Direito do Trabalho assume papel de destaque, pois a essência de sua direção normativa, desde a sua origem até a atualidade, é explicitada no sentido de "desmercantilizar, ao máximo, o trabalho nos marcos da sociedade capitalista". Em face desses princípios previstos no cenário normativo internacional, além dos princípios e regras constitucionais explícitos em nosso ordenamento jurídico interno, bem como de normas legais, é inválida a cláusula contratual que estabelece a chamada "jornada móvel". Isso porque ela retira do empregado a inserção na jornada clássica constitucional, impondo-lhe regime de trabalho deletério e incerto, subtraindo ademais o direito ao padrão remuneratório mensal mínimo. Nesse sentido, compreende-se que a decisão recorrida violou o art. 9º da CLT. Recurso de revista conhecido e provido quanto ao tema. (Processo: RR – 762-72.2010.5.02.0070. Data de Julgamento: 06/08/2014, Ministro Relator: Mauricio Godinho Delgado, 3ª Turma, Data de Publicação: DEJT 08/08/2014).[16]

A desmercantilização do trabalho humano com a afirmação do trabalho digno, como bem expressa o ministro relator, é concebida sob o ponto de vista jurídico. Assim, a dignidade limitada à expressão do próprio direito mantém-se no contexto do capitalismo, em que o trabalho humano é mercadoria, objeto de venda e compra no mercado. Nesse caso, "desmercantilizar" o trabalho significa invalidar a jornada móvel e variável prevista contratualmente, pois esta afasta a aplicação de normas protetivas positivadas ou dos direitos fundamentais trabalhistas. Esse limite não emancipa, uma vez que o trabalho continua sendo uma mercadoria, mas não podemos ignorar que os direitos sociais, sobretudo os trabalhistas, são resultados de conquistas da classe trabalhadora. Permitir a redução desses direitos conquistados tem o potencial de tornar o trabalho humano uma mercadoria comum, não qualificada, em desconsideração ao ser humano que o exerce.

No cenário brasileiro, a chamada jornada móvel e variável é também alvo de controvérsia entre os sindicatos. O Sindicato dos Trabalhadores em Hotéis, Apart-Hotéis, Motéis, *Flats*, Restaurantes, Bares, Lanchonetes e Similares de São Paulo e Região (Sinthoresp, 2015a) mantém dossiê sobre as condições de trabalho na rede de lanchonetes McDonald's em que relata a continuidade da jornada móvel e variável. Esse tipo de jornada móvel, porém, é referendada pelo Sindicato de Trabalhadores em Empresas de Refeições Rápidas (*fast-food*) (Sindifast), que se afirma representante da categoria. Releva acrescer que, embora ainda esteja *sub judice*, o Tribunal Regional do Trabalho da 2ª Região decidiu, em ação de cumpri-

---

16 Teor do acórdão disponível em: <http://tst.jusbrasil.com.br/jurisprudencia/132811456/recurso-de-revista-rr-7627220105020070/inteiro-teor-132811477>. Acesso em: 15 set. 2015.

mento movida pelo Sinthoresp, que os empregados da referida empresa são representados pelo Sindifast[17].

Não foram localizadas as normas coletivas referentes aos empregados da rede supramencionada em São Paulo nem convenções coletivas vigentes negociadas pelo Sindifast no Sistema Mediador, mantido pelo Ministério do Trabalho e Emprego[18]. No entanto, há registros atuais de denúncias de que remanescem a jornada móvel e variável e os baixos salários dela decorrentes, como no vídeo publicado pelo Sinthoresp (2015b) em 19 de outubro de 2015, em que o presidente da Federação Interestadual dos Trabalhadores Hoteleiros de São Paulo e Mato Grosso do Sul (Fetrhrotel) menciona expressamente a jornada móvel e variável (aos 10min12s). Nesse mesmo vídeo, o trabalhador britânico cita o modelo do contrato zero-hora como um dos problemas enfrentados pelos trabalhadores da rede de lanchonetes em todo o mundo, pois eles não têm garantia de quantas horas trabalharão (aos 15min03s).

No tocante ao tratamento jurídico da jornada de trabalho, o que temos acompanhado na legislação brasileira desde a década de 1990 é o movimento de flexibilização do tempo do trabalho de diversas maneiras: ampliando o rol de empregados cujos contratos de trabalho estão excluídos da aplicação das normas de proteção da jornada com a alteração da redação do art. 62 da CLT, com a promulgação da Lei n. 8.966, de 27 de dezembro de 1994; convalidando a irregular redução do intervalo intrajornada com a previsão de sua remuneração como hora extraordinária, com adicional de no mínimo 50% e com caráter salarial, de acordo com a Lei n. 8.923, de 27 de julho de 1994; estendendo o módulo para compensação semanal de jornada para até um ano, o chamado "banco de horas"[19]; ou permitindo o trabalho dos empregados do comércio em geral aos domingos e feriados, com base na Lei n. 10.101, de 19 de dezembro de 2000[20].

---

[17] Processo n. 67900-36.2009.5.02.0088. Sentença proferida pelo juiz Homero Batista Mateus da Silva, data de publicação: 15/10/2009. Acórdão TRT 2ª Região n. 2012064952, juíza relatora Vilma Mazzei Capatto, 9ª Turma, data de publicação: 29/6/2012. Acórdão em Agravo de Instrumento em Recurso de Revista. Ministro relator: Cláudio Mascarenhas Brandão, data de publicação: 18/9/2015. Disponível em: <http://aplicacao4.tst.jus.br/consultaProcessual/resumoForm.do?consulta=1&numeroInt=123222&anoInt=2014>. Acesso em: 19 jun. 2016.

[18] Brasil. Ministério do Trabalho e Emprego. Sistema Mediador. Disponível em: <http://www3.mte.gov.br/sistemas/mediador/ConsultarInstColetivo>. Acesso em: 26 out. 2015.

[19] Primeiro, o módulo semanal de compensação previsto originariamente na CLT estendeu-se para 120 dias, com a promulgação da Lei n. 9.601, de 21 de janeiro de 1998, e depois para um ano, com a edição da Medida Provisória n. 1.779-9, de 8 de abril de 1999, reeditada diversas vezes até a derradeira Medida Provisória n. 2.164-41, de 24 de agosto de 2001. Essa matéria remanesceu regulada por medida provisória em razão da Emenda Constitucional n. 32, de 11 de setembro de 2001, conforme seu art. 2º: "As medidas provisórias editadas em data anterior à da publicação desta emenda continuam em vigor até que medida provisória ulterior as revogue explicitamente ou até deliberação definitiva do Congresso Nacional".

[20] O trabalho dos empregados aos domingos e feriados era permitido apenas em determinadas atividades do comércio desde 1949. Com a promulgação da Lei n. 10.101, de 19 de dezembro de 2000, a autorização foi ampliada para todo o comércio em geral, dependendo apenas de legislação municipal (sobre o funcionamento dos estabelecimentos comerciais e não sobre o trabalho),

Ademais, é importante citar a instituição do contrato de trabalho em tempo parcial, cujo limite é de até 25 horas semanais, com o acréscimo do art. 58-A na CLT, em razão da edição da Medida Provisória n. 2.164-41, de 24 de agosto de 2001. Embora não tenha tido impacto relevante no mercado de trabalho brasileiro[21], essa norma faz parte do movimento de flexibilização da alocação do trabalho, que tangencia a questão da jornada.

Na atualidade, chamamos a atenção para o potencial precarizante do Projeto de Lei n. 3.785/2012[22], de iniciativa do deputado federal Laércio Oliveira, que versa sobre o *contrato de trabalho intermitente*. De acordo com a redação do art. 1º, parágrafo único: "O contrato de trabalho intermitente é aquele em que a prestação de serviços será descontínua, podendo compreender períodos determinados em dia ou hora, e alternar prestação de serviços e folgas, independentemente do tipo de atividade do empregado ou do empregador".

A especificidade desse modelo contratual surge, no entanto, no disposto no art. 2º, § 1º, que prevê a exclusão do cômputo do tempo à disposição do trabalhador como tempo de trabalho: "É devido ao trabalhador o pagamento de salário e remuneração pelas horas efetivamente trabalhadas, excluído o tempo de inatividade".

Dessa maneira, a norma protetiva contida no art. 4º da CLT, que considera tempo de trabalho o período em que o empregado fica à disposição do empregador, corre sério risco de ser revogada, ainda que parcialmente. Portanto, está em trâmite no Congresso Nacional a regulamentação de um modelo contratual que se aproxima do contrato zero-hora britânico, inclusive com a indicação de pontos de discussão similares, como a questão da exclusividade (art. 3º).

Em 24 de fevereiro de 2016, uma nova, e mais grave, ameaça à questão do tempo de trabalho surgiu: o Projeto de Lei n. 4.522/2016, também de autoria do

---

desde que garantido o descanso em um domingo no período de quatro semanas, e de previsão em convenção coletiva de trabalho (somente em relação ao trabalho no feriado). Posteriormente, a periodicidade passou a um domingo no período de três semanas, conforme Lei n. 11.603, de 5 de dezembro de 2007.

[21] Krein (2003, p. 290) ressalta não só que o sistema trabalhista brasileiro de contratação e demissão já é bastante flexível, pois não há proteção contra a dispensa imotivada, como que um dos motivos do pequeno impacto das medidas legais para a flexibilização da alocação do trabalho – medidas estas que compreendem, além do trabalho em tempo parcial, o contrato de trabalho por prazo determinado, a própria denúncia da Convenção n. 158 da OIT, a prestação de serviços mediante cooperativas de trabalho e a suspensão do contrato de trabalho – foi a generalização da terceirização: "Além das medidas legais, a flexibilização da alocação do trabalho também vem ocorrendo através da terceirização, na medida em que esta contribui para a eliminação de obrigações relativas aos direitos trabalhistas da empresa contratante do serviço, ao repassar a responsabilidade para uma outra empresa, que geralmente não está enquadrada na mesma categoria econômica. O resultado é salários e condições de trabalho inferiores".

[22] O acompanhamento do trâmite desse projeto de lei deve considerar que ele está apensado ao Projeto de Lei n. 6.363/2005, que versa sobre o tratamento isonômico dos trabalhadores temporários e está apensado ao Projeto de Lei n. 4.132/2012, o qual, por sua vez, dispõe sobre a responsabilidade subsidiária da empresa tomadora de trabalho temporário.

deputado Laércio Oliveira, que propõe a inclusão do § 2º na redação do artigo 4º da CLT, com a seguinte redação:

> Art. 4º ....................................
> § 1º .....................................
> § 2º Não se considera como de serviço efetivo o período anterior ou posterior ao registro de ponto, realizado para atender finalidade de deslocamento do empregado quando no local de trabalho, uniformização ou atendimento a condições higiênicas ou ainda para usufruir de benefício disponibilizado pelo empregador.

A justificativa é a de que diversos setores da economia necessitam que os trabalhadores utilizem uniforme.

> Além da necessidade da troca de uniforme, muitas empresas oferecem ou disponibilizam café e lanche, por questões legais ou sindicais, cujo tempo despendido não justifica seja considerado de trabalho ou remunerado, pois se refere à segurança, higiene e bem-estar do empregado. Por fim, em empresas cuja unidade seja grande o suficiente para exigir deslocamento considerável entre a portaria e o ambiente de trabalho do empregado, também não há sentido em computar-se este tempo como de serviço, pois o empregado efetivamente não está ativando em suas funções.

No entanto, potencialmente essa redação ressignifica o tempo de trabalho, incorrendo no risco de uma interpretação extensiva sobre o que seria "benefício disponibilizado pelo empregador" para abranger, por exemplo, as tais salas de *break*.

Ainda que tenha sido retirado de pauta recentemente, o Projeto de Lei n. 4.522/2016 representa mudanças significativas para o direito do trabalho e, assim como no caso do Projeto de Lei n. 3.785/2012, essas propostas devem ser ampla e publicamente discutidas. No entanto, os trabalhadores não sabem dessas ameaças nem participam do debate.

## Conclusão

O contrato zero-hora precariza o trabalho de diversas maneiras: mascara o desemprego com a criação de subempregos flexíveis; a flexibilidade que o justifica é unilateral (em regra serve apenas ao empregador); a liberdade que lhe dá fundamento não pode ser observada diante da assimetria das partes no contrato (a discricionariedade em fornecer trabalho não corresponde à discricionariedade em aceitá-lo); a falta de transparência e informação sobre o contrato zero-hora dificulta a já mitigada liberdade contratual do trabalhador; a existência de cláusula de exclusividade agrava a situação do trabalhador (ele fica alijado de qualquer possibilidade de conseguir outro trabalho, restando subjugado à conveniência do empregador, ainda que isso ponha em risco sua subsistência); a limitação da cláusula de exclusividade não altera a realidade: o trabalhador dificilmente se arrisca a manter mais de um contrato por receio de não lhe ser fornecido trabalho no caso de uma recusa sua; o trabalhador sujeita-se a condição bastante insegura (não lhe é possível saber se terá trabalho nem salário); essa insegurança tem efeitos sobre a saúde mental e física do trabalhador, além de impossibilitar o planejamento familiar em termos de rotina e finanças; o contrato zero-hora obsta o acesso a direitos e garantias como férias e licença-saúde; a discriminação quanto aos estatutos (os trabalhadores zero-hora, por vezes, desempenham a mesma atividade que os empregados regulares, mas recebem menos e têm menos segurança e direitos); por fim, o trabalhador zero-hora está sujeito a mais exploração e maus-tratos do que os demais.

Daí a importância da reflexão sobre os problemas decorrentes dessa máxima flexibilização do tempo de trabalho já experimentados no Reino Unido e, de forma ainda isolada, no Brasil. Salientamos ainda as iniciativas de projetos de lei sobre a regulamentação desse modelo contratual no ordenamento jurídico brasileiro que tramitam insidiosamente, sem a necessária discussão sobre o rumo que tomaremos no que tange ao futuro próximo do direito do trabalho.

# PARTE II

# GÊNERO, GERAÇÃO E ADOECIMENTO: O MOSAICO DA EXPLORAÇÃO

# 8

# Quando gênero revela classe: mulheres e flexibilidade no setor da tecnologia da informação[1]

*Bárbara Castro*

## Introdução

Marcela[2], uma desenvolvedora de *software* de 34 anos, atuou por 12 em uma pequena empresa[3] de consultoria e treinamento em tecnologia da informação (TI), em São Paulo. Durante todo esse período, era PJ (Pessoa Jurídica), uma modalidade de contratação que disfarça o vínculo empregatício ao substituir a relação empresa-trabalhador pela relação empresa-empresa. A fraude trabalhista, bastante comum no setor, era avaliada como positiva por boa parte dos trabalhadores e trabalhadoras que entrevistei[4], pois entendiam que a PJ lhes permitia acessar um patamar salarial maior[5], já que os empregadores ficam livres do pagamento dos impostos relativos ao contrato formal (B. Castro, 2015b). Durante esses doze anos de empresa, Marcela

[1] Este capítulo é fruto de pesquisa conduzida para a elaboração da tese de doutorado *Afogados em contratos: o impacto da flexibilização do trabalho nas trajetórias dos profissionais de TI*, realizada pelo Programa de Doutorado em Ciências Sociais da Unicamp, financiada pela Capes, sob orientação da professora Dra. Angela Maria Carneiro Araújo, com período "sanduíche" no Departamento de Sociologia da Open University (Inglaterra), sob supervisão da professora Dra. Elizabeth Bortolaia Silva.

[2] Marcela concedeu a entrevista que embasa esta pesquisa em 17 de fevereiro de 2011, em São Paulo. Para evitar repetições, optamos não informar esse dado em todas as falas de Marcela transcritas neste texto.

[3] A entrevistada informou que a empresa contava com dois sócios, duas pessoas trabalhando no setor administrativo e seis desenvolvedores. A empresa tanto prestava serviços de desenvolvimento de *software* quanto intermediava a contratação de terceiros para outras empresas.

[4] A pesquisa de campo que informa os dados deste texto foi realizada entre 2011 e 2012. Foram conduzidas sessenta entrevistas em profundidade, igualmente distribuídas entre mulheres e homens que atuavam no setor de Tecnologia da Informação, nas cidades de São Paulo e Campinas.

[5] Marcela nunca teve carteira de trabalho assinada e acreditava nessa ideia de que PJ remunera melhor: "As pessoas de TI, elas gostam de ser PJ... Elas não querem ser CLT! Não é que... Você tenta contratar CLT... Porque, às vezes, a gente tem cliente que só fala assim: "Eu quero um terceiro, mas só que ele tem de ser CLT!" e você não encontra quem contratar. Porque as pessoas, elas não querem ganhar menos. Desacostumaram...".

também elogiava o contrato PJ: "Se você vai pro CLT, você vai ter no holerite metade. Ainda se ele descontar imposto, é 40% do que você tem hoje. Então nunca apareceu uma proposta que eu falasse assim: 'Nossa, tô feliz porque o que eu vou ter na mão vale a pena!'". Naquele mesmo período de tempo em que esteve vinculada à empresa, nunca tirou férias, mas dizia não se importar. Ela gostava do ritmo frenético do trabalho, que envolvia jornadas de no mínimo doze horas, mais fins de semana, feriados e noites viradas em períodos de fechamento de projetos.

No entanto, no momento em que realizei a entrevista, ela reavaliava sua experiência de trabalho movida por outra experiência constituinte de sua subjetividade, a maternidade: "Era só trabalho, trabalho, trabalho... Até os meninos virem, eu tinha tanto tesão naquilo... Eu não precisava de descanso. Não precisava. Eu tava bem". Após trazer ao mundo duas crianças, Marcela repensava não apenas as rotinas de trabalho intensas mas também o tipo de contrato ao qual estava submetida e os direitos a que ele lhe dava acesso. Ser um trabalhador ideal de TI e atuar como PJ, ela parecia dizer, não era compatível com ser mulher.

Ela não estava de todo errada. A história de Marcela, que ecoa as histórias de outras trabalhadoras do setor de TI entrevistadas para a pesquisa que informa este capítulo, revela um dos conflitos fundamentais entre gênero e trabalho. Aqui, pretendo demonstrar como o desenho que o capital realiza para equalizar a força de trabalho invisibiliza a pluralidade de corpos disponíveis para o trabalho. Mais do que invisíveis em sua pluralidade, os corpos que não podem ser equiparados tornam-se, em alguma medida, inviáveis para a otimização da lei da acumulação do capital. Levando em conta os dados coletados em minha pesquisa empírica, tenciono colaborar para o debate sobre a intersecção entre gênero e trabalho e seus mecanismos de imbricamento. No caso desta pesquisa, em particular, o que espero elucidar é como o gênero é o que revela a essas mulheres um pertencimento de classe, porque é o gênero que desconstrói a ideia de universalidade contida na figura ideal típica do trabalhador de TI e na ideologia empreendedora. É o gênero que revela que assegurar direitos trabalhistas não depende de uma performance individual, mas de uma seguridade inscrita na coletividade. Nesse sentido, defendo que a pesquisa em questão traz como contribuição a ideia de que a experiência de gênero, ou seja, a vivência diferencial do cotidiano por homens e mulheres de uma mesma classe (Saffioti, 1992), revela a diferença que é apagada pela lei da acumulação.

Para expor tal argumento, este capítulo se dividirá em três partes: inicialmente, apresento como o desenho empresarial do setor de TI, no Brasil, somado à difusão da ideologia empreendedora, colabora para a formação da ideia de um trabalhador ideal do setor de TI: flexível, disponível e em consonância com as transformações ocorridas na acumulação do capital nas últimas décadas; em seguida, reflito sobre como as mulheres foram historicamente acionadas como elemento flexível da acumulação, reivindicando que se olhe para a flexibilidade a partir de um viés de gênero; finalmente, apresento a história de Marcela, representativa de outras inúmeras narrativas oferecidas a esta pesquisadora na forma de entrevistas, para demonstrar como se opera a formação de uma experiência de gênero conectada à dimensão da classe, de modo que, ao se descobrirem enquanto mulheres na experiência de trabalho, elas se descobrem como trabalhadoras: descobrem a fragilidade da privatização da regulação e negociação de seus direitos trabalhistas e sociais.

## O setor de TI, a ideologia empreendedora e o trabalhador ideal

Apenas um terço do setor de TI no Brasil se concentra no desenvolvimento de *softwares* sob encomenda para clientes. O restante é dedicado à prestação de serviços[6]. Além disso, vale destacar que grande parte das empresas (79%) possui de 5 a 20 pessoas ocupadas, e menos de 1% delas, mais de 100[7] (Softex, 2012). Esse dado aponta para uma intensa pulverização empresarial do setor, fator que impacta diretamente a organização da produção e, consequentemente, a maneira como a força de trabalho é gerida, como veremos.

Antes, porém, é preciso situar esse desenho em um processo maior, articulando-o ao movimento geral da acumulação do capital. A elevada pulverização da organização empresarial não é característica única ou derivação natural da vocação produtiva da TI. Ela se situa e é consequência da típica organização empresarial que se desenha no país com mais intensidade a partir na década de 1990, acompanhando um movimento global de reestruturação da produção derivado de um processo de reorganização do capital, nomeado por Harvey (2008) "acumulação flexível". Tal modificação no mecanismo de acumulação começou a se articular na década de 1970, quando o capitalismo ocidental enfrentou uma recessão agudizada pelo choque do petróleo. Foi esse período que "pôs em movimento um conjunto de processos que solaparam o compromisso fordista" (Harvey, 2008, p. 140). A nova forma de organizar o capital definiria um novo modo de regulação do trabalho, da economia, da política e das formas de sociabilidade.

---

[6] A Associação para Promoção da Excelência do Software Brasileiro (Softex) considera as seguintes classes da Classificação Nacional das Atividades Econômicas (Cnae) como constituintes da Indústria Brasileira de Software e Serviços de TI (IBSS): 6201 – Desenvolvimento de *software* sob encomenda; 6202 – Desenvolvimento e licenciamento de *software* customizável; 6203 – Desenvolvimento e licenciamento de *software* não customizável; 6204 – Consultoria em tecnologia da informação; 6209 – Suporte técnico, manutenção e outros serviços em tecnologia da informação; 6311 – Tratamento de dados, provedores de serviços de aplicação e de hospedagem na internet; 6319 – Portais, provedores de conteúdo e outros serviços de informação na internet; 9511 – Reparação e manutenção de computadores e de equipamentos periféricos; e 9512 – Reparação e manutenção de equipamentos de comunicação.

[7] Se forem incluídas as empresas com menos de cinco pessoas ocupadas, esse número salta para 95%, um indicativo do uso dessas empresas como PJ. Considerando-se esse universo, existiam até 2009 cerca de 64 mil empresas de TI no Brasil. Retirando-se dessa conta as empresas com até quatro pessoas ocupadas, esse número se reduz para 11 mil empresas e, considerando-se apenas as que possuem vinte pessoas ou mais, a conta fecha em perto de 2 mil.

Como sabemos, esse processo tem como uma de suas principais características a reorganização da produção a partir da externalização de atividades produtivas, altamente marcada pela terceirização, e da automatização, valendo-se das novas tecnologias da informação e comunicação para racionalizar os processos produtivos e enxugar postos de trabalho. É nesse mesmo contexto que o setor de TI emerge no país, atuando ao mesmo tempo como agente de automatização da produção e entidade terceirizada, prestando serviços e assessorando outras atividades econômicas na indústria, no setor financeiro, no comércio, nas empresas de comunicação, na saúde, na educação etc., sempre transformando os conhecimentos acumulados em códigos binários que automatizam e/ou racionalizam o processo (ou partes do processo) produtivo.

Nesse sentido, o setor de TI é um local privilegiado para investigarmos os impactos da organização flexível nas experiências dos trabalhadores e trabalhadoras. A elevada quantidade de micro e pequenas empresas existentes no setor no Brasil acirra a competitividade, levando-as a elaborar táticas de conquista de clientes baseadas no baixo custo e num curto prazo de elaboração dos projetos. Consequência disso são as estratégias que passam a ser utilizadas indiscriminadamente pelo empresariado para reduzir os custos com a força de trabalho. Entre elas, as fraudes trabalhistas ganham destaque. A pejotização é uma das mais utilizadas, seguida de outros contratos atípicos (Krein, 2007), como falsas cooperativas e CLT Flex – nessa modalidade, parte do salário acordado fica registrado na carteira de trabalho, outra parte é paga na forma de benefícios ou contraprestação de notas fiscais (B. Castro, 2013)[8]. Vale destacar que a utilização de tais contratos é resultado de uma escolha política de viés neoliberal, segundo a qual foram introduzidas, a partir da década de 1990, no Brasil, mudanças legislativas que visavam facilitar a redução dos custos e dar mais liberdade ao empregador para manejar a força de trabalho conforme a conjuntura econômica, adaptando a legislação trabalhista à organização flexível da produção e ampliando, assim, a regulação privada da contratação (Galvão, 2007; Krein, 2007).

Além do impacto direto nas formas de contratação, o curto prazo oferecido como estratégia de conquista de clientes tem como consequência jornadas de trabalho intensivas (a economia do tempo de trabalho aparece no borramento das fronteiras entre casa e trabalho e no trabalho hiperconectado realizado durante os

[8] Salatti (2005) encontrou sete modalidades diferentes de vínculo trabalhista: CLT, pessoa jurídica individual ou limitada (PJ), cooperativas de trabalho, trabalhadores autônomos, estagiários, trabalhadores informais e pseudossócios. Entre esses diferentes contratos de trabalho, a pesquisa realizada apontou para a predominância do contrato via PJ no setor (36% da amostra). Pesquisa realizada pelo IBGE (2009) também aponta essa tendência. Mostra que a área de informática é responsável por empregar 56,3% da mão de obra do setor de tecnologia da informação e comunicação. Desse total, 24,4% compõem a parcela dos não assalariados da área, o que contempla o proprietário do negócio, os sócios, os sócios-proprietários, os sócios-cooperados e os membros da família – categorias que podem corresponder aos contratos de tipo PJ.

deslocamentos dos trabalhadores, para darmos apenas esses dois exemplos) e extensivas (os trabalhadores entrevistados diziam trabalhar em média doze horas por dia, jornadas que invadiam fins de semana, feriados e períodos de férias):

> E aí começa a observar assim: as jornadas de trabalho são extensíssimas... Doze horas. Tá? É... Pressão demais! Se você é doente... Elas vão trabalhar. Tem um caso de um cara, durante o ano passado, que acumulou seiscentas horas extras... Seiscentas! E não vai receber por isso! Né? E, mesmo que recebesse, seiscentas horas extras! Chegou uma época do projeto que ele levou o colchão pro escritório!

A organização da produção por projetos tem, pois, consequências diretas na organização do trabalho. Além das jornadas de trabalho extensas e intensificadas, o atendimento a clientes leva a uma dinâmica de mobilidade espacial ditada pela visita ou pela prestação de serviços na empresa do cliente. Esse constante deslocamento que alguns trabalhadores do setor devem operacionalizar cria rotinas estressantes em grandes cidades como Campinas e São Paulo, ambas objeto desta pesquisa. Mas, além disso, cria um sentido de não pertencimento bastante comum entre trabalhadores terceirizados. Muitos dos entrevistados relataram que, atendendo constantemente a clientes, não possuíam espaço físico definido dentro da empresa para a qual trabalhavam. Nem nela nem na dos clientes. Reflexo também da economia com o espaço de trabalho, as contratantes prescindiam muitas vezes de um desenho tradicional de escritório, com estações de trabalho divididas em baias e mesas individuais para cada trabalhador. Nas empresas dos clientes, como se tratava de uma prestação de serviços, muitas vezes se separavam "cantinhos" do escritório, como copas, sofás de salas de espera, salas de reuniões vagas ou até mesmo contêineres expostos ao sol, para que os trabalhadores realizassem o serviço contratado (e, muitas vezes, esse serviço podia durar até um ano).

Cinara Rosenfield (2011) já chamava a atenção para esse traço bastante comum na organização empresarial do setor quando investigou os quadros superiores das empresas de TI. Destacava que a exigência de cumprimento dos prazos gera uma grande pressão entre esses profissionais para criar novos projetos, de modo a não deixar lacunas de tempo de trabalho para as empresas. Essa dinâmica gera uma temporalidade própria ao modelo de gestão e organização empresarial e traz, como ela argumenta, consequências psíquicas para o trabalhador e trabalhadora expostos a esse ambiente, consequências que ela nomeou "precariedade emocional".

O que nos interessa nesta pesquisa é entender os impactos do desenho empresarial do setor de TI sobre a organização do trabalho, que se torna marcada por uma flexibilidade de tempo e espaço pautada pela intensificação do trabalho. Essas dinâmicas de superexploração da força de trabalho, no entanto, não são compreendidas enquanto tais pela maioria dos trabalhadores e trabalhadoras entrevistados:

> Porque os projetos são pra ontem... Não tem muito prazo... É muito louco... Porque TI é a base de tudo hoje, então, às vezes, *nem é culpa das empresas*, mas o governo muda uma lei e ele quer que entre em vigor em trinta dias... Tem que sair correndo, todos os *softwares* têm que corrigir, né? (Grifo nosso)

Para eles, ser um trabalhador de TI é trabalhar longas jornadas, é abrir mão de fins de semana, feriados e férias, é estar constantemente aprendendo novas linguagens de programação, é adaptar-se invariavelmente a novos clientes e é, eventualmente, ser contratado como PJ (ou cooperado, ou CLT Flex).

A naturalização que vemos nas narrativas que eles e elas constroem sobre os impactos da organização empresarial do setor vem amparada na ideia da rápida velocidade com a qual as tecnologias da informação se atualizam ou são demandadas, com a rapidez da troca de informações representada pela internet e pela disseminação de uma ideologia empreendedora. A ideia vigente é a de que não há controle sobre esse processo de demanda do trabalho. Ela é vista como fruto do aceleramento do tempo e achatamento dos espaços com o qual a sociedade contemporânea é identificada (Harvey, 2008). A naturalização da velocidade com que as demandas aparecem no setor auxilia a formulação do que nomeamos em outra publicação o *ethos* específico do trabalho em TI (B. Castro, 2015b). Pensar na formação desse *ethos* laboral é o que nos ajuda a compreender como se dá a produção de um consentimento coletivo a condições de trabalho precarizadas[9].

Entendemos que sejam essas nuances o que nos permite sofisticar o argumento rápido, mas necessário, a partir do qual estamos tratando, aqui, do exame de profissionais com escolaridade elevada (em 2009, a média dos homens tem ensino superior incompleto, ou equivalente, e a média das mulheres possui ensino superior completo), com salários bons para o padrão nacional (em 2009, a média salarial do setor era de R$ 2.300)[10], e que seriam classificados, portanto, como qualificados por certa leitura dentro das análises de sociologia do trabalho[11].

---

[9] Concordo com a ideia de Bourdieu (1998b) de que a "precariedade está hoje por toda parte", estendendo-se a todo o tecido produtivo. No entanto, vale destacar que usamos a noção de precariedade compreendendo sua heterogeneidade e reconhecendo suas nuances conforme a posição dos trabalhadores na estrutura social, ocupacional e de classes (ver Cavalcante e Castro, 2015).

[10] Análise própria a partir da Pnad. Mais dados em Bárbara Castro (2013).

[11] Há uma disputa em torno da ideia de qualificação que pode remontar às reações à ideia de negatividade da qual estaria contaminada essa noção em Braverman (1980). Para Nadya Araújo Guimarães (2009), a ideia de qualificação, em Braverman, equivale a pensar em sua "perda progressiva, uma vez que ela estaria reduzida a um mero instrumento consciente do controle gerencial despótico", tornada possível tanto pelo avanço tecnológico quanto pela administração científica do trabalho. Entendemos que as críticas a essa ideia passam pela busca de agência nessa história. O foco deveria ser não apenas o "mecanismo de coerção estrutural", para o qual olhava Braverman, mas os processos, ou seja, a produção da relação política entre saberes e poderes. Nesse sentido, acompanhamos as ideias de Kergoat (citado em M. Neves, 2000), para quem a qualificação é uma relação social que deve ser acessada a partir da relação conflitante entre capital e trabalho. Nesse sentido, a ideia de qualificação possui uma dimensão histórica e cultural que deve ser investigada a partir das transformações estruturais da sociedade. Tratar-se-ia de entender como o "conjunto de saberes escolares, técnicos e sociais", ou, em nossa leitura, uma

No entanto, a despeito de concordarmos com a ideia de que o salário e a elevada qualificação ajudam na formulação de uma distinção entre o trabalhador de TI e outras ocupações da classe trabalhadora, essas duas dimensões não são suficientes em si para explicar como o consentimento é produzido por esses trabalhadores a suas condições de trabalho. Ser trabalhador de TI é ser flexível naquele significado da palavra que mais se associa ao senso comum empresarial e ao imaginário do trabalhador toyotista. Ser flexível é ser capaz de se adaptar, se atualizar constantemente, inovar, ser polivalente. Mas, superando essa camada, o que conseguimos visualizar nas entrelinhas das narrativas dos entrevistados e entrevistadas sobre o seu cotidiano de trabalho é que ser flexível é estar disponível em tempo integral para as empresas: é ser capaz de virar noites, fins de semana e feriados, concluindo e prospectando novos projetos; é atender a clientes que se queixam de problemas com o *software* encomendado; é acordar de madrugada para fazer reuniões *on-line* com clientes estrangeiros; é viajar constantemente e/ou se deslocar dentro de grandes centros urbanos para atender clientes etc.

Nota-se, portanto, que nos relatos recolhidos na pesquisa a ideia de vitalidade ("Talvez a TI exija essa energia mais incisiva, mais violenta, mais agressiva, né?"), de capacidade de acompanhar transformações frenéticas de linguagens de programação (sua ferramenta de trabalho) e da aventura de enfrentar os desafios de entregar projetos capazes de superar os da concorrência e entregá-los no (curto) prazo combinado é formadora de um *ethos* de trabalho do setor de TI. *Ethos* esse, vale lembrar, cujo respaldo material se encontra no próprio desenho da estrutura empresarial do setor – que, por sua vez, se ampara na lógica da acumulação flexível. Essas ideias podem ser amarradas por aquilo que Ehrenberg (2010) nomeou "culto da performance". Para o autor, esse culto é marcado pelo mito da autorrealização dos indivíduos, presente na sociedade contemporânea.

O argumento de Ehrenberg (2010) é que o desempenho heroico presente no mundo dos esportes e da aventura teria adentrado as empresas. Se antes era suficiente contemplar alguém que se tornava, por seu próprio mérito, um vencedor nas competições esportivas, atualmente se exige do cidadão comum que atinja esse mesmo nível de individualidade passando à ação: todos devem se singularizar, e é por meio dessa individualização que é possível construir uma identidade. A consequência disso é que "o ponto de vista do ator domina, de agora em diante, a mitologia da autorrealização: cada um deve aprender a se governar por si mesmo e a encontrar as orientações para sua existência em si mesmo" (Ehrenberg, 2010, p. 11). Para Ehrenberg (2010), o heroísmo encontra sua forma dominante na figura do empreendedor e nos modos de ação empreendedora. Ele ganha esse espaço na esfera da vida do trabalho porque, em um mundo em que o Estado perdeu

---

determinada configuração social desse conjunto, torna uma pessoa capacitada profissionalmente em determinado contexto social.

o papel de garantidor das mínimas condições de vida e em que a crença na política como instrumento de transformação perdeu espaço, há que se buscar a salvação em si mesmo:

> O empreendedor foi erigido como modelo de vida heroica porque ele resume um estilo de vida que põe no comando a tomada de riscos numa sociedade que faz da concorrência interindividual uma justa competição. Quando a salvação coletiva, que é a transformação política da sociedade, está em crise, a verborreia de *challenges*, desafios e performances, de dinamismo e outras atitudes conquistadoras constitui um conjunto de disciplinas de salvação pessoal [...]. Numa relação com o futuro caracterizada pela incerteza, que vê recuar, em nome da mudança permanente, a crença no progresso linear que simbolizava o Estado-providência, a ação de empreender é eleita como o instrumento de um heroísmo generalizado. É por isso que o sucesso do empreendedor é considerado como a vida real do sucesso. (Ehrenberg, 2010, p. 13)

Era assim que os profissionais de TI se apresentavam em relação à gestão de seus contratos de trabalho: como uma governança de si mesmos, que não encontra respaldo nem em um coletivo organizado nem no Estado[12]. Era assim que geriam seus contratos PJ e se sentiam confortáveis em elogiá-lo: era uma questão de criar uma disciplina de salvação pessoal aqui marcada pela capacidade de gerir seus próprios direitos: "Eu sempre fui muito metódica, até antes dos meninos virem e desde cedo... Com dezoito anos, eu comecei a pagar a previdência, INSS. Com vinte anos, eu comecei a fazer previdência privada". Os entrevistados e entrevistadas produziam essa gestão pela organização de poupanças que emulavam direitos garantidos pela CLT (como um fundo de licenças-saúde, maternidade, aposentadoria e FGTS, por exemplo). Além disso, diziam conquistar benefícios e direitos trabalhistas pelo bom desempenho no trabalho, capacidade de negociação com a chefia ou a construção de uma relação de amizade, confiança ou intimidade com superiores hierárquicos. Era nessa relação interpessoal, mediada por afetos, que se colocava a aposta de que a falta abonada por motivos de saúde, o descanso semanal remunerado, as licenças-saúde e maternidade e as férias seriam garantidas (B. Castro, 2015a e 2015b). Foi nisso que Marcela apostou como mecanismo garantidor de direitos durante a sua trajetória: "Pelo fato do meu marido ser meu chefe, ou o dono da empresa, eu tinha muitas vantagens. Então, meu filho tá

---

[12] Em outro texto demonstramos como os profissionais não valorizavam a relação formal de trabalho, traduzida pela CLT, por não acreditar que a regulação do Estado seja capaz de lhes assegurar direitos. Na realidade concreta, eles continuavam a experimentar rotinas de trabalho altamente flexíveis (com jornadas intensas e extensas de trabalho) e tinham o direito às férias negado (muitos diziam que assinavam, no Departamento de Recursos Humanos, que haviam tirado férias, mas continuavam trabalhando para concluir projetos). Além disso, não viam nenhuma garantia nos instrumentos de Previdência Social, FGTS e seguro-desemprego, pois em seus discursos reproduziam a ideia do Estado falido, que não necessariamente lhes assegураria o acesso aos recursos pagos ao longo de suas trajetórias laborais (B. Castro, 2015b).

doente? É o filho dele. Eu saio e vou cuidar da febre, vou cuidar da doença, vou fazer o que tem que fazer".

Essa aposta, no entanto, tinha seus limites. E era justamente quando esses limites eram rompidos que se revelava a condição de subordinação, escamoteada pelo contrato empresa-empresa e pela relação de proximidade, intimidade e/ou afetos que se desenhava entre proprietários ou entre chefias e empregados, especialmente nas empresas de pequeno porte. Apesar de nosso olhar se dirigir aos microprocessos de estruturação do consentimento da relação de exploração, não estamos abrindo mão de categorias macrossociais de explicação para compreender como ele se estrutura e como a relação de classe, de subordinação, se revela. Nesse sentido é que a categoria de gênero, aqui compreendida tanto como organização social da diferença social, tal qual definido por Joan Scott (1995), como também como performance[13], tal qual definido por Judith Butler (1990), será de extrema relevância para a análise.

## Desmontando a universalidade da flexibilidade

> Eu jamais recebi uma vaga falando que mulher não entra, explicitamente, mas, quando você vê os requisitos... Que foi o que me levou pra fora da área... Porque hoje eu tô fora da área... Quando você vê os requisitos, você vê que a vida de uma mulher casada e com filhos não se encaixa naquilo. [...] Porque a área de tecnologia paga bem, mas ela quer a sua alma.
> [...] Nunca vi uma vaga que falasse assim "não quero mulher". Nunca. Embora fale assim: "Tem que trabalhar muito, tem que ter flexibilidade de horário, disponibilidade pra viagem, trá-lá-lá, trá-lá-lá, trá-lá-lá, logo quem tem filho não pode. Um homem com filho pequeno, tudo bem. Mas uma mulher com filho pequeno, não. Você acaba inferindo que uma mulher ali não vai caber, mas não é algo que o contratante pense ou faça intencionalmente no começo.

Enquanto refletia sobre a baixa participação das mulheres no setor de TI – elas correspondem a 19% do total de trabalhadores do setor (B. Castro, 2013) – e sua

[13] Butler (1990) considera que o gênero é uma prática, mas a maneira como essa prática é realizada é diversa. Partindo da ideia de Foucault, segundo o qual o discurso oferece uma série de posições para o sujeito e essas posições constituem a base de formação de sua identidade, a identidade de gênero é, para Butler, a consequência das posições que um quadro formado pelos discursos oferece. Nesse sentido, a filósofa entende que a identidade seria um meio de tornar as normas sociais inteligíveis, e a consequência disso é que, se não nos tornarmos inteligíveis perante as normas sociais, nossa existência é negada. O que Butler chama de performatividade é justamente a prática discursiva que produz ou age como aquilo que nomeia, ou seja, como aquilo que dá inteligibilidade. Os sujeitos praticam o gênero, fazem uma performance do gênero a partir da matriz estruturada pelos discursos. É assim que a autora justifica que a performatividade de gênero não é um processo completamente livre ou autônomo, pois, se a performance não for bem realizada, não somos reconhecidos como sujeitos portadores de gênero.

própria trajetória profissional, Marcela chegou à conclusão de que, apesar de não ter encontrado nenhuma discriminação explícita contra mulheres, as vagas não se destinavam a qualquer pessoa. Mais diretamente, em sua fala, essas vagas não se destinavam a mulheres mães de filhos pequenos. Quando pensava nos "requisitos" das vagas, Marcela apontava para o fato de que, a despeito de elas serem dirigidas a um trabalhador universal, elas não valiam para diferentes experiências de subjetividade. No caso em questão, não valiam para trabalhadores marcados como mulheres que viviam a experiência de ser mãe.

A reflexão da nossa entrevistada nos auxilia a desconstruir a ideia do trabalhador ideal de TI, desenhada pelo *ethos* profissional acima descrito, como universalmente possível. A exigência de flexibilidade, também encontrada por Kelan (2009) em sua pesquisa na Suécia com trabalhadores do mesmo setor, era traduzida pela agilidade e pela mobilidade exigida no atendimento aos clientes, pela capacidade de adaptação em curto prazo às mudanças nos projetos, mas principalmente pela disponibilidade em tempo integral. A autora qualificava essa ideia de disponibilidade pelas jornadas de trabalho com horas excessivas para atender aos prazos apertados, pelo estado de alerta em que viviam os entrevistados e entrevistadas para gerir crises que aparecessem no transcurso de desenvolvimento dos projetos, o que também surgiu nas narrativas dos nossos entrevistados e entrevistadas.

O grande achado da pesquisa de Kelan (2009) é o de que a ideia de flexibilidade era associada, nas narrativas dos empregadores e profissionais de TI por ela entrevistados, a uma característica inata às mulheres. Havia até mesmo uma incompreensão dos sujeitos em questão quando refletiam sobre a ausência de mulheres no setor, pois acreditavam que a TI era amigável às mulheres justamente por ser estruturada em torno da ideia de flexibilidade. Essa relação que organizavam entre a flexibilidade e a ideia socialmente construída de feminino se relaciona diretamente com a divisão sexual do trabalho tal qual organizada na sociedade capitalista: o da hierarquização e separação das tarefas produtivas das reprodutivas entre homens e mulheres, eles concentrados nas primeiras e elas nas segundas (Hirata e Kergoat, 2007). Porque as mulheres são as responsáveis pelo cuidado da casa, dos filhos e da família, isto é, pelo trabalho que ficou conhecido como reprodutivo, e porque o conciliam com o trabalho de tipo produtivo é que elas seriam naturalmente flexíveis. A ideia, aqui, é aquela que mais diretamente se associa à ideia do trabalhador tipicamente toyotista. As mulheres, ao acumularem trabalho remunerado e não remunerado, ao conciliarem trabalho produtivo e reprodutivo, teriam aprendido a ser polivalentes, característica que passa a ser altamente valorizada nas novas formas de organização da produção, no que já nomeamos, mais acima, acumulação flexível. É nesse sentido que a área de TI era pensada como "amigável" às mulheres.

No entanto, a despeito dessa associação entre flexibilidade e gênero, ou melhor, dessa atribuição de gênero à flexibilidade, ela não corresponde à realidade da experiência social. Como Marcela deixou claro no excerto de sua entrevista acima destacado, quando pensamos em papéis tradicionais de gênero e em como eles se articulam com os papéis desempenhados nas relações familiares, nota-se que há um *gap* entre aquilo que se desenha como um trabalhador ideal de TI, ou trabalhador universal de TI, e a prática social. As pessoas que estão disponíveis para desempenhar a flexibilidade que é exigida desse trabalhador ideal não correspondem à experiência cotidiana das mulheres que desempenham um papel de gênero tradicionalmente feminino[14], ou seja, as que são responsáveis pelas tarefas de reprodução: o cuidado da casa, dos filhos e da família. Antes, são os homens livres do trabalho reprodutivo os trabalhadores que estão disponíveis para desempenhar essa flexibilidade típica do setor, amparados pela lógica da divisão sexual do trabalho. Ao explorar a ideia de flexibilidade e qualificá-la, levando em conta as dimensões que se estendem para além da esfera produtiva, Kelan (2009) conclui, portanto, que o trabalhador ideal de TI possui um gênero: ele é homem.

Já mostrei em outro artigo (Bárbara Castro, 2016) que, além de homem, esse trabalhador tem viço – o que traduzimos pela ideia de juventude segundo pensamos, diferenciamos e categorizamos as diferentes etapas da vida. Estar disponível em tempo integral para o trabalho produtivo, dedicar-se a ele em jornadas exaustivas exige um físico, portanto, que encontra limites não apenas no gênero, ou melhor, na maneira como a divisão sexual do trabalho está organizada em nossa sociedade, forçando a exclusão das mulheres que desempenham papéis tradicionais de gênero, mas também na saúde e na disposição do trabalhador. Adoecer e envelhecer são dois processos físicos que também não cabem nessa ideia de trabalhador ideal.

Seguimos, no entanto, a pista entre gênero e flexibilidade com mais cuidado neste texto para aprofundar esse argumento. Entendemos, com Anna Pollert (1988), que a flexibilidade não deve ser apresentada como novidade para pensarmos as relações de trabalho. A autora nos chamou a atenção para o risco que o consenso entre o discurso empresarial e acadêmico, em torno dessa ideia, apresenta para a combatividade da classe trabalhadora. Abraçar a ideia da novidade da flexibilidade seria como concordar que, em tempos de crise econômica e contração do mercado de trabalho, a força de trabalho precisa se adaptar para sobreviver.

O argumento da autora é central para a orientação teórica deste texto. Compreendemos a flexibilidade em suas contradições: como uma estratégia de acumulação que sempre esteve presente na história do capitalismo ao mesmo tempo que

[14] Argumentamos, em outra publicação, que esse papel de gênero, apesar de generalizado, não é fixo. De fato, encontramos em nosso campo outros arranjos que possibilitavam às mulheres o desempenho desse ideal de flexibilidade. Tratava-se de mulheres que não desempenhavam uma maternidade padrão e compartilhavam o cuidado dos filhos com companheiros que possuíam rotinas de trabalho mais tipicamente fordistas: jornada de oito horas, horários de entrada e saída do trabalho fixos, rígidos e controlados, e contrato formal com acesso pleno aos direitos trabalhistas e sociais (B. Castro, 2014).

era reivindicada pelos trabalhadores para melhorar suas condições de trabalho dentro das fábricas.

> É a flexibilidade do trabalho humano o que cria a commodity elástica do poder do trabalho e permite sua extensão e intensificação na extração de mais-valor. O Capital sempre exigiu a flexibilidade do trabalho; a luta sobre o seu controle foi o que estruturou o desenvolvimento empresarial, o processo de trabalho capitalista e as formas de organização do trabalho. (Pollert, 1988, p. 45)[15]

Mas o que reivindicamos, aqui, é somar a essa perspectiva de Pollert (1988) uma visada feminista, segundo a qual as mulheres são um elemento constitutivo e indissociável da flexibilidade presente na organização do trabalho e do mercado de trabalho, e que é preciso pensar na flexibilidade sempre atrelada a um viés interseccional e, no caso que alcança a análise deste capítulo, um viés de gênero. Como já apontava Heleieth Saffioti no clássico *A mulher na sociedade de classes*, o trabalho reprodutivo exerce influência sobre o movimento de inserção e permanência das mulheres no mercado de trabalho. Valendo-se do clássico exemplo de que a sociedade se adaptava às mulheres e à sua atuação em setores tidos como tradicionalmente não femininos em períodos de guerra e de elevado desenvolvimento econômico, ela demonstrou que essa mão de obra poderia ser aproveitada sempre – o que não aconteceu nos períodos pós-guerra, no entanto. Se isso não se realizava na história, era por conta daquilo que ela chamava de "mística feminina" – que trataremos aqui como expectativa de uma performance fixa do gênero feminino (ver Butler, 1990) – e que serve, de maneira consciente ou não consciente, aos interesses da sociedade de classes.

Se, como Saffioti observava com perspicácia no final da década de 1960, a absorção inacabada ou precarizada de "determinados contingentes populacionais"[16] é um traço estrutural do capitalismo, que varia conforme o contexto histórico, social e econômico de cada sociedade, é também um traço estrutural que esses determinados contingentes sejam tratados como categorias subalternas a partir de uma explicação que naturaliza suas capacidades a partir de marcas corporais, como sexo e etnia:

> Fatores de ordem natural, tais como sexo e etnia, operam como válvulas de escape no sentido de um aliviamento simulado de tensões sociais geradas pelo modo capitalista de produção; no sentido, ainda, de desviar da estrutura de classes a atenção

[15] No original: "It is the flexibility of human labour which creates the elastic commodity of labour power and allows its extension and intensification in the extraction of surplus value. Capital has always required flexibility of labour; the struggle over its control has structured management development, the capitalist labour process, and forms of labour organization" (Pollert, 1988, p. 45).

[16] E, aqui, Saffioti (1976) se endereçava às mulheres e à população negra, refletindo sobre a estrutura de desigualdades produzida pela sociedade brasileira em particular.

> dos membros da sociedade, centrando-a nas características físicas que, involuntariamente, certas categorias sociais possuem. (Saffioti, 1976, p. 29)

Ou seja, do ponto de vista das aparências, não é a estrutura de classes que constrange e elimina as potencialidades humanas no desempenho de determinados trabalhos, mas a natureza delas é que dificultaria e impediria sua socialização na sociedade competitiva. As divisões sexual e racial do trabalho são organizadas, do ponto de vista da autora, a partir da essencialização das características eleitas como naturais nos indivíduos para operá-las conforme as necessidades e conveniências do sistema produtivo.

Se partirmos dessa pista e a atualizarmos com os debates contemporâneos sobre gênero, poderemos sugerir que, ao mesmo tempo que características associadas ao feminino aparecem para justificar a participação das mulheres no setor de TI (a flexibilidade é feminina), elas são acionadas para dele excluí-las (a flexibilidade não contempla mulheres que se dedicam também aos cuidados da família). Essa tensão vem à tona quando as mulheres vivenciam a experiência da maternidade ou acompanham a experiência de outras mulheres que se tornam mães. Não se trata, aqui, de essencializar ou biologizar a experiência do que é ser mulher. Mas é nesse momento de suas trajetórias que a associação entre feminino e cuidado ganha peso maior, por haver uma expectativa de que o exercício do cuidado da criança que chega ao mundo é, se não exclusivo, ao menos de mais responsabilidade das mulheres.

Nos relatos de Marcela e de outras trabalhadoras de TI, tornar-se mãe e buscar o exercício de determinado tipo de maternidade é o que desloca, para elas e para as chefias, o sentido e a experiência da flexibilidade: de disponibilidade total à indisponibilidade parcial para o trabalho produtivo. É nesse deslocamento que a fragilidade das relações de trabalho nas quais elas estão inseridas se revela e que, de gestoras de si mesmas, de produtoras de uma disciplina de salvação pessoal, passam a se ver como pertencentes a um coletivo de explorados e exploradas pela relação capital-trabalho. É no momento que o gênero é relevado como constitutivo de uma experiência diferencial de vivência do trabalho que os laços de intimidade e afeto costurados com os patrões, traduzidos na ideia de uma competência para conquistar direitos e benefícios, se dissolvem em promessas não cumpridas. É nesse momento que a relação de subordinação e exploração de classe, antes escamoteada pela disciplina da autorregulação e da competência da gestão de si, se revela, e não há qualificação ou remuneração marcadoras de distinção que não as deixem perceber-se como parte constitutiva da classe trabalhadora.

## Quando gênero revela classe

> Me venderam sonhos, eu comprei, mas, no final das contas... [...] Quando eu era uma universitária, eu acreditava na *Você S/A*, naquela visão que eles vendem, né, do

> pessoal super bem-sucedido aos 22, 25, 30... Se aos 30 você não é diretor, então ferrou... Eu comprava o discurso deles, né? Aí depois fui vendo que esse discurso, pra mim, não serve.

O discurso de autorrealização, típico da ideologia empreendedora, como vimos, deixou de servir a Marcela como justificativa que dava sentido ao seu trabalho a partir da experiência diferenciada que ela passou a estabelecer com o trabalho, em comparação com seus colegas homens, logo após o nascimento dos filhos. Ela não abriu mão de estar presente nos primeiros anos de vida dos dois filhos e passou a questionar as rotinas intensas de trabalho e a sua capacidade de se adequar a elas tendo assumido essa nova responsabilidade em sua vida:

> E, se eu for pro mercado e começar a passar essas doze horas fora, aí vai ser o quê? O meu trabalho me pressionando, com muita pressão porque ninguém tá nem aí com a sua vida... Eu falando ontem com a moça que trabalha na [nome da empresa ocultado], ela falou: "Eu tava com a minha filha de dois meses, tava na minha licença-maternidade, tava amamentando, a empresa simplesmente mandou um carro me buscar porque tava precisando de mim naquele momento, dentro da empresa". Assim: "Venha!". Então desconsideram a sua vida, né? E... [pausa] *E eu não dou conta. Eu espanei.* Por isso que eu acho que não funciona... Pra mim, eu não dou conta. Não funciona, eu vou me sentir culpada, eu vou me sentir mal, não vou me sentir feliz... Né? E teria que ser muito mais desencanada, como a Carina [amiga que tem um filho pequeno, tem jornadas de catorze horas e viaja a serviço da empresa] é... Passar "três dias que eu não vejo o meu filho porque passei três dias virando a noite na empresa"! Pra ela, isso... "É assim!". Pra mim, já tá demais! Eu fui criada por uma mãe que ficou comigo em casa o tempo todo! Né? Ela não trabalhava... O que eu não acho bom, mas, nessa primeira infância dos meninos, enquanto eles são bebês... Um foi pra escola com seis meses, o outro foi pra escola com três meses. Isso já me pegou... Não é que eu quisesse parar de trabalhar, mas, *pô*, é muito pequeno pra [não estar perto].

Essa reflexão sobre a conciliação da rotina típica do trabalho no setor de TI com o cuidado dos filhos não se deu de maneira automática. Foi uma construção, por ela elaborada, a partir da experiência de se tornar mãe sendo trabalhadora de TI e PJ. Como sinalizamos acima, Marcela era casada com o dono da empresa na qual trabalhava e, por isso, sentia-se segura de que esse laço afetivo se desdobraria no cumprimento da promessa de que, quando seu filho nascesse, ela teria direito à licença-maternidade. No entanto, não foi isso o que ocorreu na experiência concreta:

> Doze anos sem férias. O que eu saí foi minha licença-maternidade do Leo... Eu chamo de licença-maternidade, eu fiquei seis meses fora... O [marido] me pagou salário, porque o filho era dele, e o dinheiro ia ficar todo na casa dele... Mas... Eu, na verdade, tava trabalhando de *home-office*. Eu não ia pro escritório, mas, quando

> o cliente chamava, quando tinha um problema, numa carga de trabalho bem inferior, mas acontecia... E, quando era urgente, não tinha *chororô*. Então, assim, o Leo tava com cinco dias de vida, deu um problema num cliente, o pessoal me ligando de cinco em cinco minutos. Sendo que eu ainda tava dolorida do parto, ainda... É... Eu tava sozinha em casa, eu não tinha empregada, o menino, ele só chorava, não dormia, meu peito tava machucado, a minha amamentação foi muito difícil, e eu tendo que programar um treco que tava dando pau! Sabe? Era uma coisa que exigia códigos, exigia programação, tal... Lógica, sossego, raciocínio... E eu tava cheia de hormônios, sabe, na *partolândia* ainda... Tudo que eu não tinha ali era um raciocínio lógico. Então, assim, eu chamo de licença-maternidade esses seis meses, mas eu não tive a paz que uma puérpera precisa pra poder cuidar de seu filho, pra poder amamentar seu filho. Né? E o Theo [segundo filho] foram três meses [de licença]. Então foi isso que nós tivemos.

A violência da história pela qual Marcela passou pode parecer extrema, por envolver um laço de afetividade com o patrão, mas não é exclusiva. Outras mulheres relataram ter passado pelas mesmas situações, de lhes ter sido assegurado que teriam acesso à licença-maternidade, mas terem tido esse direito recusado assim que seus filhos nasceram. Essas mulheres se organizaram como puderam para articular o trabalho pago com o cuidado dos filhos. A estratégia do *home-office* foi a que apareceu como a mais bem avaliada pelas trabalhadoras. Entre os diferentes arranjos, encontramos estes: casais com papéis de gênero não tradicionais, de modo que o pai da criança compartilhava ou assumia grande parte da tarefa do cuidado; acionamento das redes sociais, em especial as familiares, transferindo o cuidado parcial dos filhos para parentes e amigos; e a privatização desse cuidado, que passa tanto pela matrícula da criança em creches e escolas de período integral quanto na contratação de babás ou empregadas domésticas que permaneciam em tempo parcial ou integral com essas crianças, enquanto as mães desempenhavam o trabalho produtivo[17] (B. Castro, 2013 e 2014).

Quando confessava ter "espanado", Marcela queria dizer que, quando seu segundo filho tinha cerca de dois anos, ela se desligou da empresa e passou a se dedicar a consultorias particulares a partir de um escritório montado em casa (passou a trabalhar em *home-office*). Esse processo, que à primeira vista aparecia como fruto de uma escolha racional, motivada apenas pela vontade de exercer um tipo de maternidade que se mostrava incompatível com a rotina de trabalho, era

[17] Chamamos a atenção, aqui, para o recorte de classe que havia entre as entrevistadas, em virtude da remuneração acima da média do mercado de trabalho que recebiam e que lhes permitia, na maior parte das vezes, terceirizar o trabalho do cuidado para outras mulheres. Scott-Dixon (2004), em pesquisa com mulheres que atuavam no setor de TI no Canadá, mostra como essa terceirização do cuidado acabava gerando uma carga extra de trabalho para as mulheres que não se encontravam no topo da pirâmide salarial do setor, levando-as a trabalhar mais horas por dia para a mesma empresa ou pegando trabalhos "por fora", como *freelancers*, para pagar os custos com creches, escolas ou babás.

fruto também de pressões dentro da empresa. A regulação da jornada de trabalho pela rotina dos filhos, organizada pelos horários da escolinha de período integral que eles frequentavam e, eventualmente, pelas consultas médicas, passou a ser lida por chefe e colegas como indisponibilidade para o trabalho. Aos poucos, ela foi perdendo clientes e responsabilidades dentro da empresa e chegou a ser aconselhada a buscar oportunidades fora dali, tanto para ter uma rotina mais compatível com o cuidado dos filhos, que aquela empresa não oferecia, quanto para ajudar a própria empresa, onde havia um entendimento de que a sua produtividade caíra muito desde o nascimento de seus filhos e o salário que ela recebia, ainda que ela considerasse baixo para o cargo que ocupava, já não correspondia às entregas que ela realizava enquanto profissional.

Essa mesma percepção da chefia e dos colegas de Marcela foi o que Hochschild (2010) encontrou quando realizou sua pesquisa na Amerco, nome fictício que ela deu a uma empresa estadunidense aclamada por suas políticas de flexibilidade. Em seu minucioso trabalho de campo, a pesquisadora descobriu que, apesar dos incentivos da empresa para homens e mulheres conciliarem trabalho e família a partir do trabalho em tempo parcial ou em *home-office*, para citarmos apenas esses dois exemplos, eram poucos os trabalhadores e trabalhadoras que se valiam desses benefícios. Os homens, porque isso colocava em perigo uma ideia-padrão de masculinidade, dissociada da responsabilidade das tarefas reprodutivas – no caso em questão, do cuidado dos filhos –, e os homens e as mulheres porque, ao escolherem usar as políticas de flexibilidade, isso equivalia a dizer que se escolhera a família como prioridade.

Assim, apesar de alardeadas como positivas, as políticas de flexibilidade da empresa Amerco eram subutilizadas porque, da maneira como a divisão sexual do trabalho e, consequentemente, os papéis tradicionais de gênero se estruturam em nossa sociedade, dizer sim para a flexibilidade era demonstrar indisponibilidade para o trabalho. O que Hochschild (2010) encontrou em seu campo foram mulheres que se ressentiam da perda de projetos importantes após optar pelo trabalho em tempo parcial ou *home-office*, de serem deixadas de lado na prospecção de clientes ou na elaboração de planejamento estratégico, em suma, da paralisia ou retrocesso de suas carreiras após essa escolha. Ao mesmo tempo, ela via mulheres trabalhando em longas e intensivas jornadas de trabalho, tendo optado ou não pela política de flexibilidade, justamente para demonstrar que, a despeito de constituírem famílias, continuavam muito produtivas e capazes de dar conta do ritmo de trabalho tanto quanto qualquer outro trabalhador da empresa.

Quando Marcela opta por sair, portanto, mais do que compreender esse movimento como fruto de uma configuração subjetiva específica, limitada a sua trajetória biográfica e laboral individual, devemos conectá-la a uma estrutura macrossocial de explicação. Marcela opta por sair porque a pressão que sofre dentro da empresa ao passar a desempenhar um tipo de flexibilidade na qual ela possui controle e agência sobre a regulação do tempo e do espaço de trabalho traduz uma divisão sexual do trabalho cristalizada que, ao mesmo tempo que atribui às mulheres o trabalho do cuidado dos filhos e da família, relega o desempenho desse trabalho a uma posição inferior na estrutura social.

No momento da entrevista, Marcela contou que todo o planejamento que havia feito para ter uma boa aposentadoria estava em risco após sair da empresa e optar pela consultoria em *home-office*: "Eu detonei minha previdência. Eu tô tirando meu último dinheiro de previdência agora [...]. Então minha expectativa lá, até dois anos atrás, era de me aposentar com 6 mil reais, trá-lá-lá-lá-lá. [Pausa] Foi pro saco". A autorregulação de si, tão elogiada por ela e pelos entrevistados e entrevistadas, passava a ser questionada, bem como o ritmo de trabalho e a ideia do controle das relações de trabalho simbolizadas pela PJ:

> Eu acho que, dificilmente, hoje eu aceitaria, conseguiria viver numa estrutura hierárquica, numa relação de poder, sabe? Porque o que eu vejo são as empresas colocando objetivos impossíveis pra você perseguir... E aí... Só porque o reizinho quer! Aí chega o presidente novo da empresa, ou então um diretor novo, ele quer mostrar serviço, ele inventa um monte de coisa... E coloca a tua vida pessoal no saco! Entendeu? E aí, depois, quando não dá certo, porque você vê no começo e fala: "Cara, não vai dar certo", porque não dá, não dá tempo, falta recurso ou a tecnologia não é essa... E aí, quando não dá certo, eles te colocam, colocam alguém como bode expiatório, e mandam alguém embora... Então esse jogo eu não sei se eu tenho mais estômago pra jogar.

Essa problematização só apareceu, no entanto, quando houve um reconhecimento dos processos de dominação e exploração por meio da experiência de gênero. No contexto de individualização intensa do acesso e reivindicação de direitos trabalhistas e sociais, vivido por esses trabalhadores e trabalhadoras, ser mulher é o que revelava, com maior frequência, a condição de classe, um processo que contém uma potencialidade política. Como já chamava a atenção Saffioti, "as contradições de gênero podem elevar o nível de consciência de classe, já que as fraturas desta não significam poros vazios, mas fissuras recheadas de desigualdades entre homens e mulheres" (Saffioti, 1992, p. 207).

## Apontamentos finais

Quando Daniele Kergoat (2010) define a ideia de consubstancialidade das relações sociais para destacar como sexo, classe e raça se coproduzem, ela constrói seu argumento diferenciando relação intersubjetiva de relação social. Com essa marcação, ela nos propõe refletir sobre o que nos permite explicar as mudanças e permanências ocorridas na divisão sexual do trabalho. Ela nos convidava a refletir teoricamente por que as mudanças organizadas nas práticas cotidianas de um casal que compartilha igualitariamente as tarefas domésticas, por exemplo, não se refletem em uma mudança mais profunda na estrutura das desigualdades de sexo em nossa sociedade. O argumento é que, se houve uma mudança nas relações intersubjetivas entre os sexos e os casais, isto é, nas relações organizadas entre indivíduos concretos, isso não implica necessariamente uma modificação na forma como operam as relações sociais, isto é, as relações abstratas que colocam grupos em disputa. Os mecanismos da exploração, da dominação e da opressão, segundo ela, as "três formas canônicas" nas quais as relações sociais se manifestam, continuam a operar. Ou seja, são "as práticas sociais – e não as relações intersubjetivas – que podem dar origem a formas de resistência e que podem, portanto, ser as portadoras de um potencial de mudança no nível das relações sociais" (Kergoat, 2010, p. 95).

A separação entre relações intersubjetivas e sociais tem a vantagem heurística de organizar o argumento científico. Levando-a em conta, concluiríamos, a partir dos dados desta pesquisa, que, a despeito de o gênero revelar a condição de exploração sofrida por essas mulheres, revelando-as duplamente como mulheres (que sofrem com as diferenças com as quais são marcados seus corpos) e trabalhadoras (as diferenças com as quais são marcadas são utilizadas como mecanismos de extração de mais-valor), não se encontraram, no campo realizado, formas de enfrentamento mais coletivo. Embora a fragilidade da individualização da negociação de direitos tenha se revelado de maneira crua na experiência subjetiva dessas mulheres, revelar gênero e revelar classe não se traduziram em propostas coletivas de mudança. As formas de resistência se davam no cotidiano. As (re)ações às relações de exploração, dominação e opressão se organizavam em estratégias individuais, intersubjetivas, marcadas pelo acionamento de outros arranjos de papéis de gênero (subvertendo os tradicionais) ou pelo acionamento de outras mulheres, remuneradas ou não, no desempenho das atividades da reprodução (do cuidado da casa e dos filhos).

A partir da história específica da trajetória pessoal e laboral de Marcela, aprendemos como se produz o consentimento das relações de exploração, dominação e opressão e como o nível intersubjetivo é fundamental para que possamos acessar não apenas a dimensão da produção do consentimento mas também a da revelação dessas condições de exploração, dominação e opressão e de sua conexão com a ideia de pertencimento a um coletivo. Nesse sentido, tomamos conhecimento de regimes de poder para observar como se dão a produção de consentimento e a vivência de uma experiência específica de classe e de gênero. Ao mesmo tempo, a história de Marcela nos apresenta as estratégias de resistência mobilizadas quando há um extrapolamento dessa experiência individual para a compreensão do pertencimento a uma experiência coletiva.

Se as reações individuais às experiências vividas não se desdobram em pautas de seus sindicatos ou na construção de coletivos tradicionais que produzam um sentido político coletivo de imediato, respondem à lógica de sobrevivência que é constitutiva de uma experiência específica de gênero e classe. Há um grande aprendizado sociológico e político aqui: ao olharmos para as experiências de gênero no mundo do trabalho, conhecemos trabalhadoras a quem é revelada, constantemente, sua posição desigual no mundo social. Não foi à toa elas terem historicamente protagonizado inúmeras mobilizações, greves e motins. Cabe a nós, como pesquisadoras e pesquisadores, seguir não repondo sua invisibilidade histórica, mas destacando sua latente potência política.

# 9

# A força de trabalho feminina no setor portuário e a saúde da trabalhadora e do trabalhador em tempos de modernização[1]

*Claudia Mazzei Nogueira*
*Marina Coutinho de Carvalho Pereira*

## Introdução

O presente capítulo discute a inserção da força de trabalho feminina no setor portuário, especificamente no porto de Santos (SP), considerado o maior da América Latina, e o processo de adoecimento relacionado ao trabalho portuário, prioritariamente o feminino, na atual conjuntura de constantes metamorfoses do mundo do trabalho, tomando-se como marco o processo de modernização portuária em Santos.

A pesquisa realizada, de caráter exploratório-qualitativo, teve como estratégia metodológica a pesquisa documental e bibliográfica. Utilizou como instrumento a aplicação de questionários semiestruturados às "amarradoras"[2] do porto de

---

[1] Parte integrante da pesquisa de bolsa produtividade do CNPq intitulada *A divisão sexual do trabalho no porto de Santos: um novo espaço de trabalho feminino?*, bem como da tese de doutorado *A saúde das trabalhadoras portuárias da cidade de Santos no século XXI*, defendida no Programa de Pós-graduação Interdisciplinar em Ciências da Saúde - Unifesp – BS.

[2] O(a) amarrador(a) é o(a) trabalhador(a) portuário(a) que faz a amarração do navio no cais. Ele(a) aguarda o tripulante jogar as cordas que serão amarradas nos cabeços. A ponta dessa corda possui outra mais fina que facilita ao tripulante o arremesso e ao(à) trabalhador(a) portuário(a) puxar a corda toda, uma vez que a amarra mais grossa é pesada. Esse trabalho, em teoria, consiste em amarrar os cabos do navio junto aos cabeços localizados nos berços de atracação. A prática, contudo, exige mais técnica do que força. No entanto, os(as) trabalhadores(as) da amarração também são responsáveis pela puxada de um navio de um ponto ao outro sem auxílio de rebocador. Os(as) amarradores(as) dividem-se em quatro turnos de seis horas e, para cada seis dias trabalhados, há um de folga. A cada confirmação de chegada de um navio, os atracadores avisam com pelo menos meia hora de antecedência qual é o serviço. Quando o navio está prestes a atracar, os(as) amarradores(as) já estão de prontidão. O tempo de uma amarração leva, em média, uma hora, mas varia de acordo com o tamanho do navio e o tipo de cabo utilizado. Disponível em: <http://joresimao.blogspot.com.br/2009/08/profissoes-portuarias.html>. Acesso em: 2 nov. 2015.

Santos de forma aleatória, perfazendo o número de quinze entrevistadas de um contingente de dezenove mulheres amarradoras.

Há uma relativa abundância de trabalhos acadêmicos a respeito de certos profissionais portuários, como estivadores e doqueiros; no entanto, quase inexistem estudos que se debrucem sobre aqueles que trabalham com a "amarração" e a "puxada" de navios, independentemente do recorte de gênero dos trabalhadores. Adiciona-se o fato da existência de mulheres amarradoras, o que confere uma excepcionalidade até mesmo para os que estão familiarizados com a temática portuária. A despeito da evolução das forças produtivas no mundo do trabalho, a qual também atingiu o trabalho portuário, o ofício de amarração de navios no porto de Santos ainda é, em grande medida, um trabalho manual, extenuante e duro, que exige força física e destreza das trabalhadoras e dos trabalhadores no momento da execução, além de diversos movimentos repetitivos que frequentemente acarretam lesões e doenças.

A Lei n. 8.630/93, conhecida como Lei dos Portos ou Lei da Modernização dos Portos, embora tenha permitido a ampliação da entrada da força de trabalho feminina no setor portuário, favoreceu a intensificação da exploração, por exemplo mediante a flexibilização imposta pela forma de organização do trabalho toyotista. Disso decorre o aumento do número de trabalhadoras e trabalhadores que exercem atividades laborais em condições precárias que trazem nefastas consequências para a sua saúde.

## Força de trabalho feminina no bojo da modernização e a realidade do porto de Santos

Segundo antigos anúncios de empregos de jornais dos anos 1890 a 1930, as mulheres já atuavam, de forma marginal, nas atividades laborais portuárias no início do funcionamento do porto de Santos. As atividades que exerciam eram fundamentais para que o trabalho portuário pudesse acontecer, uma vez que eram responsáveis pelas tarefas domésticas e, em grande medida, garantiam o amparo aos trabalhadores do porto.

Conforme o porto foi crescendo, a participação do trabalho feminino também foi sendo alterada. Fazendo uma retrospectiva histórica, "a rotina doméstica das esposas desses trabalhadores" era regida pela quantidade de horas "que seus maridos trabalhavam e pelo tipo de carga com que lidavam" (Pereira et al., citado em Matos, 1995, p. 75).

Ainda conforme a autora,

> Com as colunas arqueadas e os pulmões corroídos, doqueiros e estivadores tinham que abandonar precocemente as atividades da estiva. Assim, suas mulheres, além de desempenharem as atividades domésticas, tinham que compensar a incerteza do ganho e a inatividade precoce dos maridos trabalhando como catadoras de café e de restolho, nos

porões, armazéns e no mercado, na costura dos sacos de café, ou como empregadas domésticas, particularmente lavadeiras. (Pereira et al. citado em Matos, 1995, p. 75)

O depoimento de Benedita Ribeiro dos Santos, uma das primeiras trabalhadoras do porto de Santos, mostra claramente como era a divisão sociossexual do trabalho portuário no início do século XX. Ela recorda:

> Trabalhei trinta anos como catadora de café num armazém, às vezes eu ficava a noite inteira catando café. Quando um navio tinha que sair de manhã carregado de café eu trabalhava a noite inteira. Foi o último trabalho que eu tive. Eu trabalhei lá muitos anos até me aposentar. Mas o salário era ruim, pior do que nas lavanderias a vapor. Eu trabalhei muito tempo nas lavanderias a vapor também. Nós lavávamos as roupas dos navios e mandávamos de volta a bordo limpas e engomadas, eu trabalhava com um ferro elétrico e pesado. Nas lavanderias, a gente tinha muito trabalho. Eu entrava às sete horas da manhã, parava só para almoçar e saía às seis da tarde. (Matos, 1995, p. 75-6)

E complementa:

> Quando eu voltava para casa, eu ainda levava roupa para lavar e passar por minha conta. Eu pegava esta roupa lá na zona, onde ficava aquela fila de casas de mulheres no cais. Elas usavam saias armadas. Eu passava lá bem cedinho, de manhã, antes de ir para o meu trabalho. Devia ter outras lavadeiras fazendo o mesmo porque as casas eram muitas e as mulheres tinham cada roupa linda! Você precisava ter visto as anáguas! Eu tinha que colocar uma tábua por dentro para não amarrotar tudo com o ferro. Era uma trabalheira! Hoje acabou tudo. Coitadas das mulheres, ficam aí de noite pelas ruas. (Matos, 1995, p. 75-6)

Com base nesse depoimento, podemos afirmar que de alguma forma o trabalho feminino sempre esteve presente nesse setor. No entanto, com o decorrer do tempo, foi se metamorfoseando, sendo ampliado e inserido mais intensamente no porto, local que era, até então, reservado predominantemente aos homens.

Hoje, o predomínio masculino ainda se mantém, mas as inúmeras transformações no mundo do trabalho, como o avanço tecnológico e a luta feminina pelo ingresso no espaço produtivo assalariado, vêm ampliando a inserção das mulheres nas atividades do porto, onde deixaram de atuar marginalmente e ser coadjuvantes. Agora, são trabalhadoras portuárias de fato e a cada ano vêm conquistando mais espaço e colaborando para a concretização de uma nova divisão sociossexual do trabalho.

Isso também se explica em razão da crescente necessidade dos mercados nacionais de inserir-se no mercado globalizado, acentuando a heterogeneidade das situações de trabalho, tanto das mulheres quanto dos homens (Nogueira, 2004, p. 38).

Embora ainda não ocorra de forma intensa a incorporação da força de trabalho feminina na categoria portuária no Brasil e no mundo, a quantidade de trabalhadoras no quadro de pessoal no porto de Santos vem oscilando pouco em sua inserção anual. Segundo os Relatórios Anuais do Porto de Santos, em 2011 eram 159 mulheres de um total de 1.369 funcionários. Em 2012, eram 195 de um total de 1.466 funcionários. No ano seguinte, já eram 201 de um total de 1.520 funcionários e, em 2014, ocorreu um leve declínio no número de mulheres trabalhadoras: 194 do total de 1.513 funcionários. É importante destacar, no entanto, que houve uma redução no número total de funcionários.

Essa nova realidade é resultado do período em que uma avalanche de privatizações tomou conta do Brasil, a partir dos anos 1990, pautada no ideário de "modernização" do aparelho estatal, provocando a reestruturação produtiva também no setor portuário.

No porto de Santos, com a vigência da Lei n. 8.630/93[3] – a qual foi criada no bojo da implantação de ações de contrarreforma do Estado e no contexto de reestruturação produtiva a fim de atender, entre outras questões, as pressões das transnacionais pela agilização dos serviços portuários –, ocorreram significativas alterações nas relações de trabalho nesse setor. Entre elas está a ampliação da inserção da força de trabalho feminina.

Sobretudo devido ao fato de o porto ter sido historicamente um espaço caracterizado pelo uso da força física em atividades braçais, sendo o acesso das trabalhadoras e dos trabalhadores nas atividades laborais portuárias repassado geracional ou afetivamente (em geral de pai para filho ou parentes, conhecidos etc.) por indicação, era difícil a inserção das mulheres no ramo. Contudo, somada ao incremento tecnológico no setor portuário, mas não só a isso, a mudança trazida pela Lei n. 8.630/93, que preconizava o ingresso dos trabalhadores às atividades laborais portuárias mediante concurso público, "facilitou" a entrada da força de trabalho feminina.

Dessa forma, podemos dizer que o processo de modernização pode ser considerado um marco para uma nova organização das atividades laborais portuárias, malgrado as intensas implicações para a saúde das trabalhadoras e dos trabalhadores que esse processo tem acarretado, resultando em várias doenças.

No porto de Santos, a força de trabalho feminina predomina no setor da atracação. Como os demais trabalhadores, as mulheres inseridas no trabalho do porto no cargo de auxiliar portuário, responsáveis pela amarração e pela desamarração das

---

[3] A Lei n. 8.630/93 dispõe sobre o regime jurídico da exploração dos portos organizados e das instalações portuárias. Entre os avanços mais significativos introduzidos estão a criação dos Conselhos de Autoridade Portuária (CAP); a extinção do monopólio das Administrações Portuárias nos serviços de movimentação de cargas nos cais públicos, com a criação da figura do operador portuário; a descentralização da gestão do subsetor; o estímulo à concorrência intra e entre portos; e a quebra do monopólio dos sindicatos de trabalhadores portuários avulsos no fornecimento e escalação da mão de obra para as operações portuárias, que passam para uma nova entidade, o Órgão Gestor de Mão de Obra (OGMO), formado por operadores portuários, com participação minoritária dos trabalhadores. <www.geipot.gov.br/estudos_realizados/reformaportuaria_relsintese.doc>.

embarcações no complexo santista, nas operações de atracação ou desatracação (ou seja, exercendo atividade laborativa que consiste, primordialmente, em prender ou soltar os cabos dos navios dos cabeços instalados na beira do cais), são submetidas a condições de trabalho degradantes e muitas vezes insalubres. Contudo, mesmo assim, parece-nos que apresentam bom desempenho nas suas atividades laborais.

Essas constatações corroboram o seguinte excerto de Nogueira (2004, p. 39): "Paradoxalmente, apesar de ocorrer um aumento da inserção da mulher trabalhadora, tanto no espaço formal quanto informal do mercado de trabalho, ele traduz-se majoritariamente nas áreas onde predominam os empregos precários e vulneráveis".

Os valores tradicionalmente associados à realidade do trabalho portuário – como a masculinidade e a força física – atualmente já deixam de ser realidade absoluta diante das transformações devido aos processos de modernização do trabalho, apesar de qualquer caso destoante desses valores ser tratado como exceção. No entanto, se o trabalho feminino no ambiente portuário, mesmo com a evolução das forças produtivas, ainda se caracteriza como insólito, a presença das mulheres trabalhadoras da amarração do porto de Santos – trabalho que é desprovido de tecnologias e maquinários que auxiliem nas operações de atracação ou desatracação de navios – causa uma estranheza ainda maior:

> Tem muitas pessoas que ainda olham meio assim né... Tipo: "Ah, mas isso aí não é pra você! Não é pra mulher. Se fosse minha mulher, eu não deixaria isso aqui!". Ainda tem um pouco de preconceito, né? (entrevistada G)
>
> A gente tenta entrar no ambiente masculino e enfrentamos muito preconceito. [...] É que a gente trabalha com força e homem tem mais força só que [eles] não ajudam. É [...] cada um do seu lado. (Entrevistada C)

Esses depoimentos nos permitem afirmar que no trabalho feminino portuário – assim como em qualquer outra profissão que historicamente tenha a característica de ser formada majoritariamente por força de trabalho masculina – ocorre, tendencialmente, um certo preconceito em relação à inserção da mulher no trabalho.

Essa situação está relacionada, em grande medida, à frequente manutenção da mulher como cuidadora e o homem como provedor na divisão sociossexual do trabalho na família patriarcal. Não podemos esquecer que o espaço do trabalho assalariado é uma forma caricata do espaço reprodutivo, onde existe a tendência de manter a hierarquia e a organização das funções femininas e masculinas, aceitando que as mulheres devem estar inseridas naquelas profissões mais vinculadas ao cuidado, deixando para os homens as funções que necessitam de mais "virilidade" e força física, como é o caso da amarração no setor portuário.

## Do processo saúde-adoecimento ao processo de trabalho da amarração: a importância da saúde da trabalhadora e do trabalhador

Para apreendermos o processo de saúde-adoecimento da trabalhadora e do trabalhador no porto de Santos, faz-se necessário referenciarmo-nos a partir do campo da Saúde do Trabalhador, o qual pauta a relação trabalho-saúde enquanto processo social que envolve relações sociais, processo de produção e organização do trabalho (Laurell e Noriega, 1989).

Para tanto, entendemos a saúde em seu "conceito ampliado", ou seja, como processo histórico-social e biológico inerente à vida humana na sociedade capitalista, na direção colocada pelas lutas da reforma sanitária no país. Para Thébaud-Mony,

> a saúde é um processo dinâmico pelo qual o trabalhador se constrói e caminha, processo que se inscreve no trabalho, nas condições de vida, nos acontecimentos, nas dores, no prazer, no sofrimento e em tudo o que constitui uma história individual na singularidade, mas também a história coletiva, pela influência das diversas lógicas nas quais a saúde se insere. (Thébaud-Mony citado em Mendes, 2012, s/p).

Nesse sentido, a concepção de saúde do trabalhador envolve a manifestação de agravos relacionados aos processos de trabalho e sociais, compreendendo o processo de saúde-doença e considerando, ainda, diversos aspectos que permeiam o mundo do trabalho, tais como ritmo de trabalho, duração e intensificação da jornada e exploração, entre outros.

É a partir desse entendimento que analisamos a realidade laboral vivenciada pelas "amarradoras" portuárias em Santos e tomando como marco o processo de modernização portuária na cidade (a partir da Lei n. 8.630/93).

Segundo Queiroz e Machin (2008, p. 15), antes do processo de modernização dos portos, o sofrimento dos trabalhadores, por conta do intenso uso da força física e do esforço exigido, parecia ser restrito ao corpo, uma vez que nesse período existia uma enorme "falta de segurança e ausência de equipamentos de proteção". Assim, essa realidade acabava por favorecer inúmeros acidentes de trabalho.

## O porto de Santos pouco antes da Lei da Modernização dos Portos

Em 8 de novembro de 1980, a então Companhia Docas de Santos, com o fim da sua concessão, teve sua administração assumida pela Companhia Docas do Estado de São Paulo (Codesp).

Segundo Diéguez,

> Os portuários dividem-se em diversas categorias, conforme o tipo de trabalho exercido, mas, primeiramente, dividem-se em: trabalhadores da Companhia Docas do Estado de

> São Paulo (Codesp) e trabalhadores avulsos. Estes não possuem vínculo empregatício, obtendo-o apenas quando se credenciam a alguma agência marítima ou operadora portuária, trabalhando somente em navios administrados pela agência. Entre os "avulsos", temos os estivadores, os conferentes de carga e descarga, os consertadores de carga e descarga, os vigias portuários e os trabalhadores de bloco. Entre os trabalhadores da Codesp temos os conferentes de capatazia, os empregados na Administração Portuária, os operadores de guindastes e empilhadeiras, os operários portuários, a guarda portuária, os arrumadores, os condutores da Marinha Mercante, entre outros. Os avulsos diferem dos trabalhadores das docas por sua alocação na estrutura de trabalho portuário. Os primeiros são encarregados do trabalho em bordo, responsáveis pelo embarque e desembarque das cargas, arrumação das mesmas nos porões, conferências das cargas que entram e saem dos navios, conserto de cargas no interior dos navios, etc. Os trabalhadores das Docas localizam-se no cais, em terra firme. A eles cabe deslocar as cargas dos armazéns às zonas de embarque, assim como o processo inverso; conferir as cargas que saem dos armazéns e as que chegam aos mesmos; operar empilhadeiras levando cargas dos armazéns ao cais e vice-versa; operar guindastes colocando as cargas dentro dos navios para serem arrumadas pelos estivadores, etc. (Diéguez, 2007, p. 12).[4]

Em agosto de 1981, após intensificar investimentos no setor, segundo a lógica da Codesp, ela inaugurou o Terminal de Contêineres (Tecon). "Em outubro de 1982 começavam a chegar ao porto os 24 guindastes de grande porte adquiridos na Alemanha, marcando o efetivo reaparelhamento do porto. Posteriormente, em 1º de setembro 1989, era inaugurado o Museu do Porto de Santos e, ainda naquele ano, era concluída" a "ampliação do Terminal de Granéis Líquidos da Alemoa", integrando mais dois pontos de atracação. Em "maio de 1985, foi a vez da Cutrale inaugurar o seu terminal, com 286 metros de cais acostável", para viabilizar as "operações de sucos cítricos a granel e polpa cítrica (farelo de laranja)". Em 1986, foi inaugurado o terminal da Cargill Agrícola, "para operar no embarque de soja em grão e farelo de soja" (Mayrink, 2018, s/p).

Até março de 1990 a Codesp era uma sociedade de economia mista e estava sob o controle da Empresa de Portos do Brasil S.A. (Portobras). Com a extinção da Portobras, a Codesp passou a ser submetida e regulada pelo Ministério dos Transportes e, mais à frente, pela Secretaria de Portos (SEP), órgão vinculado ao Ministério dos Transportes (O Porto, 2019).

A Lei dos Portos (8.630/93)[5] foi promulgada em 25 de fevereiro de 1993 e, em 1997, a Codesp "deixa de exercer atividades de operação de cargas, assumindo

[4] Ver também Santos (2009) e <http://www.portodesantos.com.br/imprensa.php?pagina=art2>; acesso em: 25 abr. 2019.

[5] A Lei n. 8.630/93 dispõe sobre o regime jurídico da exploração dos portos organizados e das instalações portuárias. Entre os avanços mais significativos introduzidos estão a criação dos Conselhos de Autoridade Portuária (CAP); a extinção do monopólio das Administrações Portuárias nos serviços de movimentação de cargas nos cais públicos, com a criação da figura do operador portuário; a descentralização da gestão do subsetor; o estímulo à concorrência intra e entre portos; e a quebra do monopólio dos sindicatos de trabalhadores portuários avulsos no

o papel de administradora e autoridade portuária de Santos". A força de trabalho "operacional da empresa é transferida para o Órgão Gestor de Mão de Obra (OGMO) instituído pela Lei dos Portos", bem como para o Conselho de Autoridade Portuária (CAP) (O Porto, 2019).

A Lei dos Portos, também conhecida como Lei da Modernização dos Portos ou Lei da Privatização dos Portos, tinha como objetivo central acompanhar o projeto neoliberal, bem como a reestruturação produtiva, fortemente presentes naquele momento. Cabe lembrar que o termo "modernização" tem um claro sentido empresarial capitalista, estando inserido no contexto da reestruturação produtiva que atingiu e continua atingindo os portos em escala mundial dada a enorme pressão das transnacionais pela agilização dos serviços portuários, o que por certo vem acarretando profundas alterações nas relações de trabalho nesse setor.

Conforme Diéguez (2007, p. 16),

> Ao falarmos em modernização portuária a primeira ligação que fazemos é com a privatização. Superficialmente o processo de modernização é pensado como abertura dos portos ao mercado, concedendo à iniciativa privada a exploração de terminais e operação de serviços portuários. A reforma portuária, porém, vai além da privatização. Ela abrange a concessão de terminais às empresas privadas, permitindo a operação de cargas próprias e de terceiros; investimentos tecnológicos; transformações na gestão da mão de obra; administração do porto pela iniciativa privada ou pela gestão pública, conforme o regime adotado no país. Segundo a ITF (International Transport Workers' Federation) a reforma portuária é baseada em 6 conceitos: liberação, desregulamentação, privatização, competência[6], globalização e modernização.[7] Os dois primeiros vão ao encontro da ideia de abertura dos portos à economia de mercado. Além disso, a desregulamentação conjuga-se com a privatização no sentido de retirar funções onerosas da mão do Estado, criando novos regulamentos. A estes se juntam o conceito de competência (diminuir custos e aumentar a produtividade) e modernização, que alia a necessidade de inovação tecnológica a investimentos privados. A globalização seria a geradora de todo esse processo.

---

fornecimento e escalação da mão de obra para as operações portuárias, que passam para uma nova entidade, o Órgão Gestor de Mão de Obra (OGMO), formado por operadores portuários, com participação minoritária dos trabalhadores. Disponível em: <www.geipot.gov.br/estudos_realizados/reformaportuaria_relsintese.doc>. Acesso em: 26 abr. 2019.

[6] Segundo Burkhalter (1999, p. 57), "A participação dos operadores privados dos terminais marítimos nos portos estatais tem como objetivo, fundamentalmente, criar uma base para a concorrência, a fim de reduzir os custos, melhorar a qualidade dos bens e serviços, e incentivar os investimentos do setor privado em maquinário, imóveis e instalações. A concorrência permite atingir esses objetivos, pois obriga os investidores a correr riscos comerciais e enfrentar a possibilidade de incorrer em perdas financeiras e risco de falência. A função da concorrência é transformar um entorno estancado e carente de dinamismo, que protege os grupos dominantes. Para que isso ocorra é necessário que todo o âmbito portuário se sinta impulsionado a inovar, aumentar a produtividade e reduzir os custos com o propósito de melhorar sua própria situação e, ao mesmo tempo, a dos clientes".

[7] International Transport Workers' Federation. *Mejorar las respuestas sindicales a la reforma portuaria.* Disponível em: <www.itfglobal.org>. Acesso em: 30 set. 2005.

Outro elemento importante a ser ressaltado é a forma como ocorre a privatização dos espaços do porto. Segundo R. P. Santos, "o Programa de Privatizações dos Serviços Portuários" se dá mediante o arrendamento das "áreas e instalações portuárias para empresas privadas", mantendo o governo como autoridade portuária, sendo que as Companhias Docas, como a Codesp, passam a exercer somente a função de administradoras e não mais de operadoras do porto. Essa nova realidade implica diretamente a necessidade de redução do número de força de trabalho, por meio de programas de demissão voluntária ou contrato de trabalhadores avulsos, vinculados ao OGMO (Santos, 2009, p. 42-3).

Ao analisar essa realidade dos portuários, Burkhalter afirma que

> Os governos adotaram as medidas protecionistas mencionadas para estabilizar artificialmente a demanda de trabalhadores e o nível de seus ingressos. Contudo, as tecnologias que economizam mão de obra, as políticas de crescimento impulsionado pelas exportações e a participação privada têm acelerado a tendência inversa, que exige que as mercadorias circulem de maneira mais produtiva e mais barata, utilizando um número reduzido de trabalhadores. Por exemplo, a introdução das políticas orientadas às exportações demonstrou que a demanda dos serviços dos estivadores depende da demanda e da competitividade dos bens que operam, e os governos já não podem evitar a realidade permitindo que as atividades dos trabalhadores não respondam aos mecanismos do mercado (Cepal, 1996). Optar entre a aplicação de critérios políticos ou a ação das forças do mercado para determinar a demanda de serviços da estiva equivale a rechaçar ou aceitar o livre jogo dos mecanismos de mercado. (Burkhalter, 1999, p. 73)

E complementa:

> A maioria dos portos dos países em desenvolvimento realizam atividades de capacitação para o emprego que podem ser descritas, pejorativamente, com frases como: "siga, olhe, imite" ou "melhor que o cérebro seja jogado fora". Também não há sistemas bem desenvolvidos para a capacitação de aprendizes nem se dá maior ênfase à capacitação multifuncional. Esses métodos foram herdados da época quando se fazia um uso intensivo da mão de obra, quando as tarefas portuárias se consideravam uma fonte de trabalho temporário e os requisitos de competência técnica eram mínimos. Atualmente os operadores privados dos terminais marítimos manejam equipamentos sofisticados e necessitam de discernimento e capacidade dos trabalhadores para fazê-los compreender como a qualificação e a necessidade de uma maior produtividade melhoram a competitividade. (Burkhalter, 1999, p. 114)

Dessa forma, algumas das características das trabalhadoras e dos trabalhadores no toyotismo, consequência da reestruturação produtiva, se fazem presentes nesse espaço de trabalho. Entre elas, uma maior qualificação e escolaridade e a multifuncionalidade devem estar presentes, uma vez que a trabalhadora ou o trabalhador deve "atuar a bordo e em terra, tanto no trabalho braçal quanto operando equipamentos, exercendo tanto atividades de estiva" quanto as atividades de capatazia, além de "conferência de carga, conserto de carga, vigilância de embarcações e bloco". Com esses "pré-requisitos" os trabalhadores podem ser deslocados para realizar qualquer serviço, dependendo das necessidades e dos interesses dos responsáveis pelo porto (Santos, R. P., 2009, p. 44).

Essas características, além de serem vinculadas à nova forma de produção flexível (presentes no toyotismo e no que David Harvey denominou "acumulação flexível"), sugerem características do trabalho feminino, conforme Nogueira afirma, ao se referir à forma como "o capital incorpora o trabalho feminino, cujas características, como a polivalência e a multiatividade, são decorrentes das suas atividades no espaço reprodutivo, o que as torna mais apropriadas às novas formas de exploração pelo capital produtivo" (Nogueira, 2006, p. 119).

Segundo Matsunaga (2015), a Lei da Modernização dos Portos teve seu auge e reformulações em 5 de junho de 2013, com o sancionamento da Lei n. 12.815, a chamada Nova Lei dos Portos ou Nova Lei da Modernização dos Portos, que tem como objetivo um "incentivo ainda maior na privatização de serviços e setores do cais, levando consequentemente a uma maior terceirização da força de trabalho portuária. (Presidência da República Casa Civil, Subchefia, 2013, *on-line*)".

Ainda segundo a autora,

> Todas essas mudanças na estrutura do Porto e nas relações de trabalho portuárias geraram uma série de implicações para os/as trabalhadores/as, dentre elas podemos destacar a maior intensificação do trabalho e, consequentemente, maior adoecimento por parte desses/as trabalhadores/as, além de ocorrerem perdas de direitos trabalhistas. Por outro lado, houve uma tentativa de resistência dos sindicatos frente a esta nova realidade, como mostra a nota técnica n. 126, de junho de 2013, do Departamento Intersindical de Estatística e Estudos Socioeconômicos (Dieese), dentre as reivindicações, as principais entre os aspectos reestabelecidos foram: a manutenção da guarda portuária nas administrações portuárias públicas e a proibição de contratação de força de trabalho temporária; já os avanços destacados foram: "a ampliação da responsabilidade solidária do OGMO, que passará a contemplar também indenizações por acidentes de trabalho" e "os programas de renda mínima e aposentadoria para os trabalhadores portuários avulsos" (Presidência da República Casa Civil, Subchefia, 2013, *on-line*).

E complementa:

> Embora tenham sido aceitas tais reivindicações, devemos analisar e refletir qual é o verdadeiro papel dessa nova lei, que gerou mudanças polêmicas para os trabalhadores portuários. Uma dessas mudanças foi a supressão da exigência que determinava que os terminais privados movimentassem somente carga própria, excluindo a

possibilidade de movimentar cargas de terceiros. Com a "Nova Lei dos Portos" as empresas que antes eram obrigadas a contratar funcionários registrados junto ao OGMO agora poderão contratar qualquer funcionário, até mesmo os não ligados ao Órgão Gestor de Mão de Obra, o que implicará menos custos para a empresa e menos garantia de direitos conquistados através desse órgão para o trabalhador. (Presidência da República Casa Civil, Subchefia, 2013, *on-line*)

Dessa forma, muitos afirmam que a Nova Lei dos Portos é um marco positivo para o crescimento da atividade produtiva no setor portuário, sendo capaz de estimular os investimentos necessários para o crescimento estrutural e econômico do país, mas pouco se ouve falar nas implicações que essa nova lei terá para as trabalhadoras e os trabalhadores do porto.

É bem verdade que, de certa forma, após o processo de modernização do setor portuário, houve um aumento na dedicação em relação à segurança no trabalho com a exigência e maior fiscalização na utilização dos equipamentos de proteção individual (EPI), contratação de profissionais técnicos em segurança do trabalho e cumprimento de normas, inclusive com realização de exames médicos anuais e oferecendo orientações (Queiroz e Machin, 2008), o que poderia, em grande medida, corroborar a afirmação de alguns em relação à positividade da Nova Lei da Modernização dos Portos. No entanto, não foi o que aconteceu. Mesmo com essas mudanças, o sofrimento ao qual as trabalhadoras e os trabalhadores portuários eram e continuam a ser submetidos não se extinguiu, pelo contrário: eles continuaram adoecendo e sofrendo acidentes.

De fato, algumas doenças foram eliminadas, mas outras surgiram, como a depressão e o estresse, decorrentes das "inovações" advindas do processo de modernização. Além de mantida a necessidade de esforço físico, ocorreu o aumento de responsabilidade e pressão, assim como de ritmo e volume de trabalho, uma vez que houve diminuição na contratação de força de trabalho, provocando maior intensificação laboral e exigindo mais esforço físico, apesar do avanço tecnológico (Queiroz e Machin, 2008). Todas essas questões resultam em um maior sofrimento e desgaste físico e mental, justificando, entre outras doenças, o acarretamento de estresse e depressão, problemas auditivos, musculares, ósseos etc.

Em relação à saúde das trabalhadoras entrevistadas, as doenças que mais as acometem estão primordialmente relacionadas às precárias condições físicas do espaço e do ambiente do próprio trabalho portuário, como pode ser observado em vários relatos das entrevistadas:

Tem muito ruído do trem e do maquinário [...]. A sinalização é péssima, a ventilação é OK, mas é porque estamos trabalhando no ar livre lá no porto. A iluminação é ruim, de noite, às vezes chega navio às três horas da manhã e é difícil ver a corda pra pegar... (Entrevistada A)

Todo canto aqui é uma armadilha. Porque é perigoso, é muita coisa quebrada, é muito buraco na beirada do cais, qualquer coisinha você pode cair na água, tem muitos riscos. (Entrevistada B)

O cheiro é horrível, tem todo tipo de animal: rato, barata, gambá... (Entrevistada C)

Precisa aprimorar muita coisa, em relação a tudo: EPI; iluminação, principalmente à noite, porque às vezes tem locais que são mais escuros. [...] Tem que aperfeiçoar bastante [a segurança] ainda. Tanto que a gente vê bastante morte, principalmente com trem, às vezes também com maquinário, eu acho que o local é bem propício para acidentes. Então, uma falta de iluminação, às vezes tem um buraco no cais e a gente acaba nem vendo... Acho que precisava melhorar bastante. O EPI é o que deram pra gente. [...] A proteção auricular, seria bom a gente usar e ao mesmo tempo seria ruim, porque os ruídos são bem grandes, tanto que a gente tem a máquina de trem que passa aqui atrás, mas de repente para o trabalho já não seria tão bom porque uma falha pequena, de repente tem um caminhão dando ré, se você tá com protetor você não vai escutar. Ou alguma máquina operando e nisso pode causar um acidente fatal. Mas eu acho que é a situação no contexto geral, né? Perigo que a gente corre aqui. [...] Às vezes você tropeça num buraco, num cabo, tem o risco de o cabo estourar também. Os riscos são grandes, de todas as formas. Tem até Kombi que já caiu dentro da água com gente dentro. Então eu acho que os riscos são bem grandes. (Entrevistada D)

O perigo vem de todos os lados, você pode cair na água, você pode afundar junto com o chão... O perigo vem de cima, coisas podem cair na nossa cabeça, o cabo pode estourar, a Kombi pode bater, pode cair na água... então o perigo vem de todos os lados. [...] O perigo é iminente para os dois [mulheres e homens], a gente faz as coisas no automático e o perigo é pra todos. Hoje eu posso dizer que pra mim o trabalho portuário tem prazo de validade... Tenho consciência que eu não chego aos cinquenta, sessenta anos nesse trabalho porque eu não aguento, é diferente dos homens, que chegam aos setenta ainda trabalhando, eles têm mais força mesmo. (Entrevistada E)

Aqui, se você tiver que trabalhar debaixo de chuva, maior chuva, maior toró, você tem que trabalhar. Então isso meio que prejudica a sua saúde, porque também, se tiver com aquele sol escaldante, você tem que trabalhar... Então esses climas, meio que... A gente tem que se cuidar para não prejudicar a nossa saúde sim. (Entrevistada F)

Eles [a Codesp] fornecem o EPI pra gente: capacete, colete, bota, a luva também. Eles fizeram uma pesquisa aqui da luva, muito fraca... e acabou escolhendo uma luva que a gente não consegue usar, que é muito dura, muito inflexível... [...] Só a sinalização que aqui é pouco, não tem quase sinalização aqui. O ruído é ruim só pelo trem, eles fornecem o protetor auricular também, só que a gente não vai ficar o tempo todo usando aqui dentro, mas é que toda hora passa trem e esse ruído que é chato. A iluminação [...] lá fora tem muitos pontos que não têm iluminação correta, não. (Entrevistada G)

Um trabalho que exige muito esforço físico e atenção na hora do manuseio, tem que tomar muito cuidado porque ficamos muito perto do mar, qualquer coisinha que acontece, podemos cair no mar... Ou então se machucar também, por causa das cordas. (Entrevistada H)

Não temos acesso a nenhum tipo de máquina, o trabalho é todo manual, só o ser humano e as cordas do navio... Uma corda de metal e náilon que é a mais pesada, e outra corda normal, só que bem grossa. As cordas mudam de acordo com a carga e o peso do navio... [...] É tudo na mão. (Entrevistada I)

Podemos identificar que os principais problemas apontados por essas trabalhadoras como causas dos riscos à sua saúde e segurança são decorrentes daquilo que já havia sido identificado por pesquisadores que estudam o setor portuário: condições precárias, insalubridade (exposição a barulho excessivo, friagem, produtos químicos, fumaça, produtos contagiosos/radioativos, sujeira do cais etc.) e riscos de acidentes (Queiroz e Machin, 2008).

Outra questão evidenciada pelas amarradoras entrevistadas e que tem afetado consideravelmente a sua saúde é a realização de horas extras a fim de receber um rendimento que cubra pelo menos suas necessidades básicas. Como o salário-base é baixo, torna-se quase imperativo o cumprimento de horas extras, inclusive aos fins de semana, o que suprime o tempo de lazer e ócio, possibilidades de incremento intelectual e diversas sociabilidades fora do ambiente de trabalho:

Aí vai de você querer trabalhar ou não. Você é escalado. Se você tiver um compromisso, for lá pedir dispensa, eles dão. Mas você meio que fica dependente porque se acostuma com aquele salário, e aí você acaba fazendo porque está acostumada a receber aquele valor, e quando corta já diminui. (Entrevistada J)

Cabe ressaltar que as atividades laborais portuárias são geralmente descritas pelas trabalhadoras como "trabalho árduo de alto risco". Além disso, os ambientes de trabalho insalubres são propensos a provocar diversas formas de adoecimento, devido a agentes nocivos à saúde. O uso do equipamento de proteção individual não necessariamente impede o contato com situações de risco e sua posterior contaminação, principalmente se houver exposição prolongada nessas condições. Em outras palavras, o fato de a trabalhadora ou o trabalhador proteger-se durante o desempenho de atividades laborais em ambientes de trabalho desfavoráveis à sua saúde, para que sofra menos impactos diante da exposição a diversos agentes (inclusive químicos) em si nocivos, atenua o efeito, mas não elimina a causa.

Desse modo, talvez possamos afirmar que o ambiente de trabalho portuário em si é permeado por agentes epidemiológicos nocivos à saúde e, mesmo assim, as trabalhadoras e os trabalhadores exercem atividades laborais submetidos a todas as adversidades do local de trabalho.

Acerca disso, Inácio (2012, p. 125) afirma que

> A ação preventiva na forma instituída jamais pode ser tratada como prevenção ao acidente e/ou à doença no ambiente de trabalho, pois não mantém a saúde ou a integridade física do trabalhador. Sua lógica não é a inexistência ou negação do acidente, do perigo ou do insalubre. Não se trata de uma ação para prevenção, mas sim a negação dessa possibilidade. Uma ação corretiva para atenuar uma consequência ou um efeito potencial do acidente ou da doença já presente na *dimensão trabalho*, ocorrido ou em ocorrência efetiva, sem controle e previamente admitido.

Numa direção similar, essa questão tem sido relevante nos estudos de Berlinguer, sendo inclusive colocado por ele que "[...] um ambiente morbígeno[8] não pode ser compensado por incentivos salariais, mas deve ser modificado e tornado mais saudável" (Berlinguer, 1983, p. 68). Aqui o autor faz clara alusão a um debate para além da monetização dos riscos à saúde das trabalhadoras e dos trabalhadores.

Isso nos leva a crer que se faz mister a expansão do campo de atenção à saúde do trabalhador, de modo que sejam preconizadas ações (tanto no âmbito estatal quanto no privado) e estratégias que garantam a promoção da saúde e prevenção de agravos, embora isso ainda não seja contemplado em diretrizes de políticas públicas brasileiras de modo efetivo, pois, segundo Gomez e Lacaz (2005), ainda inexiste de fato uma política nacional de saúde do trabalhador[9].

## Conclusão

No setor portuário, como vimos, há indícios de intensificação e precarização ocorridos em tempos de flexibilização das condições de trabalho, cuja importância (malgrado seus efeitos nefastos) é incontestável para a economia brasileira. Apesar do processo de "modernização", não se resolveu a problemática das trabalhadoras e dos trabalhadores, em particular o das amarradoras que ainda exercem suas atividades laborais em más condições de trabalho e expostas a ambientes insalubres, como pudemos constatar nos depoimentos das entrevistadas.

Para que se avance nas lutas em defesa da saúde das trabalhadoras e dos trabalhadores, é preciso ressaltar nas pautas a perspectiva trazida pelo campo da

[8] Ambiente capaz de causar doenças.

[9] Há muito ainda a trilhar para a efetivação e consolidação da Política Nacional de Segurança e Saúde no Trabalho (PNSST), que foi instituída nos anos 2000 no Brasil, a qual prevê ações articuladas nas áreas de saúde, previdência social, trabalho e emprego.

saúde do trabalhador: não basta indenizar, tratar, curar ou reparar os danos ocasionados, nem apenas entender a saúde de forma limitada como "ausência de doença", muito menos só se centrar na adequação/adaptação aos postos e ambiente de trabalho ou em práticas de prevenção de doenças/acidentes laborais[10], fatores que, sem dúvida, são imprescindíveis, todavia insuficientes. É preciso que a vida e a saúde das trabalhadoras e dos trabalhadores sejam postas como mais importantes, como já se colocava no país na III Conferência Nacional de Saúde do Trabalhador, em 2005: "trabalhar sim, adoecer não".

Para tanto, é imprescindível que se desnaturalize a "confusão" ocasionada entre a venda da *força de trabalho* – e não a venda do(a) trabalhador(a) – e a desapropriação e esgotamento da saúde e vida do(a) trabalhador(a), como se sua indevida apropriação levada à exaustão fosse justificada pelo fato de se pagar por essa mercadoria. É triste constatarmos que, ainda no século XXI, a saúde continua nos sendo espoliada como se nem dela fôssemos proprietários.

Isso posto, a superação da situação vivenciada cotidianamente pelas trabalhadoras e pelos trabalhadores implica avanços na luta coletiva em prol de uma outra sociabilidade: agrega-se o fato de que, no senso comum, as tarefas domésticas são de responsabilidade exclusiva das mulheres, fazendo com que as trabalhadoras da amarração ainda tenham de dedicar seu tempo de não trabalho – já achatado pelo trajeto casa-trabalho-casa e horas extras – a tais tarefas, esgotando ainda mais sua saúde. Portanto, é imprescindível irmos para além das relações específicas de trabalho e reivindicarmos, conforme István Mészáros, a igualdade substantiva de gênero. E, no âmbito mais imediato, é preciso que se lute pela defesa do campo da saúde da trabalhadora e do trabalhador enquanto pauta da "ordem do dia".

---

[10] Que implicam, inclusive, uso do equipamento de proteção individual (EPI) e instituição de práticas de ergonomia.

# 10
# Trabalho, adoecimento e descartabilidade humana[1]

*Luci Praun*

## Introdução

Entre 2011 e 2012, o Sindicato dos Metalúrgicos de São José dos Campos, a pedido das trabalhadoras e dos trabalhadores de sua base e valendo-se do previsto na legislação brasileira, emitiu uma grande quantidade de comunicações de acidente de trabalho (CATs). Essa prática, adotada pelo sindicato desde antes do período mencionado e ainda vigente, contempla profissionais vinculados a diferentes fábricas pertencentes à base de representação sindical da entidade.

Naquele período, entretanto, uma parcela de trabalhadores passou a chamar a atenção do sindicato: os operários da General Motors (GM), em razão de ao menos dois aspectos. O primeiro dizia respeito à quantidade de trabalhadores adoecidos incorporados às listas de suspensão de contrato de trabalho e de demissões. O segundo, à incidência de processos de adoecimento com nexo laboral em outras unidades produtivas da corporação, inclusive fora do país[2].

Será nesse contexto que a pesquisa que dá origem a este capítulo, voltada a compreender os impactos dos processos de reorganização do trabalho e da produção sobre os operários da GM, incorporou à investigação, entre outros documentos, as 1.517 CATs, todas de trabalhadores da GM, emitidas tanto pela entidade sindical como pela corporação entre 2011 e 2012. Do total de documentos, vale destacar, 579 foram emitidos pela própria corporação; outros 938, pela entidade sindical.

---

[1] Este capítulo expõe parte dos resultados apresentados na tese de doutorado em sociologia *Não sois máquina! Reestruturação produtiva e adoecimento na General Motors do Brasil*, defendida em março de 2014 na IFCH/Unicamp, sob a orientação de Ricardo Antunes.

[2] Em 2012, como parte de uma campanha internacional contra as demissões na fábrica da GM/SJC, estiveram presentes no Brasil, a convite do Sindicato dos Metalúrgicos de São José dos Campos e da Conlutas, dirigentes sindicais ligados às fábricas da corporação instaladas na Alemanha, na Espanha e na Colômbia. Esses dirigentes, que participaram de uma reunião internacional nos dias 20 e 21 de novembro desse ano, sobretudo nos casos colombiano e espanhol, relataram condições de trabalho presentes em seus países com características semelhantes àquelas identificadas nas unidades brasileiras.

A quantidade de documentos certamente despertou a nossa atenção. Aos poucos, entretanto, outros detalhes revelariam um pouco mais sobre esses trabalhadores e suas condições de trabalho. O olhar atento à tipificação das ocorrências (acidentes típicos; doença profissional ou do trabalho; acidentes de trajeto) demonstrava uma nítida linha divisória. A corporação emitia, sempre que inevitável, as CATs relacionadas aos acidentes típicos[3] e, em número bem menor, as relativas às ocorrências de trajeto. Já à entidade sindical, fruto da negativa da corporação em reconhecer o nexo entre a doença desenvolvida pelo trabalhador e sua atividade na empresa, cabia a emissão das CATs tipo 2, referentes às *doenças profissionais ou do trabalho*. Das 938 CATs emitidas entre 2011 e 2012 pelo sindicato, 904 são relativas às doenças profissionais e/ou do trabalho.

Sobre os registros efetuados pela GM, vale destacar que, no período analisado, as ocorrências mais comuns foram geradas por impactos ou colisões entre os trabalhadores e os objetos presentes no ambiente de trabalho, seguidas de situações com descrições de aprisionamento de uma ou mais partes do corpo do trabalhador, em geral mãos e dedos. Na unidade fabril de São José dos Campos, houve dezessete casos de fraturas e duas amputações de dedos, além de um acidente fatal, que gerou o óbito do operário Antônio Teodoro Pereira Filho, de 59 anos, com 32 anos de serviços prestados à GM.

A pesquisa demonstraria ainda que, apesar da linha divisória demarcada pelo tipo de acidente notificado conforme o emissor da CAT (corporação ou entidade sindical dos trabalhadores), o conjunto dos documentos compunha apenas a ponta de um longo e emaranhado fio. Este, quando desenredado, permitiria a identificação de um complexo processo envolvendo as diferentes estratégias adotadas pela corporação visando reorganizar o trabalho e a produção em busca do seu posicionamento diante da concorrência do mercado.

A base de desenvolvimento dessas estratégias, que considerou ano a ano a diminuição do quadro de funcionários, a flexibilização dos contratos de trabalho e a redução progressiva dos pisos de ingresso, pode também ser resumida na articulação de medidas voltadas ao encurtamento do tempo da execução de tarefas, à intensificação e ao aumento do ritmo de trabalho, ancoradas em um modelo de gestão alicerçado no intenso controle, no incentivo à competitividade entre os trabalhadores e suas equipes e, não raramente, conforme indicou a pesquisa, em práticas de assédio moral. Estas últimas, conforme os depoimentos dos trabalhadores, eram voltadas com regularidade àqueles já adoecidos e, portanto, já não tão produtivos para a empresa quanto no momento em que foram contratados.

---

[3] Acidentes típicos são aqueles que ocorrem durante a jornada de trabalho, fatais ou não, geralmente causadores de lesões e ferimentos visíveis no corpo, fraturas, mutilações, entre outros, ocasionados por episódios claramente delimitados no espaço e no tempo, mesmo que com desdobramentos posteriores. Acidentes de trajeto são aqueles que ocorrem durante o deslocamento de casa para o trabalho e vice-versa.

Este capítulo tem por objetivo apresentar o impacto desses processos na saúde dos operários da General Motors do Brasil (GMB), particularmente entre aqueles lotados em sua unidade instalada em São José dos Campos, interior de São Paulo, e na de São Caetano do Sul, município que compõe o ABC Paulista. Para tal, embora considerem a inter-relação entre as ocorrências relacionadas aos acidentes típicos e aquelas classificadas como doenças, as reflexões ora apresentadas terão como foco os processos de adoecimento, tomando como ponto de partida a pesquisa documental e as entrevistas realizadas entre 2012 e 2013 com dezessete operários das duas unidades da corporação.

## De que se queixam os operários da GM de São José dos Campos?

Entre 2011 e 2012, o Sindicato dos Metalúrgicos de São José dos Campos emitiu 904[4] comunicações de acidentes de trabalho, por solicitação dos operários da unidade local da GM, todas relacionadas ao desenvolvimento de *doenças profissionais* ou *do trabalho*.

Entre as trabalhadoras e os trabalhadores que solicitaram abertura de CAT, 1,88% relatou problemas de audição gerados por ruídos excessivos (dezessete operários). Dois outros, menos de 1% do total, reportam situações de depressão ou estresse geradas em função do ritmo de trabalho e/ou da pressão da chefia. Há também, entre as solicitações, relatos de dermatite decorrente de contato com produtos químicos (caso registrado em uma das CATs), assim como problemas respiratórios, conforme relatou um trabalhador, entre outros casos de frequência similar. Entretanto, conforme relatos, o motivo que mais leva essas pessoas ao sindicato para solicitar abertura da CAT é a dor que resulta de lesões adquiridas, a partir de um ou da articulação de dois ou mais dos seguintes fatores relacionados à execução do trabalho: a) ritmo acelerado; b) movimentos repetitivos; c) esforços excessivos; d) carregamento de peso em excesso; e) posição antiergonômica. Esses trabalhadores queixam-se dos efeitos que o ritmo e a intensidade do trabalho causam em seu corpo.

Tal como observa Dal Rosso, "a intensidade são aquelas condições de trabalho que determinam o grau de envolvimento do trabalhador, seu empenho, seu consumo de energia pessoal, seu esforço desenvolvido para dar conta das tarefas a mais" (Dal Rosso, 2008, p. 23). O aumento da intensidade, conforme aponta o autor, não implica necessariamente alterações "das condições técnicas vigentes" e, portanto, alteração da produtividade (Dal Rosso, 2008, p. 61). Esse aumento não é novidade no processo de reorganização do trabalho e da produção recente, mas a aplicação das diferentes variáveis de gestão do trabalho que caracterizam o toyotismo elevou a intensificação do trabalho a "um ponto que nenhum outro sistema conseguira jamais alcançar" (Dal Rosso, 2008, p. 69).

---

[4] 370 referentes ao ano de 2011 e 534 ao de 2012.

Não à toa, as comunicações de acidente de trabalho emitidas pela entidade sindical são ricas em relatos que indicam tanto a alta intensidade como o acentuado ritmo de trabalho, com menção, em vários desses documentos, a posições antiergonômicas, tal como expressam os trechos a seguir.

> **Campo 43**[5] – Trabalha na empresa desde 1993, sempre como operador de máquina de solda a ponto, ponteadeira, sempre com os braços elevados em ângulo de 70º, suportando o disparo de solda (cerca de 1.000 pontos de carro x 4 por hora). Trabalha em posição forçada, agachando e curvando a coluna com desvios laterais de tronco. (CAT 2012.319.014-2)
> **Campo 43** – Trabalha na empresa desde 1996, retira peça da esteira e coloca no carro e aperta o dispositivo de comando bimanual, este comando exige mãos flexionadas com movimentos de extensão para cima e para baixo. São cerca de 500 peças por hora. Movimentos de extensão e abdução com braços. (CAT 2012.337.261-5/01)
> **Campo 43** – Trabalha na empresa desde 2004, na linha de montagem realizando revezamento, levanta o cabeçote que vem dentro do carrinho abaixo da cintura, realiza movimentos de flexão e abdução, pesa cerca de 7 kg e faz cerca de 700 peças dia, na bancada montagem de prisioneiro permanece em posição antiergonômica, segue em tratamento fisioterápico e fazendo uso de medicamentos. (CAT 2012.510.989-0/01)

Além das queixas de dor, são constantes os relatos de uso de medicamentos, sessões de fisioterapia e realização de cirurgias. Parte desses trabalhadores vai e volta de afastamentos do trabalho por não suportar mais o impacto das atividades laborais sobre seu corpo.

A quantidade de cirurgias mencionadas nesses documentos impressiona. Considerada somente uma ocorrência cirúrgica por trabalhador e exclusivamente os casos, conforme o relato, nos quais a cirurgia já havia sido realizada[6], 126 trabalhadores em 2011 e 163 em 2012 mencionaram ter passado por cirurgias nos ombros, na coluna (cervical e lombar), nos joelhos, punhos, cotovelos, tornozelos e pés. Identificou-se apenas uma exceção entre os relatos contidos nas CATs: um caso de cirurgia de hérnia. Parte desses trabalhadores já foi submetida a uma média de três a cinco cirurgias, em uma ou em várias áreas do corpo.

Vale ressaltar que o levantamento da quantidade de cirurgias não implica nenhum juízo de valor sobre a adequação ou não do procedimento, uma vez que este, além de não ser um tema de domínio da área da pesquisa realizada, não foi objeto de discussão. Trata-se apenas do destaque de mais um elemento que acentua o nexo entre as ocorrências registradas nas CATs tipo 2 (doenças) e o ambiente

---

[5] Campo destinado à descrição da *situação geradora* do adoecimento.
[6] Não foram consideradas para essa contagem menções de agendamentos ou previsões de intervenções cirúrgicas. Em caso de trabalhadores com mais de uma CAT aberta, somente uma foi considerada.

e as condições de realização do trabalho na GM. A quantidade de intervenções cirúrgicas, com forte incidência em algumas partes do corpo (ombros e coluna), somente reforça a hipótese de lesões adquiridas no exercício das atividades desses trabalhadores no interior dessa empresa.

Outro forte indicativo da presença significativa de casos de lesão por esforço repetitivo (LER/Dort) entre os trabalhadores das linhas de produção da GM de São José dos Campos pôde ser observado a partir do levantamento das CID-10 (classificação internacional de doenças) anotadas pelos médicos do trabalho do Centro de Referência Especializada em Saúde Ocupacional (Creso) nas CATs abertas pela entidade sindical. O levantamento dessas informações identificou 1.143 CID-10, sendo 469 em 2011 e 674 em 2012. Vale destacar que, na maioria das vezes, o médico do Creso anotou mais de uma CID para cada trabalhadora ou trabalhador. Portanto, buscando maior precisão dos dados, o levantamento descartou repetições de diagnóstico, para os casos em que o indivíduo possuía mais de uma CAT.

O resultado obtido com o levantamento constatou que, se considerado o somatório dos diagnósticos dos dois anos, 66,92% das ocorrências envolveram diagnósticos (CID-10) que constam das listas oficiais de doenças relacionadas a LER/Dort[7]. Se analisados separadamente, os indicadores também se mantêm, para os dois anos, neste patamar: 70,36% (330 diagnósticos) em relação ao total de casos de 2011 e 64,69% (436 diagnósticos) quando a base do cálculo é 2012.

Cabe ainda destacar, conforme os diagnósticos, a alta incidência de lesões na região dos membros superiores, com ênfase nas lesões do ombro (agrupamento CID-10 M75.-), o que aproxima, mais uma vez, essas ocorrências do padrão observado pelos estudos que fundamentam as políticas públicas relacionadas à saúde do trabalhador, mais especificamente aquelas voltadas para a identificação, prevenção e tratamento de LER/Dort (Brasil, 2001; 2012).

Outro dado relevante a ser levado em conta é que os documentos analisados compõem uma amostra de 10,58%[8] dos trabalhadores vinculados à produção da unidade de São José dos Campos, se considerada como universo a média de trabalhadores com vínculo entre 2011 e 2012.

O detalhamento do perfil desses trabalhadores indica que 299 deles exerciam a função de "montador de autos". A presença significativa de ocorrências envolvendo esses trabalhadores é coerente com o seu predomínio no interior das linhas

[7] A lista de CID-10 relacionadas a LER/Dort consta do documento do Ministério da Saúde *Doenças relacionadas ao trabalho: manual de procedimentos para serviços de saúde*, de 2001, e do Protocolo sobre LER/Dort, Dor relacionada ao trabalho – Lesões por esforços repetitivos (LER)/Distúrbios osteomusculares relacionados ao trabalho (Dort), também de publicação do Ministério da Saúde em 2012.

[8] O percentual foi obtido por meio de análise dos dados da Relação Anual de Informações Sociais (Rais) emitida pela empresa nos anos 2011 e 2012. Conforme esse documento, a fábrica de São José dos Campos finalizou os respectivos anos com aproximadamente 7.200 (2011) e 6.300 (2012) trabalhadores atuando em atividades diretamente vinculadas ao processo produtivo. Os detalhes sobre esse levantamento podem ser obtidos em Praun (2014).

de produção[9]. Essa função, conforme observado durante entrevistas com os operários, é a expressão máxima da polivalência e da multifuncionalidade no processo produtivo. Sua nomenclatura genérica permite que o trabalhador seja inserido em diferentes atividades ao longo do processo de montagem dos veículos.

Chamaram também a nossa atenção, pela quantidade, os registros envolvendo empilhadeiristas, que somaram 44 CATs. Essas duas funções, montador de autos e empilhadeirista, somam, juntas, 48% das CATs abertas entre 2011 e 2012 pelo sindicato. Os demais trabalhadores distribuem-se em diferentes funções relacionadas ao processo produtivo, que vão desde a atividade de alimentação das linhas, de operação de máquinas diversas, até aquelas mais especializadas, relacionadas a funilaria, pintura, mecânica, manutenção elétrica e ferramentaria, entre outras.

A análise dos documentos indica ainda que os trabalhadores que procuraram o sindicato para abertura de CAT, em sua maioria (67,94%) passaram dos 40 anos de idade, com destaque para o grupo constituído por trabalhadores na faixa etária de 41 a 50 anos (53,51%). A segunda faixa etária com maior número de CATs abertas é a dos operários de 31 a 40 anos (29,84%).

Em razão da ausência de um campo específico para lançamento da data de admissão dos trabalhadores no formulário de CAT disponibilizado pelo site da Previdência, não foi possível o cruzamento da idade média desses trabalhadores com o tempo de atividade na empresa.

## Adoecimento físico e mental: dois lados de uma mesma moeda

Conforme salientado anteriormente, a identificação do nexo entre trabalho e processos de adoecimento não é, evidentemente, novidade das décadas de 1980 e 1990, momento em que se intensificaram as medidas de reorganização do trabalho e da produção fundadas no padrão de acumulação flexível. Todavia, nessas décadas e nas seguintes, passaram a chamar a atenção dos pesquisadores tanto a maior incidência de doenças osteomusculares como o crescimento dos registros de transtornos mentais com nexo laboral (Antunes e Praun, 2015).

Os sinais de redesenho do perfil das doenças relacionadas ao trabalho e sua maior incidência no equilíbrio psíquico das trabalhadoras e dos trabalhadores foram também captados pelas estatísticas da Organização Internacional do Trabalho (OIT). Um estudo divulgado pela instituição em 2000, tomando por base políticas e programas de saúde mental direcionados à população economicamente ativa de cinco países (Alemanha, Estados Unidos, Finlândia, Polônia e Reino Unido), já indicava que, em média, um em cada dez trabalhadores sofria de depressão, ansiedade, estresse ou cansaço relacionados à atividade laboral. Pesquisas realizadas posterior-

[9] Conforme identificado nas Rais, havia na unidade fabril de São José dos Campos 2.779 montadores de autos em 2011 e 2.355 em 2012.

mente pela entidade, com foco em "países europeus e em outros países considerados desenvolvidos", demonstraram que o estresse, em 2005, estava "na origem de 50% a 60% do total de dias de trabalho perdidos" (OIT, 2010, p. 12).

No Brasil, sobretudo na área da saúde e psicologia do trabalho, vêm sendo desenvolvidos diversos estudos voltados à compreensão da intersecção entre processos de adoecimento físico e mental e trabalho. Essas pesquisas foram motivadas, em grande medida, desde os anos 1980, pelo crescente afluxo de trabalhadoras e trabalhadores aos ambulatórios e aparelhos públicos de saúde. Parte desses casos chamou a atenção tanto pelo crescimento de diagnósticos relacionados a depressão, fobias e transtornos de ansiedade, entre outros, como pelo fato de, sobretudo no caso dos relatos obtidos entre homens, ficar evidenciada a relação entre adoecimento psíquico e trabalho (Sampaio e Messias, 2003).

Orientadas a partir de diferentes perspectivas, tais investigações, em parte, limitam-se até hoje à identificação de fatores de risco à saúde do trabalhador de forma que estes possam eventualmente ser eliminados do ambiente de trabalho. No entanto, outro grupo, de perfil mais crítico, tem buscado, conforme assinala Lacaz (2013, p. 224), "desvendar a nocividade dos processos de trabalho" com base no contexto da atual fase do capitalismo.

Para esses pesquisadores, vista de um modo crítico, a relação entre saúde e doença só pode ser apreendida se enraizada nas condições históricas e sociais. São essas condições, como aponta Seligmann-Silva (2011), que geram tipos específicos de adoecimento e as condições para o seu agravamento.

Ao abordar a origem dos crescentes episódios depressivos relacionados ao trabalho, Seligmann-Silva salienta que eles geralmente se encontram articulados "a uma *perda* importante ou a uma *sucessão de frustrações* verificadas no contexto" (2007, p. 77). Ainda de acordo com a autora, o desenvolvimento da patologia é potencializado por fatores que envolvem desde a falta de apoio do grupo ao qual o trabalhador pertence, como processos relacionados à perda de reconhecimento, ao sentimento de submissão a situações humilhantes, injustas e discriminatórias, até, entre outros fatores, o sentimento de estar submetido ao isolamento.

Não por coincidência esse conjunto de fatores apontados pela autora tende a se manifestar entre trabalhadores acometidos por doenças osteomusculares. Conforme puderam demonstrar diferentes pesquisas, inclusive a que dá base a este capítulo, realizada entre os funcionários da General Motors, esses trabalhadores, por não conseguirem, na maioria das vezes, desempenhar suas atividades dentro dos parâmetros de produtividade estabelecidos pelas empresas, passam a ser alvo de uma série de violências por parte tanto das chefias quanto dos colegas de trabalho.

A dor física rotineira, característica das doenças osteomusculares[10], passa a se desdobrar em crescentes dificuldades para executar atividades simples e

[10] Conforme Brasil, Ministério da Saúde (2012).

cotidianas, como segurar objetos leves, dirigir, apertar um parafuso ou pegar um filho pequeno no colo. O reconhecimento das limitações impostas pela doença, a sensação de descrédito dos colegas e familiares sobre o adoecimento, a demora na obtenção do diagnóstico e a necessidade de constantes afastamentos do trabalho constituem-se como agravantes do sofrimento psíquico e, articuladamente, das possiblidades de desenvolvimento de sintomas depressivos (Rocha, 2007).

Durante as entrevistas realizadas com os trabalhadores da General Motors, queixas similares às relatadas por Rocha (2007) foram anotadas tanto no que diz respeito à luta e ao sofrimento causado durante o processo de obtenção do diagnóstico correto da doença como no período posterior à sua obtenção.

João[11], um dos trabalhadores de São Caetano do Sul entrevistados durante a pesquisa, afirmou que, logo que conseguiu obter o diagnóstico de sua doença, levou todos os documentos ao departamento médico da General Motors. Lá, segundo o operário, os médicos da corporação tentaram insistentemente atribuir suas lesões às atividades desenvolvidas por ele fora do trabalho. João contou sobre o aborrecimento de lhe perguntarem se lavava o carro no fim de semana ou se estendia roupas no varal para auxiliar a esposa. Essas atividades, revelou, eram apontadas pelos médicos da empresa como geradoras de suas lesões[12].

Outro trabalhador da GM, operário da planta de São José dos Campos, chorou ao contar sobre o tratamento que os "lesionados" como ele recebiam tanto da chefia como de colegas de trabalho. Segundo ele, normalmente a chefia jogava o *time de trabalho* contra o trabalhador. Após afirmar para o time que durante o mês os trabalhadores não podiam ter "nenhuma falta", o chefe fazia com que todos se voltassem contra o trabalhador lesionado. "O lesionado vai ter falta. Então, automaticamente, o que acontecia? O próprio amigo seu ficava contra você. Você já não sabia o que fazer porque você era chamado de 'braço curto', 'sem-vergonha', 'não quer trabalhar', 'vagabundo'" (Trabalhador 3/SJC)[13].

Questionados sobre o uso de antidepressivos, todos os trabalhadores "lesionados" entrevistados na ocasião da pesquisa ou tomam, ou conhecem colegas de trabalho que precisam fazer uso desses medicamentos. Um desses trabalhadores contou que, quando foi trabalhar no setor de entrega de equipamentos de proteção individual, ficava em uma sala que chegava a reunir dezoito trabalhadores com lesões.

> A gente ouvia as histórias de cada um. Uma era pior que a outra. A gente falava o dia inteiro lá dentro. E a gente ficava o dia inteiro se medicando lá dentro da empresa. Lá dentro desse lugar de EPI. Um tomava remédio para loucura... [...] Tem alguns lá que, se não tomar remédio... Eu tomei também. Antidepressivo. Eu não

---

[11] Nome fictício. A referência a esse trabalhador neste livro é também feita como "Trabalhador 4/SCS".

[12] Entrevista realizada em 18/9/2013, em São Caetano do Sul (SP).

[13] Entrevista realizada em 22/11/2013, em São José dos Campos (SP).

> estava aguentando mais. Eu estava numa situação que eu ia fazer alguma asneira, sei lá, me matar ou alguma coisa assim. Alguma coisa desse tipo. [...]
> Tem pessoas lá dentro que – eu conheço algumas, duas pessoas ficaram no Chuí [Instituto Chuí de Psiquiatria]. Aposentaram por invalidez, mas ficaram no Chuí. Eu só não fiquei no Chuí, mas eu estava prestes a chegar numa situação dessa. (Trabalhador 3/SJC)[14]

Pressão constante para alcance de metas, alta competitividade entre os trabalhadores, impossibilidade de convívio coletivo, fruto do ritmo acentuado da linha de produção, medo e incerteza sobre o futuro são fatores que fazem parte do cotidiano desses trabalhadores e que, conforme a percepção deles próprios, têm contribuído para o aumento dos processos de adoecimento físico e mental. Conforme Alex Silva, cipeiro na planta da GM em São José dos Campos:

> No meu setor, que está sendo diretamente atacado pela reestruturação, que é o MVA, é visível que teve uma mudança na questão psicológica dos trabalhadores. Não tem mais aquele clima que tinha antes, o pessoal sorridente. Tá do sério para baixo, para a tristeza. Isso tudo vira uma bola de neve. O trabalhador fica nessa pressão toda, chega em casa às vezes nervoso. Acaba descontando na família. Tem uma resposta negativa da família, aí o cara volta para a fábrica já com o problema de casa. Eu não cheguei a fazer uma estatística, mas, pelos amigos que eu tenho, problema de separação tá tendo muito. Trabalhador procurando psicólogo. Estou falando pelos meus amigos, que me relatam. Mas tudo isso, depois dessa mudança, desse aumento de pressão, desse clima de terror que a gente tá vivendo todo dia. Os caras falam assim: mais um dia que eu chego aqui, mas não sei se vou durar até as três da tarde.[15]

Pistas sobre a incidência de transtornos mentais entre os trabalhadores da General Motors podem também ser obtidas por meio da listagem de trabalhadores da unidade de São José dos Campos afastados pelo Instituto Nacional do Seguro Social (INSS) em 2012[16]. Na listagem constam 33 casos de trabalhadores afastados do trabalho por mais de quinze dias com diagnósticos (CID-10) relacionados a episódios de adoecimento psíquico. Entre esses casos, dezoito estão vinculados aos chamados "transtornos de humor" (CID-10 com intervalo F31.4 a F33.3), condição relacionada à incidência de depressão e da qual participa a maioria dos casos com nexo laboral reconhecidos pelo INSS.

A quantidade de afastamentos do trabalho superior a quinze dias, em função de adoecimento psíquico, se considerados os 1.119 ocorridos em 2012, é pequena. Os 33 casos equivalem a 2,95% do total de afastamentos do período. Apesar disso, algumas questões, quando consideradas, sugerem a relevância do dado. A

---

14 Idem.
15 Entrevista realizada em 21/07/2013, em Caraguatatuba (SP).
16 Conforme Inquérito Civil n. 000.385.2008.15.002/0-41, v. 6, p. 1.499-1.554 e p. 1.569-1.600.

primeira delas diz respeito à presença na lista de cinco trabalhadores afastados em função de adoecimento psíquico reconhecido pelo INSS como relacionado ao trabalho. Desses cinco trabalhadores, um compareceu em 2012 no sindicato, em São José dos Campos, e solicitou abertura de CAT. No campo de descrição da situação geradora do adoecimento, há clara menção à pressão da chefia.

> **Campo 43** – Trabalha na empresa desde 1996. Há cerca de dois meses abaixou o volume de produção e aumentou a quantidade de operações por trabalhador, este registro foi realizado pela Cipa [Comissão Interna de Prevenção de Acidentes]. O trabalhador em questão aumentou o número de operações e [foi] obrigado a mudar de turno. Durante sua jornada de trabalho foi "convidado" a aderir ao plano de demissão voluntária e hoje sofre a pressão pelo fechamento do setor que gerará demissões. Apresenta perda auditiva severa no ouvido esquerdo. (CAT 2012.327.847-3/01)

A segunda questão a ser considerada é que, mesmo entre aqueles trabalhadores que foram afastados por auxílio-doença (B31)[17], o que descaracterizaria, em um primeiro momento, o vínculo do adoecimento com a atividade laboral, cinco deles estiveram no sindicato entre 2011 e 2012 para solicitar abertura de CAT por doença relacionada ao trabalho. Conforme se pode observar a partir das descrições sobre os *agentes causadores* (campo 42) e *situações geradoras* (campo 43) presentes nesses documentos, entre as cinco CATs solicitadas por esses trabalhadores, três fazem referência direta ao sofrimento psíquico causado por situações de pressão e/ou assédio moral no local de trabalho:

> **Campo 42** – Depressão, ritmo acelerado.
> **Campo 43** – Trabalha na empresa desde 2007. Já trabalhou na injetora de plástico onde começou a sofrer assédio moral, tendo um ritmo acelerado de produção imposta por seus supervisores. Teve vigilância constante em sua jornada de trabalho. Apresenta episódio depressivo grave com sintomas psicóticos. (CAT 2012.453.788-0/01)
>
> **Campo 42** – Estresse, pressão da chefia, depressão e ansiedade.
> **Campo 43** – Trabalha na empresa desde 2007 na função de operador de suporte, reporta que trabalha sob pressão de chefia e dos colegas, está em tratamento psiquiátrico, faz uso de medicamentos, começou o problema na área de S10, discussão com o chefe. (CAT 2011.239.234-2/01)
>
> **Campo 42** – Ritmo acelerado, acúmulo de trabalho, pressão da chefia.
> **Campo 43** – Trabalha na empresa desde 1995 na função de montadora de autos. Reporta que, no dia 23/01/2012, chegando no posto de trabalho, já estava agitada

[17] O Benefício 31 é utilizado para afastamentos reconhecidos como não originados pela atividade laboral.

e sem condições de concentração na operação a ser executada. Foi encaminhada ao depto. médico, onde a dispensaram. Passou por médico especialista, onde foi internada na Clínica Instituto Chuí de Psiquiatria, segue afastada para tratamento com psiquiatra e psicólogos, fazendo uso de medicamentos. (CAT 2012.066.612-0/01)

Os outros dois trabalhadores da lista do INSS que solicitaram abertura de CAT no sindicato apresentaram queixas relacionadas a lesões osteomusculares, fato que não exclui a possibilidade de o processo depressivo estar relacionado à doença laboral, uma vez que essas enfermidades, conforme observado por diversas pesquisas, "podem evoluir intimamente imbricadas a sintomas depressivos" (Seligmann--Silva, 2007, p. 80).

Essa é, por exemplo, a situação descrita no laudo pericial[18] de um dos trabalhadores da GM de São José dos Campos, contratado em julho de 2004 e afastado do trabalho pela previdência por treze vezes, entre julho de 2007 e outubro de 2011. Todos os afastamentos do trabalhador pelo INSS resultaram no recebimento de auxílio-doença (B31), portanto sem reconhecimento do vínculo acidentário da enfermidade. Esses afastamentos, que tiveram início no terceiro ano de trabalho do operário na GM, foram motivados, conforme o laudo, por lesões nos ombros, no pé e em razão de um edema ósseo no tornozelo. Sobre a doença psiquiátrica, um trecho reproduzido do laudo do trabalhador é elucidativo das condições de saúde de parte dos operários da referida corporação.

Não sabe a data de início da doença. Usou medicamentos para a dor sem melhora do quadro, passando a usar antidepressivo, sendo encaminhado ao psiquiatra e ao psicólogo, tratou durante um tempo mas acabou somente com os medicamentos. Por conta disso, usa Lírica [Lyrica] 150 mg e Alprazolam 4 mg, Rohydorm 2 mg, Citalopram 30 mg, Omeprazol 40 mg. Atualmente tem dificuldade para concentrar, dificuldade para abrir refrigerantes com tampas de rosca, não aguenta pegar peso, não consegue realizar movimento repetitivo como escrever, não consegue ficar muito tempo em pé, não consegue andar longas distâncias, não dirige carros há 2,5 anos, não recebe benefício do INSS, não fuma, não bebe, nega uso de drogas ilícitas, nega acidente de carro/moto, perfeccionista, internado por 25 dias devido à depressão no Chuí, casado, 1 filho. (Laudo Pericial, p. 10)

Ainda no que diz respeito à relação direta entre adoecimento físico e mental relacionados ao trabalho, cabe, diante da dificuldade encontrada por esses trabalhadores em comprovar junto aos órgãos públicos a responsabilidade da empresa sobre suas enfermidades, questionar a precisão da tipificação dos benefícios, a maioria do tipo 31 (auxílios-doença), concedidos aos operários da GM.

[18] Conforme página 10 do Laudo Técnico Pericial que compõe o processo n. 0001818-24.2011.5.15, Justiça do Trabalho/2ª Vara do Trabalho de São José dos Campos.

Em relação a esses casos, deve-se ainda considerar a incorporação da incidência de manifestações de adoecimento psíquico na ocasião da atualização do Nexo Técnico Epidemiológico Previdenciário (NTEP), proposta por Oliveira (2010)[19]. Na referida atualização, o autor apresenta o grau de prevalência de diagnósticos com intervalos de CID-10 F10-F19, F20-F29, F30-39, F40-F48, entre outros, em corporações do setor automobilístico[20].

## Gestão fundada no assédio

Apesar de se constituir em prática que antecede as mudanças ocorridas, desde a década de 1980, no mundo do trabalho, o assédio moral tem sido identificado, por diferentes pesquisas, como estratégia corrente e voltada a impulsionar altos índices de desempenho e produtividade. Essas mudanças, por sua vez, nem sempre perceptíveis entre os trabalhadores, tendem a criar um ambiente estruturado baseado em exigências que vão além da capacidade física e mental humana de suportá-las.

A viabilidade dessas práticas nos locais de trabalho insere-se no contexto de disseminação do que Alves (2011) sintetizou como "valores-fetiche". Forjados por meio de uma "tempestade ideológica de valores, expectativas e utopias do mercado", os valores-fetiche estariam, conforme o autor, na base da formação de um novo "homem produtivo do capital", cujas habilidades e visão de mundo se encontram adequadas às necessidades da acumulação flexível. Em sua forma destituída de historicidade, os valores-fetiche auxiliam na tessitura de uma visão de mundo fundada na "inevitabilidade das mudanças em curso" (Alves, 2011, p. 91).

Essa percepção construída sobre tal inevitabilidade e, consequentemente, sobre os contratempos do "mundo exterior" ao local de trabalho, busca reforçar a ideia, muitas vezes explicitada por meio de informativos, cursos, palestras, reuniões, "segundo a qual fazer parte do jogo é em si uma recompensa" (Gaulejac, 2007, p. 215). A eficiência desse processo, mesmo que contingencial, é obtida por meio do que Linhart (2000) denominou *individualização*. Conforme a autora, "é justamente o assalariado, enquanto indivíduo e pessoa, que se torna interlocutor, o ator principal da empresa, é ele que se encontra em estado de negociação quase permanente de seu destino no interior das organizações" (Linhart, 2000, p. 29).

Partindo de uma perspectiva construída com base na psicodinâmica do trabalho, Dejours (2007) chega a considerações que se aproximam em vários pontos daquelas propostas por Alves (2011) e Linhart (2000; 2007). Para o autor, a reedição do liberalismo econômico nos tempos atuais veio acompanhada de transformações qualitativas que transitam entre os diferentes espaços da vida social. Essas mudanças, com expressão particularizada nos ambientes de trabalho, entre outras manifestações, podem ser notadas pela "atenuação das reações de indignação, de

[19] Ver Acórdão do Processo 00384-2007-013-15-00-0, da 1ª Vara do Trabalho de São José dos Campos.
[20] Código Nacional de Atividades Econômicas (CNAE) 2910.

cólera e de mobilização coletiva para a ação em prol da solidariedade e da justiça" (Dejours, 2007, p. 23). São também acompanhadas pelo desenvolvimento de "reações de reserva, de hesitação e de perplexidade, inclusive de franca indiferença, bem como de tolerância coletiva à injustiça e ao sofrimento alheio" (Dejours, 2007, p. 23). Nos ambientes de trabalho marcados por precarização e neutralização da capacidade de reação coletiva, prevalecem as estratégias individuais defensivas fundadas no "silêncio", na "cegueira" e na "surdez" (Dejours, 2007, p. 51).

O ambiente propício à adoção do assédio como instrumento de gestão do trabalho é, nesse sentido, aquele tecido com base na crescente individualização do trabalhador, sendo esta, entre outros instrumentos, constantemente reforçada pelo discurso meritocrático (Linhart, 2000, 2007; Gaulejac, 2007, Sennet, 2006b).

> A força desse sistema de poder [a meritocracia] é evidente. Ele se apresenta como justo e não arbitrário, pois não é a organização que, definitivamente, se torna responsável pelo lugar atribuído a cada um, mas o "mérito" de cada um que é considerado como determinante no lugar ocupado. [...] O contexto suscita uma pressão contínua, um sentimento de jamais fazer o suficiente, uma angústia de não estar à altura daquilo que a empresa exige (Gaulejac, 2007, p. 216).

O assédio é, conforme destaca Soares (2013), viabilizado e facilitado por essa falta de coesão do grupo. O isolamento e o individualismo o favorecem. A fragmentação imposta no interior da empresa facilita no sentido de que não somente um trabalhador especificamente sofra diretamente o assédio, mas que o conjunto dos trabalhadores seja atingido.

"Todo assédio moral é", segundo Barreto (2013, p. 18), "uma prática tanto institucionalizada, como organizacional". O assédio moral "funciona pedagogicamente para modelar o coletivo ao silêncio, à sujeição e à submissão" (Barreto, 2013, p. 16). O assédio, na definição da autora, constitui-se em violência moral.

Apesar de estar de acordo com o observado por diferentes pesquisas, esse posicionamento defendido por Barreto não é consensual. Há entre os pesquisadores do tema perspectivas que definem o assédio como uma prática "decorrente de um desvio no exercício do poder nas relações de trabalho" (Silva; Oliveira; Souza, 2011, p. 59). Entendido nesse marco, o assédio passa a ser considerado uma espécie de disfunção, algo que ocorre para além das diretrizes instituídas pela empresa ou, ainda, uma prática que foge de seu controle. A perspectiva que considera o assédio um desvio tende a descontextualizar essa prática da ordem social que move o local de trabalho, direcionando a responsabilidade para agentes específicos.

Partindo de perspectiva distinta, Barreto (2013, p. 18) assinala que, em um ambiente no qual essas práticas se reproduzem, "todos estão expostos", já que, mesmo que voltado a um trabalhador específico, o assédio repercute sobre o coletivo. Práticas dessa natureza, portanto, apesar de assumidas, muitas vezes, por agente desencadeador particular, compõem o conjunto de diretrizes que ordenam e dão efetividade ao trabalho coletivo e aos resultados esperados pela empresa de forma a garantir tanto a ampliação constante da produtividade como o isolamento e a exclusão daqueles que constituem "barreiras" para sua plena realização (Barreto, 2013; Barreto, Heloani, 2013; Gaulejac, 2007).

O assédio moral é constituído, de acordo com Barreto (2013), por "atos de violência repetidos e sistemáticos" que "desestabilizam emocionalmente, rompem o equilíbrio profissional e comprometem o rendimento no coletivo, forçando a exclusão do assediado". Deve ainda ser considerado, conforme a autora, como um risco que, apesar de "não visível, não mensurável, não quantificável", é "concreto e objetivo em suas consequências e violações à saúde, à dignidade, à honra, à imagem, à personalidade" (Barreto, 2013, p. 16-7).

## Os trabalhadores da GM e suas histórias

A pesquisa que dá origem a este capítulo teve também acesso a muitas histórias com características de assédio moral. Todas apontam para um foco: os trabalhadores que desenvolveram lesões no corpo, na maioria dos casos caracterizadas como LER/Dort, após terem iniciado suas atividades profissionais na General Motors.

O assédio moral é também recorrente entre os depoimentos prestados por trabalhadores da GM ao Ministério Público do Trabalho (MPT) em São Bernardo do Campo[21], em referência a situações vivenciadas na unidade da automobilística em São Caetano do Sul. A pesquisa contou com a entrevista de dois trabalhadores e teve acesso aos seus depoimentos por meio de cópias entregues pelos próprios operários[22].

A questão do assédio moral foi também abordada pelo vigésimo item do Termo de Ajuste de Conduta (TAC) proposto pelo Ministério Público do Trabalho à General Motors, a ser implantado na unidade da corporação instalada em São José dos Campos. Conforme proposto pelo TAC, e reproduzido na contestação da empresa, a GM deveria:

> Abster-se de praticar assédio moral (e permitir que o façam) contra seus funcionários e prestadores de serviços, ESPECIALMENTE EM RELAÇÃO AOS TRABALHADORES "SEQUELADOS", afetando sua honra, moral, dignidade e saúde, em

---

21 Termo de Depoimento que compõe o IC n. 000266.2011.02.001/0, MPT/Procuradoria Regional do Trabalho da 2ª Região/São Bernardo do Campo (SP).

22 Esses operários relataram que integram um grupo de trabalhadores da planta da GM de São Caetano do Sul que, desde março de 2013, começou a organizar uma ONG denominada Movimento do Trabalhador com Doença Ocupacional (MTDO). Desde a reunião que marcou a fundação, com presença de cerca de oitenta trabalhadores, já haviam sido realizadas, na ocasião da entrevista, outras duas reuniões. Tais encontros reforçam a tese, negada pela corporação, sobre a presença de um número grande de trabalhadores com doenças com nexo laboral em suas plantas produtivas.

violação ao disposto nos artigos 1º, inciso III e 5º caput e inciso X, da Constituição Federal, assim entendida toda e qualquer conduta que caracterize comportamento abusivo, frequente e intencional, através de atitudes, gestos, palavras, gritos ou escritos, que possam ferir a integridade física ou psíquica de uma pessoa, vindo a pôr em risco o seu [funcionário]: 1) dar instruções confusas e imprecisas ao trabalhador; 2) bloquear o andamento do trabalho alheio; 3) atribuir erros imaginários ao trabalhador; 4) pedir, sem necessidade, trabalhos urgentes ou sobrecarregar o trabalhador com tarefas; 5) ignorar a presença do trabalhador na frente dos outros e não cumprimentá-lo ou não lhe dirigir a palavra; 6) fazer críticas ao trabalhador em público e de forma a humilhá-lo ou fazer brincadeiras de mau gosto; 7) impor ao trabalhador horários injustificados; 8) fazer circular boatos maldosos e calúnias sobre o trabalhador ou insinuar que ele tem problemas mentais ou familiares; 9) proibir os colegas de trabalho de falar/almoçar com o trabalhador, forçar sua demissão ou transferi-lo do setor para isolá-lo; 10) pedir ao trabalhador a execução de tarefas sem relevância para o desenvolvimento da atividade empresarial ou não lhe atribuir tarefas; 11) retirar os instrumentos de trabalho do empregado, de modo a inviabilizar a execução das tarefas a ele dedicadas (telefone, fax, computador, mesa, entre outros); etc.[23]

Em resposta à indicação do MPT, a General Motors contestou o conjunto das recomendações do TAC. Especificamente sobre a temática do assédio, sua argumentação pautou-se pela negação de qualquer prática dessa natureza em suas dependências, afirmando inclusive não ter "chegado ao seu conhecimento que qualquer empregado ou preposto tenha agido de forma a atingir a honra ou a moral de qualquer trabalhador, não havendo, por este motivo, qualquer razão para se firmar Termo de Ajuste de Conduta com tal previsão" (IC n. 000.385.2008.15.002/0-41, v. 6, p. 1.478).

Acontece, entretanto, que as evidências apontam para outro caminho. Em primeiro lugar, é relevante observar o destaque dado pelo MPT ao assédio praticado a trabalhadores "lesionados". Todas as denúncias de assédio a que a pesquisa teve acesso estão relacionadas a esses trabalhadores. A título de exemplificação, a seguir são reproduzidos depoimentos de trabalhadores que relatam seis situações distintas às quais eles direta ou indiretamente foram submetidos, todas passíveis de serem caracterizadas como assédio moral.

**Situação 1 – GM/São José dos Campos**

Eles me deixaram uma semana, a semana inteira, dentro da enfermaria. [O médico] falou assim para mim: "O senhor vai ficar das seis da manhã até a hora do almoço aqui. Depois do almoço, o senhor volta para cá e fica até as três e cinco aqui, sentado". Aí eu peguei e falei: "O que que eu vou ficar fazendo aí?". "O senhor vai ficar aí." Fiquei. Tanto é que todo mundo que chegava lá falava assim: "Você tá

[23] IC n. 000.385.2008.15.002/0-41, MPT/Procuradoria Regional do Trabalho da 15ª Região/São José dos Campos (SP), p. 1.479.

trabalhando na enfermaria? [...] Eu tentava conversar com ele [o médico] e ele sempre saía fora. Aí chegou na sexta-feira e eu não aguentava mais. Na sexta-feira eu cheguei lá e disse: "Eu não vou ficar aqui". Ele disse: "O senhor tem que ficar aqui". "Eu vou lá na minha seção." [...] Quando eu cheguei [na seção] o [supervisor] estava esperando eu. "Você não pode, isso é o médico que autorizou deixar o senhor lá. O senhor tem que ficar lá". (Trabalhador 3/SJC)

Segundo o trabalhador, além de ficar sentado o dia inteiro sem desenvolver nenhuma atividade, os funcionários da enfermaria controlavam seu horário de chegada e saída do setor. É relevante observar nesse caso como há uma relação de cumplicidade entre a ação determinada pelo médico, conforme aparece no relato do operário, e a do supervisor responsável por sua área de origem. No relato fica evidenciada também a tentativa de submeter o trabalhador ao ostracismo e isolamento. Nada no relato do operário pode indicar que a situação a ele imposta tenha qualquer relação com a função da medicina do trabalho dentro de uma empresa.

**Situação 2 – GM /São José dos Campos**

Era um setor dentro da fundição [...]. Lá tinha um supervisor. Nesse setor, devido ao ritmo acelerado de trabalho e o tipo de trabalho, gerou uma série de lesionados. Com o fim da produção, o pessoal foi sendo transferido e esse grupo com cinco pessoas passou a ser maior que o [grupo] de não lesionados. Tinha três ou quatro que não eram lesionados e o restante era lesionado. Um dia o [o supervisor] pegou esses cinco trabalhadores e trancou eles numa sala, um escritório, apagou a luz, foi lá e desligou a chave geral e trancou a porta por fora para que esses lesionados não saíssem, como se fosse um castigo. Deixou eles lá por três ou quatro horas trancados na sala. Nesse período que o pessoal ficou trancado, ele preparou um painel com uma nota que tinha saído na Avape [Associação para Valorização de Pessoas com Deficiência], que a Avape estava contratando deficiente. Ele pegou essa matéria, ampliou a matéria e fez um painel, tipo um quadro. Na saída desses lesionados que estavam trancados na sala, eles saíram e se depararam com essa frase aí. (Eduardo Oliveira Silva Carneiro/SJC – 24/07/2013)

Sobre esse caso, Eduardo, diretor do Sindicato dos Metalúrgicos de São José dos Campos, relatou ainda que esses trabalhadores procuraram os representantes sindicais para denunciar o ocorrido, mas somente um dos cinco trabalhadores teve coragem de levar adiante a denúncia. Conforme Eduardo, no momento em que o trabalhador, acompanhado da representação sindical, foi realizar a denúncia junto à gerência da fábrica, ele chorava muito. Sentia-se humilhado. Com o supervisor nada aconteceu.

**Situação 3 – GM/São Caetano do Sul**

[...] sofreu diversas perseguições pelo fato de ser "restrito", tais como controle exagerado das idas ao banheiro ou constante fiscalização da sua permanência no posto de trabalho; [afirma] que a investigada cria tarefas ou funções desnecessárias para os empregados "restritos" apenas com o propósito de expor ao ridículo ou discriminar; que várias vezes foi chamado de "vagabundo" por outros colegas de trabalho que presenciavam o depoente executando funções desnecessárias; que em certa ocasião o depoente foi obrigado a permanecer colocando parafusos que seriam soldados na carroceria, sendo que tal atividade é normalmente realizada pelo operador da máquina, sendo desnecessário o auxílio de ajudante. (Trabalhador 5/SCS)[24]

A citação acima é parte do depoimento prestado pelo operário ao MPT[25]. As situações relatadas foram vivenciadas pelo próprio trabalhador na planta da GM de São Caetano do Sul. Em seu depoimento, há menção a mais dois colegas de trabalho, também "restritos"[26], que "foram transferidos do turno noturno para o diurno, passando a trabalhar sentados na linha de produção sem fazer nada". Conforme o depoimento do trabalhador, esses operários também foram vítimas de chacotas e humilhações.

**Situação 4 – GM/São Caetano do Sul**
Tinha mais ou menos uns três meses que havia passado por uma avaliação de desempenho e a minha supervisão deu um "ok". "Independente da sua limitação, o que você está fazendo na área hoje para mim tá excelente." Foi essa a avaliação dela. E aí, três meses depois o [superintendente] manda me chamar na sala dele e diz: "A partir de amanhã você vai trabalhar aqui embaixo". Só que o "aqui embaixo" era de frente com a sala dele, literalmente na frente da sala dele. E aí, ele falou o seguinte: "Se você precisar ir no banheiro, eu quero que você deixe um bilhete aqui com o horário que você saiu e o horário que você voltou. Eu procuro ser bem controlado em certas situações porque eu sei que eles fazem esse tipo de coisinha para querer desestabilizar nosso emocional, para a gente dar motivo para eles te mandar embora. Minha atitude na época foi procurar o sindicato, a CTB [Central dos Trabalhadores e Trabalhadoras do Brasil]. Eu peguei dois representantes sindicais, a gente foi na sala dele e eu falei para ele que eu ia entrar com uma ação contra a empresa, que ia denunciar ele, porque aquilo era uma prática ilegal, perseguição, assédio moral. E a partir daí eu comecei a não sentir vontade de trabalhar mais. Eu chorava. Eu não dormia à noite. Eu acordava várias vezes à noite pensando: eu vou ter que ir para lá daqui a pouco e o que vai ser de mim? O que vai acontecer hoje? (Trabalhador 2/SCS)[27]

A presença de práticas de assédio moral em ambientes com incidência de LER/Dort, conforme destacou Seligmann-Silva, foi observada por diferentes pesquisas. A persistência dessas práticas constitui-se, conforme a autora, "em

[24] A cópia do depoimento foi entregue pelo autor, pessoalmente, à pesquisadora em 22/2/2014. A não divulgação do nome do autor busca preservá-lo.
[25] O depoimento do Trabalhador 5/SCS é parte das peças que compõem o IC 000165.2013.02.001/1, MPT/Procuradoria Regional do Trabalho da 2ª Região/São Bernardo do Campo (SP).
[26] Essa é uma expressão utilizada pela empresa para referir-se aos trabalhadores com lesões.
[27] Conforme entrevista realizada em 18/9/2013, em São Caetano do Sul (SP).

mediação importante na origem e/ou desencadeamento de quadros depressivos e outros transtornos psíquicos" (Seligmann-Silva, 2004, p. 10), situação que é possível observar no depoimento desse operário de São Caetano do Sul, assim como em outros reproduzidos neste capítulo.

> **Situação 5 – GM/São José dos Campos**
> A CIPA entende que o trabalhador que tenha uma doença ocupacional obtida dentro da empresa necessita de afastamentos para cuidar da lesão e da sua saúde. A empresa e a liderança da área da oficina de empilhadeira estão usando o processo de medição para intimidar e expor o funcionário ao ridículo, dizendo que os times que estão em vermelho não alcançaram os seus objetivos por causa dos afastamentos, colocando suas fotos com pontos vermelhos para exposição de todos, e constrangimento dos trabalhadores que estão envolvidos. [...] Além disso, usa de apresentações para outras áreas os mesmos quadros, enfatizando os funcionários em vermelho. (Relatório da CIPA/SJC)

Esse relato faz menção aos quadros de avaliação dos times de trabalho. Trata-se de uma situação ocorrida na planta de São José dos Campos em 21 de maio de 2013, na oficina de empilhadeira, setor de manutenção central, registrada por dois trabalhadores integrantes da CIPA[28]. Já o relato a seguir, conforme se pode observar, trata de situação similar: o uso do quadro de avaliações dos times como instrumento de pressão sobre os trabalhadores lesionados e o papel das chefias nessa prática.

> **Situação 6 – GM/São Caetano do Sul**
> Nós temos muita falta. Tem que passar em médico e às vezes ficamos muito ausentes. E essas ausências mexem com a cabeça de algumas pessoas do quadro, do time da gente. Ele fala que você não tá colaborando, que a gente não tem a colaboração cem por cento como eles dão. Que a gente não merecia receber a mesma quantidade [de participação nos resultados], porque a gente tá mais tempo ausente. Eles dizem que estão trabalhando mais. Porque a gente tem problema já, tem sequela, e muitas vezes não conseguimos passar o mês inteiro na fábrica. [...] Tem um comentário maldoso às vezes, também da chefia às vezes, porque você deixa o quadro [de avaliação] vermelho. Essa falta, esse absenteísmo, que eles falam, deixa o quadro vermelho. (Trabalhador 4/SCS)

Apesar de próximas, as situações 5 e 6 tratam de ocorrências em duas plantas diferentes da General Motors, desencadeadas em setores distintos, envolvendo chefias diferentes. Tal fato tende a pôr em xeque o argumento da GM, por meio de sua representação jurídica, sobre desconhecer "que qualquer empregado ou preposto tenha agido de forma a atingir a honra ou a moral de qualquer

[28] O documento integra o IC n. 000.385.2008.15.002/0-41, v. 6, p. 1.441.

trabalhador"[29]. Em contrapartida, reforça a tese de que a política de assédio moral a trabalhadores com lesões é, como define Barreto, "uma prática tanto institucionalizada, como organizacional" (Barreto, 2013, p. 18).

As situações descritas sugerem a conformação de um quadro no qual a exposição sistemática desses trabalhadores a formas de controle arbitrárias e à humilhação ordena-se de maneira a desencadear um processo de desestabilização psíquica tal que os obrigue a "jogar a toalha" e pedir demissão.

## Estratégias individuais de defesa

A desarticulação da coletividade tem impedido que a classe trabalhadora consiga impor limites à exploração e ao conjunto de mecanismos de opressão aos quais se encontra submetida e que ameaçam sua existência não somente como força de trabalho mas como seres humanos.

Nesse contexto de fragilização das práticas solidárias, alguns trabalhadores tendem a construir, como forma de minimizar o sofrimento, *estratégias individuais de defesa*. Essas estratégias, no entanto, "necessárias à proteção da saúde mental contra os efeitos deletérios do sofrimento, [...] podem também funcionar como uma armadilha que insensibiliza contra aquilo que faz sofrer" (Dejours, 2007, p. 36). As estratégias individuais de defesa, por emergirem do contexto da fragilização dos laços coletivos, são também assim denominadas por estarem "voltadas basicamente para evitar ou tornar suportável o sofrimento", apesar de, em geral, não propiciarem transformações (Seligmann-Silva, 2011, p. 368).

Ainda que esse tipo de estratégia individual também seja objeto de estudo da psicanálise, a abordagem aqui apresentada se limitará à sua identificação como expressão das relações constituídas sob o capitalismo e acentuadas em função das formas de gestão do trabalho pautadas pelos pressupostos da acumulação flexível. Os exemplos a seguir buscam ilustrar essas situações.

Durante as entrevistas com os trabalhadores da General Motors, duas situações chamaram a nossa atenção, ambas identificadas na planta da GM de São José dos Campos. A primeira diz respeito a um trabalhador[30] que desenvolveu, conforme seu relato, lesões nos dois ombros, tendinite nos dois cotovelos e síndrome do túnel do carpo[31] na mão direita.

---

[29] IC n. 000.385.2008.15.002/0-41, v. 6, p. 1.478.

[30] Trabalhador 5/SJC. Entrevista realizada em 22/11/2013, em São José dos Campos.

[31] Conforme o Ministério da Saúde do Brasil, a síndrome do túnel do carpo é "caracterizada pela compressão do nervo mediano em sua passagem pelo canal ou túnel do carpo. Está associada a tarefas que exigem alta força e/ou alta repetitividade, observando-se que a associação de repetitividade com frio aumenta o risco. As exposições ocupacionais consideradas mais envolvidas com o surgimento do quadro incluem flexão e extensão de punho repetidas, principalmente se associadas com força, compressão mecânica da palma das mãos, uso de força na base das mãos e vibrações" (Brasil, 2001, p. 217).

A entrevista, como nos outros casos, abordou a organização e o ambiente de trabalho na GM. Com o avançar da conversa, esse trabalhador foi questionado, da mesma forma que os outros anteriormente entrevistados, sobre o processo de avaliação de desempenho. Ele contou que costumava ser bem avaliado. Disse que o fato de estar lesionado não o tornava "aleijado" e que não podia "se esconder atrás da lesão". Em seguida, afirmou que já havia realizado quatro cirurgias e que teria que fazer outras.

Diante das informações dadas sobre seu estado de saúde, foi-lhe perguntado se sentia dor ao trabalhar, uma vez que essa é uma das características das enfermidades de natureza osteomuscular. Perguntou-se também se ele conseguia manter o ritmo de produção dos demais trabalhadores, apesar de ter desenvolvido tantas lesões.

A resposta veio em seguida. O trabalhador tinha desenvolvido um mecanismo particular para enfrentar o sofrimento ao qual outros trabalhadores adoecidos vinham sendo submetidos. "Tomo Tramal 37,5 mg[32] três vezes por dia", disse, "além da injeção para dor que, quando estou trabalhando, tenho que tomar uma por mês. [...] É o único remédio que consegue aliviar a dor. [...] Você fica anestesiado".

Anestesiava-se à base de remédios fortes e assim, ao longo da jornada, conseguia trabalhar com seus colegas não lesionados. É claro que, conforme o próprio trabalhador admitiu durante a entrevista, sua estratégia de defesa estava piorando a cada dia sua condição de saúde. Ele tinha consciência disso. Afirmou sentir-se "como se fosse um robô" que, segundo explicou, "trabalha, trabalha e, a partir do momento que você não precisa mais dele, você o descarta, joga fora e encosta no canto; é assim que o lesionado sente", resumiu. "Nós somos simplesmente peça de reposição", acrescentou.

Comportamentos próximos ao desenvolvido pelo trabalhador entrevistado durante a pesquisa têm sido relatados por outras investigações. São comuns, inclusive na General Motors, como indicaram os dirigentes sindicais e cipeiros entrevistados, casos de trabalhadores que, por medo de serem perseguidos e/ou demitidos, escondem durante o máximo de tempo possível os sintomas que indicam o desenvolvimento de LER/Dort.

Esse tipo de comportamento vem sendo denominado pelos pesquisadores de *presenteísmo*. "O indivíduo vai aguentando, continua a trabalhar, a produzir, ainda que menos, e só quando realmente não suporta mais é que vai para o benefício social. Em geral, o enquadramento é por auxílio-doença e, quando a pessoa retorna ao trabalho, é demitida" (Seligmann-Silva, 2013, p. 53). O *presenteísmo* pode manifestar-se como resultado de pressões para o aumento da produtividade, excesso de trabalho e assédio moral, entre outras variáveis. Esse comportamento, que

[32] Tramal 37,5 mg é indicado, conforme bula, para "dores moderadas a severas de caráter agudo, subagudo e crônico".

pode ser considerado um mecanismo de defesa, tende a agravar ainda mais a condição de saúde física e mental do trabalhador.

A segunda situação envolve um operário que desenvolveu, conforme seu relato, lesões nos dois ombros e na coluna lombar. Na ocasião da entrevista, contou que, quando voltou de um dos afastamentos para tratamento médico, enfrentou dificuldades para ser inserido em uma atividade compatível com sua condição de saúde. Em razão dos problemas na coluna, desenvolveu medo de ser ridicularizado pelos colegas de trabalho. Assim, passou a impor a si mesmo limites a seu deslocamento dentro da fábrica. Sua maior preocupação estava voltada para o horário de almoço, quando a concentração de trabalhadores no restaurante era grande. Conforme relatou,

> eles não queriam arrumar lugar para mim. Aí até que uma vez chegaram para mim e falaram assim: "Vamos colocar você no almoxarifado". Só que o almoxarifado tinha coisas que não dava para eu fazer. Parece incrível, né? A gente que tem problema sabe. Se eu abaixasse muito, eu travava. Eu travei duas vezes dentro da empresa e fui mandado para o Vale [clínica]. Duas vezes eu travei lá dentro. Eu não almoçava dentro da empresa de tanto medo que eu tinha de travar no meio do caminho ou travar no restaurante. Eu não almoçava. Eu travei no meio do caminho uma vez, indo almoçar. [...] Chegou um momento que eu não queria almoçar. Eu tinha medo de travar e todo mundo olhar e começar a gritar "Olha aí o lesionado! Olha aí o braço curto! Não serve para nada mesmo!". Eu ficava preocupado com aquilo. (Trabalhador 3/SJC)

Em ambos os casos, as estratégias de defesa utilizadas não foram capazes de livrar esses trabalhadores da violência física e mental à qual todos, mesmo não percebendo, têm sido submetidos cotidianamente no chão de fábrica.

Chama a atenção a afirmação de um dos trabalhadores de que, ao mesmo tempo que afirma sentir-se reduzido a "um robô", objeto "descartável", expressão trágica da condição de existência estranhada à qual se encontram submetidos homens e mulheres sob o sistema do capital, confronta sua redução à condição de mercadoria descartável reafirmando sua condição humana. "A gente não é máquina; um corpo de um ser humano não é igual ao do outro", declarou.

As estratégias individuais de defesa são manifestações contraditórias da subjetividade que emergem desses locais de trabalho. São resultado do confronto levado ao extremo entre o discurso gerencial humanizador e o trabalho na sua efetividade cotidiana. Em grande medida, como puderam identificar as entrevistas, a esses trabalhadores restam poucas ilusões sobre o verdadeiro sentido da reestruturação produtiva e de seu arcabouço gerencial.

Apesar disso, involuntariamente, essas ações, restritas ao campo individual, tanto tendem a reforçar a ocultação da doença e seu enraizamento na crise estrutural do sistema do capital quanto acabam por fortalecer a ideologia da culpabilização do próprio trabalhador pelos "infortúnios" da vida. As ações individuais são um refúgio solitário. Nele, esses trabalhadores buscam apoio para sobreviver em um ambiente cujos laços de solidariedade foram rompidos, onde o individualismo e o impulso para a produtividade permitem que operários tratem seus colegas adoecidos como "vagabundos", "braços curtos", entre outras expressões relatadas pelos entrevistados durante a pesquisa.

## Conclusão

Os processos de adoecimento com nexo laboral, como indicado anteriormente, não são novidade no mundo capitalista. Em parte, o que há de novo é que a articulação entre velhas e novas manifestações de adoecimento com nexo laboral, acompanhadas do aumento de casos, ocorra justamente no contexto de estruturação de um discurso que passou a sustentar-se na ideia do alvorecer de novos e melhores tempos para o mundo do trabalho.

Ao longo das décadas de 1980 e 1990, muito se falou sobre a possibilidade efetiva de uma sociedade do tempo livre e suas potencialidades. Conforme essa perspectiva, tanto a degradação presente no interior das fábricas do século XIX como a embrutecedora separação entre o pensar e o executar, marcantes na "era fordista", estariam, a partir das últimas décadas do século XX, fadadas ao fim. Uma inversão estaria em curso. Ela traria o progressivo controle humano sobre o processo de trabalho.

Finalmente, conforme seus defensores, a capacidade criativa humana se conciliaria com o trabalho, seja aquele desenvolvido por trabalhadores especializados, seja aquele executado no chamado chão de fábrica. Uma potente onda de inovações, ancorada na microeletrônica e no desenvolvimento da tecnologia digital, estaria na base dessas mudanças significativas. Estas, por sua vez, tendiam a repercutir positivamente na vida social como um todo.

Essas teses, no entanto, logo entraram em confronto com a realidade. Muitos logo perceberam que algo estava fora do lugar. O discurso não encontrava abrigo na vida real, já que os distintos espaços onde se desenvolve o trabalho[33], cada um com suas particularidades, longe de abeirarem-se da promessa de sociedade do trabalho criativo e do tempo livre, passaram, contraditoriamente, a aproximar-se, adaptados ao seu tempo, às idealizadas "casas de trabalho", também chamadas de "casas do terror", do século XVIII, e à sua versão real, amplificada, erguida no século XIX que, conforme anotou Marx em *O capital*[34], chamava-se fábrica.

Em sua versão contemporânea, da transição do século XX para o XXI, pode-se perceber um conjunto de particularidades. Algumas tão significativas que chegam

---

[33] A considerar as diferentes formas de vínculos e relações de trabalho presentes na atualidade.

[34] Segundo seus idealizadores, as *workhouses* deveriam ser um espaço em que homens, mulheres e crianças se dedicariam pelo menos doze horas diárias ao trabalho, sem considerar pausas para refeições e tempo de deslocamento de casa para o trabalho e vice-versa (Marx, 2013).

a nublar a visão, de forma a tornar, para muitos, quase imperceptível a persistência da essência das relações que ali se desenvolvem. Mas os que habitam o ambiente aos poucos percebem os paradoxos. A exaltação à qualidade total encontra seu reflexo invertido na obsolescência rápida do que se produz. O ambiente tecnologizado, limpo, organizado e "humanizado" é o mesmo em que o controle do conjunto dos sentidos humanos e do tempo de trabalho ocorre de maneira nunca antes vivenciada. O trabalho em equipe, cooperativo, exaltado como parte do novo bem-estar instituído nos ambientes de trabalho, e tão fundamental para que os mecanismos da gestão flexível obtenham êxito, desenvolve-se, em aparente contradição, mas na verdade, articulado ao incentivo à competição, à individualização, ao isolamento, à busca permanente pelo alcance de metas e resultados, expressando o que Antunes (1999, p. 52) definiu como "participação manipuladora".

O terror ganha forma particular na persistente sensação de medo. O medo da demissão, de não corresponder ao esperado, de errar, de não dar conta das exigências constantes e crescentes, de se ver submetido constantemente às avaliações de desempenho e aos planos destinados a "enxugar" gastos (Dejours, 2008; Dejours e Bègue, 2010; Gaulejac, 2007; Linhart, 2007). A sensação também assume uma forma acentuada entre aqueles já adoecidos que, ao mesmo tempo que já não conseguem obter o desempenho antes alcançado, igualmente não conseguem vislumbrar novas formas de inserção no mundo do trabalho se demitidos. Como declarou um dos trabalhadores da General Motors entrevistado durante a pesquisa, "com medo de ser mandado embora, ele [o operário] trabalha o tempo todo com esse pavor na cabeça, que é um clima de terror. A gente vive um clima constante de terror" (Praun, 2014, p. 72).

Essas alterações vivenciadas pelo mundo do trabalho não ocorrem sem que os corpos dos trabalhadores e trabalhadoras sofram as consequências. Trata-se aqui, tal como nas antigas casas do terror, mas a partir de renovadas estratégias, de elevar-se o grau de exploração do trabalho para além dos limites suportáveis pelo corpo.

A essência das relações de trabalho engendradas pelo capitalismo, portanto, mantém-se. Diante da impossibilidade de "eliminar o *trabalho vivo* do processo de criação de valores", resta ao capital, em sua busca por reproduzir-se, "intensificar as formas de extração de sobretrabalho em tempo cada vez mais reduzido" (Antunes, 2010, p. 30).

A máxima do capitalismo, "tempo é dinheiro", assume, no contexto atual, seu sentido mais profundo. Se, por um lado, repercute na crescente obsolescência e descartabilidade das mercadorias, por outro não deixa de atingir aquela que se constitui em sua fonte fundamental de valorização: o *trabalho vivo*.

Esse talvez seja o sentido mais profundo da lógica destrutiva assumida pelo capitalismo em sua fase atual: a "exploração sem limites da força de trabalho", abreviando "seu tempo de uso" e impulsionando a constituição de um exército de trabalhadores e trabalhadoras adoecidos e alijados do uso de seu único meio de sobrevivência: sua força de trabalho (Antunes e Praun, 2015, p. 413).

# 11

# Trabalho, adoecimento e cotidiano em tempos de modelo flexível: o caso dos metalúrgicos de Campinas e região[1]

*Fagner Firmo de Souza Santos*

## Introdução

O presente capítulo tem por finalidade analisar os impactos do estabelecimento de um complexo de reestruturação produtiva sobre os(as) metalúrgicos(as) de Campinas e região. Trata-se de um dos maiores e mais modernos parques industriais do país, que assume um papel economicamente estratégico por concentrar empresas transnacionais de diversos setores, tais como o de máquinas e equipamentos, autopeças e indústrias automobilísticas que abastecem os mercados interno e externo. Também, ao longo das décadas de 1990 e 2000, passou por profundas transformações, de ordem tanto técnica e tecnológica quanto ideológica, que, combinadas, intensificaram o trabalho e buscaram envolver trabalhadoras e trabalhadores em uma lógica empresarial que passou a explorar também o componente intelectual das suas atividades, tendo em vista o comprometimento com a produção e a qualidade. O advento dessas técnicas e tecnologias correspondeu, no entanto, a uma nova etapa de adoecimento da categoria, que se caracteriza pela intangibilidade e invisibilidade e que não mais se restringe ao ambiente fabril, mas que a impacta sobremaneira também nos espaços de reprodução, de descanso, da força de trabalho. Os espaços de sociabilidade, pretensamente voltados para a recuperação das energias e o estabelecimento de vínculos sociais, têm se tornado, em virtude das características que assume o modelo flexível

---

[1] Este capítulo é fruto da tese de doutorado em sociologia intitulada *(Des)sociabilidade & fragmentação: um estudo sobre o refluxo das lutas operárias na região de Campinas nas décadas de 1990-2000*, defendida no IFCH/Unicamp, sob orientação de Ricardo Antunes.

de produção, um espaço que deixa esse(a) metalúrgico(a) ainda mais suscetível ao adoecimento do corpo e da mente.

## A ascensão do complexo de reestruturação produtiva: dissimulação e ofensiva contra as trabalhadoras e os trabalhadores

A ofensiva neoliberal na produção impactou sobremaneira os(as) metalúrgicos(as) de Campinas e região. Além dos impactos econômicos e sociais, como desemprego e rotatividade, observamos aqueles de ordem política, ideológica e organizacional. Ao longo de toda a década de 1990, a categoria diminuiu aproximadamente 40% (de 71 mil em 1989 para pouco mais de 43 mil em 1998). A rotatividade, ao atingir sobretudo os(as) trabalhadores(as) com mais tempo de fábrica, fragilizou ainda mais a ação política daqueles(as) que tinham algum acúmulo das lutas passadas. Entre os(as) trabalhadores(as) com mais de três anos de tempo de serviço, por exemplo, encontramos as maiores taxas de rotatividade ao longo da década de 1990, atingindo os maiores valores no biênio 1992-1993, com 61,2% e 63,9%, respectivamente (Araújo e Gitahy, 2003). Esse cenário de demissões e rotatividade, num período de altas taxas de desemprego, contribuiu para o distanciamento dos(as) trabalhadores(as) das ações dos movimentos operário e sindical e inibiu a participação da categoria nas lutas por melhores salários e condições de trabalho. Para tanto, foi igualmente decisiva uma nova postura gerencial das empresas que, dentro de uma lógica de redução de níveis hierárquicos da gerência, adotaram uma postura dissimulada, já que buscavam sempre aumentar a produtividade, como mostra o depoimento do dirigente sindical a seguir:

> Os caras [as empresas] entraram com uma força do cacete: de cooptação, de toda conversa da reestruturação, da empresa democrática, da empresa aberta a ouvir, o estabelecimento do café da manhã com a gerência [...] o encontro periódico semanal. Então isso favoreceu essa conduta que foi uma resposta a uma certa democratização da sociedade e eles tinham que dizer que estavam democratizando a empresa. E, é claro, ali eles ouviam as ideias, as contribuições dos trabalhadores e impuseram a reestruturação que eles queriam. Claro, com o menor gasto possível, com a menor perda possível e projetando a empresa para aumentar a produtividade e os percentuais de lucratividade. (Depoimento de Durval de Carvalho, dado a Santos, 2009)

Alguns estudos que se debruçaram sobre a reestruturação produtiva em empresas da base metalúrgica campineira corroboram esses depoimentos. Abreu et al. (2000), por exemplo, num estudo comparativo com outras duas regiões do país (Rio Grande do Sul e Rio de Janeiro), mostraram que Campinas foi a base que mais tinha avançado nas inovações institucionais, tais como programas de envolvimento e engajamento, controle de qualidade exercido por trabalhadoras e trabalhadores e funções multitarefas. Os autores concluíram ainda que o sistema *just-in-time/kanban* também tinha sido mais difundido na amostra da região de Campinas. Augusto Pinto (2011) e Lima (2004) mostraram, com estudos feitos em diferentes empresas da região, que foi sistemático o uso de aparato midiático e programas de treinamento e melhorias contínuas que buscavam envolver as trabalhadoras e os trabalhadores numa lógica de redução de custos e tempo de produção.

Previtali (1996) analisou o processo de subcontratação efetuado por uma transnacional do setor de autopeças e constatou o aumento do ritmo de trabalho tanto na empresa-cliente quanto nas subcontratadas, por meio de um rígido processo de seleção baseado em critérios de qualidade, responsável pela introdução do sistema *just-in-time* também nas pequenas e médias empresas fornecedoras. Ainda que nestas últimas a autora não tenha constatado o uso sistemático de programas de envolvimento dos(as) trabalhadores(as), ao contrário do que se dava na empresa-cliente, ela mostrou que a implantação do *just-in-time* e de programas de melhorias contínuas intensificou o ritmo de trabalho também cadeia abaixo.

Os empresários, portanto, mudaram as formas de abordagem junto à categoria, orientados por um comportamento pretensamente amigável e/ou democrático, aparentando ausência de hierarquia ou de perseguições no interior da fábrica. Ainda, eliminaram práticas e linguagem que pudessem expor o conflito, que passa a ser dissimulado. Ao mesmo tempo, o(a) trabalhador(a), temendo pelo seu emprego, opta pela colaboração com as políticas da fábrica e recusa qualquer envolvimento com o sindicato, mesmo que isso represente o abandono da luta por melhores salários, por exemplo. Sendo o sindicato um elemento que pode desencadear uma situação de conflito, uma vez que o Sindicato dos Metalúrgicos de Campinas e Região (SMCR)[2] assume uma postura mais combativa, ele(a) passa a enxergá-lo como um risco ou até mesmo um engajamento que não tem mais sentido prático. O(a) trabalhador(a), portanto, passa a se dedicar à empresa que lhe garante a reprodução como força de trabalho, ainda que isso o(a) exponha aos riscos do adoecimento laboral.

Tal é o contexto em que as empresas avançam com as instituições frutos do novo modelo de produção diante das fragilidades políticas e organizacionais dos movimentos operário e sindical, impondo novos ritmos e mecanismos de controle à força de trabalho.

## Modelo flexível e a nova etapa de adoecimento da classe trabalhadora

Os novos ritmos impostos pelas novas tecnologias e pela celularização, somados ao aperfeiçoamento dos mecanismos de controle do trabalho, logo se difundem

[2] Sobre os movimentos operário e sindical metalúrgico de Campinas e região, ver Fajardo, 2005; Previtali, 2002; Figueiredo, 2007; Possan, 1997; Santos, 2009; Souza, 2012.

para toda a cadeia de produção, dada a capacidade do novo modelo de articulação com outros que preservam formas pretéritas de gestão da força de trabalho e velhas tecnologias e que são imprescindíveis ao funcionamento do todo. Trata-se de uma "cadeia de pressão" exercida por todo o complexo criado pelo novo modelo e que envolve o(a) trabalhador(a) nos mecanismos sutis de pressão, que dissimulam as causas das novas formas de acidentes e adoecimento. No depoimento a seguir, o engenheiro de segurança do trabalho do SMCR, há anos atuando na base, expõe alguns desses mecanismos e mostra como, potencialmente, eles levam a um novo perfil de adoecimento do trabalhador metalúrgico:

> Eu acho que é o aparentemente sutil que a gente quer traduzir para uma coisa mais objetiva. Até porque a ciência jurídica é objetiva e a maioria das perícias quer evidências. É difícil [ter essa] evidência. Tem lugares que são interessantíssimos: na Honda e na Toyota, eles trabalham olhando um painel em LED, grande, que fica no alto [e mostra] quantas peças produziram. E muitas vezes eles têm isso na bancada. E hoje, inclusive, as máquinas são controladas inteligentemente, sistemas lógicos programados. O próprio encarregado, até por internet, acessa na casa dele o que está acontecendo com a máquina, por que não está produzindo. Então criam cadeias de pressão [...]. Também está embutida no PLR [participação nos lucros e resultados] [...]. Então o que eu produzir a mais eu vou jogar na minha contabilização na hora que quebrar a máquina. Aquela pressão que no passado a gente até via o capataz [fazer] hoje não é. Hoje é o negócio do ritmo, é o grupo, é esse negócio da cota, da meta. E aí vira pressão no sentido de fazer hora extra. Nas paradinhas ele fica querendo dar sugestão para melhoria. (Depoimento de Norton Martarello, engenheiro de segurança do sindicato, colhido em março de 2014. Arquivo pessoal.)

Tamanha é a pressão exercida para que produza, atinja a meta, ou seja, tamanha é a eficácia da pressão exercida pelas instituições do novo modelo, que esse(a) trabalhador(a) passa a esconder os problemas de saúde causados pela intensidade do ritmo de trabalho:

> [...] é a pressão [que impede]: eu não posso reclamar do meu formigamento, porque a LER começa com um formigamento, depois vem o transtorno, depois vem o distúrbio e aí vem lesão mesmo. É um histórico clínico do problema muscular. Se ele também diagnosticasse no começo, quando começou a ter uma disfunçãozinha, é mais fácil tratar. Ele tem medo de ser mandado embora, então ele não fala. E ele vai fazer hora extra porque ele tem as prestações, tem a família dele pressionando. Tem que ser produtivo até começar com problema muscular ou até um problema mental que a gente não consegue relacionar. (Depoimento de Norton Martarello, engenheiro de segurança do sindicato, colhido em março de 2014. Arquivo pessoal.)

No momento em que são reforçados os mecanismos de controle e as relações de produção ficam imersas nas "cadeias de pressão", catalisadas pelas novas tecnologias e que extrapolam o ambiente fabril, o corpo passa a sofrer lesões que, no começo, parecem física e mentalmente sutis. São lesões manifestas inicialmente por formigamentos nos pequenos tecidos e tendões, bem como danos invisíveis causados no cérebro, cujas consequências são imprevisíveis e de difícil relação jurídica com a atividade profissional.

O mesmo engenheiro que, como dissemos, trabalha há anos no SMCR, assistiu às transformações ocorridas na base e, ao longo desse período, pôde acompanhar inúmeros casos de acidentes e ocorrências de doenças ocupacionais. A seguir, ele destaca as principais mudanças que observou:

> [...] o ruído do metal, de bater chapa. E a nossa configuração regional aqui é um setor forte de autopeças, então tem muito corte de chapa. T[iv]emos vários casos de perda auditiva. Tinha pontualmente algumas coisas como intoxicação por fungo, outras substâncias químicas, mas eram coisas pontuais. No geral era surdez ocupacional, hoje perda auditiva induzida por ruído. Em termos de acidente era a prensa: corte de dedo, mão, havia também situações de "cavaco" [estilhaços de aço] nos olhos, mas prensa era o que amputava dedo, mão, braço [...] [Mas] mudou sem dúvida alguma o adoecimento e o perfil de acidentabilidade. [...] Na década de 90, explode a questão dos grandes problemas musculares: a LER/Dort [Distúrbios Osteomuscular Relacionados ao Trabalho], de uma maneira geral ombro, braço, cotovelo, punho, região cervical e mesmo coluna começam a afetar mais e isso [se torna] uma verdadeira epidemia. Há, sem dúvida alguma, apesar das subnotificações, a questão da saúde mental. [Começam a aparecer] distúrbio de sono, pânico que começou com uma perseguição, porque o cara é lesionado e não acham um lugar para ele, a Previdência não quer ele, a empresa não quer ele, fica na rua da amargura. Então acho que a tendência é mental. Mas hoje, sem dúvida, é a questão musculoesquelética. (Depoimento de Norton Martarello, engenheiro de segurança do sindicato, colhido em março de 2014. Arquivo pessoal.)

Consultando o banco de dados das comunicações de acidente de trabalho (CATs) realizadas no SMCR no período de 1998 (quando a entidade passa a efetuar também as comunicações, além das empresas e o Centro de Referência em Saúde do Trabalhador) até meados de 2013, foi possível notar essas transformações. Embora o período não seja tão abrangente quanto o vivenciado pelo engenheiro do sindicato, é possível notar as transformações por ele relatadas. Para traçar o histórico de doenças da amostra, que contém 3.809 comunicações, recorremos ao campo "data do acidente", que, na planilha da CAT, se refere à data em que o(a) acidentado(a) acredita ter sido acometido(a) pela doença e/ou sofrido o acidente que o(a) motivou a abrir o comunicado. Algumas das CATs nos remetem ao começo da década de 1990, ampliando um pouco nosso período de análise (anterior a 1998). Desse modo, foi possível enxergar a evolução dos casos de doenças e acidentes que, de algum modo, tiveram relação com o ritmo e a pressão impostos pela empresa, a eliminação do "tempo poroso" e a multifuncionalidade das atividades, que são brevemente relatados pelos(as) trabalhadores(as) no momento da abertura da CAT. Além disso, é possível notar o silencioso crescimento das doenças de natureza psíquica.

Como nos registros de CAT do SMCR não são utilizados os códigos de classificação internacional de doenças (CID)[3] e os relatos dos(as) trabalhadores(as) são breves, contendo apenas o que eles(as) acreditam ser o agente causador da enfermidade e uma breve descrição do ocorrido, cruzamos esses dois campos ("agente causador" e "descrição do ocorrido") e utilizamos os seguintes critérios para traçar um perfil dos acidentes/doenças ocupacionais relacionados às novas formas de gestão da força de trabalho nesse período: descrições dos agentes causadores que relatavam algum aspecto de intensificação do trabalho, formas de pressão, má postura (ergonômica) ou assédio. Tomamos por base também a instrução normativa n. 98 de 5 de dezembro de 2003 do Instituto Nacional do Seguro Social (INSS), que trata da atualização clínica das LER/Dort. Segundo a instrução, a LER/Dort é uma síndrome relacionada ao trabalho que se caracteriza pela ocorrência de vários sintomas, concomitantes ou não, tais como dor, parestesia, sensação de peso, fadiga, de aparecimento insidioso, geralmente nos membros superiores, mas podendo acometer membros inferiores (INSS, 2003, p. 1).

Para o INSS, a alta prevalência das LER/Dort é explicada por transformações do trabalho e das empresas que têm "se caracterizado pelo estabelecimento de metas e produtividade, considerando apenas suas necessidades, particularmente a qualidade dos produtos e serviços e competitividade de mercado, sem levar em conta os trabalhadores e seus limites físicos e psicossociais" (INSS, 2003, p. 1). Para o órgão, ainda, os novos padrões organizacionais intensificam o trabalho e padronizam procedimentos, impossibilitando a livre manifestação da criatividade e flexibilidade, levando o(a) trabalhador(a) a executar movimentos repetitivos, eliminando qualquer possibilidade de pausas espontâneas, e à necessidade de permanência em determinadas posições por tempo prolongado, além de prender a sua atenção em informações específicas para não cometer erros.

Dessa forma, encontramos as seguintes descrições mais comuns de situações que levaram os(as) trabalhadores(as) a abrir uma CAT no SMCR: "esforço muscular", "esforço excessivo", "acúmulo de serviços", "assédio e excesso de trabalho", "esforço intenso", "estresse ocupacional e estresse intenso", "excesso de pesos", "excesso de trabalho e pressão psicológica", "má posição", "má postura", "movimentos repetitivos", "muita pressão", "depressão", "parado no mesmo lugar", "posição incômoda ou irregular ou inadequada", "posições forçadas", "ritmo

---

[3] As doenças só são diagnosticadas após a perícia médica, quando então a trabalhadora ou o trabalhador sabe se terá ou não direito a algum benefício/auxílio e por quanto tempo.

acelerado", "tensão no ambiente, "pressão externa" e "transporte manual"[4]. Lembramos que esses agentes causadores foram colocados conforme apareceram nos registros de CAT[5].

Com base nisso, levantamos que, de 3.809 registros feitos no SMCR entre 1992 e 2013, 3.061 (80,4%) se enquadravam nos critérios que utilizamos. O aumento gradativo das queixas feitas demonstra quão problemática foi se tornando a questão do ritmo e da pressão à categoria ao longo das décadas de 1990 e 2000. Vejamos a Figura 1 com os números ano a ano.

**Figura 1: Registros de CAT relativos a esforços repetitivos e/ou transtornos psíquicos**

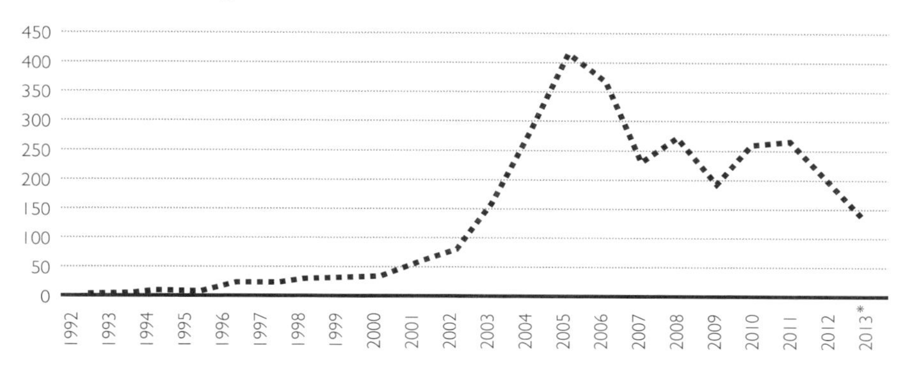


Fonte: Sindicato dos Metalúrgicos de Campinas e Região.
* Janeiro a julho de 2013.

Podemos notar que, na primeira metade da década de 1990, temos pouco mais que uma dezena de casos. Após 1995, temos a primeira disparada nos registros, que quadruplicam em 1996. Ao final dessa década, as queixas têm outros dois momentos de *boom*, quando os casos passam a aumentar significativamente, até atingirem o auge em 2005 e manterem-se elevados em 2006. A partir de 2007, os números de registros caem e, ainda que relativamente altos, ficam em patamares mais baixos em comparação aos dois anos anteriores. De qualquer forma, se tomarmos a segunda

[4] Excluímos, por exemplo, os acidentes de trajeto, fraturas, perdas de membros, esmagamento, eletrocussão e, por fim, acidentes que, apesar de apresentarem esforço físico excessivo como agente causador, na descrição o(a) trabalhador(a), ficava claro que foi fruto de um movimento repentino que causou "estalo" ou "fisgada" (na coluna, joelho, ombro, cotovelo etc.), sugerindo que não se trata de algo recorrente. Cumpre notar ainda que, ao se dirigir ao sindicato para registrar sua doença, o(a) trabalhador(a) está se defendendo das possíveis brechas que podem ser abertas caso ele(a) abra o comunicado na empresa, que buscará se livrar dele, por apresentar tais sintomas. Afinal, caso o andamento do seu quadro clínico, por insuficiência de nexo causal, não configurar uma doença relacionada ao trabalho, ele(a) fica mais vulnerável à demissão em virtude do seu histórico de adoecimento.

[5] As longas conversas com o engenheiro de segurança do trabalho do SMCR e com as funcionárias do departamento de saúde do SMCR também foram fundamentais para a adoção desses critérios.

metade da década de 1990 como marco da instalação de um complexo de reestruturação produtiva na base do SMCR, ficará evidente a relação com os impactos por ele causado ao impor um novo ritmo, criar as cadeias de pressão e, dessa forma, modificar as causas das doenças/acidentes de trabalho e alterar as partes do corpo que eram atingidas: antes facilmente perceptíveis, como no caso dos operários que perdiam membros, a audição, a visão etc., hoje até mesmo a sua relação com a atividade na empresa é, ao menos juridicamente, difícil de ser estabelecida.

Os números por si só, no entanto, não revelam as reais dificuldades enfrentadas por trabalhadoras e trabalhadores nos locais de trabalho que aparecem brevemente nas descrições que fazem ao registrarem uma CAT. É esse o caso de Celeste[6], 44 anos, funcionária de uma autopeças que, em 2004, se queixou de dores nos braços, já que, "por operar máquina, realizava movimentos repetitivos com esforço muscular com posições antiergonômicas"; e também o de José de Jesus, 46 anos, funcionário de uma autopeças que, em 2004, se queixou de que, por "trabalhar como operador de produção, fazendo movimentos repetitivos, adquiriu lesão nos punhos". Outros(as) nos dão um pouco mais de detalhes sobre a função exercida na empresa: por exemplo, Simone, 43 anos, que em 2012 "adquiriu a doença nos ombros e nas mãos" por fazer movimentos repetitivos, mas também por "carregar caixas pesadas durante o desempenho da sua função". A multifuncionalidade, exaltada pelo novo modelo de produção e até mesmo apontada como possível solução para os casos de LER/Dort, aparece nas entrelinhas de muitas descrições como agente causadora de doenças. Eni, 34 anos, por exemplo, se queixou em 2009 de problemas no ombro e no cotovelo direito por operar três tipos de ferramentas: politriz, lixadeira e esmeril. Também provando que a multifuncionalidade é potencialmente nociva, Soares, 39 anos, em 2013 adquiriu dor no ombro direito por trabalhar nas "soldas gerais, montagem lateral e bancada". A polivalência, no entanto, pode levar não somente a danos físicos mas também a transtornos psíquicos, como foi o caso de Eugênio, 24 anos, trabalhador de uma empresa de usinagem que em 2006 adquiriu síndrome do pânico "devido ao excesso de trabalho (começou operando três máquinas, passou para cinco e depois para sete) e era vigiado constantemente pela chefia". A longa jornada sem o tempo de descanso, sem o "tempo poroso", também é comumente relatada. No caso de Mirian, 22 anos, em 2009, "devido à postura de trabalho com mesa baixa trabalhando oito horas por dia, adquiriu dor na coluna cervical e dor na lombar".

Os mecanismos de controle sutis, que dificilmente são traduzidos para uma linguagem objetiva (jurídica, por exemplo) no caso de uma doença/acidente, aparecem, para o(a) trabalhador(a), de forma bastante clara e objetiva, mesmo quando os problemas são de natureza psíquica. Mesmo obrigados(as) a descreverem sumaria-

[6] Todos os nomes foram alterados para preservar os entrevistados de possíveis retaliações e/ou constrangimento de qualquer espécie.

mente a situação, os(as) trabalhadores(as) buscam deixar claro aquilo que julgam ser a causa dos seus problemas. Henrique, 46 anos, por exemplo, foi até o SMCR em 2004 para se queixar de "transtorno depressivo", que julgou ter sido consequência do "ambiente de trabalho". Já Rodrigo, 27 anos, em 2006 culpou também o ambiente de trabalho (fechado) por adquirir "síndrome do pânico" e "distúrbio obsessivo-compulsivo". O esgotamento emocional e mental e o desenvolvimento de síndrome do pânico foram apontados também por Elber, 26 anos, como consequências do ambiente de trabalho. Porém, a depressão, entre as doenças de natureza psíquica, é a frequentemente mais citada na amostra, tanto como consequência do ambiente de trabalho e da pressão ou ameaça da chefia quanto de uma lesão sofrida. Elton, 45 anos, por exemplo, trabalhador de uma autopeças, atribuiu seu quadro depressivo à "pressão psicológica sofrida no ambiente de trabalho"; Isabel, 29 anos, trabalhadora de uma empresa de eletroeletrônicos, disse sofrer de depressão "devido a situações de humilhações, constrangimento e ameaças no ambiente de trabalho por parte do líder do setor". Já Dejair, 47 anos, disse que o "estresse ocupacional desencadeado após o acidente de trabalho ocorrido na empresa" o levou à depressão. Antônia, 33 anos, disse que seu quadro de depressão foi fruto da "síndrome do túnel do carpo bilateral, da tendinopatia e rompimento do tendão".

Zilda, funcionária do SMCR responsável por atender as trabalhadoras e os trabalhadores que desejam registrar uma CAT, fala de uma estreita relação entre a LER/Dort e os quadros de depressão. Segundo ela, as pessoas que decidem protocolar uma CAT nessas situações já apresentam quadros avançados da doença, ou seja, já se encontram bastante vulneráveis, debilitadas e, portanto, menos produtivas, momento em que, quando retornam ao trabalho, se veem ainda mais pressionadas:

> Às vezes não é visível o problema. Quando é visível, ele perdeu! Porque o problema da LER não é visível, então ele deixa para ir em um estágio já bem avançado. Geralmente os trabalhadores que têm os dois problemas é porque já está bem avançado. Daí tem o afastamento. Quando retorna, tem mais pressão, porque ele não está produzindo 100%. E aí começa a afetar o psicológico. A maioria dos casos que tem [de depressão] é devido a isso. Às vezes a própria família não colabora. Os primeiros casos que começaram a vir aqui no sindicato eram assim: a pessoa estava afastada e daí, lógico, fica em casa, e daí começa a família, os próprios vizinhos, dizendo: "Ué! A pessoa é vagabunda, né? Porque está encostado pela previdência, recebendo, e não tem nada!". Porque, olhando, aparentemente a pessoa não tem nada e aí elas começam a colocar aquilo na cabeça e de repente já está [psicologicamente abalado]. Aí, na hora em que retorna, tem a pressão de produzir 100% e aí afeta mesmo. (Depoimento de Zilda, secretária do Departamento de Saúde do Trabalhador do SMCR, colhido em abril de 2014. Arquivo pessoal.)

Vemos que, além de sofrer com a pressão exercida pelo ritmo da empresa e da produção, o(a) trabalhador(a) está sujeito(a) a uma pressão familiar, social, que é fruto da invisibilidade das doenças ocupacionais, as quais podem desencadear outras de natureza psíquica. Ora, a essa nova etapa de exploração da força de trabalho corresponderam tipos particulares de adoecimento/acidentes de trabalho. Segundo Bernardo e Delgado (1985, p. 43), isso acontece quando as empresas buscam reduzir custos, implementando transformações nas quais a exploração acontece mediante a forma do mais-valor relativo. Nessa nova etapa, menos acidentes resultarão em mortes; contudo, sem deixar de sentir as causas da exploração no cotidiano, as trabalhadoras e os trabalhadores enfrentarão não a iminência da morte, mas "vidas que não valem a pena viver-se".

Nesse ponto, a LER/Dort e a depressão, bem como outras doenças de natureza psíquica, estão diretamente relacionadas e são produtos do mesmo tecido de relações sociais criado pelo novo modelo de produção.

## Modelo flexível, cotidiano e (des)sociabilidade

O atual perfil de adoecimento dos metalúrgicos, fruto do modelo flexível de produção, levou-nos à análise da vida cotidiana desses(as) trabalhadores(as)[7], ou seja, não só a jornada de trabalho mas também sua vida fora dela. Isso porque as características que assumem as causas do adoecimento (o ritmo intenso, a pressão) parecem não se esgotar ao longo da jornada. Sendo assim, o tempo de descanso, pretensamente dedicado à recuperação das energias, parece não ser mais suficiente. Pelo contrário, dado o esgotamento físico e mental provocado pelo modelo flexível, o que se nota é um aprofundamento da vulnerabilidade desse(a) trabalhador(a) nos seus espaços de reprodução, tornando-se propenso(a), ainda mais, às doenças invisíveis do corpo e da alma. Vejamos.

Milton, por exemplo, acorda todos os dias às quatro e meia da madrugada. Seu trajeto até a empresa leva cerca de uma hora. Até o retorno no meio da tarde, quando chega em casa, o operário dedicou cerca de dez horas do seu dia à empresa:

> Eu acordo às 4h30 da manhã e pego o ônibus às 4h50. Eu chego lá todos os dias faltando dez, cinco minutos para as 6h, a gente começa a trabalhar às 6h15. Então, praticamente o horário do momento em que eu saio de casa, que é 4h45, até eu chegar em casa, às 14h45, 14h50, esse é o tempo que eu dedico ao meu trabalho. (Depoimento de Milton, trabalhador de uma autopeças. Arquivo pessoal.)

[7] Trouxemos para este texto apenas parte de duas entrevistas de trabalhadores de um total de dezessete que realizamos para nossa tese de doutorado. Acreditamos que, com elas, consigamos mostrar aspectos essenciais dos impactos do novo modelo também nos espaços de não trabalho. Tais entrevistas foram semiestruturadas e buscaram abordar trabalhadores(as) que não tinham apresentado ainda quadros de adoecimento (protocolado CAT), já que isso poderia comprometer a sua rotina e/ou atividades executadas nas empresas.

Nesse período, Milton se dedica a uma atividade que vem, de uns anos para cá, se tornando intensa, em virtude das mudanças promovidas no maquinário onde trabalha, que foi aperfeiçoado para otimizar o tempo da produção. Desde o momento em que faz o *check-in* na máquina por volta das seis da manhã, até o momento em que, às 13h50, interrompe suas atividades e começa a jornada de volta para casa, o trabalhador diz ter poucos momentos de interrupção, período em que deve manter 90% ou mais de índice de produtividade, calculado pela máquina, já descontados os tempos de refeição e reposição da matéria-prima:

> Atualmente meu trabalho é muito intenso e cansativo. No meu setor, de uns dois anos pra cá, foi instalada uma tecnologia de vigia que se chama Sistema EGA. É um sistema de controle. Vamos dizer que a gente tem aí, durante uma hora, uma quantidade de peças para produzir, cronometrado. Esse tempo de uns dois anos pra cá vem sempre abaixando. O processo, nos últimos dois anos de instalação, deu um salto: uma peça nós faríamos em trinta segundos, hoje está em quinze. E o coordenador nosso fica só sentado no computador vendo o gráfico, porque a gente tem uma porcentagem de alcance durante o dia de 90%, calculando carga horária, calculando tempo que a peça está na máquina, calculando isso durante o dia inteiro. É um controle diário. Quando você chega, você já começa a trabalhar na máquina. Você faz um *check-in* ali, com o botão de emergência, para ver se está funcionando, ver se o eletrodo está tudo funcionando, enfim, faz um *check-in* total. Você digita seu RE [Registro de Entrada] no EGA, já faz o reciclo e começa a trabalhar. Tem as paradas, quando você tem que trocar as embalagens, abastecer de matéria-prima, porque acaba, você não consegue produzir um dia inteiro sem acabar, então tem as paradinhas normais. E nessas paradas tem uma perda. Por exemplo: você trabalhou durante uma hora, vamos dizer que você para aí uns dois ou três minutos para fazer locomoção de troca, o sistema vai calcular esse tempo que você ficou parado e jogar durante uma hora, então quando ela faz o reciclo durante uma hora ela vai calcular que você fez uma parada ali, então ela vai calcular. Por isso que a gente não pode firmar um termo em 100%. Tem que ser de 90%, 92%, 93%, contando já com essas paradas, porque essas paradas têm que ter mesmo. É impossível manter 100%. Recentemente foi colocado um rapaz, um operador, só para poder ajudar a fazer essas trocas, arrastar embalagem. Às vezes precisa do carrinho hidráulico, para poder fazer a movimentação, aí precisa também da empilhadeira, que traz a matéria-prima pra gente, então tem essa perda [de tempo]. Do restante, é mais o operador ali, junto com esse sistema. Então fica ali de "vigia" toda hora, porque a nossa empresa roda 24 horas, três turnos, então praticamente 24 horas. Tirando as horas de refeições, que em 24 horas dá um total de três horas, contando manhã, tarde e noite, essas três horas que ela não roda. Quando você vai fazer refeição você tem uma parada ali também, mas, se você passar de uma hora, ela já dá "indeterminado" no sistema. Se você ficar muito "indeterminado", você já é chamado na sala para ver o que está acontecendo, por que essas paradas estão ocorrendo. É o que eu falei para você, é uma vigia de 24 horas. Porque tudo o que acontece, qualquer paradinha que você dê de motivo indeterminado, se você colocou um código errado, na hora eles

> conseguem identificar. Toda sexta-feira eles fazem uma vistoria no sistema, eles puxam o gráfico, e aparece: tal dia teve uma parada e perguntam: por que teve essa parada? Por que teve esse motivo indeterminado? (Depoimento de Milton, trabalhador de uma autopeças, colhido em fevereiro de 2014. Arquivo pessoal.)

Diferentemente de um sistema de cariz fordista, o monitoramento não é feito por um supervisor, mas de forma remota, através de um sistema criado somente para calcular a produtividade. A vigia se torna constante e não há margens aparentes para burlar o sistema. Busca-se a partir dele otimizar ainda mais o tempo. Sua jornada, desde o momento em que faz o *check-in* na máquina até o trajeto de volta para casa, é toda feita em pé, com pausa somente para a refeição, provocando-lhe incômodo nos joelhos:

> Meu trabalho é 100% em pé. E dor, não é uma dor crônica, mas você sente uma dor no joelho, no próprio calcanhar, porque você fica em pé, parado no mesmo lugar, você não tem uma movimentação. Às vezes eu falo para o rapaz: "Olha, é melhor você ficar andando, durante seis, sete horas, do que você ficar parado seis, sete horas". E ali, quando eu estou trabalhando na máquina, eu fico parado, praticamente. É um passinho para a frente, um passinho para trás, um pouquinho pro lado, mas você não circula. O movimento que faço [com as pernas] é na troca da embalagem da matéria-prima, quando você sai do seu setor. E só. Durante o trabalho, é ali parado, num quadradinho. (Depoimento de Milton, trabalhador de uma autopeças, colhido em fevereiro de 2014. Arquivo pessoal.)

Limitado a poucos movimentos dentro do "quadradinho" onde trabalha, que o ajudam a aliviar a tensão de ficar parado no mesmo lugar, de modo a não comprometer a sua produção semanal e não ser considerado "indeterminado", o trabalhador, ao chegar em casa para aproveitar seu tempo livre se encontra muito cansado:

> Então, depois que eu chego eu fico sentado um tempo aqui, descansando [em um sofá, na sala, em frente à televisão] até dar a hora de ir à academia. Eu chego em casa quase às três da tarde. Aí eu tomo meu café, dou uma descansadinha de uma hora mais ou menos, tomo um banho e já vou para a academia. Eu saio daqui mais ou menos umas cinco. Às vezes nos dias de semana, até pelo preço, eu costumo ir ao cinema, por ser mais viável. No fim de semana geralmente eu vou, como eu estou com meu filho em casa, eu vou no [parque] Taquaral, levo ele em parquinho, mas até por lazer dele mesmo. Para mim, às vezes eu faço mais um churrasco em casa, reúno a família. Mas chega no sábado, no sábado não dá vontade nem de sair de casa. Minha mulher chega e fala: "Vamos sair – daqui a pouco eu vou pegar meu filho – vamos sair com ele, ir a um shopping, cinema, vamos levar para comer alguma coisa". E nossa, não dá disposição. Não dá mesmo. (Depoimento de Milton, trabalhador de uma autopeças, colhido em fevereiro de 2014. Arquivo pessoal.)

A rotina de Milton, inclusive, permitiu que nos encontrássemos somente em um sábado, dia em que, ainda assim, trabalha até as dez da manhã. O horário que encontrou para nos receber foi entre as onze e as catorze horas, já que, depois disso, tinha hora marcada para buscar o filho na casa da ex-mulher. Nossa conversa interrompeu seu momento de descanso vendo televisão, que permaneceu ligada o tempo todo exibindo um filme sobre mutantes, transmitido por um canal por assinatura. Em um momento de descontração, o operário diz o que pensa sobre seu tempo de descanso aos fins de semana: "Eu costumo brincar que o domingo é bom só no sábado, mas, quando você está no domingo, no outro dia já é segunda-feira e já perdeu a graça". A partir da vivência do trabalhador, é possível interpretarmos sua frase da seguinte forma: a expectativa criada no sábado é que o descanso no domingo supra a falta de disposição, ao contrário do dia seguinte, que não dá margens para qualquer expectativa. Com isso, os fins de semana para ele parecem se tornar um engodo, fruto do cansaço do seu trabalho. É assim que ocupa seu tempo nos fins de semana: dividindo-se entre a indisposição e o convívio com o filho e a esposa, um esforço que Milton parece fazer mais pela família do que para si. Para ele, apenas "às vezes" reúne a família para um churrasco.

É possível perceber com esses fragmentos do depoimento de Milton que o ritmo imposto pelo ambiente fabril vem repercutindo de maneira nociva nos espaços domésticos e nas relações pessoais desses(as) trabalhadores(as), tornando-os ainda mais vulneráveis ao relaxamento dos vínculos sociais, à dessocialização, em um processo silencioso que parece velar o adoecimento físico e mental. Embora ainda seja recorrente a busca pela "fuga do cotidiano"[8], sobretudo por meio de programas televisivos – como canais exclusivos de filmes, típicos das TVs por assinatura, fato presenciado não só no cotidiano desse trabalhador mas também no de todos(as) os(as) que visitamos – e da frequência em que todos(as) eles(as) vão aos shoppings e cinemas, predomina o desestímulo, mesmo para as relações sociais, bem como o isolamento[9]. Sem muitas perspectivas para além da vida e da rotina que levam, e da condição de assalariados, projetam para o futuro profissional, no máximo, uma condição mais estável em um mercado de trabalho que acreditam ser promissor, chegando mesmo a fundir objetivos profissionais com os pessoais. Desse modo, concordamos com Alves (2011, p. 97), para quem, "no discurso do capital, o 'futuro' é 'fetichizado' (o que é a própria negação da futuridade) – ele está pronto e acabado, restando a nós apenas adaptar-se a ele". E isso tudo em meio a uma vida de desânimo.

Os relatos e as observações que fizemos sobre a trajetória de Valdir, um experiente metalúrgico da categoria, podem oferecer elementos para pensarmos a

---

[8] Sobre a crítica da vida cotidiana, ver Lefebvre (1991).

[9] Sobre como a solidão potencializa muitas doenças e é vista como a causa de morte precoce, ver a seguinte matéria: "The age of loneliness is killing us", *The Guardian*, 14 out. 2014. Disponível em: <http://www.theguardian.com/commentisfree/2014/oct/14/age-of-loneliness-killing-us>. Acesso em: 2 maio 2019.

trajetória e as aspirações dos demais. Primeiramente nos chamam a atenção em seu depoimento as dificuldades e a "facilidade" que teve na adaptação ao antigo e ao novo modelo de produção. Para ele, o desafiador ao longo desse tempo foram as novas tecnologias, sendo que, em seguida, revela a "tranquila" adaptação aos grupos de trabalho, uma vez que a disciplina e a submissão permeiam tanto as antigas quanto as novas formas de trabalho e, como denominadores comuns entre elas, servem, mais agora do que antes, como pré-requisitos para não ser descartado:

> Olha, não é fácil não [a adaptação]. Não é fácil porque eu já passei por algumas fábricas, e dentro de algumas delas fiquei um tempo grande e a gente observa que a tecnologia avança muito rápido. E aí você tem que se adequar a ela. Dentro da fábrica você é obrigado a mostrar interesse, mostrar vontade de aprender. Porque a tecnologia chega na fábrica através das máquinas operatrizes. Hoje você opera uma máquina e ela vai ficando velha e amanhã ou depois a empresa traz uma máquina nova e você tem que aprender nela. Então, você tem que se esforçar. São máquinas numéricas, são máquinas CNC [comando numérico computadorizado]. Dentro desse processo aí você tem que mostrar interesse e inclusive vontade de aprender.
> [...] Foi tranquila [a adaptação aos grupos de trabalho], porque dentro de uma empresa é difícil uma equipe não trabalhar bem. Ali todos estão interessados em trabalhar e manter-se empregados. Todos buscam um perfil de desenvolver um trabalho bom dentro da equipe. Porque, quando a empresa contrata um grupo de pessoas e dentro desse grupo tem aqueles que demonstram desinteresse, essas pessoas não ficam mais do que três a quatro meses e são descartadas. Aí fica aquela equipe de trabalho que sempre desenvolveu e sempre trabalha mais do que os outros. Mostram interesse no trabalho. Eu não tive nenhuma dificuldade em trabalhar em equipe. Em equipe eu trabalho nessa empresa hoje, mas no passado eu sempre trabalhei em equipe, mas era mais em equipe por setor, onde cada um tinha a sua atividade no setor. Nessa onde eu trabalho hoje em dia, cada um tem a mesma função. Ou seja, são peças que têm que passar de mão em mão diversas vezes. É uma equipe que, se um não trabalhar direito, ele acaba atingindo outro. Então, todo mundo tem a obrigação de trabalhar bem [...]. Tem que ter uma disciplina ferrada, senão... é complicadíssimo. (Depoimento de Valdir, trabalhador de uma autopeças, colhido em fevereiro de 2014. Arquivo pessoal.)

Como dissemos, trata-se de um experiente metalúrgico que, com trinta anos de profissão, não esteve habituado às novas tecnologias de base computacional, como é o caso do CNC, o que demandou, segundo ele, "esforço" e "vontade" para aprender. No entanto, sua longa trajetória como metalúrgico condicionado à disciplina fabril "ferrada" o impede de enxergar as dificuldades da "obrigação de trabalhar bem" em grupo e partilhar as responsabilidades com os outros, sob pena do comprometimento do emprego de todos. Ou seja, para ele, que não estava habituado, as novas tecnologias representam um desafio, e a disciplina fabril de cada um no grupo é pré-requisito.

Ainda sobre adaptação, o metalúrgico nos contou que, alguns anos atrás, ficou desempregado e se viu obrigado a interromper a sua "carreira" de metalúrgico, pois, sem muitas alternativas, conseguiu emprego somente em uma indústria de medicamentos da região. Em virtude da idade (na época tinha mais de 35 anos), encontrou dificuldades para se reinserir no ramo metalúrgico e buscou adaptar-se nesse outro setor industrial. A longa trajetória como metalúrgico, no entanto, dificultou sua adaptação, e sua experiência em outro setor não passou de uma semana:

> Eu tive uma passagem rápida pela EMS [fábrica de medicamentos]. Mas foi muito breve, porque eu fiquei desempregado uma época e aí, como eu já estava já acima dos 35 anos, o mercado, ele é exigente, né? E aí, como eu estava desempregado, surgiu essa vaga na EMS. Se desse certo eu ficaria lá por alguns anos, nem que eu tivesse que mudar de área completamente. Mas não deu certo, eu não me adaptei bem, porque a gente trabalha numa fábrica de autopeças que é aberta, ventilada, você tem livre acesso para lá e para cá; já na EMS não, você trabalha numa área muito restrita. Trabalhei apenas uma semana. (Depoimento de Valdir, trabalhador de uma autopeças, colhido em fevereiro de 2014. Arquivo pessoal.)

O trabalhador temeu que não conseguisse se inserir novamente no mercado de trabalho como metalúrgico em virtude da idade, ingressou numa empresa de outro setor e não se adaptou. Logo conseguiu ingressar nessa autopeças, onde, na ocasião da entrevista, exercia a seguinte função:

> As peças de estrutura do carro. São partes de suspensão, partes de reforços do assoalho, reforços entre as suspensões do carro. Esse é o meu dia a dia, é trabalhar no setor de estampagem de chapas, para fazermos as peças para a estrutura do carro [...] trabalhamos com prensas e nessas prensas são instaladas ferramentas diversas, onde são estampadas as peças. Lote por lote, montadora por montadora. Então a gente produz, por exemplo, 1.500 peças para a Volkswagen. Acabou essas 1.500 peças, entra uma nova peça de outra montadora. (Depoimento de Valdir, trabalhador de uma autopeças, colhido em fevereiro de 2014. Arquivo pessoal.)

A função que exercia estava inserida numa lógica flexível de produção, na qual existe a necessidade de trabalho em grupo para operar as prensas e suas diversas ferramentas que buscam atender às diversas montadoras clientes e seus diversificados produtos. Um trabalho que sugere ser bastante ofegante, mas para o qual o trabalhador se dedicou ao longo de grande parte da sua vida e onde esperava continuar e ser reconhecido por sua experiência e dedicação:

> Dentro dos limites que a gente tem, a gente está trabalhando nessa área mesmo de metalúrgico. Sempre se destacando pelo conhecimento que você adquire ao longo

> do tempo e desenvolver um trabalho de ensinar pessoas jovens que estão chegando dentro da empresa, uma vez que a gente trabalha em equipe a gente é obrigado a passar informações e conhecimento para quem está chegando. Então eu tenho esse objetivo de chegar ao máximo possível e trabalhar dentro dos meus limites, buscar cada vez mais aperfeiçoar o conhecimento dentro do processo fabril, dentro do processo de fabricação de peças. (Depoimento de Valdir, trabalhador de uma autopeças, colhido em fevereiro de 2014. Arquivo pessoal.)

Em dois momentos de sua fala, Valdir se refere a limites. Embora não fique claro quais são, sua aspiração profissional para o futuro está condicionada a esses seus limites. Eles podem ser de ordem técnica, já que, mesmo com toda a sua experiência, Valdir ainda pode encontrar limites para além dos quais pode não conseguir passar seu conhecimento. Mas também podem ser de ordem física e mental, como sugere sua consideração acerca das horas extras que fez ao longo do tempo:

> Tenho feito bastantes horas extras. No decorrer dos anos, tenho feito sim. De dois a três dias durante o mês, dois finais de semana no caso. Porque se torna cansativo você fazer hora extra em todos os finais de semana, ocupa todo seu descanso. Então, por uma necessidade de descanso eu deixo de fazer hora extra. (Depoimento de Valdir, trabalhador de uma autopeças, colhido em fevereiro de 2014. Arquivo pessoal.)

O cansaço é sentido quando a jornada é estendida até ocupar todo o seu tempo de descanso nos fins de semana. O trabalhador estabelece esse limite na sua fala: dois fins de semana a mais de trabalho, sendo que, mais do que isso, começa a ficar cansativo. A jornada semanal na empresa é de quarenta horas. Presumimos que, quando um trabalhador é escalado para as horas extras nos fins de semana, ela se aproxima das cinquenta horas semanais. Podemos concluir que, no "decorrer dos anos", o trabalhador abdicou bastante dos seus momentos de descanso para manter uma política de bom relacionamento com a empresa, uma vez que a hora extra não era indispensável aos seus rendimentos:

> No meu caso, não [ela não é indispensável]. A gente faz mesmo para manter uma política de relacionamento com a empresa. Porque, uma vez que você diz não a tudo o que é pedido para você fazer, o supervisor pode entender que você não está querendo colaborar com a empresa. É uma política, né? (Depoimento de Valdir, trabalhador de uma autopeças, colhido em fevereiro de 2014. Arquivo pessoal.)

Mesmo assim, sua dedicação, disciplina e aceitação da política da empresa não foram suficientes para manter seu emprego. Alguns meses depois da entrevista, a autopeças o desligou junto com mais 45 trabalhadores de diferentes setores, após uma queda da demanda das montadoras. Levantamos que a maioria dos demitidos eram trabalhadores(as) experientes de diversos setores, provando a persistência da política de rotatividade: os mais velhos continuam sendo dispensados mais e estão mais suscetíveis a um grau de insegurança maior com relação ao emprego.

O exemplo de Valdir, portanto, sugere um quadro em que o trabalhador metalúrgico convive com a constante insegurança que o faz reforçar em si mesmo os mecanismos de controle que as empresas, por meio das instituições do modelo flexível, impõem, levando-o a um cotidiano de cansaço, desânimo e, consequentemente, afrouxamento das relações sociais, ou seja, um cotidiano que, mesmo fora da atividade na fábrica, parece velar pelo adoecimento do corpo e da mente do(a) trabalhador(a).

## Conclusão

Fruto das novas relações de trabalho que emergiram com o novo modelo, o ambiente hostil e inseguro das empresas foi dando lugar às máquinas modernas, mais seguras, que, no entanto, trouxeram problemas de outra ordem. A combinação de um layout que obriga os(as) trabalhadores(as) a executar duas, três ou mais tarefas simultaneamente com a incorporação dos equipamentos modernos que, embora diminuam os riscos de acidentes/doenças tangíveis, impõem ritmos mais fortes foi responsável por aumentar consideravelmente os casos de lesões dos tecidos moles dos trabalhadores. Além disso, a insegurança criada pela instabilidade do mercado de trabalho, com altos índices de rotatividade e desemprego, levou o(a) trabalhador(a) a interiorizar toda a pressão exercida, deixando-o vulnerável ao adoecimento psíquico.

O cansaço extrapola o ambiente fabril e invade os espaços de reprodução do(a) trabalhador(a), de modo que, no seu tempo livre, ele(a) carrega o desânimo e a preocupação com potencial de solapar suas relações sociais. Portanto, a mudança no perfil do adoecimento do(a) trabalhador(a) metalúrgico(a) coloca novos desafios aos movimentos operário e sindical que buscam romper com essa lógica, uma vez que há a necessidade de travar uma luta de ordem não só material, econômica, mas subjetiva e que tenha repercussões decisivas na vida cotidiana desses(as) trabalhadores(as).

# 12

# Intensificação do trabalho e superexploração na agroindústria canavieira[1]

*Juliana Biondi Guanais*

## Introdução

O presente capítulo tem por objetivo principal analisar a relação entre pagamento por produção (forma predominante de remuneração dos cortadores de cana-de-açúcar), intensificação do trabalho e superexploração na agroindústria canavieira brasileira e demonstrar as conexões indesatáveis entre esses fatores. Toda a análise toma como base a pesquisa realizada em duas usinas localizadas em Piracicaba e em Santa Bárbara d'Oeste (interior de São Paulo) com seus cortadores de cana entre 2011 e 2013. Além desses municípios, a pesquisa de campo também foi realizada em Tavares (sertão paraibano), local de origem de um dos grupos de cortadores de cana entrevistados.

Para começar, é preciso explicar o que é essa modalidade salarial. O pagamento por produção é uma forma específica de remuneração que está presente não somente no meio rural mas também no urbano e possui ampla base legal, sendo previsto no artigo 457, § 1º da Consolidação das Leis de Trabalho (CLT)[2], bem como incontroversa aceitação doutrinária e jurisprudencial. De acordo com a lógica dessa modalidade salarial, a remuneração de um trabalhador é equivalente à quantidade de mercadorias produzida por ele. Isto é, o salário a ser recebido não

---

[1] Este capítulo é resultado da tese de doutorado intitulada *Pagamento por produção, intensificação do trabalho e superexploração na agroindústria canavieira brasileira* (São Paulo, Outras Expressões/Fapesp, 2018).

[2] "Art. 457 – Compreendem-se na remuneração do empregado, para todos os efeitos legais, além do salário devido e pago diretamente pelo empregador, como contraprestação do serviço, as gorjetas que receber. § 1° – Integram o salário, não só a importância fixa estipulada, como também as comissões, percentagens, gratificações ajustadas, diárias para viagem e abonos pagos pelo empregador." Para mais informações, consultar: <http://www.soleis.com.br/ebooks/TRABALHISTA-91.htm>. Acesso em: 15 jul. 2016.

terá como base as horas por ele trabalhadas, mas, sim, a quantidade de produtos que serão produzidos no decorrer de sua jornada de trabalho:

> O salário *por produção* (por unidade de obra) corresponde a uma *importância variável* segundo a quantidade de serviço produzido pelo empregado, sem levar em conta o tempo gasto na sua execução. Fixo é o valor ajustado para cada unidade de obra (por exemplo, quantidade de frutos colhidos); mas o total do salário varia com o número de unidades produzidas. Apesar de, nesse caso, o fator tempo não ser considerado para efeito de cálculo da remuneração, é obrigatória a observância da jornada máxima de oito horas diárias e 44 horas semanais, ressalvada a prestação de horas extras, na forma legal. (MTE/SIT, 2002, p. 29)

Devido a sua própria natureza, a maioria das atividades assalariadas rurais é remunerada por intermédio do pagamento por produção, seja no Brasil, seja no exterior. Países como o México, os Estados Unidos, o Haiti e a França são somente alguns dos lugares onde encontramos essa forma específica de remuneração sendo utilizada em quase todos os setores agrícolas e também em vários ramos industriais. No caso específico do setor sucroalcooleiro brasileiro, não é possível precisar quando o pagamento por produção se tornou a forma predominante de remuneração dos cortadores de cana, mas alguns estudos apontam que já era utilizado com esse propósito desde pelo menos a década de 1960 (Sigaud, 1971 e 1979; Garcia Jr., 1989; Neves, 1989). Entretanto, mais importante do que precisar em qual data o pagamento por produção foi introduzido na agroindústria canavieira é entender os motivos que levaram as usinas de açúcar e álcool a utilizar essa modalidade salarial como forma predominante de remuneração dos cortadores de cana.

No caso do setor sucroalcooleiro brasileiro, as usinas passaram a utilizar essa modalidade salarial específica não somente com o intuito de impedir que os assalariados rurais tivessem o controle de seu processo de trabalho e de seu salário (Alves, 2006; Guanais, 2010) mas também porque o pagamento por produção traz muitas outras vantagens aos detentores dos meios de produção, como já nos demonstrou Marx:

> Dado o salário por peça, é natural que o interesse pessoal do trabalhador seja o de empregar sua força de trabalho o mais intensamente possível, o que facilita ao capitalista a elevação do grau normal de intensidade. É igualmente do interesse pessoal do trabalhador prolongar a jornada de trabalho, pois assim aumenta seu salário diário ou semanal. (Marx, 2013, p. 624-5)

Ao terem sua remuneração atrelada à quantidade de "peças" que é capaz de produzir em um determinado período de tempo, os trabalhadores investem o máximo possível de suas energias e de sua disposição para produzir cada vez mais, atitude extremamente importante para os detentores dos meios de produção.

Nesse contexto, interessados em receber um salário melhor, os próprios trabalhadores escolhem aumentar a intensidade do trabalho. Além disso, como vimos na passagem anterior, quando recebem por produção, os trabalhadores demonstram maior disponibilidade para o prolongamento de sua jornada de trabalho, para que possam trabalhar por mais tempo e, assim, aumentar sua produção diária. E isso porque, de acordo com a lógica do pagamento por produção, ao produzirem mais, recebem mais.

## Intensificação do trabalho na agroindústria canavieira

> Na década de 1950 a produtividade do trabalho era de 3 toneladas de cana cortadas por dia de trabalho; na década de 1980, a produtividade média passou para 6 toneladas de cana por dia/homem ocupado e, no final da década de 1990 e início da presente década, atingiu 12 toneladas de cana por dia. (Alves, 2006, p. 92)

Como a passagem anterior deixa claro, a quantidade de toneladas de cana que cada trabalhador rural corta por dia aumentou exponencialmente com o passar dos anos. A própria elevação contínua da *média* – quantidade diária mínima de toneladas que deve ser cortada pelos trabalhadores para conseguirem manter seus postos de trabalho – já serve de indicador concreto desse aumento[3]. Mas como podemos explicar o que está ocorrendo no setor sucroalcooleiro?

Ao analisarmos o processo produtivo que envolve o corte manual da cana, é possível verificar que está em curso um processo de intensificação do trabalho dos cortadores de cana, que, a cada nova safra, se veem obrigados a trabalhar e produzir cada vez mais no mesmo período de tempo para poderem assegurar seu emprego. Ao intensificar o trabalho, as empresas objetivam preencher todos os "tempos de não trabalho" presentes na jornada laboral e, assim, elevar quantitativamente e/ou melhorar qualitativamente os resultados produzidos no mesmo espaço de tempo, fenômeno que fica a cargo dos próprios trabalhadores, que, para tanto, são obrigados a despender mais energia vital em sua atividade (Dal Rosso, 2008).

No caso específico do corte manual da cana-de-açúcar, esse aumento de resultados é expresso pelo crescimento da quantidade de toneladas de cana cortada diariamente por cada trabalhador, que, devido à intensificação do trabalho, passou a cortar um volume cada vez maior da planta no mesmo período de tempo, gerando, assim, uma produção superior de valores de uso no decorrer de sua jornada. Como vimos na citação anterior, entre 1980 e o início dos anos 2000, a

[3] Ao não conseguirem alcançar a média diária estipulada pela usina para a qual trabalham – que atualmente gira em torno de dez ou doze toneladas/dia por trabalhador, dependendo da empresa –, os cortadores de cana são demitidos. Essa imposição da média é extremamente importante para as empresas, que a utilizam como uma forma de selecionar somente os trabalhadores mais produtivos.

produção individual dos cortadores de cana mais do que duplicou, o que serve de importante indicador desse processo.

Mas não podemos deixar de destacar aqui que o processo de intensificação do trabalho que está em curso no corte manual da cana resulta muito mais de mudanças organizacionais no processo produtivo do que de avanços efetuados nos meios materiais com os quais o trabalho é executado e/ou de mudanças tecnológicas introduzidas no setor. Isso faz sentido se lembrarmos que o instrumento de trabalho dos cortadores de cana – o podão – é o mesmo desde que essa atividade teve início no Brasil no século XVI[4]. Dessa forma, parece-nos ser possível dizer que, no caso específico da agroindústria canavieira brasileira, essa reorganização – um dos objetivos do processo de reestruturação produtiva pelo qual passou o setor sucroalcooleiro a partir de 2000 – é um elemento capaz de aumentar o grau de intensidade do trabalho[5].

No entanto, além da reorganização do trabalho, há ainda outros fatores que contribuem para a intensificação do trabalho dos assalariados rurais: a *média* diária de produção (que, como mencionado anteriormente, impõe a obrigatoriedade dos trabalhadores de produzir cada vez mais para conseguirem atingir a meta mínima e, assim, assegurar seu emprego) e o pagamento por produção.

Como já destacado, ao utilizar o pagamento por produção como forma de remuneração, as usinas buscam obter mais trabalho e, consequentemente, mais "mercadorias" dos cortadores de cana, fato que pôde ser percebido no decorrer da investigação. Por intermédio da pesquisa de campo realizada em ambas as usinas, pudemos comprovar que o pagamento por produção contribui, e muito, para a intensificação do trabalho dos cortadores de cana, conforme fica explícito nos depoimentos a seguir:

> Na produção a gente trabalha "forçado"[6]. O trabalho por produção, se você faz uma diária de produção, vamos dizer, uma diária de R$ 100 mais ou menos de produção por dia, e você tá gostando do serviço, e você tem capacidade de aumentar aquilo ali, você não vai diminuir, você não quer diminuir, todo dia você vai ter que ter mais, dá pra aumentar cada vez mais, na produção o cara pode conseguir, mas é gostoso você receber o salário, porque o salário vem bom, vem gordo, vem bom, você trabalha interessado... (Joaquim[7])

---

[4] Esse tipo de argumentação também está presente nos trabalhos de Alves e Novaes (2011) e de Reis (2012), para quem, "desde a década de 60, nenhuma mudança técnica significativa foi implementada na atividade de corte manual da cana que possibilitasse aumento de produtividade" (Reis, 2012, p. 68).

[5] Segundo Dal Rosso: "Pode haver alteração na intensidade acompanhada de mudança técnica [...] ou não [...]. Aquela não acompanhada de mudança técnica prévia implica que a reorganização do trabalho é também elemento suficiente para torná-lo mais intenso" (Dal Rosso, 2008, p. 72-3).

[6] Trabalhar forçado é uma expressão bem recorrente entre os assalariados rurais. Quando dizem que trabalham forçado, eles estão querendo dizer que se esforçam bastante no trabalho, que trabalham com empenho e afinco.

[7] Em função do compromisso de que nenhuma informação passível de identificar os entrevistados fosse divulgada, os nomes dos participantes referidos no estudo foram alterados e substituídos por nomes fictícios, assim como os de todas as pessoas às quais eles se referiram nas entrevistas.

José (J): Na produção, o pessoal tá se cansando, não perdendo hora, não perdendo nem [um] minuto no trabalho, porque, se perder, a pessoa, digamos, que tira R$ 800, R$ 700 no mês, se teve minuto perdido, se perder hora, tudo isso aí, aí já não vai tirar mais! Aí fica aquela correria, pega ali, pega acolá, aí pronto, aí não vai ganhar aquilo lá o que ganha, tem que correr mesmo, não pode perder minuto.

Esses depoimentos deixam claro que o ritmo de trabalho dos cortadores de cana é muito influenciado pela possibilidade que eles têm de receber um salário mais elevado, já que recebem por produção. Assim, para poderem ganhar um salário melhor, os trabalhadores buscam, sempre que possível, trabalhar mais e mais rápido, isto é, preencher todos os "tempos de não trabalho" de sua jornada e aumentar seu ritmo para cortar uma quantidade cada vez maior de cana ao longo do expediente e, ao fazerem isso, acabam desrespeitando os limites do próprio corpo. É por tudo isso que muitos trabalham tanto – se *forçam* tanto no trabalho – que chegam até mesmo a desmaiar ou ter outros mal-estares súbitos mais graves no decorrer da jornada laboral, precisando ser imediatamente socorridos pelos colegas de trabalho ainda no interior dos canaviais, como será tratado adiante.

Além disso, como discutido em pesquisa anterior (Guanais, 2010), o pagamento por produção praticado na agroindústria canavieira guarda uma especificidade quando comparado aos demais praticados em outros setores, e isso também contribui ainda mais para a intensificação do trabalho dos cortadores de cana. Vimos que, em função do sistema de amostragem cientificamente elaborado pelos departamentos agrícolas das usinas, os cortadores de cana ficam impossibilitados de conhecer não somente a quantidade de metros que cortaram em um dia de trabalho (isto é, a quantidade de "peças" que produziram) mas também o valor do metro (o preço da "peça") que produziram, tornando impossível para eles controlar seu processo de trabalho e seu salário. Assim, sem saberem ao certo quanto receberão por aquele dia, nem mesmo se conseguiram ou não atingir a média diária, muitos cortadores de cana ficam inseguros e acabam se vendo na obrigação de aumentar o ritmo e trabalhar o máximo que conseguirem, o que, muitas vezes, acaba acarretando acidentes e problemas de saúde.

Ao longo das entrevistas realizadas, muitos trabalhadores também fizeram questão de reconhecer a relação do pagamento por produção com a elevação da intensidade do trabalho e, consequentemente, com o aumento do desgaste físico e com muitas das doenças que os acometem. Para os entrevistados, o trabalho na diária[8] era visto pelos próprios trabalhadores como mais *maneiro*, isto é, mais leve, não tão pesado como o corte de cana. Assim, aqueles que trabalhavam na diária

---

[8] Normalmente, as turmas da diária chegam às usinas um pouco mais cedo que as demais, logo no começo do ano (entre janeiro e fevereiro), antes do "início oficial" da safra, e têm como forma de remuneração predominante a diária, isto é, todos os que fazem parte dessa turma recebem um valor fixo por dia (o qual não varia em função da produtividade atingida por indivíduo). Quando recebem por diária, os assalariados rurais acabam ganhando um valor diário (e também

(e que, por isso, não recebiam por produção) prejudicavam menos a saúde porque *forçavam* menos do que aqueles que cortavam cana e que recebiam por produção. Ainda para os entrevistados, quando trabalhavam na produção, os assalariados acabavam correndo mais riscos de se machucar e de se acidentar porque tinham um ritmo de trabalho muito mais acelerado e intenso do que o ritmo dos trabalhadores da diária:

> Valmir (V): Aqui na Furlan tem diferença: o pessoal do plantio é por diária, e o do corte é por produção. *A diária você trabalha menos*, e ganha bem menos. Você só planta, limpa a roça, tira mato, *o serviço é mais "maneiro"*, por isso ganha menos. *Já os do corte é tudo produção, mas o serviço é pesado demais*, mas também ganha bem mais.
> Pesquisadora (P): Mas e você? Prefere trabalhar por diária ou por produção?
> V: Eu prefiro a diária, porque o serviço é mais "maneiro". Porque *na produção* o cara ganha bem mais... mas *tem que se esforçar demais, né, tem que se matar. Na diária não, é mais fácil, não judia tanto do corpo da gente. Eu prefiro na diária porque eu posso voltar gordo para casa...na produção não, o cara emagrece demais*, viu. (Grifos nossos)

## Prolongamento da jornada

Ao analisarmos detidamente o processo produtivo que envolve o corte manual da cana, verificamos que, além de estar em curso um processo de intensificação do trabalho, são recorrentes os episódios de prolongamento da jornada. Isso faz com que o aumento da intensidade do trabalho se some à extensão da jornada laboral, trazendo enormes prejuízos à saúde das trabalhadoras e dos trabalhadores, que têm sua força de trabalho ainda mais dilapidada quando isso acontece. É importante mencionar que, a despeito de não ser o único fator determinante, o pagamento por produção também contribui, e muito, para o prolongamento da jornada laboral, já que, quando estendem seu tempo de trabalho, os assalariados podem cortar uma quantidade maior de toneladas de cana e, assim, receber um salário mais alto.

Deve-se ressaltar que, no caso da agroindústria canavieira, esse prolongamento da jornada pode dar-se de três formas, que podem ocorrer conjugadas ou não: pelo descumprimento das paradas previstas para almoço e descanso, pela prestação de horas extras (realizadas após as oito horas convencionais de trabalho) ou via trabalho aos domingos e feriados.

No caso da primeira situação, a partir das observações *in loco*, foi possível perceber que, mesmo tendo asseguradas a pausa de uma hora para o almoço e as duas pausas de dez minutos para descanso, muitos trabalhadores rurais não obedeciam a esses momentos de parada. Especialmente no que se refere ao almoço,

---

mensal) bastante inferior ao que é obtido com o pagamento por produção, fato que faz com que uma expressiva maioria dos trabalhadores dê preferência para o último.

muitos cortadores de cana optavam por almoçar em poucos minutos para poder retornar o mais rápido possível para sua atividade. Importante deixar claro que situações como essas contrariam algumas das recentes exigências do Ministério Público do Trabalho (MPT), que preveem que, no caso específico do intervalo para almoço, além de terem que respeitar a parada de uma hora, os cortadores de cana devem retornar aos ônibus para fazer suas refeições em mesas abrigadas sob toldos, o que nem sempre ocorre na prática.

De acordo com os entrevistados, pelo fato de receberem por produção, muitos não fazem as pausas que lhes são garantidas, já que, ao pararem de trabalhar, diminuem sua produção, e consequentemente, seu salário, como fica claro no depoimento de um dos trabalhadores:

> José (J): Almoçou, tem uma hora de descanso no almoço, tem 10 minutos de parada às 9 horas e [às] 2 horas da tarde tem mais 10 minutos. Nós, que tá nos serviços gerais, quando é 9 horas o ônibus apita e nós para 10 minutos, aí a gente senta um pouco, fica conversando um pouco, aí passou os 10 minutos e nós começa de novo, só que na produção tem os 10 minutos, a mesma coisa, só que eles não param porque – mas o pessoal da usina também não obriga – mas o certo mesmo é parar, sabe.
> Pesquisadora (P): E por que eles não param?
> J: Porque eles olham no holerite e eles não pagam os 10 minutos, é obrigado a pagar, mas eles não pagam, aí o pessoal fala que eles não vão ficar parado os 10 minutos porque eles não vão ganhar nada, então eles ficam trabalhando devagarzinho, aí fica trabalhando! Aí chega as 11 horas – porque tem 2 turnos, duas turmas pra almoçar, uma turma almoça das 10 às 11 horas, e outra almoça das 11 às 12 horas – aí deu 11 horas e o ônibus apita, aí quem tá na produção tem que ir pro serviço, principalmente eles que tá na produção que, quanto mais rápido, melhor pra não perder tempo, porque se ganha, se tira R$ 800, aí chega no mês e se não fizer isso daí aí tira R$ 500, R$ 600, aí não pode perder tempo.

Como é possível perceber, as pausas são descumpridas – já que, além de desestimuladas pelos fiscais de turma, muitas vezes não são pagas pelas usinas, contrariando o que está previsto em lei – e os cortadores de cana trabalham "correndo" porque têm consciência de que cada minuto parado representa uma diminuição em seu já parco salário. Também não podemos nos esquecer de que, quanto mais suspenderem sua atividade, mais difícil ficará atingir a média diária – extremamente elevada – e, quando não a atingem, o risco de demissão é enorme.

Outra forma de prolongamento da jornada ocorre via trabalho aos domingos e feriados. De início, é preciso deixar claro que os cortadores de ambas as usinas pesquisadas trabalham de segunda a sábado, tendo os domingos e feriados como únicos dias de folga e descanso. Entretanto, a despeito disso, ambas as usinas "convidam" os cortadores de cana a trabalhar também nesses dias e oferecem algumas "vantagens" para aqueles que aceitarem seu "convite". Uma dessas vantagens é a duplicação do valor que os trabalhadores receberão por aquele dia. Isto é, se por acaso aqueles que aceitarem trabalhar em seu único dia de folga cortarem, por exemplo, dez toneladas de cana nesse dia, em vez de receberem um salário diário condizente com aquelas dez toneladas, receberão um salário condizente com vinte toneladas. Isso acaba fazendo com que, mesmo extremamente cansados do trabalho da semana toda, muitos cortadores de cana acabem indo trabalhar também aos domingos e feriados.

Ao longo da pesquisa de campo, foi difícil encontrar trabalhadores que permaneciam no alojamento aos domingos para descansar e se recuperar para a semana seguinte de trabalho. Para eles, a oportunidade de receber dobrado era muito atrativa e não podia ser deixada de lado, e por isso grande parte dos cortadores de cana acabava aceitando prolongar a jornada de trabalho para sete dias. Não podemos nos esquecer de que os salários dos cortadores de cana sempre foram historicamente baixos (Alves, 2008), embora devessem assegurar a sobrevivência deles e de suas famílias não somente ao longo da safra, mas também durante toda a entressafra.

Deve-se ressaltar também que, independentemente da forma pela qual se dê o prolongamento da jornada, o motivo é sempre o mesmo: a tentativa por parte dos trabalhadores de aumentar seu parco salário. Contudo, é preciso deixar claro que, na prática, se forem levar em consideração somente o retorno financeiro que terão, trabalhar um dia a mais na semana acaba sendo "melhor" do que fazer horas extras, uma vez que, diferentemente dos demais assalariados, os cortadores de cana, por receberem por produção, não recebem o valor da(s) hora(s) extra(s) trabalhada(s). Isso porque, de acordo com o entendimento majoritário do Tribunal Superior do Trabalho (TST), quando os trabalhadores que são remunerados por produção trabalham horas extras, os empregadores não são obrigados a pagar a seus empregados o valor da(s) hora(s) extra(s) trabalhada(s), uma vez que nessas ocasiões os mesmos já recebem um adicional.

Isso quer dizer que, quando os empregados recebem por produção e fazem horas extras, as empresas estão autorizadas a pagar a eles somente o adicional (ou seja, somente o "número de peças" a mais que o trabalhador produziu durante esse tempo de hora extra), não sendo, portanto, obrigadas a pagar o valor da(s) hora(s) extra(s) trabalhada(s).

É importante deixar claro que, até o presente momento, a despeito de haver alguns magistrados se posicionando contra isso, o entendimento majoritário do TST sobre o pagamento de horas extraordinárias aos cortadores de cana ainda continua prevalecendo. Com isso, o roubo do valor das horas extras trabalhadas que deveriam ser – mas não são – pagas aos cortadores de cana, vem a se somar a todos os demais roubos presentes no processo produtivo do corte manual da cana, tais como os roubos no momento da passagem do compasso e os roubos no momento da pesagem da cana nas balanças das usinas – roubos esses que interferem direta e negativamente no salário dos cortadores de cana.

Mas e a superexploração do trabalho, onde entra na presente pesquisa? Como ela se dá na prática?

## Superexploração do trabalho

De acordo com Ruy Mauro Marini (2011), a superexploração do trabalho é um mecanismo de compensação que opera na esfera produtiva dos países dependentes, utilizado pelos capitalistas desses países para compensar as perdas geradas devido às transferências de valor e mais-valor para os países centrais, e é viabilizada por intermédio de três mecanismos-chave: o prolongamento da jornada laboral, o aumento da intensidade do trabalho e a redução do consumo dos operários mais além de seu limite normal[9]. De acordo com o autor:

> O aumento da intensidade do trabalho aparece, nessa perspectiva, como um aumento da mais-valia, obtido através de uma maior exploração do trabalhador e não do incremento de sua capacidade produtiva. O mesmo se poderia dizer da prolongação da jornada de trabalho, isto é, do aumento da mais-valia absoluta na sua forma clássica [...]. Deve-se assinalar, finalmente, um terceiro procedimento, que consiste em reduzir o consumo do operário mais além do seu limite normal, pelo qual "o fundo necessário de consumo do operário se converte de fato, dentro de certos limites, em um fundo de acumulação de capital". (Marini, 2011, p. 147-8)

E Marini continua:

> Esses mecanismos (que ademais podem se apresentar, e normalmente se apresentam, de forma combinada) significam que o trabalho é remunerado abaixo de seu valor e correspondem, portanto, a uma superexploração do trabalho. (Marini, 2011, p. 150)

Os três mecanismos-chave mencionados por Marini (2011) acabam por configurar um "modo de produção" fundado na maior exploração da força física dos trabalhadores, e não no desenvolvimento de suas capacidades produtivas. De acordo com o autor, essa realidade é condizente não somente com o baixo nível de desenvolvimento das forças produtivas nas economias latino-americanas mas também com as atividades produtivas que são ali realizadas.

Ao afirmar que a superexploração corresponde a uma situação em que o trabalho é remunerado abaixo de seu valor, Marini (2011) quis dizer que nessa situação

---

[9] É muito importante destacar aqui que, para Marini (2011), "não é a rigor necessário que exista a troca desigual para que comecem a operar os mecanismos de extração de mais-valia mencionados; o simples fato da vinculação ao mercado mundial, e a conversão conseguinte da produção de valores de uso em produção de valores de troca que isso acarreta, tem como resultado imediato desatar um afã por lucro que se torna tanto mais desenfreado quanto mais atrasado é o modo de produção existente [...]. O efeito da troca desigual é [...] o de exacerbar esse afã por lucro e aguçar portanto os métodos de extração de trabalho excedente" (Marini, 2011, p. 148-9).

específica o salário recebido pelo assalariado não condiz com o valor de sua força de trabalho, isto é, que sua remuneração é inferior ao valor de sua força de trabalho. Ao analisar o caso específico dos países dependentes latino-americanos, mesmo baseando-se em toda a construção teórica elaborada por Marx (2013) e sendo fiel a ela, Marini (2011) demonstrará como aquele pressuposto teórico-metodológico no qual o autor alemão se baseou – a existência de equivalência entre o salário e o valor da força de trabalho – não se aplica à realidade empírica presente naqueles países, que guardam muitas especificidades quando comparados aos países centrais[10].

Para Marini (2011), nas economias dependentes, a despeito de a classe trabalhadora ser submetida cotidianamente a procedimentos tais como o prolongamento desmedido da jornada e o aumento da intensidade do trabalho – os quais, como nos explicou Marx (2013), implicam necessariamente uma elevação do valor da força de trabalho na medida em que aceleram seu desgaste[11] –, é possível afirmar que, de maneira geral, os trabalhadores desses países não recebem um reajuste em seu salário que compense esse maior desgaste e que, portanto, seja condizente com a elevação do valor de sua força de trabalho.

Isso faz com que – a despeito de terem o valor de sua força de trabalho elevado em função dos procedimentos anteriormente citados –, a maioria dos trabalhadores das economias dependentes acabe recebendo um salário que não equivale ao valor de sua força de trabalho, configurando, assim, uma situação de superexploração.

Mas é possível dizer que isso ocorre no caso específico dos cortadores de cana brasileiros?

## Superexploração do trabalho na agroindústria canavieira

Como já demonstrado, o pagamento por produção estimula tanto o aumento da intensidade do trabalho como o prolongamento da jornada laboral, fazendo com que, no processo produtivo do corte manual da cana, ambos os procedimentos

[10] De acordo com Adrián Sotelo Valencia (2012), "o mérito e a novidade da proposta de Marini com relação à teoria da dependência consistem em que ele forjou a categoria superexploração – que ficou fora da análise geral do capital de Marx pelas razões expostas – como o núcleo duro e princípio orientador do desenvolvimento capitalista nas formações econômico-sociais subdesenvolvidas da periferia do sistema mundial, e permitiu diferenciá-lo histórica e estruturalmente do desenvolvimento dos países de capitalismo clássico" (Valencia, 2012, p. 148).

[11] Segundo o esquema teórico de Marx (2013), quanto maior for o dispêndio de força de trabalho, maior o desgaste dos trabalhadores e, portanto, maior tem que ser a quantidade de meios de subsistência necessários à sua manutenção. E, quanto maior for o valor dessa massa de meios de subsistência, maior será o valor da força de trabalho. "Valor da força de trabalho aumenta de acordo com seu desgaste, isto é, com a duração de seu funcionamento e de modo proporcionalmente mais acelerado do que o incremento da duração de seu funcionamento" (Marx, 2013, p. 616). E mais: quanto maior for o valor da força de trabalho, maior deverá ser o salário recebido pelo trabalhador, uma vez que, para Marx (2013), o salário deve ser equivalente ao valor da força de trabalho, não devendo estar, portanto, abaixo desse valor. Para mais detalhes, consultar o terceiro e o quarto capítulos de Guanais (2018), nos quais o raciocínio está desenvolvido.

estejam associados, contribuindo sobremaneira para o aumento do desgaste dos assalariados rurais.

Da mesma forma como ocorre com trabalhadoras e trabalhadores de outros setores produtivos, quanto maior for o dispêndio de força de trabalho dos cortadores de cana, maior será o seu desgaste e, portanto, maior terá que ser a quantidade de meios de subsistência necessários à sua manutenção e reprodução; e, quanto maior for o valor dessa massa de meios de subsistência, maior será o valor da força de trabalho. A partir disso, é possível entender por que o aumento da intensidade do trabalho e a extensão da jornada laboral trazem como consequência a elevação do valor da força de trabalho desses assalariados rurais, na medida em que contribuem para o desgaste dos cortadores de cana.

No entanto, ao mesmo tempo que os cortadores de cana brasileiros têm um aumento no valor de sua força de trabalho, é possível afirmar que esse aumento não é acompanhado de uma elevação proporcional de seus salários. Isso faz com que esses trabalhadores rurais recebam um salário que está abaixo do valor de sua força de trabalho, configurando, assim, uma situação de superexploração. Além disso, tanto o piso salarial como os salários dos cortadores de cana têm diminuído de forma significativa com o passar dos anos, conforme apontam os resultados de vários estudos recentes (Alves, 2008; Ramos, 2007; Pochmann, 2009)[12], fato que contribui para tornar ainda maior a brecha existente entre o valor da força de trabalho desses trabalhadores e a renda que recebem:

> Verifica-se que em São Paulo essa queda foi extremamente forte. Enquanto em 1989 um trabalhador tinha um piso salarial no corte de cana de 2,07 salários mínimos, em 2007 o valor recebido em salários mínimos é de 1,21 salário. Se considerarmos o salário conquistado na greve de 1986 a queda é mais dramática ainda, em 2007 o piso salarial é menos da metade do conquistado. *É importante verificar que houve, além da queda nos salários dos cortadores de cana, um outro movimento importante entre as décadas de oitenta e a presente década, que foi o aumento da produtividade do trabalho.* Na década de oitenta, segundo depoimento dos trabalhadores e segundo os dados das próprias usinas, os trabalhadores cortavam em média 6 T/H/D (toneladas de cana por homem dia), hoje, o relato dos trabalhadores é que o mínimo exigido pelas usinas para a efetivação do contrato de trabalho é de 9 T/H/D. (Alves, 2008, p. 45-6; grifos nossos)

O estudo de Pochmann (2009) também chama a atenção para a desproporção entre a evolução do rendimento da produção agrícola e a remuneração dos

[12] Essa tendência é válida para todos os assalariados rurais brasileiros, e não somente para os cortadores de cana, como apontam os dados do Dieese: "os salários ainda continuam muito baixos. Os pisos salariais negociados pouco ultrapassam o valor de um salário mínimo. Entre 2007 e 2013, por exemplo, a média dos valores negociados pouco variou: em 2008, atingiu 1,16 salário mínimo, enquanto em 2013 representou 1,10 salário mínimo" (Dieese, 2014, p. 28).

trabalhadores rurais ao longo das últimas décadas. De acordo com o autor, na passagem da década de 1980 para os anos 1990 houve uma significativa inflexão no pagamento dos trabalhadores em comparação com o rendimento da produção. Enquanto o rendimento médio da colheita de cana foi multiplicado por 2,6 vezes entre 1979 e 2004, o pagamento recebido pelo trabalhador por colheita perdeu 57,4% de seu valor real.

Já no que diz respeito à remuneração média, a pesquisa de Pochmann (2009) demonstra também que houve uma alteração importante a partir da segunda metade da década de 1970. Após o percurso de acompanhamento da remuneração em relação ao rendimento médio até a primeira metade da década de 1980, assistiu-se em seguida à evolução desconectada entre o crescimento do rendimento médio na colheita e o rebaixamento da remuneração média dos cortadores de cana. De acordo com o autor, entre 1985 e 2004, a remuneração média perde 28,3% de seu valor real, enquanto o rendimento médio da produção de cana aumenta 60%[13].

Mas quais são as consequências práticas disso? De acordo com Marx (2013), quando há, por alguma razão, uma elevação no valor da força de trabalho, essa elevação deve ser acompanhada por um aumento proporcional dos salários, para que dessa forma os trabalhadores e suas famílias possam se manter e se reproduzir em condições adequadas. Contudo, nas situações em que isso não ocorre, o padrão de vida dos assalariados piora muito, já que nessas circunstâncias eles terão cada vez mais dificuldade para conservar sua força de trabalho em estado normal, já que só conseguem se manter e se reproduzir de forma precária e parcial.

Ao trabalharem cada vez mais e/ou por mais tempo e ao não conseguirem repor todo o gasto adicional que tiveram porque não foram incluídos custos de depreciação maiores na reprodução de sua força de trabalho, os trabalhadores das economias dependentes – e aqui se incluem os assalariados rurais estudados nesta pesquisa – acabam arcando não apenas com o esgotamento precoce de sua força de trabalho, expresso na redução progressiva de sua vida útil, mas também com transtornos psicofísicos provocados pelo excesso de fadiga. Os acidentes de trabalho, as doenças ocupacionais, os casos de aposentadoria por invalidez e até mesmo a morte prematura são outras mazelas que também acabam surgindo como decorrência desse processo em que não somente a força de trabalho é consumida mas também a própria vida dos assalariados.

Como vimos, o pagamento por produção acaba estimulando tanto a elevação da intensidade do trabalho como o prolongamento da jornada, procedimentos que contribuem para aumentar ainda mais o desgaste desses trabalhadores que já

---

[13] Baseando-se em dados estatísticos do Instituto de Economia Agrícola (IEA), o estudo de Ramos (2007) também aponta essa mesma tendência: "Fica devidamente explicitado que a remuneração do trabalho na cana deve-se, fundamentalmente, ao crescente esforço feito pelos cortadores de cana queimada, que permitiu a elevação do rendimento de corte mas que não conseguiu evitar que a remuneração diária real na atualidade seja menor do que a que se conseguia na segunda metade da década de 1970 e início da de 1980" (Ramos, 2007, p. 16).

desempenham uma atividade extremamente penosa e árdua por natureza. Não podemos nos esquecer de que, para o trabalho no corte manual da cana, mais do que força é necessária muita resistência física, já que, ao longo de sua jornada de trabalho, os assalariados rurais realizam várias atividades repetitivas, exaustivas e a céu aberto, na presença de fuligem, poeira, fumaça e calor e por um período que pode chegar a até dez horas diárias.

Para agravar ainda mais esse contexto, a carência nutricional, acentuada pelo esforço físico excessivo, também contribui para o aumento dos acidentes de trabalho, além de doenças das vias respiratórias, dores na coluna, tendinites, desmaios etc. Isso sem contar a fuligem da cana queimada que contém gases extremamente venenosos e nocivos à saúde e que é inalada diariamente pelos cortadores de cana. Não é de estranhar, portanto, que muitos trabalhadores passem mal no meio do expediente. Como nos explica Laat (2010):

> A hipertermia pode surgir em um trabalhador do corte manual de cana, pois esse faz um exercício intenso e prolongado, exposto às baixas umidades, altas temperaturas, sem adequada hidratação e péssima transpiração por conta das vestimentas pesadas [...]. Como sintomas da hipertermia surgem inicialmente sede, fadiga e câimbras intensas. Na sequência o mecanismo termorregulador corporal começa a entrar em falência e surgem sinais como náuseas, vômitos, irritabilidade, confusão mental, falta de coordenação motora, delírio e desmaio [...]. O suor é abundante, até o momento em que surge a desidratação. (Laat, 2010, p. 62)

Inseridos nesse contexto, caracterizado por condições insalubres de trabalho e enormes exigências no que se refere à qualidade do serviço desempenhado, muitos trabalhadores rurais acabam vindo a falecer até mesmo no próprio canavial, durante sua jornada de trabalho[14]. Segundo o Serviço Pastoral dos Migrantes (SPM), entre as safras de 2004 e 2008, 21 cortadores de cana morreram em decorrência de excesso de trabalho nos canaviais paulistas. "Todas as evidências colhidas a partir de relatos de trabalhadores e a partir da verificação das condições de trabalho apontam que as mortes são decorrentes do esforço exigido durante o corte de cana" (Alves, 2008, p. 34).

As mortes cada vez mais frequentes de cortadores de cana de várias regiões do Brasil também chamaram a atenção de Silva (2006). Em sua pesquisa, a autora buscou ouvir alguns médicos para descobrir as causas que levaram os trabalhadores rurais a óbito. Os especialistas argumentaram que a sudorese excessiva (provocada pela perda de potássio) pode conduzir a uma parada cardiorrespiratória. Também há casos que são provocados por aneurisma, em função do rompimento de vasos sanguíneos. Entretanto, na expressiva maioria dos casos, nos

[14] Os casos de mortes de assalariados rurais no meio do trabalho não são recentes. A pesquisa de D'Incao (1976) já havia alertado sobre isso.

atestados de óbito a *causa mortis* desses trabalhadores ainda é muito vaga, não permitindo, portanto, uma análise conclusiva a respeito do que causou as mortes. Nos atestados consta apenas que os trabalhadores morreram ou por parada cardíaca, ou por insuficiência respiratória, ou por acidente vascular cerebral (Alves, 2006).

Ao longo das entrevistas realizadas com os assalariados rurais das duas usinas, vários mencionaram que já haviam ouvido falar e/ou já haviam presenciado casos de mortes no interior dos canaviais. Como nos conta João Gomes:

> Pesquisadora (P): O senhor já conheceu alguém que se machucou trabalhando?
> João Gomes (JG): Conheci, muita gente, ahh!! Porque era ali, na turma da gente, né, o povo se cortava, aí vinha aquele carrinho baixo do fiscal e levava eles pra cidade, aí ali dava atestado pra eles. Eu mesmo nunca peguei atestado, graças a Deus eu nunca se machuquei.
> P: E na época em que o senhor trabalhou tinha gente que passava mal na roça?
> JG: Ah, já sucedeu em minha turma morrer gente! Já morreu gente...
> P: Morreu gente? Como foi isso?
> JG: Foi assim, tinha um rapaz – no derradeiro ano que eu trabalhei nas usinas – que ele era de Tavares, ele trabalhava mais nós na mesma turma que a gente, aí ele trabalhou, e quando foi pra ele se fichar a usina não queria fichar ele porque ele tinha um problema, né, mas eu sei que ele se fichou por proteção, aí ele pegou pra trabalhar na cana, e quando tava faltando trinta e poucos dias pra safra terminar, nós tava cortando cana numa fazenda aí nós terminemos – porque a cana acabou e nós tinha que vir embora cedo – *aí quando ele entrou no ônibus ele tava ruim, aí ele sentou-se assim no banco, e nós andamos uns duzentos metros e ele desmaiou.* Aí o motorista falou que ia levar ele pra cidade de Itápolis – nós morava em Borborema, mas era longe pra chegar, né – aí nós levamos ele pra Itápolis, que era mais perto. *E, quando nós chegamos lá, o médico espiou e ele já tava morto, já tava morto...*
> P: E ele tinha trabalhado o dia inteiro?
> JG: *Tinha trabalhado, esforçado, tinha trabalhado forçado... ele se forçou demais, ele só trabalhava forçado. Aí eu sei que ele morreu,* nós deixamos ele na cidade de Itápolis. Aí os filhos dele vieram de fora, pediram pra ir buscar ele, mas ele não teve condição de ir pra casa, né, porque a usina não liberou, aí enterraram lá mesmo, em Borborema. (Grifos nossos)

Aqueles que não chegam a falecer têm sua capacidade laboral reduzida de uma safra para outra ou seus corpos são mutilados e, por consequência, são considerados inválidos para o trabalho. Mesmo assim, em parte considerável dos casos, por serem os únicos provedores de suas famílias, os cortadores de cana sentem-se obrigados a continuar trabalhando. Com isso percebemos que, além de fazer uso da força de trabalho daqueles que contrata, o capital também se apropria dos anos futuros dos trabalhadores, atentando contra seu fundo de vida.

# 13

# O mercado sucroalcooleiro e as mutações do trabalho: o fim do cortador de cana[1]

*Luciano Ferreira Rodrigues-Filho*

Neste capítulo, trataremos da importância da cana-de-açúcar para o Brasil, principalmente na produção de açúcar e etanol, com uma análise da indústria canavieira desde a crise de 1970, além das intervenções econômicas, políticas e legislativas que afetam o trabalho do cortador de cana. Mudanças em âmbito global interferem no contexto socioeconômico do setor sucroalcooleiro, como a mecanização dos canaviais e as mutações da gestão organizacional, que podem pôr fim à atividade do cortador de cana.

Nesta análise, compreendem-se as distintas formas ideológicas de captura subjetiva desses trabalhadores como mecanismo de manipulação e multiplicação de sujeitos submetidos aos interesses do monopólio da cana-de-açúcar.

## O etanol no Brasil

Antes de discutirmos o mercado global, é importante formalizar a implantação do mercado de combustíveis e óleos no Brasil, percebendo um caminho paralelo com os acontecimentos dos mercados interno e externo. Em um artigo de autoria de Celso Fernando Lucchesi (1998), que na época de sua publicação era superintendente executivo de exploração e produção da Petrobras, é apresentada a história do petróleo no Brasil, na qual é interessante perceber a participação do governo em pesquisas para descobrir bacias de óleo e gás. Para o autor, a exploração está relacionada com a legislação do petróleo no Brasil e é por ele dividida nas seguintes

[1] Este capítulo é parte da dissertação intitulada *O trabalhador do corte de cana no Norte Pioneiro do Paraná: o fim da atividade e os sentidos do trabalho* (Rodrigues-Filho, 2015), defendida na área de psicologia social da PUC/SP, sob orientação de Odair Furtado.

fases: período pré-Petrobras (1858-1953), período de exclusividade da Petrobras (1954-1997) e período pós-lei 9.478/97 – a transição (de 1997 em diante).

Com o intuito de descrever os órgãos empenhados no assunto, vale destacar a corrida pela tecnologia para a exploração do petróleo com medidas legislativas para o trabalho envolvendo a produção de óleos e derivados, associadas com o mercado estrangeiro.

De acordo com Lucchesi, a primeira fase, chamada de período pré-Petrobras (1858-1953), esteve marcada por duas etapas. A primeira, de 1858 até 1938, mostrou-se pouco relevante ao Brasil, uma vez que o país ainda não se enquadrava como um real e próspero produtor de petróleo. Além disso, todo o período ficou a cargo da iniciativa privada, como as pesquisas e a abertura de bacias. Só no período entre 1892 e 1897 o "fazendeiro Eugênio Ferreira de Camargo perfurou em Bofete (SP) o que foi considerado o primeiro poço petrolífero do Brasil, tendo sido reportada a recuperação de dois barris de petróleo" (Lucchesi, 1998, p. 20). Nessa mesma fase foi criado, em 1907, o Serviço Geológico e Mineralógico Brasileiro (SGMB), que aumentou as atividades de perfuração, mediante o emprego de novas tecnologias e de profissionais da área de engenharia e geologia.

Em 29 de abril de 1938, ainda com poucos incentivos financeiros e tecnológicos, o então presidente, Getulio Vargas, promulgou o Decreto-lei n. 395, que, em seu art. 4º, estabeleceu o Conselho Nacional do Petróleo (CNP), o qual ficaria incumbido de autorizar, regular e controlar tudo o que pudesse se referir ao petróleo em "defesa dos interesses da economia nacional", além de autorizar e fiscalizar as operações financeiras das empresas, bem como as operações mercantis (Brasil, 1938). Foi assim que se deu início à segunda fase do período pré-Petrobras, embora sem muitos avanços na produção de petróleo, apenas com aberturas de poços de pequena produção de óleo e gás e de importantes pesquisas para descobertas de bacias petrolíferas.

O período de exclusividade da Petrobras (1954-1997) teve início com a sua criação,

> após longa campanha popular, para servir de base à indústria do petróleo no Brasil e para exercer, em nome da União, o monopólio de exploração, produção, refino, transporte e comercialização do petróleo e seus derivados. Fazia parte de um ciclo histórico no qual se tentou montar as bases industriais brasileiras por meio da criação de estatais nas áreas de siderurgia, metalurgia e petróleo. A empresa tinha como missão suprir o mercado interno com petróleo e seus derivados, fosse pela produção nacional, fosse pela importação. Criada pela lei 2004 (3/10/1953) e instalada em 10/5/1954. (Brasil, 1938, p. 21)

O período de 1954 a 1968 foi caracterizado pela instalação da Petrobras, para a qual foram contratados técnicos estrangeiros para fazer pesquisas no Recôncavo

Baiano e na Amazônia. O geólogo estadunidense Walter Link foi responsável por implantar uma estrutura organizacional nos moldes da indústria de seu país natal, talvez como parte de uma "política de divisão dos lucros" que acionava o Brasil como "área de teste para os modernos métodos científicos de desenvolvimento industrial baseado no capitalismo intensivo", pautando-se na "americanização do Brasil", conforme as palavras de Gerald Haines[2] (Chomsky, 1999, p. 15). Em 1960, foi fundada a Organização dos Países Exportadores de Petróleo (Opep)[3] e, em 1961, foi divulgado o *Relatório Link*, que apresentava resultados negativos quanto à implantação de bacias de grande porte em áreas terrestres (Lucchesi, 1998, p. 22).

Nessa mesma época, os Estados Unidos, governados pelo democrata John F. Kennedy, criaram a Aliança para o Progresso (1961), programa assistencial para a América Latina destinado a combater o antiamericanismo decorrente da vitória da Revolução Cubana.

Nesse bojo, a "política norte-americana para o Brasil" teve continuidade nos anos de governo militar, do mesmo modo que as políticas para o petróleo no Brasil com a segunda fase (1969-1974), sem muito sucesso nas bacias terrestres. Em 1972, é criada a Braspetro para trazer do exterior o petróleo que o Brasil não produzia, e, em 1971, um dos principais acordos do Brasil foi firmado com o Iraque (Fares, 2007).

> Com o novo cenário criado pela primeira crise do petróleo, o Iraque vinha sendo considerado um dos melhores mercados do mundo árabe pelo governo brasileiro. Como era de se esperar, não havia uma política única para todos os países do Oriente Médio. A "opção iraquiana" parecia, desde o princípio, se não a melhor alternativa para o Brasil entre os produtores de petróleo, aquela com excelentes perspectivas para o futuro. A ação diplomática brasileira tornou-se proativa em relação ao Iraque. Afinal, o país necessitava importar praticamente tudo, de alimentos a manufaturados e, ao mesmo tempo, era grande exportador de petróleo, produto do qual o Brasil dependia. (Fares, 2007, p. 131)

"O Brasil era o maior importador de petróleo entre os países em desenvolvimento e o sétimo em escala mundial, sendo necessários cerca de 40% das exportações brasileiras para pagar a importação somente desse produto" (Santos, 2000, p. 56). Então, para resolver essa carência de combustível, o governo brasileiro assumiu o compromisso de regular a produção de álcool, talvez como uma saída aos altos custos do petróleo externo. Em 6 de agosto de 1966, foi publicado o Decreto-lei n. 16, que deu o controle total da produção de álcool e açúcar ao

---

[2] Especialista em história da diplomacia e antigo historiador da CIA: "Depois da 2ª Grande Guerra, os Estados Unidos assumiram, por interesse próprio, a responsabilidade pela prosperidade do sistema capitalista mundial" (Chomsky, 1999, p. 11).

[3] Formada originalmente por Arábia Saudita, Irã, Iraque, Kuwait e Venezuela.

governo (Brasil, 1966), mais especificamente à autarquia do Instituto do Açúcar e do Álcool (IAA), que pretendia "corrigir as irregularidades havidas nesse setor da economia", já que a produção "não tem proporcionado resultados eficazes que a conjuntura atual exige" (Brasil, 1966).

Em 1973, eclode a crise do petróleo, depois que os países-membros da Opep reduziram as cotas de produção, promoveram embargos de exportações aos Estados Unidos e a alguns países da Europa e triplicaram os preços do petróleo. Essa série de acontecimentos causou uma crise mundial que afetou diretamente os Estados Unidos e teve início após a Guerra do Yom Kippur, a qual envolveu israelenses e árabes em outubro do mesmo ano. Esse conflito gerou uma sucessão de medidas, impostas principalmente pela Opep e pelos países exportadores de petróleo do Oriente Médio, que elevaram o preço do barril de petróleo (de US$ 3 para US$ 12), afetando a economia mundial dos países importadores, entre os quais o Brasil.

Para István Mészáros (2011a; 2011b), as crises ocorridas na década de 1970 culminaram numa "crise estrutural do capital", considerada o estopim para eclodir uma nova mudança ideológica (Mészáros, 2004), dando fim a toda uma ideologia pós-guerra nos moldes dos estudos keynesianos[4] e acarretando o colapso do Estado de bem-estar. Na mesma década, surgiu um "novo Estado industrial", título do livro de Galbraith, superando o "cenário keynesiano do desenvolvimento e do progresso econômico", afundando o sonho da soberania capitalista, já que era o "modelo insuperável para o futuro" (Mészáros, 2004, p. 131).

> No período de 1969-73, os Estados Unidos adotam uma política monetária frouxa, e a capacidade de imprimir moeda, em qualquer montante que parecesse necessário para manter a economia estável, contribui para a onda inflacionária. Observa Harvey (1992, p. 135): "O mundo capitalista estava sendo afogado pelo excesso de fundos; e, com as poucas áreas produtivas reduzidas para investimento, esse excesso significava uma forte inflação". Além disso, a formação do eurodólar na década de 1960 colabora para a redução do poder norte-americano de regulação do sistema financeiro internacional. (Alves, 2011, p. 13)

É nesse cenário que também ocorre uma crise no modelo ford-taylorista de produção, o declínio de uma "administração científica" que coloca a ciência a favor da opressão e da exploração dos trabalhadores dentro das fábricas, conforme as

[4] "A essência da fórmula keynesiana consiste em deixar as decisões particulares sobre a produção, mesmo as que envolvem preços e salários, aos homens que atualmente executam. A área de ação do homem de negócios não fica de modo algum restringida. A *decisão centralizada* só é aplicada em relação ao *clima* em que estas decisões são tomadas: assegura apenas que os fatores que influenciam a *decisão livre e inteligente* conduzam a uma *ação privada* que contribua para a *estabilidade econômica.* Portanto, em épocas de depressão, o aumento dos gastos do governo ou a redução da tributação provocarão ou permitirão um aumento na demanda. As decisões empresariais resultantes quanto à produção e ao investimento, embora não submetidas a um controle, resultarão em *aumento de produção e emprego*" (Galbraith, 1963, citado em Mészáros, 2004, p. 131, nota de rodapé).

palavras de Taylor (1990, p. 53): "um dos primeiros requisitos para um indivíduo que queira carregar lingotes de ferro como ocupação regular é ser tão estúpido e fleumático que mais se assemelhe em sua constituição mental a um boi". Nessas condições, o trabalhador fica incapaz de questionar o próprio trabalho, de "entender a ciência que regula a execução desse trabalho" (Taylor, 1990, p. 53); para isso, caberia ao "homem mais inteligente" treinar o trabalhador e ditar as ordens do processo.

Na década de 1970, entra em colapso o modelo ford-taylorista, pautado na máxima produção de bens, e surge, com Eiji Toyoda e o engenheiro Taiichi Ohno, o modelo toyotista de administração organizacional, que tinha como pontos fundamentais a eliminação de desperdício e a fabricação com qualidade; assim, seu sistema faz com que haja um maior comprometimento e envolvimento do trabalhador não só na produção, mas também no processo de decisão (Rodrigues-Filho, 2011). Segundo Antunes (1999), o toyotismo utiliza-se de:

> Novas técnicas de gestão da força de trabalho, do trabalho em equipe, das "células de produção", dos "times de trabalho", dos grupos "semiautônomos", além de requerer, ao menos no plano discursivo, o "envolvimento participativo" dos trabalhadores, em verdade uma participação manipuladora e que preserva, na essência, as condições do trabalho alienado e estranhado. (Antunes, 1999, p. 54)

Nesse sentido, a mudança comportamental do trabalhador passando de subalterno para polivalente, multifuncional, qualificado e de decisão, rompendo com as grandes pirâmides hierárquicas para uma estrutura horizontalizada, nesse novo processo que surge com a "crise estrutural do capital" é que Castillo (1996, citado em Antunes, 1999, p. 52) emprega a expressão "liofilização organizativa" para um padrão de acumulação flexível.

> Segundo David Harvey, a acumulação flexível caracteriza-se a partir do confronto direto com a rigidez do fordismo. Aquela se apoiaria na "flexibilidade dos processos de trabalho, dos mercados de trabalho, dos produtos e padrões de consumo" e "caracteriza-se pelo surgimento de setores de produção inteiramente novos, novas maneiras de fornecimento de serviços financeiros, novos mercados e, sobretudo, taxas altamente intensificadas de inovação comercial, tecnológica e organizacional" (Harvey, 1992, p. 138). Para ele, o conceito de acumulação flexível envolveria também rápidas mudanças nos padrões de desenvolvimento desigual, tanto entre setores (por exemplo, o crescimento do emprego no chamado setor de serviços) como entre regiões geográficas (o surgimento de conjuntos industriais completamente novos na Terceira Itália, no Flandres e nos vários vales e gargantas do silício, na Califórnia, e a vasta profusão de atividades em países recém-industrializados). (Alves, 2011, p. 13)

É seguindo essa flexibilidade que há a mudança ideológica, que se dá não só com o trabalhador mas em todo o cenário social mundial descrito por Mészáros (2004;

2011a; 2011b), justificando o "poder da ideologia" para a soberania do capitalismo. Assim, podem-se questionar essas mudanças estruturais do capital visando à abertura de uma economia por meio da "profusão de atividade em países recém-industrializados" (Alves, 2011, p. 14).

Para perceber essa procura pelos países recém-industrializados, será abordado, por um instante, o seguimento automobilístico no Brasil conforme cada governo. Essa procura por "países recém-industrializados" não ocorreu na década de 1970 e 1980 de forma impactante. A instalação das empresas automobilísticas se deu em quatro períodos: o primeiro, entre 1957 e 1959, foi com as políticas de industrialização do governo de Juscelino Kubitschek, dando destaque à produção de caminhões e ônibus, já que esse governo procurou diminuir as barreiras regionais no Brasil com a construção de estradas e rodovias, e à construção de Brasília, onde seria a futura sede do governo federal a partir de 1960. No segundo período (1976-1983), ocorre a mudança "estrutural do capital", principalmente nos Estados Unidos, onde a crise fez com que suas empresas procurassem expandir o mercado e globalizar-se.

Nessa ânsia de cruzar fronteiras, parece-nos que o Brasil não foi um país de interesse das montadoras de veículos de passeio; já em outros segmentos (caminhões, ônibus e comerciais leves), a instalação ocorreu de forma tímida; se foi de forma tímida nas décadas de 1970 e 1980, aconteceu o inverso nas décadas de 1990 e 2000, o terceiro período, que ganha destaque por ter o incentivo do governo liderado por Itamar Franco, que assume o poder após o *impeachment* de Fernando Collor com a missão de combater a alta inflação, nomeando, para isso, Fernando Henrique Cardoso (FHC) como ministro da Fazenda.

Em fevereiro de 1993, Itamar Franco assina o protocolo do carro popular que aplica o imposto sobre produtos industrializados (IPI) de 0,1%, buscando levantar a economia e tendo o "Fusca Itamar" como exemplo a ser seguido com o seu motor 1.0 custando menos do que hoje seriam R$ 8 mil (CR$ 700 mil). Nesse mesmo período se dá a "implantação e sustentação" do modelo econômico neoliberal, sendo que, para os países latinos é caracterizado como *modelo econômico neoliberal periférico*. Para Filgueiras (2006), é chamado de periférico por ser

> resultado da forma como o projeto neoliberal se configurou, a partir da estrutura econômica anterior do país, e que é diferente das dos demais países da América Latina, embora todos eles tenham em comum o caráter periférico e, portanto, subordinado ao imperialismo. (Filgueiras, 2006, p. 179, nota de rodapé)

Nada incomum ser subordinado ao imperialismo (estadunidense), mesmo porque já éramos alvo em outros tempos de uma "americanização do Brasil", conforme visto anteriormente. O sucesso do projeto neoliberal só foi possível após as classes trabalhadoras não conseguirem "tornar hegemônico seu projeto nacional, democrático e popular"[5], dando brechas "à unificação das diversas frações do capital em torno do projeto neoliberal – classes dominantes e interessadas" (Filgueiras, 2006), sobretudo com o fim das grandes greves organizadas pelos sindicatos (Rodrigues-Filho, 2014).

Com o governo de Fernando Henrique Cardoso, o acordo com as empresas automobilísticas de manter o IPI em 0,1% até dezembro de 1996 não se manteve. Em fevereiro de 1995, o IPI subiu para 7%, mas nem por isso as empresas deixaram de investir no Brasil durante os dois mandatos de FHC, mesmo enfrentando fortes crises, como a quebra dos Tigres Asiáticos e da Rússia. Até o momento, o que nos parece convincente é que, em momentos de crises que afetam as grandes economias (Estados Unidos, Alemanha, Reino Unido, França, Itália, Canadá e Japão), os olhos dos investidores são voltados para os países subdesenvolvidos, como foi em 2008 com o declínio imobiliário nos Estados Unidos. Naquele período, os investidores focaram, principalmente, os países supostamente com potencial, os Brics[6]. Em 2002, vence as eleições Luiz Inácio Lula da Silva:

> Decidido a evitar o confronto com o capital, Lula adotou política econômica conservadora. Nos dois primeiros meses de 2003, o Comitê de Política Monetária (Copom) do Banco Central (BC) aumentou os juros de 25% para 26,5%. De modo a pagar a dívida contraída com essa elevação, o Executivo subiu a meta de superávit primário de 3,75% em 2002, já considerada alta, para 4,25% do PIB (Produto Interno Bruto) e anunciou em fevereiro enorme corte, de 14,3 bilhões de reais, no orçamento público, quase 1% do produto estimado para aquele ano. O poder de compra do salário mínimo foi praticamente congelado em 2003 e 2004. Para completar o pacote, em 30 de abril de 2003 o presidente desceu a rampa do Planalto à frente de extensa comitiva para entregar pessoalmente ao Congresso projeto com reforma conservadora da Previdência Social. Entre outras coisas, a PEC (Proposta de Emenda à Constituição) acabava com a aposentadoria integral dos futuros servidores públicos. (Singer, 2012, p. 5)

Já em seu segundo mandato (2007-2010) as coisas mudaram: mesmo passando pela crise de 2008 (que será discutida adiante), Lula tinha o desígnio de acabar com a miséria; a luta entre "direita e esquerda" é substituída por "ricos e pobres"; e novas empresas são trazidas para o Brasil mesmo com a crise, aproveitando-se das condições da sociedade brasileira de então – "a nova classe trabalhadora".

> Passados oito anos, o cenário era outro. Em dezembro de 2010 os juros tinham caído para 10,75% ao ano, com taxa real de 4,5%. O superávit primário fora redu-

[5] Após "intensa atividade política desenvolvida pelas classes trabalhadoras na década de 1980 – que se expressou, entre outros eventos, na constituição do Movimento dos Trabalhadores Sem Terra (MST), na criação da Central Única dos Trabalhadores (CUT) e do Partido dos Trabalhadores (PT) e na realização de cinco greves gerais entre 1983 e 1989" (Filgueiras, 2006, p. 181).

[6] Brasil, Rússia, Índia, China e África do Sul.

zido para 2,8% do PIB e, "descontando efeitos contábeis", para 1,2%. O salário mínimo, aumentado em 6% acima da inflação naquele ano, totalizava 50% de acréscimo, além dos reajustes inflacionários, entre 2003 e 2010. Cerca de 12 milhões de famílias de baixíssima renda recebiam um auxílio entre 22 e duzentos reais por mês do Programa Bolsa Família (PBF). O crédito havia se expandido de 25% para 45% do PIB, permitindo o aumento do padrão de consumo dos estratos menos favorecidos, em particular mediante o crédito. (Singer, 2012, p. 5)

Retornando à década de 1970, muitos outros economistas se decepcionaram com o modelo keynesiano quando se propunha certa "independência" das empresas privadas, colocando-as como responsáveis por "decisões livres e inteligentes" a partir da "centralização" do comando aos "homens de negócios" em prol da "estabilidade econômica". Ao contrário disso, percebeu-se que as indústrias dependiam muito mais do Estado do que se imaginava, como no caso do Brasil injetando minas de dinheiro em prol da estabilidade econômica (compra de petróleo estrangeiro, investimento na produção de álcool, produção automobilística a álcool, propagandas etc.) na década de 1970 e, mais recentemente, com os empréstimos cedidos pelo Banco Nacional de Desenvolvimento Econômico e Social (BNDES).

Durante o desenvolvimento histórico da produção de combustíveis no Brasil, dá-se o período de exclusividade da Petrobras, entre 1975 e 1984. Em face de poucas bacias de exploração e escassa produção, o governo providenciou avanços na produção de álcool como fonte alternativa, criando, em 14 de novembro de 1975, o Programa Brasileiro de Álcool (Proálcool)[7], pelo Decreto n. 76.593. Com o programa, a produção alcooleira cresceu de 600 milhões de litros/ano (1975-1976) para 3,4 bilhões de litros/ano (1979-1980) (Biodiesel, 2006). Diante desse aumento, o governo passou a incentivar a produção de carros movidos a álcool, e o então ministro de Minas e Energia, Shigeaki Ueki, lançou o *blend* ecológico: meia dose de álcool em um litro de gasolina (Christo, 2013)[8], com o famoso Fiat 147 (1978), o primogênito da turma de veículos movidos a álcool.

---

7 "Com o objetivo de estimular a produção do álcool, visando o atendimento das necessidades do mercado interno e externo e da política de combustíveis automotivos. De acordo com o decreto, a produção do álcool oriundo da cana-de-açúcar, da mandioca ou de qualquer outro insumo deveria ser incentivada por meio da expansão da oferta de matérias-primas, com especial ênfase no aumento da produção agrícola, da modernização e ampliação das destilarias existentes e da instalação de novas unidades produtoras, anexas a usinas ou autônomas, e de unidades armazenadoras" (Biodieselbr, 2013, s/p).

8 "Feitas as contas, o País aparece como maior produtor mundial de cana, de açúcar e de álcool; o maior exportador de açúcar e seu segundo maior consumidor. Atualmente, sem contar os 3,5 milhões de veículos ainda movidos a álcool hidratado, cada litro de gasolina consumido pelos brasileiros está devidamente batizado com um copo de álcool anidro. Na safra 1999/2000, 316 unidades produtoras transformaram 300,3 milhões de toneladas de cana em 17,6 milhões de toneladas de açúcar e 12,1 bilhões de litros de álcool, posicionando em 2% a participação da cadeia sucroalcooleira no PIB. E dando emprego a cerca de 1 milhão de brasileiros. Em 1980, com 120 milhões de habitantes, a população brasileira havia crescido 30% numa década. Nesse ano, cerca de 22% das famílias brasileiras tinham automóveis, contra 10%, em 1970. O consumo de combustíveis automotivos (gasolina e diesel) mantinha inércia forte, baseada no modelo de

Em 1982, a quantidade de carros movidos a álcool já ultrapassava a de movidos a gasolina. O investimento na produção de álcool, de grande êxito para a fabricação de carros, fez com que a produção atingisse a marca de 1.165.174 unidades montadas no Brasil em 1980, enquanto, em 1970, a produção foi de 416.089[9], segundo o relatório do ano de 2013 da Associação Nacional dos Fabricantes de Veículos Automotores (Anfavea). Desde então, já foram fabricados cerca de 5,6 milhões de veículos a álcool (1975 a 2000), números que eliminam cerca de 11,5 bilhões de dólares com importação de petróleo (Biodieselbr, 2013).

No mesmo ano de 1982, ocorreu a segunda crise do petróleo, quando o aiatolá Ruhollah Khomeini assumiu o poder no Irã e passou a controlar a produção de petróleo do país. Tal fato acelerou os investimentos do governo na procura de petróleo em território brasileiro. Com novas tecnologias, a Petrobras pôde realizar pesquisas em águas profundas que contribuíram para o cumprimento da meta de 500 mil barris/dia em 1984. Para isso, "a Petrobras investiu US$ 18,5 bilhões em exploração e US$ 24,1 bilhões em desenvolvimento da produção" (Lucchesi, 1998, p. 29), marcando o início da quarta fase (1985-1997). Com essa segunda crise estava por ser cravada de uma vez por todas "a estaca no coração" do Estado de bem-estar social, tendo como marco a queda do muro de Berlim, que simbolizava a divisão entre dois mundos distintos, que, representados por Estados Unidos e União Soviética, mantinham uma luta de décadas, cada nação com seu próprio modelo econômico, capitalismo e socialismo stalinista, respectivamente. Com a derrubada do muro e das fronteiras existentes, a Alemanha surge como um Estado independente, representando simbolicamente o mundo da globalização, e o mercado não tem mais fronteiras e, em parte, a soberania ainda é do império estadunidense.

> O mercado de capitais, especialmente nos EUA, foi o segmento mais estimulado por essas mudanças, por ser, tradicionalmente, menos regulamentado que o setor bancário e, no caso americano, por ser o mais maduro e promissor à época. As novas regras, na prática, significaram liberdade para os bancos ingressarem neste mercado. Uma das principais portas de entrada foram as operações de securitização de dívidas, que estreitaram as conexões entre os mercados de crédito e de capitais, já que grande

---

transporte rodoviário alimentado pelos baixos preços do petróleo, pela rápida maturação dos investimentos em estradas, pela implantação da indústria automobilística, na década de 50, e pela necessidade contínua de novas fronteiras de produção primária para o desenvolvimento industrial. Se o petróleo está caro, vamos fazer álcool. Em 1984, 19 de cada 20 carros (94,4%) saídos das montadoras rodavam com álcool puro. A política de subsídios cruzados e paridade com os preços do açúcar mantinha uma relação vantajosa entre o preço desse combustível e o da gasolina, em até 40%. Com a queda dos preços internacionais do petróleo, mudaram as contas, diluíram-se as vantagens. Daí em diante, a briga era o dinheiro: governo; dono dos preços e empresários, donos de canaviais e destilarias. A falta de álcool, em 1989, foi um golpe que atingiu o consumidor e faz sangrar o programa até hoje. Em 1999, a Associação Nacional dos Fabricantes de Veículos Automotores (Anfavea) registrou a venda de 10.942 veículos a álcool (Christo, 2013).

[9] Automóveis, comerciais leves, caminhões e ônibus.

> parte do que se negocia neste último depende, indiretamente, do desempenho do primeiro. (Bresser-Pereira, 2009, p. 139)

No Brasil, essas mesmas "fronteiras econômicas" estavam em processo de ruptura, conforme a moda global, tendo, na mão direita, o petróleo advindo da Petrobras e, na mão esquerda, o controle da produção de álcool e açúcar. Com esse controle, poderia ser feito o jogo conforme os interesses econômicos do Brasil. Por certo, o país não tinha muita relevância no cenário econômico mundial e havia sofrido duras crises que afetaram o mercado interno com a elevação das taxas de inflação. Esse jogo plausível (economia interna) para o governo brasileiro só foi possível após a descoberta do potencial petrolífero do país, principalmente com a bacia de Campos, em águas profundas, da qual podia ser retirado mais de 1 milhão de barris/dia de petróleo, conforme a meta estipulada na época. Por conseguinte, a Petrobras faz a abertura de seu capital em 1986.

Com a promulgação da Constituição de 1988, os contratos de risco foram banidos, mesmo porque o Brasil já estava produzindo 60% de seu consumo interno, o que colocava o país em uma situação de "conforto", já que não sofria tanto com as agitações do mercado internacional do petróleo. No entanto, essa mesma zona de conforto fez com que os programas voltados para o álcool não tivessem muitos investimentos na década de 1980.

> Não obstante, o Proálcool enfrentou vários desafios, tendo sua legitimidade atacada em diversos momentos ao longo dos anos 1980 e 1990. A eficiência deste Programa sempre esteve condicionada às cotações do petróleo, sendo que, em situações de baixa, os custos de manutenção do Proálcool não pareciam se justificar. No início dos anos 1990, mesmo sob as altas cotações do petróleo devido ao conflito no Golfo Pérsico, outras forças trouxeram questionamentos à existência de políticas de proteção ao álcool de cana-de-açúcar. A onda liberal observada no início do governo Collor promoveu a desregulamentação da maioria das cadeias agroindustriais brasileiras, o que levou à extinção do IAA (Instituto do Açúcar e do Álcool) e mudou completamente a forma como o governo atuava na cadeia. Ainda assim, alguns pilares deste Programa, como a mistura de álcool anidro à gasolina, permaneceram intocáveis. A diminuição do número de automóveis a álcool nos anos 1990 dificultava ainda mais a manutenção desta política. (Shikida e Perosa, 2012, p. 249)

Em 12 de abril de 1990, dando indícios de um sistema econômico neoliberal, o governo Collor aprova a Lei n. 8.029, que dispõe sobre a "extinção e dissolução de entidades da administração Pública Federal" (Brasil, 1990a), entre as quais o Instituto do Açúcar e do Álcool (IAA), que passou a ser administrado pela Secretaria do Desenvolvimento Regional da Presidência da República. Nessa mesma lei, o art. 4º aprova a privatização de uma série de empresas, fazendo jus a sua política neoliberal com o objetivo de amenizar a inflação e a dívida externa cada vez mais alta pelos seus juros.

Com a extinção do IAA, o governo deixa as usinas livres no mercado, sofrendo com os preços do mercado internacional e com a falta de tecnologia capaz de competir no mercado externo. Assim, muitas usinas se fundiram ou fecharam as portas. Aquelas que se mantiveram abertas buscaram novas tecnologias para o canavial e, para isso, assumiram o Centro de Tecnologia Canavieira (CTC), antes controlado por um pequeno grupo de cooperadas da Copersucar, em conjunto com o Programa Nacional de Melhoramento da Cana-de-açúcar (Planalsucar). Ambas as instituições realizaram pesquisas de grande expressão para o setor, como o aumento da capacidade de produção por hectare, aumento da qualidade da cana-de-açúcar e aproveitamento dos subprodutos – como é o caso do bagaço para produzir energia ou álcool –, além de mudanças na organização do trabalho (Shikida e Perosa, 2012).

Outra medida criada pelo governo Collor, a Lei n. 8.176, de 8 de fevereiro de 1991, trata como crime "adquirir, distribuir e revender derivados de petróleo, gás natural e suas frações recuperáveis, álcool etílico, hidratado carburante e demais combustíveis líquidos carburantes" (Brasil, 1991a), além de criar o Sistema Nacional de Estoques de Combustíveis (Sinec), que iria comprar e armazenar todo tipo de combustível, talvez prevendo a crise ocasionada pelo preço do petróleo com a Guerra do Golfo e pelos problemas econômicos enfrentados dentro do Brasil, já que o Decreto n. 238 apenas indica a estocagem para "assegurar a normalidade do abastecimento nacional" (Brasil, 1991b).

Vemos nesse ponto o enfraquecimento do Estado enquanto mediador social e a política aplicada que extrai, como diz Mészáros (2004), sua "estrutura hierárquica de comando". No governo Collor, esse processo de enfraquecimento estava apenas começando.

> O Estado é essencialmente uma estrutura hierárquica de comando. Como tal, extrai sua problemática legitimidade não de sua alegada "constitucionalidade" (que invariavelmente é "inconstitucional" em sua constituição original), mas de sua capacidade de impor as demandas apresentadas a ele. Mas, se existe uma disjunção (ou rompimento) entre os recursos reprodutivos materiais da sociedade e o papel do Estado de fazer uso deles, nesse caso o Estado perde a capacidade de impor as demandas – contraditórias – que lhe são apresentadas, o que resulta numa grave crise. (Mészáros, 2004, p. 19)

Para o governo brasileiro, no entanto, essa perda de comando seria uma possível saída da crise pelo Decreto n. 99.288, de 6 de junho de 1990, que fornece a correção monetária das demonstrações financeiras determinando o lucro real (base de cálculo do imposto de renda das pessoas jurídicas), tendo como base o fator de atualização patrimonial (FAP), o qual é atualizado mensalmente com base no Índice Nacional de Preços ao Consumidor (INPC) (Brasil, 1990b). Essa medida iria "expressar, em valores reais, os elementos patrimoniais e a base de cálculo do imposto de renda de cada período-base" (art. 3º), promovendo, se é que pode ser assim chamado, o *controle social* descrito por Mészáros (2011a, p. 983; 2011b, p. 47). Em um aprofundamento reflexivo, percebemos que outras medidas também têm o efeito de *controle social*, como a Lei n. 8.176, já citada, conforme o seu art. 2º, o qual "constitui crime contra o patrimônio, na modalidade de usurpação, produzir bens ou explorar matéria-prima pertencente à União, sem *autorização* legal ou em desacordo com as obrigações impostas pelo título autorizativo".

Após o *impeachment* de Collor, acusado de corrupção na CPI que investigou o "esquema PC", em alusão ao tesoureiro da campanha presidencial Paulo César Farias, assumiu seu vice, Itamar Franco, que buscou no álcool e nas montadoras automobilísticas a saída para a crise. Com a retomada de produção do carro popular e a contribuição da Lei n. 8.723, de 28 de outubro de 1993, elevou-se a utilização do álcool, já que o art. 9º determinou a mistura de 22% de álcool anidro à gasolina. É interessante destacar que essa mesma lei tem como foco a emissão de poluentes em veículos automotores, dando prazos de três e quatro anos às fábricas para produzirem veículos dentro dos limites de emissão dos poluentes estipulados, como uma "luva" para a preocupação com que Mészáros destaca a proposta para a "*sobrevivência da espécie humana*", "pois o que está em causa não é se produzimos ou não sob alguma forma de controle, mas sob que tipo de controle; dado que as condições atuais foram produzidas sob o 'férreo controle' do capital que nossos políticos pretendem perpetuar como força reguladora fundamental de nossas vidas" (Mészáros, 2011b, p. 53).

Durante os dois mandatos de Fernando Henrique Cardoso (1995-2002), foi realizada a principal mudança para a regulação dos combustíveis no Brasil, por meio da Lei n. 9.478, de 6 de agosto de 1997 (Brasil, 1997), que criou a Agência Nacional do Petróleo (ANP)[10] e o Conselho Nacional de Política Energética (CNPE)[11], os quais teriam o controle total de políticas que envolvessem os combustíveis brasileiros.

Com essa lei, o Estado sela de vez o poder de controle e comando dos combustíveis, não importando os lados: Petrobras ou usineiros, os dois lados e seus produtos estão de acordo com as normas estabelecidas pelo Estado e pelo *controle social*, sendo tais medidas para regular a alta inflação que importunava desde o mandato de Sarney, fruto de uma dívida externa com o Fundo Monetário Inter-

---

[10] Art. 8º – A ANP terá como finalidade promover a regulação, a contratação e a fiscalização das atividades econômicas integrantes da indústria do petróleo, do gás natural e dos biocombustíveis.

[11] Art. 2º – Fica criado o Conselho Nacional de Política Energética – CNPE, vinculado à Presidência da República e presidido pelo Ministro de Estado de Minas e Energia, com a atribuição de propor ao Presidente da República políticas nacionais e medidas específicas destinadas a: (vide Lei).

nacional (FMI), que acompanhou o país desde Juscelino Kubistchek, com o empréstimo para sua política de "50 anos em 5", até o primeiro mandato do governo Lula. Na busca pelo controle da inflação para evitar novas crises econômicas, a Lei n. 9.478, coloca como "carta da manga" o art. 10 como recurso financeiro:

> Art. 10 – Quando, no exercício de suas atribuições, a ANP tomar conhecimento de fato que possa configurar indício de infração da ordem econômica, deverá comunicá-lo imediatamente ao Conselho Administrativo de Defesa Econômica – Cade e à Secretaria de Direito Econômico do Ministério da Justiça, para que estes adotem as providências cabíveis, no âmbito da legislação pertinente.
> Parágrafo único – Independentemente da comunicação prevista no caput deste artigo, o Conselho Administrativo de Defesa Econômica – Cade notificará a ANP do teor da decisão que aplicar sanção por infração da ordem econômica cometida por empresas ou pessoas físicas no exercício de atividades relacionadas com o abastecimento nacional de combustíveis, no prazo máximo de vinte e quatro horas após a publicação do respectivo acórdão, para que esta adote as providências legais de sua alçada. (Brasil, 1997)

Assim, coube à ANP realizar suas manipulações no preço e na quantidade de produção do álcool. Uma dessas jogadas são os decretos que determinam a porcentagem de álcool anidro a ser misturado com a gasolina. Além dessas mudanças referentes à mistura de álcool na gasolina, poucas leis foram publicadas com grandes efeitos, e as que foram aprovadas tinham o intuito de incrementar ou atualizar a Lei n. 9.478, de 1997.

Para a Petrobras, a lei também significou uma fase de mudanças, pois iria inseri-la no mercado comercial, como explica Lucchesi (1998): "a nova legislação prevê para a Petrobras uma fase de transição para a conclusão de projetos exploratórios já em andamento. Também para as recentes descobertas, que ainda não estejam produzindo efetivamente, a lei dá um prazo de três anos para o início da produção comercial" (Lucchesi, 1998, p. 30). Essa fase define o início do período pós-lei 9478/97 – a transição (1997-2000), que deu ênfase ao pré-sal, discutido e comercializado na década de 2000, mas que ainda não se tornou rentável. Por fim, com a comercialização do petróleo e os biocombustíveis e o gás natural em suas mãos, o governo tem a possibilidade *flexível* de regular a economia brasileira.

## Entendendo a crise de 2008

Como José Paulo Netto nos lembra, "Marx descobriu a impossibilidade de o capitalismo existir sem crises econômicas" (Netto, 2009, p. 9). Algo ocorreu nos meses que antecederam janeiro de 2002 que acabou elevando o preço do barril de petróleo mundial até culminar numa crise em 2008. Nesse período, o preço do barril saltou de US$ 32 em 2002 para US$ 138 em 2008, um crescimento de 431% em sete anos.

A compreensão da crise de 2008 para um leigo em economia pode parecer complexa. Para entendê-la, no entanto, podemos utilizar-nos de uma simples metáfora. Durante a infância, um amigo seu tinha um pote cheio de bolas de gude, de todos os tamanhos e cores. Como você não possuía bolas de gude ou as tinha esquecido em casa, emprestava de seu amigo uma e, contando com sua capacidade, rapidamente ganharia outras bolas do adversário e, assim, poderia pagar o amigo que tinha lhe emprestado, talvez até pagar em dobro.

Ora, a metáfora apresentada contribui para os assuntos de economia que sucedem a crise de 2008. Entre você e seu amigo acontecia uma relação de *confiança*, assim como a "atividade econômica e as relações financeiras que a viabilizam, derivam e dependem de um 'sistema de *confiança*'", conforme explica Jennifer Hermann (2008, p. 29).

> Se tentarem recordar o que foi repetido inúmeras vezes nas últimas duas semanas sobre a crise atual, há uma palavra que se destaca, encobrindo todos os demais diagnósticos apregoados e os remédios correspondentes. Essa palavra é *confiança.* Se ganhássemos uma nota de dez libras a cada vez que essa palavra mágica foi oferecida para consumo público em todo o mundo, sem mencionar a sua continuada reafirmação desde então, estaríamos todos milionários. (Mészáros, 2011b, p. 18)

Continuando a metáfora, se você tem a *confiança* do seu amigo, você consegue o *empréstimo* necessário para fazer parte da brincadeira. Caso seus resultados não sejam milagrosos, tal como um milagre econômico, você pode começar a perder bolas de gude e, se perder aquela única emprestada, passaria a ter dívidas com o amigo, se é que ele ainda é seu amigo ou apenas tem *interesses*. Com isso, você teria de dar um jeito de conseguir uma ou arrancar do seu pote que ficou esquecido em casa. Se for um jogador de azar, ou não possuir grandes habilidades no *jogo*, perde a confiança muito rápido e não consegue nenhum empréstimo. Por outro lado, existem pessoas que fazem empréstimos de duas bolinhas e só ganham uma, ou emprestam quatro e ganham uma, nesse caso, a *inadimplência* para com o amigo é inevitável e, assim, "cresce a inadimplência no crédito e/ou se desvalorizam os títulos negociados no mercado de capitais, cujos retornos, afinal, dependem dos lucros das empresas (inclusive instituições financeiras) emissoras" (Hermann, 2008, p. 30). Caso essas empresas não apresentem nenhum retorno, os bancos são obrigados a "ajustarem seus balanços à nova situação, por exemplo, elevando as exigências de capital (pela regra de Basileia, face ao aumento do risco dos ativos), de provisões contra créditos duvidosos, ou mesmo de índices mínimos de liquidez" (Hermann, 2008, p. 30).

> O nosso único problema seria então o que fazer com os nossos milhões subitamente adquiridos. Pois nenhum dos nossos bancos, nem mesmo os nossos *bancos nacionalizados* recentemente – ao custo considerável de não menos do que dois terços dos

> seus ativos de capital –, poderia fornecer a lendária "confiança" necessária ao depósito ou ao investimento seguro. (Mészáros, 2011b, p. 18)

Isso confirma que "um quadro de *crise financeira sistêmica* só se configura se a *crise de crédito* der origem a uma *crise de confiança*" (Hermann, 2008, p. 30). Foi dessa forma que os Estados Unidos foram pegos pela crise econômica, não pela perda de capitais; foi a "liberalização financeira o ventilador que se encarregou de espalhar seus ativos para todo o mundo" (Hermann, 2008, p. 33). Para explicar esse fenômeno, Peter Gowan (2009) recorre aos últimos 25 anos e faz uma análise sobre os bancos estadunidenses. Voltando à metáfora, se você fosse o dono das bolas de gude e conseguisse ganhar outras bolinhas só com os juros dos empréstimos aos amigos (empresto uma e em troca ganho duas), tentaria promover o maior número de jogos possíveis para conseguir emprestar aos amigos. Era assim que os bancos estadunidenses faziam, entrando no mercado de títulos e realizando empréstimos de fundos para investidores. Para que o faturamento em empréstimos fosse cada vez maior, os bancos necessitavam estimular maior números de *jogos* e faziam isso por meio das *especulações* – gerar bolhas – e depois as estouravam ganhando muito com empréstimos aos investidores.

> Isso parece implicar uma autoridade financeira formidavelmente centralizada operando no coração desses mercados. De fato: o Novo Sistema de Wall Street era dominado por apenas cinco bancos de investimento, reunindo mais de US$ 4 trilhões em ativos e capazes de requisitar ou literalmente mover outros trilhões de dólares das instituições por trás deles, tais como os bancos comerciais, os fundos monetários, os fundos de pensão, e assim por diante. O sistema estava muito distante do mercado descentralizado, com milhares de atores, todos obedientes aos preços que lhes são impostos, retratado pela economia neoclássica. (Gowan, 2009, p. 3)

O efeito bolha só seria o início de um déficit de dívidas junto aos bancos estadunidenses, mas o xis da questão está no porquê de os bancos estenderem seus empréstimos. Para Peter Gowan (2009), existem duas hipóteses. A primeira consiste em contemplar seus acionistas, já que os resultados positivos de valores obtidos reduziam o patrimônio das ações, resultando na baixa do rendimento por ações. A segunda hipótese consiste no acirramento do mercado competitivo pela maior depreciação nos negócios, ou seja, emprestar o máximo de dinheiro para que em certo ponto o negócio se enfraqueça (demanda e procura). Para Hermann (2008), tal "liberalização financeira" faz parte de uma política econômica resultante dos "malefícios da globalização" (mercados livres).

Visto isso, podemos notar como os fundamentos da crise tiveram seu princípio na política financeira da década de 1970, quando os Estados Unidos abandonaram o tratado de Bretton Woods, dando início a um novo sistema monetário internacional, no qual as taxas de câmbio são flutuantes, e não mais fixas (liberalização econômica). Dessa forma, quando Mészáros (2011b) aborda a *crise estrutural do capital,* não se trata de uma crise ocorrida no mercado imobiliário estadunidense, mas, sim, no próprio sistema financeiro.

> Quanto dinheiro especulativo se movimenta pelo mundo? Segundo uma análise da Mitsubishi UFJ Securities, a dimensão da "economia real" global, na qual bens e serviços são produzidos e comercializados, é estimada em US$ 48,1 trilhões [...]. Por outro lado, a dimensão da "economia financeira" global, o montante total de ações, títulos e depósitos, eleva-se a US$ 151,8 trilhões. Portanto, a economia financeira inchou mais de três vezes em relação à dimensão da economia real, crescendo de forma acelerada durante as últimas duas décadas. O fosso é tão grande quanto US$ 100 trilhões. Um analista envolvido nessa estimativa disse que cerca da metade desse montante, US$ 50 trilhões, mal é necessário para a "economia real". Cinquenta trilhões de dólares valem bem mais de 5.000 trilhões de ienes, um número demasiado grande para eu realmente compreendê-lo. (Kazuo, 2008, citado em Mészáros, 2011b, p. 21)

Pois bem, a crise ocasionou uma mudança fundamental na organização do trabalho. Para o trabalhador brasileiro, foram criadas políticas para os valores envolvidos no etanol e no açúcar e, da mesma forma, a crise favoreceu a criação de novas linhas de crédito para a sociedade brasileira, como veremos a seguir.

A crise estourou nos Estados Unidos, como já vimos, pelo excesso de dívidas decorrentes de empréstimos para investidores no mundo todo, basicamente, o *boom* da bolha imobiliária – *subprime* – estadunidense que afetou as bolsas de valores do globo. Aqui no Brasil, entretanto, a crise pareceu uma "oportunidade" (mesmo momentânea) e isso ocorreu com o mesmo pensamento que provocou a crise, pois os países subdesenvolvidos se tornaram os olhos dos investidores e foi dessa forma que se destacaram "entre os países emergentes os quatro que formam o Bric (Brasil, Rússia, Índia e China), tendo o último se convertido na terceira maior economia do mundo" (Singer, 2009, p. 2). Como os bancos da América Latina e Caribe não se envolveram nas hipotecas, e o medo de perderem seu dinheiro eleva sua cautela, a crise fez com que o governo brasileiro criasse políticas de resgate para não se afundar nesse terreno "ríspido e traiçoeiro", e uma delas consistiu na criação de novas linhas de crédito dos bancos públicos, com os menores juros possíveis.

> Políticas igualmente importantes para o combate à crise são as sociais, que visam reduzir a pobreza e a exclusão social. Fazem parte dessa categoria a construção de habitações para as camadas de baixa renda, a ampliação da rede escolar pública, o calçamento das ruas e a reurbanização de favelas nas periferias das cidades, e assim por diante. Quase todos os governos latino-americanos e caribenhos estão realizando programas dessa espécie, evidentemente dentro dos limites dos seus orçamentos e da possibilidade de expansão da dívida pública. (Singer, 2009, p. 3)

O Brasil tomou medidas com o mesmo objetivo e também passou a se preocupar com questões ecológicas. A Lei n. 11.241, por exemplo, requeria a eliminação gradativa da queima da palha da cana-de-açúcar no estado de São Paulo (São Paulo, 2002). Em Mato Grosso do Sul, o mesmo foi previsto pela Lei n. 3.357, de 9 de janeiro de 2007 (Mato Grosso do Sul, 2007), e no Paraná, pela Resolução SEMA n. 076, de 20 de dezembro de 2010 (Paraná, 2010), seguindo o mesmo interesse, além de outras mudanças direcionadas para a produção de biocombustível[12], em especial o etanol[13].

> A partir da safra 2000/01 observa-se uma terceira fase, na qual o álcool combustível passou a conviver com uma perspectiva de elevado crescimento, em função da crescente necessidade de reduzir as emissões de gases de efeito estufa (a produção de álcool da cana-de-açúcar e o consumo desse produto, enquanto substituto da gasolina, oferece vantagens neste aspecto) e com uma inovação que mudou consideravelmente a dinâmica do setor, a introdução do carro bicombustível – que permite tanto o uso da gasolina quanto o de álcool, ou de um mix entre ambos os combustíveis. (Shikita e Perosa, 2012, p. 249)

Com os novos motores *flex fuel* (desde 2003 no mercado), a instalação de novas empresas montadoras automobilísticas e os créditos concedidos pelos bancos, essas medidas e muitas outras fizeram com que fosse acelerado o crescimento na produção de veículos no Brasil, ajudando a colocar o país na sétima posição das maiores economias mundiais. Mas isso não significou uma melhora no segmento do etanol, visto que a crise pegou em cheio as usinas, e empresas quebraram ou entraram em recuperação judicial por falta de uma política para o setor.

Perante tal quadro, histórico e momentâneo, as organizações do setor sucroalcooleiro utilizaram-se do discurso ambientalista (fim das queimadas) para introduzir as máquinas no campo a fim de amenizar a crise no mercado econômico. Para Scopinho (2000, p. 97), "a mecanização da colheita não é apenas uma opção tecnológica; é também uma opção política, uma reação empresarial às conquistas político-organizativas obtidas pelos trabalhadores na década de oitenta", uma reestruturação produtiva para a otimização da produção, enxugando o quadro de trabalhadores e informatizando/mecanizando o canavial.

De forma camuflada, a precarização do trabalho ou o fim da atividade está acompanhado da mecanização do canavial, que não deixa de ser errônea, porém não é o único fator para o fim da atividade. A própria situação de trabalho faz com que o trabalhador procure em outras atividades melhorias nas condições de traba-

---

[12] O biocombustível é derivado de biomassa renovável, tal como biodiesel, etanol e outras.

[13] Só em 1º de abril de 2009, com a Resolução ANP nº 9, foi imposto o uso do termo "etanol" pelos postos de abastecimento, como forma de seguir a nomenclatura padrão internacional e promover o etanol como produto brasileiro.

lho. Outra questão importante reside no futuro dos trabalhadores rurais. As organizações deveriam incluí-los em outras atividades da empresa, fato que não ocorreu nas organizações pesquisadas – houve um ou outro caso, irrelevante diante da quantidade de trabalhadores rurais desligados da empresa.

## Conclusão

As mudanças ocorridas no setor sucroalcooleiro abordadas neste capítulo não melhoraram as condições de vida dos trabalhadores. A esperança de um trabalho digno ainda está longe de ser alcançada. O fim da atividade do corte de cana não caracteriza a extinção de uma condição precária de trabalho; trata-se do fim de uma tarefa precarista, porém esses trabalhadores são submetidos a outras atividades que lhes demandam o mesmo vigor mortificante.

Segundo Ricardo Antunes (2010), esses trabalhadores fazem parte de um processo de *precarização estrutural do trabalho*, que deteriora e destrói todos os direitos sociais conquistados desde a Revolução Industrial e no pós-1930. Embora tenham ocorrido mudanças na gestão organizacional, o trabalhador do corte de cana ainda reside num patamar de produção ford-taylorista, no qual o trabalho é reificado. A gestão organizacional apenas percebe os números apresentados pelos trabalhadores, média da tonelada de cana cortada e número de faltas, porém com "pitadas" de um toyotismo pela individualização, participação, metas e "competências" exigidas para esses trabalhadores. Com isso, o trabalho do corte de cana ganha seus sentidos de estranhamento e reificação interiorizados pelo trabalhador.

A precarização estrutural do trabalho é própria não apenas do corte de cana mas também de outras ocupações às quais o trabalhador rural estará submetido com o fim de sua atividade. A precarização estrutural do trabalho permeia uma reestruturação produtiva em prol do beneficiamento da acumulação de capital, em que as organizações criam modelos de gestão na condição de se apropriar de um maior acúmulo de mais-valor.

> A "desregulamentação" e a "flexibilização" que o capital vem implementando hipertrofiam as atividades de natureza financeira (resultado seja da superacumulação, seja da especulação desenfreada), cada vez mais autonomizadas de controles estatais nacionais e dotadas, graças às tecnologias da comunicação, de extraordinária mobilidade espaço-temporal. Simultaneamente, a produção segmentada, horizontalizada e descentralizada – a "fábrica difusa" –, que é fomentada em vários ramos, propicia uma "mobilidade" (ou "desterritorialização") dos polos produtivos, encadeados agora em lábeis redes supranacionais, passíveis de rápida reconversão. Ao mesmo tempo, os novos processos produtivos têm implicado uma extraordinária economia de trabalho vivo, elevando brutalmente a composição orgânica do capital; resultado direto na sociedade capitalista: o crescimento exponencial da força de trabalho excedentária em face dos interesses do capital – e os economistas burgueses (que se recusam a admitir

> que se trata do exército industrial de reserva próprio do tardo-capitalismo) descobrem... o "desemprego estrutural"!. De fato, o chamado "mercado de trabalho" vem sendo radicalmente reestruturado – e todas as "inovações" levam à precarização das condições de vida da massa dos vendedores de força de trabalho: a ordem do capital é hoje, reconhecidamente, a ordem do desemprego e da "informalidade". (Netto, 2010, p. 12)

O sentido do trabalho passa a ser determinado pelos desígnios do capital, instaurando nas gerações de trabalhadores a reprodução de um "jeito de ser" trabalhador no capitalismo. Fugindo dos padrões determinados, o ser "social" é marginalizado, colocado para fora do jogo, mesmo ainda sendo uma peça importante a ser reaproveitada a qualquer momento, conforme os interesses do capital. Porém, ser marginalizado não é uma forma de vida reconhecida pela sociedade capitalista, não possui seus "valores"; o trabalhador deve buscar seu espaço, deve pertencer, "*in-corporar*", ser ativo, "pau para toda obra"; o trabalho possui seus "valores" criados pelo capital, de um "trabalho útil e digno" (Souza, 2009).

> Esse é, no entanto, o "segredo" mais bem guardado do mundo moderno. Toda a "legitimação" social e política de qualquer sociedade moderna, seja ela central ou periférica, reside, precisamente, na cuidadosa negação do caráter de classe da desigualdade social moderna. Desse modo, a desigualdade tem que assumir uma forma "individual" para ser legítima. Essa forma individualizada de desigualdade, construída para negar a forma real e efetiva da produção classística da desigualdade, é exatamente a "ideologia da meritocracia". Segundo essa ideologia, a desigualdade é "justa" e "legítima" quando reflete o "mérito" diferencial dos indivíduos. (Souza, 2009, p. 120)

O fim da atividade do corte de cana encerra uma longa história de trabalho precário no Brasil, contudo não dignifica esses trabalhadores, estigmatizados como "boias-frias", sem reconhecimento. O fim da atividade não faz com que o trabalhador saia desse "lugar" marginalizado; ele ainda tem de subir no ônibus de madrugada para colher laranja, carpir café; ainda leva sua "boia fria", suas ferramentas; as cicatrizes e as marcas de sol não somem; os seus movimentos continuam brutos e enrijecidos pelos músculos atrofiados e acostumados com o trabalho árduo; ainda recebe baixos salários; alguns trabalhadores nem registrados são, recebem por produtividade, realizam seus bicos como acréscimo à renda familiar, possuem baixa escolaridade; enfim, o sentido do trabalho ainda é o mesmo, o de sobreviver.

Dessa maneira, sendo a cultura um determinante para a constituição do ser social, não se trata de dar fim à atividade do corte de cana, tampouco proporcionar algumas melhorias na condição de trabalho, pois a apropriação da força de trabalho (física ou intelectual) é necessária para a perpetuação do capitalismo. É necessário transformar toda uma lógica que coloca os valores econômicos acima do próprio sujeito, dando ao trabalhador o reconhecimento por sua capacidade teleológica, criativa, transformadora, construtora.

# 14

# Sapataria Pandora: informalidade e desenvolvimento da indústria de calçados de Nova Serrana (MG)[1]

*Filipe Oliveira Raslan*

Nova Serrana é uma cidade do interior de Minas Gerais que atualmente está em vias de se tornar uma cidade de porte médio. Foi em meio à abertura comercial brasileira, entre as décadas de 1980 e 1990, que sua industrialização ganhou corpo e expressão nacional. Parte importante das transformações no município resultou da participação de empresas da localidade na produção de calçados, o que impactou, ao longo dos anos, a ampliação do mercado de trabalho local. Contudo, o aumento do número de empregos formais na produção calçadista guarda particularidades, estando necessariamente acompanhado da precariedade representada pelas relações informais de trabalho das bancas de pesponto[2], que, por fazerem parte de uma etapa da produção com alto consumo de força de trabalho, se tornaram estruturalmente a alternativa de barateamento de custos da indústria de calçados nessa cidade.

Os primeiros traços da reestruturação produtiva no Brasil podem ser percebidos já em meados da década de 1980, embora a intensificação desse processo

---

[1] Este texto resulta da edição do capítulo correspondente que consta da tese de doutoramento em sociologia, com mesmo título, defendida em 2014 junto ao IFCH/Unicamp. O processo de edição do texto foi realizado por Ricardo Festi e Luci Praun, com a importante colaboração de Vera Navarro.

[2] O processo de fabricação de calçados é de natureza descontínua e basicamente está dividido nas seguintes etapas: modelagem, corte, costura – que pode ser manual ou à máquina (pesponto) –, montagem e acabamento. O fato de o processo de trabalho ser descontínuo facilita o repasse do trabalho para fora das fábricas. É comum, por exemplo, que o pesponto feito à máquina, que une as peças da parte superior do calçado (cabedal), seja feito fora da fábrica. O pesponto é uma etapa da produção facilmente deslocável dos limites físicos das fábricas, pois as peças cortadas de couro que vão compor o calçado são leves e fácil de serem transportadas. Em geral, as fábricas repassam essa etapa da produção para o trabalhador realizá-la em seu domicílio ou nas bancas, que são unidades produtivas especializadas em confeccionar partes do calçado, mas há também aquelas especializadas em outras etapas do fabrico do calçado.

tenha sido generalizada dentro do quadro de reformas iniciado pela ascensão de Fernando Collor de Mello, em 1990, e continuado ao longo dos governos posteriores, marcados pela abertura econômica, pelas privatizações e pela financeirização da economia.

Na indústria de calçados podemos tomar como exemplo a reestruturação produtiva no polo calçadista de Franca (SP), que se intensificou nos anos 1990. Como consequência, no decênio de 1986 a 1996, deixaram de existir cerca de 16 mil postos de trabalho. Juntamente com a diminuição do emprego formalmente estabelecido nessas indústrias, houve um significativo aumento do trabalho precarizado, sobretudo em consequência de terceirizações por meio das quais se subcontratam os mesmos trabalhadores especializados, antes dispensados, desfazendo-se de importante parcela das obrigações trabalhistas. A redução dos custos de produção, para fazer frente à concorrência externa de preços do setor, fora obtida à custa dos trabalhadores, via intensificação da produtividade dentro das fábricas com o aumento das subcontratações e, ao mesmo tempo, com o trabalho informal realizado em domicílio (Navarro, 2003)[3].

Entre as etapas da produção de calçado, a que sofreu mais impacto pelas novas formas de organizar a produção foi a da costura mecânica (pesponto), caracterizada pelo uso intensivo de força de trabalho, o que leva as empresas a adotar a subcontratação como principal estratégia para a redução de custos[4]. A especificidade da subcontratação do setor calçadista está no tipo de relação que as empresas têm com seus fornecedores, caracterizada pela informalidade, particularmente pelo trabalho domiciliar praticado em bancas ou ateliês[5]. Nessas localidades, são

---

3 Avaliando a perspectiva de precariedade do trabalho via terceirização, Crocco et al. (2001) afirmam que o complexo calçadista dos países centrais do capitalismo se caracteriza pelo abandono de grandes mercados massificados, priorizando os conceitos de moda e estilo, com a concorrência voltando-se mais para o design e a qualidade das matérias-primas e menos para os preços. Contudo, mesmo com os grandes avanços tecnológicos necessários para essa especialização produtiva requerida pelo desenho e pelo corte, a indústria de calçados depara-se com uma barreira no processo de automação industrial nas fases da costura e da montagem dos produtos, o que tem exigido alternativas flexíveis na organização da produção, o que leva os empresários do setor a terceirizar etapas que consomem muita força de trabalho.

4 A subcontratação, ou terceirização, é um procedimento que há muito tempo é adotado na indústria de calçados e que passou a ser mais difundido a partir da década de 1980. De acordo com Navarro (2003), em Franca as empresas calçadistas "[...] há muito terceirizavam sua produção quando o volume de encomendas ultrapassava sua capacidade produtiva. A partir de meados da década de 80, essa prática deixa de ser exceção para tornar-se regra com o premente objetivo de reduzir custos" (Navarro, 2003).

5 Os ateliês, assim como as bancas, são unidades produtivas especializadas em confeccionar partes do calçado, como o pesponto, o corte, a costura manual, o tressê e o acabamento. As bancas ou ateliês são unidades produtivas que prestam serviços à indústria. Essas oficinas de trabalho variam muito em relação ao número de trabalhadores que empregam, podendo haver aquelas que contam com apenas dois ou três trabalhadores de uma mesma família, as de porte médio, que chegam a empregar cerca de quinze ou vinte trabalhadores, e as de grande porte, que podem empregar mais de cinquenta trabalhadores. De forma geral, as bancas são especializadas em realizar as etapas de corte, pesponto, costura manual etc. Essas oficinas de trabalho são instaladas, muitas das vezes, em locais improvisados e/ou adaptados da moradia do trabalhador, como uma garagem, quintal ou varanda da casa ou ainda em salas e galpões alugados. A denominação de bancas, dada a essas

realizadas as atividades de apoio à produção das empresas de calçados, contratadas especialmente para efetuar tarefas de preparação e costura, produzindo um tipo de contrato desfavorável no que tange à negociação de preços, prazos, condições de entrega etc. Além disso, as empresas repassam para as bancas domiciliares as exigências de qualidade, fazendo com que os custos da má qualidade e das possíveis perdas da produção sejam repassados para os próprios trabalhadores.

Esse recurso é disseminado entre produtores de calçados e efetuado, em geral, por ex-trabalhadores da indústria. As múltiplas facetas que essa forma de trabalho adquire passam por microempresas familiares, regularizadas ou não, com o uso intensivo de trabalho feminino e infantojuvenil, de maneira a reduzir custos de produção, na medida em que a remuneração que as empresas contratantes destinam a essas bancas é recorrentemente baixa, tornando a produção em geral mais competitiva diante das exigências do mercado.

Este capítulo busca articular a pesquisa de campo (entrevistas e observações) da tese de doutorado no qual é baseado com as reflexões bibliográficas. A seguir, é apresentada uma análise das estratégias do capital calçadista para aumentar seus lucros com a precarização do trabalho, em particular o trabalho informal e domiciliar, destacando quanto esse processo produziu formas específicas de intensificação do trabalho. A informalidade, que é imanente à forma de produção capitalista, disseminou-se em Nova Serrana, acompanhada da ilusão da "autonomia" e do discurso do empreendedorismo. Paralelamente a isso, busca-se problematizar quanto essa lógica de produção acabou por incentivar a pirataria, que não deixa de ser uma estratégia de complementação de renda. Por fim, a reflexão caminha no sentido de estabelecer os laços entre a condição de informalidade e flexibilização da produção com a feminização do trabalho nas fábricas e nos domicílios, evidenciando as diferenciações de gênero e o aumento do trabalho infantojuvenil.

## Trabalho domiciliar informal e subcontratado

Para entendermos como as relações informais de trabalho ocorrem nas novas dinâmicas de desenvolvimento, recorremos a Tavares (2004), que trata da existência dos arranjos produtivos locais (APLs) como modos flexíveis de produção. A configuração dessa flexibilidade é, na prática, uma forma que o capital tem para aprofundar a subsunção sobre o trabalho. As micro e pequenas empresas que se constituem para se associar a um capitalista maior estão, assim, subordinadas às demandas do contratante e, por conseguinte, sujeitas a todas as flutuações de mercado. Por isso é preciso perceber os APLs como um caso particular de flexibilização ligado à cadeia produtiva do grande capital. A autora afirma que o papel

---

oficinas de trabalho, é adotada tanto em Nova Serrana quanto em Franca, enquanto no polo calçadista do Rio Grande do Sul elas são conhecidas como ateliês.

ideológico de sujeição dos trabalhadores às condições de subordinação constante é feito por instituições como o Sebrae, que está permanentemente fomentando o empreendedorismo. Contudo, há que ficar claro que a classe trabalhadora, "premida pela imediaticidade da sobrevivência, sujeita-se a baixos salários e a relações de produção aviltantes, desprovida de proteção social" (Tavares, 2004, p. 35).

A informalidade se expressa de forma multifacetada. Alves (2001), em sua pesquisa sobre informalidade, questiona a ideia de um "setor informal" que deva ser estudado. Para isso, retorna a questões fundamentais que devem ser compreendidas, passando a discutir problemáticas como massa marginal e a contribuição dos marginalistas, exército industrial de reserva e a contribuição de Marx. Em seguida, a autora discute a limitação de buscar na economia um pretenso "setor informal", mostrando como a reestruturação produtiva atua em todas as esferas sociais. Nesse sentido, ela demonstra que a informalidade é um fenômeno em expansão e utilizado pelo capital para fomentar sua acumulação[6].

Por exemplo, o exército industrial de reserva é um agente regulador do nível salarial, rebaixando seu preço e impedindo que os salários atinjam um nível superior ao valor da força de trabalho. Ao mesmo tempo, é um estoque que deixa a força de trabalho à disposição do capital nos momentos em que a produção se expande. Marx (2013) afirma que a população trabalhadora excedente é o resultado necessário da acumulação capitalista ou do desenvolvimento da riqueza. Como o trabalho vivo é o meio essencial para o capital se valorizar, seja pela via do incremento das forças produtivas, seja pela redução dos salários, faz-se necessário rebaixar o custo da força de trabalho a um nível tal que seu preço seja o menor possível. Isso é fundamental para que o capital consiga extrair as maiores taxas de mais-valor possíveis. É nessa busca frenética por valorização que o capital procura incessantemente agregar à mercadoria um máximo de trabalho não pago.

## Uma certa informalidade: a produção "pirata"

A cidade de Nova Serrana carrega o estigma de ser a capital nacional do calçado pirata[7]. Quando analisamos um pouco mais profundamente essa ideia, o que está subjacente é a defesa da propriedade intelectual. Se os cercamentos e a violência contra os produtores diretos estão na origem do capitalismo, a proteção da propriedade é outro fundamento que deve ser salientado. A ideia da proteção da propriedade privada está

[6] Como propõe a autora, é preciso compreender como é composto o exército industrial de reserva e suas implicações para as formas de acumulação de capital. A produção de valor excedente é o principal objetivo do capital e isso só é conseguido a partir da extração de sobretrabalho. Em outros termos, a existência de capital somente se viabiliza porque a produção de mais-valor é baseada na exploração de trabalho vivo (Marx, 1994).

[7] Ao se tratar da produção de cópias de calçados de marcas famosas, a pirataria, pressupõe-se que isso se dê exteriormente à forma legal corrente. Nesse sentido, não é possível que essa produção aconteça por dentro de uma institucionalidade que proteja o trabalho. Assim, o trabalho informal é interno à ilegalidade.

em franca expansão no mundo contemporâneo (Bensaïd, 2002). Os cercamentos, ou a privatização da terra, eram justificados como forma de aumentar a produtividade e, consequentemente, de reduzir a fome. Hoje vivemos "os novos cercamentos de bens intelectuais", que vão desde as descobertas científicas, passando pelas marcas, indo até ao próprio conhecimento tácito dos trabalhadores.

Para o capital, há uma defesa eficaz de suas propriedades intelectuais, mas os saberes e conhecimentos dos trabalhadores são estimulados a serem prolatados e então capturados pelo capital. Segundo Hirata e Zarifian (1991), o toyotismo estimula não somente as transferências de conhecimentos e experiências pelos trabalhadores como também repreende comportamentos "individualistas" de reter saberes. Dessa forma, além de se apropriar do agir do trabalhador, o capital agora retém o saber operário, que geralmente acontece por meio dos círculos de controle de qualidade (CQs).

Nesse embate entre corsários e piratas, no sentido de que os corsários estão legitimados pela lei e os piratas agem ao arrepio da lei, pode-se afirmar que os direitos de propriedade intelectual são iguais aos de bens de capital. Segundo Perelman (2013), as corporações agem abertamente para acumular patentes que, muitas vezes, não têm nenhuma utilidade, exceto atacar os que poriam em risco um suposto direito. Elas gastam milhões para que as legislações estejam dentro dessa lógica. "Os direitos de monopólio associados à posse intelectual aumentam preços e transferem imensa quantidade de renda e riqueza para poucas companhias que detêm a grande massa dos direitos de propriedade intelectual" (Perelman, 2013, p. 81).

As batalhas que os grandes capitalistas de calçados empreendem contra os imitadores de suas marcas famosas de tênis têm Nova Serrana como foco. Segundo a revista da Câmara Americana de Comércio, "Nova Serrana, entretanto, também é conhecida como polo fabricante de tênis falso. É de lá que sai boa parte das cópias dos modelos mais vendidos das principais marcas e fabricantes mundiais – Adidas, Puma, Nike, Timberland, Reebok, Umbro, Mizuno – que abastecem vendedores ambulantes e lojistas de vários pontos do país. Sobretudo em Belo Horizonte, São Paulo, Brasília e Rio de Janeiro" (Viegas, 2007, p. 10).

A história da falsificação em Nova Serrana não é recente, sendo recorrentes os casos de apreensão de mercadorias pirateadas na cidade. Segundo Crocco (2009), em 1970, Chiquinho Cheiroso montou uma fábrica de falsificação de tênis, onde se produziam as marcas Reebok e Adidas, entre outras. Depois de ele ser preso, muitos trabalhadores ficaram desempregados e, pela facilidade do baixo investimento para montar uma fábrica de calçados, muitos começaram a produzir peças copiadas em suas próprias fábricas.

As tentativas de fazer com que a falsificação fosse banida da produção da cidade não se deram somente pelos proprietários das grandes marcas. A formalização das empresas e a criação de um selo seria uma das maneiras de controlar a pirataria:

> Já [estava] tudo negociado lá fora para chancelar um selo que nós estávamos criando, para as fábricas que estivessem sendo monitoradas pelo centro, [elas] teriam a chancela do selo. Pagariam aí R$ 0,10 porque a ideia era essa. Sustentaria esse centro [de desenvolvimento empresarial] e chancelaria, controlaria inclusive a pirataria que hoje é o que... aliás, nem se fala mais em pirataria, agora estão chamando de genérico. (Edson, 80 anos, empresário)

A questão de colocar um selo garantidor dos produtos das marcas locais ajudaria os empresários a fortalecer sua associação, mas não chegaria a atingir a fabricação copiada de marcas famosas. A questão é que a formalidade não é antípoda à informalidade, mas são formas simbióticas de relação, em que uma se interconecta com a outra (Malaguti, 2000). As bancas de pesponto produzem para o mesmo empresário tanto cabedais de marcas próprias quanto de grandes marcas, apropriando-se das rendas que seriam garantidas pelas patentes.

> Eles fazem os dois tipos: o modelo deles e o pirata. É mais ou menos assim: tem o modelista, sabe? Aí o modelista faz uma peça muito similar. Ele muda detalhes. Ele faz as peças assim porque senão a fiscalização pega. Esse é o similar. Aí, nesse similar, eles podem colocar ou o símbolo deles, ou o símbolo do outro. Mas a fiscalização pode pegar. Mas esse similar é muito bem-feito. Eu ficava impressionada com a qualidade do material. (Mary, 25 anos, despontadeira em banca)

Percebe-se que a associação da informalidade com a criminalidade, ou a ilegalidade, é um elemento presente no discurso empresarial. Para um empresário importante do setor, basta que eles sejam formalizados para a pirataria acabar.

> Se o empresário é realmente bandido, não tem jeito. Então, a informalidade, insisto, tem os bandidos, que esses realmente se instalam. Eles têm facilidade de fazer bandidagem, daí ele vai fazer. Agora, na medida em que a cultura, o contexto geral não é disso, é de realmente ser o contrário, o sujeito fica como uma ferida, como uma prostituta no meio de gente boa. Mas hoje está tudo misturado. (Edson, 80 anos, empresário)

Em uma pesquisa sobre a questão da informalidade e da ilegalidade na periferia de São Paulo, Telles (2009, p. 156) entrevista uma diarista que complementa sua renda vendendo CDs pirateados. Para a autora, a vida social é atravessada por um crescente ilegalismo "que passa pelos circuitos da expansiva economia (e cidade) informal, comércio de bens ilegais e o tráfico de drogas (e seus fluxos globalizados)" (Telles, 2009, p. 156). O que se configura, destarte, é que o "trabalho incerto e os expedientes de sobrevivência" transitam "nas fronteiras borradas entre o informal e o ilegal" (Telles, 2009, p. 156).

Não é fácil lidar com questões delicadas como criminalidade, mas Telles (2009) afirma que há uma "porosidade" tanto entre o formal e o informal quanto entre o legal e o ilegal, como uma "espécie de economia política dos ilegalismos urbanos", como um "bazar contemporâneo"[8] na constituição dos "mercados informais e ilegais". Segundo a autora, não há diferenciação entre o legal e o ilegal, o lícito e o ilícito, o formal e o informal, mas o entendimento de suas correlações "é uma questão central nos modos de funcionamento do capitalismo contemporâneo" (Telles, 2009, p. 164).

A questão é que a informalidade é imanente à forma de produção capitalista, não sendo contraditória à formalidade e, nesse caso, a produção de calçados similares é um recurso garantidor de renda extra para os empresários.

Na busca de um mercado, empresários de Nova Serrana produzem suas marcas próprias e, agarrando um naco da renda proveniente da propriedade intelectual das grandes empresas por meio do uso de marcas famosas, esses mesmos empresários copiam os tênis, como comprova uma trabalhadora informal de banca:

> Aquele lá é cópia. E é muito perfeito. Muitas vezes o material que a gente recebe para trabalhar é melhor que o original. Por exemplo, a gente fazia aqui uma cópia da marca e aí uma colega nossa aqui que trabalhava com a máquina comprou um original. O material nosso era infinitamente melhor que o original. (Entrevista realizada com TH, 18 anos, trabalhadora de banca, 2013)

Assim, a indústria calçadista de Nova Serrana vai criando e recriando, reciclando e copiando práticas pretéritas de acumulação sob a ótica pirata, sem culpa, conjugadas com as modernas relações de produção do mundo do trabalho contemporâneo. Em Nova Serrana, a aparente dualidade entre as formas antigas e modernas é similar à ilusória oposição entre original e imitação, entre legal e ilegal. Se aqui a informalidade se aproxima mais de uma pretensa ilegalidade, há que se entender que nessa "ilegalidade" está abarcada a informalidade do trabalho.

## Trabalho domiciliar como forma particular da informalidade

A informalidade é um fenômeno que pode ser considerado relativamente antigo no mundo do trabalho. Segundo Tavares (2002), há uma dualidade e heterogeneidade do mercado de trabalho, em que ajustes estruturais impostos à economia pela acumulação flexível levam a transformações, o que pode ser apontado como uma tendência expansionista desse tipo de trabalho. Ainda segundo a autora, a própria estrutura do capital estabelece a existência de empregos sem, contudo, os

[8] A autora utiliza o termo "bazar contemporâneo", conforme a expressão cunhada por Ruggiero e South (1997). Segundo eles, "nós usamos esse termo de maneira mais ampla do que é sugerido pelo dicionário em associação com 'orientalismo' ou 'grande loja de departamentos' (*Concise Oxford Dictionary*), sentido que atribui à estrita imagem moderna de 'mercado', mais que um sentido de multiplicidade, a ideia de comércio e barganha, móvel e hábil manobra (ou uma visão similar da 'cidade informal')" (Ruggiero e South, 1997; tradução nossa).

trabalhadores que participam desse processo estarem à margem do capital, na razão direta em que tal artifício é mediado pelos processos de terceirização, vinculando--se diretamente ao capital.

As novas tecnologias articulam-se eficazmente com os objetivos tanto de reorganização produtiva quanto de controle da força de trabalho. Podem ser consideradas as dimensões arcaicas e modernas das formas e da organização do processo produtivo. Na interpretação que Guimarães (1997) faz de Sabel (1982, p. 5), "formas de organização radicalmente diferentes, algumas aparentemente arcaicas, outras modernas, são frequentemente interdependentes" e "avanços em algumas indústrias criam precondição para a sobrevivência de formas passadas de organização industrial". Nesse sentido, ressaltam-se as esferas da polivalência e da chamada "autonomia" dos "colaboradores" das indústrias automatizadas e, ao mesmo tempo, não consideram que, para existirem esses sistemas nas empresas "modernas", são ainda necessários trabalhos rotineiros e pouco qualificados que geralmente são insalubres e perigosos, conscientemente externalizados pelos modos contemporâneos de gestão produtiva.

A flexibilização assume uma forma característica em cada lugar, indo em várias direções de acordo com as especializações industriais e inserção no mercado. Pode-se afirmar que a flexibilização é a palavra de ordem para romper com a rigidez que trava os processos concorrenciais. Guimarães (1997) tenta fazer uma síntese do termo flexibilidade, buscando resumi-lo como uma dupla dimensão. A flexibilidade interna, em relação à empresa, trata de estratégias de dinamizar a operação de equipamentos, processos e força de trabalho. Exemplos disso são a polivalência no trabalho, o atrelamento do salário à produtividade, a automação, a fluidez na jornada de trabalho etc. Já a flexibilização externa foca a contração da prestação de serviços, contratos por tempo determinado e temporário, terceirização etc. Para Guimarães (1997), esse "novo" processo de organizar a produção resgata elementos "arcaicos" do processo produtivo. O declínio de formas de subcontratação, como o trabalho domiciliar ou o trabalhador "autônomo" precário, parece não ser a realidade, pois é exatamente o trabalho em domicílios que a terceirização pratica na indústria de calçados[9].

Essas mudanças que Cacciamali (2000) denomina de processo de informalidade – ou seja, as transformações estruturais que têm ocorrido na economia – reorientam o modo como os trabalhadores se integram na produção, reconfigurando, assim, o assalariamento e metamorfoseando a forma de ser do trabalho.

A processualidade que envolve e interliga trabalho formal e informal configura-se a partir de uma dinâmica orientada por distintas formas de precarização. De acordo com Alves e Tavares (2006), assalariados não registrados, assim como os

[9] O debate econômico dominante sobre o tema não assume o trabalho informal sob a perspectiva da informalidade, mas como pequena ou microempresa, o que, segundo Tavares (2002; 2004), facilita a negação da produtividade de certos trabalhos realizados informalmente.

trabalhadores por conta própria, são uma parte significativa do proletariado brasileiro. A conhecida autonomia do produtor, pago por empreitada, por peça ou por outra forma de remuneração flexível, vincula-se diretamente ao mercado. Assim, as mudanças fenomênicas ou alterações nos termos jurídicos do assalariamento não desvinculam o trabalho da lei do valor. A fala a seguir referenda essa afirmação:

> Uma pespontadeira vem cá ver o serviço. Tá precisando de emprego, tem que trabalhar mesmo. O ruim da gente trabalhar como informal é que as pessoas não têm compromisso, sabe? Porque não está preso, né? Com a carteira, pelo menos, você está preso ali. E ninguém questiona? A maioria não. Quer dizer, quando a pessoa vem, já vem sabendo como é. Que é sem carteira assinada. Muitas pessoas que trabalham na banca é porque querem ganhar mais. (Entrevista realizada com AC, 38 anos, trabalhadora-proprietária de banca, 2013)

Observa-se que a trabalhadora entrevistada considera uma pretensa "autonomia" relacionada à informalidade. Isso denota uma visão protoempresarial da trabalhadora-proprietária, já que ela necessita do esforço alheio para dar conta da demanda imposta pela fábrica contratante.

É interessante notar as observações que Marx faz sobre a "diferença" entre salário por peça e salário por tempo. "O salário por peça nada mais é que uma forma metamorfoseada do salário por tempo" (Marx, 1994, p. 181). Quando se observa o preço da peça costurada em uma banca de Nova Serrana, tem-se a real dimensão dessa afirmação do autor alemão. Depois de receber o cabedal[10] de uma sandália rasteira, AR, 51 anos, costura sozinha em um pequeno galpão/garagem na sua casa. Ela recebia, em 2011, R$ 0,15 por peça costurada ou R$ 0,30 pelo par. Quando a entrevista foi feita, o valor do salário mínimo era de R$ 545 e, de acordo com os dados fornecidos, seria preciso costurar as tiras de 1.816 pares de cabedais de sandálias rasteiras para alcançar o patamar de um salário mínimo[11].

As outras cinco bancas visitadas produziam cabedais de tênis. Nas duas bancas em que o maquinário era de propriedade dos empresários, o valor pago por peça era inferior ao que recebiam os trabalhadores que possuíam seu próprio maquinário. Conforme as declarações dos entrevistados, o preço de cada cabedal depende muito do modelo que se está pespontando, mas também da concorrência entre as bancas.

> Aqui não sai muita quantidade não. É 120, 140, depende do modelo. Eles pagam três e vinte, a quatro reais nunca chegou. Paga mais quando o modelo é mais difícil,

[10] Cabedal é o conjunto das peças de couro ou de outro material já unidas pelo pesponto, que corresponde à parte superior do calçado.

[11] Em 2013, a média salarial dos Trabalhadores em Confecção de Calçados (CBO 2002) na indústria de Nova Serrana era de R$ 842,09, conforme informação do Cadastro Geral de Empregados e Desempregados (Caged). Essa mesma média para o sexo feminino era de R$ 782,52, enquanto para o sexo masculino era de R$ 848,89.

mas nunca chegou a quatro, não. O serviço de banca era bom, quando tinham poucas. Agora a concorrência é muita. Aí vem o patrão e diz: você quer costurar? Às vezes, a gente dá um preço, a outra banca dá outro. Mas não é como antigamente, não, que a gente pegava o serviço e fazia. Agora tem muita banca em Nova Serrana. Para todo lado tem banca. (Entrevista realizada com DE, 51 anos, proprietária de banca informal de pesponto, 2013)[12]

Porque, por exemplo, esse corte aqui mesmo custa quatro reais [em realidade o preço é três reais e cinquenta] [...] Se o corte volta uma vez, na segunda vez eles já não mandam mais, dependendo do grau de defeito. Mas a desvalorização do trabalho é pela concorrência mesmo. Eu trabalhei numa fábrica que comanda o mercado, que tem só ela dezenove bancas. São eles que comandam. (Entrevista realizada com AC, 38 anos, trabalhadora-proprietária de banca, 2013)

A fala de AC, cuja banca também se localiza em seu domicílio, revela como é determinado o valor dos pares de calçado.

Eu tenho o meu produto para oferecer no mercado, que é uma mão de obra boa, de qualidade. Então hoje, eu já imponho, eu já coloco o meu preço. Eu chego e falo: meu produto é uma mão de obra de qualidade, você quer? Você não quer não, tem um tanto de gente que quer. Mão de obra tem, mas de qualidade especializada não é tanto assim, não. É mais ou menos por esse lado assim. Não tem um padrão mesmo. Por isso faz falta um sindicato... legalizar. O sindicato das indústrias aqui de Nova Serrana, quando tem aumento de salário aqui, não é o aumento de salário lá. Aqui os industriários têm o sindicato dos trabalhadores. [Quando eles] têm aumento de 10%, aqui vem 6[%]... Esse aumento nem sempre é integralizado aqui não. Igual esse ano agora mesmo... Na indústria eles deram 6%, quem tem carteira assinada recebe 6[%]; para nós, não. Para os funcionários, eu pago os 6%. Agora, para nós, nós não. Teve tênis que teve 4% só... Eu penso que se ganha muito em poder de negociação... Aqui mão de obra é difícil justamente porque é muita gente. Aí, chega no final do ano, falta mão de obra. Falta mão de obra e muito de qualidade. Eu não quero continuar nesse negócio de banca mais, não. Eu quero trilhar outro caminho... Igual... para poder ter as máquinas, as coisas que eu tenho hoje, não é fácil. Precisa de dinheiro, de muito dinheiro. Quais são as despesas? Manutenção, energia elétrica, mão de obra de manutenção, que é cara... água, luz, telefone, comida, salário.

[...]

Aí pega uma ou duas máquinas, ou aluga. Aí a gente faz o corte por quatro reais, a pessoa faz por três. Aí baixa o preço. Só que aí ela costura o primeiro mês, o segundo e não dá conta nem de cobrir os salários das pessoas que trabalham com ela. Aí no terceiro mês ela já para. Só que aí, todo aquele corte que era aquele aí, eles já não vão querer pagar. Aí eles não aumentam. Aqui acontece muito, é desleal, até. Porque

---

[12] O trabalho da banca de DE, com seis funcionários, produz em média 120 pares de tênis por dia. Na semana em que foi realizada a pesquisa, o par do cabedal costurado em sua casa tinha o preço de R$ 3,20.

> na hora eles não olham qualidade, não olham a costura, não olham nada disso. (Entrevista realizada com AC, 38 anos, trabalhadora-proprietária de banca, 2013)

Em outras palavras, pode-se afirmar que a compra e venda da força de trabalho pode ser mascarada pelos diversos modos de "autonomia"; ou seja, mesmo não sendo formalmente assalariada, continua sendo o fundamento da produção de capital (Alves e Tavares, 2006).

Nesse momento, é necessário menos trabalho estável e sempre mais formas de vínculos como a terceirização, tais como o contrato em tempo parcial, os trabalhos informais, subcontratação de trabalho domiciliar ou salário por peça, entre outras maneiras precárias de trabalho que são essenciais para a produção capitalista. Essas variadas formas de trabalho instáveis são alavancadas pela necessidade do capital de acumular de formas cada vez mais flexíveis.

> Algumas grandes indústrias, no Brasil e no mundo, têm mudado a fisionomia do trabalhador coletivo, na medida em que o capital se relaciona com seus opositores, como se ao invés de comprar força de trabalho estivesse comprando mercadoria. Essa exploração do trabalho na esfera da mais-valia absoluta é apenas uma das estratégias, entre tantas outras, sob o mesmo regime, que podem articular grande indústria e trabalho informal. Torna-se necessário, portanto, demonstrar que a simples rearrumação das formas – novas e/ou velhas – não só não alteram o conteúdo da relação capital, como preservam e intensificam a exploração do trabalho. (Tavares, 2002, p. 56)

Como elemento particular da informalidade, o trabalho domiciliar é parte convergente da ofensiva do capital no processo de precarização, coadunando também com as subcontratações via cooperativas. Como exemplificam Amorim (2003), Druck e Borges (2002) e Lima (1997), as empresas promovem a terceirização de sua produção por meio de cooperativas, estimulando a maior produtividade, salientando que os trabalhadores são donos e, por isso, devem empenhar-se mais na produção. Os defensores das cooperativas solidárias, como Singer (1998; 2002), afirmam que estas seriam alternativas ao capital por serem formas autônomas de emprego dos trabalhadores. Em última instância, esses discursos aparecem unificados, levando os trabalhadores a assumir passivamente essa exigência do capital. Essa cooptação aproxima-se do aliciamento praticado pelas grandes empresas, quando estas promovem a captura da subjetividade operária para a valorização do capital, como afirmam Hirata e Zarifian (1991) e Wolff (2004). Cooptados, os trabalhadores restringem-se à busca da sobrevivência e não promovem lutas políticas.

Esse processo de flexibilização, especialmente no que diz respeito à informalidade do trabalho, tem gerado muitos debates quanto à definição mesma do que seja trabalho em domicílio. Segundo Lavinas et al. (2000), a convenção da Organização Internacional do Trabalho (OIT) caracteriza o trabalho em domicílio como a produção de bens ou serviços efetivados por um indivíduo, em seu domicílio ou em lugar de sua escolha, em troca de salário, especificado por um contratante ou um intermediário. Isso se caracteriza simplesmente como uma forma de subordinação do contratado, independentemente do local onde ele realiza suas atividades. Assim, não se poderiam considerar "autônomos" os trabalhadores domiciliares.

Mais que um elemento definidor, é importante compreender o trabalho em domicílio como um recurso histórico e definidor das relações de produção capitalista, que sempre busca o rebaixamento da remuneração dos operários. Se o trabalho domiciliar é preexistente ao modo de produção capitalista, este o metamorfoseia, utilizando-o como um recurso atual para sua reprodução:

> Essa indústria a domicílio moderna só tem o nome em comum com a antiga, que pressupunha o artesanato urbano independente, a economia camponesa independente e a casa da família do trabalhador. A indústria a domicílio moderna se converteu hoje na seção externa da fábrica, da manufatura ou do estabelecimento comercial. Além dos trabalhadores fabris, de manufatura e artesãos, que concentra em grande número num mesmo local e comanda diretamente, o capital põe em movimento, por meio de fios invisíveis, um grande exército de trabalhadores a domicílio, espalhados nas grandes cidades e pelo interior do país. (Marx, 1994, p. 529)

No que tange à distribuição dos tamanhos dos empreendimentos, Suzigan et al. (2005) afirmam que há uma predominância de micro e pequenas empresas com cerca de 70,5% dos estabelecimentos de calçados e congêneres empregando até nove pessoas, existindo somente sete empresas com mais de cem trabalhadores no município de Nova Serrana. Essas empresas produzem um total aproximado de 330 mil a 350 mil pares/dia, sendo sua quase totalidade tênis, o que indica alta especialização do sistema local nesse tipo de calçado, ou cerca de 55% da produção nacional de tênis. Ainda segundo esses autores, existe um número elevado de microempresas informais fabricando tênis falsificados, o que, mesmo tendo sido reduzida a quantidade de falsificações em relação ao passado, é um elemento de destaque na imagem da indústria de calçados de Nova Serrana.

Cabe destacar que o processo de envolvimento e recrutamento dos trabalhadores tanto na indústria calçadista do município como nos ateliês residenciais se dá de maneira também informal. Segundo Enoque (2003), há predominância da indicação de parentes, amigos e vizinhos para as atividades que esse setor envolve.

> Eu arrumei uma vizinha que me levou para a fábrica dela, que me pagava cem reais a mais. E aí, naquele comodozinho, nós botamos uma bancazinha. (Entrevista realizada com IR, 42 anos, trabalhadora-proprietária de banca, 2013)
> Eu trabalho para uma fábrica só. Só para essa fábrica que eu trabalho já tem mais de dez anos. Para um só. Trabalha aqui meu marido, um filho meu trabalha aqui, mais uma coladeira, uma pespontadeira e um aparador. São seis pessoas com os da família. (Entrevista realizada com DE, 51 anos, trabalhadora-proprietária de banca, 2013)

Considerando os apontamentos anteriores, buscamos mostrar a pertinência de situar os trabalhadores domiciliares nessa conjuntura em que há um grande refluxo do movimento operário, em que o desemprego e as alternativas a ele não representam entraves ao processo de acumulação, mas, ao contrário, seu incremento devido à redução de custos de produção ao longo das ramificações da cadeia produtiva e ao achatamento do valor do trabalho informal via acirramento da concorrência entre esses trabalhadores.

## Trabalho feminino como reafirmação da precarização

O que acontece nas bancas de pesponto em Nova Serrana é característico de todo o processo de precarização que as mulheres sofrem no mundo do trabalho. Jornadas prolongadas e intensas de trabalho, assim como trabalho reprodutivo combinado com produtivo[13], são apenas sintomas da máxima subordinação que as trabalhadoras sofrem.

Segundo Saffioti (2013), se, por um lado, a inserção da mulher no trabalho é fruto de lutas que tomaram visibilidade no século XX, por outro, a desvalorização desse tipo específico de trabalho é uma necessidade do capital, que rebaixa o preço da força de trabalho. Nesse sentido,

> a divisão social do trabalho é, portanto, um fenômeno do processo histórico, pois se metamorfoseia de acordo com a sociedade da qual faz parte. Mas, na sociedade capitalista, segundo essa divisão, o trabalho doméstico permanece sob a responsabilidade das mulheres, estejam elas inseridas no espaço produtivo ou não. Dessa forma, a divisão sexual do trabalho, tanto na esfera doméstica quanto na produtiva, expressa uma hierarquia de gênero que, em grande medida, influencia na desqualificação do trabalho feminino assalariado, no sentido de desvalorização da força de trabalho e consequentemente desencadeando uma acentuada precarização feminina no mundo produtivo. (Nogueira, 2011, p. 180)

A compra livre da força de trabalho é fundamento para firmar o modo de produção capitalista, e essa liberdade do capital de comprar sua força de trabalho não o impede de tratar desigualmente as partes componentes da engrenagem produtiva. Elementos naturais, com suas minúcias físicas, a exemplo de sexo e etnia, reforçam as divisões sociais na classe e agem para girar as engrenagens da produção capitalista. Além disso, a cultura serve para reforçar a diferença e os elementos de submissão do feminino, tornando mais eficiente a exploração da força de trabalho. Com isso, mantém-se no lar uma força de trabalho, reproduzindo a opressão historicamente construída (Saffioti, 2013). Desse modo,

[13] Segundo Nogueira (2011, p. 179), as relações de gênero, entendidas como relações desiguais, hierarquizadas, assimétricas ou contraditórias, seja pela exploração da relação capital/trabalho, seja pela dominação masculina sobre a feminina, expressam a articulação fundamental da produção/reprodução.

> é possível afirmar que as relações sociais de gênero, aqui representadas pela desigual divisão sexual do trabalho, baseiam-se na articulação do trabalho assalariado feminino com as suas funções de reprodução, uma vez que as relações de gênero no espaço produtivo e na esfera reprodutiva apresentam relação de exploração e opressão respectivamente. (Nogueira, 2011, p. 181)

A inserção feminina no trabalho é também reproduzida pela organização capitalista de produção (Kergoat, 2009). Mas, nesse caso, junto com a desvalorização no mundo do trabalho e a falta de reconhecimento social, há dentro do grupo uma hierarquia de gênero. Apesar dessa dualização do emprego feminino, o que se está procurando visualizar é o polo da precarização, percebido quando se observa o trabalho nas bancas de pesponto. Nesse tipo de trabalho, o que se observa é a reafirmação de que o trabalho feminino é utilizado para diminuir os custos da produção do calçado, na medida em que, pela condição de informalidade, os maiores custos sociais são assumidos pelas mulheres.

Nessa divisão sexual do trabalho, o recrutamento de homens e mulheres para o trabalho busca uma pretensa característica de cada gênero. Para as mulheres, geralmente, exigem-se submissão ao controle dos chefes, aptidão para o trabalho manual, meticulosidade e acuidade visual, habilidades essas que potencialmente seriam adquiridas na esfera doméstica. Dos homens as requisições alternam-se conforme os postos de trabalho, mas geralmente a força física, associada a uma formação mais ou menos técnica, é adquirida no âmbito do trabalho (Hirata, 2002).

A maior participação de mulheres em tipos específicos de trabalho na produção calçadista foi revelada por Santos (2006). A autora afirma que essa divisão sexual do trabalho se dá porque, para os sujeitos pesquisados, existiria uma natureza feminina propensa à realização dessas atividades – limpeza, serviços gerais e controle de qualidade seriam habilidades constitutivas do gênero feminino. Nessa divisão de tarefas intrafabril, os homens predominam no setor de modelagem, corte, montagem e expedição.

Essa divisão sexual do trabalho é também revelada por Vannuchi (2006), que observa que as mulheres se concentram em cargos auxiliares, serviçais e de natureza assistencial. Sua pesquisa, realizada em uma fábrica de Franca, constatou ser majoritário o número de mulheres nos serviços de colador, chanfrador, dobrador e carimbador. No serviço de pesponto, no qual a remuneração é mais elevada, existe relativa paridade entre os gêneros. As tarefas auxiliares na fábrica, assemelhadas às tarefas domésticas e de cuidado, como auxiliar de enfermagem, copeira e cozinheira, ou mesmo trabalhos menos desgastantes fisicamente, como serviços de secretaria, auxiliar de contabilidade, auxiliar de departamento pessoal, são majoritariamente femininos. Isso corrobora a fala do diretor de recursos humanos da fábrica, que afirmou que, "em setores que exigem dispêndio de força física, em funções brutas, evita-se alojar mulheres" (Vannuchi, 2006, p. 7).

A justificativa para que o feminino esteja restrito a um espaço específico na sociedade está vinculada a uma ideologia da "inferioridade" da mulher. No entanto, segundo Saffioti (1987), o simples fato de a mulher geralmente possuir menos força física que o homem não foi capaz de determinar essa pretensa "inferioridade". A utilização do trabalho feminino tem sido uma força importante no processo de reestruturação produtiva, especialmente no que tange ao setor calçadista. Com sua característica marcante do uso intensivo de força de trabalho, a externalização de parte da produção pelas empresas do setor também é cortada pelo gênero, na medida em que as bancas de pesponto absorvem majoritariamente mulheres. Em Franca, por exemplo, nos últimos trinta anos houve um aumento da incorporação das mulheres nesse setor, sobretudo pela necessidade de redução de custos. Navarro (2006) afirma que

> a seção de costura foi a primeira a ser suprimida do interior das plantas industriais. Atualmente, a costura manual realizada com o cabedal fora da forma é executada, em quase sua totalidade, pelas costuradeiras manuais em domicílio, à exceção daquelas ocasionalmente contratadas pelas empresas, quando do desenvolvimento de novos modelos. Na costura manual feita em domicílio, a exemplo da elaboração do tressê[14], predomina o trabalho de mulheres e crianças. (Navarro, 2006, p. 264-5)

Essa característica de o trabalho feminino na fabricação de calçados se concentrar em um tipo específico de atividade é apontada também por Prazeres (2010). As pespontadeiras entrevistadas na pesquisa da autora afirmaram que dentro da fábrica realizam todo o serviço de preparação do pesponto. Concomitantemente à costura, elas realizam o trabalho dos auxiliares de pesponto, o que confirma a acumulação de funções, característica da multifuncionalidade típica do padrão flexível de produção. Como se tem tentado demonstrar neste capítulo, não é somente na fábrica que o trabalho feminino é precarizado. Nos domicílios, as condições de trabalho são geralmente piores que nas fábricas. A transferência do processo de trabalho para as casas das operárias agrava as condições de trabalho, por serem normalmente locais inadequados e improvisados (Prazeres, 2010).

Assim como na indústria de calçados, na indústria de confecção também se pode perceber a divisão sexual de trabalho. Segundo Abreu (1986), na indústria de confecção brasileira, a força de trabalho está presente nas fábricas, mas é também caracterizada pelo emprego constante de subcontratação. A autora afirma que já em 1920 a produção de roupas fora das fábricas era marcante e, quase cem anos depois, a subcontratação, com suas múltiplas formas de ser, persiste. Mesmo com as novas técnicas produtivas, que permitiriam a redução de tempo e melhora na qualidade dos produtos, não houve a eliminação da subcontratação de trabalho

---

[14] Tressês são trançados de couro que servem de enfeite para os sapatos.

domiciliar. Vale ressaltar que esse trabalho nas casas é, assim como nas bancas, predominantemente realizado por mulheres.

O que deve ser ressaltado sobre a externalização levada a cabo pela indústria do vestuário, assim como pela confecção de calçados, é a subordinação a que as produtoras estão submetidas. Aparentemente seriam independentes ou autônomas, proprietárias de seus meios de produção, controladoras dos tempos e jornadas de trabalho, mas o que realmente se percebe é a efetiva subsunção dessas trabalhadoras às demandas do capital contratante, na medida em que a operária transforma uma matéria-prima que não lhe pertence. Para além disso, o controle sobre seu salário é realizado por sua própria produção ou, dito de outra maneira, o chamado trabalhador independente na verdade recebe salário por peça (Abreu, 1986).

A indústria de confecção tem pautado o recrutamento da força de trabalho feminina dentro e fora das fábricas. Particularmente em Americana (SP), a indústria de confecção tem usado tanto o trabalho em domicílio como o de cooperativas, em que se empregam fundamentalmente mulheres. Contudo, Amorim (2003) afirma que, mesmo com o predomínio de mulheres no setor, os postos de trabalho que exigem maior qualificação, sobretudo os oriundos das inovações tecnológicas, são ocupados por homens. No entanto, quando se trata do uso de força de trabalho com baixa qualificação, mesmo considerando que tanto homens quanto mulheres estão aptos a participar, os postos são geralmente ocupados por operárias.

Nova Serrana está localizada no mesopolo de Divinópolis, que é a cidade referência do centro-oeste mineiro. Em Divinópolis, encontra-se um polo de confecção onde é possível perceber como a subsunção a que as mulheres estão sujeitas se dá em cadeia. É corriqueira entre as empresas da cidade a contratação de faccionistas, subordinando-as à lógica precária de trabalho. Por sua vez, as faccionistas subcontratam costureiras, também subordinando-as não só pela demanda que é ditada pelo mercado mas também pelo saber. Pereira e Aranha (2006) afirmam que "é possível perceber que a faccionista reforça o seu saber e ao mesmo tempo a submissão, a dependência da costureira, desqualificando seu maquinário e seu saber" (Pereira e Aranha, 2006, p. 104). A inferiorização que a cultura patriarcal assume pelo capital e impõe às mulheres é aqui reproduzida pelas próprias faccionistas.

A utilização da força de trabalho feminina na indústria de confecção de Divinópolis mostra que esse recurso está em sintonia com a tendência a colocar sobre as mulheres, geralmente com baixa qualificação, uma maior sobrecarga de trabalho. Pedrosa confirma que nenhuma entre as costureiras entrevistadas na sua pesquisa havia concluído o ensino fundamental, "o que evidencia duas formas de exclusão que se relacionam: a exclusão educacional e a de direitos previstos na legislação trabalhista" (Pedrosa, 2005, p. 150).

Durante o período em que há maiores demandas, como o que antecede o inverno e o final do ano, outros membros da família, maridos e filhos contribuem trabalhando, além de haver subcontratação de outras costureiras, uma "quarteirização". A autora afirma que as longas jornadas de trabalho são "em média de 12 horas por dia ou enquanto aguentar" e são sempre conciliadas com os afazeres domésticos e realizadas nas épocas de maior pico produtivo. Curiosamente, nas bancas de pesponto de Nova Serrana, a história se repete:

> Engraçado, esse ano nós começamos dia 8 de janeiro. Aí passou janeiro, fevereiro, Semana Santa. A gente estava trabalhando bastante. Agora, de dois meses para cá, que tá assim. Agora que estamos fazendo o modelo novo, né? Agora está na hora de começar a apertar. [...]
> E você trabalha de que hora a que hora quando tem muito serviço assim?
> Não tem hora certa não. Até nove, dez horas da noite. Às vezes eu pego até as seis da manhã. Quando está muito apertado, muito serviço, nós temos que pegar até seis horas. Minha irmã arruma o almoço, se der, onze e meia eu já estou voltando já. Aí, se tiver muito apertado mesmo, lá pelas cinco horas. Aí ela chega, faz janta. Aí quando eu desço a janta já está pronta. Eu tenho que ficar controlando assim, pega a roupa para lavar. Mas, quando está mesmo apertado, eu não desço não. Aí fica até oito, nove. Eu já cheguei a trabalhar até dez e meia. Aí já desço direto, tomo um banho e já caio para a cama. No outro dia, seis horas, já começa tudo de novo. (Entrevista realizada com IR, 42 anos, trabalhadora-proprietária de banca, 2013)

Nossa pesquisa revelou também que as bancas de pesponto de Nova Serrana seguem as mesmas tendências apontadas pela investigação de Pedrosa (2005, p. 150), com exceção de duas questões: qualificação que, em geral, é especializada; e educação, visto que a maioria das trabalhadoras entrevistadas possui nível médio de ensino. Aquelas que cursavam níveis superiores de educação foram unânimes ao afirmar que fazem uma faculdade com o objetivo de "parar de mexer com banca".

Vale também destacar que, com os papéis definidos para cada gênero, a decisão da mulher de trabalhar em casa se dá pela proximidade das atividades relacionadas ao trabalho reprodutivo – lavar, cozinhar, costurar. Enoque (2003) afirma que as mulheres no pesponto das bancas de Nova Serrana estão inseridas nesse processo de socialização, que se constitui na aquisição de saberes que têm como meta a reprodução da unidade doméstica. Dessa maneira, a costura não pode ser entendida apenas como uma atividade econômica, mas como um saber mister dos papéis de mãe e esposa.

É nesse sentido que segue o depoimento de IR, uma ex-operária de 42 anos, casada e mãe de dois filhos, que tem a irmã como sócia numa banca de pesponto onde trabalham seis pessoas. Sua fala reafirma a conjunção da necessidade do capital de reduzir custos com a vigência de hierarquias, sustentadas pela lógica patriarcal, que definem um papel específico para a mulher:

> Eu saí da Enzo porque o meu sonho era ser mãe. Eu já tive casamento de sete anos, não deu certo. Depois mais um relacionamento de três anos e não tive filhos. Foi quando eu conheci esse moço, ele veio de Malacacheta para cá... Aí ele veio para

> trabalhar para mim de pedreiro. Com três meses eu já engravidei dele, aí eu tive minha menina, a Vitória. Eu trabalhando na Enzo, aí eles não quiseram facilitar, não. Eu tinha que ou continuar trabalhando, ou parar de amamentar ela. Isso há doze anos atrás. Aí eu fui e larguei o serviço. Eu ia deixar de amamentar por causa de serviço? Eu já tinha dado dez anos para eles. Eu não reclamo em nada deles, mas eles podiam muito bem ter me ajudado a amamentar ela e eu continuar no serviço. Depois disso, ele vem me procurar hoje. Mexe e vira, ele fica querendo que eu volto. Eu até cheguei a voltar de novo. Fevereiro fez três anos que ele tentou me levar de volta. Eu trabalhei três dias. Aí nós não combinamos, pois ele queria me pagar o preço de pespontadeira, sendo que eu sou encarregada. Eu arrumei uma vizinha que me levou para a fábrica dela que me pagava cem reais a mais. (Entrevista realizada com IR, 42 anos, trabalhadora-proprietária de banca, 2013)

A vontade de montar a banca para trabalhar em casa é destacada como uma saída para que o sonho da maternidade seja combinado com a necessidade premente da sobrevivência. Como os antigos patrões não permitiram que a amamentação da filha fosse combinada com o trabalho, ela preferiu trabalhar em casa para ter mais disponibilidade para a maternidade. A predominância da presença feminina nesse tipo de trabalho precarizado é revelada pelas entrevistadas como sendo natural e imanente a ele:

> Numa das bancas que eu trabalhei, o dono era encarregado de uma fábrica. Aí ele ficava na fábrica e chegava e ia terceirizando o serviço da fábrica que ele trabalhava. Na época, eram cerca de uns dez a quinze funcionários nessa banca dele. Era tudo mulher, a maioria era mulher que trabalhava. Não sei se agora está mudando, mas nas bancas que eu trabalhei era assim. Mas a maioria era mulher. Os homens ficavam responsáveis pela parte final do sapato. Esse serviço ele é considerado mais de homem. O balancim geralmente fica na fábrica, aí a gente já pega o material todo cortado. (Entrevista realizada com MR, 25 anos, trabalhadora eventual de banca, 2013)

A combinação entre o trabalho produtivo e o reprodutivo é ressaltada por algumas entrevistadas a seguir, que dividem as tarefas domésticas com filhas ou irmãs. O papel dos maridos nessa divisão do trabalho reprodutivo representa no máximo uma ajuda.

> Funciona assim, eu levanto, vou e faço o café. Aí de manhã os meninos têm que ir para a escola, eu acordo ele, aí meu marido também sai. Meu marido é pedreiro. Arrumo eles, eles vão para a escola. Meu marido sai também. Aí, a menina arruma as coisas aqui dentro de casa. Só que ela está fazendo Wizard, igual hoje ela fez Wizard, aí ela não arrumou aqui não. Não vai ficar dentro de casa hoje, né? Ela que esquenta o almoço, arruma o almoço. Aí eu desço, ajudo também, faço alguma salada. A roupa eu lavo. Qualquer prato que tem quem arruma mais é ela. Eu estou pelejando com ela [...]. A janta não precisa pedir não [para o marido fazer]. Comida não precisa

> pedir, não. Mas arrumar casa, lavar a roupa, isso ele não faz não. Mas ele me ajuda muito. Mas casa e roupa ele não faz não. (Entrevista realizada com IR, 42 anos, trabalhadora-proprietária de banca, 2013)
> Eu nunca arrumei ninguém para me ajudar. Eu faço o serviço todo, acordo cedo, arrumo a casa. Eu já deixo o almoço já montado de manhã. Eu paro dez e meia e venho, faço o almoço, almoço e volto pra máquina. E fico até cinco, seis, depende do jeito que tá o serviço, né? Às vezes, eu fico até mais tarde. Aí venho e faço a janta. E, se o serviço é muito, eu fico até dez horas, é a hora que eu trabalhei mais tarde. Mais para o final do ano que é assim. (Entrevista realizada com EV, 48 anos, trabalhadora-proprietária de banca informal, 2013)

As tarefas domésticas do trabalho reprodutivo ganham uma divisão social do trabalho na banca de AC, 38 anos, solteira, que há dezoito anos trabalha com calçados. Ela é uma estudante do segundo período de administração de empresas, e sua banca, apesar de ser evidente a precariedade de suas instalações, tem afixados em alguns pontos da oficina cartazes motivacionais sobre a eficiência do trabalho. As atividades do trabalho reprodutivo ficam a cargo de sua mãe, que por vezes tem auxílio da filha de quinze anos:

> Trabalha aqui, não. Lá embaixo [na casa; a banca fica na laje da casa]. Funciona assim. A gente começa às sete horas da manhã. As meninas param às cinco horas e eu paro às seis. As meninas param às cinco horas, descem, arrumam, vão embora para a faculdade ou para a escola. Eu paro às seis, desço, tomo um banho rapidão e vou para a faculdade também. Alguém tem que cuidar de casa, né não? Tem que fazer comida, lavar roupa. É minha mãe que faz isso para a gente. Pode ser que tem, mas eu não conheço ninguém que consegue dar conta de fazer tudo com esse ritmo aqui. (Entrevista realizada com AC, 38 anos, proprietária de banca, 2011)

Essa divisão social, aplicada nesse domicílio que possui uma banca, revela que, ainda assim, se mantêm os lugares definidos de quem é responsável pelo trabalho produtivo e de quem é responsável pelo trabalho reprodutivo. Nesse caso, a pessoa responsável pelo trabalho reprodutivo não assume tarefas produtivas na banca, o que pode denotar uma divisão "sexual" do trabalho dentro do mesmo gênero. Dito de outra maneira, na sociedade a ideologia dominante é a de que os provedores da casa são os homens, cabendo às mulheres a manutenção do lar: ele trabalha fora e ela "não trabalha", faz somente as "coisas de casa". Pode-se salientar que, na medida em que o trabalho produtivo é feito no espaço doméstico, o capital, ao explorar a força de trabalho feminina, apropria-se mais intensamente das qualidades oriundas do seu trabalho reprodutivo, acentuando uma dupla exploração, tanto do trabalho produtivo quanto do trabalho reprodutivo.

Evidencia-se, dessa forma, a sobrecarga de trabalho imposta pelo capital e assumida pelas mulheres em função dos múltiplos papéis que desempenham. Como uma força de trabalho precarizada, a inserção subsumida da mulher no mercado de trabalho conforma-se ainda mais com a característica de força de trabalho auxiliar, que atende as demandas do trabalho reprodutivo, assim como as exigências do trabalho produtivo. Como o trabalho reprodutivo é assumido pela mulher, cabe ao papel masculino apenas auxiliar, quando for oportuno.

Outro aspecto que necessita ser revelado sobre a precariedade do trabalho nas bancas diz respeito à jornada de trabalho e à sazonalidade. Segundo Lemos (2010), a maior demanda por produtos acontece do mês de setembro até o final do ano, escasseando-se no começo do ano. Essa oscilação de mercado aumenta tanto a jornada de trabalho como aprofunda o *turnover*[15]. Se na primeira parte do ano há menos vendas e os operários ficam sem emprego ou têm suas jornadas reduzidas, no segundo semestre eles têm suas jornadas estendidas. A informalidade do trabalho nas bancas, associada à sazonalidade do mercado, obriga as trabalhadoras a jornadas que se assemelham a tempos pretéritos, em que o limite da jornada era o próprio desgaste físico do corpo:

> Quando o serviço é muito, à noite eu já adianto os negócios pro almoço e já venho pra cá às quatro da manhã e vai até quando o corpo aguenta. Mas é trabalho, viu. Mas normalmente eu fico na máquina das sete às cinco ou seis [da tarde]. Fico na máquina até umas dez e meia e vou terminar o almoço. Volto pra cá antes de onze e meia da manhã. Fico até umas seis, como algumas coisas, aí depende muito do serviço aqui. Só quando o serviço é muito que eu trabalho no final de semana, mas é muito raro ficar. Normalmente eu fico na máquina só até sexta-feira. (Entrevista realizada com AR, 51 anos, trabalhadora-proprietária de banca informal, 2011)

Não seria novidade afirmar que, em tais condições de trabalho, a saúde dos trabalhadores dessa indústria está seriamente sendo arriscada. Navarro (2003), Prazeres e Navarro (2011) e Prazeres (2010) trazem à tona como a reestruturação produtiva atinge diretamente a composição orgânica dos corpos dos operários e operárias da indústria calçadista. É parte da vivência desses trabalhadores o convívio com o desgaste causado por essas condições extremadas de trabalho.

> Quem trabalha em banca, se puder sair não volta não. Porque é um serviço cansativo, porque acaba com a saúde da gente. Minhas vistas, depois que eu comecei a pespontar, aumentou dois graus. Dá muita dor nas costas, dor na perna. Cansa muito. Isso acaba com a saúde da gente. Trabalhar com pesponto é difícil. Mais do que a cola? Mais, infinitamente mais. Desgasta muito. Desgasta o punho, desgasta o joelho, desgasta o ombro. As costas então... Fico sentada o dia inteiro. As vistas e

[15] Conforme Sandroni (1999, p. 617), o "termo em inglês [...] significa 'rotatividade'. Aplica-se em relação ao movimento global de negócios realizados num determinado período, em geral, em um ano; em relação a uma empresa, é a expressão da rotatividade de seus trabalhadores".

> a pele, por causa que a luz da máquina acaba com a pele da gente. Deixa mancha, minha mãe mesmo você vai ver. Na cola, às vezes, dá problema alérgico, dá LER o revolvinho da cola... Um tanto de coisa mesmo. Mas a pespontadeira é mais difícil. (Entrevista realizada com TH, 18 anos, trabalhadora de banca informal, de propriedade de sua família, 2013)
>
> Eu sou cheia de probleminhas por conta do trabalho. Desgaste nas articulações, a coluna dói, porque a gente fica muito tempo na mesma posição pespontando. Além do ritmo de trabalho, que é muito acelerado, a condição de trabalho. É muito probleminha, por exemplo, também, gerou um edema na perna, vários vasinhos estourados. Dependendo do dia eu não consigo ficar muito tempo em pé. Estou com 25 anos e já tenho isso tudo. Por isso também queria sair. A minha irmã, ela deu desgaste assim no pulso de tanto trabalhar no pesponto. (Entrevista realizada com MR, 25 anos, trabalhadora eventual de banca, 2012)

As evidências trazidas à tona por esses exemplos de precarização do trabalho nas bancas de pesponto da indústria calçadista de Nova Serrana mostram que o desenvolvimento desse setor da economia progride, necessariamente, combinando o máximo de exploração do trabalho com as mais avançadas técnicas de produção, tanto no que se refere à estrutura tecnológica como à administrativa e financeira. Na medida em que o mercado mundial de calçados é diretamente integrado ao mercado nacional e deste faz parte essa cidade, tratamos aqui de apenas uma particularidade do universo precário da produção mundial. O polo atrasado da produção, experimentado aqui pela exploração das bancas, do qual o trabalho feminino informal é uma das facetas, integra-se subordinadamente à produção formalizada, que é parte dos mais dinâmicos polos avançados da economia mundial do calçado.

## Trabalho infantil: franja do sistema ou estruturalmente informal?

Devido ao alto grau de informalidade no setor, a indústria calçadista tem um alto índice de trabalho infantil. A partir de 1994, em Nova Serrana, a fiscalização do Ministério do Trabalho ampliou sua atuação nas empresas contra o não cumprimento da legislação trabalhista. Conforme uma matéria do jornal local *Correio da Serra*, sobre a fiscalização:

> O trabalho informal em Nova Serrana está com os dias contados. Pelo menos é o que garante a Subdelegacia do Trabalho de Divinópolis, que promete uma fiscalização intensiva nas áreas de legislação trabalhista, medicina e segurança no trabalho. Estão na mira da Subdelegacia as seguintes transgressões: falta de registro de pessoal, a ocupação de crianças e adolescentes menores de 14 anos e fraude no seguro-desemprego (Ministério do Trabalho, 1995, p. 3)

Apesar disso, o combate à informalidade tem como foco as empresas formalizadas. Desse modo, não ataca as bancas de pesponto, onde o trabalho infantil é mais frequente devido à invisibilidade provocada pelo labor nas residências[16].

Uma das frentes de atuação para eliminação do trabalho infantil diz respeito à exigência e controle da frequência escolar das crianças. No entanto, nas primeiras incursões ao campo de pesquisa em Nova Serrana, no ano de 2010, foi realizada uma entrevista com o vice-diretor da Escola Estadual Diretora Maria Manso. O professor VP relata a permanência de crianças entre sete e catorze anos no trabalho de calçados, mesmo quando matriculadas na escola:

> Aqui na escola boa parte dos alunos ajudam os pais no trabalho. Para você ter uma ideia, a gente fez uma greve no começo do ano que durou 49 dias. Na hora da reposição, que estamos fazendo também aos sábados, muitos alunos reclamaram que não poderiam vir porque estavam ajudando os pais, tinham que trabalhar. Aí você vê como é difícil essa situação, pois é uma coisa muito comum aqui em Nova Serrana. (Entrevista realizada com o professor VP, 42 anos, 2010)

O que se percebe é que, mesmo com a frequência escolar regularizada por parte das crianças, a persistência do trabalho infantil permanece inalterada. O vínculo familiar, o aprendizado de uma ocupação e a necessidade de complementação de renda tendem a reproduzir continuamente esse tipo de trabalho que não é alcançado pela fiscalização. Como essas atividades são geralmente realizadas nos domicílios onde existem bancas de pesponto, a invisibilidade do trabalho infantil para as instituições é uma barreira que a informalidade cria e que dificilmente pode ser superada.

A pouca ocorrência de trabalho infantil nas indústrias se deve aos limites conferidos à fiscalização do Ministério do Trabalho e Emprego[17], na medida em que as crianças não se encontram mais em grandes números nas plantas fabris, mas trabalhando em locais em que os fiscais estão impossibilitados de alcançar, fruto das dinâmicas típicas da informalidade. No caso de Nova Serrana e outras localidades onde o trabalho em domicílio é presente, por exemplo, nas indústrias

---

[16] A dificuldade de encontrar trabalho infantil no setor informal pode ser constatada no Sistema de Informações sobre Focos de Trabalho Infantil do Ministério do Trabalho. Pelas informações disponíveis desde 2006, todas as fiscalizações foram realizadas em empresas formais, o que denota que o foco institucional mira as empresas regularizadas. Disponível em: <http://sistemasiti.mte.gov.br/>. Acesso em: 25 ago. 2013.

[17] O jornal *Estado de Minas* relata uma das fiscalizações realizadas nas fábricas de Nova Serrana no ano de 2008, onde os fiscais encontraram jovens trabalhando em condições insalubres. "Auditores do Ministério do Trabalho fiscalizaram ontem 21 fábricas de calçados em Nova Serrana, na Região Centro-Oeste de Minas, e descobriram adolescentes de 14 a 17 anos trabalhando de forma irregular, pois, mesmo contratados como aprendizes, não poderiam exercer a parte prática em uma indústria, mas somente dentro de instituição que oferece aprendizagem [...]. O problema mais grave detectado foi o contato dos jovens com a cola de sapateiro, cujo comércio é proibido para menores. O ingrediente ativo da cola, o tolueno, tem efeito similar ao do álcool: euforia, perda da coordenação motora e, no extremo, vômitos e coma" (Ferreira, 2008).

de confecção e de calçados, a fiscalização tende a buscar os empregos nas indústrias onde há um empregador visível, com um espaço perfeitamente identificável, em que há mais trabalhadores e produção continuada, diferentemente do que ocorre nas bancas localizadas nas residências[18].

Caso a terceirização se aprofunde, sua associação com a informalidade poderá agravar a exploração de força de trabalho precoce. Em 2005, essa atividade velada na indústria calçadista francana foi novamente relatada pela *Folha de S.Paulo*. Com o título do artigo "Trabalho infantil muda para o 'quintal'", os jornalistas afirmam que,

> em Franca (SP), um dos maiores polos calçadistas do país, adolescentes migraram da indústria para oficinas de fundos de quintal. Clarice (nome fictício) e seus três filhos, de dez, 12 e 13 anos, chegam a passar 15 horas fazendo costura manual de sapatos. Juntos ganham R$ 600 por mês. "Não tem jeito. Se eles não me ajudam, passamos fome", diz ela. (Leite e Collucci, 2005, p. 1)

Não houve migração do trabalho infantil para os fundos de quintais, mas a permanência dos infantes nas bancas, pois a informalidade no trabalho é uma das características mais marcantes do capital, que, como apontam Mészáros (2011a), Alves (2001) e Antunes (2001), é incontrolável e, nesse sentido, qualquer limite que se tente impor a ela será extrapolado. Essa economia subterrânea é a realidade que o desenvolvimento dos APLs não revela. A combinação entre as mais modernas técnicas industriais e de gestão e as formas mais precárias e brutalizantes de trabalho é o que de fato baliza o desenvolvimento das aglomerações industriais.

Não é demasiado ressaltar os prejuízos causados às crianças por esse tipo de trabalho. Westphal, Campos e Chiesa (1997) afirmam que as bancas são "uma nova versão do trabalho doméstico familiar pré-capitalista", empregando de maneira "clandestina" "mão de obra infantil, sem o registro, já que a legislação trabalhista não reconhece o trabalho antes dos 14 anos de idade". As autoras destacam que esse fato atende aos novos padrões de desenvolvimento capitalista, na medida em que, com a terceirização, via bancas, as indústrias evitam custos de instalações e encargos sociais. Como isso acontece improvisadamente nas residências, a ventilação incerta, a iluminação inadequada e o mobiliário rudimentar são uma constante nesses locais, inexistindo, além disso, qualquer mecanismo de controle de risco. A presença de menores nessas atividades causa prejuízos tanto para o

---

[18] É necessário também destacar que a aprovação em definitivo do Projeto de Lei 4330/04, de autoria do deputado federal Sandro Mabel, do Partido da República de Goiás (PR-GO), que visa expandir a terceirização a todos os setores das empresas, não somente nas atividades-meio, mas também nas atividades-fim, tende a reforçar ainda mais essa situação. Mais do que isso, uma das principais questões sobre o projeto é a irresponsabilização do empregador em relação ao empregado, o que na prática rompe com a cadeia de proteção trabalhista fixada na Constituição de 1988.

processo de ensino-aprendizagem como para "o avanço das estruturas cognitivas", o que é agravado, ainda mais, por essas condições precárias de trabalho (Westphal, Campos e Chiesa, 1997, p. 24).

Desde 1992, o Instituto Brasileiro de Geografia e Estatística (IBGE) faz aferições acerca do trabalho infantil no Brasil. A pesquisa, feita entre pessoas de cinco a dezessete anos, calculou 4,67% em 2012. Ao se observar o Quadro 1, percebe-se que o contingente de crianças que trabalham em Nova Serrana é bastante elevado em comparação com a média nacional. Enquanto a média nacional chega a 8,34% entre crianças de dez a dezessete anos, na cidade estudada o nível de ocupação chega 33,62%.

**Quadro 1 – Força de trabalho precoce de 10 a 17 anos em 2010**

| | 10-13 anos | 14-15 anos | 16-17 anos | 10-13 anos ocupados | 14-15 anos ocupados | 16-17 ocupados | 10-17 anos | 10-17 anos ocupados | Taxa de ocupação 10-17 |
|---|---|---|---|---|---|---|---|---|---|
| Meninos | 2.509 | 1.209 | 1.379 | 255 | 490 | 1.048 | 5.097 | 1.793 | 35,14% |
| Meninas | 2.260 | 1.427 | 1.385 | 213 | 441 | 972 | 5.072 | 1.626 | 32,05% |
| Total | 4.769 | 2.636 | 2.764 | 468 | 931 | 2.020 | 10.169 | 3.419 | 33,62% |

Fonte: IBGE, Censo 2010 - Elaboração do autor.

O que se percebe desses dados é relevante, na razão proporcional em que revela a taxa de ocupação de menores entre dez e dezessete anos semelhante à Inglaterra de 1861, como apontado por Kassouf (2007), quando o censo inglês descreveu que um terço da força de trabalho com menos de dezoito anos estava nas indústrias têxteis. Contudo, mesmo que esse trabalho infantil não seja contínuo ao longo do ano, as flutuações de demanda por calçados tendem a levar os pequenos a participar dos momentos em que a produção carece de maior quantidade possível de trabalho. A coleta de dados da Pesquisa Nacional por Amostra de Domicílios (Pnad) se dá em uma semana de referência no mês de setembro, o que não consegue captar todo o movimento do mercado anual. Nesse sentido, não é possível determinar a real taxa de ocupação das crianças, sobretudo quando a demanda por calçados é maior. Lembrando que, em Nova Serrana, essa demanda aumenta exponencialmente no segundo semestre.

Se os dados quantitativos não conseguem apreender o real volume do trabalho infantil, as duas entrevistas a seguir dão a dimensão subjetiva de como é possível perceber a exploração nessa indústria.

> O meu menino hoje está com dezoito anos e trabalha aqui comigo. Ele já trabalhou em fábrica, mas voltou para trabalhar aqui. Ele é bom de serviço. Com seis anos, eu já ensinei ele na máquina. Com seis anos ele já sabia pespontar. (Entrevista realizada com RL, 39 anos, trabalhadora de banca, 2013)

A banca de RL também está localizada em seu domicílio e, no seu caso, os equipamentos da banca foram disponibilizados pelo patrão que a demitiu, oferecendo-lhe a "oportunidade" de trabalhar em casa com a cessão das máquinas. Há que se ressaltar que, além da energia elétrica, toda a manutenção do maquinário é de inteira responsabilidade de RL, eximindo o contratante dos custos trabalhistas e das despesas industriais. Quanto à precocidade da entrada de seu filho no mundo produtivo, o que se revela é o grau de exploração que a concorrência impõe aos empresários, os quais submetem os operários a condições de trabalho que obrigam o conjunto da família a uma dinâmica embrutecedora.

> A Silvana, minha irmã, mexia comigo trabalhando. Aí tinha o menino dela, os meus dois meninos trabalhavam junto comigo também. Ele era para aparar. Minha menina é boa coladeira e ela já sabe até costurar. Trabalhando meio horário e pagava direitinho. Meio salário. Ele está querendo, doido para voltar a trabalhar, porque quer comprar, né? Ele está com onze e a menina doze. Ele vai fazer onze agora em novembro e a menina fez doze agora em julho. Eles trabalhavam meio horário. Estudavam na parte da manhã e na parte da tarde trabalhavam. Todos os dois trabalharam aqui comigo. Aí assim, a gente trabalhava muito, porque não tinha esse monte de gente trabalhando comigo. (Irene, 42 anos)

O trabalho infantil, zelado na informalidade caseira das bancas de pesponto de Nova Serrana, encerra em si o máximo da exploração do trabalho pelo capital: a absolutização da superexploração, a intensificação do trabalho, o prolongamento da jornada para atender o aumento da demanda, o valor da força de trabalho abaixo do necessário para a sua própria reprodução e o pior de todos os males da existência humana: o roubo precoce da vida.

## Conclusão

Refletir sobre a precariedade do trabalho informal em uma pequena cidade brasileira que se desenvolveu rapidamente e se tornou referência de produção de calçados parece simples à primeira vista. Contudo, quando se trata de tentar captar uma realidade que se esconde das estatísticas oficiais e nos interiores dos domicílios, um cipoal de dificuldades precisa ser transposto.

A informalidade no trabalho é um fenômeno em expansão no capitalismo contemporâneo e joga uma parcela significativa da população em uma condição de subproletarização de forma a se conseguir extrair cada vez mais da vida das trabalhadoras e dos trabalhadores. Em uma situação de instabilidade permanente, um contingente crescente de mulheres e homens é impelido pelo capital a se submeter aos males a que a superexploração do trabalho os condiciona. O caso da indústria calçadista de Nova Serrana se conecta a situações que se aproximam com eficiência dos moldes da indústria calçadista mundial.

Conectado à divisão internacional do trabalho e submetido a essa lógica, o ajuntamento de indústrias parece refletir localmente a desigualdade entre centro e periferia, entre certo e incerto, entre comandantes e comandados. Se o capital das grandes transnacionais do calçado dita a forma de ser entre "metrópoles" desenvolvidas que dirigem o sistema e "colônias" subdesenvolvidas que são dirigidas, o mesmo toque do diapasão dá o tom entre os empresários calçadistas e os trabalhadores informais. No nosso caso, o som que se escuta é o barulhento motor das máquinas de costura na casa das trabalhadoras.

O espaço domiciliar é o lócus garantidor do barateamento dos custos produtivos. Aí se amontoam os numerosos migrantes que aceitam qualquer condição para ter acesso a um ofício e um mínimo de renda para sua sobrevivência. É nas residências que também se esconde o trabalho infantil, em que a "ajuda" aos familiares propicia um aumento dos ganhos para a casa e garante uma "singela" aprendizagem para um futuro operário. A produção dessa etapa fabril nas casas também possibilita um ganho extra para o empresário, já que na banca domiciliar de pesponto fica ocultada a produção de cópia de marcas famosas. Com isso, é possível ao contratante dos serviços de pesponto assimilar, veladamente, um naco protegido das grifes de grandes multinacionais.

Se consegue ocultar alguns elementos da informalidade, o espaço doméstico reafirma a condição de inferioridade que o mundo do capital impõe ao trabalho feminino. O uso particular dos serviços prestados pelas mulheres é muito importante para o processo de reestruturação produtiva, sobretudo no que se refere ao setor calçadista. A externalização de parte da produção pelas empresas do setor é cindida pelo gênero, na medida em que as bancas de pesponto concentram majoritariamente mulheres. Essas bancas se caracterizam pelo uso intensivo de força de trabalho – muita exploração – a baixo custo. Com o gênero, a expansão da informalidade chega ao objetivo perquirido pelo capital: desvalorizar e subjugar o trabalho para realizar sua própria valorização.

Enfim, o esforço despendido neste texto procurou trazer à tona uma miríade de fenômenos à qual o trabalho informal se interconecta. A precariedade laboral que se tentou expor aqui é aquela que o capital em seu desenvolvimento não revela. Por isso, acreditamos que buscar os meandros da produção calçadista foi um indicador pertinente da acentuada exploração vivida pela classe operária e da patente superexploração levada ao extremo na configuração do trabalhador informal.

# 15

# Precarização e flexibilização do trabalho no contexto da reestruturação e descentralização produtiva na indústria de Catalão (GO)[1]

*José de Lima Soares*

## Introdução

O eixo central de nossa pesquisa é a empresa Mitsubishi. Contudo, vale ressaltar que, quaisquer que sejam os "modelos" tecno-organizacionais, impostos pelo capital, eles funcionam como formas de exploração de mais-valor relativo e absoluto (e como controle social do capital sobre o trabalho). O capital, não esqueçamos, é uma relação social coercitiva. Nesse sentido, é possível considerar o toyotismo um dos momentos importantes do processo de subsunção real do trabalho ao capital, que atinge as grandes empresas, num cenário de competitividade global sob a regência de políticas neoliberais, e pode ser caracterizado, ainda, como uma ofensiva do capital na produção. A crise do capital tende a tornar adequado, para as condições novas de acumulação capitalista mundial, o modelo japonês. Desse modo, as condições sócio-históricas em que nasceu o toyotismo, um capitalismo de escassez, de mercado restrito, moldaram-no como um conjunto de princípios adequados para o período do capitalismo em crise.

Este capítulo busca levantar algumas questões pertinentes ao fenômeno da assim chamada descentralização produtiva imposta pelo capital e, com ela, o desdobramento das práticas de flexibilização e precarização do trabalho a partir da implementação da reestruturação produtiva na indústria de Catalão. O ponto de partida é a montadora Mitsubishi, a mais importante indústria de Catalão, cidade do sudeste de Goiás. Trata-se de uma montadora do setor automobilístico, a MMC Automotores do Brasil (Mitsubishi), de capital nacional.

[1] Este artigo é parte integrante de um projeto em desenvolvimento sobre o processo de reestruturação e a descentralização produtiva, a precarização e a flexibilização do trabalho na indústria de Catalão (GO) nos últimos sete anos.

Com a alteração do paradigma taylorista e fordista para o toyotismo, emergem novos processos de trabalho, nos quais o *cronômetro* e a *produção em série* e *de massa* são "substituídos" pela flexibilização da produção, pela "especialização flexível", por novos padrões de busca de produtividade, por novas formas de adequação da produção à lógica do mercado[2]. Ensaiam-se modalidades de desconcentração industrial, buscam-se novos padrões de gestão da força de trabalho, dos quais os círculos de controle de qualidade (CCQs), a "gestão participativa" e a busca da "qualidade total" são expressões visíveis não só no mundo japonês mas também em vários países de capitalismo avançado e do Terceiro Mundo industrializado. O *toyotismo* penetra, mescla-se ou mesmo substitui o padrão fordista dominante, em várias partes do capitalismo globalizado (Antunes, 1997a; 2009). Vivem-se formas transitórias de produção, cujos desdobramentos são também agudos, no que diz respeito aos direitos do trabalho. Estes são desregulamentados, são flexibilizados, de modo a dotar o capital do instrumental necessário para adequar-se a sua nova fase. Direitos e conquistas trabalhistas históricas são substituídos e eliminados do mundo da produção. Diminui-se ou mescla-se, dependendo da intensidade, o despotismo taylorista, pela participação dentro da ordem e do universo da empresa, pelo envolvimento manipulatório, próprio da sociabilidade moldada contemporaneamente pelo sistema produtor de mercadorias.

As mudanças tecnológicas e organizacionais têm implicações diretas no processo do que David Harvey (1993) chama de "acumulação flexível" e, consequentemente, no deslocamento das plantas industriais para áreas longínquas, onde há uma força de trabalho abundantemente precária e barata e inexistem movimentos sindicais organizados. Tudo isso funciona muito bem como contratendência do capital. A descentralização produtiva é expressão real desse processo.

Como bem acentuou Pereira (2012) em sua pesquisa, foi a partir da década de 1990, com a introdução de novos processos da produção enxuta, com destaque para a automação e a intensificação do trabalho, que o setor automotivo brasileiro conseguiu aumentar a produção e as vendas com redução de custos, seja pela

[2] O termo "especialização flexível" é uma expressão consagrada por Michael Piore e Charles Sabel (1990). Tomando como base o trabalho desses estudiosos, Cattani faz a seguinte afirmativa: "A especialização flexível constituindo-se em um paradigma alternativo para a produção capitalista [...] se funda em elementos da produção artesanal em pequenos lotes, com tecnologia multipropósito, ancorada em trabalhadores qualificados e dotada de capacidade de alterar, constantemente, o mix de produção com baixos custos de reconversão, em oposição ao paradigma da produção em massa, que teria dominado o desenvolvimento econômico internacional do século" (Cattani, 1997, 83). A especialização flexível é a fabricação de produtos variados com equipamentos de múltiplos propósitos e trabalhadores polivalentes, que se mostra em oposição ao paradigma da produção em massa. A experiência da "Terceira Itália", estudada por Piore e Sabel (1990), foi utilizada nas indústrias de cerâmica, calçados, autopeças, motocicletas e máquinas agrícolas do norte da Itália, e nas indústrias de máquinas-ferramentas da então Alemanha Ocidental e do Japão. Nas regiões da "Terceira Itália" (norte e centro da Itália) teria ocorrido, segundo os autores, um crescimento industrial fundamentado no processo de descentralização produtiva, com a formação de redes industriais com pequenas e médias empresas.

eliminação de postos de trabalho, seja pelos baixos custos que a produção de automóveis adquire na descentralização industrial implementada nesse período no país, em regiões de *greenfield* (regiões longínquas, "interioranas", onde os salários são baixos, as instalações têm isenções fiscais, as organizações sindicais não têm tradição de lutas, há desregulamentação do trabalho etc.), o que atesta a grande produtividade alcançada pela indústria automobilística no Brasil no período. Com a reestruturação produtiva, a Mitsubishi incorporou toda essa lógica, mesclando práticas tayloristas e fordistas com o novo toyotismo[3].

Outro elemento inerente a essas condições de produção é a alteração no modo como o trabalhador é forjado pela indústria automobilística, onde são rebaixadas suas condições de vida, por meios econômicos e/ou infraestruturais da vida urbana, onde é subordinado politicamente no processo de produção e levado a aumentar o ritmo já extenuante da produção, inclusive pelo caráter semimecânico de algumas montadoras (como a MMC), e onde é coagido emocionalmente a vivenciar as relações hierárquicas de mando e disputas internas com outros operários (Pereira, 2012, p. 110)[4].

Se tradicionalmente a empresa fordista resultava de um modelo marcado pela rigidez e apto a eliminar custos de transação e garantir o controle do processo de

---

[3] As indústrias têm se instalado em novas localidades para alocar plantas novas ou mesmo para realocar parques antigos. Em busca de locais sem grande organização e tradição sindicais, de incentivos fiscais, doações de terrenos etc., as indústrias têm buscado os chamados *greenfields*. Além disso, houve a reorganização da própria esteira produtiva mundial. As metas desse sistema são os chamados cinco zeros: zero atraso, zero estoque – somente o estoque de base –, zero defeito – cada posto de trabalho controla a qualidade do trabalho do posto de trabalho precedente – zero pane, zero papel – substituição de ordens administrativas por placas de visualização imediata (Gounet, 1999, p. 28-9). A Mitsubishi pôs em prática algumas ferramentas importantes do toyotismo, do "modelo japonês", tais como: *kaizen*, JIT, *kanban*, multifuncionalidade, terceirização, flexibilidade da força de trabalho, polivalência, qualidade total, além da implantação da robótica, sobretudo na área de pintura, a mais moderna e sofisticada da fábrica.

[4] Em sua pesquisa sobre a reestruturação produtiva e o modo de vida da classe trabalhadora na Mitsubishi (presentes no toyotismo), Pereira (2012) chama a atenção para uma questão de suma importância para o entendimento das relações sociais que os trabalhadores estabelecem no chão de fábrica com as chefias, os líderes multifuncionais e polivalentes: "Uma situação que é muito importante no modo de vida a partir do chão de fábrica são as relações entre os funcionários. E no processo de trabalho na Mitsubishi essas relações são permeadas por conflitos entre operários e os controladores do processo de produção. Os atritos entre os operários e os líderes tornam claras as divergências dentro da equipe de trabalho, tendo na pessoa do operário líder de equipe um catalisador de conflitos entre o capital e o trabalho. Em depoimentos dados na coluna 'Trinca Ferro', do jornal do sindicato, podemos observar como os conflitos são engendrados. Há relatos de suspensão de dois dias para um operário multifuncional (líder de equipe) que cometeu a prática de racismo (Sindicato..., ano 6, ed. 54, ago. 2010, p. 7). A maioria das queixas dos operários são sobre a forma autoritária com que o líder passa a se relacionar com os demais após a promoção a operário multifuncional. Por parte dos demais operários há o estranhamento da nova postura arrogante e impositiva assumida pelo multifuncional, que passa a acelerar a produção ao máximo como forma de agradar aos supervisores que os coordena, demonstrando-lhes eficiência. Alguns líderes chegam a tentar dissuadir os demais operários de irem a festas, uma vez que estas podem representar desperdícios e sobretrabalho à equipe no dia seguinte. A rivalidade e o espírito de vingança tomam conta do ambiente de trabalho que, muitas vezes, caracteriza-se pela divisão do grupo e na competitividade" (Pereira, 2012, p. 135).

produção, hoje a maior mobilidade dos fatores produtivos e a inovação na organização, as tecnologias ou as comunicações teriam conduzido a um maior interesse empresarial em organizar os processos produtivos sobre o mercado, dado que aquelas inovações facilitam uma redução de custos de transação até situá-los por baixo dos custos que derivam da organização interna dos processos produtivos empresariais. Essa tese da redução de custos de transação na gestão dos fatores produtivos alcançaria também o uso da força de trabalho, de forma que um objetivo de "racionalidade econômica" leva o empresário em um momento determinado a estar mais interessado em procurar esse fator produtivo fora da própria empresa, por exemplo, por meio da contratação ou do trabalho autônomo e precarizado, antes que sua gestão a partir do interior da empresa. Não há dúvida de que a descentralização produtiva cumpre esse papel dentro da lógica capitalista.

De acordo com Alves (2000; 2011), o tempo histórico do capitalismo global pode ser caracterizado pela vigência do regime de acumulação flexível e pela crise estrutural do capital. A terceirização adotada pelas organizações capitalistas ocorre no bojo do complexo de reestruturação produtiva do capital sob o espírito do toyotismo (Alves, 2000; 2011). Desse modo, a categoria "terceirização", em comparação, por exemplo, com o *putting-out system* da indústria capitalista do século XVIII, possui outra significação histórico-ontológica bastante precisa: ela diz respeito a um processo de ofensiva do capital na produção que reorganiza o espaço-tempo da exploração da força de trabalho assalariado nas condições da crise estrutural do capital.

Do ponto de vista coletivo, se no início os trabalhadores lutaram contra a imposição de um novo tipo de trabalho, de um novo tempo a ser dedicado ao trabalho, ao longo da história vê-se que essa nova cultura temporal, aos poucos, acaba fazendo parte de toda a sociedade. O próprio E. P. Thompson (1987; 1998) já havia anunciado, em importantes trabalhos, que as mudanças na noção de tempo provocaram mudanças na organização e na orientação social. A noção de tempo adota novo valor (adotado desde as igrejas até as fábricas), toda a organização social passa a ser controlada pelo tempo e toda a ação social converte-se em "tempo é dinheiro". Seria como se os indivíduos tivessem um "relógio moral interno", um valor internalizado fundamentado na concepção do tempo, por isso situado dentro de uma ética social que se difunde nas fábricas, escolas, na vida das pessoas: formaram-se novos hábitos de trabalho e se impôs uma nova disciplina de tempo.

> A primeira geração de trabalhadores nas fábricas aprendeu com seus mestres a importância do tempo; a segunda geração formou os seus comitês em prol de menos tempo de trabalho no movimento pela jornada de dez horas; a terceira geração fez greve pelas horas extras ou pelo pagamento de um percentual adicional (1,5%) pelas horas trabalhadas fora da hora do expediente. Eles tinham aceito as categorias de seus empregadores e aprendido a revidar os golpes dentro desses preceitos. Haviam aprendido muito bem a sua lição, a de que tempo é dinheiro. (Thompson, 1998, p. 294)

Hoje, a terceirização que ocorre no bojo da nova reestruturação produtiva do capital, na medida em que atinge os coletivos organizados do trabalho, tende a promover uma reordenação socioterritorial dos espaços de produção do capital, implicando não apenas a precarização do trabalho no sentido da corrosão de direitos trabalhistas (inclusive no tocante à negociação coletiva) ou degradação das condições salariais dos homens e mulheres que trabalham mas também a precarização do trabalho no sentido de debilitamento da consciência de classe dos coletivos de trabalho, tendo em vista que desmonta os *loci* de memória pública e experiências pretéritas de luta de classes[5].

De acordo com Antunes (1999, p. 18-20), mesmo diante da flexibilização do trabalho ocorrida a partir dos anos 1970, a indústria fordista com produção taylorista não foi totalmente extinta, embora tenha sido superada pela chamada especialização flexível. Querendo fugir das generalizações, Antunes (1999) busca nas teses de diversos autores encontrar em que medida a especialização flexível substituiu o modelo fordista ou entrou em simbiose com ele. Alguns dos autores de seu estudo argumentam que os novos e flexíveis processos produtivos são inteiramente distintos e substitutos da base fordista, enquanto outros defendem a tese de que não passaram a existir realmente mudanças a tal ponto significativas no interior do processo de produção do capital. Recorrendo a Harvey (1993), Antunes reconhece "a existência de uma combinação de processos produtivos, articulando o fordismo e os processos flexíveis" (Antunes, 1999, p. 21). Certamente a ideia de generalizar as tendências de aumento crucial da flexibilidade e sua mobilidade geográfica pode trazer distorções, bem como o mesmo pode acontecer ao serem ignoradas as práticas da flexibilização em todos os sentidos dessa nova fase de acumulação.

Marx e Engels (2010) já haviam demonstrado essa tendência cosmopolita da burguesia de desenvolver, de forma impositiva, as forças produtivas e seu modo de produção social em todo o mundo. Os autores destacam a necessidade da burguesia de revolucionar incessantemente os meios de produção e as relações sociais de produção, não só no ambiente de trabalho mas em toda a sociedade. A relação do antigo modo de produção com o modo de produção burguês é marcada pela insegurança e pelo abalo entre conservação e subversão contínua:

> A burguesia não pode existir sem revolucionar incessantemente os instrumentos de produção, por conseguinte, as relações de produção e, com isso, todas as relações sociais. A conservação inalterada do antigo modo de produção era, pelo contrário, a primeira condição de existência de todas as classes industriais anteriores. Essa

[5] Nesse quadro, segundo Giovanni Alves (2000, p. 205-6), o processo de terceirização é um tipo de descentralização produtiva, centrado na lógica da focalização da produção, isto é, a empresa tende a concentrar seus esforços e a se especializar na produção daquelas mercadorias sobre as quais ela detém evidentes vantagens competitivas. Diz-se, por exemplo, que o "negócio" das montadoras é montar automóveis, e nada mais do que isso.

> subversão contínua da produção, esse abalo constante de todo o sistema social, essa agitação permanente e essa falta de segurança distinguem a época burguesa de todas as precedentes. Dissolvem-se todas as reações sociais antigas e cristalizadas, com seu cortejo de concepções e de ideias secularmente veneradas; as relações que as substituem tornam-se antiquadas antes de se consolidarem. Tudo o que era sólido e estável se desmancha no ar, tudo o que era sagrado é profanado e os homens são obrigados finalmente a encarar sem ilusões a sua posição social e as suas relações com os outros homens. [...] Pela exploração do mercado mundial, a burguesia imprime um caráter cosmopolita à produção e ao consumo em todos os países. [...] No lugar do antigo isolamento de regiões e nações autossuficientes, desenvolvem-se um intercâmbio universal e uma universal interdependência das nações. (Marx e Engels, 2010, p. 45)

Para compreendermos a situação do trabalho contemporâneo, é necessário entendermos as relações que este trava com as necessidades do capital, conforme apontado anteriormente. E, para entendê-las, é necessário compreender que no capital enquanto relação social há o que Marx (2011) caracterizou como "*função civilizadora*", qual seja a ampliação da capacidade de transformação e apropriação da natureza, a intensificação do intercâmbio entre os indivíduos na produção e na sociedade mundial, que se dá por meio da interdependência dos processos de produção e circulação (consumo produtivo e improdutivo), e dos meios de intercâmbio e comunicação em escala global (especialmente entre os trabalhadores, que assumem, cada vez mais, o caráter de trabalhadores coletivos) e a redução do tempo de trabalho ao mínimo necessário à produção de excedentes.

A passagem a seguir demonstra como as transformações na produção implementadas pelo capital promovem transformações nos modos de vida anteriores a ele e carrega consigo as contradições inerentes a esse modo de produção social da vida:

> Portanto, da mesma maneira que a produção baseada no capital cria, por um lado, a indústria universal – isto é, trabalho excedente, trabalho criador de valor –, cria também, por outro lado, um sistema da exploração universal das qualidades naturais e humanas, um sistema da utilidade universal, do qual a própria ciência aparece como portadora tão perfeita quanto todas as qualidades físicas e espirituais, ao passo que nada aparece elevado-em-si mesmo, legítimo-em-si-mesmo fora desse círculo de produção e trocas sociais. Dessa forma, é só o capital que cria a sociedade burguesa e a apropriação universal da natureza, bem como da própria conexão social pelos membros da sociedade. Daí a grande influência civilizadora do capital; sua produção de um nível de sociedade em comparação com o qual todos os anteriores aparecem somente como desenvolvimentos locais da humanidade e como idolatria da natureza. Só então a natureza torna-se puro objeto para o homem, pura coisa da utilidade; deixa de ser reconhecida como poder em si; e o próprio conhecimento teórico das suas leis autônomas aparece unicamente como ardil para submetê-la às necessidades humanas, seja como objeto do consumo, seja como meio da produção. O capital, de acordo com essa sua tendência, move-se para além tanto das fronteiras e dos

> preconceitos nacionais quanto da divinização da natureza, bem como da satisfação tradicional das necessidades correntes, complacentemente circunscrita a certos limites, e da reprodução do modo de vida anterior. O capital é destrutivo disso tudo e revoluciona constantemente, derruba todas as barreiras que impedem o desenvolvimento das forças produtivas, a ampliação das necessidades, a diversidade da produção e a exploração e a troca das forças naturais e espirituais. (Marx, 2011, p. 333)

De fato, enquanto nos países centrais ainda se concentrava a produção industrial, as novas tecnologias e a força de trabalho antes refugada se tornaram estratégias fundamentais. Quando adquiriu mobilidade suficiente, o capital passou a buscar novas regiões para produzir em áreas de baixos salários e também se valorizar financeiramente em paraísos fiscais, os quais proliferavam nos anos 1970. Esse processo de flexibilização da produção e acumulação permite ao capitalista exercer uma maior pressão sobre a vida dos trabalhadores, estes que já veem suas lutas enfraquecidas com o esvaziamento sindical e a redução cada vez maior de direitos vislumbrados nesta "era neoliberal".

Embora o padrão toyotista represente um aparente avanço nas relações entre patrões e empregados, na medida em que estes se veem com maior participação e autonomia dentro do espaço organizacional, há que se chamar a atenção para o fato de que as mudanças propostas por esse modelo de acumulação em nada favoreceram o trabalhador.

Nesse sentido, a descentralização produtiva está tendo efeitos evidentes sobre as relações trabalhistas: 1) generalizam-se os mecanismos de flexibilidade interna; 2) desenvolvem-se os mecanismos de flexibilidade externa; 3) diversificam-se os estatutos jurídicos nas relações trabalhistas, com uma clara diferenciação entre os trabalhadores da empresa principal e os das empresas auxiliares, e entre os trabalhadores autônomos; e 4) reduz-se o campo de relação contratual do trabalho e se expandem as formas civis e mercantis de prestação de serviços.

A descentralização produtiva não é um fenômeno novo. É uma prática imposta pelo capital em várias regiões do planeta, mas que, nas duas últimas décadas, vem intensificando-se nos países periféricos. Alguns autores, como David Harvey (1993), já haviam levantado essa questão do deslocamento de empresas para áreas longínquas e remotas, distantes das metrópoles e sem tradição sindical, como no caso do Vale do Silício. O que está por trás dessa política é a desregulamentação do trabalho[6]. No Brasil, como indica Ricardo Antunes:

[6] De acordo com o presidente do Sindicato dos Trabalhadores nas Indústrias Metalúrgicas e de Material Elétrico de Itumbiara-GO (Sitrame), Flávio Marani, a fábrica japonesa Suzuki foi instalada em Itumbiara (GO) entre 2012 e 2013 e encerrou suas atividades em julho de 2015. Ou seja, atualmente a empresa se encontra fechada. Informaram ainda que não têm previsão do que farão com o espaço que utilizavam para a produção dos veículos. Para atrair o novo investimento – estimado em mais de US$ 200 milhões –, o Estado ofereceu a área para construção da planta, além de isenções fiscais. E deve atrair outras indústrias do setor – o Estado já dispõe de fábricas, além da Mitsubishi, em Catalão, e da Hyundai Caoa, em Anápolis. A disputa para

> Várias fábricas de calçados, por exemplo, transferiram-se da região de Franca, no interior de São Paulo, ou da região do Vale dos Sinos, no estado do Rio Grande do Sul, para estados do Nordeste, como no Ceará e Bahia, e hoje começam a pensar em transferir parcela de sua produção para o solo chinês. Indústrias consideradas modernas, do ramo metalomecânico e eletrônico, transferiram-se da região da Grande São Paulo para áreas do interior paulista (São Carlos e Campinas) ou deslocaram-se para outras áreas do país, como interior do Rio de Janeiro (Resende), ou ainda para o interior de Minas Gerais (Juiz de Fora), ou outros estados como Paraná, Bahia, Rio Grande do Sul. E hoje examinam possibilidades de transferência de parte da produção para a China. Novas plantas foram instaladas, como a Toyota e a Honda, ambas na região de Campinas, dentre tantos outros exemplos. (Antunes, 2007, p. 15)

A necessidade de elevação da produtividade dos capitais em nosso país vem ocorrendo fundamentalmente por meio da reorganização sociotécnica da produção, da redução do número de trabalhadores, da intensificação da jornada de trabalho dos empregados, do surgimento dos círculos de controle de qualidade (CCQs) e dos sistemas de *just-in-time*, *kanban*, *kaizen* e células de produção, entre outros.

Foi quando o fordismo aqui vigente sofreu os primeiros influxos do toyotismo. A partir anos 1990 essa processualidade deslanchou por meio da implantação dos receituários oriundos da acumulação flexível e do ideário japonês, seguidos da intensificação da *lean production*, das formas de subcontratação e de terceirização da força de trabalho, da transferência de plantas e unidades produtivas, onde empresas tradicionais, como a indústria têxtil, sob imposição da concorrência internacional, passaram a buscar, além de isenções fiscais, níveis mais rebaixados de remuneração da força de trabalho, combinados com uma força de trabalho sobrante, sem experiência sindical e política, pouco ou nada *taylorizada* e *fordizada* e carente de qualquer trabalho.[7]

Dando ênfase à terceirização da produção no modelo toyotizado (sem esquecer todas as características do modelo apresentado anteriormente) – uma vez que há uma complexa relação deles com a mudança da exploração, assim como na intensificação do trabalho da classe trabalhadora –, cria-se uma produção flexível, em distintos espaços, que poderão estar distantes do núcleo de produção. Exemplo disso é a montadora de automóveis Mitsubishi em Catalão[8], que produz veículos com peças de diferentes lugares, como de várias regiões do Japão, da Europa etc.

---

receber os investimentos do grupo japonês exaltou os ânimos entre os municípios de Catalão e Itumbiara – Anápolis concorria por fora. Já que o Grupo MMCB é detentor oficial da licença para montagem e fabricação dos veículos da marca Suzuki Motors no Brasil, é possível que a Mitsubishi, em Catalão, passe efetivamente à montagem de veículos da marca Suzuki.

[7] Verifica-se a expansão daquilo que Juan José Castillo chamou de *liofilização organizacional*. É um processo no qual substâncias vivas são eliminadas – trata-se do trabalho vivo, que é substituído pelo maquinário tecnocientífico e pelo trabalho morto, conforme pôde demonstrar Ricardo Antunes (1999). A liofilização organizacional não é outra coisa senão o processo de "enxugamento" das empresas.

[8] Para uma análise mais aprofundada do tema, ver: Magda Valéria da Silva (2010).

Com isso, a fábrica toyotizada tem um núcleo de produção, cercado de empresas terceiras que produzem peças e acessórios, e também possui firmas terceirizadas a milhares de quilômetros produzindo peças que compõem a mercadoria final, que é montada no núcleo de produção. É desse modo que a intensificação do trabalho ocorre. Com a fragmentação da produção em diferentes espaços e diferentes territórios, a dificuldade dos trabalhadores de se organizar é imensa. Em consequência disso, o capital explora com mais intensidade a força de trabalho, a partir de diferentes estratégias. Antunes (1999) explica como é o modo de trabalho de uma fábrica nos padrões do toyotismo:

> O processo de produção de tipo toyotista, por meio dos *team work*, supõe portanto uma intensificação da exploração do trabalho, quer pelo fato de os operários trabalharem simultaneamente com várias máquinas diversificadas, quer pelo ritmo e a velocidade da cadeia produtiva dada pelo sistema de luzes. Ou seja, presencia-se uma intensificação do ritmo produtivo dentro do mesmo tempo de trabalho ou até mesmo quanto este se reduz. Na fábrica Toyota, quando a luz está verde, o funcionamento é normal; com a indicação da cor laranja, atinge-se uma intensidade máxima, e quando a luz vermelha aparece, é porque houve problemas, devendo-se diminuir o ritmo produtivo. A apropriação das atividades intelectuais do trabalho, que advém da introdução de maquinaria automatizada e informatizada, aliada à intensificação do ritmo do processo de trabalho, configuram um quadro extremamente positivo para o capital, na retomada do ciclo de acumulação e na recuperação da sua rentabilidade. (Antunes, 1999, p. 56)

Inaugurada em 1998, a montadora pertence ao grupo Souza Ramos e produz veículos da marca Mitsubishi. Atualmente a fábrica monta, em média, duzentos carros por dia, de quatro modelos diferentes: Pajero Dakar, L200, ASX e Lancer. A empresa ainda nacionaliza outros modelos provenientes do Japão, entre os quais Outlander e Pajero Full. A empresa, inicialmente, empregava cerca de 150 trabalhadores; hoje emprega 2.800 trabalhadores diretos e 1.500 indiretos (terceirizados). No início, a fábrica possuía capacidade de montagem de 10 mil veículos por ano; atualmente a produção anual é de 48 mil veículos.

Na verdade, o surgimento da Mitsubishi tem uma história. De acordo com Erik Sousa (2010), em 1991, a Brabus obteve uma licença para importar e distribuir veículos e peças da marca Mitsubishi Motors Corporation, tornando-se representante exclusiva da marca japonesa no Brasil. A empresa tem como objetivo social a comercialização, importação e exportação de veículos automotores novos e usados, de peças, partes, acessórios e equipamentos em geral para veículos automotores; prestação de serviços de assistência técnica em geral, destinados à conservação, manutenção, reparos e blindagem de veículos automotores; além da promoção de eventos esportivos e treinamento profissional (Sousa, 2010, p. 33).

Recentemente, a Mitsubishi, ao implementar a reestruturação produtiva, acabou aprofundando a flexibilização e a precarização do trabalho, providenciando a separação dos trabalhadores terceirizados em quatro novas empresas: a PRC (motores e chassis de propulsão), a BW & P (solda e pintura), a Mitsubishi Seguros (parte de vendas e seguros) e a Mitsubishi (montagem de componentes). Com a inauguração do novo prédio da pintura (financiado pelo BNDES), a empresa pretende ampliar a produção, passando de duzentos para quatrocentos carros por dia[9].

Logo que implantou todo esse processo de reestruturação, em menos de cinco meses, a montadora começou uma escalada de demissões em massa. Até junho de 2015, a empresa empregava, segundo o Sindicato dos Metalúrgicos de Catalão (Simcat), cerca de 3 mil trabalhadores, mas, em meio à crise, em menos de dois meses cerca de setecentas pessoas foram demitidas. Enquanto isso, a previsão é que o cenário se agrave. A partir do acordo firmado com o sindicato, a empresa pode dispensar um trabalhador por dia durante os próximos seis meses, totalizando mais de 180 demissões[10]. O impacto das demissões sobre a economia da cidade de quase 100 mil habitantes já é visível. De acordo com o Simcat, a montadora é o carro-chefe de arrecadação do município e de geração de emprego, direta ou indiretamente[11]. Com as demissões, o Sindicato dos Empregados no Comércio de Catalão-GO (Sindcom) estima que a perda de arrecadação do município deva chegar a 1,5 milhão de reais.

Os salários são relativamente baixos, em comparação com os de outros estados. Segundo o Simcat, a média salarial é de R$ 1.600, podendo chegar a R$ 5.000 em alguns casos[12]. Para a maioria oriunda da região, a situação salarial dos operários ainda repercute nas condições de moradia:

---

[9] Magda Valéria da Silva (2010) já havia constatado que cada operário, desempenhando várias funções, produzia um carro a cada 4 minutos e 25 segundos. Isso significa produzir 14 carros por hora e até 110 por dia. Mesmo quando os pedidos aumentam é mantido o número de operários, o que acarreta ritmos mais intensos de produção. A cada vinte operários fixos, existe um multifuncional como supervisor, que lidera a equipe. E a cada grupo de oitenta operários há um supervisor geral, que, com o auxílio de outros operários multifuncionais (líderes de grupo), vistoriam os processos antes de passarem pelo controle de qualidade. As funções desses operários multifuncionais vão desde reduzir o tempo e a frequência de idas ao banheiro pelos operários até efetivar reuniões matinais, cobrir operários que faltaram, resolver qualquer problema na produção e mediar a relação entre operários e o supervisor geral (Silva, 2010).

[10] Sem emprego na Mitsubishi, o drama e a angústia de alguns trabalhadores de menor instrução, como Anselmo da Cunha Marques, podem ser expressos na seguinte frase: "O trabalho era tudo para mim. Hoje, estou desacreditado, sinto que não tenho nada" (*Correio Braziliense*, 18 out. 2015). Outro trabalhador manifesta o mesmo sentimento ao jornal: "Tento não pensar na perda do meu emprego para não cair em depressão. O sentimento é de que meus sonhos foram destruídos". No mesmo estilo do poeta Gonzaguinha, em "Guerreiro menino": "Um homem se humilha/Se castram seu sonho/Seu sonho é sua vida/E vida é trabalho/E sem o seu trabalho/O homem não tem honra/E sem a sua honra/Se morre, se mata/Não dá pra ser feliz/Não dá pra ser feliz...".

[11] Recentemente, a Mitsubishi anunciou o Programa de Demissão Voluntária (PDV), que não registrou grande adesão, já que a proposta de acordo prevê o pagamento dos direitos trabalhistas e um bônus no valor de mil reais. Em nota, a Mitsubishi já havia informado que a queda de 22,7% nas vendas de automóveis entre janeiro e setembro impôs à companhia ajustar o quadro de funcionários em Catalão (GO), onde são produzidos 85% dos modelos vendidos no país (*Correio Braziliense*, 18 out. 2015).

[12] Os salários de R$ 5.000 são pagos a uma minoria, incluindo cargos técnicos, engenheiros recém-formados, supervisores e chefes.

> Os salários pagos pela Mitsubishi, além de ser muito inferior [sic] aos dos colegas operários de outros Estados, ficam muito aquém do ritmo de valorização do solo urbano. É forçoso concluir que os problemas de moradia para o operariado, para outros grupos de baixa renda, desempregados e recém-chegados à cidade tornam-se mais frequentes e que eles sentirão de maneira mais intensa a especulação imobiliária. Mas não apenas eles, todos os cidadãos, bem ou mal empregados, puderam perceber tal valorização. Aliás, este é o outro lado da industrialização, pois muito em breve os serviços públicos e a infraestrutura urbana poderão estar muito aquém do ritmo de crescimento populacional motivado pela busca de emprego em Catalão. (Silva, 2002, p. 124)

Nos discursos, a Mitsubishi Motors aparece como solucionadora de todos os problemas do município, não revelando as verdadeiras intenções da sua territorialização no interior do país. A apropriação da força de trabalho a partir da interiorização da atividade industrial promovida pelas montadoras nas últimas décadas no Brasil tem se tornado uma nova forma de assegurar a reprodução simples e ampliada do capital. Desejam, essencialmente, uma força de trabalho barata, pouca ou nenhuma organização sindical, mas também aspectos geográficos favoráveis, como ponto estratégico de logística e incentivos creditícios e fiscais.

A territorialização dessas indústrias provocou importantes transformações na microrregião de Catalão, contribuindo sobremaneira para a mudança no perfil econômico, social e cultural da cidade, e certamente lançou as bases para a consolidação do início do processo de industrialização da economia. A primeira foi a intensificação da mobilidade do trabalho e a alteração na relação cidade-campo, sobretudo a partir da década de 1970. A segunda foram as sucessivas transformações no espaço urbano, decorrentes da territorialização do capital industrial e financeiro (Santana, 2011).

Santana (2011), em sua pesquisa, conseguiu apreender os aspectos centrais das mudanças ocorridas na indústria de Catalão, com destaque para a MMC Automotores do Brasil S/A. Ao analisar as principais mudanças nos processos produtivos, o pesquisador entende que as transformações espaciais promovidas pela reestruturação produtiva do capital alteraram profundamente a relação entre capital e trabalho. Como reflexo dessa nova dinâmica, a mobilidade geográfica do capital acabou gerando uma descentralização produtiva para outras regiões do país, onde nem sequer havia organizações de trabalhadores capazes de se contrapor às práticas de precarização e flexibilização do trabalho. O caso da Mitsubishi é emblemático: uma montadora nacional, instalada entre 1997 e 1998, estabeleceu um novo padrão de reprodução do capital no sudeste goiano. Atualmente, a Mitsubishi, somando-se às terceirizadas, contrata em torno de 3 mil trabalhadores, em sua expressiva maioria representados pelo Sindicato dos Metalúrgicos de Catalão (Simecat), fundado em 2004 e filiado à Força Sindical.

Santana (2011) constatou ainda que a precarização do trabalho, os métodos de organização da produção, os diversos mecanismos de controle social – entre os quais se destacam a participação nos lucros e resultados, o trabalho em equipe permeado pelo discurso da cooperação, a terceirização e a contratação de trabalhadores de várias cidades da microrregião de Catalão – mostram que a expansão geográfica do capital atinge profundamente a classe trabalhadora, sobretudo a sua capacidade de organização e mobilização.

Marques e Avelar (2010) fizeram uma análise interessante sobre os reflexos das pressões na intensificação do trabalho e sobre como esta se reflete em doenças ocupacionais nos operários da MMC. Os autores alegam que a gerência de produção pressiona os operários para não haver retrabalho, entendido como um custo desperdiçado. E, quando há a necessidade de retrabalho, este é feito em horário extra da equipe responsável pelas falhas.

Mesmo no horário regular de trabalho há uma série de movimentos e posturas que afetam a saúde do trabalhador, lesionando sobretudo ombros, braços e coluna, uma vez que boa parte do trabalho é manual, fundamentalmente nas transições em que se usam guindastes e elevadores e no encaixe dos componentes mais pesados.

Disso decorrem os processos na Justiça do Trabalho abertos pelos operários contra a empresa:

> Seguindo essa linha de raciocínio, é notória a existência de vários processos contra a montadora *Mitsubishi* que não se responsabiliza pelos acidentes, de vez que [sic], segundo consta no *site* da vara do trabalho encontram-se tramitando onze processos sem mencionar os que já foram julgados ao longo da existência da indústria na cidade de Catalão (GO). A empresa contrata médicos e advogados para contradizer os trabalhadores. Além disso, a falta de reconhecimento da questão, como acidente de trabalho, retira dos trabalhadores vários direitos e, ainda, [causa] danos à saúde do trabalhador difíceis de ser curados, segundo médicos especializados. Produzem um trabalhador ainda muito jovem, mas permanentemente *descartável*. (Marques e Avelar, 2010, p. 74)

A explicação dessa postura por parte da empresa está no fato de que, uma vez que os operários entram com recursos junto ao INSS, alegando acidente ou doença adquirida no trabalho, eles recebem boa parte dos benefícios para que cuidem dos problemas desenvolvidos dentro da empresa. Na perspectiva da empresa, isso significa dois custos, ou seja, aquele que diz respeito ao direito de estabilidade de um ano, estabelecido por lei, e as despesas com elevação da contribuição fiscal ao órgão, em função do aumento do índice de acidentes de trabalho. É nesse sentido que os operários se tornam *descartáveis* para a empresa e, muitas vezes, para a sociedade quando encontram dificuldades de se reempregar, em virtude das doenças e limitações de movimentos físicos adquiridas durante a produção na MMC.

Autores como Armando Boito Jr. (2003; 2005), Giovanni Alves (2000; 2009; 2011), Ricardo Antunes (2005; 2006a; 2006b; 2011), Ariovaldo Santos

(2004; 2006), Graça Druck (2006; 2007; 2011), Andréia Galvão (2007) e Sadi Dal Rosso (2008), entre outros, têm insistido em que o processo de reestruturação produtiva, nos últimos anos, tem levado a uma profunda intensidade do trabalho, seguido da flexibilização e da precarização. Fazendo um retrospecto da bibliografia dos autores, é possível destacar que, desde o governo de Fernando Henrique Cardoso, passando pelo governo de Lula, tem havido uma intensificação do processo de flexibilização e precarização do trabalho.

A bibliografia pesquisada indica sobremaneira que o trabalho precário e o processo de flexibilização se inserem na lógica da exploração da força de trabalho nos marcos da ordem do capital. Do setor industrial ao setor de serviços, do trabalho formal ao trabalho informal, incontáveis sujeitos vivem longe das possíveis vantagens que vêm do núcleo privilegiado do capitalismo. Embora em nossa sociedade atual seja quase uma redundância falar em "trabalho precário", alguns poucos trabalhadores conseguem fazer de sua atividade laboral uma fonte de prazer, estabilidade e dinheiro. Mas a maioria se encontra obrigada, com mais ou menos intensidade, a conviver com as várias facetas da precariedade no trabalho (Padilha, 2010).

Para Galeazzi, a precarização do trabalho é entendida como situações laborais que se tornaram expressivas com a ocorrência da chamada "reestruturação produtiva" sob a égide neoliberal. De acordo com a autora, "a definição de trabalho precário contempla pelo menos duas dimensões: a ausência ou redução de direitos e garantias do trabalho e a qualidade no exercício da atividade" (Galeazzi, 2006, p. 203). Assim, a precarização do trabalho é considerada uma das formas de assalariamento atípico: o trabalho assalariado não regulamentado, a subcontratação, o trabalho por tempo determinado, o trabalho em tempo parcial e a contratação de cooperativas de trabalho como uma forma especial de terceirização.

Diante desse quadro, podemos definir o trabalho precário como um conjunto de fatores – os quais podem estar ou não combinados – que caracterizam a atividade laboral de inúmeros trabalhadores. Os principais fatores são: a) desregulamentação e perdas dos direitos trabalhistas e sociais (flexibilização das leis e dos direitos trabalhistas); b) legalização de trabalhos temporários, em tempo parcial, e da informalização do trabalho; c) terceirização e quarteirização ('terceirização em cascata"); d) intensificação do trabalho; e) aumento da jornada de trabalho com acúmulo de funções (polivalência); f) maior exposição a fatores de risco para a saúde; g) rebaixamento dos níveis salariais; h) aumento da instabilidade no emprego; i) fragilização dos sindicatos e das ações coletivas de resistência; j) feminização da força de trabalho; k) rotatividade estratégica (para rebaixamento de salários) (Padilha, 2010).

O conceito de precarização do trabalho diz respeito às distintas formas de rebaixamento salarial, degradação das condições de trabalho, retirada de direitos trabalhistas historicamente conquistados e fragmentação da classe operária, atingindo homens e mulheres. Sinteticamente, pode-se afirmar que, nas décadas de 1980 e 1990, o capitalismo avançou sobre as conquistas dos trabalhadores e dos povos oprimidos do mundo. Esse conjunto de ataques foi levado adiante, destruindo os coletivos de trabalhadores, por meio de uma revolução molecular no seio do processo produtivo, ou seja, daquilo que Antonio Gramsci (2002) chamou de "revolução passiva". Assim, houve um enorme ataque às condições de trabalho e de vida de toda a classe trabalhadora, que consistia em criar subcategorias, possibilitando que, em uma mesma empresa ou fábrica, existam trabalhadores realizando o mesmo serviço com salários e direitos distintos, criando assim um abismo entre as classes trabalhadoras. Essa divisão se dá ao mesmo tempo que os efetivos também perdem direitos e condições em relação à etapa anterior ao neoliberalismo[13]. É o que autores como Boito Jr. e Antunes denominam *neocorporativismo societal*. Ou seja, alguns sindicatos conseguem lutar em prol dos trabalhadores e categorias mais organizadas, em detrimento dos setores precarizados, terceirizados, subcontratados.

Para Vasapollo, o trabalho precário equivale ao "trabalho atípico". É o que o autor caracteriza como "nova organização capitalista do trabalho marcada pela precariedade, pela flexibilização e desregulamentação, de maneira sem precedentes para os assalariados. É o mal-estar no trabalho [...] com a angústia vinculada à consciência de um avanço tecnológico que não resolve as necessidades sociais. É um processo que precariza a totalidade do viver social" (Vasapollo, 2005, p. 27).

Chama a atenção a perspectiva crítica do autor ao definir a flexibilização do trabalho como um processo no qual há liberdade para a empresa despedir parte de seus empregados, sem penalidades, quando a produção e as vendas diminuem; produzir ou aumentar o horário de trabalho, repetidamente e sem aviso prévio, quando a produção necessite; pagar salários reais mais baixos do que a paridade de trabalho, seja para solucionar negociações salariais, seja para poder participar de uma concorrência internacional; subdividir a jornada de trabalho em dias e semanas de sua convivência, mudando os horários e as características (trabalho por turno, por escala, em tempo parcial, horário flexível etc.); destinar parte de sua atividade a empresas externas; contratar trabalhadores em regime de trabalho temporário; fazer contratos por tempo parcial; diminuir o pessoal efetivo a índices inferiores a 20% do total da empresa. Ou seja, a flexibilização do direito do trabalho consubstancia-se no

[13] Pierre Bourdieu define o neoliberalismo como um projeto político que visa principalmente destruir as coletividades e reduzir a noção de racionalidade à racionalidade individual. Ele argumenta que a essência do neoliberalismo consiste em pôr em prática, sem medir quaisquer consequências, um programa de destruição de todas as estruturas coletivas que atuem como obstáculo à lógica de um mercado puro, dirigido pelos interesses financeiros e voltado para a obtenção de benefícios e lucros individuais de curto prazo. Assim, o enfraquecimento do Estado, dos sindicatos, das associações, dos laços comunitários etc. abriria caminho para a realização da utopia neoliberal de um mundo de exploração sem limites. Ver do autor: "A essência do neoliberalismo". Disponível em: <https://gz.diarioliberdade.org/mundo/item/119073-a-essencia-do-neoliberalismo.html>. Acesso em: jul. 2019.

conjunto de medidas destinadas a afrouxar, adaptar ou eliminar direitos trabalhistas de acordo com a realidade econômica e produtiva[14].

É o que Ricardo Antunes (1999; 2007) tem chamado de "dimensões da precarização estrutural do trabalho". A classe trabalhadora vem sendo desprovida de direitos e de carteira assinada, e o desemprego é ampliado, seguido da precarização exacerbada e do rebaixamento salarial acentuado.

Para Bourdieu (1998a), a precarização está presente em toda parte e atinge grande parcela da população, operários, empregados no comércio e na indústria, professores, jornalistas e estudantes. É o que ele chama de novo modo de dominação sobre o trabalho e os trabalhadores:

> A precariedade atua diretamente sobre aqueles que ela afeta e indiretamente sobre todos os outros pelo temor que ela suscita e que é metodicamente explorado pelas estratégias de precarização, com a introdução da famosa "flexibilidade". Começa-se assim a suspeitar que a precariedade seja o produto de uma vontade política, e não de uma fatalidade econômica, identificada com a famosa "mundialização". A precariedade se inscreve num modo de dominação de tipo novo, fundado na instituição de uma situação generalizada e permanente de insegurança, visando obrigar os trabalhadores à submissão, à aceitação da exploração. Apesar de seus efeitos se assemelharem muito pouco ao capitalismo selvagem das origens, esse modo de dominação é absolutamente sem precedentes, motivando alguém a propor aqui o conceito ao mesmo tempo muito pertinente e muito expressivo de "flexploração". (Bourdieu, 1998a, p. 123-4)

No tocante à questão da flexibilização e da precarização do trabalho, autores como Boito Jr., Paula Marcelino e Andréia Galvão (2009) insistem que, durante os dois mandatos de Lula, houve uma reconfiguração do movimento sindical, ou seja, alterou-se o cenário sindical brasileiro significativamente. A proliferação das centrais sindicais não significou um avanço na retomada das lutas contra a ofensiva do capital, de forma que, mesmo com a participação maciça dos dirigentes sindicais na máquina administrativa do governo, não houve nenhuma resistência organizada importante por parte das centrais contra a retirada de direitos dos funcionários públicos. Os novos servidores perderam o direito à aposentadoria com vencimento integral, e seus benefícios deixaram de ser reajustados na mesma proporção que os salários dos servidores ativos. Os critérios para a aposentadoria dos servidores já em exercício tornaram-se mais rígidos, de modo a dificultar-se a obtenção da aposen-

---

[14] No *Dicionário de trabalho e tecnologia*, organizado pelos professores Antonio David Cattani e Lorena Holzmann, o verbete "flexibilização" é definido como um "conjunto de processos e de medidas que visam alterar as regulamentações concernentes ao mercado de trabalho e às relações de trabalho, buscando torná-las menos ordenadas e possibilitando arranjos considerados inovadores diante de uma forte tradição de controle legal das relações laborais. A proposta de flexibilização contrapõe-se a essa tradição, que diz respeito às proteções que os trabalhadores obtiveram nas condições de venda e uso de sua força de trabalho e à garantia de direitos a benefícios e serviços decorrentes de sua condição de trabalhadores" (Holzmann e Piccinini, 2006, p. 131).

tadoria integral. A perda sofrida no valor da aposentadoria seria supostamente compensada pela expansão dos fundos de pensão, destinados a assegurar uma aposentadoria complementar. Também foram implementadas algumas medidas flexibilizantes, a exemplo da contratação de prestadores de serviços na condição de empresas constituídas por uma única pessoa (a chamada "pessoa jurídica") e da lei do Super Simples, que possibilita a redução de alguns direitos trabalhistas para micro e pequenas empresas (Boito Jr., Marcelino e Galvão, 2009).

As grandes mudanças no mundo do trabalho e a reestruturação produtiva, impostas pelo capital – ao longo dos anos 1990 e 2000 –, encontram sua expressão maior na dialética lei do desenvolvimento desigual, combinado e contraditório das sociedades contemporâneas e mediadas por um intenso processo de globalização capitalista (Ianni, 1992; Marques, 1996). Nesse contexto, de acordo com Ramalho (1997), tanto nos países centrais como nos periféricos, a situação da classe trabalhadora e de suas entidades de classe traz as marcas de origem da exclusão social, do desemprego estrutural, da superexploração do trabalho e da precarização, somando-se, ainda, a crise do sindicalismo.

Por um lado, procuramos analisar a reestruturação produtiva, concomitantemente ao desenvolvimento da indústria, somada à flexibilização e à precarização do trabalho implementadas na principal empresa de Catalão. Por outro, é importante destacar e caracterizar as particularidades de uma área que vem atraindo investimentos de setores não agroindustriais, como é o caso da montadora Mitsubishi e das mineradoras Vale e Anglo American. Daí decorre um fato relevante que se expressa não apenas na descentralização produtiva mas na própria formação da classe trabalhadora e no seu crescimento. Classe trabalhadora essa que vem crescendo rapidamente e experimentando as mais diferentes formas de trabalho precário, com destaque para a terceirização como prática em expansão nas principais indústrias de Catalão. Estudiosos como Ribeiro e Guimarães (2006) sugerem que a marca de origem desse dinamismo industrial esteja associada à disponibilidade de recursos naturais, que são capazes de alterar a dinâmica espacial da produção. Essa cidade possui ricas jazidas minerais de argila refratária, barita, fosfato, nióbio, pirocloro, titânio (anatásio) e vermiculita, mas apenas as reservas de fosfato e nióbio são exploradas. No entanto, é fato relevante que os produtos de suas principais unidades industriais não estão dissociados da demanda oriunda da fronteira agropecuária, pois mesmo o veículo produzido pela Mitsubishi tem como principal mercado consumidor as pessoas cuja renda é gerada no agronegócio. Do conjunto dos principais produtos industriais de Catalão, apenas os da mineradora Anglo American (extração de nióbio) não são destinados ao complexo agropecuário (Ribeiro e Guimarães, 2006)[15].

[15] Todavia, apenas alguns desses minérios são explorados, como é o caso do nióbio (explorado pela Anglo American e pela Mineração Catalão), do fosfato (explorado e industrializado pela Fosfértil, Anglo American e Copebras) e das argilas, exploradas por várias companhias ceramistas

Um breve histórico da indústria mineradora em Catalão permite-nos começar pela Mineração Catalão Ltda., a primeira empresa mineradora a se implantar no município de Ouvidor, onde iniciou suas atividades em 1976. A empresa explora a jazida de nióbio, umas das poucas existentes no mundo, e faz seu beneficiamento para produzir a liga metálica ferro-nióbio[16]. Sua produção é totalmente vendida no mercado externo. Essa empresa acabou sendo adquirida pela CMOC International, empresa de capital chinês. A ideia do grupo Anglo American era tornar-se um dos maiores produtores de minério de ferro do mundo, aumentando sua participação no mercado de 3% para 11%, com uma produção de 150 milhões de toneladas anuais até 2016. Conforme os dados apresentados no site da CMOC International, a produção em 2018 foi de 8.957 toneladas[17].

A Copebras S/A instalou-se em Catalão em 1977, mas sua existência no país teve início em 1955, em Cubatão (SP). No Complexo Mineral Catalão-Ouvidor, a empresa explora a jazida de fosfato no município de Ouvidor e faz o processamento de fertilizantes em Catalão. Em 2002, a empresa fez investiu US$ 140 milhões em obras de verticalização da produção, passando a processar na unidade de Catalão ácido sulfúrico e fosfórico, a acidulação e granulação de fertilizantes e o fosfato bicálcico (Santana, 2011). Atualmente a Copebras S/A pertence também ao grupo CMOC International. Por fim, a Fosfértil S/A instalou-se em Catalão em 1978. No início das operações, denominava-se Goiás Fertilizantes (Goiásfertil), empresa estatal que pertencia ao grupo Petrofértil. Foi criada dentro do contexto do Plano Nacional de Fertilizantes e Calcário Agrícola do governo federal, tendo como objetivo suprir a demanda interna de fertilizantes agrícolas no país (Lima, citado em Santana, 2011). Com a privatização na década de 1990, a empresa passou a se chamar Ultrafértil S/A. Recentemente seu controle acionário foi adquirido pela Vale, que comprou a participação da Bunge e de outras empresas que controlavam seu capital social,

---

instaladas no município. Os demais minérios identificados já estão com seus depósitos registrados para as mais diversas companhias, como é o caso do titânio, registrado pela Vale. De toda forma, as jazidas são abundantes, conforme se pode ver a seguir (os dados estão em toneladas métricas), para os minérios mais importantes: argila para cerâmica vermelha – 400.000 *toneladas medidas*; argilas refratárias – 43.566.031 *toneladas medidas*, 16.569.719 *toneladas indicadas*; brita – 8.305.156 m$^3$ medidos; fosfato – 96.717.737 *toneladas medidas*, 112.349.098 *toneladas indicadas*; nióbio – 1.317.560 *toneladas medidas*, 5.123.368 *toneladas indicadas*; titânio – 4.889.981 *toneladas medidas*, 5.483.860 *toneladas indicadas*; turfa – 443.860 *toneladas medidas*, 233.737 *toneladas indicada*; vermiculita – 2.000.000 *toneladas indicadas*. Fonte: Wikipédia.

[16] A liga ferro-nióbio é um importante insumo empregado na obtenção de alguns tipos de aço, como os microligados e inoxidáveis, com aplicação nas indústrias de construção civil, automotiva, naval, aeronáutica, espacial, na fabricação de tubulações (grades, estruturas, gasodutos e oleodutos) e de ferramentas de alta precisão. Nos aços microligados, mesmo com um reduzido consumo específico (cerca de 400 g de FeNb por tonelada de aço), o nióbio confere ao produto características de alta resistência, mecânica, tenacidade e soldabilidade. Nos inoxidáveis, a sua importância consiste em neutralizar o efeito do carbono e do nitrogênio, afastando assim o risco de deterioração do produto por corrosão (Silva, citado em Santana, 2011, p. 83).

[17] Disponível em: <http://cmocbrasil.com/br/negocios/niobras>. Acesso em jul. 2019.

numa operação financeira de aproximadamente US$ 3 bilhões (Laguna, citado em Santana, 2011).

A implantação do Complexo Mineral Catalão-Ouvidor acabou provocando grandes transformações econômicas, sociais e culturais, lançando bases para a consolidação do processo de industrialização e aprofundando a intensificação da mobilidade do trabalho e causando impactos nos espaços urbanos, decorrentes da territorialização do capital industrial e financeiro. Essas mudanças acabaram incidindo diretamente nas condições materiais de existência e na subjetividade dos trabalhadores dessas empresas.

De acordo com pesquisadores como Ribeiro e Guimarães (2006), Silva (2010) e Santana (2011), o que tem tornado mais atrativa a territorialização dessas empresas na região de Catalão (nesse processo de descentralização produtiva) tem sido o barateamento da força de trabalho (os baixos salários) e a ausência de uma tradição sindical de luta, além de uma classe trabalhadora abundantemente jovem (entre 18 e 35 anos), formada e treinada no Senai, que está exclusivamente voltada para atender às necessidades das grandes empresas locais. Além disso, sua concepção de formação e qualificação é vendida ideologicamente como se fosse a forma mais fácil de conseguir um bom emprego na cidade. Assim, a função ideológica do Senai se expressa na contradição de se individualizar um problema de caráter coletivo e social, que é o desemprego. Ora, se é verdade que a escola reproduz a lógica do sistema capitalista de exploração, a formação do Senai não busca uma educação voltada para a potencialização das capacidades humanas, mas, sim, está em sintonia com as demandas do mundo empresarial burguês (Mendes, citado em Santana, 2011, p. 92)[18].

De acordo com Mendes (2007), o Senai, a serviço do capital, desempenha para a indústria a função de educação para o trabalho, assistência técnica e tecnológica com base na ideia simplista de que a qualificação profissional detém a função de combater o desemprego, prestando um serviço ao trabalhador e incorporando assim uma espécie de passaporte para a empregabilidade. Verificamos que o discurso da qualificação profissional está revestido de um caráter cidadão, porém essencialmente ideológico, no sentido marxiano do termo, ou seja, de

[18] Leonardo de Oliveira Mendes, em sua dissertação de mestrado *Expansão do capital, territorialidade do trabalho e as respostas do Senai em Catalão (GO) no século XXI: uma contribuição à geografia do trabalho*, defendida na Unesp de Presidente Prudente, em 2007, ressalta o perfil das ações desenvolvidas pelo Senai em Catalão traçadas pelo empresariado local. Mendes cita o depoimento de um dos instrutores que ilustra bem o fato: "as próprias indústrias que são parceiras do Senai, elas procuram o Senai com o pedido de um curso; eles têm necessidade de um curso para sua empresa, de uma qualificação, alguma deficiência, eles vão procurar o Senai e expor ali o que estão precisando naquele momento. O Senai vai manter o curso e montar aquele curso e passa para o coordenador da empresa que fez o requerimento, que fez o pedido; ele vai estudar aquele curso qualificando o trabalhador que já está na empresa, então ele atende de todas as formas. Ele é assim bem flexível [...]. É flexível, justamente; não fugindo da diretriz, nós vamos em busca daquilo que é necessidade, o que é deficiência nós vamos em busca, as empresas procuram o Senai, para estar melhorando cada vez mais" (Mendes, 2007, p. 80).

falseamento da realidade. Do ponto de vista da práxis social, deparamo-nos com um ambiente pedagogicamente estruturado para o adestramento e o treinamento da mão de obra para indústria. Percebemos, assim, que a qualificação profissional se eleva enquanto poderoso mecanismo de controle social do capital sobre o trabalho. Sua finalidade é disciplinarizar o trabalho e os trabalhadores, ou seja, capacitá-los técnica e ideologicamente para o mercado. Não é difícil compreender o sentido dessa qualificação. Basta analisar que, do ponto de vista do conhecimento técnico, há o aumento da produtividade do trabalho nas indústrias e, do ponto de vista ideológico, há a difusão constante da cultura empresarial, o que possibilita a (re)produção dos valores de vida capitalistas entre os trabalhadores. Monta-se, então, uma estrutura educacional, uma pedagogia da fábrica, na qual o Senai está inserido. É por meio dessa dimensão intelectual e alienada do trabalho que o capital moderno se apropria da inteligência do trabalhador, criando um caminho original de racionalização do trabalho contemporâneo, ou seja, a captura de sua subjetividade. Tanto que o Senai se modifica em função do movimento de reestruturação produtiva do capital, adequando-se às novas exigências do mercado por novas qualificações do trabalho (Mendes, 2007)[19].

## Conclusão

Ao longo deste capítulo, procuramos compreender, com base no método dialético, como o sistema capitalista, mediante um desenvolvimento desigual, combinado e contraditório, conseguiu engendrar um processo de expansão geográfica que repercute no estado de Goiás, por intermédio de um desenvolvimento industrial que traz no seu bojo a marca de origem da descentralização e da reestruturação produtiva, responsáveis pela precarização, pela flexibilização do trabalho e pelo desemprego em massa, o que expressa, na concepção de István Mészáros, uma lógica destrutiva do capital.

Na contextualidade desse quadro, sugerimos a hipótese de que as organizações dos trabalhadores, como os sindicatos, não têm se preocupado seriamente com o fenômeno da precarização e da flexibilização do trabalho, o que tem deixado os trabalhadores na defensiva. Tudo leva a crer que os sindicatos não vêm buscando organizar os trabalhadores contra essas práticas impostas pelas empresas capitalistas. Em Catalão, tanto o Sindicato dos Trabalhadores da Indústria e Extração do Ferro e Metais Básicos e de Minerais Não Metálicos de Catalão-Ouvidor (Metabase)[20] quanto o Simecat, filiados à central neoliberal Força Sindical, aderiram à

---

[19] Sobre a pedagogia da fábrica, ver a análise de Kuenzer (1995).

[20] No site da entidade, obtivemos a seguinte informação: "O Sindicato Metabase é uma entidade que representa a categoria profissional que abrange todos os trabalhadores que exercem atividades conexas, similares, idênticas ou afins, nas indústrias extrativas, minerais, na fabricação de adubos, corretivos e defensivos agrícolas. Sua base territorial abrange as cidades de: Catalão, Ouvidor, Goiandira, Três Ranchos, Nova Aurora, Anhanguera, Cumari, Pires do Rio, Corumbaíba,

política de *concertação social.* A tônica dessa política fica clara na análise que Mendes faz dos sindicatos e de seus dirigentes, cada vez mais comprometidos com o patronato. De acordo com o autor, os sindicatos enfrentam uma crise de identidade de grandes proporções. No interior dos movimentos sindicais, cresce a força de direita, que os leva ao imediatismo, à contingência, a operar sob o prisma constitucional e burocrático, atado ao ideário capitalista, criando um sindicalismo de participação, contrário de um sindicalismo de classe. Mendes cita o depoimento do presidente do Metabase e de sua relação com os empresários, no qual afirma: "Nós fazemos os contatos com os empresários e existe uma relação de respeito mútuo, num clima de profissionalismo [...] essa relação se efetiva geralmente através de reuniões e através de ofícios de reivindicações buscando uma harmonia entre a classe trabalhadora e [a] empresarial" (Mendes, 2007, p. 39). Aqui não resta dúvida quanto à relação de parceria e consenso que a direção desses sindicatos estabeleceu com o capital.

Outro aspecto relevante deste capítulo é que procuramos apreender as principais mudanças ocorridas no mundo do trabalho nas duas últimas décadas e, com elas, as implicações que tiveram nas condições materiais de existência, bem como no plano da consciência de classe dos trabalhadores. Em síntese, procuramos apreender as consequências dessas mudanças que tão profundamente têm afetado as condições objetivas e subjetivas da classe trabalhadora em Catalão, bem como em outras regiões do país. Com isso, entendemos que, onde quer que as empresas tenham implementado a reestruturação e a descentralização produtiva, só confirma nossa hipótese de que esse processo tem levado sobremaneira ao desemprego, à flexibilização e à precarização do trabalho, seguido de uma profunda desregulamentação dos direitos dos trabalhadores, no Brasil e no exterior. Essa tem sido a tônica do novo e precário mundo do trabalho no século XXI.

---

Davinópolis, Campo Alegre de Goiás, Ipameri, Marzagão, Caldas Novas, Urutaí, Palmelo, Santa Cruz de Goiás e Orizona. O Sindicato Metabase foi fundado em 18/03/1982, a sua diretoria é colegiada e composta por 22 diretores, constituída por diretoria executiva, conselho fiscal e delegados representantes eleitos pelos trabalhadores associados à entidade. Foi filiado à CUT (Central Única dos Trabalhadores de 1991 até 2010). Atualmente está filiado à Força Sindical devido [à] proposta e eleição da assembleia de trabalhadores. É também filiado à FTIEG (Federação dos Trabalhadores na Indústria nos Estados de Goiás, Tocantins e Distrito Federal) e à CNTI (Confederação Nacional dos Trabalhadores na Indústria). Possui um histórico de lutas e conquistas, onde os Acordos Coletivos de Trabalho (ACT) se equiparam aos melhores do país, estrutura física moderna, onde oferece aos seus associados assistência jurídica, 70 cópias mensais de xérox, escola de Informática em Catalão e Ouvidor, computadores para acesso à internet e vários outros benefícios assistenciais gratuitos. Tem membros na diretoria executiva da FTIEG. Tornou-se um Sindicato de renome nacional, com participação em vários movimentos e discussões acerca dos interesses comuns dos trabalhadores. A Diretoria do Sindicato tem por princípio lutar por melhores condições de trabalho, de salários e benefícios no intuito de propiciar dignidade aos trabalhadores, visando diminuir a árdua relação entre capital e trabalho". Percebe-se que é um sindicato com as mesmas características corporativistas e assistencialistas do velho sindicalismo pelego.

# 16

# O setor aeronáutico: financeirização e estratégias de intensificação do uso da força de trabalho na Embraer[1]

*Lívia de Cássia Godoi Moraes*

Diante da crise estrutural do capital conformada desde o início da década de 1970, os capitalistas buscaram, de diversas formas, dar respostas contratendenciais à queda na taxa de lucro. Uma das mais destacadas foi o processo de financeirização da economia. Tal resposta culminou na crise de 2008, que, no plano mais imediato, foi caracterizada como crise financeira. Foi nesse contexto que partiu o interesse em compreender como esse processo mundializado recaía sobre nosso objeto específico, a Embraer.

Em nossa investigação constatamos que quatro momentos se destacaram como saltos na relação entre financeirização, produção e trabalhadores, com algumas fortes implicações negativas sobre estes últimos, tais como terceirizações, desemprego e intensificação de trabalho. São eles: a) a privatização da empresa em 1994 e a produção de aviões ERJ-145[2]; b) a oferta pública global de capitais e a produção da família de aviões Embraer 170/190[3], a partir de 2000/2001; c) a reestruturação de capitais e a entrada da Embraer no Novo Mercado da Bolsa de Valores de São Paulo, em 2006; e d) a nova razão social da empresa, Embraer S.A., em 2010, e a diversificação de seu objeto social.

---

[1] Este capítulo é parte da tese de doutorado em sociologia *Pulverização de capital e intensificação do trabalho: o caso da Embraer*, defendida em 2013 no IFCH/Unicamp, sob orientação do prof. dr. Jesus Ranieri. O resultado desta pesquisa foi publicado em versões anteriores (Moraes, 2015; Moraes, 2017).

[2] A família de aviões ERJ é constituída por aeronaves com 37 a 50 assentos.

[3] Jatos de 70 a 122 assentos.

## De empresa de capital misto ao mergulho na bolsa de valores

A Embraer S.A. é a única empresa aeronáutica fora dos países centrais a se posicionar entre as "líderes globais", ocupando a oitava posição entre as maiores fabricantes de aeronaves e sendo a terceira maior fabricante de aviões comerciais do mundo, atrás apenas da estadunidense Boeing e da europeia Airbus. Em 2012, ao final da pesquisa de doutorado que embasou este artigo, a empresa possuía 17.970 assalariados, US$ 12,4 bilhões de pedidos firmes em carteira, R$ 8.284 milhões de receita líquida e R$ 444 milhões de lucro líquido. Atuava em cinco continentes e detinha no mercado 723.665.044 ações ordinárias[4] distribuídas entre a Bolsa de Valores de Nova York e a Bolsa de Valores de São Paulo[5]. Trata-se, portanto, de uma empresa economicamente expressiva em âmbito internacional, embora pouco pesquisada por estudiosos da sociologia do trabalho no Brasil[6].

A Embraer nasceu na década de 1970, quando o mercado ainda era bastante regulado, e garantiu sua existência por meio do Estado, que financiou a produção de aeronaves e comprou uma grande quantidade delas quando do seu surgimento. O fim da ditadura militar no Brasil e o acento em políticas de cunho neoliberal acarretaram um período de crise na empresa no final da década de 1980 e início da década de 1990.

A Embraer foi criada durante o regime militar, ou seja, quando o governo brasileiro desenhava seu projeto contrarrevolucionário (Fernandes, 2005), caracterizado pelo uso da violência militar para impedir qualquer revolução democrática brasileira[7]. Tal período ficou conhecido como "milagre econômico". Uma leitura aprofundada explica que não há "milagre" algum no fato de que o crescimento econômico tenha se assentado no recrudescimento político sob tutela do grande capital – burguesia nacional, burguesia estrangeira e capital estatal nas mãos dos militares –, cuja política central foi a do decrescimento salarial e da superexploração da classe trabalhadora da cidade e do campo (Ianni, 1981).

Por um lado, o êxito da fundação da Embraer deve-se, majoritariamente, aos grandes benefícios que a fração burguesa militar deteve com o período da

---

[4] Ações ordinárias são aquelas que concedem direito de voto nas assembleias deliberativas da companhia.

[5] Atualizando os dados a partir do último relatório publicado (Embraer, 2015): ao final de 2015, a Embraer tinha mais de 19 mil assalariados, US$ 22,5 bilhões de pedidos firmes em carteira, R$ 20,3 bilhões de receita líquida e R$ 1,1 bilhão de lucro operacional. No ano de 2014, a Embraer possuía 740.465.044 ações ordinárias distribuídas entre a Bolsa de Valores de Nova York e a Bolsa de Valores de São Paulo (Embraer, 2014).

[6] Destacamos a tese de doutorado de Roberto Bernardes, que resultou no livro *Embraer: elos entre Estado e mercado*, em 2000, e a dissertação de mestrado de Zil Miranda, que culminou no livro *O voo da Embraer*, em 2007, ambas do departamento de sociologia da Universidade de São Paulo.

[7] É importante destacar que pensamos esse período como *ditadura civil-militar*, dado que as burguesias têm importante participação nas decisões políticas e econômicas naquele momento. A Comissão Nacional da Verdade apurou que houve colaboração de mais de oitenta empresas na ditadura militar brasileira, conforme aponta reportagem de *El País* de 8 de setembro de 2014 (Borges, 2014).

ditadura, de modo a expandir o complexo industrial-militar. Por outro, a crise e o fim do período autocrático burguês trariam uma série de problemas à empresa.

É importante ressaltar que a Embraer já nasceu como uma empresa de economia mista, em cuja estrutura societária a União deteria no mínimo 51% do capital votante, os quais deveriam ficar sob o controle do governo por meio do Ministério da Aeronáutica (Pasqualucci, 1986, p. 42-3). Portanto, o laço com as finanças aparece desde o início da sua constituição, na medida em que até 49% do capital conformavam papéis na forma de ações[8]. Tal especificidade não está descolada do contexto internacional, dada a crise estrutural do capital da década de 1970, a qual teve relação direta com o fato de que a queda tendencial da taxa de lucro fez com que muitos capitalistas reinvestissem seus lucros na esfera financeira em vez de na esfera produtiva[9].

A crise da Embraer se agravou com a produção da CBA-123 Vector, uma aeronave que deveria ser produzida em parceria com a Fábrica Militar de Aviones (FMA), de Córdoba, na Argentina. Com o intuito de financiamento rápido, a Embraer efetuou o lançamento de US$ 85 milhões de debêntures[10] conversíveis em ações, segundo dados do Tribunal de Contas da União (TCU). Entretanto, do lado argentino, as obrigações financeiras não foram cumpridas, dificultando o pagamento dos juros comprometidos com as ações negociadas no mercado financeiro.

Enquanto, nacionalmente, a eleição de Fernando Collor de Mello significou a introdução efetiva da agenda neoliberal, internacionalmente, uma nova crise no setor aeronáutico despontava com a ideia de terrorismo, atrelado ao fato de que Saddam Hussein foi acusado de organizar a invasão militar do Iraque sobre o Kuwait em 1990.

Uma das práticas que acompanham esse ideário neoliberal foi a privatização, aliada ao discurso de que as empresas estatais são ineficazes. A crise interna à Embraer, conectada com o fato de que, por ser estatal, não poderia receber recursos do Banco Nacional de Desenvolvimento Econômico e Social (BNDES)[11], redundou no impulsionamento de sua privatização, ocorrida em 1994.

Desse modo, ratificamos que o tripé financeirização, reestruturação produtiva e ideologia neoliberal constitui-se de elementos intimamente conectados no

---

[8] Pessoas jurídicas poderiam investir anualmente até 1% do imposto de renda devido em ações da empresa sem direito a voto e deduzi-lo do Imposto de Renda de Pessoa Jurídica. Essa foi uma forma de capitalizar a empresa mediante investimentos privados, por exemplo (Bernardes, 2000a, p. 161).

[9] Ver mais sobre a crise de 1970 em Chesnais (1996), Mandel (1990) e Mészáros (2011b; 2010).

[10] Debênture é qualquer "título mobiliário que garante ao comprador uma renda fixa, ao contrário das ações, cuja renda é variável. O portador de uma debênture é um credor da empresa que a emitiu, ao contrário do acionista, que é um dos proprietários dela. As debêntures têm como garantia todo o patrimônio da empresa. Já as *debêntures conversíveis* são aquelas que podem ser convertidas em ações, segundo condições estabelecidas previamente" (Sandroni, 2008, p. 121).

[11] O BNDES injetou mais de US$ 100 milhões, assim que a empresa foi privatizada (Fonseca, 2012), já que antes disso estava impedida porque, por lei, esse banco não poderia financiar empresas públicas.

objetivo do capital de reverter a queda tendencial da taxa de lucro[12] e de criar novas condições de exploração da força de trabalho.

Tendo apresentado um breve panorama histórico da Embraer desde a sua fundação até a privatização no início da década de 1990, enquanto empresa aeronáutica instalada em país periférico e, portanto, tendo determinações reais e concretas específicas dessa condição, passamos, a partir de agora, a analisar o contexto pós-privatização, acentuando os quatro momentos que elencamos como mais relevantes no avanço da financeirização na empresa e os impactos sobre seus trabalhadores.

Antes de apresentar os resultados de nossa pesquisa, contudo, é preciso dizer que pensamos a esfera financeira como sendo relativamente autônoma à esfera produtiva, em concordância com Nakatani e Sabadini (2010):

> A autonomia deve ser entendida como: "autônoma" porque atualmente a esfera financeira do capital tem a capacidade de se autogovernar, tem um grau de liberdade e de independência (como nos "lucros fictícios") em relação ao capital produtivo e, também, em relação às instituições reguladoras, como os Bancos Centrais; mas ao mesmo tempo ela é "relativa", pois absorve uma parte do valor gerado na produção, estando subordinada, assim, à esfera produtiva. Portanto, sua "independência" não é absoluta nem "descolada" totalmente do trabalho, o que torna o processo de desmaterialização do dinheiro ainda mais complexo. (Nakatani e Sabadini, 2010, p. 78)

Essa imbricação entre reestruturação produtiva e reestruturação financeira, em nossa constatação, apresenta-se de forma mais clara na Embraer em *quatro momentos*, sendo que, cada vez mais, o que parece ser uma tendência mais geral, as reestruturações financeiras determinam fortemente as mudanças no âmbito produtivo – não no sentido de uma via de mão única, mas com mútuas determinações. Segundo nossas investigações, entretanto, nas últimas décadas, o âmbito financeiro tem dado maior condução ao movimento de transformações na empresa.

## Privatização e produção do ERJ-145: reestruturação produtiva e aprofundamento neoliberal[13]

Na década de 1990, o Brasil adentrou de forma incisiva o contexto da mundialização do capital. O processo de privatização das empresas estatais foi acelerado, conjuntamente com a desregulamentação do mercado de trabalho e a abertura financeira e comercial. Foi nesse contexto que a Embraer foi privatizada, e o mesmo processo de reforço das finanças e de enxugamento nas empresas para fins de

[12] É preciso lembrar que a Embraer sozinha não reverte a queda tendencial da taxa de lucro, mas está inserida em um processo global de tentativa de responder a tal tendência.

[13] Mais informações sobre a privatização e a reestruturação conseguinte podem ser encontradas em Moraes (2013a).

resultados reais e financeiros observado no plano nacional e internacional também se observa no interior dessa empresa.

Depois da privatização, houve uma transformação nos objetivos da Embraer: de excelência nos produtos para *foco nos resultados*, a partir de reestruturações financeiras e produtivas. Tal intuito ficou expresso nas palavras do novo presidente-diretor da empresa, Maurício Botelho: "Temos que olhar as finanças como instrumento do nosso desenvolvimento" (Drumond, 2008, p. 342). A implementação de tais mudanças teve relação direta com a produção de seu novo avião comercial, o ERJ-145.

Com a necessidade de responder aos interesses dos então acionistas controladores, houve uma intensa reestruturação produtiva na Embraer: cortes no quadro de funcionários; terceirizações; mudanças no *layout* da fábrica; aquisição de maquinário e novos *softwares*; mudança no perfil dos trabalhadores (mais jovens, mais qualificados, sem histórico sindical); gestão mais próxima do modelo toyotista; adoção de salário variável pautado em metas de produção; implantação de projetos de envolvimento subjetivo dos trabalhadores, tal como o projeto Boa Ideia; novos modelos de financiamento e fornecimento de peças, materiais e serviços a partir de parcerias de risco, fornecedores e subcontratados, entre outros. A empresa também criou novas subsidiárias especificamente para fins de financiamento das aeronaves, como é o caso da Embraer Finance Ltd. (EFL).

As transformações que envolveram o programa ERJ-145 aproximaram-se muito do modelo toyotista de produção. O programa, iniciado antes da privatização, ganhou fôlego depois dela.

> Entre os elementos principais do processo de recuperação da empresa, destacaram-se a reestruturação do endividamento, a captação de novos recursos e a conclusão do desenvolvimento do ERJ-145. Os novos controladores injetaram cerca de US$ 500 milhões por meio da emissão de debêntures e obtiveram financiamento de US$ 126 milhões com o BNDES. Esses recursos foram destinados, principalmente, ao desenvolvimento do ERJ-145 no período de 1995 a 1998. (Fonseca, 2012, p. 46)

Além da injeção de US$ 500 milhões por parte de seus controladores[14], o projeto ERJ-145 foi pioneiro na indústria aeronáutica mundial ao realizar parcerias de risco[15]. De imediato, foram terceirizados restaurante, segurança, manutenção

[14] Depois da privatização, a Embraer passou a ser controlada por um consórcio de empresas formado pelo grupo Bozano Simonsen (40%), pelo banco de investimentos estadunidense Wasserstein Perella (19,9%) e pelo Clube de Investimento dos Empregados da Embraer (Ciemb) (10%). Entre os principais investidores do consórcio Bozano Simonsen estavam: o Bozano, Simonsen Limited, com 13,64%; o Sistel (Fundação Telebras de Seguridade Social), com 10,42%; a Previ (Caixa de Previdência Privada do Banco do Brasil), com 10,40%; o Bozano Leasing, com 3,63%; e a Fundação Cesp, com 1,9% (Bernardes, 2000a, p. 257).

[15] Na modalidade de parceria, os riscos de sucesso ou de fracasso da aeronave são compartilhados com a Embraer. A empresa parceira é praticamente sócia da Embraer na aeronave específica do

predial e execução de obras civis, manutenção de informática, despacho de importação, transporte, limpeza e setor gráfico (Malanga, 1997, p. 25). O piso salarial desses trabalhadores era nivelado com o piso dos trabalhadores da produção, algo que deixou de ocorrer a partir da terceirização (Bernardes, 2000a, p. 303), e essa foi a primeira das muitas diferenças que se seguiriam. A terceirização desses setores resultou em redução de custos de aproximadamente US$ 80 milhões para a Embraer (Bernardes, 2000b, p. 25). Tal dado possibilita entrever as diferenças de salários e de condições de trabalho nas terceirizadas.

Entre as transformações organizacionais para a retomada dos lucros da empresa estava um novo organograma, que passou a privilegiar o setor comercial, bem como modificações na área de comunicação, primordial para a introjeção dos "novos valores" na subjetividade dos trabalhadores.

O novo projeto organizacional também incluía a formação de lideranças e equipes de trabalho multifuncionais, sem atrelamento a cargos, com prazos e metas predeterminados (Bernardes, 2000a). O trabalho em equipe foi incentivado, de modo que a vigilância se tornou mútua. O caráter cooperativo do trabalho garantiu um avanço da capacidade produtiva para o capital, o que se acentuou com a divisão técnica do trabalho.

Outras modalidades de flexibilidade funcional foram implementadas no sentido de uma gestão mais integrada, que eliminou desperdícios de materiais e tempo e buscou melhoria contínua (*kaizen*) de produtividade e "qualidade". Uma técnica adotada foi a de "*trade studies*", que consistiu em grupos interdisciplinares que se reuniam para propor soluções no sentido de melhorias contínuas e eram comumente utilizados em *design* aeroespacial e automotivo e na seleção de *softwares*, buscando dirimir conflitos. Outro sistema adotado foi o "*liaison engineering*", um sistema de interligação entre as diversas áreas da empresa, que auxiliou nas tomadas de decisões e na resolução de problemas de times de trabalho, além de prestar suporte ao produto na fase de montagem ou fabricação etc. A adoção do "*liaison engineering*" acarretou 50% de redução do ciclo de trabalho na fase de produção das aeronaves EMB-120 e ERJ-145 (Bernardes, 2000a, p. 295).

Houve também mudança no *layout* da empresa no sentido de redução de custo e de tempo de execução de tarefas. Uma delas foi a celurização, que consistia em organizar as máquinas e ferramentas que produziam um conjunto de produtos similares em células.

---

contrato, garantindo sua exclusividade no fornecimento de tal equipamento ou sistema. Existe uma espécie de "código de honra" não escrito, segundo o qual as informações e projetos com as parceiras não serão repassados para as empresas rivais (Martinez, 2007, p. 168-9). Com a crise de 2008, tanto a Airbus quanto a Boeing resolveram adotar o sistema de parceria de risco, como ocorria com a Embraer desde sua privatização. Na produção do Boeing 787, 90% da produção passou a ser terceirizada (Barbosa, 2008).

Todas essas transformações foram acompanhadas da inserção de novas tecnologias, com *softwares* avançados que pudessem colocar a Embraer em posição de competitividade com as maiores indústrias aeronáuticas do mundo.

A injeção imediata de capital pós-privatização quanto a inovações tecnológicas ocorreu desde os escritórios da empresa, com computadores novos, impressoras, fax, telefones celulares, *notebooks*, até no desenvolvimento e produção com o uso de CAD-CAM[16] avançado e a instalação do *software* SAP (*systems, applications and products in data processing*, ou sistemas, aplicativos e produtos em processamento de dados), em 1996. Também foram instalados *softwares* que interligam parceiros e fornecedores entre eles e com a Embraer.

A combinação de CAD-CAM, engenharia simultânea e *mockup* eletrônico, substituindo o *mockup* de madeira[17], possibilitou uma redução de 50% do pessoal alocado. Por exemplo, o número de engenheiros no projeto passou de 75 para 38 e houve uma economia de cerca de 93 mil homens/hora de trabalho e de aproximadamente US$ 3 milhões (Bernardes, 2000a, p. 322).

Toda a reestruturação feita imediatamente depois da privatização acarretou novo corte de pessoal em 1995, quando 1.700 trabalhadores foram demitidos, sendo 1.200 do setor administrativo e 500 da área produtiva. A redução de engenheiros foi de 17% de um total de 700 (Bernardes, 2000a, p. 292). E, ainda, segundo estudo setorial do Dieese publicado em 1998, a partir de 1995, os salários, que vinham em ascensão, passaram a cair.

De 1995 a 1997, a Embraer teve uma economia de custos de US$ 1 milhão (Bernardes, 2000a, p. 281). Foram criados diversos projetos, reunidos no denominado Programa Transformação, o qual tratava especialmente de ações da área de comunicação, com o intuito, próprio do toyotismo, de "capturar" a subjetividade dos trabalhadores[18]. O principal projeto desse programa era o Boa Ideia, cuja base é a filosofia *kaizen* (melhoria contínua), a qual motivava os trabalhadores a disponibilizar seus conhecimentos tácitos e técnicos em prol da empresa. O projeto Boa Ideia conseguiu alcançar uma redução de custo anual em 2012 de US$ 34,1 milhões, como mostra a Figura 1.

A remuneração passou a ser pautada nas competências e habilidades desenvolvidas por seus funcionários e ser composta de duas partes: uma fixa e outra variável. A parte fixa era estabelecida a partir de comparação com o mercado local,

---

[16] CAD (*computer aided manufacturing*, ou produção industrial com auxílio de computadores) e CAM (*computer aided manufacturing*, ou desenho com auxílio de computadores).

[17] Em princípio, um protótipo de madeira (*mockup* convencional) era feito a fim de eliminar problemas de desenvolvimento do avião, podendo-se voltar diversas vezes à fase anterior. Só depois de todos os problemas eliminados é que se passava à produção seriada. Hoje é tudo feito de forma computadorizada.

[18] Utilizamos "capturar" entre aspas porque, para nós, sempre há espaço para resistência; a captura nunca é completa.

**Figura 1. Projeto Boa Ideia – redução de custos (US$ milhões)**

Fonte: Relatórios anuais Embraer (2000-2013). Elaboração nossa.

de acordo com as qualificações[19]. Já a parte variável era estabelecida em função dos resultados financeiros da empresa.

Dessa forma, com parte do salário sendo variável, foi possível estimular a produtividade a partir de um maior envolvimento, comprometimento e melhor desempenho da força de trabalho. Para receber a parcela variável, o trabalhador precisava atingir o mínimo de 75% das metas estabelecidas no Plano de Ação e no Plano de Metas Setoriais (Martinez, 2007, p. 253). Ao que Oliveira (2002, p. 95) constata: "A empresa espera ter seus empregados pensando e agindo como empresários. Quanto mais ele contribuir para o sucesso da empresa, mais ele obterá lucro e mais ele receberá parte desse lucro".

A remuneração variável, na forma de participação nos lucros e resultados (PLR), era, nesse primeiro momento pós-privatização, equivalente a 25% dos dividendos e juros sobre o capital próprio (JCP) creditados aos acionistas. Desse montante, 30% eram distribuídos em partes iguais a todos os empregados e 70% de forma proporcional ao salário (Embraer, 2003).

Segundo o Relatório Anual da Embraer de 2001, a remuneração variável caracteriza "uma verdadeira parceria Acionista-Administração-Empregado". Ao que podemos constatar, essa parceria beneficia os dois primeiros em prejuízo do terceiro, que tem seu trabalho intensificado para cumprir as metas predeterminadas, correndo o risco de não cumpri-las e não receber a parcela variável e, ainda, não ter esses valores incorporados no décimo terceiro salário ou na aposentadoria.

A Embraer ainda tem por vantagem estar em um país periférico e produzir um produto globalizado. Assim, os custos, principalmente os salários, estão muito abaixo dos de seus concorrentes. O valor do trabalho necessário é muito menor, pois os elementos que compõem o fundo de reserva dos trabalhadores são também

[19] Tal parâmetro local faz com que o salário da Embraer esteja muito aquém ao das demais indústrias aeronáuticas de destaque em âmbito internacional (ver Godeiro, 2009).

menores. Dessa forma, o custo com capital variável em cada unidade produzida é diminuto e, aliado ao baixo grau de sindicalização e direitos frágeis dos trabalhadores (quanto mais dos terceirizados, quarteirizados etc.), possibilita a intensificação do trabalho com pouca resistência, o que acarreta aumento da cadência de produção sem contrapartida salarial. A Figura 2 ilustra quanto a piora nas condições de trabalho significa melhora nos resultados para a empresa. Se em 1991 a receita por empregado era de US$ 33,7 mil, em 1998 já alcançava US$ 254 mil, uma multiplicação de mais de sete vezes. Tal aumento retrata o nível de intensificação de trabalho pós-privatização.

**Figura 2. Receita por empregado (mil dólares) de 1991 a 1998**

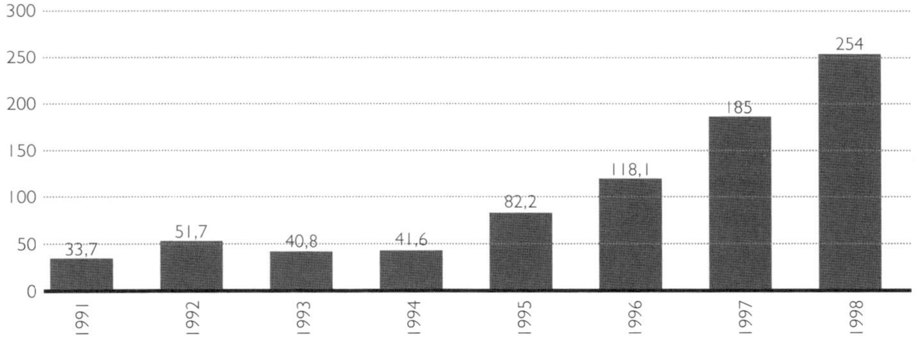

Fonte: Embraer, citado em Bernardes (2000a, p. 298).

De acordo com Godeiro (2009), a força de trabalho direta[20] representa somente 8% do total de custos da Embraer. Entre as quatro maiores empresas de aviação comercial do mundo (Boeing, Airbus, Embraer e Bombardier), a Embraer é a que paga os salários mais baixos. Segundo o autor, "enquanto o salário-hora do trabalhador da Boeing custa US$ 26,20, o da Airbus US$ 25,40 e o da Bombardier US$ 20,48, o da Embraer custa somente US$ 8,10" (Godeiro, 2009, p. 46).

É preciso lembrar que a participação do Estado foi intensa na Embraer pós-privatização, especialmente via BNDES. Tal não foi o caso somente da Embraer, conforme Virgínia Fontes (2010, p. 316), uma vez que o BNDES foi convertido em alavanca para a transnacionalização das empresas brasileiras.

As reestruturações anteriormente descritas conseguiram aumentar os lucros, reduzir os custos e, assim, valorizar as ações da empresa no mercado financeiro, bem como atrair parceiros de risco e instituições financeiras que financiassem a produção e as vendas das aeronaves. Tendo sido essas ações bem-sucedidas e devido à projeção de enorme demanda por jatos regionais nos vinte anos seguintes, a

[20] Excluem-se os trabalhadores terceirizados.

Embraer lançou uma nova família de jatos, a ERJ 170/190, posteriormente denominada Embraer 170/190.

## Embraer na Bolsa de Valores de Nova York e a produção da família de aeronaves 170/190

O crescente processo de financeirização no Brasil acarretou redução de gasto público, com o objetivo explícito de obtenção de superávits primários, ou seja, a necessidade de honrar com os compromissos financeiros – pagamento de juros sobre a dívida pública – se sobrepõe às necessidades sociais e programas de crescimento do setor real-concreto da economia. O pagamento de juros e as amortizações da dívida pública são considerados "intocáveis" pelo governo de cariz neoliberal (Ferreira, 2010, p. 52).

Sob essa lógica de acumulação financeira, inovações financeiras foram realizadas na Embraer, com o intuito de obter mais liquidez para financiamento do novo programa, cuja projeção de custo de desenvolvimento era de US$ 850 milhões (Bernardes, 2000a; Martinez, 2007). Entretanto, no relatório anual da Embraer de 2003, o orçamento para a família de jatos Embraer 170/190 já alcançava US$ 1 bilhão.

Nos anos de 2000 e 2001, a Embraer lançou ações na Bolsa de Valores de São Paulo e na Bolsa de Valores de Nova York na forma de oferta pública global de ações preferenciais[21], o que possibilitou acesso a capitais mais baratos, de forma a levar mais acionistas estadunidenses e brasileiros para o risco empresarial (Silva, 2008, p. 225), gerando recursos para investimentos referentes às reestruturações produtivas correspondentes ao programa das novas aeronaves da família Embraer 170/190. Conforme explica Martinez (2007, p. 273), a "Embraer esperou até 2000, quando então já havia dado grandes passos na direção de sua inserção na economia global; abriu portas para consolidar o seu status de empresa global ao ofertar capital no mercado internacional".

O Estado tem um papel muito relevante nesse sentido, de diminuir o "risco-Brasil" e tornar o mercado de capitais nacional atraente a financistas do mundo todo. Em 9 de novembro de 1997, Fernando Henrique Cardoso revogou a lei que limitava as ações de empresas nacionais a 40% nas mãos de pessoas físicas e jurídicas estrangeiras (Godeiro, 2009, p. 63), com o intuito de atrair mais capitais para o mercado financeiro nacional e corroborar a força da burguesia internacional no Brasil. A Embraer, no âmbito mais particular, tem de demonstrar ser uma empresa crescentemente lucrativa. Para tanto, requer constantes reestruturações produtivas que aumentem o patamar de extração de mais-valor[22] do trabalho.

---

[21] Ações preferenciais eram aquelas que ofereciam preferência na distribuição de resultados ou no reembolso do capital em caso de liquidação da companhia, não concedendo o direito de voto.

[22] Para entender melhor a categoria "mais-valor" (ou "mais-valia"), consultar Marx (2013).

A primeira oferta global de ações preferenciais ocorreu em 21 de julho de 2000, quando a Embraer lançou ações simultaneamente nas bolsas de valores de Nova York e de São Paulo, aumentando o *free float*[23] de 18,6% para 47,4%. O montante foi de US$ 244 milhões (Embraer, 2000).

**Figura 3. Primeira oferta global de ações preferenciais da Embraer – julho de 2000**

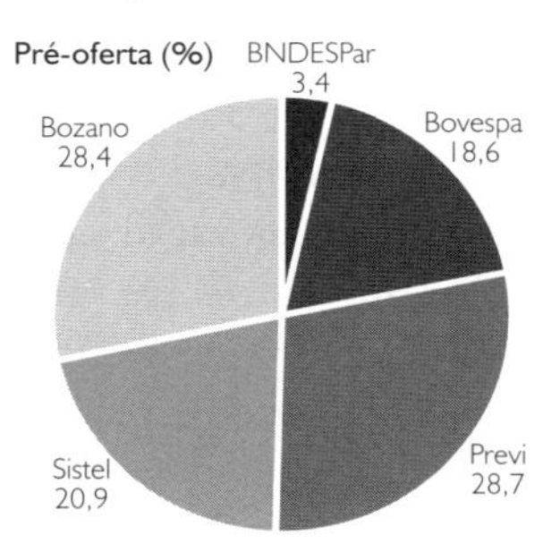


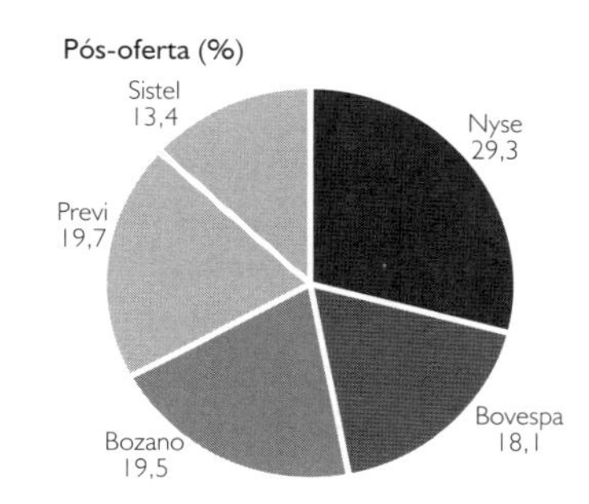


Fonte: Embraer, citado em Moraes (2013b).

A segunda oferta global ocorreu em 2001 nas bolsas de valores de Nova York e de São Paulo, quando o BNDES lançou US$ 300 milhões em títulos conversíveis lastreados em ADSs (*American depositary shares*), aumentando ainda mais o *free float* das ações preferenciais da Embraer, de 37,6% para 59% (Embraer, 2001). Os recursos captados nessas emissões foram destinados prioritariamente ao desenvolvimento das famílias de jatos Embraer 170/190.

**Figura 4. Segunda oferta global de ações preferenciais da Embraer – 2001**

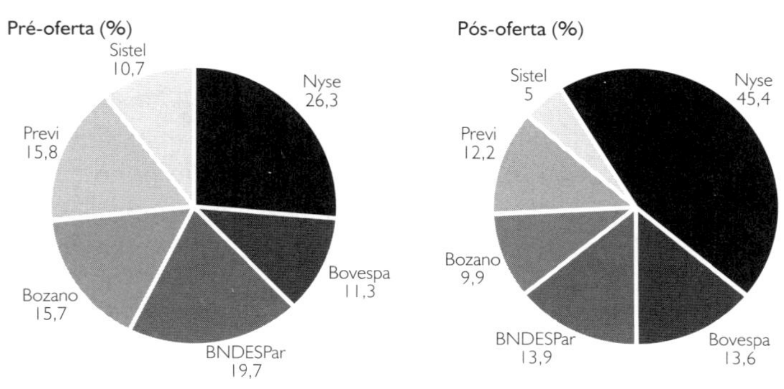


Fonte: Embraer, citado em Moraes (2013b).

[23] *Free float* são ações que estão em circulação, ou seja, à disposição para negociação no mercado, excluindo-se as pertencentes aos controladores ou as que estão entesouradas pela companhia.

As ações da Embraer já se encontravam listadas na Bolsa de Valores de São Paulo (Bovespa) desde 1989. A partir da oferta global realizada em 2000, também passaram a constituir o programa ADR (*American Depositary Receipts*) Nível III na Bolsa de Valores Nova York. Além disso, a Embraer passou a integrar o índice *Dow Jones Sustainability Index* (DJSI). Para integrar esse índice, a empresa tem de ser considerada excelente em diversos itens, tais como governança corporativa, código de ética, prevenção à lavagem de dinheiro, controles internos, políticas de risco e crédito, condutas socioeconômicas e investimentos, entre outros (Embraer, 2000; 2001). O DJSI é referência para o universo de investidores financeiros, fazendo com que a Embraer se destaque no mercado de ações.

É interessante notar quão mais proeminente a financeirização vai se tornando na Embraer, o que fica mais explícito nos seus relatórios anuais. Da privatização até o ano de 2001, aparecia em seus relatórios anuais que o propósito fundamental da empresa era a "satisfação dos clientes". No relatório de 2002 houve uma complementação: "Nessa satisfação, por sua vez, está a origem dos resultados da Embraer e da *consequente geração de valor para seus acionistas*". Algo que fica ainda mais patente no Relatório Anual de 2008, cuja geração de valor para o acionista passa a ser primordial:

> *O negócio da EMBRAER é gerar valor para seus acionistas* através da plena satisfação de seus clientes do mercado aeronáutico global. Por geração de valor entende-se a maximização do valor da Empresa e a garantia de sua perpetuidade, com integridade de comportamento e consciência social e ambiental. (Embraer, 2008; grifos nossos)

A valorização acionária da empresa tem relação, na maior parte das vezes, com a valorização no processo produtivo. Entretanto, somente o fato de ter existido uma oferta global já "melhorou a imagem da empresa", gerando uma valorização de 37,2% das ações ordinárias e 123,3% das suas ações preferenciais. As ADSs negociadas na Bolsa de Valores de Nova York em 21 de julho de 2000 apresentaram valorização de 115% (Embraer, 2000). Tal informação ilustra bem o que denominamos de valorização fictícia ou lucros fictícios, ou seja, lucros advindos da pura especulação, que não têm origem na extração de mais-valor, na exploração[24].

A primeira peça do avião Embraer 170 foi usinada em julho de 2000. Destarte, essa valorização, apesar de também estar calcada nas projeções de vendas e de extração de mais-valor pelas reestruturações produtivas, respondeu velozmente a transações financeiras no mercado especulativo de ações.

Nos termos do Estatuto Social da Embraer, os acionistas titulares de ações de qualquer espécie têm direito a dividendos de, no mínimo, 25% sobre o lucro líquido do exercício. Contudo, a satisfação das normas de rentabilidade acarreta degradação, controle e intensificação do uso da força de trabalho.

---

[24] Para se aprofundar mais detalhadamente sobre esse tema, ler Carcanholo e Sabadini (2015).

Uma estratégia de cooptação do capitalismo sob predominância financeira é o *stock option*. O trabalho de envolvimento subjetivo não se dá apenas aos trabalhadores do chão de fábrica. Todos devem adaptar-se ao léxico e às vontades das finanças, ou melhor, dos capitalistas que manejam o capital fictício a seu favor. Com isso, parte da remuneração dos dirigentes passa a depender do bom desempenho das ações das empresas em que trabalham. A Embraer, desde 1998, mantém um plano de opções de compra de ações, primeiramente para seus executivos, depois para empregados em geral e empregados de suas subsidiárias. Segundo relatório da empresa de 2002, tratava-se de um "instrumento de motivação e retenção de profissionais".

> As normas de governança corporativa aparecem para defender os direitos dos acionistas, dada a facilidade com que dirigentes manipularam resultados para se autobeneficiarem através de *stock options*. "Esse instrumento diabólico se voltou contra os acionistas, pois os dirigentes viram nisso um modo de satisfazer sua vontade de enriquecimento pessoal [...] Assim as *stock options* conduziram a desvios graves e explicam como hoje as remunerações dos dirigentes são frequentemente várias centenas de vezes superiores à dos assalariados". (Plihon, 2005, p. 145)

O trabalhador, por um lado, fica preso aos resultados da empresa, dado que a valorização do capital produtivo reverbera nos preços das ações e, com isso, intensifica tanto o próprio trabalho quanto dá sugestões de intensificação ao trabalho alheio, de forma a contribuir para o aumento de taxa de exploração e assim reduzir custos para aumentar os lucros da empresa. Por outro lado, fica vulnerável aos ditames do mercado e aos riscos que ele suscita. Não há garantia alguma de que, passados alguns anos, suas opções lhe gerem benefícios financeiros. Ademais, mesmo sendo proprietários de tais ações, esses trabalhadores não têm controle de como elas estão sendo manejadas.

Os resultados da oferta global de ações da Embraer puderam financiar a aquisição de novas tecnologias e mudanças organizacionais na empresa. O contato mais estreito com a empresa Dassault, por meio da aquisição de ações feitas por parte do Grupo Europeu, resultou na compra do *software* CATIA e na construção do Centro de Realidade Virtual (CRV). O *software* CATIA é muito mais poderoso que o CAD, já que permite a realização do projeto em 3-D, eliminando completamente a necessidade de protótipos (Bernardes, 2000a, p. 266). Esse equipamento informatizado reduz tempo e custo de produção de maneira significativa. O tempo de desenvolvimento do EMB-120, com tecnologia analógica, foi de 64 meses; o do ERJ-145, com o uso do CAD, levou 54 meses para ser desenvolvido; já o do EMBRAER-170, com o CATIA, foi desenvolvido em apenas 38 meses (Yokota, 2004).

Houve uma nova e importante mudança no *layout* da empresa. Os aviões Embraer 170/190 passaram de montagem final *em linha* para montagem final *em doca* (Moraes, 2013b, p. 331). Na montagem em linha, o avião era deslocado, enquanto os trabalhadores permaneciam fixos; já na montagem em doca, o produto mantém-se fixo e as equipes de trabalho se revezam, dependendo da fase do processo produtivo. Esta última requer competências específicas dos trabalhadores, tais como polivalência e proatividade, próprias da produção toyotista.

Todas as incorporações tecnológicas e mudanças organizacionais fizeram com que houvesse um salto na cadência produtiva de três aviões por mês em 1997 para quase dezoito aviões por mês no primeiro semestre de 2001 (Godeiro, 2009, p. 44). A produtividade por empregado, no ano de 2000, foi 24% superior ao ano anterior, segundo relatório daquele ano. Com isso, a empresa dispensou 14% do seu efetivo, cerca de 1.800 trabalhadores.

Dados os avanços e expressivo destaque no mercado mundial de aeronaves, em 2005 a Embraer se preparava para o que o presidente da empresa à época, Maurício Botelho, considerou a mudança mais importante desde a privatização: a entrada no Novo Mercado da Bolsa de Valores de São Paulo mediante a pulverização de capital.

## Pulverização do capital, Novo Mercado e P3E: um salto na intensificação do trabalho

Em 2006, a Embraer tornou-se a primeira empresa brasileira de porte com capital totalmente pulverizado, passando a compor o Novo Mercado na Bolsa de Valores de São Paulo. Foi o mergulho definitivo da financeirização na empresa. A partir de então, a "adoção das melhores práticas de Governança Corporativa" passou a ser estratégica para o fortalecimento da relação entre acionistas e administração da empresa.

Plihon (2005) afirma que há, nos discursos aclamados da governança corporativa, dois objetivos principais: a) maximizar o valor das participações financeiras; e b) organizar um sistema de controle externo destinado a incitar os dirigentes das empresas a satisfazer os objetivos dos acionistas. Os argumentos éticos ou de senso de justiça nada mais são que tentativas de "moralizar" as finanças modernas, alinhando as vontades dos acionistas a valores sociais, filosóficos, culturais e ecológicos.

Os acionistas foram incentivados, assim, a comprar ações de empresas que valorizam o meio ambiente e que não utilizam trabalho infantil ou escravo. Foram também orientados a votar nas assembleias gerais baseados em "valores éticos", de forma a influenciar o comportamento dos dirigentes dos conselhos administrativos. Entretanto, Plihon (2005) alerta: ética e desempenho financeiro não são compatíveis.

Em 31 de março de 2006, em assembleia geral extraordinária, foi aprovada a proposta de reestruturação societária da Embraer, apresentada em 19 de janeiro do mesmo ano pelo conselho de administração. O processo se deu da seguinte forma: a Embraer – Empresa Brasileira de Aeronáutica S.A. (a partir de então denominada "Antiga Embraer") – foi incorporada por sua controladora, a Rio Han Empreendimentos e Participações S.A. A controladora, que não possuía nenhuma operação até a data da incorporação, passou a adotar a denominação social da Embraer: Empresa Brasileira de Aeronáutica S.A. ("Nova Embraer"). Desse modo, a "Antiga Embraer" foi extinta em 31 de março de 2006, e todos os seus acionistas receberam, em substituição às ações por eles detidas, novas ações de emissão da companhia (Embraer, 2006).

A estrutura societária ficou assim disposta após a reestruturação de capital:

**Figura 5. Estrutura societária – Embraer (2006)**

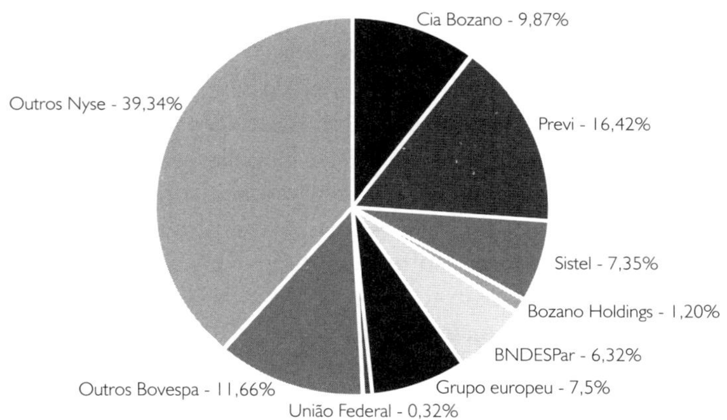


Fonte: Embraer, citado em Moraes (2013b).

Podemos recorrer aqui à explicação de Carcanholo e Nakatani (2015), quando alertam para o fato de que o capital fictício tem suas raízes no capital portador de juros[25], entretanto ultrapassa os limites do que é necessário ao funcionamento normal do capital industrial. O capital portador de juros tem um papel importante para o capital industrial na medida em que o não proprietário do capital o utiliza como capital funcionante para produção de mais-valor. Já a autonomização sob a forma de capital fictício é perigosa, dado que exige um montante cada vez maior de mais-valor, contudo pratica a "atividade misteriosa" de produzir dinheiro na forma de especulação.

É importante destacar que não se trata de uma relação dicotômica entre capital fictício e capital real, mas, sim, de uma relação dialética. Um exemplo para explicitar tal relação diz respeito ao portador de uma ação da empresa, cujo montante de ações de que dispõe ultrapassa seu patrimônio real. Para aquele portador do papel que representa uma quantidade de dinheiro, essa representação lhe é real,

---

[25] Para entender as noções marxianas de capital portador de juros e capital fictício, consultar Marx (2017).

na medida em que até pode vendê-la para terceiros. Mas, na perspectiva da totalidade, uma parte daquele montante total não tem nenhuma correspondência real, nenhuma substância, é fictícia. Assim, boa parte das ações que são negociadas em bolsas de valores são pura especulação e geram lucros meramente fictícios.

Isso ficou evidente quando a reestruturação societária da Embraer trocou papéis por outros papéis que certificaram propriedade das mesmas ações, e isso a fez adentrar o Novo Mercado da Bovespa e obter a classificação de risco "*Investment Grade*" de duas das maiores e mais conceituadas agências de classificação de risco do mundo, a Moody's Investor Service e a Standard & Poor's (Embraer, 2005). Tais classificações resultaram em criação de "valor fictício" para os acionistas da Embraer. Ao final de 2006, a Embraer havia registrado valorização das suas ações de 22,5%, cotadas em R$ 22,05 (Embraer, 2006).

Não que haja um descolamento completo da base produtiva da empresa. Pelo contrário, aumenta-se ainda mais a pressão por extração de mais-valor. O elevado grau de exigência da governança corporativa e globalização da empresa, agora não somente no âmbito produtivo, mas também no acionário, com o aumento de vendas de ações a bancos e instituições financeiras estrangeiras, coincide com a contratação pela Embraer da consultoria Shingijutsu[26], já anteriormente contratada pela Boeing e pela GE, com foco em *lean production*. Tal acordo incidiu diretamente em novas reestruturações produtivas dentro da empresa.

Na Embraer, a consultoria resultou no Programa de Excelência Empresarial Embraer (P3E). O P3E endereçou suas ações, baseadas em *lean manufacturing*, a todos os processos industriais – fabricação de peças e componentes, montagem estrutural e final – e até mesmo a questões ambientais e comportamentais. Diante da sua aplicação em 2007, já houve ganhos de produtividade e de ciclo de produção da ordem de 20%. O objetivo era "descomplicar" a forma de trabalhar e eliminar desperdícios (Embraer, 2007).

Para internalização da filosofia *lean*, a Embraer divulgou em murais e documentos da empresa "valores de modelagem de atitudes". Foram distribuídas cartilhas, ilustradas e em linguagem acessível, denominadas "Guias de consulta". De início, em uma delas, denominada "Projetos *Kaizen* e melhoria contínua: guia de consulta", houve a explicação do que seria o P3E: "Programa de Excelência Empresarial Embraer, que compreende uma série de iniciativas em todas as áreas da Empresa". Em seguida, explicou os objetivos do programa:

> Nossa causa: "Ser uma empresa de excelência na qual clientes, acionistas e empregados se beneficiem do que há de melhor em termos de práticas empresariais e dos resultados decorrentes. Excelência, além de produtividade e lucro, significa satisfação,

[26] A consultoria Shingijutsu formou-se por meio da associação de Taiichi Ohno, após a sua saída da Toyota, a alguns de seus "discípulos" mais aplicados. Essa associação resultou na criação de uma metodologia baseada em métodos e técnicas utilizados na Toyota (Briales e Ferraz, 2006, p. 5).

crescimento, realização e qualidade de vida das pessoas, bem como assegura a perpetuidade da Empresa". (Embraer, s.d. p. 5)

Por fim, apresentava o significado de *lean*: "*Lean* é a base para a excelência, que nos mostra como fazer mais e melhor nossas atividades com o mínimo de recursos, mas sempre atentos ao cliente" (Embraer, s.d. p. 5). É exatamente nisto que se resume a filosofia *lean*: "fazer mais com menos!". Menos trabalhadores em alta intensidade de trabalho produzindo cada vez mais e mais rapidamente.

Os trabalhadores da Embraer deveriam não só internalizar os valores e a conduta mas também as metas e a filosofia *lean*. Deveriam, além de controlar a si mesmos, controlar o outro, seja no papel de liderança, seja na "avaliação 360°", seja no trabalho em equipe. Qualquer falha de conduta de outra pessoa, que pudesse causar prejuízo à Embraer, acionistas, parceiros, fornecedores e até outro trabalhador, poderia ser levada ao novo canal de denúncias da Embraer: o *Canal de Práticas Danosas*, gerido por uma empresa terceirizada. Esse canal, supervisionado diretamente pelo conselho de ética da empresa, tinha por objetivo coibir desvios de materiais, corrupção, sabotagem, furto de pesquisa e *know-how* tecnológico, conforme explicitado no Relatório Anual da Embraer de 2008, mas, sobretudo, o que se observou, foi que ele corroborava o papel político de quebrar a solidariedade de classe e colocar os trabalhadores em concorrência.

Com a chamada crise financeira ou crise da bolha[27], houve uma gigantesca desvalorização da empresa de 2007 para 2008. Seu valor de mercado passou de US$ 8,4 bilhões em 2007 para US$ 2,5 bilhões em 2008. As ações da Bovespa terminaram o ano de 2008 cotadas em R$ 8,81, com desvalorização de 56% em relação ao ano anterior. As ADSs da Bolsa de Valores de Nova York atingiram US$ 16,21, uma variação de -64,4% em relação ao fim de 2007 (Embraer, 2008).

Aqui fica mais concreta a ideia de *lucros fictícios* apontada por Carcanholo e Sabadini (2015), quando os grandes lucros são frutos de especulação financeira e, "por mágica", desaparecem como fumaça. Do ponto de vista individual, as ações existem efetivamente, ou seja, existe uma propriedade sobre elas. Contudo, do ponto de vista da totalidade social, os lucros eram mera aparência, pois não advieram da exploração do trabalho, de modo que não tinham correspondência substancial. Isso fica mais claro quando objetivamente se observa aumento da taxa de exploração e, ao mesmo tempo, queda do valor de mercado da empresa em quase US$ 6 bilhões.

Em fevereiro de 2009, 4.273 trabalhadores da Embraer foram demitidos. E, mesmo com a redução do quadro, um fator garantiu que o nível produtivo se mantivesse e até aumentasse: o P3E. Um dos projetos consistia em voltar a montagem

[27] Tal crise financeira é por nós compreendida como aparência de um processo que tem na sua essência a crise estrutural do capital.

final para linha no lugar de doca, quando há pressão do time de trabalho da posição anterior sobre a posterior, de modo que a montagem final baixou para doze dias em 2009 e oito dias em 2011 (Embraer, 2011). Destarte, temos que as perdas são financeiras, mas as respostas a ela recaem firmemente sobre o âmbito produtivo.

Como é possível observar na Figura 6, a cotação de ações da Embraer chegou ao seu mais baixo índice em fevereiro de 2009, quando atingiu o preço de R$ 6,59. Esse baixo preço está diretamente relacionado à turbulência financeira no mercado de ações. Conforme Godeiro (2009, p. 15), a Embraer dispunha de R$ 3,3 bilhões em caixa quando do advento da crise, o suficiente para pagar todos os seus funcionários por dois anos, período que a empresa divulgou que duraria a crise no setor. Mesmo assim, a opção se deu pela demissão.

**Figura 6. Cotação (Real) de preço das ações da Embraer na Bolsa de Valores de São Paulo (1999-2012)**

Fonte: Elaboração própria, com dados da Reuters (2015).

Husson (2010) menciona as "demissões bursáteis". A notícia de demissões nas empresas em época de crise não é algo negativo para os especuladores, pois significa que há corte de custos e que as empresas conseguirão retomar seu patamar de produção com um número menor de trabalhadores, intensificando seu ritmo de trabalho.

> A mundialização dos grupos e sua financeirização modificaram seu modo de gestão, em particular do emprego. Essa constatação conduz a uma imagem segundo a qual isso seria decorrente das "exigências da finança" (os famosos 15%), que pesariam no sentido de uma exploração aumentada, de reestruturações, demissões, isto é, de uma gestão temerária. Tudo funciona ao inverso: a finança fixa o nível de rentabilidade que os fundos próprios necessitam atingir e os efetivos são diminuídos. É o apetite insaciável dos acionistas que forçariam os grupos a demitir, para alcançar esse famoso objetivo. O paradoxo de empresas fortemente beneficiárias, que realizam reduções de efetivos, levou a falar de demissões bursáteis, ou ainda de "demissões de interesse bursátil". (Husson, 2010, p. 321)

Ao que se constata, algo semelhante ocorreu na Embraer, pois, conforme demonstra a Figura 6, o preço das ações começa a crescer logo depois da demissão em massa. Contudo, não se restringe a algo pontual; a tecnocracia financeira exige transformações e inovações constantes e, em 2010, mais uma ocorreu: a mudança da razão social da empresa em 2010, dada sua atuação em novos nichos de mercado.

## Embraer S.A.: concorrência internacional, concentração e centralização financeirizadas

Conforme se desenvolve o mercado mundial, a competitividade cresce. Três novos concorrentes diretos despontaram no cenário internacional nos anos 2000: China, Japão e Rússia.

Em 19 de novembro de 2010, os acionistas da Embraer, reunidos em assembleia geral, aprovaram duas importantes alterações no estatuto social da empresa:

> a) a razão social mudou de Embraer – Empresa Brasileira de Aeronáutica S.A. para Embraer S.A.;
> b) Foi também ampliado o objeto social da Embraer, acrescentaram-se os sistemas de defesa e segurança e o de energia à área aeroespacial. (Embraer, 2010, p. 7)

Assim, foram incluídas e adicionadas as seguintes atividades ao objeto social da Embraer:

> a) Projetar, construir e comercializar equipamentos, materiais, sistemas, *softwares*, acessórios e componentes para as indústrias de defesa, de segurança, e de energia, bem como promover ou executar atividades técnicas vinculadas à respectiva produção e manutenção, mantendo os mais altos padrões de tecnologia e qualidade;
> b) Executar outras atividades tecnológicas, industriais, comerciais e de serviços correlatos às indústrias de defesa, de segurança e de energia. (Embraer, 2010, p. 104)

Foi preciso diversificar as áreas de atuação, dado o risco de sucumbir à concorrência. As inovações tecnológicas continuaram a avançar, inclusive com a introdução intensificada de robôs. Como a teoria do valor marxiana explica, o mais-valor se extrai a partir do capital variável, ou seja, da força de trabalho, mas são crescentes as dificuldades de diminuir o tempo de trabalho abaixo do socialmente necessário e garantir um mais-valor extraordinário diante da concorrência mundial.

A forma do capital fictício é facilitadora de centralização e concentração de capital, promovendo os processos de fusões e aquisições. Tais movimentos, em geral, reforçam os níveis de exploração do trabalho e aumentam a rentabilidade produtiva e financeira, na medida em que geralmente vêm acompanhados de reorganização do trabalho e terceirizações. Nesse movimento, o número de subsidiárias da Embraer multiplicou-se enormemente na última década, incluindo diversas delas como tendo funções de bancos, ou seja, criadas para facilitar a movimentação financeira da empresa, e outras inúmeras aquisições relacionadas às novas áreas de atuação. Assim, "a riqueza real que deveria ser a base da riqueza financeira passa a ser produzida segundo seus imperativos" (Paulani, 2011, p. 67).

A Embraer, além da pulverização de capital, também trabalha com derivativos, recompra de ações e compra de títulos emitidos pela União. A composição societária da Embraer em março de 2012 contava com mais de 50% de ações na Bolsa de Valores de Nova York e mais de 20% de suas ações pertenciam a fundos financeiros estadunidenses (BlackRock Inc., Oppenheimer Fund's e Thornburg Investment).

**Figura 7. Composição societária da Embraer – principais acionistas (março/2012)**

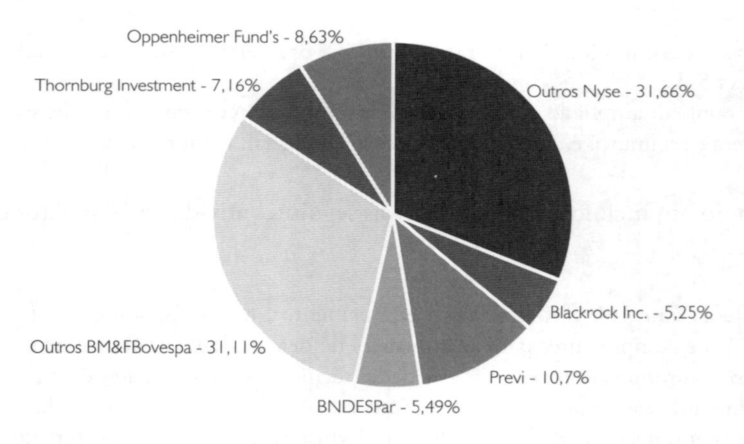


Fonte: Embraer, citado em Moraes (2013b).

Godeiro (2009, p. 86) alerta para o fato de que esse processo de financeirização da empresa faz com que ela corra o risco constante de se tornar mera subsidiária de outra grande empresa aeronáutica mundial, restringindo ainda mais as condições de resistência ao aviltamento das relações de trabalho.

## Conclusão

Como foi possível observar em nossa investigação, valorização produtiva e valorização fictícia estão fortemente imbricadas. Para haver valorização fictícia é necessário que a empresa demonstre cotidianamente a sua capacidade de produzir altas taxas de mais-valor, mesmo porque parte do que volta para as mãos de seus acionistas é mais-valor extraído via alto grau de exploração, com intensificação do uso da força de trabalho, enxugamento de quadros, rebaixamentos salariais, prolongamento da jornada não formalizado e terceirizações. No entanto, para produzir altas taxas de mais-valor, a empresa necessita cada vez mais do "crédito" advindo dos mercados de capitais.

Conforme fica evidente na Figura 6, a cada avanço do processo de financeirização na empresa, sempre conectada a mudanças organizacionais e tecnológicas, há valorização das ações no mercado financeiro. Apesar de o gráfico iniciar apenas em 1999, podemos ver o crescimento em 2000/2001, com a oferta global de capitais, ainda que a Embraer tenha sido afetada por uma crise do setor aeronáutico global em 2001, pela pulverização de capitais e entrada no Novo Mercado em 2003 e pela mudança da razão social da empresa e sua diversificação de objeto social em 2010.

Em todos os quatro momentos, houve demissões, terceirizações e intensificação do uso da força de trabalho, inclusive das capacidades subjetivas desses trabalhadores, dentro e fora da jornada normal diária. O que se observa, portanto, é a predominância da forma fictícia sobre a forma real/produtiva, ainda que dentro de um movimento dialético entre ambas.

A Embraer avança no uso de instrumentos financeiros diversos: ações, títulos da dívida, papéis bancários, derivativos, fusões e aquisições via mercado de capitais, crédito sindicalizado via instituições financeiras, fundos de investimentos como principais acionistas etc., ou seja, a empresa está vulnerável aos desejos, vontades, oscilações, riscos e especulações financeiras e, ao que se verificou, quem paga o preço mais alto por essas escolhas, políticas e econômicas, são os seus trabalhadores.

Tal processo levou a que se consolidasse, entre os anos de 2018 e 2019, a *joint venture* entre Embraer e Boeing, que, na prática, se refere mais a uma venda que a uma parceria (Moraes, 2018), já que, de partida, a Boeing detém 80% de participação na empresa. Tal movimento pode significar um quinto e último salto financeiro para a Embraer, o qual deverá ser analisado por pesquisadores da sociologia do trabalho nos próximos anos.

# 17

# Estratégia do capital e intervenção social das corporações empresariais no Brasil: a responsabilidade social das empresas[1]

*Michelangelo Marques Torres*

## Introdução

No presente capítulo, serão apresentados resultados de pesquisa em que investigamos a intervenção social das corporações empresariais no Brasil enquanto nova estratégia gerencial nos negócios corporativos.

A pesquisa em questão teve como objetivo apreciar criticamente a intervenção social do empresariado a partir do fenômeno da Responsabilidade Social Empresarial, doravante denominada RSE[2], enquanto dinâmica de dominação de classes no complexo de reestruturação produtiva no atual estágio do mundo do trabalho e suas transformações recentes. Mais especificamente, considerando as manifestações de classes como fundamentais, entendemos que, por meio de suas fundações sociais e investimentos em ações "solidárias", as empresas buscam uma nova modalidade estratégica de construção de hegemonia, baseada em um novo *ethos*. O foco são as organizações corporativas do capital, as quais, organizadas por seus gestores orgânicos, congregam as grandes empresas que se associam no campo do investimento social corporativo. As corporações empresariais constituem tanto agentes econômicos como atores políticos vitais no âmbito da sociedade civil. Trata-se de investir em uma nova modalidade de intervenção na "questão

---

[1] Esta pesquisa é parte da dissertação de mestrado em sociologia intitulada *Cidadania do capital? A intervenção social das corporações empresariais no Brasil*, defendida em março de 2012 no Instituto de Filosofia e Ciências Humanas da Unicamp, sob orientação de Ricardo Antunes. A dissertação completa e ampliada foi publicada em Torres (2019).

[2] A sigla RSE é a nomenclatura dominante na literatura do *management*. É preciso notar que compreendemos esse conceito como uma expressão ideológica, no sentido de falsa consciência do real, segundo os termos da concepção expressa por Marx e Engels (2007), portanto em uma perspectiva crítica.

social" diante do contexto de crise do capital, reforma do Estado, reestruturação das forças produtivas e novas formas de gestão e reengenharia empresarial.

Na primeira parte do capítulo, trataremos do contexto do novo retrato da RSE no Brasil, com foco investigativo na primeira década de 2000, a partir do recorte empírico de duas instituições articuladoras no campo da RSE. Em seguida, apresentaremos alguns dados de pesquisas no âmbito da agenda social empresarial no país. Na terceira parte discutiremos os traços gerais do que denominamos corporações orgânicas do capital no campo hegemônico da RSE e, então, faremos nossas considerações finais.

## "Cidadania do capital" na era do capitalismo manipulatório

A hipótese norteadora de nossa pesquisa, de cunho qualitativo, sugere que a intervenção social das empresas esteja em consonância com a estratégia de reprodução do capital em sua fase de arranjo social pós-fordista, estruturando as práticas sociais e desorientando a organização política autônoma do conjunto da classe trabalhadora, em outras palavras despolitizando a "questão social" e procurando consentimento ativo por meio da adesão participativa e voluntária do "trabalhador-colaborador" cooptado em ações de RSE, e, dessa forma, corroborando o velamento do conflito estrutural de classes decorrente das relações entre capital e trabalho, legitimado pelo Estado. A investigação focalizou o contexto em que se processa a lógica de intervenção social do empresariado e de sua organização corporativa em práticas de investimento social.

Historicamente, no Brasil, sempre coube ao Estado o papel de provedor fundamental dos direitos de cidadania, inclusive dos direitos sociais[3]. No campo das reformas democráticas, a noção clássica de cidadania (seja na compreensão liberal, seja na social-democrata) envolve uma compreensão limitada do indivíduo com direitos e deveres abstratos diante do Estado, restrita à esfera do mercado e desvinculada da esfera da produção – em verdade, uma compreensão ideológica da própria noção de cidadania dentro dos marcos da sociedade burguesa. No novo discurso empresarial, o termo "cidadania empresarial" se propõe, justamente, a apresentar o empresariado e as corporações capitalistas como promotores de direitos sociais, em substituição ao Estado ou "parceria" com ele, também sob a ótica da esfera do mercado (na qual se percebem indivíduos formalmente livres), e não da esfera da produção (na qual ocorre a relação coercitiva entre as classes que a burguesia jamais poderá deixar de encampar). Assim, a "cidadania do capital" propagada pelos gestores das empresas capitalistas procura nos levar ao entendimento de que

---

[3] O conceito de estadania, cunhado por José Murilo de Carvalho (2001), sugere o Estado enquanto histórico órgão provedor dos direitos de cidadania no Brasil, sustentando que os direitos sociais foram concedidos, não sem contradições, até mesmo em períodos autoritários (ditaduras civil-militares).

há uma suposta identidade de interesses entre a ação empresarial e a prática cidadã, e não um espaço ideológico de luta e disputa de intervenção na questão social.

Embora constitua uma nova estratégia gerencial nos negócios corporativos empresariais, a RSE não é utilizada de modo espontâneo pelas empresas. Conforme veremos, há nesse campo, em rede, um pequeno conjunto de instituições do "terceiro setor" que dirigem e constroem a hegemonia com o empresariado a elas associado. Tais formas de intervenção e investimento social constituem o objeto de nosso estudo.

## O novo retrato da RSE no Brasil

A pesquisa por nós empreendida sugere que uma cultura empresarial seja gestada a partir dos anos 1990, diante das respostas do capital (reengenharia empresarial) e do Estado (via reforma) à reestruturação produtiva global e sua ressonância no contexto nacional, assumindo novos contornos nos anos 2000. Combinam-se elementos de continuidade e inovação. Entre 1996 e 2005, por exemplo, registrou-se um crescimento de 215,1% no número de fundações privadas e associações sem fins lucrativos (Fasfil), atingindo a marca de 338,2 mil se tomarmos como base o ano de 2015. O que parece ocorrer é um novo movimento do empresariado para fortalecer sua organização, pelo qual a empresa privada se divulga como agente capaz de conduzir o país à modernização (promoção social e ética) e ao desenvolvimento, por meio de combate à pobreza, inclusão social, proteção ambiental, programas educacionais, investimento cultural e solidariedade de "empresas cidadãs". Trata-se, em outros termos, de uma defesa genérica da "cidadania do capital", termo que cunhamos em nossa pesquisa.

Com o advento da mundialização financeira e da construção de redes de comunicação em escala global, as estratégias dos negócios capitalistas se "modernizaram". Se passarmos os olhos pela volumosa bibliografia empresarial, verificaremos que, na linguagem do mundo dos negócios, predominam termos como "iniciativa", "empreendedorismo", "flexibilidade" e "visão estratégica". Em tempos mais recentes, acrescentaram-se a esse ideário "desenvolvimento sustentável" e "responsabilidade social". Contudo, a ideologia apregoada pelo discurso de *management* não se verifica na realidade material. Dito de outro modo, as palavras não são as coisas. No contexto de expansão das empresas prestadoras de serviços, a RSE é sustentada por um discurso segundo o qual a rigidez do modelo de regulação taylorista-fordista tem sido superada por modelos organizativos mais "flexíveis", e o trabalho é mais humanizado, inclusive sem alienação. Como advoga o mundo empresarial, "a globalização e a revolução tecnológica apressam a queda desse paradigma, jogando por terra o modelo tradicional das empresas" (Aliança Grupo Capoava, 2010, p. 13).

O envolvimento crescente de empresas, de pequeno a grande porte em ações voluntárias de intervenção social tem adquirido destaque na sociedade. O discurso empresarial sustenta que elas passaram a incorporar em suas agendas a "responsabilidade social" enquanto meio ético de gerenciar seus negócios e investir no setor social, por meio de um conjunto de ações "solidárias" e sem finalidade mercantil, a fim de combater os problemas sociais. Conforme pesquisa realizada, "os dados levantados são considerados reveladores de uma grande injeção de recursos na área social de origem privada, porém 'com fins públicos' [...]. Anualmente, milhares de empresas aplicam milhões, quando não bilhões de reais na realização de atividades sociais para além de seus muros" (Ipea, 2000).

Cada vez mais as empresas se especializam tecnicamente em suas transações com o mercado, com "parceiros", acionistas e investidores institucionais – com destaque para os fundos de pensão e grupos de seguros (Sauviat, 2005; Bernardo e Pereira, 2008) –, fornecedores, produtores, distribuidores e consumidores numa rede de interdependência, configurando o que alguns autores denominam "governança corporativa". Emergem nesse cenário as denominadas "empresas-rede", interligadas por tecnologias de informação e telecomunicações. Trata-se de um redesenho corporativo-industrial-financeiro transnacional[4], sob a lógica da "globalização" e da terceirização no bojo do processo neoliberal. Beneficiado com a retirada do Estado dos serviços sociais, o setor privado parece investir cada vez mais em práticas "voluntárias" e de caráter não mercantil, as RSE.

A ideia de RSE está reconhecidamente incorporada na estratégia e no marketing social das empresas (Kameyama, 2000; Cesar, 2008; Machado Filho e Zylbertsztajn, 2004; Lessa, 2002), o que ajuda a explicar o crescimento das entidades de regulamentação dos projetos sociais. Há, do mesmo modo, reconhecimento e visibilidade institucional por meio de prêmios e certificações empresariais (como selos sociais, ecológicos e de qualidade) agregados às marcas das "empresas cidadãs". Apenas para dimensionarmos o fenômeno para o leitor não especializado, destacamos a SA 8000 (norma internacional de responsabilidade social criada em 1997), a ISO 26000 (norma internacional criada em 2010 que condensa as diretrizes da RSE e foi lançada pela Fiesp), a ISO 14000 (que estabelece as diretrizes da gestão ambiental), bem como o "Selo de Responsabilidade Social" e o "Selo Empresa Amiga da Criança" (para empresas que não utilizam trabalho infantil e dão apoio a crianças e adolescentes), ambos criados pela Fundação Abrinq. Como destaca o portal empresarial Responsabilidade Social, referência no tema:

---

[4] Utilizamos o termo "transnacional" em oposição ao usual "multinacional", pois entendemos que o primeiro termo remete às empresas que operam em escala internacional, mas que, a despeito de sua financeirização e caráter acionário disperso, partem de uma base nacional, de uma matriz de origem, que é, no limite, controladora e centralizadora da produção, especialmente por meio de investimentos estrangeiros diretos, terceirização da produção/atendimento, bem como do deslocamento físico de unidades empresariais para outros países. Ao passo que "multinacional" remete à equivocada compreensão de uma supranacionalidade da propriedade, em que a desconcentração do capital se realizaria em múltiplas nacionalidades, sem hegemonia de um Estado nacional dentro do sistema mundial de Estados. Esta última compreensão negligencia o caráter monopólico e oligopólico do capital concentrado no imperialismo contemporâneo.

> No intuito de estimular a responsabilidade social empresarial, uma série de instrumentos de certificação foram criadas [sic] nos últimos anos. O apelo relacionado a esses selos ou certificados é de fácil compreensão. Num mundo cada vez mais competitivo, empresas veem vantagens comparativas em adquirir certificações que atestem sua boa prática empresarial. A pressão por produtos e serviços socialmente corretos faz com que empresas adotem processos de reformulação interna para se adequarem às normas impostas pelas entidades certificadoras.[5]

A busca por um "capital reputacional" (Machado Filho e Zylbersztajn, 2004) propicia às empresas um importante retorno financeiro, inclusive no que se refere à confiança de consumidores e investidores. Seguindo critérios próprios, o *Guia Exame de Sustentabilidade* aponta periodicamente a empresa supostamente mais sustentável do país. Da mesma forma, investimentos em bolsas de valores são direcionados a aplicações "socialmente responsáveis". Nesse sentido, existem "fundos éticos"[6] que orientam seus investimentos por critérios não especificamente financeiros, mas ambientais e sociais[7]. No caso brasileiro, há o Índice de Sustentabilidade Empresarial (ISE) da Bolsa de Valores do Estado de São Paulo (Bovespa) e o Índice de Governança Corporativa, que mensuram a transparência da empresa e o respeito aos acionistas minoritários. Entre as empresas cotadas em bolsa, as "socialmente responsáveis" são aquelas que obtêm melhor desempenho, segundo reportagem da revista *CartaCapital* de 4 de julho de 2003.

Diante dos novos modelos de gestão e processos produtivos estruturados em escala global, noções como "competitividade, inovação, customização, internacionalização, governança corporativa, *responsabilidade social* etc. passaram a fazer parte não apenas do jargão do mundo dos negócios, mas também do dia a dia efetivo de grande parte das empresas brasileiras" (Iglecias, 2010).

Apesar de se tratar de um termo polissêmico, a concepção mais divulgada da RSE é a que contempla um conjunto de ações "voluntárias" do setor privado voltadas para a sociedade, com base em valores éticos que transcendem a expectativa econômica e visam ao bem-estar social. Essas ações, no que se refere ao ativismo social, dirigem-se a áreas distintas e têm interesses variados, englobam desde ações sociais destinadas a funcionários, acionistas e cotistas, clientes, fornecedores,

---

[5] Disponível em: <http://www.responsabilidadesocial.com/o-que-e-responsabilidade-social/>. Acesso em jul. 2019.

[6] Já em 2003 havia "oito fundos de investimento social no Brasil, com recursos administrados de quase R$ 40 milhões. O Banco Real ABN Amro possui dois desses fundos: o Ethical, com aplicação mínima de R$ 100, e o Ethical II, para investimentos a partir de R$ 100 mil" (Maria Alice Costa, 2005).

[7] "Em 2007, o total de ativos sobre os quais os investidores têm aplicado um ou mais critérios de investimento socialmente responsável soma U$ 2,71 trilhões. Para o mesmo ano, o European Sustainable Investment Forum anunciou uma soma de € 2,665 trilhões em investimentos em ativos com critério de Investimento Socialmente Responsável. Segundo relatório publicado pela International Finance Corporation, o mercado de Investimentos Sustentáveis em mercados emergentes resulta em um valor estimado em U$ 300 bilhões" (Sartore e Purini, 2009).

comunidade próxima, geração de emprego e cidadania até a preservação do meio ambiente e o desenvolvimento sustentável.

Contudo, é insuficiente a interpretação de que o único estímulo à RSE é a isenção fiscal. O reconhecimento das estratégias empresariais e o apelo ao mercado consumidor ou à dedução fiscal, apesar de apoiados na realidade, não apreendem de forma orgânica a RSE como novo padrão de intervenção social (Graciolli, 2006) e negligenciam o contexto em que se processam tais ações, como trataremos adiante. Também se faz importante diferenciar essa nova modalidade de intervenção social das tradicionais práticas de filantropia oferecidas pelas instituições burguesas ou religiosas.

Em nosso entendimento, a despeito da divisão da burguesia e de suas frações no plano dos interesses corporativos, parece haver organismos empresariais que procuram unidade e consenso em torno de uma agenda social empresarial. Reside aí a importância da relação e articulação do empresariado com o Estado. É nesse contexto que o presente projeto identifica o "boom" do ativismo social das empresas capitalistas na "questão social".

Nosso estudo se concentrou nos primeiros dez anos de investimento em ações de RSE na década de 2000, apesar de levar em consideração a nova dinâmica que essa intervenção social assumiu já na década de 1990, sobretudo com as reformas orientadas para o mercado e a conjuntura de transformações sociais em que estava inserido o empresariado no país. Destacamos ainda, numa perspectiva histórico--sociológica, que nos anos 1980 também houve uma expansão das ações sociais do chamado "terceiro setor", sobretudo com o advento das ONGs. Contudo, a ênfase do estudo são as grandes corporações empresariais que atuavam no país, sejam nacionais ou transnacionais, articuladas por *corporações orgânicas do capital*, portadoras de determinado projeto societário em disputa.

A empresa capitalista se esforça para ter visibilidade, captar investimentos, obter isenção fiscal e "capital reputacional", que pode ser agregado como valor simbólico para atrair consumidores e investidores.

> Os valores são tradicionalmente reconhecidos pelas características originais dos produtos ou serviços, os benefícios que concedem aos consumidores (seus desejos e exigências e o que as marcas fazem por eles), além das associações percebidas (o maior status, conforto, beleza, segurança etc.). A soma positiva dos valores vincula os consumidores a determinadas marcas, levando-os a repetirem o ato de consumo. O "valor" de uma marca é a sua contribuição de riqueza a quem a produz, distribui ou comercializa. (Blekher e Martins, 1997)

Por isso a construção da imagem de uma marca empresarial é fundamental em qualquer grande corporação: a percepção da "empresa cidadã", reforçada pela publicidade, contribui para a reputação e a agregação de valor simbólico. Ou seja, a imagem institucional, embora imaginária, faz parte da realidade. Esse é o lugar da marca na sociedade midiática (Fontenelle, 2002).

## O universo empírico da pesquisa

Como universo empírico de nosso estudo, pesquisamos duas instituições de referência no campo da RSE: o Grupo de Institutos e Fundações Empresariais (Gife) e a Comunitas. O Gife foi a primeira associação na América do Sul a reunir empresas, institutos e fundações que atuam em investimento social privado. Com a ênfase no discurso da incapacidade do Estado de intervir na área social, o Gife, sediado em São Paulo, foi fundado num contexto de expansão do "terceiro setor" e de início da RSE, num momento em que "crescia a consciência do empresariado sobre a necessidade de promover transformações sociais, muito além do assistencialismo" (Gife e IBGC, 2014). Em 1995, ano de sua fundação, contava com 25 organizações parceiras, número que saltou para 133 em 2011. A rede investiu cerca de R$ 2 bilhões por ano em projetos sociais, priorizando programas voltados para a juventude (cerca de 20% do total investido por todo o setor privado na área social) (Gife, 2010). Essa *corporação orgânica do capital* divulga em sua rede de corporações "a visão 2020", um apanhado de diretrizes acerca do bom desempenho em RSE.

O objetivo do Gife é, além de difundir conceitos e práticas,

> contribuir para a promoção do desenvolvimento sustentável no Brasil, por meio do fortalecimento político-institucional e do apoio à atuação estratégica de institutos e fundações de origem empresarial e de outras entidades privadas que realizam investimento social voluntário sistemático, voltado para o interesse público.[8]

O Gife congrega grandes empresas dos mais variados ramos de atuação, além de seus institutos e fundações. Alguns de seus associados são Banco Bradesco e Fundação Bradesco, Basf, BRF Brasil Foods, Carrefour, Fundação Abrinq, Fundação Avina, Banco do Brasil, Companhia Siderúrgica Nacional, Nestlé, Odebrecht, Fundação Orsa, Ponto Frio, Fundação Roberto Marinho, Telefônica, Vale, Gerdau, IBM, Instituto Ayrton Senna, Coca-Cola, Cyrela, Embraer, Grupo Pão de Açúcar, Instituto HSBC Solidariedade, Instituto Itaú Cultural, Instituto Souza Cruz, O Boticário, Natura, Nextel, McDonald's, Instituto Unibanco, Votorantin, WalMart, Intel, Smart, Microsoft, Net, Oi Futuro, Petrobras, Pinheiro Neto Advogados, Santander, Serasa Experian, TNT e TV Globo, entre outros. Conta ainda com parcerias associadas, como SESI, Rede América-Brasil, Ashoka, Fórum Amazônia Sustentável, Instituto Camargo Corrêa, Alliance, Vagas.com e

---

[8] Disponível em: <https://gife.org.br/quem-somos-gife/>. Acesso em jul. 2019.

programas do Governo Federal (como Lei de Incentivo à Cultura e Brasil Todos pela Educação). Estão entre suas principais realizações as seguintes:

a) Aliança Gife e Rede América: desde 2008, a rede conta com 65 organizações empresariais, apoiadas por mais de 360 empresas em 11 países, numa espécie de canal de interlocução e financiamento da rede privada latino-americana de investimento social.
b) Congresso Gife sobre Investimento Social Privado: Desafios e perspectivas para o desenvolvimento brasileiro (2000); Construção de uma nova ordem social (2002); A cidadania e suas múltiplas dimensões (2004); Desafios para uma sociedade sustentável (2006); Experiências Locais, Transformações Globais (2008); Visão do Investimento Social Privado para 2020 (2010).
c) Grupos de Afinidades: reúne os associados de acordo com suas áreas de investimento e atuação (comunicação, cultura, juventude, educação e articulação).
d) Núcleos Regionais: reuniões promovidas regionalmente (Bahia, Campinas, Rio de Janeiro, Rio Grande do Sul).
e) Painéis Temáticos: reuniões e eventos esporádicos com foco em temas específicos.
f) Publicações: inúmeras publicações sobre RSE e "terceiro setor".
g) Workshops: eventos exclusivos para associados e convidados.

Vale uma última observação sobre o Gife. Essa corporação orgânica do capital se esforçou para romper com a visão filantrópica do empresariado e convertê-la em investimento social privado.

A segunda *corporação orgânica do capital* aqui focalizada, a Comunitas, realiza "parcerias para o desenvolvimento solidário" e organiza o investimento social corporativo segundo as mais modernas práticas de RSE. Promove anualmente o Bisc (Benchmarking do Investimento Social Corporativo), uma espécie de pesquisa e balanço social de seus associados, em contexto pós-fordista, procurando indicar pautas para os investimentos dos próximos anos.

A Comunitas, fundada em 2000, é uma das organizações da Rede Sol e atualmente está sediada no Centro Ruth Cardoso, inaugurado em 2009. Enquanto foi primeira-dama, Ruth Cardoso (1995-2002) foi articuladora do Programa Comunidade Solidária, cujo pilar era o Alfabetização Solidária, projeto que estimulava a parceria em rede de ONGs, empresas, fundações, governo e demais organizações sociais do "terceiro setor" para o enfrentamento do analfabetismo (numa perspectiva de despolitização da questão social)[9]. O orçamento desse projeto era proveniente tanto do governo federal como de doações empresariais e individuais, consistindo,

---

[9] "A questão social não é senão a expressão do processo de formação e desenvolvimento da classe operária e de seu ingresso no cenário político da sociedade, exigindo seu reconhecimento como classe por parte do empresariado e do Estado. É a manifestação, no cotidiano da vida social, da

portanto, na mais relevante experiência de "parceria" do governo com o "terceiro setor" no trato da questão social. Buscava dar legitimidade à reforma gerencial do Estado, idealizada na gestão neoliberal de Fernando Henrique Cardoso e implementada pelo ministro Luiz Carlos Bresser Pereira. Procura, portanto, dar continuidade aos programas do Comunidade Solidária, criados entre 1995 e 2002.

A Comunitas tem parceria com grupos empresariais de atuação variada que representam distintas frações do capital: bancos e corporações de investimentos e de seguros; um dos grupos líderes mundiais na produção de alumínio; setor alimentício (rede transnacional); ramo de engenharia e construção civil; metalurgia, siderurgia e transporte; petroquímica; energia e lubrificantes automotivos e industriais, mercado imobiliário; uma das maiores empresas aeroespaciais do mundo, serviços de tecnologia da informação; a segunda maior mineradora do mundo; fabricante de papel e celulose; e um instituto educacional sem fins lucrativos.

Segundo a instituição, as "ações da Comunitas combinam produção de conhecimento sobre novas dinâmicas de participação social, consultoria a empresas sobre responsabilidade social corporativa, programas que conectam voluntários entre si e redes sociais para jovens"[10]. Sustentando o ideário habermasiano do terceiro setor, estimula uma sociedade civil mais participativa e responsável, em conformidade com os padrões de "governança do mundo contemporâneo".

A Comunitas é uma das organizações da Rede Sol, cujo objetivo é a promoção do desenvolvimento social e solidário por meio da participação da sociedade civil, incentivando ações inovadoras, colaborações e parcerias na área social. Promove anualmente o Bisc Comunitas (Benchmarking do Investimento Social Corporativo), que se inspira no modelo estadunidense do Committee Encouraging Corporate Philanthropy (CECP)[11] e reúne dados quantitativos e qualitativos sobre o perfil de investimento social do grande empresariado brasileiro. O Bisc busca fortalecer parcerias no meio empresarial para o "desenvolvimento sustentável", além de sistematizar e divulgar o investimento social corporativo no Brasil. Para a presente pesquisa, analisamos os relatórios referentes aos anos de 2008 a 2011[12].

A influente Comunitas afirma ter a "missão" de fortalecer a sociedade civil, a democracia e o desenvolvimento social, como se vê a seguir:

> Em sociedades abertas e complexas, a tendência é o aumento da influência do setor privado e da sociedade civil sobre questões de interesse público. A ação do Estado é

---

contradição entre o proletariado e a burguesia [...]" (Iammamoto e Carvalho, 2009, p. 77). Para um exame cuidadoso do termo "questão social", ver Netto (2007).

[10] Disponível em: <www.comunitas.org.br>.

[11] O CECP congrega mais de 170 empresas, das quais 60 fazem parte do ranking da *Fortune 100* (cem maiores empresas), num expressivo fórum internacional dedicado ao investimento social corporativo. O CECP colaborou com a Comunitas para o desenvolvimento em contexto brasileiro da ferramenta Corporate Giving Standard. Ver: <www.corporatephilanthropy.org>.

[12] Cabe observar que nem todas as corporações empresariais faziam parte da rede nos anos abrangidos pela pesquisa e, conforme notaremos, uma pequena parcela não respondeu à pesquisa.

> necessária, mas são as interações entre governos, empresas e sociedade civil que ampliam os recursos e competências necessárias à experimentação e inovação social. As empresas brasileiras estão confrontadas ao desafio de aprimorar a gestão, qualidade e impacto de seu investimento social. (Bisc Comunitas, 2008, p. 12)

O reconhecimento da Comunitas no meio empresarial pode ser identificado na fala de uma destacada liderança empresarial e política: "A Comunitas é uma oportunidade para todos nós. Por meio dela, vamos poder realizar debates, planos de ação e troca de melhores práticas, contribuindo com novos patamares de desenvolvimento para o Brasil"[13].

A presidente do conselho diretor da Comunitas, Renata de Camargo Nascimento, é vice-presidente do conselho deliberativo do Instituto Camargo Corrêa (acionista do Itaú), fundado em 2000 e parceiro da Comunitas. Foi fundadora, nos anos 1990, do Instituto de Cidadania Empresarial, do qual é atualmente vice-presidente executiva. A Comunitas conta hoje com os seguintes parceiros: AES Brasil, Alcoa, BM&F Bovespa, Bradesco, BRF Brasil Foods, Camargo Corrêa, Chevron, Vale, CPFL Energia, Cyrela, Embraer, Gerdau, Votorantim, IBM, ICE, Instituto Hedging Griffo, Itaú-Unibanco, JPMorgan, Suzano, Odebrecht, Banco Safra, Samarco, Santander e Citi. Ou seja, grupos empresariais que atuam em diferentes ramos e concorrem entre si.

Extensão da Comunitas, o Centro Ruth Cardoso possui como parceiros Avaya, Safra, Camargo Corrêa, Cyrela, Gerdau, Odebrecht e Votorantim. Alguns dos parceiros dos programas AlfaSol: AES Eletropaulo, Safra, Bic, Grupo Carrefour, Carrera, Ford, GM, Fundação Roberto Marinho, Fundação Itaú Social, Governo do Estado de São Paulo, Prefeitura de São Paulo, IBM, OIT, Mercedes-Benz, Ipiranga, Santander, Vale e outros; além de parceiros de apoio da AlfaSol: Diners Club, Fiesp /Ciesp, Fundação Victor Civita, Gol, Master Card, RedeCard, Microsoft, Unesco, TAM, Visa e Maxpress.

Trata-se de uma pretensa "neutra racionalidade econômica e de promoção do desenvolvimento", que se apresenta como "a face moderna e civilizada do empresariado brasileiro, com novíssimo perfil democrático" (Virgínia Fontes, 2010, p. 272).

Os grupos de associação empresarial pesquisados consistem em verdadeiras *corporações orgânicas do capital*; a nosso ver, representam importantes forças sociais do capital e codificam o "bom comportamento" do meio empresarial em negócios "socialmente responsáveis", isto é, articulam e mobilizam as lideranças empresariais em torno de um consenso discursivo organicamente articulado pelo capital. Trata-se de uma racionalização discursiva da ação alinhada aos interesses que pautam a RSE.

Essas organizações dispõem de razoável poder social para ditar concepções, ações, discursos e até mesmo as condições organizacionais das grandes empresas.

---

[13] Jorge Gerdau Johannpeter, presidente do Conselho do Grupo Gerdau, durante o III Encontro de Líderes Empresariais (2010), promovido pela Comunitas.

Assumem, assim, um papel disciplinador de instituições que agregam e gerem a construção de uma arquitetura do enfrentamento da questão social, despolitizando os conflitos de classe e sua origem. Trata-se de verdadeiros grupos privados, a despeito de se autodenominarem "parceiros" com "fins públicos" ou "terceiro setor". Tal associação em rede do capital é necessária para sustentar o desenvolvimento capitalista a longo prazo, isto é, oferecer soluções capitalistas para a crise do capital e um padrão hegemônico de enfrentamento dos problemas sociais.

Esse movimento corresponde a uma construção ideológica capitalista, não sem atritos, de uma só direção de empresários, gestores públicos, instituições do "terceiro setor", instituições de ensino, governos, comunidades e "colaboradores" (entre os quais trabalhadores).

Mas o que fazem concretamente tais organizações? Elaboram as diretrizes e os indicadores de RSE a serem adotados pelas empresas; realizam balanços sociais a partir das informações prestadas pelas corporações parceiras; elaboram pesquisas no meio empresarial; organizam encontros, formações e palestras para seus colaboradores institucionais; captam recursos para investimentos sociais corporativos; certificam e oferecem selos às "empresas cidadãs" que se adaptam às normas e aos indicadores de RSE; são responsáveis pelo alinhamento ideológico do grande empresariado que investe socialmente; congregam a elite de gestores das empresas de grande porte e corporações brasileiras e transnacionais; organizam estratégias e discursos norteadores do empresariado, como a adesão aos novos temas "inovadores"; realizam balanços conjunturais para captação de recursos e articulação em rede de parcerias; atraem empresas para a agenda social do grande empresariado. Como destacou o ex-ministro da Fazenda e ex-ministro-chefe da Casa Civil Antônio Palocci: "Grupos como esse [a Comunitas] podem ajudar a construir consensos suprapartidários mínimos"[14].

## Balanço da agenda social do empresariado: dados e pesquisas

Com o intuito de mergulhar nos dados revelados pelas pesquisas e balanços sociais sobre RSE e investimento social privado no país, iniciaremos a exposição pelas informações fornecidas pelo Bisc Comunitas e Censo Gife. Em seguida, pretendemos examinar a síntese de algumas das pesquisas de que dispomos nessa área.

Utilizamos como material de análise os relatórios de 2008 a 2011 do Bisc Comunitas (referentes aos anos 2007 a 2010). Cabe destacar que a metodologia das pesquisas variou de ano para ano, com novos indicadores e mudanças no perfil de amostragem. Além disso, é preciso levar em consideração as fragilidades observadas nas informações, que não são criteriosas e são fornecidas pelo próprio patronato, de maneira nem sempre uniforme. O universo da pesquisa abrange

[14] II Encontro de Líderes Empresariais, realizado em setembro de 2009 pela Comunitas.

23 grandes corporações e um instituto independente e envolve 171 empresas. Não há nenhuma representatividade por porte de empresas ou setor de atuação. São somente empresas associadas à Comunitas. Contudo, se não representam o empresariado no Brasil como um todo, revelam o investimento social de grandes corporações associadas a essa *corporação orgânica do capital*.

Os dados revelados apontam que de 2007 a 2010 o volume de investimentos na área social cresceu 44%, totalizando R$ 1,6 bilhão apenas em 2010[15]. Contudo, também cresceu o universo da amostra. Considerado o desempenho das mesmas empresas que participaram dos quatro anos da pesquisa, também se registrou uma tendência ascendente nos investimentos, com uma sensível variação em 2009, não captada pela análise qualitativa do Bisc. Consideradas as mesmas corporações que participaram apenas dos últimos dois anos da pesquisa (dezesseis participantes), o crescimento do investimento social foi de 15%.

Em 2010, as empresas investiram em média 0,32% de sua renda e 0,92% de seus lucros em ações sociais (variando conforme o porte das empresas: as empresas maiores apresentam volume e porcentagem de investimentos maiores). Em relação à natureza das atividades exercidas, o setor industrial manteve o nível de investimentos de 2009, enquanto o setor de serviços reduziu 20%, apesar de ainda investir mais, segundo o universo da pesquisa (constituído majoritariamente por corporações que atuam nessa área).

No último ano da pesquisa, foi possível diferenciar aplicações obrigatórias (previstas nos contratos e investimentos legais) de investimento social privado. As ações sociais obrigatórias das empresas, com destaque para a área ambiental e cultural, corresponderam a 51% do total investido, superando os 49% dos investimentos sociais voluntários.

As empresas investem diretamente mais (sobretudo em cultura e meio ambiente) do que os institutos, que controlam as ações e gerenciam mais os recursos. As empresas que criaram institutos para desenvolver suas ações sociais correspondem a 70%. Boa parte dos investimentos em RSE refere-se a recursos transferidos a ONGs, como apoio a projetos ou contratação para execução de ações.

É curioso notar que a valorização das ações do Ibovespa é inferior à do grupo de empresas que integra o Índice de Sustentabilidade Empresarial, conforme demonstra o Bisc. Quanto à área provedora dos recursos investidos, a maioria advém da comunicação, do marketing e de operações das empresas, superando as áreas diretamente voltadas para o social.

---

[15] Conforme revela a pesquisa "um bilhão e seiscentos milhões de reais – o equivalente a 12% dos recursos investidos pelo governo federal no Bolsa Família, o maior programa de combate à pobreza no Brasil – foi o valor investido voluntariamente pelo grupo participante do Bisc, em 2010. E este valor está subestimado, uma vez que nem todos os recursos estão computados como, por exemplo, parte dos cursos operacionais e dos bens e serviços doados" (Bisc Comunitas, 2011, p. 43).

Do total dos investimentos, 39% vão para a educação[16], 16% para o desenvolvimento comunitário, 17% para a cultura e 5% para o meio ambiente. No que diz respeito aos incentivos fiscais, a área da cultura é campeã: foram 22% do total em 2010. A maior parte dos recursos oriundos de incentivos fiscais é destinada à Lei Rouanet (54%), em seguida à Lei do Esporte (17%) e outros (12%), fundos municipais da criança e do adolescente (6%) e incentivos culturais estaduais (4%).

Cabe notar que, segundo as informações do Bisc, 50% dos investimentos sociais privados são destinados exclusivamente para a região Sudeste, seguidos dos destinados às regiões Norte (15%), Nordeste (10%), Sul (4%) e Centro-Oeste (3%). O valor de 18% se distribui em diversas regiões.

Passemos aos dados revelados pelo Gife. Desde 2001, o Censo Gife procura mostrar o estado do investimento social privado no país. O último relatório corresponde aos anos 2009-2010 e utiliza os seguintes indicadores: origem e volume do capital investido, governança e gestão, estratégias de ação, beneficiários, avaliação e monitoramento das ações. Atualmente o Gife conta com 134 corporações associadas, totalizando cerca de R$ 2 bilhões em investimentos de RSE apenas em 2010. Portanto, como dissemos anteriormente, o Gife reúne parte dos maiores investidores privados do país.

As pesquisas do Gife focalizam temas em destaque (educação em 2005, juventude em 2007 e cultura em 2010). Segundo o Censo Gife 2009-2010, a principal área de destino dos investimentos das empresas associadas é a educação (82%), seguida de cultura, arte e formação para o trabalho (60%)[17] e meio ambiente (58%, com crescimento de 26% desde 2007). O crescimento dos investimentos em meio ambiente revelado pelo Gife apenas fortalece os indícios apontados por outras pesquisas. A maioria dos investimentos tem origem corporativa (62% vêm de fundações e associações empresariais, e apenas 24% vêm de recursos diretos de empresas).

O contexto de crise internacional, desde 2008, curiosamente não imprimiu queda nos investimentos sociais (apenas 18% das empresas reconheceram que reduziram os investimentos, já retomados em 2009 – houve uma variação de apenas 5% do total investido).

Em relação ao volume de investimentos, 70% dos associados do Gife investem individualmente de R$ 500 mil a R$ 20 milhões, sendo que apenas três investem cerca de metade do que investem as 134 associações participantes. Nota-se,

[16] A pesquisa explica que a concentração dos investimentos em educação é justificada pela atuação dos institutos, cujas atividades se concentram nessa área. Trata-se da nova pedagogia da hegemonia, visando ao fortalecimento da educação do capital voltada para o consenso (Lúcia Maria Neves, 2005).

[17] Apesar de a cultura ser a segunda principal área de atuação dos associados, apenas 4% deles dão prioridade em seus investimentos. A cultura é vista como complementar ou como foco de recursos oriundos de incentivos fiscais (que somam quase 80% desses investimentos). Dos associados do Gife, 41% afirmam que o volume de investimentos na cultura diminuiria, caso os incentivos fiscais fossem revogados.

portanto, a concentração dos recursos aplicados, apesar de a metade dos associados investir até R$ 3,2 milhões (mediana), o que dá, em média, R$ 18,7 milhões cada um. Simultaneamente tem aumentado o número de empresas que investem mais de R$ 100 milhões por ano. Apesar das deficiências de colhimento de dados das pesquisas, é expressivo o valor relativo aos incentivos fiscais e demais incentivos (totalizando R$ 356,1 milhões em 2009).

Entre os principais incentivos fiscais, podemos citar a Lei Rouanet (52%), o Estatuto da Criança e do Adolescente, Leis Estaduais (por exemplo, Lei Mendonça), dedução de despesas operacionais, a Lei de Utilidade Pública Federal, leis municipais, a Lei do Audiovisual e Lei do Esporte, entre outras. Segundo um influente consultor em gestão, bastante alinhado ao discurso empresarial:

> Essas referências passam, em primeiro lugar, por uma agenda de comunicação empresarial, uma agenda de publicidade, de branding, de desenvolvimento de marca, e esse foi o grande impulso que o governo passado, do FHC, conseguiu, impulsionando e convocando as empresas para patrocinar a Cultura muito a partir desse panorama, já que Cultura é um ativo de comunicação empresarial interessantíssimo, onde o Estado lhe dá algumas facilidades, inclusive abatimento do imposto de renda para se investir por ali. (Gife, 2010, p. 73)

A decisão sobre o investimento social é majoritariamente do próprio meio executivo ou da alta gerência dos acionistas, ainda que haja em alguns casos um gerenciamento por áreas específicas, como marketing e recursos humanos. Mais precisamente, quem coordena o investimento social é a própria presidência (32%), diretorias ou departamentos de recursos humanos (24%), diretorias corporativas ou alta gerência (16%), departamento de marketing/comunicação (8%), comitês de responsabilidade social ou equivalentes (8%).

Segundo a pesquisa, de todos os "colaboradores" envolvidos em ações de RSE, apenas 55% são empregados de regime CLT, 40% são voluntários, 2% são autônomos e prestadores de serviços, e outros 2% são cedidos pelas empresas mantenedoras[18].

Cerca de 30% dos recursos são destinados a doação e financiamento de projetos de terceiros e 60% a projetos próprios. As doações se destinam, majoritariamente, ao financiamento de projetos em ONGs ou organizações comunitárias. Quase metade dos pesquisados (43%) não mencionam quaisquer critérios para a definição dos beneficiários diretos das ações. Apenas 50% dos associados declaram realizar programas de avaliação das ações em todos os projetos sociais. Vejamos o que revelam as demais pesquisas no país.

---

[18] Cabe lembrar que o Gife agrega empresas, fundações e institutos sem fins lucrativos e que as informações são concedidas pelo próprio meio patronal, o que oculta o percentual de trabalhadores terceirizados ou subcontratados. Para uma reflexão mais detida sobre a funcionalidade do voluntariado para o capital, ver Montaño (2002).

Segundo o Ibase (2008), em 2005, os terceirizados representavam 42,8% do total de trabalhadores empregados nas grandes empresas que realizam o que realizaram o BS aqui examinado. De 2000 a 2005, o número de terceirizados apresentou uma curva ascendente, com pequena variação em 2002 e estabilidade em 2005, conforme mostra a Figura 1.

**Figura 1. Terceirizados em relação ao total de empregados(as) por ano (em %)**

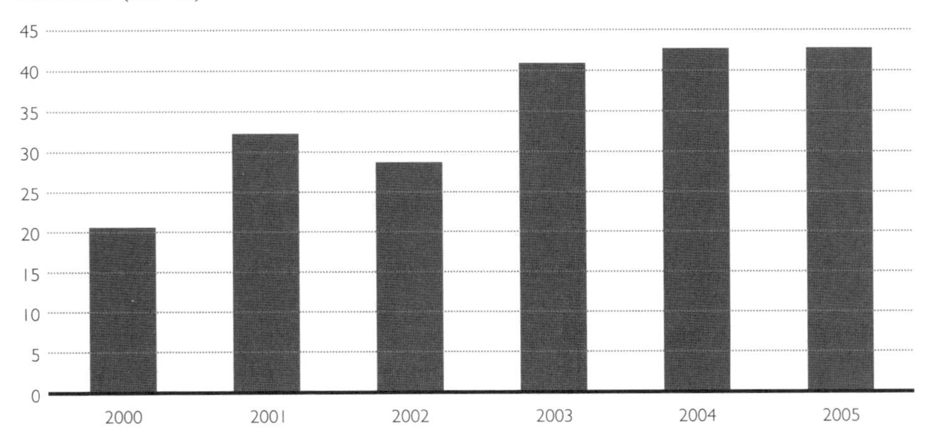


Fonte: Ibase (2008).

Os dados revelam ainda que, no interior das empresas, são comuns as disparidades de remuneração. Se tomarmos apenas o BS do Ibase, as diferenças chegam a 236%, mas podemos inferir que, na realidade, esse percentual é imensamente maior. De 2000 a 2005, aumentou o número de acidentes de trabalho nas empresas participantes. E apenas 65% das empresas divulgam informações sobre liberdade sindical e adesão às convenções da Organização Internacional do Trabalho (OIT).

## Corporações orgânicas do capital e aparelhos privados de hegemonia

Conforme apresentamos, o interesse pelo tema da RSE é recente e tem aumentado tanto no empresariado como nas políticas governamentais e entre analistas. Com isso, surgem empresas consultoras que oferecem serviços e divulgam balanços sociais das empresas "parceiras". Para tomarmos um exemplo, a partir dos anos 2000 a RSE passa a ser parte do tema global da "governança corporativa", sendo amplamente incorporada pelo setor financeiro (Donadone e Grün, 2001). O estudo *Investimento Social Privado dos Estados Unidos no Brasil*, realizado pelo Gife em parceria com a Usaid (United States Agency for International Development), mostrou que em 2006 apenas o investimento em RSE de empresas estadunidenses no Brasil (ISP) foi da ordem de R$ 204 milhões.

De acordo com nossa pesquisa, o perfil da empresa que realiza esse tipo de investimento é em geral de grande porte, corporativa e está presente nos grandes centros urbanos, como São Paulo e Rio de Janeiro, ainda que atue em outras localidades. Esse é o primeiro traço da empresa "socialmente responsável".

Procuramos, nos resultados da pesquisa ora apresentada, atentar para um conjunto de sistemas de relações que situam as corporações capitalistas na questão social. Identificamos que as corporações não atuam sozinhas e de maneira independente na área social. O que verificamos é que determinadas instituições se especializaram na busca de parcerias com empresas, organizações, fundações e institutos empresariais no que se refere às "boas práticas" de RSE.

Entendemos por *corporação orgânica do capital* a instituição que congrega diferentes corporações e unidades empresariais, de variados portes e segmentos de atuação, que são representativas do grande capital e exercem um papel de direção do comportamento organizacional de suas associadas no campo do investimento em RSE[19]. Podem ser agregados também corporações empresariais, institutos independentes, fundações, ONGs e consultores. Tais corporações assessoram, pesquisam e aparelham esse grupo associado por meio da RSE. Constroem a unidade de intervenção social, assumindo uma espécie de papel diretivo, a despeito da concorrência e da competitividade do mercado da venda de suas mercadorias e serviços (tanto entre as próprias unidades produtivas tomadas particularmente como entre as frações de classe). Trata-se da condensação das funções de direção e dominação de classe. As *corporações orgânicas do capital*, portanto, têm um importante papel na organização dos conhecimentos necessários para o empreendimento da RSE, agregando corporações capitalistas que atuam em atividades diferenciadas e procurando superar os interesses (corporativos) e organizar o terreno da cultura (universal burguesa). Elas orientam concepções de mundo e organizam a consciência social do empresariado adequada à hegemonia burguesa, em

[19] O conceito de *corporação orgânica do capital*, em verdade, respalda-se no referencial conceitual gramsciano de "aparelhos privados de hegemonia", ao mesmo tempo que o reatualiza (incorporando-o integralmente, vale dizer) conforme as especificidades de nosso objeto. As corporações orgânicas do capital, nessa acepção, organizam suas empresas associadas (independentemente da fração de classe que representam), as quais constituem aparelhos privados de hegemonia; assumem, sobretudo, uma função de organicidade do empresariado e do capital (lembramos que, como destaca Gramsci (1987), pode haver aparelhos privados de contra-hegemonia não orientados pelo capital e sem sua organicidade). Poder-se-ia entender o termo também como aparelhos privados de hegemonia de base empresarial, o que precisa sua orientação de classe. Assim, apenas estamos definindo o cariz de classe de tais "aparelhos" empresariais não apenas no campo da reprodução, mas também como definidores de uma agenda social a intervir na questão social e no Estado, constituindo verdadeiras corporações reorientadoras de um projeto de classe em disputa. Mais precisamente, utilizamos a expressão *corporações orgânicas do capital* no lugar de aparelhos privados de hegemonia a fim de diferenciar o Gife e a Comunitas de empresas tomadas individualmente, partidos políticos, sindicatos e organizações de representação patronal (como a Fiesp, Febrabam CNI etc.), associações, mídia e demais aparelhos privados.

íntima vinculação com o Estado; exercem a função de especialização e socialização de conhecimentos na área do investimento social e da intervenção social. Como sinaliza a Comunitas:

> As empresas brasileiras estão confrontadas ao desafio de aprimorar a gestão, qualidade e impacto de seu investimento. Acelerar este processo implica aprender a atuar em parceria, superando desconfianças e criando novos padrões de colaboração. Implica também monitorar e avaliar resultados, sistematizando e disseminando conhecimentos e *best practices*. (Bisc Comunitas, 2008, p. 12)

As corporações orgânicas do capital não apenas ocupam um lugar privilegiado e consciente de seus interesses no campo econômico mas revelam-se capazes de orientar a gestão social das empresas e sua cultura organizacional. Trata-se de uma capacidade dirigente e técnica no meio empresarial, nos termos de Gramsci. O empresário dirigente deve dispor de uma orientação técnica para além da esfera da atividade econômica, deve ser capaz de encontrar confiança nos investidores de sua empresa e dos compradores de suas mercadorias, como destaca Gramsci (2010).

A estrutura ideológica compreendida pela Comunitas e pelo Gife consiste numa organização material que visa manter e defender a frente teórica e ideológica. Como ressalta Fábio Colletti Barbosa, CEO do Grupo Abril:

> o objetivo é que a Comunitas nos apoie para que tenhamos um grupo de CEOs que se envolva nessas questões, que faça essas articulações, que faça *advocacy*, que olhe a questão da educação e também olhe a questão de como se medir isso, porque os CEOs estão inseridos na gestão e buscando uma forma de agregar valor.[20]

Ou, nas palavras de José Ermírio de Moraes Neto, presidente da Votorantim Finanças e da Fundação Votorantim: "O Brasil tem atualmente quase 60% de seu Produto Interno Bruto (PIB) na área de serviços. Então, o nosso desafio como líderes é pelo menos trazer essas mil empresas para um processo de trabalho cooperativo e conjunto. Hoje ninguém faz nada sozinho"[21].

É comum nos encontros de RSE promovidos por tais corporações associativas que se divulgue a suposta "inevitabilidade" da adequação do comportamento organizacional aos padrões exigidos pelo mercado e pela "sociedade" ou pelos "consumidores", que teriam assumido um perfil mais crítico no consumo responsável das mercadorias[22]. Além do investimento em novas tecnologias de economia

---

[20] IV Encontro de Líderes: A Agenda de Desenvolvimento Sustentável para o País. Evento realizado pela Comunitas em 30 de setembro de 2011.

[21] Idem.

[22] Conforme sinaliza Fábio Colletti Barbosa, presidente do Grupo Abril S/A, e que já presidiu o Grupo Santander Brasil e a Febraban: "Acho que estamos evoluindo na construção de um modelo de negócios que se sustenta em uma sociedade que cada vez cobra mais" (Torres, 2019).

de trabalho e novos sistemas de organização do trabalho, as "inevitáveis" inovações organizacionais requerem investimento em RSE[23]. Como destaca Jorge Gerdau Johannpeter, presidente do Conselho do Grupo Gerdau:

> O efetivo papel das elites e de todos os que exercem alguma liderança é, indiscutivelmente, resultado da dimensão da responsabilidade social de cada um. Os que possuem uma atuação nacional em suas atividades pessoais e empresariais devem procurar agir com uma dimensão de responsabilidade social nacional.[24]

As "missões" prioritárias perseguidas pelas *corporações orgânicas do capital*, segundo o discurso produzido pelas próprias organizações especializadas em RSE, visam garantir a criação de um "bom clima de negócios", inibindo práticas de corrupção, ilegalidade ou disparates contra os direitos humanos, ao mesmo tempo que apoiam a "agenda social brasileira".

Ao gerenciar conhecimentos no campo da RSE, as *corporações orgânicas do capital* examinadas pela presente pesquisa (Comunitas e Gife) fomentam espaços de articulação em rede, publicações, premiações, balanços sociais, seminários, capacitação e troca de experiências. Articulam o "bom desenvolvimento institucional" das organizações que congregam, visando a uma atuação estratégica. As *corporações orgânicas do capital* organizam o meio empresarial e difundem conceitos e procedimentos institucionais dos recursos investidos, indicando consultores e especialistas de gestão estratégica, além de influenciar o governo e a mídia em geral. Segundo suas missões institucionais, visam fomentar uma "ética de responsabilidade social no âmbito corporativo", apontando tendências e construindo cenários para o investimento social privado. Trata-se de uma "parceria inovadora" com um conjunto seletivo de grandes empresas brasileiras.

Cabe indicar desde já que, em seu interior organizacional, visam, no limite, ao controle do trabalho, à exploração e à intensificação da força de trabalho; no plano externo, buscam explorar oportunidades lucrativas e imprimir um dado padrão de intervenção na questão social. De tal modo que a RSE constitui, a nosso ver, um dos vários braços das práticas imperialistas contemporâneas. No entanto, a exploração é camuflada pelas inúmeras certificações de RSE concedidas pelo próprio meio empresarial, uma vez que o fortalecimento e o crivo na "ação socialmente responsável" das corporações capitalistas geram um estado de confiança na integridade e legitimidade da ação empresarial e do capital.

---

[23] Sabemos que, a despeito do discurso empresarial e da resignação colaboracionista de uma parcela significativa da esquerda, não há inevitabilidade na história. As formatações históricas são, na verdade, oriundas de disputas e conflitos sociais, do embate de programas e projetos políticos e de atores coletivos, isto é, de correlação do forças e relações de poder – conforme a situação e a conjuntura histórica.

[24] IV Encontro de Líderes: A Agenda de Desenvolvimento Sustentável para o País. Evento realizado pela Comunitas em 30 de setembro de 2011.

O próprio Gife reconhece que "o investimento social privado depende diretamente da geração de excedente a partir da atividade econômica" (Gife, 2010, p. 65). Não obstante, o investimento em RSE, além de acarretar retorno financeiro e reputacional para a empresa, contribui para uma construção hegemônica no enfrentamento da "questão social", despolitizando-a e despindo-a de qualquer conteúdo de classe, mistificando sua origem. Em vez do enfrentamento político da desigualdade social, apresenta-se a solução gerencial e técnica. Em substituição de qualquer perspectiva de transformação social, opta-se (desarticulando qualquer perspectiva classista) pelo investimento de recursos e pelo gerenciamento privado. Por isso requerem um modelo de Estado de cunho gerencialista.

Conforme apresentamos, as *corporações orgânicas do capital* contribuem para o alinhamento da cultura organizacional das empresas parceiras com o ideário da RSE, uma vez que procuram formular, articular e disseminar a forma como a iniciativa privada deve lidar com a questão social e com o desenvolvimento sustentável de seus negócios. Oferecem um consenso político-pedagógico ao empresariado associado, isto é, articulam uma unidade intelectual e moral para além do plano econômico-corporativo, mas num plano universal e político, conforme anunciava Gramsci (2008) ao analisar os aparelhos privados de hegemonia. Segundo Graciolli (2005), há uma associação direta entre a RSE (no âmbito da sociedade civil) e aparelhos privados de hegemonia, pois ela articula, produz e dissemina, dentro e fora da produção de bens materiais e simbólicos, visões de mundo, valores e concepções, buscando estabelecer uma direção moral, intelectual e política. As corporações orgânicas do capital visam integrar frações da burguesia num projeto comum e promover o engajamento social com base nos valores das classes dirigentes.

Essas organizações atuam pela redefinição do papel protagonista do empresariado na questão social e sua relação com o Estado e a sociedade. Assumem, nessa lógica, o desafio de integrar e modernizar a estrutura organizacional das empresas conforme a RSE, impulsionando, assim, sua participação social e sua parceria com o Estado. Trata-se da adequação e conformação ao projeto neoliberal.

## Conclusão

O reconhecimento do papel do Estado no desenvolvimento "sustentável" do país parece se articular com o protagonismo, não isolado, de uma coalizão empresarial no campo social, por meio do fortalecimento de "parcerias", porém num contexto de falência da política neoliberal e do poder irrestrito das instituições financeiras a partir de uma profunda crise internacional. Se no governo de Fernando Henrique Cardoso parece ter ocorrido uma espécie de transferência e terceirização da resolução dos problemas sociais para o setor privado, ocultado no "terceiro setor" e confundido ideologicamente com a própria sociedade civil, no governo de Lula da Silva a questão social passa a ser um enfrentamento conjunto com o

Estado, que ressignifica as "parcerias" privadas da gestão anterior e desarticula os movimentos sociais, anulando qualquer enfrentamento classista no campo da desigualdade social. Nos governos petistas, a questão social converte-se em "gestão técnica" e "eficiência" do mercado.

A acirrada competitividade e concorrência empresarial no contexto pós-fordista, de cariz neoliberal e em nível mundial, leva as empresas a adotar estratégias gerenciais maximizadoras de ganhos de produtividade a partir da racionalização de processos produtivos, como a adesão à flexibilização e a incorporação de uma combinação de mecanismos modernos e pretéritos de intensificação do trabalho. Contudo, a estratégia do capital não se restringe ao plano econômico e intrafirma. No plano ideológico do investimento social, a "responsabilidade social" é adotada enquanto arranjo para o reestabelecimento da hegemonia do capital, em um discurso de promoção de cidadania, o que requer um novo arranjo do papel do Estado na questão social.

Assim, os ideólogos neoliberais procuram afirmar a intervenção social empresarial como "algo pretensamente situado para além do Estado e do mercado, ou seja, num 'terceiro setor' que se caracterizaria pelo voluntariado, pela filantropia e, sobretudo, pela redução das demandas sociais ao nível corporativo dos interesses particulares" (Coutinho, 2005, p. 12). Essa "nova cidadania", promovida pelo capital "socialmente responsável", circunscreve-se aos interesses corporativos, sem ultrapassar os interesses da "pequena política", isto é, deixando intocável a estrutura de exploração da ordem sociometabólica do capital. As corporações orgânicas do capital sabem que a burguesia é a classe dominante, mas, antes disso, objetiva-se que seja a classe dirigente, educadora do consenso. É nesse aspecto que se fortalece a responsabilidade social das empresas.

Diante do ideário da acumulação flexível e do questionamento das forças sociais ligadas ao trabalho pós-crise fordista dos anos 1960-1970 (e ao desmonte do Leste Europeu pós-1991 e dos Estados operários burocratizados), o capital parece se reestruturar, tanto em termos produtivos como no plano da reengenharia empresarial, no intuito de se apresentar, no plano fenomênico, como provedor de direitos sociais e com negócios "socialmente responsáveis". Entendemos, assim, a RSE no contexto de novas formas de acumulação de riqueza e como maneira eficaz de conseguir retorno financeiro a curto prazo (certificações de qualidade de "empresa cidadã" e capital reputacional junto ao mercado consumidor)[25], crédito governamental e isenção fiscal (no caso brasileiro, podemos mencionar o crédito do BNDES concedido a empresas "socialmente responsáveis")[26], bem como um

---

[25] Segundo organizações empresariais do "terceiro setor", as empresas que investem em RSE "ganham os corações, mentes e bolsos dos consumidores" (Akatu e Ethos, 2010).

[26] A RSE tem sido ponto de preocupação do BNDES, principal órgão de financiamento público do Brasil. De 2007 a 2011, houve um crescimento, sem oscilações, no valor de operações com subcrédito social liberados pelo BNDES às empresas (de R$ 12 bilhões para R$ 62 bilhões).

engajamento manipulatório no que se refere à intervenção social – todo projeto hegemônico deve produzir consenso.

De acordo com o próprio BNDES, que financia projetos sociais a partir da linha de Investimento Social das Empresas (ISE), objetiva-se "financiar investimentos destinados à implantação, consolidação e expansão de projetos sociais realizados por empresas e que sejam voltados para a articulação e o fortalecimento de políticas públicas desenvolvidas nos diferentes níveis federativos"[27]. Parece haver uma preocupação da política social do banco com a corresponsabilidade das empresas. É curioso notar o alinhamento do discurso e do entendimento do banco com aquele produzido pelas corporações orgânicas do capital que procuramos pesquisar. Como destaca Luciano Coutinho, presidente do BNDES:

> É importante a iniciativa recente de financiar as fundações das empresas, usando o fundo social do Banco – uma fração pequena do lucro do BNDES que gera recursos não reembolsáveis para adicionalidades [...]. Os recursos não reembolsáveis são hoje dirigidos para três grandes parcerias [...]. Essas três grandes parcerias incluem organizações não governamentais, estados e municípios e a terceira grande parceria, que é mais recente, mas tem mostrado resultados expressivos: com empresas que têm fundações de investimento social.[28]

Com a expansão desse modelo, surgem as corporações orgânicas aglutinadoras do empresariado no que se refere ao investimento social corporativo. Emergem com o intuito de reforçar a imagem da "empresa cidadã", organizando-a e dirigindo-a no campo da intervenção e investimento social corporativo, e recuperar seu ciclo reprodutivo, fortalecendo o projeto de dominação societal burguesa. Se no âmbito produtivo a empresa moderna, enxuta e flexível opera por meio do complexo de reestruturação produtiva, no plano ideológico a RSE cumpre a função, estratégica para o capital, de educar para o consenso (Lúcia Maria Neves, 2005). Na era da subjetividade manipulada do arranjo social pós-fordista, assim como os trabalhadores seriam parceiros e colaboradores da empresa, estas se apresentam como corresponsáveis na "solução" dos problemas sociais e ambientais, são organizações sustentáveis. Se, por um lado, os trabalhadores devem ser aliados, parceiros e colaboradores das organizações, por meio da supérflua prática do trabalho em equipe e da manipulação da subjetividade (Heloani e Piolli, 2005) por envolvimento cooptado, por outro lado, a empresa se apresenta como aliada da sociedade sustentável e parceira do Estado. Diferentemente do fordismo, a flexibilidade empresarial requer um processo de externalização, desconcentração e desaglomeração das grandes unidades produtivas, a fim de reduzir custos excedentes,

---

[27] Investimentos Sociais de Empresas (<www.bndes.gov.br>). Acesso em: jan. 2012.

[28] IV Encontro de Líderes: A Agenda de Desenvolvimento Sustentável para o País. Evento realizado pela Comunitas em 30 de setembro de 2011.

e investimento em um modelo de preocupação com ações socialmente responsáveis junto às comunidades e ao público consumidor.

A RSE serve, ainda, para camuflar os processos de dominação do capital sobre o trabalho, requerendo um Estado "enxuto", mas indutor de possibilidades materiais para a agenda social do empresariado (políticas orientadas para o ideário neoliberal). Assim, a pesquisa revelou que é a partir do modelo de Estado gerencial implementado por Fernando Henrique Cardoso (Programa Comunidade Solidária) que o campo da RSE emerge para além da lógica da filantropia, encontrando no governo Lula, um ponto estratégico de apoio[29].

Nessa nova estrutura e gestão da riqueza capitalista na operação de mercados financeiros, a contrapartida do atendimento das necessidades vorazes de reprodução do capital e de investidores e acionistas começa a se delinear de uma maneira clara: privatizações, desregulamentação financeira (liberalização das economias nacionais), internacionalização do capital, ajustes fiscais, flexibilização e precarização do trabalho em escala global. Tudo sob a responsabilidade da "empresa cidadã". Os ventos da RSE parecem, de fato, soprar mais forte do que imaginamos.

[29] Cabe indicar, novamente, que o recorte temporal da pesquisa empírica vai até 2010. O objeto de pesquisa circunscreveu-se a duas influentes associações empresariais do "terceiro setor", representativas da responsabilidade social, o Gife e a organização social Comunitas. Nota-se uma nítida expansão e consolidação do investimento em RSE no período correspondente ao governo de Lula da Silva.

# 18

# O jovem trabalhador no Brasil e a formação para o trabalho precário[1]

*Cílson César Fagiani*
*Fabiane Santana Previtali*

## Introdução

A era da acumulação flexível (Harvey, 1992 e 2011) acarretou profundas modificações no mundo do trabalho, entre as quais um enorme desemprego estrutural e um crescente contingente de trabalhadores em condições de precarização e superexploração, dado que a lógica da sociedade capitalista é voltada para a produção de mercadorias e para a valorização do capital (Antunes, 2013c; Milkman e Luce, 2013; Carter et al., 2014). Essas transformações estão associadas a um processo de reestruturação das formas de organização e controle do trabalho ao longo das cadeias produtivas mediante a introdução das tecnologias informacionais, fator fundamental em um contexto de alta competitividade e exigência de produtividade, e de práticas gerenciais que se assentam na cooperação, no envolvimento e na parceria do trabalhador (Catani et al., 2001; Previtali, 2009).

A educação não é alheia a essas transformações, e as reformas educacionais, fundamentadas nos relatórios e diagnósticos do Banco Mundial, do Banco Interamericano de Desenvolvimento (BID), do Fundo Monetário Internacional (FMI) e da Organização para a Cooperação e o Desenvolvimento Econômico (OCDE), assentam-se em um discurso que vincula a necessidade de adequação dos países às transformações ocorridas nos setores produtivos e de serviços, especialmente em função da introdução das novas tecnologias informacionais. A educação é posta em evidência como condição para o crescimento econômico, inclusão e mobili-

[1] Esta pesquisa é parte da tese de doutorado de Cílson César Fagiani, intitulada *Educação e trabalho: formação do jovem trabalhador no Brasil e em Portugal a partir da década de 1990*, realizada sob orientação do prof. dr. Robson Luiz de França e defendida em 2016 na Faculdade de Educação, Programa de Pós-Graduação em Educação da Universidade Federal de Uberlândia, com apoio da Fundação de Amparo à Pesquisa do Estado de Minas Gerais e Coordenação de Aperfeiçoamento de Pessoal de Nível Superior (doutorado "sanduíche").

dade social, responsável por possibilitar o ingresso, sobretudo dos países periféricos, na economia globalizada.

No Brasil, país periférico e subordinado no âmbito da divisão internacional do trabalho, as reformas educacionais adotadas a partir da década de 1990 explicitam seu alinhamento às políticas neoliberais induzidas pelos países economicamente centrais (Frigotto, 2012; Rummert, Algebaile e Ventura, 2013). Destacamos que a década de 1990 foi a que apresentou o maior volume de dinheiro nas relações de empréstimos e cooperação técnica na área da educação entre o Brasil e o BID desde a fundação deste último, em 1959, conforme a Figura 1.

**Figura 1. Volume de dinheiro envolvido em empréstimos e cooperação técnica do BID para o Brasil: décadas de 1960 a 2010**

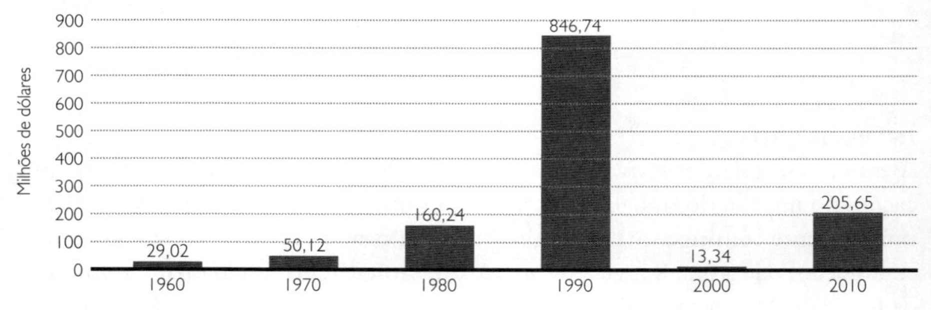


Fonte: Fagiani (2016).

As políticas e reformas educacionais implementadas na educação básica no Brasil privilegiam uma formação educacional voltada para atender as necessidades do mercado de trabalho (flexibilidade, adaptabilidade e empregabilidade) e obstaculizam propostas de uma educação crítica, que possibilite a formação de um sujeito social conhecedor de si mesmo e das relações socioculturais que o cercam. Vale dizer que educar não é mera transferência de conhecimentos, mas conscientização e testemunho de vida, e os processos educacionais e sociais de reprodução societal estão intimamente ligados (Mészáros, 2005).

A introdução do neoliberalismo no país teve início durante o governo Collor de Mello. No entanto, foi no governo de Fernando Henrique Cardoso (1994-2002) que as políticas neoliberais assumiram um caráter mais sistêmico. Destaca-se a criação, no primeiro governo de Fernando Henrique Cardoso, do Ministério da Administração Federal e Reforma do Estado (Mare)[2], com Luiz Carlos Bresser-Pereira como ministro. O objetivo era reestruturar a gestão pública segundo os

[2] A Reforma da Gestão Pública ou Reforma Gerencial do Estado teve início em 1995 e foi executada em nível federal no Ministério da Administração Federal e Reforma do Estado (Mare). Em 1998, o Mare foi extinto e a gestão passou para o Ministério do Planejamento e Gestão, ao mesmo tempo que estados e municípios passavam a fazer suas próprias reformas.

moldes da iniciativa privada, atrelando suporte econômico às recomendações de maior rigor fiscal, avaliações quantificadas de desempenho e ênfase no controle dos resultados. O Brasil adotava os ingredientes da chamada Nova Gestão do Estado (Hood, 1995), ou Estado Gestor, fundados na ideologia neoliberal (Fagiani, 2016; Previtali e Fagiani, 2015).

Destaca-se nesse período uma série de acontecimentos de relevante importância para a educação brasileira: a promulgação da Lei de Diretrizes e Bases da Educação Nacional (LDB) em 1996; a extensão do ensino fundamental obrigatório, com duração de nove anos, gratuito na escola pública e com início aos seis anos de idade; a implantação do Plano Nacional de Educação (PNE) em 2001; a Reforma da Educação Profissional e o Plano Nacional de Qualificação do Trabalhador (Planfor).

Após 2002, quando assume o governo o Partido dos Trabalhadores (PT), com Luiz Inácio Lula da Silva e posteriormente Dilma Rousseff, embora o alinhamento às políticas neoliberais tenha sido mantido, houve a implantação de políticas sociais amplamente estendidas com a inclusão dos estratos mais precarizados da classe trabalhadora (Pochmann, 2012). Nesse período, foi implementado o Programa Nacional de Acesso ao Ensino Técnico e Emprego (Pronatec), o Sistema de Seleção Unificada da Educação Profissional e Tecnológica (Sisutec) e programas e projetos educacionais de inclusão de pessoas com necessidades especiais, entre outras ações.

As reformas educacionais iniciadas no Brasil nos anos 1990 buscaram a adequação dos sistemas de ensino às demandas da reestruturação produtiva, que exige formação para o trabalho. Nesse contexto, a nova educação tem buscado a construção de um novo sujeito social, um novo tipo de trabalhador, que deverá ser multifuncional, polivalente, flexível e capaz de agir diante das diversas situações no âmbito do trabalho. Aqueles que não estiverem preparados estarão sujeitos a ocupações mais precarizadas, com baixos índices de remuneração, piores condições de emprego e pouca ou nenhuma influência sobre os processos decisórios no trabalho. São os terceirizados e subcontratados em condições de superexploração do trabalho, a qual combina, "de modo intensificado, a extração absoluta e relativa do trabalho excedente, oferecendo os mais altos níveis de mais-valia para o capital" (Antunes, 2011a, p. 22). Essa é a realidade para uma parcela significativa dos jovens da classe trabalhadora brasileira, que frequenta a escola básica pública e é direcionada, durante o ensino médio, para os cursos profissionalizantes.

Tendo em vista essas considerações, discute-se, a partir de dados do Instituto Nacional de Estudos e Pesquisas Educacionais (Inep), a distribuição e a evolução das matrículas dos estudantes nas diferentes modalidades de ensino, público e privado, e procura-se mostrar o que está por trás das políticas públicas educacionais no contexto de desenvolvimento neoliberal no período de 1990 a 2014. As análises da distribuição desigual das populações que frequentam as diferentes modalidades de ensino, de origens administrativas também distintas (públicas ou privadas) e de cursos superiores demonstram a manutenção e reprodução da desigualdade social e econômica por meio do direcionamento do jovem para cursos profissionalizantes e, consequentemente, para formas de ocupação mais precarizadas no mercado de trabalho. Nesse contexto, as políticas educacionais mantêm e aprofundam, sob novas bases, uma educação escolar dual para a manutenção da estrutura social classista profundamente desigual no país.

## A educação escolar no Brasil

A Emenda Constitucional n. 59, de 2009, e a Lei n. 12.796, de 4 de abril de 2013, alteram o texto da LDB e determinam a obrigatoriedade da frequência escolar dos quatro aos dezessete anos de idade, ou seja, por um período de treze anos – tempo suficiente para formar o trabalhador de forma cidadã ou alienada, dependendo da materialidade na qual o sujeito está inserido. De acordo com dados do Inep (2014), a população estudantil brasileira da educação básica, desde a pré-escola até o ensino médio, e da educação profissional técnica de nível médio foi de 43.588.749 estudantes em 2014, sendo uma expressiva maioria matriculada na escola pública (Figura 2).

**Figura 2. Estudantes matriculados nas escolas públicas e privadas do Brasil no período de 1995 a 2014**

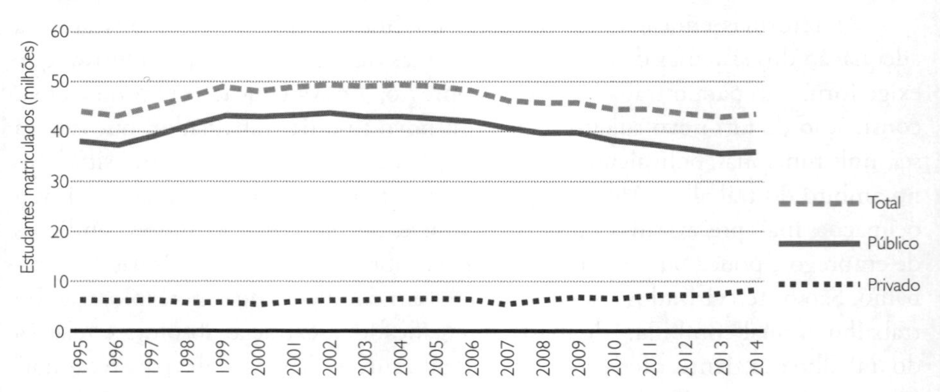


Fonte: Fagiani (2016).

Em 2014, a porcentagem de estudantes das escolas públicas foi de 82% e a de estudantes das escolas privadas foi de 18%. A Figura 3 mostra a evolução da composição percentual do número de estudantes matriculados na escola pública e na privada. Após uma queda da porcentagem de estudantes da escola privada até o ano 2000, quando representou 11% do total, ocorre um aumento até os anos atuais, chegando a 18% em 2014, um aumento de mais de 50%. Já no ensino público observa-se uma oscilação na composição porcentual até o ano letivo de 2007, quando representou 88% do total, seguida de uma queda até o ano letivo de 2014, com 82%.

**Figura 3. Porcentagem dos estudantes matriculados nas escolas públicas e privadas do Brasil no período de 1995 a 2014**

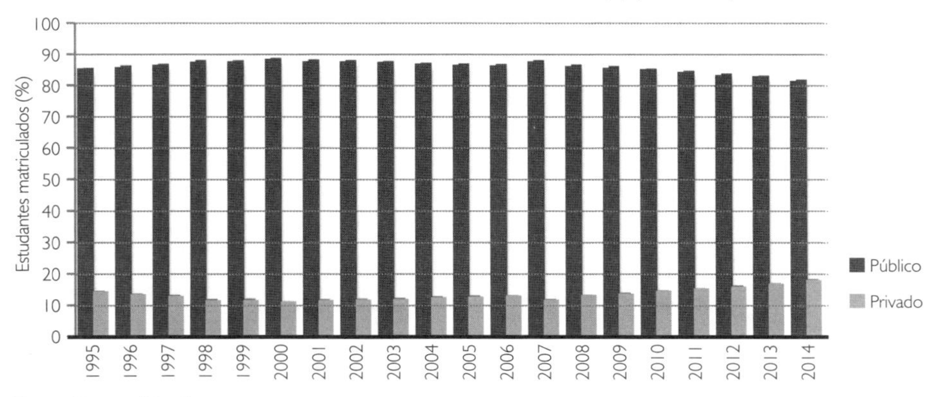


Fonte: Fagiani (2016).

Seguindo a mesma metodologia de análise, os dados da pré-escola, do ensino fundamental e do ensino médio da educação básica mostram uma evolução do número de estudantes matriculados semelhante à que revelam os dados referentes ao total de estudantes do Brasil e aos estudantes apenas do ensino público. Ou seja, houve uma grande diminuição do número de estudantes do ensino fundamental a partir do ano letivo de 1999, um aumento do número de estudantes do ensino médio até o ano letivo de 2004, com pequena queda logo em seguida, e uma pequena oscilação do número de estudantes da pré-escola (Figuras 4 e 5).

**Figura 4. Estudantes matriculados na pré-escola, no ensino fundamental e no ensino médio nas escolas públicas e privadas do Brasil no período de 1995 a 2014**

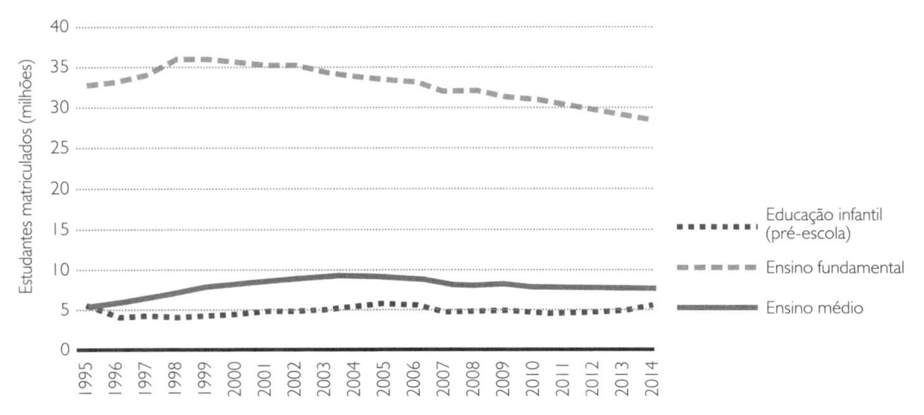


Fonte: Fagiani (2016).

**Figura 5. Estudantes matriculados na pré-escola, no ensino fundamental e no ensino médio nas escolas públicas do Brasil no período de 1995 a 2014**

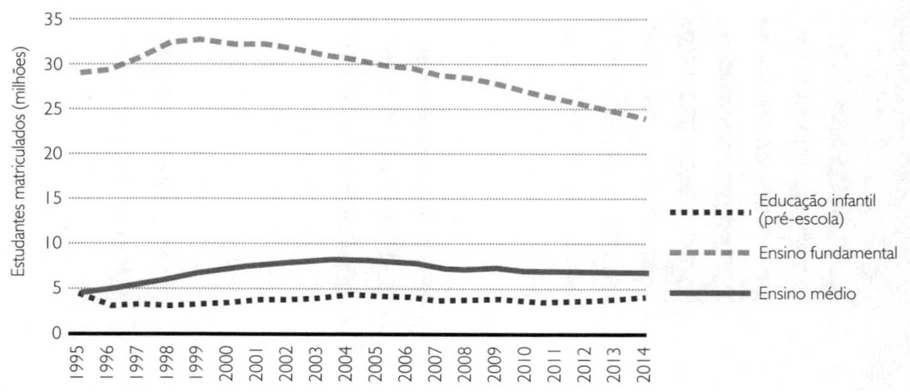


Fonte: Fagiani (2016).

Na comparação com a evolução do número de estudantes matriculados na escola privada nas mesmas modalidades de educação e nível de ensino, encontra--se comportamento diferente quanto ao número de estudantes do ensino fundamental. Esse número, ao contrário do que ocorre nas escolas públicas, apresenta queda até o ano letivo de 2000 e depois grande elevação. No ensino médio o número de estudantes apresenta pequena queda até o ano letivo de 2007 e pequena elevação até o ano letivo de 2014 (Figura 6).

**Figura 6. Estudantes matriculados na pré-escola, no ensino fundamental e no ensino médio nas escolas privadas do Brasil no período de 1995 a 2014**

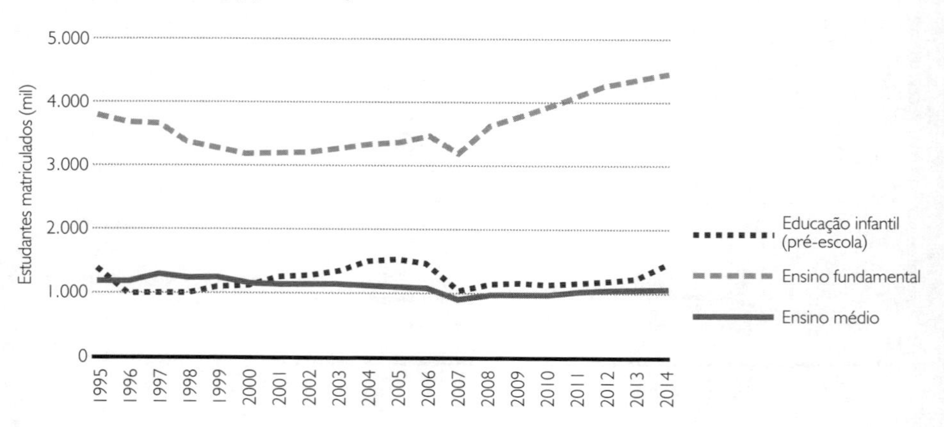


Fonte: Fagiani (2016).

Todas as evoluções analisadas em relação ao número de estudantes matriculados na educação infantil, no ensino fundamental e no ensino médio nas escolas públicas e privadas têm por base a região geográfica brasileira total. O Brasil, dada sua dimensão continental, poderia apresentar resultados diferentes quando analisadas suas cinco grandes regiões (Norte, Nordeste, Sudeste, Sul e Centro-Oeste). No entanto, conforme Fagiani (2016), o que se observa é um padrão de evolução regional que acompanha o padrão de evolução nacional, com maiores acentuações nas curvas das regiões Nordeste e Sudeste.

A redução de matrículas no ensino fundamental nas escolas públicas pode ser explicada pelos seguintes fatores: a) ajustamento natural ao tamanho da população, ou seja, com a diminuição da população nessa faixa etária, ocorre também a diminuição do número de matrículas; b) fluxo escolar que reduz o número de estudantes com idade superior à adequada para essa etapa; c) abandono escolar; e d) aumento do número de matrículas nas escolas privadas.

## Educação profissional

Ao longo da história da educação brasileira, a modalidade profissionalizante de nível médio tem sido alvo das mais diferentes políticas e se caracterizado muito mais por um modelo de treinamento do que por uma educação técnica de caráter mais abrangente. Ela se apresenta na forma de curta duração e promete, sobretudo, colocação no mercado de trabalho. É propagada pela mídia como sendo mais atraente, com ênfase na aprendizagem prática e na preparação dos estudantes para a empregabilidade e o sucesso no mercado de trabalho. Ela desvaloriza o ensino propedêutico, teórico, de utilização indireta, voltado para o preparo dos estudantes para cursos de nível superior.

A Reforma da Educação Profissional (REP) implementada durante a década de 1990 assentava-se em um discurso que enfatizava a necessidade urgente de adequação dos diferentes países às transformações ocorridas nos setores produtivos e de serviços, tendo em vista o desenvolvimento de novas formas de organização do trabalho e a introdução de tecnologias modernas que se baseiam principalmente no desenvolvimento da microeletrônica. A grande inspiração para a elaboração da REP foram os documentos do Banco Mundial, da OIT e dos setores produtivos mundiais (Lima Filho, 2003).

Nessa perspectiva, o ensino profissional é considerado de modo utilitarista, os conhecimentos, as habilidades e as atitudes a serem desenvolvidos devem ser definidos por sua utilidade para o desenvolvimento das capacidades de trabalho requeridas pelo mercado. Para Inayá Sampaio e França (2009) e Robson França (2011), as reformas educacionais nos anos 1990 deixam evidente a ênfase no preparo de força de trabalho adequada para atender as necessidades do mercado, acompanhando o momento e o desenvolvimento econômico do país. Nesse contexto, segundo os autores, a educação profissional se apresenta como um mecanismo de exclusão, considerando-se sua origem e sua trajetória, que no Brasil é marcada por duas características: a) sempre foi uma educação destinada aos subalternos da sociedade, ou seja, à classe trabalhadora; b) ter-se constituído, historicamente, em paralelo com o sistema regular de ensino.

As políticas públicas para o ensino profissional a partir dos anos 2000 têm-se caracterizado pelo aspecto irregular, fragmentário e compensatório, praticamente se restringindo a sugestões e oferta de materiais didáticos a quem se interessar em desenvolvê-las. Sampaio e França (2009) destacam que, apesar de o Estado financiar, "de forma eventual, alguns projetos com recursos do Fundo Nacional de Desenvolvimento (FNDE), nas áreas de capacitação de recursos humanos, aquisição de material escolar e reprodução de material didático", essas ações são "ineficientes e inadequadas, tendo em vista a amplitude da carência educacional da população jovem e adulta do país, sinalizando, pois, a inexistência de uma política eficaz para o enfrentamento da questão". Nesse contexto, o ensino profissional orienta-se pelo conceito de empregabilidade (Frigotto, 2007; Rummert, Algebaile e Ventura, 2013). Como consequência, tem havido um processo de individualização da formação do trabalhador pelo qual se indica que cada um é responsável por buscar suas competências, que serão alcançadas, segundo o discurso governamental, com o desenvolvimento das habilidades básicas, específicas e de gestão.

A criação do Planfor e do Programa de Expansão da Educação Profissional (Proep) exemplifica um processo que vem se consolidando no país, desde o início dos anos 1990, isto é, o atrelamento às proposições econômicas e políticas dos organismos internacionais, pelas quais o problema da educação é tratado de forma minimalista, numa perspectiva pragmática e de alívio à pobreza.

O Planfor foi publicado em 1995 e lançou algumas bases para o Brasil conseguir estabilidade econômica, de forma que retomasse o desenvolvimento, a democracia e a equidade social. A sigla surgiu em 1996, com o desafio de integrar a educação profissional à política social, incluindo financiamento do Fundo de Amparo ao Trabalhador (FAT), sob responsabilidade administrativa dos sindicatos. O Planfor representa uma nova forma de o Estado atuar no campo da qualificação e do treinamento, buscando elevar a produtividade do trabalho e incluindo a educação profissional na política pública de trabalho (Frigotto, 2010; Robson França, 2011; Fagiani, 2016). O plano tem o objetivo de oferecer educação profissional com ênfase na demanda do mercado de trabalho, de forma a qualificar ou requalificar a capacidade e a competência existentes nessa área, garantindo a formação de profissionais preparados para atuar de acordo com as mudanças e as inovações tecnológicas.

Segundo Frigotto (2010), as iniciativas de cursos do Planfor são tão diversas que intervenções focalizadas se materializam por uma dispersão sem limites. Os cursos abarcam uma ampla gama de atividades, desde emissão de passagens, "fazer velas ou treinar os desempregados para oferecer serviços de catar piolho, cuidar de cachorros, catar minhocas" (Frigotto, 2010). Para o autor, o Decreto n. 2.208/97, já revogado pelo Decreto n. 5.154/04, que regulamentava as diretrizes nacionais para a educação profissional, representou uma regressão ao dualismo e à exacerbação da fragmentação.

Essa rede de formação técnico-profissional se estruturava em três níveis:

a) O nível básico para a massa de trabalhadores, jovens e adultos, independentemente de escolarização anterior, mas certamente igual ou inferior ao ensino fundamental, que tinha o objetivo de "qualificar, requalificar ou reprofissionalizar". Além disso, era um terreno aberto para quem quisesse disputar os recursos públicos do FAT. Tratava-se de cursos que não estavam sujeitos à regulamentação curricular.
b) O nível técnico, com organização curricular independente e destinado a matriculados ou egressos do ensino médio. Aqui se situava a pressão e a direção na qual se queria encurralar o Sistema de Escolas Técnicas Federais. Tratava-se de "flexibilizar seus currículos", adaptando-os às "competências" demandadas pelo mercado. Implementar um currículo modular, fundado na perspectiva das habilidades básicas e específicas de conhecimentos, atitudes e gestão da qualidade, construtoras de competências polivalentes e, supostamente, geradoras da empregabilidade.
c) O nível tecnológico, destinado a egressos do ensino médio e técnico, para a formação de tecnólogos em nível superior em diferentes especialidades.

A Resolução CNE/CEB n. 4/2010, ao definir as diretrizes curriculares gerais para a educação básica, reconhece a educação profissional técnica de nível médio como integrada aos diferentes níveis e modalidades de educação e articulada com o ensino regular. No ensino médio, a Resolução CNE/CEB n. 2/2012, que define as diretrizes curriculares nacionais para essa modalidade, autoriza a integração com a educação profissional e tecnológica, prevendo atendida a formação geral, inclusive a formação básica para o trabalho, com o aumento de 800 horas nas já previstas 2.400 horas do curso, estando assim a educação profissional técnica de nível médio integrada à educação básica. Destaca-se que a concepção de trabalho presente nessa resolução é a da perspectiva ontológica, isto é, como elemento inerente ao ser humano e através do qual ele produz sua própria existência em sua relação com a natureza.

A partir de dados do Censo Escolar da Educação Básica divulgados pelo Inep, pode-se constatar um significativo aumento no número de matrículas na educação profissional técnica de nível médio na década de 2000, apresentando alternância quanto a sua composição porcentual entre as escolas públicas e privadas (Figura 7).

**Figura 7. Número de matrículas na educação profissional técnica de nível médio nas escolas públicas e privadas no Brasil no período de 1999 a 2014**

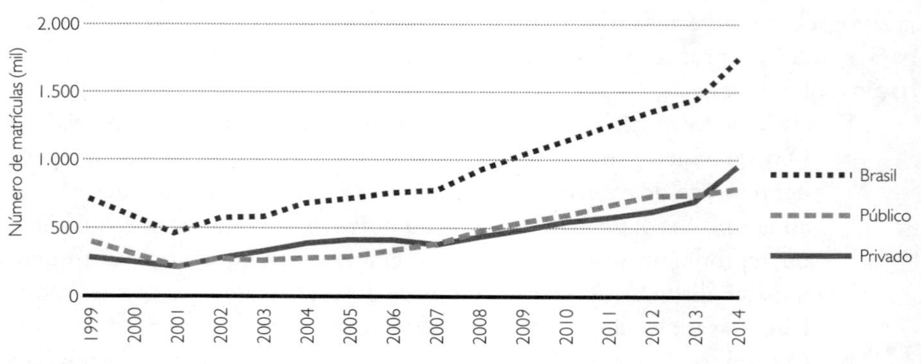


Fonte: Fagiani (2016).

Na Figura 8, pode-se observar que, enquanto o número de estudantes do ensino médio diminuiu a partir do ano letivo de 2004, o número de estudantes no ensino médio técnico aumentou desde o ano letivo de 2001. Embora o número de estudantes na educação profissional do ensino médio técnico seja menor, observa-se que, desde o ano letivo de 2001, *ocorreu uma elevação de 277% no número de matrículas, passando de 462.258 para 1.741.528.*

**Figura 8. Estudantes matriculados no ensino médio e no ensino médio técnico no Brasil no período de 1995 a 2014**

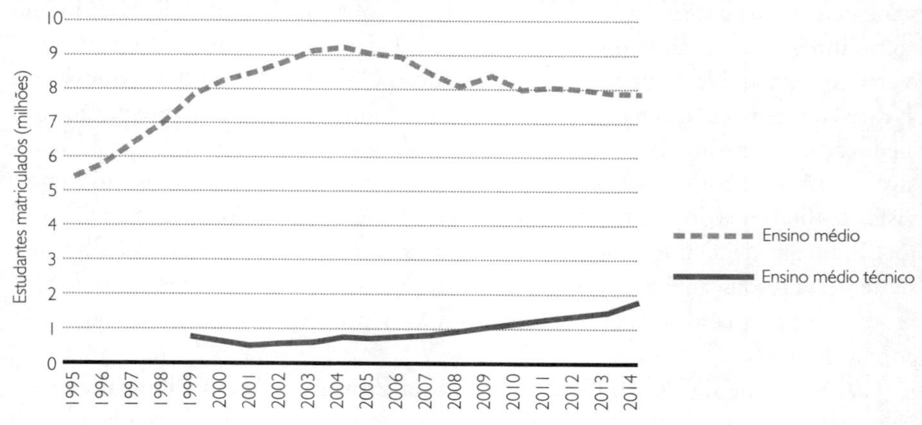


Fonte: Fagiani (2016).

Destaca-se que todas as modalidades da educação básica, desde a educação infantil até e o ensino médio, têm, de acordo com a Lei n. 9.394 de 1996, a finalidade de desenvolvimento integral dos estudantes em seus aspectos físicos, psicológicos, intelectual e social, com formação básica do cidadão mediante a compreensão do ambiente social, do sistema político, dos valores em que se fundamenta a sociedade e o aprimoramento como pessoa humana, incluindo a formação ética e o desenvolvimento da autonomia intelectual e do pensamento crítico.

No entanto, as políticas educacionais direcionam os estudantes para o ensino médio técnico. Os elementos utilizados para justificar esse direcionamento são a falta de atratividade do ensino propedêutico, a atratividade do ensino prático, a empregabilidade do jovem trabalhador, maior qualificação da força de trabalho jovem, resposta da qualificação à demanda do mercado de trabalho e competitividade internacional. Esse discurso é amplamente disseminado, induzindo os estudantes e suas famílias, especialmente os de mais baixa renda, pertencentes aos estratos mais precarizados da classe trabalhadora, a optar pela educação profissional em cursos técnicos de nível médio, com formação específica para o mercado de trabalho, em detrimento da formação omnilateral especificada em lei.

Em 2013, foi criado o Sisutec, a mais nova forma de seleção para o ensino profissionalizante do Pronatec. Este último foi criado em 2011 com o objetivo de ampliar a oferta de cursos de educação profissional e tecnológica no Brasil. Segundo Aloizio Mercadante, então ministro da Educação, o objetivo era proporcionar opções para os candidatos que não tivessem conseguido entrar no ensino superior e quisessem continuar os estudos[3].

De acordo com o edital do Sisutec (*Diário Oficial da União*, 2013, p. 61), 85% das vagas das instituições da rede federal são destinadas aos candidatos que cursaram integralmente o ensino médio público, ou cursaram o ensino médio em instituição privada como bolsista integral, e 50% das vagas são reservadas aos estudantes oriundos de famílias com renda igual ou inferior a um salário mínimo e meio per capita e que tenham cursado o ensino médio completo em escolas públicas, ou em instituições privadas na condição de bolsista integral.

Completando as modalidades de concorrência, haverá ainda a reserva de vagas para a) os autodeclarados *pretos*, pardos e indígenas que se conciliem com as mesmas condições familiares e de estudo descritas anteriormente, b) os autodeclarados *pretos*, pardos e indígenas que se conciliem com as condições de estudo descritas anteriormente, e finalmente c) a ampla concorrência. Ainda de acordo com o edital, a seleção se destina também à ocupação de vagas gratuitas em instituições privadas por intermédio da bolsa-formação, cujo pagamento será proveniente do FNDE (Portaria n. 168, 2013).

---

[3] Discurso do ministro da Educação, Aloizio Mercadante, na apresentação do Sisutec, em 5 de agosto de 2013. Disponível em: <http://portal.mec.gov.br/index.php?option=com_content&view=article&id=18947:selecao-unificada-abre-inscricoes-nesta-terca-para-2397-mil-vagas&catid=209&Itemid=86>. Acesso em: 8 ago. 2013.

Na mesma apresentação do ministro Aloizio Mercadante, divulgou-se que as 239.792 vagas autorizadas se apresentam distribuídas, de acordo com a dependência administrativa, da seguinte maneira: 17.931 (7,48%) no Sistema S (Senai e Senac), 24.518 (10,22%) nas instituições públicas (institutos federais, centros federais, escolas técnicas vinculadas às universidades federais e escolas estaduais e municipais) e 197.343 (82,3%) nas instituições privadas (institutos de ensino superior e escolas técnicas). No segundo semestre de 2014, foram 289.341 vagas, sendo 10.457 (3,6%) em instituições públicas, 30.996 (10,7%) no Sistema S e 247.888 (85,7%) em instituições privadas, e para 2015 a previsão era de 12 milhões de vagas (Fagiani, 2016).

Nos números apresentados, verifica-se que uma ampla maioria das vagas é oferecida pelas instituições da iniciativa privada, ocasionando uma imensa transferência de dinheiro público para essas instituições. Merece muita atenção ainda a Meta 11 do Plano Nacional de Educação[4], que prevê triplicar as matrículas, e não a oferta de vagas, da educação profissional técnica de nível médio. Uma de suas estratégias é

> 11.14) estruturar [o] sistema nacional de informação profissional, articulando a oferta de formação das instituições especializadas em educação profissional aos dados do mercado de trabalho e a consultas promovidas em entidades empresariais e de trabalhadores. (Lei n. 13.005/2014)

Quanto à continuidade dos estudos no ensino superior, e embora a legislação preveja no planejamento curricular a possibilidade dessa continuidade para os estudantes provenientes da educação profissional técnica de nível médio, observa-se pelos dados do Exame Nacional de Desempenho de Estudantes (Enade) dos anos 2009, 2010 e 2011, mais especificamente pelas respostas à Questão 18 do questionário socioeconômico, que a porcentagem de estudantes da educação superior provenientes da educação profissional é bem baixa e que uma significativa maioria deles provém do ensino médio tradicional (Quadro 1).

---

[4] O Plano Nacional de Educação foi aprovado pela Lei n. 13.005, de 25 de junho de 2014, com vigência de dez anos (2014-2024) e claras diretrizes que apontam para a erradicação do analfabetismo, a universalização do atendimento escolar, a superação das desigualdades educacionais, a melhoria da qualidade da educação, a formação para o trabalho, a gestão democrática da educação pública, a promoção humanística, científica, cultural e tecnológica do país, o estabelecimento de meta de aplicação de recursos públicos em educação proporcionais ao Produto Interno Bruto (PIB), a valorização dos profissionais da educação e a promoção dos princípios de respeito aos direitos humanos, à diversidade e à sustentabilidade socioambiental. Tem o grande objetivo de articular os sistemas de ensino dos municípios, distritos e estados em um único sistema nacional de ensino. Para isso, estipulou vinte metas a serem trabalhadas e avaliadas dentro do prazo de vigência do plano.

**Quadro 1. Número de estudantes da educação superior segundo o tipo de ensino médio cursado**

| Tipo de ensino médio | Ano | | |
|---|---|---|---|
| | 2009 | 2010 | 2011 |
| Ensino médio tradicional | 448.841 (40,6%) | 233.961 (36,0%) | 216.575 (57,6%) |
| Profissionalizante técnico | 69.848 (6,3%) | 24.940 (3,8%) | 34.209 (9,1%) |
| Profissionalizante magistério | 18.411 (1,7%) | 9.911 (1,5%) | 39.713 (10,6%) |
| Educação de jovens e adultos / supletivo | 31.186 (2,8%) | 13.720 (2,1%) | 15.376 (4,1%) |
| Outros | 5.684 (0,5%) | 2.619 (0,4%) | 3.324 (0,9%) |
| Respostas em branco | 526.649 (47,7%) | 363.392 (55,9%) | 65.705 (17,5%) |

Fonte: Elaborado a partir dos microdados do Enade de 2009, 2010 e 2011 (Inep, 2009, 2010 e 2011).

Em questão semelhante do questionário socioeconômico dos vestibulares da Universidade Estadual de Campinas (Unicamp) no período de 1995 a 2014, observam-se, na Figura 9, porcentagens de estudantes provenientes do ensino técnico de nível médio um pouco maiores do que as porcentagens anteriores, mas ainda bem menores que as do ensino tradicional e em queda com o passar dos anos (Unicamp, 2014).

**Figura 9. Porcentagem de estudantes matriculados na educação superior da Universidade Estadual de Campinas (Unicamp) segundo o tipo de ensino médio no período de 1995 a 2014**

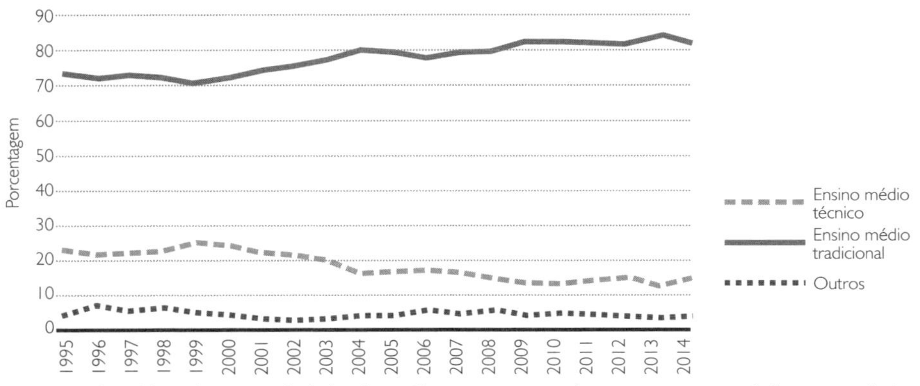


Fonte: Gráfico elaborado a partir de dados do perfil socioeconômico dos inscritos e matriculados nos vestibulares da Universidade Estadual de Campinas (Unicamp) de 1995 a 2014.

Entre os estudantes ingressantes na Universidade Estadual Paulista Júlio de Mesquita Filho (Unesp) no período de 2002 a 2012, observam-se, na Figura 10, porcentagens de estudantes provenientes do ensino técnico de nível médio ainda menores do que as da Unicamp e também em queda com o passar dos anos (Unesp, 2012).

**Figura 10. Porcentagem de estudantes ingressantes na Universidade Estadual Paulista Júlio de Mesquita Filho (Unesp) segundo o tipo de ensino médio no período de 2002 a 2012**

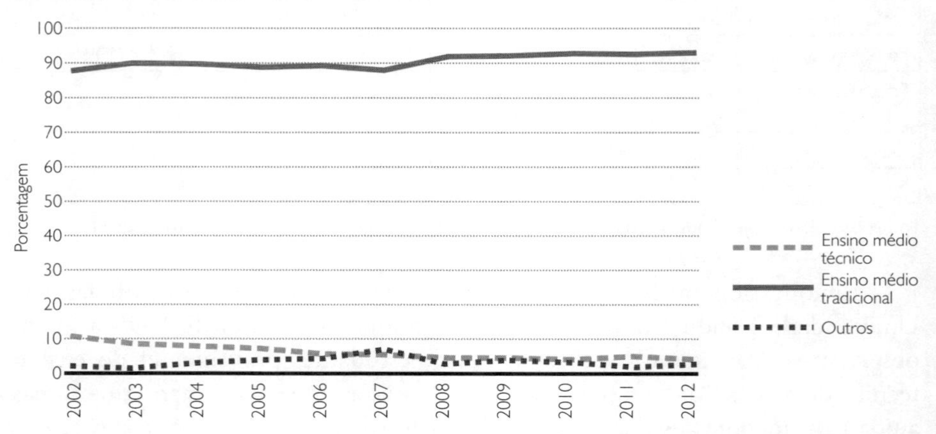


Fonte: Gráfico elaborado a partir de dados do perfil socioeconômico dos ingressantes segundo o Anuário Estatístico da Unesp no período de 2002 a 2012.

Destaca-se que a lei brasileira permite que os estudantes da educação profissional técnica de nível médio continuem os estudos na educação superior. Porém, concretamente, os jovens trabalhadores da educação profissional não dão continuidade aos seus estudos. Nesse sentido, Saes (2008) argumenta que o sistema educacional público brasileiro é responsável pela reprodução de uma pirâmide educacional que reserva uma trajetória escolar curta à maioria social que frequenta o ensino público e uma trajetória escolar longa à minoria social que frequenta o ensino privado.

## Conclusão

As mudanças na educação básica, especialmente no ensino fundamental e médio, implicam crescentemente aprendizagens técnicas de conteúdo prático, em detrimento de conhecimentos cognitivos superiores. Essa estratégia político-educacional, apresentada pelo discurso dominante como mais atrativa e facilitadora de maior empregabilidade, esconde um real propósito, qual seja: o descompromisso com a formação humanística e crítica do jovem trabalhador para a manutenção de uma estrutura social classista, fundada na superexploração do trabalho.

A intenção é organizar os sistemas de ensino municipal e estadual de forma utilitarista, com o agravante de oferecer ao jovem trabalhador um preparo prematuro, terminal e limitado. Prematuro devido à fase de desenvolvimento em que se encontram os estudantes em seus anos iniciais de estudo; terminal porque, embora se permita a continuidade dos estudos no ensino superior, a base cognitiva essencial para continuá-los é prejudicada; e limitado em razão das próprias características do mercado de trabalho. Este se apresenta dinâmico devido, em grande medida, à difusão de novas tecnologias informacionais, as quais, como já dizia Braverman (1980), expropriam o conhecimento do trabalho vivo, transferindo-o para o trabalho morto.

Nessa perspectiva, as reformas educacionais adotadas a partir da década de 1990 explicitam seu alinhamento aos interesses do capital privado internacional, ou seja, à lógica da acumulação, que se reflete no número de estudantes matriculados nas diferentes formas administrativas e tipos de educação, e privilegiam a iniciativa privada e a formação específica para o trabalho.

O contexto apresentado expõe a utilização de toda a complexa rede do sistema de educação escolar como uma significativa ferramenta estratégica de manutenção e reprodução da ordem burguesa, que estrutura e mantém a distinção entre as classes sociais como meio de controle e imposição de uma hegemonia dominante em uma sociedade profundamente desigual, sem nenhuma intencionalidade de alteração.

# 19
# Produtividade para a hospitalidade: as ocupações em atividades características do turismo como laboratório da precariedade[1]

*Rodrigo Meira Martoni*

## Introdução

Sabe-se que na adjetivação de porções do espaço como "turísticas" está implicada a inserção de seus atributos em uma trama de interações. Estas devem tratar esses espaços e prepará-los como entes a serem comercializados com possibilidades de lazer ou uso do tempo livre. Partindo de referenciais materiais e/ou imateriais e procurando definir suas particularidades, muitos são os sujeitos e instituições que se empenham em enquadrá-los nos mais variados planos, programas e projetos. O objetivo é dotá-los de uma funcionalidade produtiva ou hospitalidade com esse predicado. Nesse processo, descrições são conjugadas com ideias, contemplando o social e o patrimonial na tentativa de elevá-los ao patamar de atrativos consolidados.

Para isso, efetuam-se estudos mais ou menos pormenorizados, mais ou menos recortados e individualizados, cada qual comportando "uma parcela de verdade empírica ou conceitual" (Lefebvre, 1999, p. 14). Mas como são empreendidas tais averiguações? Pode-se dizer que muitas contemplam o espaço em suas formas de manifestação, permanecendo geralmente nessa dimensão de abstração com detalhamentos e dados alicerçados em estatísticas para a operacionalização e gestão; outras convertem ou adaptam o empírico a um sistema mental ideal, o qual passa

---

[1] Este capítulo foi elaborado a partir da tese de doutoramento intitulada *Por uma ontologia do espaço turístico: contribuições para uma consciência do real e do possível*, defendida em dezembro de 2014 pelo Programa de Pós-Graduação em Geografia da Universidade Federal do Paraná, com período de pesquisa "sanduíche" no Instituto de Pesquisa e de Estudos Superiores do Turismo da Universidade de Paris I, Panthéon-Sorbonne (Irest). Um caso concreto apresentado aqui foi publicado de forma introdutória na revista *Cenário*, v. 15, 2012 com o título "Trabalho produtivo no turismo e as aventuras laborativas do cortês trabalhador".

a se movimentar de maneira independente do real ao relacionar "a individualidade abstrata (os indivíduos isolados) e a universalidade abstrata (a vigente divisão e fragmentação capitalista do trabalho decretada como regra universal atemporal criada pela própria natureza)" (Mészáros, 2007, p. 42). A fim de ajustar a demanda à oferta ou vice-versa – e, não raras vezes, preocupadas com a "inclusão social" ou o "desenvolvimento com bases locais" –, elas tratam os indivíduos que corporificam e dinamizam o espaço como fatores produtivos, ao mesmo tempo que colocam em suspenso suas vinculações em uma sociedade pautada pelo valor-capital.

Assim, tornou-se corriqueira a projeção das formas pelo e para o turismo, incrementadas por ações públicas e privadas com vistas a concretizar os diferenciais socioespaciais: o centro preservado; o antigo caminho recomposto; os circuitos delimitados (gastronômico, cultural, religioso, paisagístico, artístico, cemiterial); as boas práticas ecológicas; as especificidades socioculturais das comunidades tradicionais; as unidades de conservação; a favela; o conjunto arquitetônico. Esse fato, ou a separação/espetacularização para produção e realização (venda), levou Christin e Bourdeau (2011, p. 8) a caracterizar o turismo como uma espécie de controlador social, "que captura o desejo turístico para fixá-lo em certas práticas, em certos lugares, sob certas condições".

Ora, se averiguações delimitam diferentes escalas de acordo com certas qualificações e buscam regulá-las e harmonizá-las via planificações e/ou por uma "cultura" emancipada da economia política, tal afirmação é procedente. Isso significa que, se "o turismo se vale [...] da realidade a fim de lhe dar uma aparência adequada, conforme os critérios partilhados e julgados aceitáveis em termos de estética, segurança, economia e ambiente [...]" (Christin, 2011, p. 25), é possível falar do espaço assim caracterizado enquanto mais um instrumento para exercer controle sobre a sociedade.

Trata-se, aqui, do espaço como "meio" ou "mediação", conforme explica Lefebvre (2008, p. 44), não somente para garantir a "reprodução dos meios de produção", tal como era corrente entre a Revolução Industrial e o início do século XX. Nesse período do capitalismo concorrencial, a paulatina institucionalização do controle dos afazeres do trabalhador em seu (diminuto) tempo livre, associada, sobretudo, ao "sistema contratual (o contrato de trabalho) [e ao] sistema jurídico (o código civil e o código penal) quase bastavam para assegurar, com a venda da força de trabalho, essa reprodução dos meios de produção" (Lefebvre, 2008, p. 47). Mas, se tal interação social (produção socializada-apropriação privada-salário/pagamento-troca-consumo) é permeada por inovações em termos absolutos e relativos em novas frentes produtivas, Lefebvre evidencia que os mecanismos para a "reprodução das relações de produção" se impõem paralelamente, questão essa que se efetua "através da cotidianidade, através dos lazeres e da cultura".

Sendo "elemento necessário a toda produção e a toda atividade humana" (Marx, 2008, v. VI, p. 1026), o espaço constitui-se, então, como veículo para essa reprodução. Baseando a produção material e a imaterial, às quais o capital se interpõe de forma cada vez mais alargada, enraizada e contraditória (o trabalho útil produtivo como relação dominante que subordina outras atividades – o trabalho útil improdutivo – e institui novas para se expandir), o espaço efetiva-se como mecanismo de preservação das relações sociais vigentes por disjunção e projeção de indícios como se fossem totalidades.

Partindo do princípio de que há uma diversidade de questões somente indicadas nas formas aparentes dos espaços alcançados pelo turismo, o ponto a ser observado e compreendido para se começar a empreender uma ultrapassagem rumo à realidade concreta pensada deles, é justamente aquele concernente às interações e às divisões estabelecidas entre os sujeitos ao levarem a cabo sua produção. Dessa forma, este capítulo aborda o trabalho produtivo no turismo, relatando, por um lado, a produção de serviços receptivos em territórios considerados "modelos" e, por outro, as configurações concretas das ocupações nas chamadas Atividades Características do Turismo (ACTs)[2] no Brasil, bem como alguns de seus desdobramentos socioespaciais.

Ao situar a qualificação e o esmero profissional como questões puramente subjetivas e independentes da sociabilidade permeada pelo movimento do capital, não são poucos os especialistas do campo dos estudos do turismo que deixam de captar as interações laborativas de caráter efetivamente produtivo que medeiam as mais diversas atividades ligadas à hospitalidade. E, diante dessa emancipação das ideias em relação à economia política, eles também entendem que as ações do Estado e suas planificações nada têm a ver com a forma valor dominante (o capital), mas com um tipo de racionalidade que se move por si e, fatalmente, elevará a forma política ao patamar de máxima correspondência com os anseios de todos os indivíduos. Não é por outro motivo que a França é apontada por Trigo (2014) como um dos países "*top ten* da área" e, portanto, como território detentor de um "turismo respeitado". Mas, essencialmente, quais exemplos são concernentes à produção do turismo nesse país?

## Práticas referenciais de qualidade total: laboratório para a precariedade

Trata-se de uma obviedade que a organização territorial que favorece o turismo francês, incluindo sua estrutura receptiva, não pode ser equiparada com a brasi-

[2] Para fins de delimitação, caracterização e estatística, o Instituto de Pesquisa Econômica Aplicada (Ipea) considera quase todas as Atividades Características do Turismo (ACTs) do conjunto definido pela Organização Mundial do Turismo (OMT). As ACTs são atualmente divididas em oito grupos: agências de viagem (incluindo venda e elaboração, ou seja, operadoras); alojamento (hotéis e similares); alimentação (restaurantes, serviços ambulantes); cultura e lazer (atividades de entretenimento, recreação, espetáculos e similares); transporte terrestre (rodoviário de táxi, trens turísticos, entre outros); transporte aéreo (regular, táxi aéreo); transporte aquaviário (marítimo de cabotagem, de longo curso, entre outros); e aluguel de transportes (automóvel sem condutor) (Ipea, 2013, p. 7).

leira, haja vista que a constituição desses países é díspar pelos movimentos sociais e políticos próprios às suas condições históricas, assim como é preciso considerar que diversas decisões e ações definidoras e redefinidoras de nações como o Brasil foram e são tomadas segundo interesses forâneos associados às elites internas e ocultados por uma democracia limitada ao voto, fato que concretiza mais desproporções e disparates socioespaciais. Mas, se há nuances consideráveis, o *fundamento* da organização da produção material e imaterial da vida social é o mesmo, sendo que suas relações e contradições devem ser observadas no campo do turismo.

Inicialmente, deve-se salientar que o levantamento estatístico do Institut National de la Statistique et des Études Économiques de la France (Insee) atribui às atividades turísticas uma graduação concernente à intensidade de um uso mais ou menos voltado para essa finalidade. Por exemplo: os hotéis, as estações de esqui, as agências de viagens e os serviços de recreação seriam inteiramente turísticos; as atividades ligadas à alimentação (restaurantes, bares, cafés) seriam fortemente turísticas; e as esportivas seriam medianamente turísticas. Além disso, a esses equipamentos são associados os atrativos locais, bem como aqueles na área de abrangência das bacias hidrográficas, o que faz com que as regiões mais ou menos turísticas sejam definidas em função do "tipo de espaço", como montanhas, praias, zonas rurais e urbanas, entre outros. A partir dessa diferenciação, é possível estabelecer de forma mais exata o número de empregos formais gerados especificamente pelo turismo.

No Brasil, o Instituto de Pesquisa Econômica Aplicada (Ipea) desenvolve com o mesmo propósito pesquisas relacionadas às ocupações no setor, o Sistema Integrado de Informações sobre o Mercado de Trabalho no Setor de Turismo (SIMT). Trata-se do chamado "coeficiente turístico", uma pesquisa realizada por telefone para a verificação dos atendimentos realizados exclusivamente a turistas em estabelecimentos enquadrados como ACTs[3].

Importa observar que os grupos que mais geram ocupações nesse setor são os de alimentação e alojamento, tanto na França como no Brasil, e, em relação aos empregos informais, "o recenseamento da população é uma fonte que permite avaliar o emprego não assalariado [informal] exclusivamente para as atividades consideradas 100% turísticas" (Insee, 2012). Contudo, como adverte o próprio Insee, as estimativas acerca dessas ocupações não retratam a realidade anual, uma vez que janeiro é período de recenseamento, mas é também o das contratações temporárias nas estações de inverno e da minimização do quadro de pessoal nas regiões litorâneas. Ao apontar a importância do turismo para a economia francesa,

[3] O Ipea adverte que os dados obtidos nessas pesquisas (uma em 2004-2005 e outra em 2010) devem ser relativizados, pois muitos estabelecimentos não tinham clareza sobre a noção de turista (pessoas que viajam para tratamento de saúde, lazer e/ou motivos religiosos). O desconhecimento do total de atendimentos realizados pelos entrevistados exclusivamente a turistas também dificultou a precisão das informações. Os estabelecimentos foram consultados por telefone, a partir do Cadastro de Empresas e Estabelecimentos (CEE) do Ministério do Trabalho e Emprego (MTE).

dando como exemplo o caso do Sul-Pireneus, o Insee (2012, p. 1) assegura que os "empregos no turismo, sejam sazonais ou não, são menos qualificados, mais frequentemente em tempo parcial e menos frequentemente em CDI [contrato de duração indeterminada] do que a média".

Embora as ocupações em grandes centros urbanos sejam menos influenciadas pela sazonalidade, os balneários, os vilarejos situados em regiões montanhosas ou mesmo as pequenas comunidades rurais têm movimento fortemente associado às estações e/ou períodos de férias, fato que contribui para que parte expressiva das vagas disponibilizadas em ACTs sejam caracterizadas pela temporalidade diminuta. No que se refere especificamente aos empregos sazonais, trata-se de uma realidade da qual fazem parte a informalidade e a insegurança, sendo esses alguns dos expedientes utilizados para a minimização de custos como forma de atender às exigências temporais e de lucros para a competitividade, sobretudo em empresas de pequeno porte, as quais têm expressiva participação na dinâmica do turismo francês. Dethyre (2007, p. 74) explica: "Entre os 2 milhões de empregos conhecidos e reconhecidos no setor de turismo, muitos são de caráter sazonal – ao menos 25% – com tendência a aumentar".

O empregado por temporada pode estar amparado por um contrato "sazonal", que é uma espécie de acordo de trabalho por tempo determinado, reconhecido legalmente na França como um tipo de Contrato de Duração Determinada (CDD), muito embora não possua as mesmas particularidades deste último, pois o trabalhador regido por ele não tem o direito, por exemplo, de receber 10% da remuneração bruta ao fim do período, como o trabalhador regido pelo CDD. Por não dar garantias mínimas, esse tipo de vínculo entre patrão e empregado é apontado por movimentos encabeçados pela classe trabalhadora e organizações sindicais como ainda mais precário que o CDD e, se inicialmente ele era comum nos postos de trabalho totalmente ligados ao turismo, sua extensão às ocupações desse setor e a outras atividades correlatas ou não (como museus, postos de combustível, bancos) é vista como uma maneira de minimização de custos com o trabalho vivo, por isso a tendência à sua dilatação. Conforme apontado nas edições de 2010 e 2012 do Forum Social des Saisonniers [Fórum Social dos Empregados Sazonais], realizadas em Aubagne (departamento de Bouches-du-Rhône), o "contrato sazonal no turismo serve de laboratório para a precarização do trabalho, pois o gestor, ao se confrontar com as formas de contratação dirá: 'Enfiamos a faca onde encontramos menos resistência'"[4].

Segundo Dethyre (2007, p. 69), se existem contratações formais, mesmo que temporárias ou em tempo parcial, diversas serão as dificuldades para auferir informações confiáveis quanto ao trabalho no turismo, "particularmente em razão do trabalho informal em hotéis, cafés e restaurantes", questão essa constantemente

[4] Mais informações em: <forumsocialdessaisonniers.fr/>.

salientada pela central sindical francesa, a Confédération Générale du Travail [Confederação Geral do Trabalho] (CGT). O fato é que a informalidade (sazonal ou não) acentua a possibilidade de estender e intensificar os períodos laborais, favorecendo a geração de mais-valor tanto em sua forma absoluta como na relativa. Uma enquete realizada pela Jeunesse Ouvrière Chrétienne [Juventude Operária Cristã] e distribuída no Forum Social des Saisonniers de 2012, mostra que os sujeitos que precisam recorrer a trabalhos dessa natureza por falta de emprego e/ou CDI procuram auferir ganhos para suprir os meses em que não encontram ocupação, fato que, associado às regras para a acumulação seguidas pelos contratantes, também favorece a extensão de horas e dias sem pausas, conforme denuncia Dethyre (2007, p. 74):

> A temporada é curta para o turismo de verão, o que leva os empregadores a tentar realizar o maior volume de negócios durante esse período. As organizações sindicais denunciam, por exemplo, o fato de os "estabelecimentos" litorâneos empregarem jovens mal remunerados executando mais de cem horas de trabalho por semana.

Isso significa de dezesseis a dezessete horas de trabalho por dia, se incluídos os sábados, o que nos faz lembrar as difíceis condições de vida dos trabalhadores na indústria inglesa em meados do século XIX, denunciadas por Marx, Engels, Lafargue e outros. A diferença, no entanto, é que, nesses casos, trabalha-se um pouco mais. A França registrou uma movimentação de 83,8 milhões de turistas estrangeiros em seu território em 2014 (Ministère de l'Économie, 2015); a atividade turística foi responsável por 7,4% do produto interno bruto nesse mesmo ano (incluindo os deslocamentos domésticos); além disso, quase 7,7% dos empregos formais do país em tempo integral são ACTs.

Conforme relatado, a maior parte das ocupações está nas pequenas unidades produtivas de serviços, sendo que a média de trabalhador por empresa é de 3,6 pessoas (Tourisme en France, 2015). Em pesquisa do Insee a respeito do custo da mão de obra na França, considerada cara em comparação com outros países da União Europeia, como a Bélgica, a Suécia e a Dinamarca, evidenciou-se que esse custo aumenta com o tamanho da empresa e as obrigações legais concernentes aos contratos formais de trabalho.

Mas, considerando-se que isso não se aplica a parte expressiva dos empreendimentos turísticos (de pequeno porte e/ou com contratações sazonais), a média salarial no setor é mais baixa que a do conjunto da economia, mesmo quando contempladas as ocupações formais e em tempo integral: dados do Insee (2012) mostram, por exemplo, que, se a totalidade dos salários na região do Sul-Pireneus em 2009 correspondia em média a 1.884 euros por mês, no turismo o salário era em média de 1.427 euros mensais. Diante disso, Sylvie Berodias[5], recepcionista

[5] Entrevista concedida a Rodrigo Meira Martoni em 9 de dezembro de 2012.

em contrato sazonal em uma colônia de férias da Életricité de France (EDF), empresa estatal de produção e fornecimento de energia, chama a atenção não somente para a precariedade mas para a tendência à precarização: se o ganho menor é geralmente acompanhado de horas laborais mais extensas e intensas em atividades do setor de turismo, em se tratando de contratos sazonais o pagamento é costumeiramente determinado pelo mínimo legal (de 7,47 euros líquidos por hora em 2014)[6], ou mesmo abaixo disso, dada a falta de contratos. Soma-se a isso o fato de que é difícil saber se haverá trabalho ao fim de uma temporada e, se houver, por quanto tempo estará garantido.

Berodias esclarece ainda: "O Estado contribui para a precariedade do emprego, porque leva pouco em conta a realidade do trabalho sazonal". Instituições estatais apresentaram ao longo dos últimos anos diversos relatórios sobre a precariedade do emprego com foco nas ocupações sazonais, tais como Rapport Gaymard sur la pluriativité [Relatório Gaymard sobre a pluriatividade] (1994), Rapport Anicet Le Pors sur les saisonniers [Relatório Anicet Le Pors sobre os empregos sazonais] (1999), Rapport Simon sur le logement [Relatório Simon sobre alojamento] (2005), Rapport Vansonn sur les emplois en montagne [Relatório Vansonn sobre o emprego nas montanhas] (2011), e diversos estudos produzidos regionalmente também apontam tanto a realidade como as possíveis formas de amenizar os problemas. Contudo, para Sylvie Berodias, "passados mais de 25 anos, concretamente, não surgiu nada para melhorar a vida e as condições de trabalho dos empregados sazonais, então, em 25 anos, o número dessas ocupações aumentou". Contratos que preveem um período mínimo de trabalho de quatro meses, continuidade da contratação na temporada seguinte (gerando garantias como seguro-desemprego) e pagamento do mínimo legal por horas extras prejudicam as contas públicas, a eficiência dos negócios e a competitividade no turismo, por isso nada ocorreu no campo da legislação no sentido de reconhecer tais especificidades laborais e dar respaldo aos indivíduos que delas dependem.

É preciso considerar, no entanto, que o Forum Social des Saisonniers, em conjunto com as centrais sindicais francesas, tanto expõe essa realidade como busca lutar contra esse processo. A CGT, por exemplo, organiza caravanas em épocas específicas do ano não somente para chamar a atenção dos trabalhadores para os seus direitos (mesmo que mínimos, quando contratados de forma avulsa), mas para promover a consciência de classe. A flexibilidade que marca essas ocupações, e não é questionada nos cursos de turismo, cujo foco é uma formação cada vez mais tecnicista e operacional (corrente na França há mais tempo que no Brasil), promove, no fim das contas, a precariedade em nome do empreendedorismo.

Em linhas gerais, tais condições é que fundamentam o "turismo respeitado" francês (Trigo, 2012), sendo a "força do exemplo" posicionada para a "eficiência

[6] Disponível em: <http://www.les-horaires.fr/pratique/smic-horaire.php>. Acesso em: 14 dez. 2015.

de mercado" e a "qualidade total do produto turístico", ambas advindas de uma forma histórica de exploração: o *trabalho produtivo para o capital.*

Mas, enquanto certos sindicatos[7] de trabalhadores de hotelaria e gastronomia no Brasil operam institutos de capacitação profissional, divergindo de sua finalidade essencial, e, paralelamente, integrantes do chamado saber dominante no turismo apontam que a organização política é um disparate ou, como defende Trigo (2012)[8], algo "arcaico" e desnecessário em face da dedicação e da preparação individuais, é possível afirmar que, na França, há grupos mais engajados no sentido de levantar, debater e esclarecer a dinâmica do real como forma de orientar as ações práticas de trabalhadores e trabalhadoras para além do campo operacional. É evidente que se trata de uma tarefa com graus de dificuldade variados, a depender dos artifícios reprodutivos do capital em certos espaços e das formas possíveis de enfrentamento coletivo ao seu ímpeto expansionista.

Portanto, das práticas relacionadas a uma sociabilidade regulada cada vez mais pelo e para o mercado com os chamados laboratórios do produtivismo – os quais se configuram como sinônimos de precariedade –, surge o que podemos chamar de "laboratórios sócio-organizativos", como o Forum Social des Saisonniers. Mas estes últimos não interessam aos empreendedores-empregadores e a alguns estudiosos do turismo no Brasil. As lições que vêm do país "*top ten*" (Trigo, 2012) são justamente aquelas referentes à racionalidade da qualificação e do trabalho não para os trabalhadores, mas para o capital, pois aí está a base da competitividade e possível domínio de mercado. Acerca disso, teceremos considerações adiante.

## A força do exemplo para o capital: casos concretos brasileiros

Segundo o Ministério do Turismo (2015b), o Brasil recebeu, em 2014, 6,4 milhões de turistas estrangeiros. A contribuição direta do turismo no produto interno bruto brasileiro, no mesmo ano, foi de 3,5% (Ministério do Turismo, 2015b). Conforme salienta Trigo (2012) e, de acordo com os dados sobre a França, ainda estamos muito aquém das estatísticas que se explicariam, entre outras coisas, pelos padrões de qualidade internacionais nos serviços ligados à hospitalidade.

---

[7] Tomemos como exemplo o Sindicato dos Trabalhadores no Comércio Hoteleiro, Meios de Hospedagem e Gastronomia de Curitiba e Região (Sindehotéis) que criou o Instituto Profissionalizante Paraná Aliança (Ippa). Segundo anúncio no jornal do sindicato (2013), seu instituto de capacitação "oferece cursos de qualificação e requalificação profissional para os trabalhadores de hospedagem e gastronomia e demais pessoas interessadas em ingressar neste ramo. A partir da Convenção de Trabalho 2011/2012, os trabalhadores que fizerem um curso de qualificação profissional pelo Sindehotéis/Ippa ou pelo Sindicato Patronal têm garantido um adicional de 2% sobre o seu salário-base!". Convém ressaltar que a estrutura do Ippa funciona no mesmo endereço do sindicato e os cursos são oferecidos nas próprias empresas interessadas em qualificar seus empregados.

[8] "[...] os novos profissionais, egressos dos bons cursos técnicos ou superiores, em geral conseguem se inserir na sociedade e no mercado, seja como empreendedores ou profissionais, no setor público, privado ou no terceiro setor. Para isso não é necessária regulamentação [...]".

Entre aqueles que contribuem para o setor, o estrangeiro encontra-se posicionado como público de "perfil ideal" (conforme a linguagem do mercado). Esse posicionamento considera suas possibilidades de gastos expressivamente mais altos em relação às movimentações domésticas. Assim, não raras vezes, procura-se nivelar a estrutura-suporte nacional com seu poder de compra e, além disso, investir em planos e programas para fomentar esses fluxos. Isso ajuda a caracterizar o turismo interno, considerado de qualidade, como marcadamente caro, mesmo em relação aos países europeus e, portanto, discrepante em relação à média salarial do brasileiro.

Para operacionalizar os serviços turísticos convêm destacar que, em dezembro de 2011, havia 2,078 milhões de pessoas empregadas nas ACTs, sendo 946,7 mil formalizadas (46%) e 1,131 milhão informais (54%) (Ipea, 2013). Em dezembro de 2013, as ACTs geraram 1.938.955 ocupações, sendo 985.317 formais (50,8%) e 953.638 informais (49,18%) (Ipea, 2015b). Em relação às informais, o Ipea adverte de que a fonte para essa análise é a Pesquisa Nacional por Amostragem de Domicílios (PNAD), cuja amostragem é reduzida quanto às ACTs, uma vez que é preciso considerar a época em que os dados foram coletados, principalmente em regiões marcadas pela sazonalidade.

De modo geral, a informalidade nas ocupações do turismo é expressiva, e na região Nordeste ela impera. Em termos comparativos, segundo o Ipea (2015b), se o Sudeste teve participação de 58% nos postos formais nas ACTs em 2013, o Nordeste teve somente 17% no mesmo ano.

Ouriques (2005, p. 130) observa que, "além de pagar salários inferiores à média nacional, as ocupações nas atividades características do turismo caracterizam-se ainda por estarem nas posições mais baixas da pirâmide salarial brasileira". Enquanto a média salarial no país foi de R$ 1.928 em dezembro de 2013, no setor de turismo formal ela foi de R$1.511, e somente algumas ocupações nas atividades de alojamento, agências de viagens e transporte aéreo tiveram remuneração equivalente à média nacional (R$1.938). Observe-se que essas atividades apresentam índices de formalidade maior (sobretudo o transporte aéreo) e que o Sudeste elevou a média geral (Ipea, 2015a). No Nordeste, região marcada pelo turismo de sol e mar, o pagamento médio registrado nas ACTs foi de R$ 1.082, contra R$ 1.706 no Sudeste.

Sendo a informalidade uma prática patente no turismo, principalmente quando se consideram empreendedores menores em realidades dinamizadas por um mercado concorrencial (atendendo a empresas maiores, monopólios ou oligopólios), é possível que os pagamentos sejam ainda mais baixos ou, mesmo que alguns não o sejam, fiquem comprometidas as garantias, tais como seguro-desemprego, contribuição previdenciária, Fundo de Garantia do Tempo de Serviço (FGTS), férias remuneradas, décimo terceiro. Antunes (2013c, p. 17) alerta de que, "se a informalidade não é sinônimo *direto* de condição de precariedade, sua *vigência* expressa, com grande frequência e intensidade, formas de trabalho desprovidas de direitos, as quais, portanto, apresentam similitude com a precarização".

Se os dados estatísticos apresentados podem indicar processos relacionados ao valor-capital, procuramos levantar casos concretos no sentido de verificar quais as condições efetivas de algumas ocupações em turismo, com destaque para o setor de alojamentos (hotéis, *resorts*, pousadas). Considerando que se trata do segmento com o segundo maior número de ocupações (atrás somente da categoria alimentação), deve-se considerar que tais estruturas têm participação significativa na economia daquelas realidades com dinâmicas movimentadas preponderantemente pelo turismo.

Nesse sentido, evidenciamos e detalhamos aqui o que é apontado em Martoni (2012) na abordagem do cotidiano laborativo de um sujeito denominado genericamente "cortês trabalhador". Trata-se de um empregado qualificado e exemplar – com formação "técnica e holística", conforme Trigo (2012) – em uma unidade produtiva de serviços de lazer pertencente a uma rede hoteleira europeia, rede esta que inicia suas atividades na década de 1950 e se expande em escala mundial ao absorver, para fins mercadológicos, práticas antes circunscritas ao que se entende por turismo social, ou seja, aquelas empreendidas por clubes de férias de partidos políticos, associações comunitárias, sindicatos, entidades patronais e religiosas. Tal empresa, para ser cada vez mais eficiente e obter menções que a caracterizem pelo oferecimento de serviços de excelência, conta com primorosas políticas de recursos humanos ou práticas laboratoriais para a extração de valor a mais; nesse sentido, a figura do cortês trabalhador é emblemática.

Chamamos de "Ilha Intocada" a unidade na qual o referido trabalhador exerce suas atividades. Localizada no litoral da Bahia, tem um esquema de gestão que hierarquiza os empregados por denominações específicas de grupo e aproximativas em relação aos hóspedes, a fim de promover a interação entre os clientes e os empregados de um nível específico. Os nomes fictícios de cada segmento de trabalhadores são o grupo do "cortês empregado" e o do "cortês artista". Já cada hóspede é denominado "cortês associado". As trabalhadoras e os trabalhadores que integram o grupo do "cortês empregado", em número aproximado de 250, não moram no complexo. Entram no horário estipulado, trabalham na cozinha, na limpeza e em serviços gerais, e vão embora ao final do expediente, de acordo com a escala que devem cumprir. Os que estão enquadrados nessa categoria ganham um salário mínimo e uma cesta básica, fazem as refeições em locais específicos no *resort* e moram nas cidades e/ou distritos próximos. Além disso, não podem ter contato direto com o "cortês associado" e devem aparecer o mínimo possível nas áreas em que ele circula; é esse o caso das camareiras.

O hóspede, quando entra no *resort* – pagando diárias acessíveis apenas às classes sociais mais abastadas –, é assessorado diretamente pela categoria do "cortês artista" (cerca de 150 empregados). Este último ganha em média 1,5 salário mínimo, com exceção de um grupo reduzido de dez empregados, que são também chefes de setor e ganham entre 2,5 e 4 salários mínimos. Além deles, há um grupo gerencial chamado "conjunto dos quatro", que exerce funções administrativas e ganha, em média, 6 salários mínimos e participação nos lucros.

Importa observar que o assessoramento ao "cortês associado" é realizado de forma interativa, pois os empregados da categoria "cortês artista", além de exercerem funções específicas (*barman*, chefe de cozinha, *maître*, recepcionista), são obrigados a participar de almoços, atividades de lazer e animação. Sendo a "Ilha Intocada" um empreendimento que estimula os hóspedes a não sair de suas dependências – já que oferece todas as atividades e refeições em seus limites (*all inclusive*), como os cruzeiros marítimos –, esse segmento de empregados é "convidado" a participar do tempo livre dos clientes.

É preciso destacar que o "cortês artista" não é recrutado localmente como o "cortês empregado", mas essencialmente em outros estados. Para se enquadrar nessa categoria, não basta ter competência para o trabalho; é preciso ter disponibilidade para morar no *resort*. Trata-se de uma condição indispensável para ser um "cortês artista". Mas qual é a dinâmica? Segundo nosso "cortês trabalhador"[9], que também era um "cortês artista", ele coordenava seu próprio setor e outros empregados. Entrava às 8 horas. Ao mesmo tempo que cumpria suas obrigações, tinha de sair para interagir com seus colegas da categoria "cortês associado", inclusive servindo espetinho de frutas à beira da piscina. As horas laborais estipuladas em contrato terminavam às 16h20, mas estendiam-se muitas vezes até as 18 horas, pois a interação com os clientes consumia o tempo de trabalho exigido por seu setor. Esse período extra não é computado, seja em banco de horas, seja em forma de pagamento. De qualquer maneira, a interação com os clientes intensifica a jornada, ao mesmo tempo que a estende.

O "cortês trabalhador", vale destacar, é um "cortês artista" e, por sua posição, mora na "Ilha Intocada". Nada melhor do que isso para fazer o aperitivo ou *happy hour* à beira-mar ou jantar em um dos restaurantes do *resort*. Ocorre que não se trata apenas de agradáveis opções abertas aos empregados em seus momentos de tempo livre, mas recomendações expressas do empregador aos seus "habitantes". Às 19h30, o "cortês trabalhador" deve estar nas áreas sociais com os hóspedes e, conforme a escala do "tempo livre" para vivenciar a estrutura edênica do *resort*, o empregado deve circular por várias partes da "Ilha Intocada": jantar com os colegas de passagem, ir ao teatro e ao clube de dança. Nas atividades recreativas, o "cortês trabalhador" vira animador de palco em peças teatrais que visam entreter o "cortês associado". Recomenda-se, para melhor interação, que o "tempo livre" se estenda até a meia-noite e meia. Funde-se o tempo de trabalho no tempo liberado. O primeiro invade o segundo e, ao fim e

---

[9] Informações obtidas a partir do depoimento de um bacharel em turismo que exerceu o cargo de gerente de compras em um *resort* no litoral da Bahia e prefere não se identificar.

ao cabo, o descanso se restringe ao período da meia-noite e meia às 8 horas, sendo essa a engenhosa técnica de incremento do mais-valor.

Nesse contexto de trabalho, o "cortês artista" que vem de outros estados (e essa é a condição para se enquadrar nessa categoria) somente pode se ausentar do complexo durante as férias, pois as folgas semanais não possibilitam longos deslocamentos. Tendo em vista que o empreendimento está situado em um local afastado de grandes centros urbanos, até mesmo nos momentos de folga não é vantajoso para o empregado se ausentar do ambiente de trabalho e, justamente por isso, o termo *ilha* é tão adequado para descrever não somente a estratégia de gestão para "confinar" o turista que compra essa mercadoria-serviço mas também, e principalmente, a dificuldade de movimento dos empregados para além dos limites do *resort*.

Deve-se observar que, paralelamente às ocupações formais e em tempo integral, tal como na "Ilha Intocada", as contratações temporárias (em grande parte informais) em empreendimentos semelhantes são formas alternativas ou complementares de extração de mais-valor. Um "cortês trabalhador" (terceirizado)[10] chama a atenção para o fato de que, em unidades produtivas de hospitalidade que conjugam lazer e cursos técnicos, as terceirizações de serviços ou dos responsáveis pelos momentos lúdicos obedecem às entradas e saídas dos hóspedes, à sazonalidade e/ou realização de eventos, o que ajuda a caracterizar como incertas muitas das ocupações relacionadas ao turismo. Quadros enxutos – e, portanto, aquém do necessário para realizar normalmente o que é exigido dos empregados em questão – materializam a intensidade e a extensão do trabalho: as "equipes de recreação" são geralmente contratadas de forma avulsa, ou seja, são pagas por hora ou dia e, por isso, quanto mais o trabalho se estende, maior é a remuneração.

Tal mecanismo, adotado tanto no país "*top ten*" (Trigo, 2012) como no Brasil, faz com que os expedientes (intensificação e extensão) sejam forçados pelo próprio trabalhador, seja para auferir ganhos um pouco mais expressivos, seja para assinalar um possível diferencial de atuação, fato esse que pode aumentar as chances de trabalhos futuros. Importa evidenciar que o alargamento do tempo laboral não se refere somente às horas diárias, que são de, no mínimo, doze e podem chegar a dezoito nas "brincadeiras noturnas" ou encenações de palco (como na "Ilha Intocada"), mas contempla também a quantidade de dias de trabalho estabelecidos pelo próprio prestador de serviços recreacionais dentro de determinado período de atividade estipulado, uma vez que não é possível saber se haverá trabalho na semana seguinte, feriado ou época de férias. Garante-se o que é possível hoje diante das incertezas do amanhã.

A função requer paciência e cuidado no revezamento diário para atender as diferentes faixas etárias: os monitores encarregados de desenvolver atividades

[10] Informações obtidas a partir do depoimento de um profissional de educação física que prestou serviços de recreação em hotéis no interior e litoral do Estado de São Paulo e prefere não se identificar.

infantis devem receber as crianças, acompanhá-las ao banheiro, ajudar na troca de roupas, levá-las aos locais de alimentação e permanecer atentos para que elas não deixem os espaços de recreação. Em relação aos adultos, as atividades nas piscinas e demais áreas de lazer demandam atenção, porque, conforme apurou a pesquisa, não são raros os casos de assédio sexual – desde apalpadelas até convites para "passeios". A ocupação exige conhecimentos como atrações circenses, encenação teatral, modalidades esportivas variadas, jogos e atividades de salão para dias chuvosos e proficiência em línguas estrangeiras.

Se o expediente pode variar de doze a dezoito horas, os momentos de parada são definidos pela alternância entre colegas, mas geralmente são previstas duas por dia: cerca de trinta minutos para o almoço e o mesmo para o jantar. Quando as "brincadeiras noturnas" entram no cardápio de entretenimentos em datas específicas, reserva-se um período de mais trinta minutos para o banho antes das atividades, pois podem se estender até as duas horas da madrugada. De qualquer maneira, tendo ou não trabalho noturno, o material que será utilizado nas atividades do dia seguinte deve ser organizado pelos próprios recreadores.

O acompanhamento dos hóspedes nos horários de almoço e jantar é uma prática que varia de empresa para empresa. No caso de um hotel de lazer no interior paulista, mencionado pelo entrevistado, isso é realizado em esquema de revezamento entre os monitores-recreacionistas, e os que ficam dispensados da incumbência devem usar o refeitório do complexo, que se diferencia pela simplicidade dentro da estrutura luxuosa. Mas, se essa prática é usual em algumas unidades produtivas de serviços, em outras exige-se que os trabalhadores se distanciem dos hóspedes em seus poucos momentos de folga, inclusive nos espaços frequentados por uns e outros, alguns dos quais terminantemente proibidos aos empregados chamados de "colaboradores".

Além disso, nas empresas em que os locais de refeição de empregados e clientes são separados, nosso cortês trabalhador terceirizado relatou que a comida servida aos empregados é diferente, porque, para eles, aproveitam-se as sobras do dia anterior. É digno de nota que os alojamentos ou as instalações (não raras vezes precárias) destinadas à permanência dos empregados fixos e terceirizados são uma estratégia empresarial, afinal as horas livres podem ser utilizadas a serviço dos empregadores como uma "gentileza" dos contratados.

Deve ser evidenciado que tanto o "cortês trabalhador" quanto o "cortês trabalhador terceirizado" personificam tipos de ocupação comuns nas ACTs. O laboratório para o mais-valor, que inclui expedientes para acirrar a concorrência entre os empregados, moradia no emprego e tempo de trabalho para além do estabelecido em contrato (formalmente) ou combinado (informalmente), envolve unidades produtivas de serviços de porte igual ao das citadas, mas também as menores, podendo gerar reestruturações produtivas e repercussões socioespaciais significativas, principalmente naquelas destinações marcadas pelas vantagens de localização apontadas por Chesnais (1996), como riquezas naturais, patrimônio histórico e cultural e mão de obra barata.

A Ilha do Mel, no Paraná, pode ser tomada como exemplo. Sendo referência turística do sul do Brasil, é atualmente uma área de proteção integral delimitada por duas unidades de conservação: uma reserva ecológica que abrange 95% de seu território, com restrições de utilização e visitação, e um parque estadual que ocupa os outros 5% e permite visitas e permanência reguladas. É nesse espaço que estão localizados os núcleos Brasília e Encantadas, que servem de porta de entrada para a ilha e onde são realizadas as principais atividades características do turismo (bares e lanchonetes, restaurantes, pequenas lojas de *souvenirs*, ambulantes, hotéis e pousadas).

Empreendimentos turísticos de iniciativa local, principalmente nos segmentos de alimentação e alojamento, que nada mais são do que residências adaptadas (atualmente em menor número), convivem com pequenas pousadas e hotéis (também chamados pousadas ou *resorts*). Estes, devido a sua estrutura, exigem mais mão de obra na alta temporada. Parte dos habitantes nativos, que viviam principalmente da pesca artesanal, acabou buscando no turismo um meio complementar de ganho, depois que foram instituídas as unidades de conservação. Em 2010, dos cerca de 1.100 habitantes, e somente 98 pescadores (IBGE, 2010), 65% exerciam alguma ocupação relacionada ao turismo, mas isso não representava um complemento de renda significativo e a remuneração média mensal permanecia próxima da recebida por aqueles que exerciam apenas a atividade pesqueira artesanal.

Segundo Fuzetti e Corrêa (2009, p. 621), os sujeitos que viviam somente da pesca declararam um ganho mensal de R$ 425 em 2009, enquanto aqueles que tinham uma atividade complementar no turismo não ganhavam mais do que R$ 585, atrelados à alta temporada, em muitos casos. Os pesquisadores também identificaram que, antes do advento da visitação e da permanência em larga escala (após a década de 1990), a pesca era uma atividade coletiva e, depois, passou a ser realizada de forma mais individualizada. Compreende-se que a cooperação foi quebrada não pelo surgimento do turismo como prática social, mas como força produtiva que modificou progressivamente a hierarquização do trabalho: esta foi reconfigurada e adquiriu outro sentido para atender não mais ao coletivo, mas à propriedade privada como meio de geração de valor-capital numa ânsia natural expansionista.

É o que se percebe com as unidades de hospedagem analisadas na pesquisa, denominadas A, B, C e D: os proprietários não residem na ilha e possuem outros negócios ou profissões; as unidades são gerenciadas por indivíduos que *moram* no próprio estabelecimento, tal como na "Ilha Intocada". Nos períodos de baixa e alta temporada, eles têm ocupações particularizadas pela polivalência, uma vez que a gestão do empreendimento inclui serviços de limpeza, recepção, reservas, compras, pequenos reparos (ou a contratação de pessoal para esse fim) e atendimento aos hóspedes. Mas, se os empregados-moradores são poucos durante quase todo o ano, de dezembro até o Carnaval é grande a busca por trabalhadores sazonais.

A empresa A, categorizada como *resort* porque conta com um número maior de unidades habitacionais, mantém aproximadamente dez "colaboradores"[11] na baixa temporada e chega a contratar temporariamente mais de quarenta na alta. Os empregados ficam nos alojamentos do próprio empreendimento e também em casas ou pequenas pousadas locadas para esse fim. A unidade B estendeu horizontal e verticalmente o negócio: adquiriu outra pousada e abriu um restaurante em local separado para atender, além dos hóspedes, o público em geral; além disso, construiu um alojamento próprio para os empregados contratados para a alta estação. Tanto o proprietário da empresa C como o da D mantêm restaurantes como negócios associados e complementares, gerenciados por indivíduos multifunções que cuidam também das unidades de hospedagem. Observa-se que a estratégia de alojar os empregados nos próprios empreendimentos é corrente, além da alta rotatividade nas ocupações; aliás, essa é uma reclamação dos gerentes-moradores, que afirmam que parte dos empregados sazonais (a maioria informal) não cumpre a contento as exigências laborais.

Na dinâmica turística da Ilha do Mel, as unidades de conservação, que fomentam o turismo de forma direta ou indireta, têm papel relevante: os corredores restritos à circulação a pé ou de bicicleta e o número máximo de visitantes por dia sugerem um espaço resguardado, de forma que os reflexos socioespaciais da valorização do valor ficam até certo ponto camuflados pela legislação ambiental e pela ideia de "desenvolvimento sustentável", como se suas prescrições tivessem condições de aplicabilidade prática em um tempo histórico regulado pelo "sociometabolismo do capital" (Mészáros, 2011b). Os pequenos estabelecimentos, as normas de edificação (que tendem a ser burladas por quem deseja ampliar os negócios), as restrições a aglomerados marginais (moradias condizentes com os baixos salários ou rendimentos gerados pelo turismo), a prática das unidades produtivas maiores de servir de local de reprodução dos proletários sazonais e a proximidade das cidades de Paranaguá e Pontal do Sul, que fornecem mão de obra na alta estação, colaboram para a noção de "turismo com bases localizadas".

Apesar das restrições do Estado quanto ao uso do solo e à venda de terrenos a não nativos, termos de posse negociáveis e atividades associadas à turistificação acarretaram a valorização da terra e dos imóveis. Aqueles trabalhadores que venderam suas casas e deixaram a ilha somente conseguem retornar como mão de obra barata e sem chance de readquiri-las[12]. Os moradores tradicionais, uma vez absorvidos total ou parcialmente em serviços gerais, carregamento de malas, reparos, manutenção de estabelecimentos comerciais, são postos para gerar valor a mais, em especial entre o Natal e o Carnaval. A possibilidade de produzir algo

---

[11] Na observação-participante, a gerente-geral explicou que a pousada A não tem empregados, mas, sim, "colaboradores associados".

[12] Conforme depoimento de um empregado de uma pousada: ele vendeu sua casa em meados dos anos 2000 por 180 mil reais e o novo proprietário a vendeu em 2009 por 1 milhão de reais.

por meios próprios é limitada pelas normas das unidades de conservação, mas, essencialmente, pela relação de assalariamento a que foram submetidos com o advento do turismo; isso inibiu, interditou ou associou outras formas de produção e sustento coletivas diante do alicerçamento de relações pautadas pela separação entre meios produtivos (principalmente a terra) e produtores diretos. Não é preciso dizer que tal convívio determina tanto o trabalho em excesso, próprio da dinâmica do capital, como a falta dele.

## Conclusão

Mesmo que no turismo o empregado esteja muito mais próximo do consumidor do que o operário da indústria, a orientação para sorrir e o referencial lúdico/diferente do espaço (de consumo) somam-se à mente reificada, fato que ajuda a obstruir as relações laborativas como relações históricas e seu primordial propósito, qual seja: o bem receber não para os sujeitos, mas como veículo essencial para a troca. Assim, em muitas localizações e unidades produtivas de serviços, o trabalho projeta-se de forma invertida, sendo, não raras vezes, adjetivado como "gostoso", "agradável", "aprazível", "interativo". Com o intuito de contribuir para a inversão dessas ideias ou, ao menos, para sua desmistificação, apontamos exemplos concretos da materialidade socioespacial dinamizada em seus fundamentos pelo capital nos serviços ligados à hospitalidade.

Tais casos refletem as configurações gerais dessas ocupações no Brasil, mas não diferem, em essência, daquelas em países com "turismo respeitado" (Trigo, 2012), como a França. Nessas configurações se incluem estas: a posição fragilizada dos trabalhadores em virtude do caráter informal de parte significativa das contratações; a mescla de tempo de trabalho com tempo livre, por meio da estratégia da moradia no emprego e/ou do acirramento da competitividade entre os trabalhadores; a sazonalidade dos postos de trabalho, que, própria da realidade de diversas cidades e localidades turísticas, impõe intensidade e extensão, associadas à insegurança de recondução ao trabalho na temporada seguinte e de sustento em períodos de baixa demanda; a debilidade organizativa dos trabalhadores, fomentada pelo discurso do empreendedorismo individual independente da materialidade social financiado por empresas, universidades, Estado e meios de comunicação representativos das classes economicamente dominantes; e salários substancialmente mais baixos do que a média nacional, mesmo em se tratando de trabalhos que exigem permanência em períodos de férias, fins de semana e feriados, e disponibilidade total para atendimentos de urgência.

Tais práticas laborativas tendem a se transladar de um espaço para outro de forma cada vez mais fluida, conforme as "vantagens" de localização e os termos produtivos por e para o capital. Para essa fluidez quase não existem barreiras, mas, quando estas aparecem (como o Forum Social des Saisonniers), não são poucas as articulações que se valem das formas aparentes do espaço e das boas práticas de gestão para alimentar laboratórios de trabalho produtivo, promovendo a separação entre educação/preparação e economia política. Se, conforme aponta Marx (2013, p. 307), o capital é um "vampiro" e se os trabalhadores do turismo (em sua maioria, mulheres e jovens desorganizados politicamente, trabalhadores informais, imigrantes e crianças) estão desenraizados de sua classe social e concentrados em suas especificidades técnicas (como quer a ideologia neopositivista com sua produção pseudocientífica), quanto mais suas atividades forem meios concretizantes de valor para a troca, mais as relações centradas nos processos expansionistas do capital permearão as realidades socioespaciais. E mais: os trabalhadores serão entendidos como corpo social com sangue farto. Dessa relação ressaltamos a seguinte contradição: o tempo livre de alguns se transforma em tempo de consumo de uma espécie de lazer e entretenimento calcada em ordenações laborativas impetuosas em espaços com ares de harmonia, descontração e festividade.

# PARTE III

# AUTOGESTÃO, GREVE, SINDICATO E REBELIÃO

# 20
# A atividade grevista como desafio para o Norte e para o Sul[1]

*Hermes Augusto Costa*
*Hugo Dias*

## Introdução

A greve constituiu-se historicamente como uma manifestação de resistência aos mecanismos de opressão gerados pelo capitalismo, tendo se tornado comum na Europa e nos Estados Unidos no final do século XIX e nas primeiras décadas do século XX (Boaventura Santos, 2011). Nas suas características gerais, a greve envolve "formas de luta, coerção e poder, nas quais um grupo de trabalhadores, agindo coletivamente, para de trabalhar para dar reforço a reivindicações econômicas, sociais e/ou políticas de interesse dos trabalhadores diretamente envolvidos e/ou de outros" (Van der Linden, 2013, p. 203). Nesse sentido, enquanto luta por uma alteração da relação de forças entre capital e trabalho, a greve consagrou-se como um instrumento de promoção de democracia laboral. Hoje, porém, ela é posta em causa em distintos contextos geográficos, políticos e sociais, bem como no quadro de cenários econômicos adversos. E tal parece suceder não só em países associados ao "Norte" dito desenvolvido, ou que fazem parte de blocos regionais hegemônicos (como a União Europeia, por exemplo), mas também em países associados ao "Sul", quer ao Sul subdesenvolvido, quer ao Sul atravessado pelo crescimento e desenvolvimento industrial (Hermes Costa e Dias, 2014).

Tendo em conta que foi aos sindicatos a quem foi confiada a missão de regular a atividade laboral e desempenhar um papel central na dinamização da atividade

[1] Um primeiro esboço deste texto foi apresentado no âmbito do colóquio internacional "Epistemologias do Sul: Aprendizagens Globais Sul-Sul, Sul-Norte e Norte-Sul" (Faculdade de Economia da Universidade de Coimbra), em 11 de julho de 2014. Entretanto, parte dos conteúdos desta reflexão tiveram continuidade no âmbito do projeto "Rebuilding Trade Union Power under Austerity Age: Three Sectors under Review" (PTDC/IVC-SOC/3533/2014- POCI-01-0145-FEDER-016808), a decorrer entre 2016 e 2018 no Centro de Estudos Sociais da Universidade de Coimbra.

grevista, algumas interrogações de partida orientam a nossa reflexão neste texto: uma vez que o berço do sindicalismo foi atribuído ao "Norte" – ao contexto da Revolução Industrial e à era "nacional-industrial-colonial" (Waterman, 2012) –, estará o sindicalismo do Norte preparado para abraçar "visões do Sul" mais propensas a uma perspectiva pós-colonial? Em que medida a literatura das "epistemologias do Sul" – apoiada na adoção de uma postura anticapitalista, anticolonial e antipatriarcal (Boaventura Santos e Meneses, 2009) – constitui uma referência para o sindicalismo do Norte? O que pode o *velho* sindicalismo, habituado, por meio da greve, a lutar para conservar empregos e setores estáveis da sociedade, aprender com um *novo* sindicalismo, que ambiciona ver na greve uma forma de incorporar setores precários e instáveis da sociedade? E em que medida no século XXI pode o sindicalismo do Sul replicar as "boas práticas" que o sindicalismo do Norte granjeou na "idade de ouro" do século XX?

Não temos uma resposta para essas questões nem aqui dispomos de espaço para dissecar cada uma delas. Interessa-nos compreender, no entanto, em que medida a greve – enquanto um dos instrumentos da ação sindical – suscitou desafios a países inseridos em contextos distintos, designadamente um país do "Sul do Norte" (como Portugal) e um país do "Norte do Sul" (como a Índia). Pretendemos, assim, confrontar as duas realidades a propósito do fenômeno da greve. Não se trata, no entanto, de fazer uma análise comparada aprofundada, pois temos bem presente que Portugal e Índia são dois países com dimensões históricas, geográficas, sociopolíticas e culturais muito distintas. De igual modo, as características do mercado de trabalho, o papel dos atores sindicais, da legislação laboral etc. muito provavelmente apresentam características que mais os separam do que os unem. Em todo o caso, interessa-nos buscar pontos de aproximação que possam funcionar como fatores de aprendizagem recíproca entre os dois países. E que, afinal, possam demonstrar também os desafios que se colocam aos atores do mercado de trabalho (sindicatos, trabalhadores, movimentos da sociedade) tanto no Norte como no Sul.

Importa, pois, fornecer, de forma necessariamente abreviada, um conjunto de elementos de contextualização dos dois países. É isso o que procuramos fazer na primeira parte do texto, ao propormos quatro elementos de enquadramento da nossa comparação: o sistema de relações laborais; o processo grevista pós-democracia; o contexto de austeridade/liberalização; e os sinais de transformação da legislação laboral.

Na segunda parte, conferimos uma atenção especial às greves gerais nos dois países. No caso português, damos destaque a cinco greves gerais ocorridas em período de austeridade (entre 2010 e 2013). No caso indiano, o destaque é atribuído às greves gerais de 28 de fevereiro de 2012, 20 e 21 de fevereiro de 2013, 5 de dezembro de 2014 e 2 de setembro de 2015. Ao pretendermos comparar as greves nos dois países, temos em conta quatro tópicos de comparação, na linha da proposta em Hermes Costa, Dias e Soeiro (2014, p. 175-81). Por um lado, a *greve enquanto mecanismo de regulação* – de "institucionalização de conflitos" (Dahrendorf, 1981) ou "válvula de segurança" (Coser, 1956) – visa antecipar a ocorrência de um conflito de modo a produzir um ajustamento entre as partes do sistema. Nesse sentido, em sociedades democráticas, a publicação de um pré-aviso de greve (como forma de legalmente antecipar a ocorrência da greve e expressar publicamente o sentimento crítico que subjaz à convocação do protesto) e a definição de serviços mínimos (como forma de salvaguardar a realização de serviços essenciais para o funcionamento da economia) são dois instrumentos regulatórios passíveis de acompanhar a convocação e a realização de uma atividade grevista.

Em segundo lugar, propomo-nos olhar para a greve enquanto *produto de uma decisão coletiva*, que se constrói pela "*soma de esforços*". É certo que a decisão de fazer ou não greve depende de cada cidadão(ã) e não haverá obtenção de bens coletivos sem atender à racionalidade (egoísmo) do ator individual. Porém, não obstante esse "paradoxo da ação coletiva" (Olson, 1998), a greve terá tanto mais força quanto maior o número de estruturas sindicais que reunir, todas a "remar para o mesmo lado", isto é, quanto maior a convergência de sensibilidades sindicais que for capaz de promover.

Em terceiro lugar, é preciso ter em mente *a escala na análise* da greve. Ao analisar protestos sociais ocorridos entre 2006 e 2013 em 87 países, Isabel Ortiz et al. (2013) assinalaram que o combate à austeridade ocupou em tais protestos um lugar de destaque. Porém, não obstante o caráter global do capitalismo, uma vez que os regimes jurídicos, os salários e as condições de trabalho são definidos no interior das fronteiras nacionais, não surpreende que as greves de âmbito nacional sejam as mais frequentes. E, mesmo assim, a própria escala nacional assume diferentes ordens de grandeza, como efetivamente demonstram os casos português e indiano.

Por fim, estamos convictos de que nenhuma greve pode desligar-se da obtenção de *resultados*. Como conflito que é, a greve é também parte de um processo cujo fim último é a obtenção de resultados associados aos objetivos definidos. No entanto, o grau de alcance dos objetivos pode acontecer a curto, médio ou longo prazo (Hermes Costa, 2011). Na verdade, é frequente transparecer para a opinião pública a ideia de objetivos de uma greve não se traduzirem em resultados imediatos, o que pode, em si mesmo, gerar sinais de descrença.

## Portugal e Índia: elementos de contextualização

Vejamos então, seguidamente, alguns elementos de enquadramento sobre os contextos português e indiano.

### Os sistemas de relações laborais e emprego

No caso português, as principais características do sistema de relações laborais podem resumir-se no seguinte: modelo pluralista e competitivo de relacionamento entre as organizações de interesses do trabalho e do capital; forte politização dos processos de negociação das condições de trabalho; ligação das organizações sindicais e patronais ao sistema partidário; centralidade do Estado na relação capital-trabalho (apesar de o quadro jurídico e institucional assentar-se no princípio de autonomia das partes e em sua capacidade de autorregulação); bloqueio progressivo da negociação coletiva (Ferreira e Costa, 1998-1999; Dornelas, 2009; Estanque, 2011; Hermes Costa, 2012a; Ferreira, 2012; Leite et al., 2014).

Por outro lado, o sistema de emprego tem sido caracterizado por baixa produtividade, baixos salários, uma conexão entre emprego e mão de obra intensiva, baixo nível de instrução, de habilitações e de qualificações, déficits de qualidade do emprego e peso elevado de diferentes modalidades de emprego "atípico", como contratos a prazo, trabalho temporário, trabalho em tempo parcial, trabalho na economia informal (que se estima representar cerca de 25% do PIB).

Por sua vez, no caso indiano, se até finais da década de 1980 vigorou a visão política de uma economia mista planejada, a década de 1990 assinala o momento da introdução de políticas neoliberais no país, dando ênfase à desregulação, à redução do papel do setor público e à criação de oportunidades para o investimento privado e investimento direto estrangeiro. Uma das características estruturais do mercado de trabalho indiano é a elevadíssima porcentagem da força de trabalho no setor informal. Embora em princípio as leis laborais indianas cubram todos os setores de atividade, existem provisões que excluem elevados contingentes da força de trabalho.

Em nível sindical, verifica-se uma histórica divisão, baseada em clivagens político-ideológicas e regionais, que tem dificultado o reconhecimento enquanto parceiros sociais e o acesso a organismos nacionais de regulação pública do trabalho, como a Indian Labour Conference (ILC) e a Planning Commission. Existem onze centrais sindicais e centenas de milhares de sindicatos – sendo os mais relevantes em número de membros os que são próximos do Bharatiya Janata (BJP), partido hindu nacionalista. Sete das centrais sindicais cumprem os requisitos definidos pela ILC[2] e, destas, apenas a Self Employed Women's Association [Associação das Mulheres Autônomas] (Sewa) tem procurado organizar os trabalhadores do setor informal (Bhowmik, 2013a e 2013b). Mas a divisão e o seccionalismo têm dificultado sobretudo a capacidade de ação conjunta e produção de impactos significativos nas condições de vida e trabalho da classe trabalhadora.

## O legado da transição democrática

Apesar da intensa atividade grevista no período que compreende o final do século XIX e as primeiras décadas do século XX – pois entre 1871 e 1920 foram registradas 4.636 greves (Tengarrinha, 1981, p. 585) –, a longa ditadura (de 48 anos,

---

[2] Em 2011, foram fixadas quatro condições para o reconhecimento de centrais sindicais: um mínimo de 1 milhão de membros, distribuídos por pelo menos oito estados, por um mínimo de quatro setores de atividade e com presença nas zonas rurais (Bhowmik, 2013b, p. 89).

entre 1926 e 1974) atravessada por Portugal constituiu um forte freio à atividade grevista, pois as greves foram objeto de proibição. Com efeito,

> permitiam-se os sindicatos, mas – por imposição legal – únicos, de inscrição obrigatória, de cotização forçada, com uma estrutura territorial muito partilhada, com uma representação por profissões, como entidade certificadora das habilitações profissionais, com eleições controladas e com a necessidade de homologação governamental dos membros dos corpos gerentes. (Almeida, 1996, p. 32)

Daí que a verdadeira liberdade de negociação coletiva estivesse ausente e as greves fossem consideradas delito criminal (Hermes Costa, 2005, p. 281)[3].

Só com o processo de transição democrática (em 25 de abril de 1974) as greves voltam a ter expressão na sociedade portuguesa. Na segunda metade dos anos 1970, assiste-se provavelmente ao período de maior mobilização coletiva, sob a influência de um discurso classista que advogava a superação do capitalismo. Por sua vez, na primeira metade dos anos 1980, as greves visaram defender as "conquistas de Abril" e desestabilizar os governos da direita e do bloco central (Stoleroff, 2013, p. 231). Entretanto, a adesão de Portugal à Comunidade Econômica Europeia, momento que coincide com a institucionalização da concertação social com a participação dos sindicatos, marcou uma tendência forte de decréscimo do número de greves (apenas invertida em 1989, com 307 greves e 296 mil grevistas), até atingir um mínimo histórico de 99 greves em 2007, envolvendo cerca de 29.200 trabalhadores (Hermes Costa, Dias e Soeiro, 2014, p. 185). Só desde o final de 2010, com o início da austeridade, voltou-se a assistir a uma nova intensificação das formas de protesto social e da atividade grevista.

No caso indiano, o movimento sindical surge ainda durante o período de domínio colonial britânico. A primeira federação sindical indiana (All India Trade Union Congress [Congresso de Todos os Sindicatos da Índia]) foi fundada a 31 de outubro de 1920 e teve um papel determinante na mobilização do apoio dos trabalhadores para a luta de libertação nacional. O movimento sindical manteve-se unido durante esse período histórico, mas, após a independência, em 1947, sofreu um processo de fragmentação. O movimento sindical assiste a processos de divisão decorrentes de cisões no campo político-partidário, inicialmente em escala nacional, mas, a partir do final dos anos 1960, também em nível regional e comunal. Assim, as rivalidades intersindicais, em determinados momentos, assumiram contornos mais intensos do que os conflitos entre sindicatos e patronato. No nível da regulação laboral, o Estado construiu um edifício legal complexo e burocrático que, embora em tese protegesse os trabalhadores, se assentava demasiado

---

[3] Sobre o papel das greves no século XX português, ver Varela, Noronha e Pereira (2012). Sobre o papel mais amplo das greves de um ponto de vista conceitual e histórico, ver, em especial, o capítulo 9 de Van der Linden (2013).

em demoradas disputas no sistema judicial e criava obstáculos para a ação dos sindicatos. Esses aspectos, juntamente com a diminuta atenção dos sindicatos ao enorme setor informal característico do mercado de trabalho indiano, conduziram a uma incapacidade destes de assumir um papel determinante na estruturação do conflito laboral (Bhowmik, 2013b).

## A austeridade e o processo de liberalização

No contexto português – sobretudo na sequência da adoção de políticas de austeridade – e no contexto indiano – sobretudo após a intensificação dos processos de liberalização dos anos 1990 –, os processos de conflitualidade aumentaram. Em Portugal, o plano de resgate financeiro assinado em maio de 2011 entre o governo português[4] e a *troika*, isto é, o Fundo Monetário Internacional (FMI), o Banco Central Europeu (BCE) e a Comissão Europeia (CE), produziu imensos impactos negativos, geradores, por si sós, de aumento da atividade grevista: reforço das assimetrias nas relações laborais; aumento de formas de emprego precário e do desemprego; perda de autonomia dos parceiros sociais, sobretudo dos sindicatos, que veem a sua posição ainda mais subalternizada; maior tensão nas relações entre os próprios atores das relações laborais (inclusive dentro do campo sindical); reforço das assimetrias no mercado de trabalho, designadamente entre classes de rendimentos elevados e classes de rendimentos baixos, ou na relação entre setor público e setor privado; forte diminuição do poder de compra das famílias; maior empobrecimento do setor produtivo; não redução do déficits de competitividade das empresas (António Fernandes, 2012; Glória Rebelo, 2012; Gomes, 2012; Hermes Costa, 2012a, 2012b e 2015; Hermes Costa, Dias e Soeiro, 2014, p. 174; Leite et al., 2014).

Na Índia, o assalto aos direitos laborais antecede o período de liberalização iniciado a partir de 1991. Segundo Hensman:

> O núcleo fundamental da legislação trabalhista exclui deliberadamente os trabalhadores informais – definidos quer como trabalhadores em pequenos estabelecimentos não registrados (na Índia referido como "setor não organizado") ou como trabalhadores em relações de emprego irregulares –, o que proporciona aos empregadores uma variedade de formas de escapar a essas leis: dividindo um estabelecimento em unidades mais pequenas supostamente independentes entre si, criando rupturas artificiais na relação de emprego de forma a que os trabalhadores nunca alcancem o estatuto de permanente, empregando um elevado número de trabalhadores terceirizados contratados no local de trabalho e que portanto não figuram na folha

[4] Embora se tratasse na altura de um governo já em função, foi um governo socialista (liderado por José Sócrates) que assinou tal memorando, ainda que com a anuência dos partidos de direita (Partido Social Democrata e CDS – Partido Popular). Após o processo eleitoral de junho de 2011 seriam esses partidos de direita que, em coligação governamental, viriam a aplicar as medidas de austeridade na sociedade portuguesa entre 2011 e 2015.

> de pagamentos da empresa, ou subcontratando a produção a empresas menores. Embora, em teoria, os trabalhadores informais possuam o direito a se organizar, na prática, a falta de reconhecimento legal do seu trabalho – ou mesmo do seu estatuto de trabalhadores – torna quase impossível a sua organização sem serem demitidos. E uma vez demitidos, não possuem acesso à justiça, pois não existe qualquer reconhecimento legal do seu emprego ou mesmo da sua existência enquanto trabalhadores. (Hensman, 2010, p. 116)

Em paralelo com a austeridade e com a liberalização, a própria legislação laboral foi objeto de transformações, como a seguir se demonstra.

## Sinais de transformação na legislação laboral

Em sintonia com as medidas de austeridade impostas pela *troika*, a legislação laboral conheceu transformações através da Lei 23/2012 (de agosto de 2012). Essas alterações geraram efeitos negativos para o mundo do trabalho: a empresa escolhe quem despede na extinção de posto de trabalho; a demissão por inadaptação torna-se mais abrangente; processam-se cortes nas retribuições decorrentes da realização de horas extraordinárias; é estabelecido um banco de horas por negociação individual; reduzem-se as indenizações em caso de demissão; reduzem-se os dias de férias; corta-se o número de feriados; é menor o controle por parte da Autoridade para as Condições de Trabalho (ACT), uma vez que as empresas deixam de ser obrigadas a enviar-lhe o mapa do horário de trabalho ou o acordo de isenção de horário; o trabalho pode durar seis horas consecutivas etc. (Hermes Costa, 2012a; Leite et al., 2014)[5].

Por sua vez, no caso indiano as tentativas mais recentes de transformação na legislação laboral apontavam no sentido da desestabilização dos setores estáveis com a proliferação de contratos a prazo e trabalho precário e a passagem de certas camadas da força de trabalho para setores informais da economia, mercê de processos de reestruturação e subcontratação produtiva. Uma das principais tentativas de reforma da legislação laboral ocorreu durante um governo liderado pelo BJP entre 1998 e 2004, que gerou uma primeira resposta unida por parte das centrais sindicais. A criação do Trade Union Joint Action Committee [Comitê de Ação

[5] Entretanto, com o intuito de "virar a página" da austeridade, desde novembro de 2015 um novo governo tomou posse. Trata-se de um governo socialista minoritário, embora disponha de apoio parlamentar de dois partidos mais à esquerda (o Bloco de Esquerda e o Partido Comunista Português). Dentre as medidas perseguidas pelo governo de esquerda destacam-se a pretensão de reverter algumas das transformações na legislação laboral que colocaram em causa o trabalho decente e a contratação coletiva; a inversão nos processos de privatização em empresas estratégicas (como sucede, por exemplo, com a TAP Air Portugal); a restituição de salários e pensões a funcionários públicos etc. (Estanque e Costa, 2015). Algumas dessas medidas começaram efetivamente a ser implementadas a partir de janeiro de 2016, com destaque para a restituição dos cortes salariais aos funcionários públicos. A redução do horário na função pública está igualmente na agenda desde o início de 2016. Resta saber se as metas de cumprimento do déficit (exigidas por Bruxelas) permitirão uma reversão completa das medidas de austeridade dos últimos anos, ou se tais transformações (que também estão condicionadas à permanência em funções do governo socialista) são meramente circunstanciais.

Conjunta Sindical] (Tujac), que organizou um conjunto de eventos de protesto que culminaram na greve geral de 25 de abril de 2001, revelou-se fundamental para uma estratégia ganhadora que travou essa mudança legislativa (Hensman, 2010, p. 119).

Mas o principal problema continuou sendo a amplitude do setor informal. Em 1991, antes da implementação de medidas neoliberais, de uma força de trabalho contabilizada em cerca de 317 milhões de pessoas, 91,5% trabalhava no setor informal. Segundo dados mais recentes, essa porcentagem subiu para 93% de um total de 470 milhões de trabalhadores. Embora em termos absolutos a economia indiana tenha absorvido mais 8 milhões de trabalhadores no setor formal (de 27 milhões em 1991 para 35 milhões na atualidade), a força de trabalho empregada no setor informal aumentou a um ritmo superior (Srivastava, 2012; Bhowmik, 2013b, p. 86-7; Running, 2015).

O movimento sindical tem tido dificuldades para enfrentar a ofensiva neoliberal. No setor formal, o sindicalismo tem progredido, dada a possibilidade – embora com elevada resistência patronal – de reconhecimento dos sindicatos no local de trabalho. Essa é, aliás, a principal diferença entre setores formal e informal e uma das razões pelas quais o patronato procura precarizar e empurrar a força de trabalho para os setores informais (Bhowmik, 2013b, p. 94). Mas, globalmente, a densidade sindical cifra-se em 5% da força de trabalho e a negociação coletiva cobre apenas 1%.

Em resumo, em ambos os países registram-se condições propícias a um aumento da atividade grevista[6]. Mas, ao mesmo tempo, observa-se uma tensão entre o aumento do potencial para contestar/protestar e o receio de perda de emprego ou perseguição patronal decorrente da participação numa greve.

## O papel das greves gerais

As greves gerais constituem, *grosso modo*, formas de protesto que fazem apelo a uma mobilização ampla e diversa. Nos termos propostos por Tengarrinha (1981, p. 579), as greves gerais envolvem "trabalhadores de uma profissão num centro", "trabalhadores de todas as profissões num mesmo centro", "trabalhadores de uma ou mais profissões de uma região ou de todo o país" e "trabalhadores de todas as profissões de um país". Vejamos então o que sucedeu no caso português e no caso indiano nos últimos anos, tendo em conta os pontos enunciados na introdução deste capítulo, a saber: a greve enquanto *mecanismo de regulação*; enquanto *produto de uma decisão coletiva*; *"soma de esforços"*; o *papel da escala* na análise; e o questionamento da obtenção de *resultados*.

---

[6] Mas, como se referiu acima, no caso português, em especial desde novembro de 2015, o novo ciclo político parece ter atenuado essa propensão para o exercício da atividade grevista.

### As greves gerais em Portugal

Desde novembro de 2010, ocorreram em Portugal cinco greves gerais, todas com duração de um dia: três greves gerais convocadas conjuntamente pelas duas confederações sindicais, a Confederação Geral dos Trabalhadores Portugueses (CGTP), de orientação comunista, e a União Geral de Trabalhadores (UGT), de orientação socialista social-democrata: 24 de novembro de 2010; 24 de novembro de 2011; 27 de junho de 2013. E duas greves gerais apenas convocadas pela CGTP: 22 de março de 2012 e 14 de novembro de 2012.

1) *Processo regulatório e suas causas.* Todas as greves gerais foram testemunho de um exercício regulatório que teve como pano de fundo a austeridade. Aliás, na invocação dos motivos para a greve, isso foi perceptível. A greve geral de 24 de novembro de 2010 foi convocada contra os cortes de 3,5% a 10% (a partir de janeiro de 2011) dos salários dos funcionários públicos com rendimentos acima de 1.500 euros. A greve de 24 de novembro de 2011 foi convocada contra a intensificação da austeridade, que, além dos cortes salariais, se manifestou em cortes de subsídios de férias e Natal aos funcionários públicos em 2012, assim como da sobretaxa de 50% em sede de imposto sobre rendimentos singulares e de subsídio de Natal. Por outro lado, a greve geral de 27 de junho de 2013 foi convocada para denunciar medidas previstas num "Documento de Estratégia Orçamental", destinado a operacionalizar a reforma do Estado: aposentadoria aos 66 anos; prolongamento do horário da função pública de 35 para 40 horas semanais; redução de férias; aumento das contribuições para a ADSE (subsistema de saúde dos funcionários públicos); redução de 30 mil funcionários públicos; regime de mobilidade especial etc.
   Entrementes ocorreram outras greves gerais convocadas apenas pela CGTP: a greve geral de 22 de março de 2012, convocada em resposta à assinatura do acordo de concertação social (intitulado "Compromisso para o crescimento e emprego"), celebrado entre o governo, as confederações patronais e a UGT em 18 de janeiro de 2012; e a greve geral de 14 de novembro de 2012, por sinal uma greve sindical ibérica promovida pela Confederação Europeia de Sindicatos (CES), e que, em Portugal, apesar de convocada apenas pela CGTP, envolveu a CES e mais trinta sindicatos da UGT. Essa greve geral foi igualmente uma reação à proposta de Orçamento de Estado para 2013, que implicou um brutal aumento da carga fiscal.
2) *Soma de esforços e superação de discursos sindicais antagônicos.* Mesmo tendo presente a ausência de atuação conjunta nas greves gerais de 2012, não podemos deixar de assinalar, em especial no que diz respeito às três greves gerais conjuntas entre CGTP e UGT, que elas representaram uma evidente soma de esforços/junção de vontades num universo sindical frequentemente dividido. E, para reforçar a importância dessa atuação

sindical conjunta, um dado merece ser realçado: a greve de 24 de novembro de 2010 foi, naquele momento, a segunda greve geral conjunta da história do sindicalismo em Portugal (pois apenas em março de 1988 a CGTP e UGT se tinham juntado numa greve geral, na altura contra alterações na legislação laboral). Aliás, essa soma de esforços (que teve sempre como pano de fundo a austeridade) permitiu igualmente a convocação de greves gerais conjuntas no setor público, sendo a mais recente a registada em 13 de março de 2015.

3) *A escala da greve.* Como foi sugerido anteriormente, o espaço público e o espaço midiático estruturam-se predominantemente em escala nacional, desde logo pela questão da língua e da identificação em torno de comunidades políticas nacionais. E a definição da escala não pode, também ela, dissociar-se dos alvos do conflito. Ora, mesmo tendo as greves gerais constituído um apelo conjunto a toda a sociedade, a sua escala nacional foi muito marcada pelo ataque aos funcionários públicos portugueses, que em Portugal conta com cerca de 600 mil pessoas. Mas é óbvio que a escala nacional da greve teve repercussões não só nas condições de trabalho dos funcionários públicos (através de cortes salariais e aumento do horário de trabalho, apenas para dar dois exemplos) mas igualmente no setor privado, com as reduções das indenizações em caso de demissão.

4) *Resultados?* O governo português em função entre 2011 e 2015 manteve-se praticamente inflexível na sua deriva de austeridade. Nesse sentido, são questionáveis os resultados alcançados pelas estruturas sindicais graças às greves gerais realizadas. Aliás, em 2012, num estudo realizado em Portugal (José Rebelo e Brites, 2012, p. 75-7), constatava-se que apesar do aumento significativo do número de greves e trabalhadores em greve, apenas 4,6% das reivindicações foram aceitas, 8,6% parcialmente aceitas e 86,7% recusadas. As greves gerais em Portugal foram um importante instrumento de crítica social às políticas governamentais e aos defensores das políticas de austeridade no espaço europeu. Porém, dir-se-á que, desde janeiro de 2015, a devolução de 20% dos salários dos funcionários públicos não foi mais do que uma "vitória de Pirro", num contexto em que a austeridade permanece e a dívida pública do país (supostamente em nome da qual se ditaram os sacrifícios) não deixou de aumentar. E como se isso não bastasse, nem sempre alguns setores do movimento sindical viam noutros exemplos europeus de realização de greves gerais – como sucedeu na Grécia com mais de vinte greves gerais no espaço de cinco anos – um espaço de inspiração, desde logo porque não associavam tais greves à obtenção de resultados concretos (Hermes Costa, Dias e Soeiro, 2014, p. 181).

### As greves gerais na Índia

Nesse país, assistiu-se, nos últimos anos, a quatro greves gerais – em 28 de fevereiro de 2012, 20 e 21 de fevereiro de 2013, 5 de dezembro de 2014 e 2 de setembro de 2015 – que corresponderam a uma nova dinâmica de ação conjunta das centrais sindicais em torno do Tujac e à incorporação, no centro das suas reivindicações, das questões relacionadas com o emprego informal.

1) *Uma regulação em nome de exigências concretas.* No seu procedimento de regulação, essas greves evidenciaram um conjunto diverso de insatisfações e permitiram a expressão de reivindicações concretas: fixação de um salário mínimo nacional; combate ao aumento do custo de vida; denúncia do aumento contínuo dos preços dos combustíveis; exigência de criação de emprego; fim do desinvestimento nas empresas públicas estratégicas; exigência de benefícios de aposentadoria e de segurança social para todos os trabalhadores do setor informal, esmagadoramente maioritário na Índia; combate à precarização que predomina em todo o país.
2) *Somar esforços sindicais e na sociedade.* Atualmente subsistem alguns sinais positivos de que a fragmentação e a falta de influência dos sindicatos pode estar se invertendo. As lutas e as greves sindicais com vista ao reconhecimento da organização sindical no local de trabalho têm aumentado. É o caso das greves na Marutti, o maior produtor de automóveis do país, em 2011, mas também de outras fábricas, como Honda, Nokia, General Motors e Holol (Bhowmik, 2013b, p. 94; Nowak, 2014).

   Mais importante ainda, porém, as onze centrais sindicais começaram a desenvolver, a partir de 2009, uma estratégia de unidade de ação em torno do Tujac. Organizaram, em 20 de fevereiro de 2011, uma manifestação de massas que juntou 500 mil trabalhadores em Délhi contra o aumento dos preços dos alimentos. Em face da insensibilidade do governo em ouvir as reivindicações dos sindicatos, estes mudaram de tática e passaram a convocar greves nacionais: a primeira em 28 de fevereiro de 2012; a segunda, de dois dias, em 20 e 21 de fevereiro de 2013; a terceira em 5 de dezembro de 2014; e, mais recentemente, em 2 de setembro de 2015 (Bhowmik, 2013a; Browne, 2014).

   Essas paralisações tiveram um impacto significativo em alguns setores de atividade e, no centro das suas reivindicações, estiveram as questões do trabalho informal e precário. Cumulativamente, interromperam (pelo menos conjunturalmente) as típicas divisões entre organizações sindicais e lograram juntar o setor formal e organizado da economia com o setor informal (setores precários, responsáveis por cerca de três quartos dos manifestantes). Mais recentemente, o atual governo de direita, eleito em maio de 2014 e liderado pelo primeiro-ministro Narendra Modi, propôs um novo Código do Trabalho que visa retirar ainda mais direitos dos trabalhadores, considerados o principal obstáculo à expansão do emprego. Essa proposta, juntamente com a exigência da regularização do trabalho informal e da fixação de um salário mínimo nacional, causou a convocatória da greve geral de 2 de setembro de 2015. A unidade foi quebrada pelo recuo da central sindical afeta ao partido do governo, mas a continuidade dessa estratégia de unidade na ação não parece posta em causa. Em 10 de março de 2016, as onze centrais organizaram um dia de protesto conjunto em que instaram o governo a se pronunciar sobre as suas propostas. E, em 30 de março, a Convenção Nacional dos Trabalhadores aprovou um plano de ação que incluía ações descentralizadas em junho e julho, um dia nacional de protesto a 9 de agosto e uma greve geral em 2 de setembro (Bhowmik, 2015a e 2015b; IndustriALL, 2016).

3) *Uma escala gigantesca*. Como no caso português, reportamo-nos a uma escala nacional. No entanto, os quase 100 milhões de pessoas (Menon, 2013) que aderiram ao protesto são realmente impressionantes e conferem ao fenômeno uma expressão de dimensões continentais – por sinal, num país onde a força de trabalho ronda os 500 milhões de trabalhadores. Por outro lado, a escala dos problemas reportados nacionalmente foi anunciadora de uma agenda mais vasta, em que o papel dos funcionários públicos, distintamente do que sucede no caso português, não foi o "rastilho" para o protesto. Na verdade, não obstante uma das exigências da greve dos 100 milhões ter sido o fim da privatização do setor público, os problemas relacionados com a economia informal – tais como a fixação de um salário mínimo nacional para todos os trabalhadores e o alargamento da cobertura do sistema de pensões e de segurança social para o setor informal acabaram por desempenhar um foco hegemonizador em todo o protesto.

4) *A força dos impactos imediatos*. O peso da escala do conflito (mencionado no ponto anterior) não pode dissociar-se do impacto gerado pelo conflito. Independentemente da eficácia dos resultados de curto e médio prazo poderem ter efetivamente influenciado o sistema político no sentido de responder às exigências dos manifestantes, foi notório, no caso indiano, um conjunto de impactos imediatos reveladores de que a greve geral, em si mesma, causou mudanças de grande monta que não passaram despercebidas. Mais uma vez, a título de exemplo, a greve de 2013 afetou setores vitais da economia; o sistema bancário colapsou durante dois dias; os setores público e privado estiveram unidos no setor dos transportes (por exemplo: os táxis estiveram parados e cerca de 100 mil ônibus públicos não estiveram nas estradas); foram notórias as ações de solidariedade entre diferentes setores (por exemplo: solidariedade de professores; correios fechados em muitos estados). Ora, todos esses impactos coloca-

ram ainda o sindicalismo num patamar de referência na construção de estratégias emancipatórias (articuladas e conjuntas com a sociedade), e não na condição de ator social acabado.

## Conclusão

Neste texto procuramos analisar o lugar da greve – em especial da greve geral – em dois países muito distintos geográfica, política, econômica e culturalmente. O nosso propósito foi o de colocar em confronto dinâmicas divergentes e convergentes sobre a atividade grevista que se colocam quer para o "Sul do Norte" (Portugal), quer para o "Norte do Sul" (Índia). Recuperamos aqui muito brevemente algumas ideias que sobressaíram da nossa análise.

É constatável que, do ponto de vista da estrutura de emprego, o caso indiano é muito mais preenchido por dinâmicas de informalidade, ainda que, tanto no caso indiano como no português, exista uma preocupação em combater o peso da precariedade nas relações laborais ditas "estáveis". Por outro lado, tanto em Portugal como na Índia, as estruturas sindicais estão historicamente divididas, ainda que as greves gerais tenham constituído uma oportunidade para formas de atuação conjunta, que, porém, no caso indiano, foram para além do universo sindical. Os momentos de transição democrática, em Portugal, e de construção da independência, no caso indiano, foram também momentos de oportunidade para a dinamização das estratégias de conflitualidade. Mas, sobretudo nos últimos cinco anos, a greve esteve na ordem do dia por motivos relacionados com a austeridade, no caso português, e com os processos de liberalização, no caso indiano.

A greve geral dirige-se sobretudo ao Estado, quando este implementa mudanças que correspondem a uma alteração profunda na relação salarial. Pode parecer contraditório o fato de o recurso à greve geral ocorrer num momento de maior enfraquecimento da força sindical, com riscos de baixa adesão, gastos avultados e baixa eficácia, mas tal decorre exatamente da inexistência de outros meios de influência do poder político. Os resultados das greves gerais são uma forma de medir a sua eficácia. Mas também aqui, pelo menos no caso português, não foi propriamente possível cantar vitória, não obstante a forte adesão registada na maior parte das greves gerais realizadas. A esse respeito, o caso indiano pareceu evidenciar, pelo menos no que concerne ao impacto imediato de uma greve geral, a força de mobilização e, consequentemente, a ideia de paralisação do país decorrente da realização de uma greve gigantesca. Seja como for, porém, tanto num caso como noutro, o contexto de austeridade e de liberalização empurrou as greves gerais para estratégias mais defensivas do que ofensivas.

Na verdade, mais do que visar, de modo ofensivo, à conquista de melhores salários, horários ou condições de trabalho (Tengarrinha, 1981, p. 580), nos dois países as greves gerais parecem apontar, de modo defensivo, no sentido de impedir mais austeridade e privatização por parte de governos e empresários (Nowak e Gallas, 2014, p. 312), ou seja, de rejeitar mais retrocesso civilizacional.

Mas, por outro lado, as greves gerais envolvem cada vez mais cidadãos empobrecidos e enfraquecidos em sua dignidade. Nesse sentido, elas são também fortes reações contra a perda de direitos pelos quais tantas gerações de trabalhadores lutaram e que pareciam ser uma conquista irreversível, contra a partilha desigual da riqueza (traduzida no confisco de salários e pensões, no aumento de horários e ritmos de trabalho, na tributação e resgates financeiros a favor dos ricos), contra o senso comum neoliberal que sustenta que não há alternativa ao empobrecimento das maiorias e ao esvaziamento das opções democráticas, contra o poder desmesurado do capital financeiro (Boaventura Santos, 2011; Hermes Costa, 2014).

Assim sendo, a construção de um sindicalismo convictamente orientado para o mundo do trabalho precário e informal impõe-se como urgente. A influência que este poderá ter no futuro dependerá da sua capacidade, enquanto ator estratégico, de empreender mudanças substanciais no seu *modus operandi*, quer lidando com a resistência à mudança e a acomodação burocrática, quer ampliando o seu funcionamento democrático (Hermes Costa, 2011; Estanque, 2011). Desse ponto de vista, a ação sindical em países como a Índia teve sempre de conviver com a realidade do trabalho informal. E, embora nem sempre tenha agido da forma adequada, promoveu uma reorientação estratégica que poderá dar frutos num futuro próximo.

A esse respeito, o Norte tem muito a aprender com o Sul. O sindicalismo dos países do Norte constituiu-se no contexto da relação salarial fordista. A desconstrução dos pactos sociais e dos arranjos institucionais que corporizavam esse compromisso capital-trabalho causaram, por um lado, perda de força institucional e, por outro, perda de capacidade de mobilização coletiva. Os sindicatos, na era "pós democrática" (Crouch, 2004), não possuem parceiros próximos nas instâncias de poder político, o que os impele também a uma reorientação estratégica para se adaptarem a um contexto de atuação cada vez mais adverso, recuperando modalidades de ação coletiva pertencentes ao seu arsenal histórico de contenção, e procurar construir alianças sociais com os setores mais marginalizados e precarizados da sociedade. Só desse modo poderá aspirar a representar no seu interior, mas sobretudo no exterior, a nova morfologia da classe trabalhadora (Antunes, 1995).

Um olhar dos sindicatos portugueses sobre a posição do movimento sindical indiano nos processos de greve permitiria extrair como lição a unidade nas formas de protesto entre o setor público e o setor privado, por um lado, ou entre as estruturas associativas formais (os sindicatos) e as organizações de trabalhadores informais, por outro.

# 21
# Zanon: uma experiência de fábrica sem patrão na Argentina

*Ricardo Colturato Festi*

## Introdução

Este capítulo sintetiza algumas das principais reflexões de nossa dissertação de mestrado[1] sobre a emblemática experiência de luta e resistência operária que ocorreu na Argentina e foi parte do mais importante fenômeno político e social que já sucedeu naquele país no início do século XXI, ou seja, a autogestão e a recuperação de fábricas pelos próprios trabalhadores[2]. Faz também uma análise da reação política de uma parte da classe trabalhadora ao processo de intensificação e superexploração do trabalho proporcionados pela reestruturação produtiva ao longo dos anos 1990.

Transformada na capital mundial da autogestão na década de 2000 (Neuville, 2015), a Argentina e seus movimentos sociais se tornaram o centro da reflexão de diversos estudos e registros audiovisuais. Depois de quase duas décadas de desertificação teórica, ceticismo histórico e ideologia triunfalista do capital, o levante popular ocorrido nos meses finais de 2001 renovou as esperanças de um novo giro à esquerda na subjetividade latino-americana e de um novo mundo possível. A Argentina viu sua tragédia social e humana se converter, pela reação operária e popular, num laboratório de novas experiências políticas. Alguns temas que foram

---

[1] Ricardo Colturato Festi, *Zanon, fábrica sem patrão: um debate sobre classismo e controle operário na vanguarda operária*, dissertação (mestrado em sociologia) apresentada em março de 2010 no Instituto de Filosofia e Ciências Humanas da Universidade de Campinas (Unicamp), sob orientação de Ricardo Antunes.

[2] O processo de recuperação de empresas por seus trabalhadores ou de autogestão operária não foi a única novidade que nasceu das mobilizações populares na Argentina neste início de século. Podemos listar uma série de outros fenômenos e movimentos políticos que surgiram antes, durante e depois da crise de 2001, tais como os *piqueteros*, as assembleias populares e de bairro, as inúmeras tendências políticas que renovaram o movimento estudantil argentino, o sindicalismo classista e combativo dos delegados fabris etc. Chesnais e Divès (2002) e outros autores chamaram a atenção para o fenômeno da auto-organização das classes subalternas, característica dos movimentos envolvidos nas mobilizações de 2001.

suscitados pelo caso argentino e tiveram relevância nos debates daquele período falam por si sós: auto-organização, autogestão, controle operário, recuperação de empresas pelos trabalhadores, desalienação do trabalho, ação sindical, *piqueteros*, assembleias populares e de bairro, luta operária e popular e economia social ou solidária. É um típico exemplo de processo de luta social generalizado que desencadeou mudanças na sociedade, pôs em questão a ordem estabelecida e foi capaz de produzir um rico e acalorado debate no mundo das reflexões teóricas.

O estudo de um caso particular, o da Cerâmica Zanon[3] (ou da cooperativa de trabalho FaSinPat, ou Fábrica Sin Patrón), permite-nos compreender as consequências, no interior de um fábrica e para um grupo de trabalhadores, do processo de flexibilização e desregulamentação dos direitos do trabalho no período da reestruturação produtiva impulsionada globalmente pelo capital.

Nesse caso específico, podemos estabelecer duas fases expressivas. A primeira, temporalmente delimitada à primeira metade dos anos 1990, foi marcada pela instalação de novos maquinários e pela introdução de novas formas de gestão e contratos de trabalho. O objetivo era aumentar a taxa de lucro, a produtividade e a rentabilidade da fábrica à custa de uma maior exploração e intensificação da força de trabalho, em consonância com a tendência nacional, impulsionada e incentivada pelas reformas estruturais dos primeiros anos do governo de Carlos Menem. A partir da segunda metade dos anos 1990, as crises econômicas internacionais evidenciaram a fragilidade do modelo argentino. Foi o início da segunda fase, marcada pela hiperfinanceirização da economia, pela desindustrialização e pelo aumento vertiginoso do desemprego. Os empresários deixaram de investir capital nas fábricas, preferindo especular na Bolsa, e levaram adiante um processo de esvaziamento das plantas, o que produziu uma deterioração do mundo fabril que culminou, em muitos casos, em crises, *lockout* e falências.

As consequências sociais do neoliberalismo foram catastróficas para a classe trabalhadora, resultando em desemprego, queda do poder de compra, aumento da miséria e da desigualdade social. Entretanto, na Argentina, como em muitos outros países, essa situação gerou inúmeras novas formas de resistência e movimentos populares, tendo criado, em meio ao conflito, uma "visão de mundo" classista[4], que se expressou de múltiplas formas e radicalmente nas lutas sociais dos anos 2000.

---

[3] Para um estudo mais aprofundado sobre a gestão operária na Zanon, recomendamos a leitura de Aiziczon (2005, 2006, 2007, 2009a e 2009b), Carpintero e Hernández (2002), Soraia de Carvalho (2007), Davis (2005), Fajn (2003 e 2004), Fajn e Rébon (2005), Favaro e Aiziczon (2003) e Festi (2009 e 2010). Recomendamos também, para um estudo sobre as gestões operárias e o cooperativismo no Brasil, Paulucci (2007), Raslan (2007 e 2013), Verago (2011), Pagotto (2003 e 2010) e Castro (2009). Para referências mais amplas de estudos sobre autogestão, recomendamos a enciclopédia internacional *Autogestion* (2015).

[4] Entende-se por classismo a consciência que um grupo de trabalhadores tem de si mesmo enquanto sujeito histórico, de seu papel protagonista no cenário da luta de classes, de suas ações autônomas em relação às demais classes sociais. No caso argentino, o classismo expresso na concepção organizativa e nas reivindicações políticas de vários grupos sociais significava auto-organização, isto

A particularidade da Zanon está no surgimento, em seu interior, de uma reação político-sindical dos trabalhadores contra esse processo que levou à deterioração de suas condições de vida e à possibilidade de perda de emprego. A resistência ceramista, ao longo dos anos 1990, passou de uma postura de simples defesa e negatividade contra os ataques do capital para a construção de um sentido positivo do trabalho e uma postura ativa e propositiva na perspectiva de uma sociedade para além do capital. Tal processo foi acompanhado de uma tomada de consciência de classe que não pode ser vista e analisada por meio de números e estatísticas, mas, sim, por meio das ações e dos projetos construídos por esse grupo social.

## Zanon, ditadura, neoliberalismo e precarização do trabalho

Tanto a ascensão como a queda dos tempos de gestão empresarial da Cerâmica Zanon estão relacionados à implementação e ao esgotamento de um modelo econômico que começou a ser estruturado na Argentina durante a sua última ditadura militar, atingiu o ápice nos governos de Carlos Menem e chegou a sua prostração no início do novo milênio. Os benefícios econômicos obtidos pela fábrica ao longo de sua existência estavam vinculados às relações políticas e pessoais que o seu dono, Luis Zanon, mantinha com o centro do poder político do país.

A empresa foi inaugurada em 1979, no Parque Industrial de Neuquén, situado na Rodovia 7, a caminho da cidade de Centenario[5]. Em pouco tempo de funcionamento, a fábrica transformou-se na mais moderna produtora de porcelanato de toda a América Latina, com 25% de participação no mercado nacional de cerâmica esmaltada (em 1981); exportava para mais de 35 países (entre os quais o Brasil, o Chile, o Canadá, os Estados Unidos e a Austrália) e fabricava anualmente cerca de 13,2 milhões de metros quadrados de revestimentos, pisos esmaltados e porcelanatos. Atuando num vasto negócio, em expansão durante toda a década de 1980 e em grande parte dos anos 1990, teve um crescimento de 200% na produção e 136% nas vendas entre 1995 e 1998 (Aiziczon, 2004, 2009a e 2009b).

Na cerimônia de inauguração da planta, Luis Zanon declarou:

> Estamos aqui hoje para inaugurar a nossa moderna indústria. Essa decisão foi influenciada, fundamentalmente, pelo ambiente de segurança e tranquilidade que nos têm oferecido as Forças Armadas, desde que tomaram o poder, em 24 de março de

é, o princípio da democracia direta, a negação da ordem estabelecida e das instituições políticas e sociais responsáveis por implementar e sustentar o neoliberalismo. Usamos o conceito de "visão de mundo" de Lucien Goldmann (1959), visto que ele exprime um conjunto de aspirações, sentimentos e ideias que reúne e opõe os membros de um grupo social (ou classe social) aos demais grupos.

[5] A cidade de Neuquén é a capital da província homônima. Segundo dados de 2010 do Instituto Nacional de Estatísticas e Censo da Argentina (Indec), Neuquén era a maior cidade da Patagônia, com 231.780 habitantes.

> 1976. Com o nosso esforço e a sua ajuda, transformamos esse sonho em realidade. (Incalcaterra, 2004)

O golpe de Estado de 24 de março de 1976 instaurou a ditadura militar na Argentina e deu início a um novo modelo de acumulação e dominação do capital, pautado na liberalização generalizada dos mercados (particularmente dos setores financeiros), na abertura econômica para o exterior, na suspensão das políticas protecionistas e de subsídios estatais, bem como no combate aberto contra a classe operária e os opositores ao regime. Nesse sentido, o regime militar buscou desmontar o modelo econômico do período peronista, marcado pelo intervencionismo do Estado, fragmentar a força da classe trabalhadora, na época concentrada nos cinturões industriais de Buenos Aires, Córdoba e Santa Fé, e enfraquecer os sindicatos[6]. Essa política preparou as bases fundamentais que possibilitaram a efetivação do neoliberalismo nos anos 1990:

> Em 1976, mediante o uso da força material do Estado, criam-se as condições para impor a hegemonia do capital financeiro, destruindo a forma de organização anterior, a do capital industrial [...]. Mas as novas condições só puderam realizar-se plenamente depois de 1989-1990, com a "hiperinflação", em meio a uma crise econômica e política que contém também, entre outros elementos, a subordinação absoluta dos quadros políticos ao capital financeiro. (Iñigo Carrera e Podestá, 1997, p. 152)

Outro aspecto importante sobre a economia durante a ditadura foi a implantação da chamada Política de Promoção Industrial, um plano de investimentos diretos e de incentivos fiscais do Estado em projetos privados. Fruto dessa iniciativa, foi criado, em 1972, por decreto, o Parque Industrial de Neuquén. Entre os dezoito projetos aprovados em 1977 para essa nova área industrial, estavam a Cerâmica Neuquén e a Cerâmica Zanon. Os objetivos gerais de tal política de promoção industrial eram, ao mesmo tempo, dispersar a classe trabalhadora pelo território nacional e usufruir do potencial de exploração dos recursos naturais e do baixo valor da força de trabalho no interior argentino. O resultado imediato foi um aprofundamento do processo de monopolização da economia:

> A política de promoção industrial se inscreve plenamente, com outros mecanismos, na lógica perversa do padrão de acumulação consolidado durante a ditadura militar. Sua total funcionalidade com o processo de concentração e centralização de capital, as transferências de enormes quantidades de recursos sociais, seu impacto regressivo sobre a distribuição salarial, não são mais que manifestações parciais de um fenômeno

[6] Ao desmontar as bases do desenvolvimento industrial do peronismo, a ditadura de 1976 atingiu a base política do movimento, o sindicalismo industrial. Os sindicatos e a Confederação Geral do Trabalho (CGT), em particular, foram brutalmente reprimidos pelo regime militar. Sobre isso, ver Pereyra (2008).

> que transcende a estrita problemática industrial e remete à consolidação de um reduzido, mas poderoso conjunto de grandes grupos econômicos de capital local e conglomerados transnacionais como atores centrais desse novo padrão de acumulação. (Basualdo, citado em Aiziczon, 2004, p. 81)

A relação obscura com a ditadura militar, que trouxe benefícios fiscais e financeiros e a tranquilidade de uma força de trabalho dócil nos primeiros anos de existência da fábrica, permitiu que Luis Zanon assumisse nos anos 1980 a figura paternalista do fordista. Os operários relataram que ele gostava de andar pela fábrica e conversar com os operários, estabelecendo uma relação pessoal, amigável e respeitosa; porém, a organização da fábrica e o maquinário impunham um regime severo de trabalho, com monotonia, fadiga e divisão acentuada do pensar e do agir, típico do modelo taylorista. Mesmo assim, até início dos anos 1990, graças aos salários relativamente altos para a região, o operário que conseguia um posto de trabalho na Cerâmica Zanon conquistava o "emprego dos sonhos".

A relação mudou nos anos 1990, quando Luis Zanon implantou uma nova seção de máquinas automatizadas para a fabricação de porcelanato e, consequentemente, uma nova forma de contrato e gestão. O perfil do operário também mudou, assim como suas atitudes sociais e políticas num cenário marcado pela flexibilização e pela desregulamentação do trabalho. A instabilidade passou a ser o aspecto principal da geração de operários que ingressou na fábrica nos anos neoliberais. O conflito entre eles e Luis Zanon era latente, mas a passagem de uma insatisfação passiva para uma ação político-sindical, como veremos em seguida, só foi possível graças ao trabalho militante de um pequeno grupo político no interior da fábrica.

Esse processo de precarização e reestruturação da produção na fábrica Zanon começou durante o primeiro mandato do presidente Carlos Menem (1989-1995), quando suas políticas neoliberais promoveram um conjunto de alterações no Estado, na economia e na legislação trabalhista, produzindo um relativo crescimento das taxas de lucro e um aumento substancial da produtividade industrial.

As medidas mais importantes tomadas em seu governo foram estas: as leis de Emergência Econômica e Reforma do Estado, sancionadas em 1989, as reformas trabalhistas e o Plano de Convertibilidade, idealizado pelo ministro da Economia, Domingo Cavallo, e aprovado em 1991. Seguindo o receituário do "Consenso de Washington", Carlos Menem reformou o Estado, diminuiu seu papel de subsidiário e privatizou as mais importantes empresas estatais. Em seguida, criou a paridade entre a moeda argentina e a estadunidense, ao custo de um montante em ouro ou divisas estrangeiras garantido pelo Banco Central (que já havia se tornado independente) para cada peso em circulação. A manutenção desse modelo mostrou-se impossível numa economia periférica como a da Argentina e suscetível a todas as crises financeiras que assolaram o mundo na segunda metade dos anos 1990 (Ferrari Haines, 1998).

No segundo mandato de Carlos Menem (1996-1999), o crescimento econômico deu lugar a um processo de destruição industrial e financeirização da economia, acompanhado de uma acentuada taxa de desemprego e de uma fuga descomunal de capitais do país. A Argentina, que entre 1991 e 1998 tinha sido a campeã dos países "emergentes" em termos de crescimento econômico, tornou-se rapidamente uma nação pobre e em profunda crise fiscal, econômica, política e social. A dívida externa bruta, que representava 40% do PIB em 1995, passou para mais de 50% em 2000: saltou de 58,4 bilhões de dólares em 1987 para 155 bilhões de dólares em 2000 (Douglas Alves, 2009). O serviço da dívida externa, em relação às exportações, passou de 40% para cerca de 100% entre 1995 e 2001 (Quenan, 2003).

As consequências sociais foram ainda piores. O índice de Gini (que mede a desigualdade entre os setores sociais) passou de 0,382 em 1980 para 0,475 em 1997 (Pereyra, 2008). Em dezembro de 2001, quase metade da população, 14 milhões de pessoas num universo populacional de 36,2 milhões de pessoas, encontrava-se abaixo da linha da pobreza (Peñalva, 2003; Chesnais e Divès, 2002). Na Grande Buenos Aires, de maio de 2000 a maio de 2001, a porcentagem de pessoas abaixo da linha da pobreza passou de 29,7% para 32,7% da população (3.959.000 pessoas).

Quanto ao desemprego, dois picos são marcantes: 18,8% em 1996 e 21,5% em 2002 (Aiziczon, 2004). No mundo do trabalho, além da explosão do desemprego, as políticas neoliberais produziram desregulamentação, desindustrialização e desproletarização. Apesar do salto na produtividade industrial ao longo dos anos 1990, proporcionado por novos maquinários e novas formas de gestão flexível, esses ganhos não foram acompanhados de um aumento nos valores dos salários, o que derrubou o poder de compra dos assalariados (estima-se que os salários tenham caído aproximadamente 30% no setor privado) (Chesnais e Divès, 2002). Essa queda reforçou a crise do setor industrial que, devido à abertura econômica do país e à *convertibilidade*, não conseguiu competir com os produtos estrangeiros. Era mais vantajoso para os industriais investir seu capital no mercado financeiro do que o reinvestir na produção industrial.

**Quadro 1. Principais indicadores macroeconômicos argentinos entre 1991 e 2001**

| | 1991-1994 | 1994-1997 | 1998 | 1999 | 2000 | 2001 |
|---|---|---|---|---|---|---|
| Variação do PIB (em %) | 7,9 | 4,1 | 3,9 | -3,4 | -0,3 | -4,4 |
| Inflação (IPC, em %) | 28,3 | 1,6 | 0,7 | -1,8 | -0,7 | -1,5 |
| Desemprego (em %) | 8,6 | 15,3 | 12,9 | 14,3 | 15,1 | 17,0 |
| Serviço da dívida externa (% das exportações) | 32,3 | 41,7 | 56,4 | 60,6 | 75,0 | 99,8 |

Fonte: Ministério da Economia e da Agricultura, IFI, Cepal, CDC Ixis, citado em Quenan (2003).

A debacle do modelo neoliberal na Argentina culminou com a profunda crise política e social de 2001, sob o governo de Fernando de la Rúa[7]. Em poucos meses à frente da presidência, sua taxa de rejeição bateu recordes. Não apenas ele manteve as reformas trabalhistas de Menem e os compromissos com o capital financeiro como diminuiu os salários dos funcionários públicos e cortou o orçamento destinado à educação, produzindo um aumento ainda maior do desemprego. As reações espontâneas e radicais de amplos setores da classe média, estudantes e desempregados contra o seu governo possibilitaram novas experiências políticas. O resultado foi a queda do presidente em 20 de dezembro de 2001[8], após uma mobilização que unificou a população em torno do slogan "¡Que se vayan todos!" [Que saiam todos!][9].

Uma fração de desempregados, organizada por meio dos movimentos dos *piqueteros*, tornou-se protagonista dessa fase de luta social. Desde setembro de 2001, antes mesmo do estopim da crise, alguns desempregados vinham realizando bloqueios em ruas e estradas contra o desemprego e a miséria. Profundamente afetada pelo empobrecimento da sociedade argentina, uma faixa mais ampla de desempregados saqueou cerca de seiscentos supermercados e estabelecimentos comerciais em busca de alimentos.

A classe trabalhadora empregada, após mais de uma década na defensiva e temendo o desemprego, assistia com certo distanciamento às mobilizações que provocaram a queda do presidente da República. Os dirigentes sindicais, em sua maioria, hesitavam em propor medidas mais radicais, mas, quando o desemprego se tornou inevitável em alguns setores, com o fechamento de pequenas e médias fábricas, eles se radicalizaram. Foi nessa fração da classe trabalhadora que se produziu o fenômeno da ocupação e da gestão/recuperação de fábricas pelos próprios trabalhadores.

---

7 De la Rúa, eleito em 1999 pela Alianza, tinha um programa político impossível de se concretizar num cenário de crise, pois, ao mesmo tempo que prometia a criação de novos postos de trabalho, reafirmava o compromisso com o modelo econômico vigente e o pagamento da dívida externa (que sugava as finanças do país).

8 A crise se aprofundou quando o ministro da Economia, Domingo Cavallo (ex-ministro de Carlos Menem), nomeado em março de 2001, implementou uma retenção bancária, conhecida como *corralito*, e a classe média, em acelerado movimento de empobrecimento, enfureceu-se. O estopim da crise ocorreu quando o presidente, reprimindo as manifestações populares, decretou estado de sítio em 18 de dezembro. O descontentamento deu lugar a uma revolta generalizada, com centenas de milhares ocupando as ruas de Buenos Aires, desencadeando mobilizações e enfrentamentos impulsionados por várias camadas sociais, desde a pequena burguesia, que se manifestava principalmente por *panelaços*, até os desempregados e as organizações políticas de esquerda. Para saber mais sobre esse processo, ver Sartelli (2007).

9 O slogan "¡Que se vayan todos!" sintetizava a insatisfação de diversos segmentos da sociedade com as esferas da política institucional, principalmente o Congresso Nacional e o Executivo. Foram essas instituições que, ao longo dos anos 1990, aprovaram e levaram adiante as leis que sustentaram o neoliberalismo. Ver também Hernández (2002) e Martínez (2002).

## A reação política operária à reestruturação produtiva na fábrica Zanon

A virada na estratégia de produção e gestão da Zanon ocorreu em 1993, com a abertura de uma nova linha de produção de porcelanato, com máquinas automatizadas importadas da Itália[10]. Essa nova sessão acentuou as divisões internas entre os trabalhadores, pois criou uma diferenciação nos contratos (permanentes e temporários) e nas cores dos uniformes. Os operários mais antigos (e também mais velhos), que trabalhavam com o maquinário tradicional, tinham contratos estáveis e com eles Luis Zanon tinha uma relação mais paternalista. Já os operários que trabalhavam na nova seção de porcelanato eram novos na planta e mais jovens, tinham contratos temporários, menos estabilidade e relações mais conflituosas com a gerência e com o dono da fábrica. Essa nova seção incorporou 140 novos trabalhadores e exigiu a contratação de técnicos e engenheiros para supervisioná-la e regular o aparato técnico-informacional, consolidando um aumento da divisão entre o fazer e o pensar/planejar/gerenciar.

Tais mudanças vieram acompanhadas da implementação de uma política de incentivo à competição com bonificações e premiações, vinculando os salários à produtividade e à superação de "metas". Essa política colocava cada seção, cada turno e cada operário em plena competição com os demais e impunha um ritmo alucinante de trabalho.

Outra questão inaugurada com a nova seção automatizada foi o vínculo empregatício por contrato temporário de trabalho, que não assegurava estabilidade ao novo ceramista e dava à direção mais flexibilidade para demitir e contratar. Sob a perspectiva do capital, a rotatividade tem a vantagem de aumentar a fragmentação e dificultar a consolidação de laços de solidariedade entre os trabalhadores. A isso acrescentava-se o fato de que a direção do sindicato dos ceramistas não reconhecia os temporários como associados, o que, na prática, fazia com que os contratos temporários não fossem resultado de negociações coletivas, e sim de negociações individualizadas entre a empresa e o operário. Do ponto de vista jurídico, e de acordo com a legislação do trabalho, a empresa não se submetia aos encargos trabalhistas ao demitir um temporário, pois legalmente não estava demitindo, mas rompendo um contrato de serviço.

Podemos encontrar uma boa ilustração do ambiente fabril após as reformas trabalhistas do primeiro mandato de Calos Menem neste relato de Raúl Godoy[11]:

---

[10] A inauguração da seção de porcelanato evidenciou a relação estreita que existia entre o dono da Cerâmica Zanon e o governador da província de Neuquén, Jorge Sobisch. Em julho de 1992, foi sancionada a lei do Fundo de Desenvolvimento Provincial, cujo objetivo era financiar até 80% dos ativos dos projetos empresariais. Zanon foi quem mais se beneficiou desse fundo, obtendo mais de 19 milhões de pesos. Com esses recursos estatais, que nunca foram pagos, Luis Zanon ampliou o maquinário e a produção da fábrica. Na inauguração da nova seção de porcelanato, estiveram presentes inúmeras autoridades provinciais e nacionais, como o próprio governador Sobisch e o presidente Carlos Menem.

[11] Raúl Godoy, ao lado de Alejandro López, é o mais importante líder político dos ceramistas da Zanon. Ingressou na Cerâmica Zanon em 1994, aos 29 anos. Antes, frequentou a universidade

> Ingressávamos na fábrica com contratos temporários – quatro contratos de seis meses [...]. Os primeiros seis meses foram para mim os mais terríveis [...]. Primeiro pelo choque que foi a automatização das máquinas, o ruído ensurdecedor que elas faziam. Tínhamos de falar aos gritos. O ritmo infernal do trabalho na produção causava um acidente a cada dois dias: mutilações de dedos, de tudo. Além disso, se você se acidentava, o culpado era sempre você. Era sempre o mesmo mecanismo: você se acidentava, era levado para o escritório, era pressionado, humilhado e, se tinha algum tipo de reação, era demitido. Mas, se ficasse humilhado e com o moral destruído, tinha alguma possibilidade de continuar trabalhando. Eles nos faziam trabalhar dois turnos. Assim, a jornada era de dezesseis horas, das 6 horas às 22 horas. Eu fiquei praticamente seis meses sem nenhum descanso. Trabalhávamos de segunda a segunda, dezesseis horas por dia. Nas oito horas que me restavam, eu gastava uma hora de viagem para ir para o trabalho e outra para voltar para casa. Assim, meu tempo de descanso se reduzia a seis horas e nessas seis horas eu tinha de comer, tomar banho, ficar com a minha família e, no nosso caso, falar de política quando estava com algum companheiro, o que era tudo muito difícil [...]. Para mim, foram anos de cão, de todos os pontos de vista. Na fábrica, os mesmos companheiros pressionavam você a trabalhar mais, porque eles [os proprietários] pagavam por produtividade.

Foram muitos também os relatos de assédio moral cometido por parte da gerência e da supervisão da fábrica ao longo da década de 1990, como o de um diretor que se declarava fascista e dizia aos ceramistas: "Tenho nas minhas mãos não só o seu futuro, mas o do seu filho e o da sua esposa". E ainda completava: "Você sabe por que eu estou deste lado do escritório e você aí do outro? Porque eu sou branco e tenho olhos claros e você está do outro porque é negro".

O regime fabril do início dos anos 1990 proibia na Zanon e na indústria em geral que os trabalhadores se comunicassem durante a jornada de trabalho. "A incomunicabilidade em todos os níveis (entre companheiros de turno ou de lanche) é um dos aspectos mais bem-sucedidos da estratégia patronal" (Aiziczon, 2009b, p. 131). Era proibido até mesmo o *mate*, bebida muito popular na Argentina (semelhante ao chimarrão brasileiro) e que normalmente é consumida de forma coletiva, em pequenos grupos. Outro extremo dessa política repressiva foi a imposição de itinerários no interior das fábricas (com linhas coloridas pintadas no chão), pelos quais os ceramistas deveriam caminhar para não se encontrarem com trabalhadores de outras seções.

---

em La Plata, onde ingressou no Movimento Ao Socialismo (MAS), e em 1998 fundou o Partido dos Trabalhadores Socialistas (PTS). Foi membro da Comissão Interna, secretário-geral do Sindicato dos Ceramistas e, em 2012, assumiu o cargo de deputado provincial obtido pela Frente de Esquerda e dos Trabalhadores (FIT, em espanhol) na Legislatura de Neuquén. Ele "tinha um carisma indiscutível e um respeito que havia forjado nos anos de trabalho na fábrica e, sem dúvida, sua presença foi muito relevante para compreender o desenvolvimento particular que o conflito adquiriu nessa experiência" (Wyczykier, 2009, p. 161).

Portanto, é possível imaginar o altíssimo grau de tensão entre os operários e a direção, e o potencial explosivo dessa relação. Contudo, durante a primeira metade dos anos 1990, era muito difícil que o descontentamento fosse canalizado para uma luta político-sindical, já que no interior da fábrica não existia uma forma de organização/representação dos trabalhadores que pudesse intermediar negociações ou organizar formas de resistência. A única entidade que representava legalmente os ceramistas, o Sindicato dos Operários e Empregados Ceramistas de Neuquén (SOECN), era dirigida por um grupo que assumiu uma postura de colaboração e passividade em relação a Luis Zanon[12]. Para piorar o cenário, o crescimento progressivo da taxa de desemprego ao longo dos anos 1990 teve um impacto negativo sobre os trabalhadores quanto à disposição para a luta sindical.

A situação começou a mudar quando, no interior da fábrica Zanon, um criativo processo de organização dos ceramistas, fora do meio sindical tradicional, tomou corpo por iniciativa de um grupo de militantes. Estes buscavam camuflar seus objetivos políticos, resguardando-se sob certa "clandestinidade", para evitar repressão por parte da direção do sindicato e da gerência da empresa. No início, tratava-se de um grupo politicamente heterogêneo, que tinha como plano recriar os laços de solidariedade e identidade de classe no nível afetivo. Mas, com o tempo, o grupo assumiu uma postura mais próxima do tradicional classismo do movimento operário argentino.

Alejandro López[13], um dos principais responsáveis pela organização dos churrascos, campeonatos de futebol e outros eventos sociais, relatou:

> no futebol podíamos juntar todos os setores e, ainda que em princípio competissem entre si e as equipes correspondessem aos mesmos setores, só o ato de se verem, muitas vezes pela primeira vez, de contar com um lugar fora do trabalho para trocar opiniões de todo tipo, compartilhar uma cerveja ou o que fosse, possibilitou a criação de um espaço onde lentamente começaram a surgir as pressões trabalhistas: demissões, suspensões, acidentes, abusos, comentários sobre acordos entre o sindicato e a empresa etc. (Citado em Aiziczon, 2009b, p. 145)

---

[12] O Sindicato de Operários e Empregados Ceramistas de Neuquén (SOECN) representava os trabalhadores da Cerâmica Zanon, da Cerâmica Neuquén, da Cerâmica Del Valle e da Cerâmica Stefani. Nos anos 1990, os principais dirigentes do SOECN foram os irmãos Montes, cujas gestões foram marcadas pela colaboração com os patrões, pela perseguição aos opositores, por fraudes e desvios de verbas e bens do sindicato. Numa entrevista a Naomi Klein, publicada em Magnani (2003), Luis Zanon relatou que enviou os dirigentes do SOECN à Europa para uma viagem de seis meses com o objetivo de conhecer a produção de cerâmica no velho continente e que, quando retornaram a Neuquén, eles estavam convencidos de que os planos de reestruturação da fábrica eram a única forma de torná-la mais competitiva no cenário internacional.

[13] Alejandro López ingressou na fábrica em 1992 com pouco mais de vinte anos de idade. Na adolescência, foi ativista do movimento estudantil secundarista. Nunca ingressou nas fileiras de um partido político, apesar de sua proximidade com os militantes do PTS. Em 2011, assumiu o assento de deputado provincial na Legislatura de Neuquén, eleito pela FIT, tornando-se o primeiro deputado ceramista da história da província.

É interessante notar que, segundo o historiador Pablo Pozzi (2007), mesmo que os operários argentinos tenham sofrido profundos ataques do capital que acabaram por desorganizar sua capacidade de ação coletiva após o golpe de 1976, é possível encontrar no interior do movimento, ao longo dos anos 1990, uma "subjetividade classista", que se expressou em noções culturais e no sentido comum operário. Nesse sentido, as inúmeras lutas defensivas ocorridas ao longo da década neoliberal, como foi o caso das lutas dos desempregados ou das revoltas populares nas províncias argentinas, conhecidas como *puebladas*[14], expressaram uma forma de resistência às medidas do capital e serviram de experiência acumulativa para as lutas desencadeadas na crise que irrompeu em 2001 (Klachko, 1999).

No caso da Zanon, as atividades sociais serviram para dar impulso a uma relação social e política mais sólida entre os ceramistas, unindo-os primeiramente em torno de uma identidade carregada de negatividade e sofrimento advindo da exploração do trabalho e, em seguida, ao longo dos anos, em torno de uma positividade e de um projeto político-sindical. O surgimento das lutas populares e do movimento *piquetero* aceleraram as mudanças na subjetividade ceramista em curso.

## As lutas populares e as vitórias da oposição sindical ceramista

Entre 1996 e 1997, concomitantemente à reorganização dos ceramistas da Zanon, houve nas cidades de Plaza Huincul e Cutral-Có, a poucos quilômetros de distância de Neuquén, dois levantes populares, ou *cultralcazo*, com cerca de 20 mil manifestantes, em sua maioria desempregados. A importância desses levantes está, em primeiro lugar, no fato de terem sido a primeira grande demonstração de força política dos desempregados, mas também no fato de terem (re)criado métodos de luta e organização e apresentado uma reivindicação que se perpetuou como uma das principais do movimento operário até a ascensão do kirchnerismo nos anos 2000. O método: bloqueio de ruas e estradas como forma de perturbar a circulação de mercadorias e pessoas, midiatizar o conflito e divulgar suas reivindicações. A organização: soberania da assembleia nas decisões políticas, criando-se assim uma forma mais horizontal de organização do movimento social. E, por fim, a reivindicação: *trabajo genuino* ou trabalho para todos! Nascia assim o movimento *piquetero*.

As causas que fizeram explodir o *cultralcazo* estavam ligadas à política neoliberal do governo Menem de privatização da Yacimientos Petrolíferos Fiscales (YPF), em 1991. Na província de Neuquén, tal medida produziu o desemprego imediato de 3.500 operários; a região registrou em 1996 a cifra de 11,9% de

[14] As *puebladas* foram conflitos locais e expressaram formas de resistência às políticas neoliberais. O marco inicial dessas lutas ocorreu em Santiago del Estero (*santiagazo*), quando os funcionários públicos, diante do atraso em seus salários, incendiaram a Casa do Governo, a Legislatura e a sede do Poder Judiciário em 16 de dezembro de 1993. Levantes semelhantes ocorreram em La Rioja e no Chaco.

desempregados, contra 6,6% em 1990 (Klachko, 1999). O estopim do conflito foi uma sucessão de anúncios relacionados ao processo de empobrecimento da população e à perda de perspectivas de melhoria econômica: o informe de que o Estado não mais financiaria a instalação de uma fábrica de fertilizantes na região, a suspensão da construção de um gasoduto que passaria por ali e o fechamento de uma fábrica de cerâmica.

O *cultralcazo* não foi um processo isolado e impactou subjetivamente os ceramistas da Zanon num momento em que começavam a se unir em torno de atividades sociais e políticas. Os processos que ocorriam dentro e fora da fábrica deram espaço para o surgimento de uma visão classista entre os ceramistas, e a conflitualidade adquiriu um conteúdo de classe. Ao mesmo tempo, o isolamento social imposto nos tempos neoliberais deu lugar a múltiplas formas de solidariedade – os ceramistas da Zanon arrecadaram e enviaram 70 pesos para os envolvidos nos conflitos de Plaza Huincul e Cutral-Có. Não se tratava apenas de uma polarização do tipo "nós contra eles", mas de uma progressiva tomada de consciência de que os males que enfrentavam eram fruto de uma sociedade dividida por classes sociais, e esse discurso foi expresso em panfletos, boletins e jornais distribuídos pela oposição sindical ceramista.

O surgimento de um ativismo político-sindical e de uma identidade classista entre os ceramistas permitiu o florescimento de uma militância política de extrema esquerda, que ganhou pouco a pouco a confiança dos trabalhadores e culminou em duas conquistas fundamentais: a eleição desse grupo para a Comissão Interna (CI) da fábrica em 1998 e, em 2000, a sua eleição para a direção do Sindicato dos Ceramistas[15]. Essas duas conquistas ocorreram em meio ao crescimento progressivo de lutas, mobilizações e greves, muitas das quais com resultados vitoriosos. Portanto, esse processo produziu experiências que foram fundamentais para a preparação das condições subjetivas e organizativas necessárias para enfrentar os tempos difíceis de ocupação e gestão operária da fábrica a partir de 2001.

A vitória do grupo de ativistas na eleição para a Comissão Interna ocorreu por um erro tático da própria direção burocrática do sindicato: preocupada com a mudança de subjetividade que se constatava entre os ceramistas, acordou com a gerência da fábrica a criação de uma CI. Assim, esperava identificar pela disputa eleitoral a oposição – que até então atuava clandestinamente – e combatê-la logo em seguida, demitindo os militantes. Dessa vez, não foram apenas o cuidado e a criatividade tática da oposição sindical que produziram a vitória da chapa de oposição. Foi também, e sobretudo, a mudança na subjetividade que permitiu

[15] Segundo Aiziczon (2007), historicamente, a oposição sindical classista na Argentina apareceu rechaçando os mecanismos burocráticos da estrutura sindical do país. Esse rechaço expressava a luta para colocar em primeiro plano ferramentas que horizontalizassem a prática sindical e seus fluxos de poder. Daí o valor dado às formas de democracia direta em assembleias, comissões internas, corpos de delegados e eleições sindicais. Para uma comparação entre o movimento operário brasileiro e o argentino nessa questão, ver Davisson Souza (2009a e 2009b).

que um programa político com princípios classistas tivesse espaço de atuação. As orientações da Chapa Marrom[16], a chapa de oposição, podem ser resumidas em:

- igual trabalho, igual salário;
- democracia operária;
- decisões político-sindicais nas assembleias;
- revogabilidade dos mandatos;
- contratação imediata de todos os temporários, e que eles elejam seus próprios representantes;
- constituição de um corpo de delegados com representação de cada seção.

Ou seja, o programa político da chapa visava combater, ao mesmo tempo, a exploração e a precarização do trabalho e a direção burocrática e conciliadora do sindicato dos ceramistas. Como relatou Raúl Godoy:

> Saímos batendo duríssimo na burocracia e na outra chapa. Houve apresentações de cada chapa no restaurante da fábrica, falavam uns e outros e, quando falava a Marrom, com personalidade, [os operários] prestavam muita atenção. Foi histórica a votação, era a primeira vez que se votava na fábrica. Houve milhares de manobras entre a patronal e a burocracia. Queriam limitar os integrantes da chapa aos da fábrica permanente e jornaleiros [...]. Saímos atrás de apoio e, naquele momento, [em] que havia 360 operários, conseguimos 200 apoiadores para a Marrom [...]. A eleição aconteceu: 47 votos para a burocracia da Azul e Verde de Montes, [que era] situação; a Chapa Vermelha conseguiu 83 votos; e a Marrom, 187. Foi esmagador e muito festejado pelos companheiros e daí começou a mudar o moral, ainda que estivéssemos numa fábrica muito dividida e com muito medo. Íamos a alguns setores como o porcelanato e os companheiros tinham medo de falar conosco. A maioria dos que integravam a Marrom não tinha experiência sindical. Eu tinha experiência de ativista de assembleia e luta, mas não conhecia o acordo coletivo de trabalho, as coisas de que necessitávamos cotidianamente eram desconhecidas para nós. Tínhamos de andar com um livro debaixo do braço para poder fazer algum tipo de formalidade ante a patronal e o Ministério do Trabalho. Desde o começo não tínhamos advogado, não tínhamos nada, e tínhamos a mediação do sindicato acima, que nos colocava travas. (Citado em *Lucha de Clases*, 2002)

A CI permitiu ao grupo de militantes uma atuação aberta e legal, dando-lhes estabilidade no emprego, garantida por lei. Rapidamente, eles passaram a politizar a fábrica com debates e participação em mobilizações externas. Internamente, impulsionaram uma nova tradição entre os ceramistas com a realização sistemática de assembleias. Era nelas, e não nas reuniões do pequeno grupo que ganhou a CI, que se decidiam as questões político-sindicais e as formas de luta para conquistar suas reivindicações.

[16] Faziam parte da Chapa Marrom Mario Balcazza (setor de seleção), Carlos Acuña (mecânico), Raúl Godoy (*quadriche*), Alejandro López (esmalte), Alejandro Quiroga, Fabio Chandía e Nestor San Martín.

A subjetividade classista que se consolidou entre os ceramistas permitiu a utilização de métodos radicais da tradição operária industrial, como os piquetes na porta da fábrica em momentos de paralisação ou greve. Ao mesmo tempo, experimentavam os métodos que copiavam dos *piqueteros*, como o bloqueio de ruas e estradas. Além disso, a nova CI buscava romper o corporativismo típico da luta sindical e unir os operários da Zanon a outros setores sociais, como os professores, os estudantes, os povos indígenas e os desempregados. O resultado foi que os ceramistas da Zanon se tornaram uma força política presente nas lutas da região de Neuquén, criando laços de solidariedade que se mostraram fundamentais no período de ocupação e gestão operária para romper com um possível isolamento social e político.

A reorganização da CI se tornou o foco de maior resistência aos planos de reestruturação da Zanon. No final dos anos 1990, não se tratava mais de buscar um aumento de produtividade, implantando novos maquinários e reorganizando o trabalho, mas de cortar gastos e buscar maior lucratividade num momento em que era mais vantajoso investir no mercado financeiro do que na produção industrial.

Em julho de 2000, pretextando uma crise econômica, Luis Zanon apresentou seu plano de reestruturação ao Ministério do Trabalho[17]. No entanto, entre 1995 e 1998, a produção da Zanon cresceu 200% e as vendas 13,5%[18], e entre 1997 e 2001 o contingente de operários foi reduzido em 10%[19]. A estratégia de Luis Zanon era aproveitar o contexto de recessão econômica para justificar um plano que visava demitir cem trabalhadores e pagar em dezoito prestações apenas 50% do valor das indenizações a que eles tinham direito, além de aumentar a jornada de trabalho e diminuir o salário dos trabalhadores que seriam mantidos.

Diante de um sindicato passivo e pelego, a CI foi obrigada a mobilizar os ceramistas. Nessa luta, ela combinou métodos radicais com uma inteligente campanha na região em defesa dos postos de trabalho. A Argentina encontrava-se no início de uma crise econômica e social, fruto de longos anos de política neoliberal, e a imagem do capitalista que especulava e deteriorava a indústria e os empregos era extremamente negativa. Começava a se estabelecer, naquela época, um consenso em amplos setores da sociedade de que o desemprego, a hiperfinanceirização da economia e o empobrecimento da população estavam relacionados às políticas neoliberais.

Em 15 de julho de 2000, em meio à campanha contra a reestruturação da Zanon, a morte de Daniel Ferrás, de apenas 21 anos de idade, por falta de assistência médica na fábrica, selou uma união ainda mais forte entre os ceramistas, e para

---

[17] O Procedimento Preventivo de Crise, medida criada no governo de Carlos Menem, permitia que as "indústrias em crise" demitissem trabalhadores e diminuíssem salários.

[18] Artigo publicado no jornal *La Nación* em 21 de maio de 1999.

[19] A Cerâmica Zanon também enfrentou várias disputas comerciais em 1999, em especial com a Cerâmica San Lorenzo, de Buenos Aires, que acusava de prática de *dumping* (importava porcelanato da Itália a preços mais baixos do que os produzidos pela Zanon). Nessa disputa, a Zanon saiu vitoriosa, mas anunciou prejuízos de 8 milhões de pesos.

além dos laços políticos. O clima de indignação entre os operários se expressou na declaração de Raúl Godoy a um jornal de grande circulação em Neuquén, publicado no dia seguinte ao velório: "A responsabilidade foi da empresa, porque, quando nosso companheiro caiu, não existiam os meios necessários para socorrê-lo"[20]. Foi o estopim para a primeira greve organizada pelos militantes da nova CI. Ela durou nove dias e teve como pauta de reivindicação

- melhores condições de segurança e higiene, com assistência médica permanente;
- pagamento dos salários atrasados e fim das ameaças, pressões e demissões de trabalhadores; e
- rechaço total do plano de reestruturação e diminuição dos salários.

A greve se sustentou com passeatas, bloqueios de estradas, acampamentos e piquetes em frente à fábrica e, principalmente, com a solidariedade dos familiares, do movimento dos *piqueteros* e de outras categorias. Após noves dias, os ceramistas conquistaram todas as suas reivindicações e também o direito de serem representados pela CI no Ministério do Trabalho, contrariando a direção do sindicato dos ceramistas e sua autoridade "legal" nas mesas de negociações.

> Assim, enquanto a burocracia queria negociar as demissões, as suspensões e piores condições de trabalho, os operários, encabeçados pela Comissão Interna, começaram a greve por tempo indeterminado. Foi uma paralisação histórica [...]. Desde o primeiro dia de greve fomos resolvendo cada passo na assembleia. O piquete na porta da fábrica impedia a entrada e a saída dos caminhões. Assim conseguimos paralisar a produção e a comercialização. Pouco a pouco, íamos incorporando novos métodos de luta, esquecidos no movimento operário. Os trabalhadores também tomaram emprestado dos *piqueteros* o método de bloqueio de estradas. Na Zanon, incorporamos esse método como uma forma de ir além de nossas ações [...]. Esses elementos, que se deram de forma concentrada durante as primeiras greves, vão se multiplicar e se estender nos conflitos posteriores, agregando os bloqueios de pontes e ruas centrais da cidade de Neuquén. (Raúl Godoy, 2002)

O êxito da greve deu autoridade aos membros da CI enquanto representantes dos ceramistas da Zanon e visibilidade a suas ideias e métodos de luta, mesmo nas demais fábricas de cerâmica da região. A maioria dos membros da CI lançou, em 2000, uma chapa de oposição para a eleição sindical, e o resultado foi que, com participação de 97% dos filiados, a oposição ganhou a diretoria do sindicato com 206 votos, contra 120 da situação[21].

---

[20] Jornal *Rio Negro*, 16 jul. 2000.

[21] A nova direção do SOECN era composta de Raúl Godoy (secretário-geral), Mario Balcazza (secretário-adjunto), Alejandro López (secretário sindical), Julio Araneda (secretário de atas), Luis Calfueque (secretário administrativo), Carlos Acuña (secretário de imprensa), Ricardo Viltes (tesoureiro) e Marcelo Rojas (suplente de tesoureiro).

Não temos como desenvolver aqui uma análise da atuação da nova diretoria no sindicato ceramista, mas devemos destacar que uma das principais mudanças foi a introdução de uma visão e uma atuação classista, com métodos pautados na mais ampla democracia e no combate à burocratização da estrutura sindical. Essa nova concepção de sindicalismo ficou registrada no novo estatuto da entidade, aprovado em julho de 2005: um mandato menor para as diretorias, rotatividade dos dirigentes nos cargos e sua revogabilidade, a assembleia como órgão soberano e uma maior representação sindical dentro das fábricas, por meio da eleição de delegados. Assim ficou parte do estatuto:

> Sob a base lógica de que o trabalhador sozinho e isoladamente não pode se converter em um ente eficaz na defesa integral de seus direitos e interesses nem obter as melhorias às quais é credor por sua condição de propulsor do progresso humano, ele deve buscar entre seus companheiros de classe a força que lhe permita contrapor com toda capacidade e inteligência as intenções dirigidas a limitar seus legítimos direitos. Por esse motivo, o SOECN é um sindicato que tem como princípio e forma de funcionamento a assembleia de trabalhadores. As assembleias de fábrica e do sindicato são a autoridade máxima que permite o debate, a confrontação de ideias e opiniões e a resolução democrática de todas e cada uma das decisões a serem tomadas pelos trabalhadores. O SOECN é uma organização sindical de luta e defesa dos interesses econômicos e sociais dos trabalhadore(a)s ceramistas na atual sociedade capitalista. Na sociedade existe cada vez mais uma minoria que desfruta de todas as vantagens do desenvolvimento econômico, social e tecnológico; enquanto o resto está condenado à superexploração, ao desemprego e aos baixos salários. A sociedade se desenvolve no contexto da luta de classes sociais. Por isso o SOECN reconhece, orienta-se e baseia sua prática na luta de classes, com base no sindicalismo classista, conservando sua plena independência do Estado e suas instituições, do governo e todas as organizações patronais. O SOECN reconhece que a classe operária não tem fronteiras. Somos irmãos dos trabalhadores e dos povos pobres e oprimidos da América Latina e do mundo. Lutamos contra a dominação das potências imperialistas que saqueiam o mundo com sua sequela de fome e guerras. A fraudulenta dívida externa ou a intromissão do imperialismo nas principais fontes de riqueza nacional, como é o caso do petróleo e do gás na nossa região, consolida seu domínio sobre os instrumentos e meios de produção, impedindo o desenvolvimento nacional independente e soberano. O SOECN trava uma luta consequente pelos legítimos interesses da classe trabalhadora, em aliança com os setores populares, procurando elevar a consciência de classe dos trabalhadores e conquistar uma sociedade sem exploradores nem explorados.

Recém-empossada, a nova diretoria do sindicato se viu diante de um novo conflito com Luis Zanon. Em fevereiro de 2001, argumentando novamente crise econômica e processo de falência, os salários foram novamente atrasados. Os ceramistas da Zanon, agora com o sindicato à frente, impulsionaram novas mobilizações e greves para impedir novas demissões e um possível fechamento da fábrica. Como forma de evidenciar que a fábrica não se encontrava em crise, mas num provável *lockout* patronal, o sindicato exigiu a abertura dos livros contábeis e, caso fosse confirmada uma crise forjada por Luis Zanon, que a província de Neuquén expropriasse e estatizasse o estabelecimento, sem indenização ao proprietário. O SOECN abriu uma disputa discursiva contra a direção da fábrica, por meio de panfletos e declarações à imprensa, divulgando dados que comprovavam lucros no segundo semestre de 2000.

Em outubro de 2001, Luis Zanon resolveu fechar a empresa, enviando, pelo correio, a carta de demissão aos 380 operários. Em resposta, os trabalhadores ocuparam a fábrica durante cinco meses e tentaram produzir por conta própria, mas o gás foi cortado por ordem judicial. Zanon propôs, então, reabrir a fábrica com apenas 62 operários e utilizando 10% de sua capacidade industrial. Tal proposta foi recusada em assembleia pelos ceramistas e, em fevereiro de 2002, eles decidiram religar o gás e reiniciar a produção por conta própria.

É importante destacar que a ocupação da fábrica Zanon ocorreu antes do levante popular que levou à queda de Fernando de la Rúa em 2001. A decisão de iniciar uma gestão operária da fábrica ocorreu em fevereiro de 2002, quando a Argentina se encontrava convulsionada pela crise e mobilizações. Entretanto, ainda que o contexto político tenha encorajado inúmeras formas de radicalização em todo o país, insistimos que a decisão dos ceramistas de continuar lutando pela manutenção de seus postos de trabalho, sob a bandeira da expropriação sob controle operário, esteve diretamente associada e influenciada pelo longo e sistemático trabalho realizado por militantes organizados ao longo da segunda metade dos anos 1990. Essa ressalva é importante, porque não compactuamos com as análises e as produções audiovisuais que retrataram a Zanon e outras fábricas sob uma visão autonomista[22], dando ênfase à espontaneidade das ações dos trabalhadores

[22] As críticas e a negação de partidos e instituições políticas por parte dos movimentos que atuaram na Argentina durante a crise de 2001 pareciam reforçar a tese de um certo número de intelectuais progressistas que, após a queda da URSS e a falência dos partidos comunistas, empreenderam uma crítica a todos os partidos políticos de inspiração leninista ou marxista. Denunciaram uma suposta arrogância e vanguardismo dessas organizações e apostaram em experiências como as do zapatismo no México, o MST no Brasil e os *piqueteros* na Argentina. O problema é que o desejo desses intelectuais de que o processo argentino fosse fruto de uma espontaneidade das massas, ou da "multidão", fez com que negligenciassem a importância da atuação política das organizações de esquerda e extrema esquerda no interior dos movimentos sociais no período que precede a luta de 2001. Não queremos com esta nota inverter a equação e dar uma importância maior aos partidos políticos de esquerda; queremos apenas destacar a dialética entre a organização preparatória e a espontaneidade das massas. O *argentinazo* e os fenômenos políticos e sociais que surgiram dele foram o resultado de inúmeros projetos políticos em disputa no interior das lutas sociais, que nenhum partido ou organização política pôde prever, mas todos atuaram com seus militantes e deram uma contribuição substancial para que o curso das lutas seguisse o caminho que conhecemos hoje. Os dois mais influentes autores autonomistas que tentaram analisar e compreender as mudanças ocorridas no mundo do trabalho nos anos 1990 foram Holloway (2003) e Hardt e Negri (2001).

e minimizando, ou mesmo ocultando, a importância dos militantes organizados que conquistaram a CI e o Sindicato Ceramista, em especial os filiados ao Partido dos Trabalhadores Socialistas (PTS)[23].

## O fenômeno da ocupação de fábricas e da gestão operária na Argentina

A gestão operária direta na fábrica Zanon foi resultado da combinação de três fatores fundamentais: 1) o esgotamento do ciclo de acumulação proporcionado pelo neoliberalismo na Argentina e suas consequências sociais ao país; 2) a atuação política de um grupo de ativistas no interior da fábrica ao longo da segunda metade dos anos 1990, permitindo a difusão e a construção de uma plataforma política classista; e 3) o cenário político de profundo questionamento do sistema econômico, das instituições e das organizações políticas em amplas camadas da população. Para Meyer e Chaves (2008), a excepcionalidade do caso da Zanon está na democracia operária, no sindicato classista e na capacidade do movimento de conseguir articular suas reivindicações imediatas com as questões mais estratégicas e de caráter totalizante/estrutural.

A Zanon, evidentemente, não foi um caso isolado de ocupação e gestão operária. Em uma definição geral, as ocupações de fábricas, a autogestão ou a recuperação de empresas pelos trabalhadores (ERT)[24] na Argentina começaram como parte de uma ação defensiva que visava, sobretudo, proteger os postos de trabalho, impedir a retirada das máquinas ou o fechamento das empresas. Num primeiro momento, tentavam impedir a pilhagem, "protegendo os bens da empresa contra seus próprios proprietários, dando lugar assim a uma situação paradoxal: o

[23] Vários autores ressaltaram o papel político do PTS na Zanon. Rebón (2007), por exemplo, afirma em nota: "não posso deixar de destacar que, sem a experiência de ativistas desse partido, muito provavelmente o caso que estamos analisando não teria existido. Sem sua determinação militante e uma estrutura nacional que lhe proveu de recursos econômicos, políticos e organizativos, o processo dificilmente teria prosperado" (Rebón, 2007, p. 139). Outras organizações de extrema esquerda e movimentos sociais passaram a atuar na fábrica após 2001. Deve-se destacar também a importância da tradição trotskista, tão forte no movimento operário argentino, pois foi dela que vieram as principais orientações, como a da expropriação sem indenização das fábricas pelos operários e a da abertura da contabilidade das empresas, assim como os princípios de auto-organização, independência de classe e combate da burocratização dos sindicatos. A discussão sobre a relação do PTS com a gestão operária da Zanon pode ser aprofundada em diversos artigos publicados na revista *Lucha de Clases*, editada pelo Instituto de Pensamento Socialista Karl Marx (IPS), assim como em Aiziczon (2007). Sobre as orientações trotskistas, ver Trótski (2008).

[24] No interior do movimento de ocupação e gestão operária, há uma diferença histórica e significativa entre as estratégias políticas de constituição de uma cooperativa de trabalho ou produção e a estratégia de luta pela estatização e controle operário da produção. Uma significativa bibliografia argentina trabalha com o conceito de "empresas recuperadas pelos trabalhadores" (ERT), assim autodenominadas, as quais, em sua expressiva maioria, se tornaram cooperativas. Para a Zanon, utilizamos o conceito de gestão operária, pois é assim que eles denominam a si mesmos. Para um estudo mais aprofundado sobre as experiências de gestão operária, além da bibliografia sobre a Zanon indicada em notas anteriores, ver Gambina (2006), Ghioldi (2004), Magnani (2003), Martínez (2002), Henrique Novaes (2007a e 2010), Rebón (2007) e Quijoux (2015).

trabalho que tenta impedir que o capital não roube a si mesmo" (Ruggeri, 2015). Em alguns casos, antes de ocupar a planta e iniciar uma gestão operária, os trabalhadores organizaram acampamentos fora das fábricas, muitas vezes com o apoio da comunidade, dos sindicatos e dos movimentos sociais.

Segundo pesquisa realizada em 2010 por pesquisadores da Universidade de Buenos Aires (Neuville, 2015), foram diversas as razões que levaram os trabalhadores a lutar, das quais as mais importantes foram estas: 1) o não pagamento dos salários, 2) a falência da empresa ou ações de credores que resultariam no fechamento da fábrica, na venda de mercadorias ou na retirada do maquinário para o pagamento de dívidas do antigo dono, 3) a recuperação das máquinas e, por fim, 4) a possibilidade de demissões.

**Figura 1. Razões que desencadearam a luta**

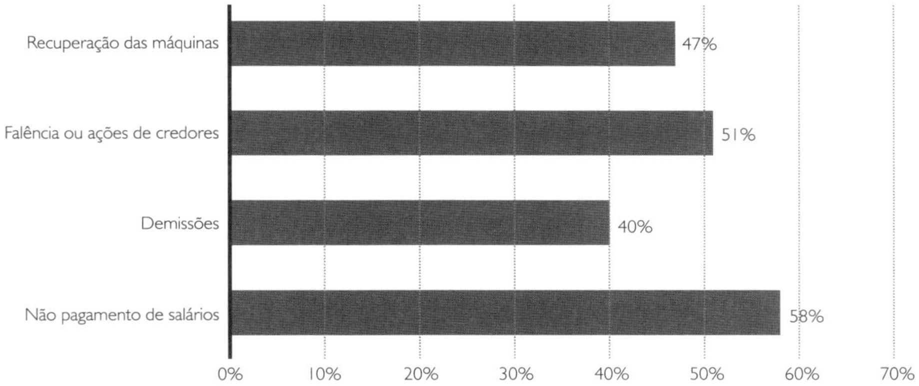

Recuperação das máquinas 47%
Falência ou ações de credores 51%
Demissões 40%
Não pagamento de salários 58%
0% 10% 20% 30% 40% 50% 60% 70%

Fonte: Neuville (2015).

O alto grau de conflitualidade e repressão foi também outro aspecto que marcou o processo de ocupação das fábricas: 73% dos casos ocorreram com ocupação da planta, 50% com confronto e repressão (ou ameaça de despejo pelas forças repressivas do Estado) e, em 80%, os trabalhadores tiveram o apoio de outras fábricas ocupadas ou movimentos de ERT (Neuville, 2015).

O fenômeno de ocupação e autogestão das fábricas na Argentina foi uma consequência direta da crise que culminou nas jornadas populares de dezembro de 2001, porém sua extensão e continuidade nos anos posteriores provaram que ele se tornou uma referência. Segundo relatório do Programa Faculdade Aberta, no período de 2010 a 2013 houve um novo ciclo de ocupações de fábricas devido à crise econômica capitalista que estourou em 2008 (Ruggeri, 2014). As ERT estão presentes em 21 dos 24 distritos argentinos, sendo metade delas na área metropolitana de Buenos Aires (em 2002, essa região abrigava 80% das ERT). Os dados a seguir (Quadro 2) colaboram com essa tese:

**Quadro 2. Evolução do total de empresas recuperadas pelos trabalhadores na Argentina de 2001 a 2013**

| Ano | Número de ERT | Contingente empregado |
|---|---|---|
| Antes de 2001 | 36 | |
| 2004 | 161 | 9.100 |
| 2010 | 247 | 9.362 |
| 2013 | 311 | 13.462 |

Fontes: Ruggeri (2014) e Neuville (2015).

O conjunto de empresas recuperadas na Argentina provou que, sob uma gestão cujo princípio é a existência e a manutenção do trabalho, as fábricas sentenciadas pelo capital como inoperantes e prestes a desaparecer tinham ainda muito a oferecer no que concerne à produção de produtos úteis para a sociedade, ainda que esses produtos estejam submetidos a uma lógica do mercado (Ruggeri, 2015).

## Gestão operária na Zanon

A primeira grande dificuldade para a gestão operária na Zanon consistiu justamente na administração da fábrica. Depois de uma vida inteira de trabalho submetido à lógica taylorista, com uma acentuada divisão entre o fazer e o pensar/administrar, faltavam conhecimentos e experiências aos ceramistas para gerir uma fábrica que continuaria inserida no mercado capitalista e suscetível a suas ondulações. Dada a fragmentação do trabalho manual, mesmo a experiência profissional dos operários não seria suficiente para organizar racionalmente a produção, pois lhes faltava o conhecimento da totalidade do processo de produção e distribuição. Além disso, encontraram dificuldades para obter matéria-prima e vender a mercadoria.

Essas dificuldades foram superadas por meio de alianças, acordos e solidariedades que construíram com outros grupos sociais e políticos, como os ceramistas das demais fábricas da região, familiares, sindicatos, movimento estudantil, advogados e grupos de defesa dos direitos humanos, artistas, intelectuais etc. Nos primeiros meses, os mapuches doaram matéria-prima à fábrica, a argila, e os operários firmaram acordos com as universidades pelos quais estudantes e professores os ajudaram a superar as dificuldades de produção e comercialização dos produtos (Henrique Novaes, 2010)[25]. No campo da luta política, consolidaram alianças com outras

[25] O primeiro acordo foi estabelecido em 15 de junho de 2002 com professores da Universidade Nacional de Comahue, localizada em Neuquén, e consistia em auxílio à gestão operária. Docentes da Faculdade de Ciências Econômicas da Universidade de Buenos Aires ajudaram os ceramistas a apresentar, no dia 16 de julho de 2002, perante o juiz comercial que cuidava do processo de falência da fábrica, o Projeto de Administração Operária Transitória, que permitiu que a Zanon seguisse em produção sob gestão operária enquanto o conflito político-jurídico se desenrolava. Também assinaram um acordo com a Universidade Popular das Mães da Praça de Maio. Em 2008,

entidades sindicais e movimentos populares com a criação da Coordenadoria do Alto Vale em 2002[26].

Apesar das dificuldades iniciais, após quatorze anos de gestão operária, os números da Zanon apontam para o sucesso econômico[27]. Quando a fábrica foi ocupada, em 2001, havia 330 ceramistas empregados, e a maioria seria demitida pelos planos de reestruturação de Luis Zanon. Em 2014, sob gestão operária, a fábrica contava com oito linhas de produção e empregava 430 operários (associados integrantes da FaSinPat), ganhando um salário básico de 720 a 820 dólares, o maior da categoria no país. A produção passou de 10 mil metros quadrados por mês de cerâmica em 2001 para 400 mil metros quadrados por mês em 2008[28].

Os motivos de tal sucesso estão relacionados à combinação da luta política e jurídica com as questões econômicas, as alianças e a solidariedade que os ceramistas da Zanon conquistaram ao longo dos anos. São frutos também de uma gestão pautada no princípio da democracia direta, com a participação de todos os setores da fábrica nas decisões econômicas e políticas. No que concerne ao modelo de gestão, implementou-se um sistema de rotatividade nos postos de trabalho e direção da empresa, o que permitiu diminuir a fragmentação das tarefas.

Os princípios da democracia direta, da horizontalidade e da rotatividade já tinham sido implementados na CI e na diretoria do Sindicato Ceramista e, portanto, eram uma prática conhecida pelo conjunto dos ceramistas da Zanon. Na gestão operária, esses princípios foram instituídos com a elaboração, em 2002, das "Normas de convivência da Zanon sob controle operário", um estatuto interno que regia a produção fabril e definia a opção política dos trabalhadores, estabelecendo os direitos e os deveres de cada membro da gestão operária. Segundo esse documento, a assembleia permanecia como o órgão máximo de decisão dos ceramistas e cada setor da fábrica tinha o direito de eleger um representante por turno, o qual ficava encarregado de coordená-lo e compor a Coordenação Geral, órgão responsável por cuidar dos problemas imediatos da fábrica. Essa coordenação era composta do coordenador-geral, dos coordenadores de seção e de três

---

estudantes da Universidade de Comahue criaram o coletivo Escribidor El Cuarto Fuego, projeto de extensão universitária que objetivava constituir um acervo de memória da luta ceramista.

[26] Compunham a coordenadoria o Sindicato Ceramista, o Movimento de Trabalhadores Desempregados (MTD), a Associação de Trabalhadores da Educação de Neuquén – Centenário (Aten), o Sindicato da Televisão, a Associação dos Docentes da Universidade de Comahue, várias oposições antiburocráticas; organizações estudantis como a En Clave Roja, vinculada ao PTS, e outros partidos de esquerda.

[27] Entre 2002 e 2005, a Justiça emitiu cinco ordens de despejo da fábrica que foram impedidas por mobilizações populares impulsionadas pelo SOECN. Também foram várias as prisões, as ameaças de morte, as agressões físicas e até mesmo sequestros de dirigentes e de seus familiares. As agressões e as repressões só diminuíram a partir de 2005, quando a Justiça determinou a falência da Zanon e permitiu que a FaSinPat assumisse provisoriamente a produção de cerâmica.

[28] Após a crise de 2008, a fábrica entrou em processo de crise econômica e passou a demandar créditos do governo de Neuquén para investir em novos maquinários e restaurar os antigos. Em 2015, a fábrica operava com apenas 20% de sua capacidade produtiva, sendo 90% de sua produção dedicada ao mercado interno e 10% à exportação.

membros da direção do Sindicato Ceramista. Além disso, seguindo a tradição da democracia operária, os coordenadores cumpriam um mandato que poderia ser revogável a qualquer momento pelas assembleias setoriais ou gerais. Os operários seguiam assim o princípio da rotatividade nas funções e na gestão da usina, pois acreditavam que dessa forma pudessem impedir o surgimento de uma "casta" de trabalhadores gestores, com privilégios materiais e políticos. Por fim, todas as resoluções da Coordenação Geral poderiam ser revogadas ou mudadas no órgão soberano de decisão da fábrica, a assembleia[29].

Em agosto de 2005, os ceramistas obtiveram a declaração de falência da Zanon e, em outubro do mesmo ano, o reconhecimento provisório da gestão operária sob o status de cooperativa (no caso, a FaSinPat). A fábrica foi definitivamente expropriada pela Legislatura de Neuquén no dia 12 de agosto de 2009, mas a lei só foi sancionada em novembro de 2012. O projeto de lei aprovado não foi o mesmo apresentado pelos ceramistas, mas um substituto escrito pelo governador de Neuquén, Felipe Sapag. Por esse projeto, a fábrica seria expropriada com o pagamento das antigas dívidas dos credores – cerca de 23 milhões de dólares, valor que os ceramistas se negaram a pagar. Não seria estatizada, mas o maquinário, a propriedade, os bens e a marca comercial passariam para a cooperativa FaSinPat. A propriedade foi finalmente entregue aos trabalhadores em janeiro de 2014.

Após a expropriação, os ceramistas da Zanon e da região de Neuquén, junto com o seu sindicato classista, encabeçaram inúmeras lutas em defesa da gestão operária. Seguindo o fenômeno nacional de continuidade e extensão das ocupações e recuperações de fábricas desde a crise de 2001, as demais usinas representadas pelo sindicato ceramista impulsionaram a mesma experiência de gestão operária da Zanon. Além disso, em 2011, pela primeira vez um ceramista assumiu o cargo de deputado provincial em Neuquén: Alejandro López (ex-secretário geral do SOECN).

## Conclusão

O historiador Xavier Vigna (2007 e 2008), em sua tese sobre o movimento operário francês dos anos 1960 e 1970, defende que os eventos de maio-junho de 1968, que produziram a maior e mais radical greve com ocupação de fábricas da história da França, possibilitaram uma metamorfose na subjetividade operária e militante ao romper com a ordem tradicional das usinas e se interrogar sobre o trabalho, o país e a política de uma maneira geral. Passaram a discutir entre si e com interlocutores externos e a questionar-se sobre as estratégias de organização política e sindical. O autor também relata em seus textos que, em muitas das

[29] Nesse estatuto, os ceramistas também rechaçaram a forma cooperativa de produção como alternativa provisória para o impasse jurídico. A principal defesa foi a expropriação e a estatização sob controle operário. Mas, em 2005, eles foram obrigados a criar a cooperativa de trabalho FaSinPat, pois necessitavam de uma forma jurídica para continuar legalmente funcionando.

ocupações de 1968, se podia constatar a instauração de um estado de felicidade inigualável entre os trabalhadores, pois pela primeira vez estavam, eles próprios, organizando sua vida. A criação dessa subjetividade classista e combativa permitiu que uma geração de operários continuasse a impulsionar inúmeras lutas na França até 1979.

Nos contatos que tivemos com a Zanon, pudemos constatar um estado de felicidade e uma subjetividade semelhantes aos descritos por Vigna. Ainda que a luta possa enveredar para caminhos difíceis, Zanon tem sido uma experiência de "fábrica militante", na definição dos próprios ceramistas, e seu sindicato foi capaz de consolidar uma "visão de mundo classista" entre associados e aliados. Ao mesmo tempo, além da auto-organização, os ceramistas deram outro sentido ao seu trabalho com a gestão operária.

Portanto, a importância da experiência dos ceramistas de Neuquén foi muito além de suas ações. Em plena época de crise estrutural do capital e de hegemonia de um pensamento cético e resignado quanto às possibilidades de transformação radical da estrutura societal, os trabalhadores de Neuquén mostraram a possibilidade de dotar o trabalho de outro sentido e recolocaram, na prática, o debate sobre a centralidade da classe trabalhadora nos processos de luta e transformação da sociedade. Ensinaram-nos que a reorganização dessa classe não é algo mecânico ou simples, muito menos uma repetição do passado, mas, sim, um processo aberto, atualizado em cada período, sujeito a avanços e recuos, em que se misturam tradição, ousadia e criatividade.

As consequências e os legados que essa pequena experiência deixará para as futuras gerações e lutas operárias ainda serão registrados. Mas, sem dúvida, ela já se tornou um capítulo à parte na história do movimento argentino.

# 22
# Lutas do trabalho em Pernambuco: as greves no complexo de Suape de 2008-2012[1]

*Pedro H. Queiroz*

## Introdução

Entre a segunda metade da década de 2000 e a primeira metade dos anos 2010, o Complexo Industrial Portuário de Suape – Governador Eraldo Gueiros serviu de cenário para uma série de escaramuças entre capital e trabalho. Nesse período, os trabalhadores do Estaleiro Atlântico Sul (EAS) e das obras de construção da Refinaria Abreu e Lima e do Polo Petroquímico viveram, entre outras coisas, episódios de greves, demissões em massa e rebeliões. O Complexo Industrial Portuário de Suape localiza-se no litoral sul do Estado de Pernambuco entre os municípios de Cabo de Santo Agostinho e Ipojuca. Pensado a partir do conceito de integração porto-indústria, e tendo como referência os portos de Kashima, no Japão, e Marseille-Fos, na França, sua primeira pedra foi lançada pelo governador Eraldo Gueiros em 1974[2]. A partir da segunda metade dos anos 2000, com os investimentos do Programa de Aceleração do Crescimento (PAC), instalaram-se no Complexo de Suape empreendimentos que mobilizaram um grande contingente de trabalhadores (no pico das contratações da construção pesada, em 2012, eram em torno de 54 mil trabalhadores) e alteraram a vida da região em vários sentidos.

Em minha pesquisa de mestrado, investiguei um conjunto amplo e diverso de experiências vividas por esse grupo operário específico a partir da posição relativa por ele ocupada no interior do processo produtivo e em um contexto de grandes

[1] Este trabalho apresenta, reformula e desenvolve partes de minha dissertação de mestrado em sociologia, intitulada "Trabalhadores de Suape: estudo sobre a diversidade de experiências operárias", orientada pelo prof. dr. Fernando Antonio Lourenço e apresentada em novembro de 2014 no Instituto de Filosofia e Ciências Humanas da Universidade Estadual de Campinas (Unicamp).

[2] Ver linha do tempo e histórico institucional em: <www.suape.pe.gov.br>.

transformações regionais. O uso da categoria teórica *experiência*, tal como formulada pelo historiador marxista britânico Edward Palmer Thompson, foi pensado como um meio para captar as formas bastante diversas de elaboração subjetiva da realidade concreta pelos sujeitos historicamente situados. Foram analisadas as experiências de trabalho, de não trabalho e de ação política vivenciadas pelos trabalhadores de Suape nesse período, com ênfase sobretudo na experiência de ação política. A possibilidade de uma análise comparativa entre essas duas categorias profissionais – construção naval e construção civil pesada – é encorajada pela constatação de uma série de semelhanças quanto aos seguintes aspectos: a) perfil socioeconômico da composição de ambos os setores; b) perfil dos conflitos trabalhistas verificados no período estudado; e c) a natureza específica do processo de trabalho em ambos os casos.

Neste artigo, apresento a revisão de alguns dados e releio minha dissertação em busca de elementos que possam auxiliar na análise das formas de vinculação das lutas empreendidas pelos trabalhadores de Suape nesse período no quadro mais amplo do conflito entre capital e trabalho na sociedade brasileira a partir da segunda metade dos anos 2000. Para tanto, faço algumas considerações sobre a ideologia do desenvolvimento, destacando as continuidades entre a versão expressa pelo vocabulário da "integração nacional", presente na concepção do projeto do Complexo de Suape durante os governos militares, até suas manifestações mais recentes, no âmbito do PAC, em que a ênfase dos discursos de justificação recai principalmente sobre os efeitos de geração de empregos e "autoafirmação" do povo nordestino.

A partir da consideração de três episódios de greve, tomados como casos emblemáticos, argumento que o cenário geral das lutas do trabalho em Suape nesse período pode ser descrito, do ponto de vista das condições de barganha da classe trabalhadora, como resultante do choque entre condições econômicas favoráveis (mercado de trabalho local aquecido, pressionando para cima a massa salarial) e condições políticas desfavoráveis (repressão estatal, vigência de políticas antissindicais e crise de legitimidade dos mecanismos de representação sindical). Identifico a ideologia (neo)desenvolvimentista como forma de expressão privilegiada dos conflitos verificados e interpreto as bruscas oscilações discursivas dessa ideologia como indício da instabilidade do campo de disputas que se constitui sobre a definição dos limites distributivos do desenvolvimento econômico capitalista.

Atentando para o aspecto relacional dos processos de formação da consciência de classe, assinalo a importância da troca de experiências de ação política entre trabalhadores adventícios e locais, o que contraria certo lugar-comum de que os conflitos em Suape teriam sido obra exclusiva de forasteiros. Pude constatar em minhas entrevistas que se, por um lado, os trabalhadores de fora do Estado, muitos deles "peões de trecho", são, de fato, portadores de experiências de trabalho, direitos e lutas adquiridas em contextos diversos e, por isso, assumem um importante papel de difusão de valores, práticas e representações políticas, por outro lado, não se pode subestimar a contribuição dos trabalhadores pernambucanos, não só porque em muitos casos eles já possuíam experiências de empregos operários e participação sindical, mas também porque mesmo aqueles que não possuíam esse tipo de experiência prévia não deixavam de ter conhecimentos relacionados a outras modalidades de ação coletiva (movimento estudantil, movimento de bairro e participação em partidos políticos).

## A "ideologia pernambucana": trajetória circular do discurso desenvolvimentista

Em algum dia de outubro de 1968, o almirante Paulo Moreira da Silva foi recebido na condição de convidado especial no terraço da Usina Santo Inácio, no município de Cabo de Santo Agostinho, por um grupo de jovens da elite local que costumava reunir-se ali "para discutir o futuro de Pernambuco"[3]. Alguns anos antes, o almirante havia participado de uma missão de mapeamento da costa brasileira a bordo do navio de pesquisas Almirante Saldanha e falava agora a uma audiência entusiasmada sobre a possibilidade por ele antevista de construir na região aquele que poderia vir a ser "o maior e mais importante porto do Atlântico Sul".

> Do alto do morro do cabo de Santo Agostinho, olhávamos a bela e selvagem paisagem de Suape, ainda intocada. À direita, o delta do Ipojuca, com suas ilhas cobertas de manguezais, que se estendiam da vila de Nossa Senhora do Ó até o pequeno e modesto povoado de pescadores situado no contraforte do morro onde estávamos; à frente a enseada de águas tranquilas, protegida pela muralha de arrecifes, que começava na barra abaixo do Forte do Mar [e ia] até a Praia do Cupe, bordada pelo verde da Mata Atlântica e do coqueiral; à esquerda, o mar refletindo o brilhante esplendor do sol naquela manhã de verão. (Garcia e Mussalem, 2011, p. 25)

Naquela ocasião, foi criada uma força-tarefa informal com o objetivo de angariar o apoio da opinião pública local em favor do projeto de construir um grande porto em Suape e assim inserir definitivamente esse tema na agenda política do Estado. Foram feitos contatos com a equipe do então governador, Nilo Coelho (1967-1971), que não ficou muito convencido, e uma série de intervenções na "Coluna Nordeste Dia a Dia", mantida por Anchieta Hélcias no *Jornal do Commercio*, com o intuito de preparar a opinião pública e pressionar o novo governador, que seria indicado em 1970 (Garcia e Mussalem, 2011, p. 66).

[3] Segundo relato de Anchieta Hélcias ao jornalista Carlos Garcia, estavam presentes Ayrton Cardoso, proprietário da Usina Santo Inácio e empresário do setor químico, Romeu Botto, diretor executivo da estatal Companhia Pernambucana de Borracha Sintética, Júlio Araújo, engenheiro químico e funcionário da Superintendência da Pesca, Ivan Romangueira, empresário do setor de cimento e o próprio Anchieta Hélcias, sócio de Ivan Romangueira e jornalista do Caderno de Economia do *Jornal do Commercio*.

Em 1968, quando surgiram as primeiras elucubrações sobre Suape, a Presidência da República era ocupada pelo general Arthur da Costa e Silva. Em dezembro daquele ano, seria decretado o AI-5, marco de início do "período mais violento da repressão" (Brasil, 2014, p. 42). O "milagre econômico" estava apenas iniciando a escalada que levaria o crescimento anual do PIB dos 9,8% daquele ano para 14% em 1973, crescimento acompanhado de uma inflação declinante. Quando a pedra fundamental de Suape foi lançada pelo governador Eraldo Gueiros, o crescimento do PIB havia desacelerado para 8,2% e a inflação avançava para 26,9%, deixando um rastro duradouro de desigualdade social e desequilíbrio macroeconômico (compressão salarial, aceleração inflacionária e endividamento público).

O estudo "Um novo porto para o Nordeste", concluído em 1972 pela Fundação de Estudos do Mar sob encomenda da Companhia de Desenvolvimento Industrial de Pernambuco (Diper), é revelador das escolhas por trás da decisão de implantar o projeto do Complexo de Suape. Há aí um diagnóstico no qual a situação de atraso econômico e social do Nordeste é atribuída às consequências duradouras da falência da *plantation* açucareira. A ideia de implantação de um moderno porto nacional na região é defendida em razão da possibilidade de "reversão das expectativas" associadas ao Nordeste e de "correção política", visando "reintegrar" a região ao projeto de desenvolvimento nacional. Respondendo a eventuais críticas que pudessem ser dirigidas ao projeto, a implantação do porto é fundamentada sob uma perspectiva de criação e antecipação de demanda. Além disso, o documento reitera seguidas vezes que a decisão de implantação do porto deveria se pautar por razões não apenas técnicas, mas sobretudo políticas. Para a epígrafe do texto foi escolhido um trecho de um depoimento do então ministro da Fazenda – e arquiteto do "milagre" – Antônio Delfim Netto à Câmara dos Deputados em 1971:

> Quero analisar o problema do Nordeste dentro da estratégia global do Brasil. Não se trata realmente de desenvolver apenas o Nordeste. Trata-se de desenvolver o Nordeste dentro do Brasil; trata-se de manter a identidade nacional. Este é o problema básico que temos de resolver. Não estamos procurando construir um entreposto comercial eficiente. Estamos procurando construir uma Nação. É por isso que nem sempre o ponto de vista puramente econômico pode ser o decisivo na escolha das políticas. Se quiséssemos construir apenas um entreposto comercial, certamente este seria o ponto de vista que viria sobrepujar sobre os outros. Mas não é só. *Estamos tentando construir uma Nação e o problema do Nordeste, portanto, tem de ser enquadrado dentro do ponto de vista nacional.* (Fundação de Estudo do Mar, 1972, citado em Garcia e Mussalem, 2011; grifos nossos)

Apesar de reações localizadas, podemos constatar a sedimentação de uma unanimidade pró-Suape na opinião pública pernambucana, o que se reflete na destinação de recursos próprios (dinheiro "azul e branco") para a viabilização do projeto pelos vários governos estaduais, de diferentes matizes políticos, que se seguiram desde 1973 (Arena, PFL, PMDB, DEM e PSB). Entre as reações contrárias, destaca-se o "Manifesto Suape", publicado em 1975 por um grupo de sete intelectuais pernambucanos[4]. O documento questiona as decisões de alocação de recursos tão vultosos para um projeto não apenas de execução duvidosa, mas que também envolvia grandes riscos de destruição da paisagem natural. Indaga ainda se tais recursos não seriam mais bem empregados se fossem pulverizados em iniciativas de desenvolvimento de menor porte:

> Isto é, dado que Suape implica uma certa configuração do destino concebido para alocação de recursos, é de se esperar que o governo haja contemplado caminhos alternativos, configurações alternativas para o uso dos recursos envolvidos, de tal modo que, pesando benefícios e custos das diversas rotas por que poderia optar, resolveu, avaliando através de coeficientes técnicos relevantes, seguir o caminho de Suape. Indaga-se: o governo fez isto? Certamente que não, parece ser a resposta, tal a maneira quase histérica com que se fala do projeto, anunciando-se tão só suas vantagens, sem nenhuma alusão àquilo que os economistas em seu esoterismo vocabular classificam de "custos de oportunidade".

Nos anos 2000, já com os governos Lula e Dilma, do Partido dos Trabalhadores (PT), verifica-se uma retomada da agenda desenvolvimentista como contraponto à ortodoxia neoliberal dos anos 1990 e buscando diferenciar-se do ideário nacional desenvolvimentista do período militar (Oliveira, 2013). No caso de Pernambuco, essa reelaboração discursiva coincide com o aporte de vultosos investimentos do governo federal às obras de Suape, via PAC.

Durante as atividades de pesquisa, pude constatar a grande receptividade de vários elementos da ideologia (neo)desenvolvimentista pela sociedade civil pernambucana em geral e pela classe trabalhadora de Suape em particular. Ainda que alguns grupos ou indivíduos façam ressalvas quanto à qualidade do processo de desenvolvimento e à distribuição desigual de seus benefícios, prevalece uma avaliação genericamente positiva do processo de transformação regional. É emblemático a esse respeito o discurso de repartição justa dos frutos do progresso que aparece, por exemplo, nesta postagem do blog "Siga a Esquerda", mantido pelo Movimento de Lutas Populares (MLP), organização que, apesar de

---

[4] Assinam o documento os seguintes nomes: Clóvis Cavalcanti (também responsável por sua redação), diretor do Departamento de Economia da Fundação Joaquim Nabuco (Fundaj); Renato S. Duarte, professor da Faculdade de Economia da Universidade Federal de Pernambuco (UFPE); Roberto M. Martins, coordenador do Curso de Mestrado em Sociologia da UFPE; Nelson Chaves, professor da Faculdade de Medicina da UFPE; José Antônio Gonsalves de Mello, professor do Departamento de História da UFPE; Renato Carneiro Campos, diretor do Departamento de Sociologia da Fundaj, João de Vasconcelos Sobrinho, professor titular da disciplina de Ecologia da Universidade Federal Rural de Pernambuco (UFRPE) e chefe da Estação Ecológica de Tapacurá. A íntegra do manifesto pode ser conferida no site do professor Clóvis Cavalcanti: <http://cloviscavalcanti.blogspot.com/p/manifesto-suape.html>. Acesso em jul. 2019.

numericamente pequena, teve, em determinado momento, atuação relevante em Suape. O MLP surgiu em 2009 de um "racha" de militantes com atuação no movimento estudantil e sindical (construção civil), anteriormente ligados ao Partido Comunista Revolucionário (PCR)[5], e adotou uma estratégia de deslocamento de quadros para os canteiros das grandes obras de Suape com o intuito de influir no movimento de trabalhadores.

> Estamos às portas da campanha salarial 2012/13 e a correlação de forças entre os patrões e operários está ainda mais desigual, o que significa que teremos menos avanços. Ou seja, as previsões apontam para mais embates entre trabalhadores e empresários, novas greves virão, atrasos nas conclusões das obras e consequentemente mais gastos e transtornos, *tudo fruto da arrogância do governo e patrões que não querem enxergar o óbvio e dividir uma parte dos lucros com os verdadeiros responsáveis pelo desenvolvimento de nosso estado, a sua classe trabalhadora* [...]. (Siga a Esquerda, 2012; grifos nossos)

Com efeito, essa adesão não pode ser entendida apenas como produto de mistificação ideológica, já que o discurso de celebração (neo)desenvolvimentista possui um lastro na realidade vivida pelos trabalhadores de Suape e moradores da região, que passam agora a experimentar a possibilidade de acesso a bens e serviços antes indisponíveis e se veem diante da expectativa de maior probabilidade de mobilidade social ascendente. Essa adesão ao ideário neodesenvolvimentista se verifica em aspectos como a valorização simbólica da farda, o orgulho dos empregados de vesti-la e o grande prestígio das lideranças políticas de Lula (presidente da República de 2003 a 2011) e Eduardo Campos (governador de Pernambuco de 2007 a 2014).

De grande importância para a difusão de valores associados à ideologia (neo) desenvolvimentista são os atos públicos de anúncio de investimentos ou lançamento ao mar de navios produzidos pelo Estaleiro Atlântico Sul. Nessas ocasiões, os discursos sempre arrebatados do então presidente Lula ressaltavam a grandeza da empreitada e sua importância como "autoafirmação de um povo":

> Mas, olhem, a construção deste navio é uma coisa que tem que ser levada a sério por nós, não apenas pela recuperação e pela geração de empregos na indústria naval, mas é porque é a autoafirmação de um povo, é a autoafirmação de um povo que, durante muito tempo, foi esquecido.[6]

---

[5] O PCR é um partido não registrado, criado em 1966 por militantes egressos do PCdoB. Em 1981, decide fundir-se com o Movimento Revolucionário 8 de Outubro (MR-8). O arranjo é desfeito em 1995, quando o partido é refundado.

[6] Discurso do Presidente da República na cerimônia de lançamento do primeiro navio suezmax, batizado João Cândido, construído pelo Programa de Modernização e Expansão da Frota/Programa de Aceleração do crescimento (Promef/PAC) (Secretaria de Imprensa da Presidência da República, 7 maio 2010).

A nota irônica é dada pela circunstância de Lula ter sido projetado nacionalmente como líder de greves (no ABC paulista em 1978-1980), surgidas justamente no contexto de redemocratização (afastamento dos militares do poder e incorporação de novos "atores" ao jogo político) e acirramento do conflito distributivo com o fracasso das tentativas de contornar o esgotamento do "milagre econômico" (1968-1973).

É interessante notar que a discussão sobre a orientação política do desenvolvimento reaparece no período mais recente. Em coluna publicada em março de 2012 na *Folha de S. Paulo*, sob o título "Reapareceu o mico da construção naval", Elio Gaspari critica a postura de incentivo empreendida pelo governo federal e cita as dificuldades e atrasos enfrentados pelo EAS como exemplos dos problemas gerados pela intervenção "artificial" do governo na economia:

> De cada 10 operários, 8 trabalham para encomendas da Petrobras. Tudo bem, mas um navio que custa US$ 60 milhões em Pindorama sai por US$ 35 milhões em outros países. Preço errado é veneno. Mais cedo ou mais tarde o mercado traz a conta. A Vale, que não é boba, contrata navios na China.

Em resposta, Sergio Machado Rezende, ministro da Ciência e Tecnologia de 2005 a 2010, escreveu um artigo intitulado "O engano de Elio Gaspari", no qual defende a intervenção do governo em favor do reerguimento da indústria naval, destacando seus efeitos de geração de emprego e determinação soberana do desenvolvimento nacional:

> Ele aponta erros na fabricação de navios no Brasil, mas não relembra que há poucos meses atrás, um navio importado pela Vale não suportou a carga de minério num porto do Maranhão e quase causou um grande desastre ambiental. E ao comparar o preço do navio fabricado no Brasil com o do importado, ele não considera o enorme valor da geração de milhares de empregos no Brasil. E não leva em conta que a industrialização do País não pode ser feita ao bel-prazer das empresas estrangeiras que aqui se instalam, atraídas por nosso grande mercado. O País não está condenado a ser eterno exportador de matérias-primas e importador de máquinas e equipamentos. (Rezende, 2012)

É possível discernir elementos de coincidência entre o vocabulário da "segurança nacional" dos militares e a versão (neo)desenvolvimentista dos governos petistas. As semelhanças se referem à ideologia do desenvolvimento como um discurso historicamente recorrente que se apresenta com maior intensidade durante os movimentos de expansão do processo de acumulação capitalista. Essa ideologia apresenta o desenvolvimento econômico como: a) um fim em si mesmo; b) uma panaceia, um remédio para todos os males; c) o ponto culminante de uma narrativa teleológica, o momento da redenção; e d) igualmente desfrutável por todos. A ideologia desenvolvimentista cumpre uma função de ocultamento da realidade ao desconsiderar: a) as desigualdades realmente existentes na apropriação dos ganhos e perdas pelas diversas classes sociais; e b) as consequências indesejáveis do "progresso" (suas externalidades negativas), tais como os riscos de danos ambientais e a destruição de modos de vida tradicionais. O caso de Suape é exemplar a esse respeito, não sendo nada desprezível o seu custo socioambiental, que se expressa em uma série de fatores: aumento do custo de vida; disparada dos preços de aluguel e expulsão de posseiros, agravando o déficit habitacional já elevado da região; alterações no ecossistema que inviabilizam a pesca artesanal e põem em risco a manutenção de modos de vida tradicionais; potenciais riscos à saúde coletiva, muitos dos quais insondáveis devido à debilidade técnica dos documentos de licenciamento ambiental.

Como registram estudos empíricos sobre grandes projetos de construção civil em épocas e contextos distintos, tais empreendimentos são geralmente apresentados a partir de narrativas baseadas em categorias abstratas de progresso, desenvolvimento e modernidade, que se nutrem de uma concepção de tempo linear e evolutivo, desconsiderando assim o caráter histórico e socialmente singular das regiões atingidas, bem como as concepções e as visões de mundo de suas populações. O grande projeto é apresentado como oportunidade única de salvação de regiões historicamente desfavorecidas e "tíquete de entrada" para uma era de paz social e modernidade (Edilza Fontes, 2003; Gustavo Ribeiro, 2000 e 2008).

Essa ideologia, no entanto, não se apresenta como um bloco homogêneo, assumindo diferentes roupagens de acordo com o emissor da fala e o contexto. Se em alguns momentos a ideologia (neo)desenvolvimentista pode se apresentar em trajes de gala como um espírito de celebração e congraçamento de todas as classes, unidas pelo mesmo objetivo de "progresso social", em suas horas mais sombrias essa mesma senhora aparece "coberta da cabeça aos pés de sangue e imundície", assumindo a forma do ódio de classe e da intolerância da casa-grande. Essa instabilidade da consciência ideológica se refere à própria instabilidade do (neo)desenvolvimentismo como campo de disputas: a distribuição dos ganhos e perdas acarretadas pelo "progresso" não é presidida por um princípio de justiça, mas pelas determinações do processo de valorização do capital (baseado ele próprio na injustiça histórica da instituição da propriedade privada dos meios de produção).

Uma imagem recorrente nos discursos de celebração do desenvolvimento em Suape é a do cortador de cana que virou operário. A força dessa imagem está na evocação de sentimentos de orgulho e esperança e no paralelismo que traça entre a trajetória do indivíduo e o destino coletivo do povo nordestino. Em momentos de conflito, no entanto, a ideologia (neo)desenvolvimentista mostra sua face mais perversa, invertendo o significado dessa imagem e empregando-a em discursos de condenação à atitude daqueles que, em vez de agradecer a melhoria de suas condições de vida, estão agora exigindo mais (e novos) direitos. Nas caixas de comentários de notícias relacionadas a greves e conflitos trabalhistas na região de Suape, esse argumento, sob as mais diversas formulações, é repetido *ad nauseam*:

> [...] esse bando de cortadores de cana, que até um ano atrás era indigente sem salário sem endereço, conseguiu uma colocaçãozinha de ajudante ou faxineiro, deveria agora ser os primeiros a querer trabalhar, mas como recebem duas e em alguns casos até três refeições por dia e ainda um salário no final do mês, acha que tem tudo e aí não querem trabalhar. Vamos crescer povinho... a falta de educação já era conhecida e agora a preguiça se manifesta... o que mais esse povinho dessa terra tem pra mostrar de ruim?[7]

## Trabalho e trabalhadores de Suape: elementos de caracterização

Tanto a composição social quanto a natureza do processo de trabalho nos setores da construção civil pesada e construção naval são parecidas. Estas são características comuns a ambos os setores: forma de canteiro assumida pelo local de trabalho; concentração espacial de um grande contingente de trabalhadores; presença significativa de trabalhadores migrantes, muitas vezes de origem rural; ambiente de trabalho insalubre e com risco elevado de acidentes de trabalho e desenvolvimento de doenças ocupacionais; modalidades de extensão da jornada (excesso de horas extras); caráter descontínuo e diversificado das atividades, conforme as diversas etapas da obra; caráter artesanal das atividades de trabalho, malgrado a adoção de inovações técnicas e gerenciais que desqualificam o trabalho; importância de um sistema de transmissão de saberes via redes formais e informais nos locais de trabalho e coincidência de ofícios entre os dois setores (carpinteiros, pintores, encanadores, eletricistas etc.); estruturas hierárquicas e de aprendizado (aprendiz – ajudante – profissional, ou ainda servente – meio-oficial – oficial) (Luciano Costa, 2010; Farah, 1996; Pessanha, 1986).

Há, no entanto, diferenças importantes, das quais a principal é talvez a temporalidade dos projetos: na construção pesada, a data de entrega da obra é o marco final do projeto, seguido de uma desmobilização total da força de trabalho empregada; na construção naval, a entrega de um navio é seguida do período de preparo para a construção de outros navios, havendo desmobilização apenas parcial (ainda que significativa) da força de trabalho.

[7] Comentário postado em 14 de novembro de 2012 pelo usuário "NGAC" ao artigo "Mesmo com determinação da justiça, funcionários decidem manter greve em Suape", *Jornal do Commercio*, 14 nov. 2012.

A consulta à base de dados Relação Anual de Informações Sociais (Rais)[8], mantida pelo Ministério do Trabalho e Emprego para o ano de 2012[9], quando foi atingido o pico de contratações, revela uma força de trabalho majoritariamente masculina (97%), com idade média de 33 anos (50% entre 30 e 39 anos), a maioria (46%) com ensino médio completo e recebendo até três salários mínimos (62%). Os dados completos podem ser conferidos no Quadro 1.

**Quadro 1. Características da força de trabalho do Complexo de Suape em 2012**

| | | |
|---|---|---|
| Sexo | Masculino | 35.679 |
| | Feminino | 972 |
| | Total | **36.651** |
| Faixa etária | 15 a 17 | 15 |
| | 18 a 24 | 7.564 |
| | 25 a 29 | 7.973 |
| | 30 a 39 | 12.556 |
| | 40 a 49 | 5.883 |
| | 50 a 64 | 2.577 |
| | 65 ou mais | 83 |
| | Total | **36.651** |
| Escolaridade | Analfabeto | 106 |
| | Até 5º ano do fundamental incompleto | 3.249 |
| | 5º ano do fundamental completo | 1.687 |
| | 6º a 9º ano do fundamental | 4.915 |
| | Fundamental completo | 5.499 |

[8] Parâmetros da consulta: ano 2012; vínculo ativo 31/12; microrregião Suape; CBO 2002; família: trabalhadores de instalações elétricas, marceneiros e afins, encanadores e instaladores de tubulações, pintores de obras e revestidores de interiores (revestimentos flexíveis), trabalhadores na operação de máquinas de terraplenagem e fundações, lubrificadores, trabalhadores de estruturas de alvenaria, trabalhadores de montagem de estruturas de madeira, metal e compósitos em obras civis, montadores de estruturas de concreto armado, ajudantes de obras civis, trabalhadores de soldagem e corte de metais e compósitos, operadores de máquinas e equipamentos de elevação, montadores de máquinas industriais, motoristas de veículos de cargas em geral, eletricistas/ eletrônicos de manutenção, trabalhadores de caldeiraria e serralheria, ajustadores mecânicos polivalentes, preparadores e operadores de máquinas-ferramenta convencionais, supervisores em indústria de madeira, mobiliário e carpintaria veicular, supervisores da construção civil.

[9] Note-se que há forte discrepância entre os dados coletados na Rais e aqueles veiculados pela imprensa a respeito do efetivo de trabalhadores. Em 2012, havia 54 mil empregados no setor da construção pesada, conforme "Trabalho – Retomada, enfim, a obra da Refinaria", *Jornal do Commercio*, 31 fev. 2011. O EAS alcançou o pico de contratações em 2011, com 11 mil empregados, de acordo com "Mais de 11 mil operários do Estaleiro Atlântico Sul paralisam as atividades", Blog de Jamildo, 1º set. 2011. Tal discrepância pode ser explicada pela existência de um grande número de contratados por empresas não registradas na região de Suape ou mesmo eventuais incorreções no preenchimento dos formulários pelas empresas.

| | | |
|---|---|---|
| Escolaridade | Médio incompleto | 4.235 |
| | Médio completo | 16.704 |
| | Superior incompleto | 152 |
| | Superior completo | 104 |
| | **Total** | **36.651** |
| Faixa de remuneração média (SM) | Até 0,50 | 124 |
| | 0,51 a 1,00 | 361 |
| | 1,01 a 1,50 | 6.088 |
| | 1,51 a 2,00 | 5.563 |
| | 2,01 a 3,00 | 10.650 |
| | 3,01 a 4,00 | 7.814 |
| | 4,01 a 5,00 | 3.042 |
| | 5,01 a 7,00 | 1.667 |
| | 7,01 a 10,00 | 816 |
| | 10,01 a 15,00 | 220 |
| | 15,01 a 20,00 | 69 |
| | Mais de 20,0 | 46 |
| | Não classificado | 191 |
| | **Total** | **36.651** |

Fonte: Ministério do Trabalho e Emprego (2012) (adaptado).

Quanto à importância da região de origem ou proveniência para a constituição de identidades individuais e criação de laços de solidariedade de grupo, Suape reproduz um padrão já observado em outros estudos empíricos que identificam a relevância dessa dimensão como fator de construção de identidade dos trabalhadores da construção civil (Edilza Fontes, 2003; Gustavo Ribeiro, 2000 e 2008). Segundo Coutinho: "Na verdade, a primeira estratificação da obra, estabelecida antes mesmo que as outras se evidenciem, é a estratificação regional" (citado em Gustavo Ribeiro, 2008, p. 30). Essa propensão é acentuada pela situação de não família que caracteriza a maior parte dos trabalhadores migrantes. O regionalismo cumpre ainda a função de preservação de uma identidade que foge à impessoalização do processo de trabalho: "Em realidade, o regionalismo aparece como uma construção do trabalhador migrante para escapar, em alguma medida, das divisões impostas pela esfera da produção. Ser paraíba, baiano, carioca ou goiano é bastante diferente de ser servente, carpinteiro ou encarregado" (Gustavo Ribeiro, 2008, p. 31). A questão da diversidade se torna ainda mais problemática diante das dificuldades de convivência nos locais de trabalho e da animosidade entre os grupos de trabalhadores pernambucanos e de fora do Estado – genericamente identificados como "baianos". Em alguns episódios de conflito, o problema se apresentou de maneira explosiva, tendo influenciado de maneira decisiva o rumo dos acontecimentos, como na deflagração da greve geral da construção pesada em 2011 (a primeira greve geral do setor, diga-se de passagem), quando uma assembleia terminou em confusão generalizada após a fala de cunho xenófobo do presidente do sindicato (Aldo Amaral de Araújo, presidente do Sindicato dos Trabalhadores das Indústrias de Construção de Estradas, Pavimentação e Terraplenagem em Geral no Estado de Pernambuco)[10].

No entanto, é preciso levar em conta que, embora a criação de identidades de grupo por região de origem, ou proveniência, e a eventual existência de arestas entre esses grupos seja uma dinâmica normal em grandes projetos de construção, no caso específico de Suape há um elemento catalisador de tal animosidade. Uma das insatisfações mais graves entre os trabalhadores da construção pesada e da naval em Suape diz respeito aos regimes salariais distintos para funções muito semelhantes ou idênticas. Essa prática se deve a dois fatores: a) a grande quantidade de consórcios e terceirizadas na região, cada qual com sua própria política salarial; e b) a necessidade das empresas de recrutar mão de obra em outros Estados, nos quais, eventualmente, vigoram padrões salariais mais altos.

## Greves e conflitos em 2008-2012: quadro geral[11]

As lutas do trabalho empreendidas em Suape no período estudado inserem-se em um quadro de aumento da atividade grevista em todo o país. Após a fase de "normalização"[12] verificada entre 1998 e 2007, quando há estabilização no número de greves e jornadas não trabalhadas (Noronha, 2009), observa-se, a partir de 2009, uma nítida tendência de aumento no número de horas paradas (Dieese, 2013a). O período é marcado por indícios de aquisição de maior poder de barganha pela classe trabalhadora em âmbito nacional: em 2012, cerca de 95% das negociações salariais ocorridas no país resultaram em aumentos salariais acima da inflação. No maior grupo de casos, representando 34% do total, o reajuste obtido variou de 1% a 2% acima da inflação. Ainda assim, o resultado foi o melhor desde 1996, quando a medição começou a utilizar os parâmetros atuais (Dieese, 2013b).

---

[10] "O Sintepav-PE subiu no palanque e acusou os baianos de preguiçosos. Que eles não tinham comprometimento com o desenvolvimento de Pernambuco. Que eles eram acarajé e que nós [pernambucanos] somos a massa de verdade" ("Babel de tensão e interesses", *Jornal do Commercio*, 20 fev. 2011).

[11] Para a reconstituição dos episódios de greve e conflitos, cruzei informações constantes do noticiário (formato impresso e *on-line*), documentos oficiais (atas de audiências e acórdãos) e um conjunto de doze entrevistas gravadas e transcritas com trabalhadores, sindicalistas, militantes de movimentos sociais e representantes do poder público que haviam participado da mediação de conflitos em Suape.

[12] Normalização em relação ao "grande ciclo de greves", de 1978 a 1998, sem precedentes na história brasileira e cujo pico, atingido entre 1985 e 1992, representou um dos maiores níveis de paralisação já registrados na história dos países ocidentais (Noronha, 2009, p. 119).

Como pode ser conferido no Quadro 2, a tendência do cenário geral é confirmada no caso específico de Suape. Os reajustes salariais obtidos pelas categorias enfocadas nesse estudo no período de 2009 a 2012 foram acima da inflação registrada no período, o que indica ganho real no poder de compra dos salários. Além disso, a recorrência de índices de reajuste superiores à variação anual do Produto Interno Bruto (PIB) sugere a força da posição relativa ocupada pelos trabalhadores no conflito distributivo. Tais resultados devem ser atribuídos a fatores como a alta demanda por força de trabalho gerada pela instalação dos grandes empreendimentos de Suape, demanda que não pôde ser suprida apenas pelo mercado local, donde a forte presença de migrantes, e a elevada disposição de embate demonstrada pelas bases. Esse ativismo se expressou de forma errática, ora caminhando junto com as entidades sindicais estabelecidas, ora as repudiando a ponto de forçar os limites definidos pelos canais institucionais disponíveis para a mediação do conflito entre capital e trabalho.

**Quadro 2. Reajuste de salários nos setores de construção naval e pesada (2008-2012)**

| Ano | 2008 | 2009 | 2010 | 2011 | 2012 |
|---|---|---|---|---|---|
| Reajuste construção naval | – | 6,5% e 4,7%* | 9% 8% e 4,3%** | 10% | 8% |
| Reajuste construção pesada | 9% | 9% | 10% | 11% | 10,5% |
| Variação anual inflação Brasil (IPCA) | 5,9% | 4,3% | 5,9% | 6,5% | 5,8% |
| Variação anual inflação Região Metropolitana Recife (IPCA) | 6,9% | 4,6% | 4,6% | 6% | 6,7% |
| Variação anual PIB Brasil | 5,0% | -0,2% | 7,6% | 3,9% | 1,8% |
| Variação anual PIB Pernambuco | 5,3% | 2,8% | 7,7% | 5,7% | 4,9% |

Fonte: IBGE; Convenções coletivas Sindmetal-PE e Sintepav-PE.
* O primeiro valor para os empregados que recebem até R$ 3.500, o segundo para os que recebem acima disso.
** O primeiro valor para os empregados que recebem até R$ 1.600, o segundo para os que recebem até R$ 4.000, e o terceiro para os que recebem acima disso.

As categorias de trabalhadores da construção civil pesada e da construção naval em Suape são representadas, respectivamente, pelo Sindicato dos Trabalhadores das Indústrias de Construção de Estradas, Pavimentação e Terraplenagem em Geral no Estado de Pernambuco (Sintepav-PE, fundado em setembro de 2000 e filiado à Força Sindical) e pelo Sindicato dos Trabalhadores nas Indústrias Metalúrgicas, Mecânicas e de Material Elétrico do Estado de Pernambuco (Sindmetal-PE, fundado em novembro de 1935 e filiado à Central Única dos Trabalhadores). Além dessas entidades, pude registrar durante as atividades de pesquisa a presença de trabalhadores organizados no MLP e de militantes ligados à Central Sindical e Popular Conlutas (CSP-Conlutas), com atuação na categoria da construção civil pesada. Já na construção naval, pude identificar a existência de uma oposição sindical ligada à Central de Trabalhadores e Trabalhadoras do Brasil (CTB). É preciso ainda destacar a atividade política de trabalhadores não ligados a entidades ou grupos formais, mas que tiveram participação ativa, seja em comissões de base ou comissões internas de prevenção de acidentes, seja esporadicamente em assembleias, greves e rebeliões.

O Sintepav e o Sindmetal enfrentaram problemas de legitimidade decorrentes da inadequação de seus mecanismos de democracia interna e da consequente incapacidade de expressão real dos desígnios das bases representadas. Os dois sindicatos sofreram também com fatores como a pouca disposição de diálogo das empresas, a prática de demissões em massa como retaliação a movimentos grevistas (que atingiu, em alguns casos, representantes sindicais e cipeiros com estabilidade garantida) e a configuração espacial do Complexo de Suape como um condomínio fechado, no qual a livre circulação de pessoas e a distribuição de material informativo foram restringidas. Cabe ainda destacar que também as comissões de base, criadas diretamente a partir de experiências de conflito e mantendo relação autônoma com os sindicatos, enfrentaram problemas de legitimidade, o que talvez indique a profundidade e o caráter generalizado da crise dos modelos existentes de representação sindical.

Faço a seguir uma descrição sucinta de alguns dos principais episódios de greves e conflitos identificados no período de 2008 a 2012 em Suape. Chamo a atenção para o caráter não exaustivo da descrição: pela restrição de espaço, selecionei apenas alguns episódios mais emblemáticos e, além disso, durante as atividades de pesquisa, encontrei menções a conflitos menores que não chegaram a ser noticiados pela imprensa e sobre os quais só foi possível encontrar relatos muito fragmentários.

### Paralisação no Estaleiro Atlântico Sul (setembro de 2008)

No dia 20 de setembro, foi realizada uma reunião à qual compareceram cerca de 150 trabalhadores do EAS e membros da Oposição Classista, ligada ao Partido Comunista do Brasil (PCdoB) e à CTB. Nessa ocasião, foram mencionadas insatisfações diversas relacionadas a salários (o piso praticado no EAS era inferior ao da categoria metalúrgica em Pernambuco) e condições de trabalho (sobretudo insalubridade e qualidade da comida servida no refeitório da empresa). As últimas eleições para a diretoria do Sindmetal haviam sido realizadas em julho de 2008 e seu resultado havia sido posto em suspeição pela Oposição Classista, derrotada no pleito. No dia 15 de setembro, o imbróglio foi resolvido em favor da chapa de situação Consolidando Novos Rumos (da qual, aliás, a Oposição Classista havia surgido como um racha). A reunião do dia 20 decidiu por uma paralisação no dia 22. No dia da manifestação, estavam presentes membros da direção do sindicato e da oposição. Segundo o relato de Moacir Paulino da Silveira, membro da Oposição Classista que havia assumido interinamente a presidência do Sindmetal-PE até a decisão judicial do dia 15, o sindicato estava orientando os trabalhadores a furar a paralisação. Moacir usou uma Kombi para bloquear a via de acesso ao EAS e foi encaminhado à delegacia. A mobilização ganhou adesão de alguns dos trabalhadores que já haviam ingressado no EAS (quando souberam do bloqueio, os ônibus da empresa mudaram o percurso) e caminharam os seis quilômetros de distância até a portaria onde estava sendo feito o bloqueio para aderir à mobilização.

No dia 24 de setembro, 48 trabalhadores foram demitidos por justa causa. Nesse mesmo dia, houve uma caminhada de protesto pela rodovia PE-60. Uma comissão de trabalhadores, acompanhada pela direção do Sindmetal, foi recebida para uma série de reuniões na sede do Ministério Público do Trabalho, no Recife, coordenadas pelo procurador-chefe Aloísio Aldo da Silva Júnior (Moacir foi proibido de participar das reuniões)[13]. A paralisação foi encerrada após uma assembleia geral realizada no dia 25. A empresa concordou em retirar a justa causa das demissões e pagar alguns benefícios aos demitidos, inclusive um curso profissionalizante no valor de R$ 500. O então presidente da empresa, Paulo Haddad, comentou esse episódio em tom de escárnio, fornecendo um dos exemplos mais claros da baixa tolerância aos movimentos de reivindicação em Suape:

> O presidente do Estaleiro Atlântico Sul, Paulo Haddad, diz que adorou o ocorrido, apesar do desgaste de imagem, pois teve oportunidade de mostrar como a banda toca por lá e expurgar, no nascedouro, insubordinação dos empregados. "Não queremos gente insatisfeita aqui. Ajudamos eles a partir", comentou hoje cedo em Suape. Na sua avaliação, foi bom a greve ter ocorrido agora, quando existem pouco mais de mil empregados operando, do que em uma época maior, de até três mil operários em ação. "Greve podemos ter todos os anos, pois todos os anos teremos negociações salariais", diz. "Já enfrentei greve com oito mil trabalhadores, não ia deixar de agir nesta", diz o executivo.[14]

### Greve geral da construção civil pesada (fevereiro de 2011)

A primeira greve geral da construção pesada em Suape começou de forma não planejada após o desfecho turbulento de uma assembleia realizada na manhã do dia 9 de fevereiro no pátio central da portaria 2, principal via de acesso ao canteiro de obras da Refinaria Abreu e Lima. A assembleia terminou em tumulto quando uma multidão "partiu para cima" do trio elétrico utilizado como palanque pelo sindicato em reação a uma fala de conteúdo xenófobo contra os trabalhadores baianos (ver nota 10) proferida pelo presidente do Sintepav, Aldo Amaral. Acuados, os representantes do Sintepav fugiram em um Gol preto enquanto tiros eram disparados contra a multidão enfurecida, supostamente por um segurança do sindicato. Ainda naquele dia, um segurança do Sintepav foi acusado formalmente de ser o autor dos disparos por pelo menos três testemunhas que registraram boletim de ocorrência[15].

---

[13] De todos os documentos que solicitei ao Ministério Público do Trabalho (PE), as atas dessa audiência foram os únicos itens que não foram encontrados no arquivo.

[14] "Che Guevara agitou estaleiro em Suape, mas acabou sacando FGTS mais cedo [sic]", postagem no Blog de Jamildo, 25 set. 2008.

[15] Nas entrevistas que realizei com membros do Sintepav em diferentes ocasiões, obtive respostas contraditórias sobre o uso de seguranças armados: o diretor financeiro, Wilton Oliveira, relatou-me que o Sintepav contratava apenas vigilantes sem porte de arma, enquanto André Araújo de

Um armador baiano de nome Thiago Ramos de Souza foi atingido na boca, tendo sua mandíbula fraturada, e outro operário, cujo nome não foi possível descobrir, recebeu dois tiros de raspão no braço. Após a fuga dos membros do Sintepav, um grupo de trabalhadores resolveu bloquear a via de acesso ao Complexo de Suape. O Batalhão de Choque da Polícia Militar chegou em poucos instantes e seu comandante ouviu dos manifestantes que, como condição para o desbloqueio da via, pediam prestação de primeiros socorros a Thiago e que a imprensa local fosse chamada para registrar os acontecimentos.

Antes mesmo da realização dessa assembleia, o clima em Suape já estava esquentando. No dia 2 de fevereiro, por volta das 20 horas, funcionários da Odebrecht empregados nas obras de construção do Polo Petroquímico (cujo canteiro é vizinho ao da refinaria) fizeram um protesto e atearam fogo ao galpão que servia de alojamento da empresa, no bairro de Pontezinha (Cabo de Santo Agostinho). Esses trabalhadores estavam em greve desde o dia 25 de janeiro e protestavam contra a decretação de ilegalidade de seu movimento. Em resposta, a empresa providenciou dispensa temporária para os 1.500 trabalhadores que lá estavam alojados e para outros 1.100 que estavam em outro alojamento. As atividades permaneceram paralisadas até o dia 7 de fevereiro, quando foram retomadas parcialmente.

Após a assembleia do dia 9, todas as atividades de construção pesada em Suape ficaram paradas até a segunda-feira, dia 14, quando as empresas voltaram a circular a frota de ônibus de transporte. A volta ao trabalho se deu com presença ostensiva de forças policiais. Nesse dia, foi realizada uma assembleia da qual o Sintepav não participou. Da assembleia participaram também trabalhadores ligados ao MLP, que vinha fazendo trabalho de deslocamento de quadros para Suape, e militantes ligados à CSP-Conlutas que haviam sido chamados pelo MLP para garantir apoio logístico (empréstimo de um carro de som). A orientação passada por meio de um panfleto assinado por ambas as entidades era que os trabalhadores batessem o ponto e se dirigissem à assembleia. Nessa ocasião foi eleita uma comissão independente, composta de oito trabalhadores, entre os quais os dois únicos remanescentes de uma comissão independente que havia sido formada em uma paralisação ocorrida nas obras da Refinaria Abreu e Lima em outubro de 2010. À exceção desses dois, todos os demais membros da primeira comissão haviam sido demitidos. Comissão, sindicato e empresas foram recebidos para uma primeira audiência no dia 16 de fevereiro, na sede do Ministério Público do Trabalho no Recife. Ao todo seriam onze audiências, todas mediadas pelo procurador-chefe Fábio Farias (a última delas foi realizada em 15 de abril). As negociações chegaram a um impasse na audiência do dia 28 de fevereiro e as partes resolvem encaminhar a questão para o Tribunal Regional do Trabalho, que se pronunciou no dia 29, declarando a ilegalidade da

Oliveira, secretário-geral, me disse que o Sintepav não contrata profissionais de segurança de qualquer tipo.

greve e o pronto retorno às atividades e dando decisão favorável aos trabalhadores nas duas questões que haviam travado a pauta de negociações no Ministério Público do Trabalho (valor das horas extras e do auxílio-alimentação). A decisão foi apresentada para a apreciação da categoria em assembleia realizada no dia 30, quando a categoria se decidiu pelo fim da greve. A repórter Adriana Guarda, do *Jornal do Commercio*, esteve na assembleia e descreveu da seguinte forma os seus momentos finais:

> Ao final, a assembleia contou com leitura de poema, gritos de guerra e uma prece. Depois, sob o som do hino da Força Sindical, o exército de 34 mil operários marchou de volta para o canteiro de obras, colocando um fim (pelo menos por enquanto) à maior greve da história de Pernambuco. (*Jornal do Commercio*, 31 fev. 2011)

### Greve geral da construção civil pesada (agosto de 2012)

Assim como a de 2011, a greve geral de 2012 foi precedida de agitações entre os trabalhadores empregados nas obras de construção do Polo Petroquímico. Em 17 de fevereiro, houve uma paralisação decorrente de insatisfação em relação ao pagamento da participação nos lucros e resultados. A paralisação foi intermediada pelo Sintepav e encerrou-se com a conquista de um acordo no dia 23, após realização de uma assembleia. Em declarações à imprensa, Aldo Amaral relatou que o que havia começado como uma demanda restrita de um grupo de oitocentos empregados do setor de montagem industrial (de um total de 6 mil ou 10 mil, os números divergem segundo as versões do sindicato e da empresa) acabou tomando uma proporção muito maior em razão da hostilidade dos representantes da Odebrecht, que "destrataram os trabalhadores utilizando palavras impublicáveis"[16]. Os trabalhadores das obras da Petroquímica voltaram a cruzar os braços no dia 18 de junho, dessa vez por causa de reclamações relativas ao não cumprimento das normas de segurança do trabalho e reivindicação de pagamento de um adicional de periculosidade. A paralisação ganha a adesão de trabalhadores do Consórcio Cabeços (Andrade Gutierrez e OAS), responsável pela execução das obras de abertura dos arrecifes e acesso ao porto de Suape, que paralisam suas atividades por um dia. Cabe mencionar que, no dia 9 de junho, um operário do Consórcio Cabeços de nome Jadson (ou Jadison) Raposo Leite caiu no mar enquanto operava uma máquina e morreu. A paralisação foi encerrada com acordo, após a realização de uma assembleia no dia 22 em que se decidiu pela volta ao trabalho no dia 26. Pelo acordo, estabeleceu-se também uma "cláusula de paz", válida até o final daquele ano, segundo a qual os trabalhadores das obras da Petroquímica se comprometiam a não mais paralisar as atividades, sob pena de perda do abono dos dias parados, cláusula que, no entanto, não se aplicava se a iniciativa de greve fosse do sindicato.

[16] "Dez mil trabalhadores cruzam os braços em Suape", Blog da Folha, 17 fev. 2012; "Operários da Petroquímica Suape entram em greve", *JC Online*, 17 fev. 2015.

Enquanto ocorriam essas disputas no canteiro da Petroquímica, aproximava-se a data-base da categoria (agosto) e o Sintepav negociava com o sindicato patronal, o Sindicato Nacional da Indústria da Construção Pesada (Sinicon). A segunda rodada de negociações foi encerrada no dia 25 e a proposta que havia na mesa foi considerada insatisfatória pelo Sintepav (7% de reajuste mais abono de 50% dos dias parados na data-base 2011-2012). A categoria foi convocada para apreciar a proposta em assembleia no dia 27, em frente ao portão 2, às 7 horas. Estive presente nessa assembleia, fazendo observação de campo, e pude constatar a maneira fraudulenta com que foi conduzida: o acesso ao microfone foi monopolizado pelos membros do Sintepav, todos defendendo, com discurso afinado e fartura de argumentos, a ideia de que o acordo oferecido era bom e de que fazer greve naquele momento seria uma veleidade (o ponto mais forte do acordo, não mencionado nas notícias sobre negociações do dia 25, era a oferta de equiparação entre todas as categorias profissionais da construção pesada em Suape). Havia uma disposição majoritária favorável à greve e à busca por um acordo mais vantajoso, porque o reajuste do ano anterior havia sido de 11%. Foi feita uma votação por aclamação na qual uma clara maioria se manifestou contra a proposta. Enquanto Aldo lamentava que aquele acordo bom e vantajoso tivesse sido "jogado no lixo", ouviam-se gritos de "greve, greve". Quando informados de que a assembleia era apenas informativa, já que qualquer greve decretada antes do dia 1º de agosto (data-base) seria declarada ilegal, a maioria dos trabalhadores foi embora. Em seguida, foi informado que uma contraproposta havia sido transmitida por telefone, prevendo então reajuste de 10,5%. A nova proposta, apresentada para a apreciação de uma assembleia esvaziada, foi rapidamente aprovada. Na opinião de Aldo Amaral: "Não foi o céu. Mas chegamos bem perto do paraíso"[17].

No dia 1º de agosto, iniciou-se uma manifestação dos empregados dos consórcios Conest (Odebrecht e OAS), Ipojuca (Queiroz Galvão e Iesa) e Engevix, todos responsáveis por canteiros da Refinaria Abreu e Lima. Segundo a representante do Sinicon, houve destruição de vestuário, portão e equipamentos do refeitório, e trabalhadores que não queriam aderir à greve foram ameaçados[18]. No dia 2, foi realizada uma assembleia, conduzida pelo Sintepav, na qual os trabalhadores se decidiram pela continuidade da greve, pedindo 15% de aumento. Àquela altura a greve já havia se alastrado por todo o setor, abrangendo o pessoal das obras da petroquímica. Rebatendo as críticas sobre o fato de o acordo ter sido aprovado por assembleia esvaziada, Aldo Amaral atribuiu a evasão à chuva forte e afirmou que "quem saiu é como se tivesse assinado uma procuração para quem ficou"[19].

[17] "50 mil funcionários de Suape terão aumento de 10,5%", Blog da Folha, 27 jul. 2012.
[18] "Em PE, trabalhadores da Refinaria Abreu e Lima paralisam atividades", *G1*, 2 ago. 2012.
[19] "Trabalhadores da Refinaria Abreu e Lima decretam greve", *Jornal do Commercio*, 2 ago. 2012. A versão de Aldo não é verdadeira. Não houve evasão significativa por causa da chuva. O esvaziamento ocorreu após a assembleia ter sido informada de que não havia possibilidade de decidir sobre greve naquele momento.

No dia 7, o TRT declara a greve ilegal e ordena o retorno imediato ao trabalho, caso contrário o Sintepav seria multado em R$ 5.000 por dia parado. Na manhã do dia 8, foi realizada uma assembleia na qual o Sintepav pediu o fim da greve e que terminou com pedras sendo arremessadas contra os sindicalistas. O Batalhão de Choque foi chamado e armou-se um cenário de conflito: ao todo, sete ônibus das empresas foram destruídos e um número incerto de trabalhadores foi preso ou ferido. Ainda no dia 8, o Sintepav soltou uma nota repudiando os "atos de vandalismo" e atribuindo-os à ação de um grupo minoritário não identificado[20]. Em outra ocasião[21], os atos foram atribuídos a pessoas ligadas ao Partido Socialista dos Trabalhadores Unificado (PSTU). Essa versão é estapafúrdia: o PSTU só teve participação significativa em Suape na greve de 2011, quando militantes da CSP--Conlutas foram chamados para oferecer apoio logístico à comissão independente que havia sido formada após a assembleia desastrosa do dia 9 de fevereiro (ver subitem acima). A pessoa mais próxima do PSTU nessa comissão era Adalberto da Silva, liderança do MLP e membro da comissão, a quem tive oportunidade de entrevistar. Quando da greve de 2012, Adalberto já estava fora de Suape: no dia 20 de julho de 2011, às 5 horas da madrugada, quando se dirigia para o ponto onde passava o ônibus da empresa, Adalberto foi abordado por dois homens em uma moto que, em seguida, disparam três tiros contra ele (um tiro pegou de raspão suas costas e outro o pé). Antes disso, Adalberto já havia sofrido ameaças por sua atuação na comissão.

Aldo Amaral e Miguel Torres, da direção nacional da Força Sindical, reuniram-se na tarde do dia 9 com o governador interino João Lyra Neto e pediram o aumento do efetivo policial em Suape. As obras continuavam paradas: apenas uma parte dos ônibus circulavam, os poucos trabalhadores que compareciam às obras não encontravam trabalho para fazer, enquanto, nas obras da petroquímica, apesar do comparecimento de cerca de 90% do pessoal, o expediente era encerrado à tarde. Confusões ocorreram em ambos os canteiros. No dia 13, o Sintepav revê sua posição, buscando aproximar-se da base e garantir sua liderança. Foram distribuídos panfletos orientando os trabalhadores a entrar nas empresas, tomar o café da manhã, bater o ponto e se retirar. (Nessa ocasião, ao ingressarem na empresa, os trabalhadores tinham seus pertences revistados.)

No dia 15, Sintepav e empresas chegam a um acordo prevendo abono de 70% dos dias parados e compensação dos 30% restantes. Apenas duas empresas determinam o retorno. No dia 17, representantes do Sinicon, do Sintepav e da direção nacional da Força são recebidos em Brasília pelo assessor especial para a área sindical, José Lopes Feijó. Manoel Messias Melo é enviado ao Recife como representante do

[20] A nota é reproduzida em "Sem controle da categoria, sindicato repudia atos de vandalismo em Suape", Blog de Jamildo, 8 ago. 2012.

[21] "Sintepav-PE acusa grupo ligado ao PSTU de provocar tumulto na refinaria", *Brasil 247*, 8 ago. 2012.

Ministério do Trabalho e Emprego para intermediar as negociações. Os consórcios mais importantes das obras da Refinaria não circulam seus ônibus, enquanto os da Petroquímica circulam normalmente: no geral, o comparecimento é de 30%.

Com a volta ao trabalho, no dia 20, um grupo de 100 empregados do consórcio Ipojuca descobre, ao chegar ao trabalho, que estavam demitidos por justa causa. Alguns deles fecham o portão 2 da Refinaria em protesto. O Batalhão de Choque permanece de prontidão e um helicóptero da Secretaria de Defesa Social sobrevoa Suape. Por volta do dia 24, as estimativas eram de duzentos demitidos.

# 23

# A autogestão em cooperativas: desafios à autonomia do trabalho[1]

*Claudete Pagotto*

Este capítulo mostra como e por quais especificidades as cooperativas de trabalho adquirem funcionalidade no processo de precarização do trabalho em curso, principalmente em ações de combate ao desemprego realizadas pelo poder público, embora possam (ou não), nesse processo, reafirmar valores coletivos para a construção de uma nova sociedade. Nesse sentido, o eixo que conduz esta análise é identificar como os trabalhadores estão vivenciando e gerindo, eles próprios, essas novas formas de trabalho, marcadas pela flexibilidade e precariedade, e como encontram na organização de cooperativas uma estratégia para a sua sobrevivência. Levamos em consideração as funções que as cooperativas de trabalho podem adquirir nesse contexto de aumento de desemprego e deterioração da vida social urbana, pois, mesmo sendo apoiadas por políticas de geração de trabalho e renda, ou constituídas no bojo de lutas sociais, as cooperativas podem tanto significar a reedição de uma nova modalidade de exploração do trabalho como se constituir em um dos elementos que buscam reproduzir a vida social fora dos marcos do capitalismo. Foi a partir dessas observações que elaboramos nossa análise.

## Trabalho e produção associada no contexto da precarização estrutural

O trabalho em cooperativas se revela na forma como os trabalhadores são remunerados, o *salário por peça*. O trabalhador é remunerado pela sua capacidade indi-

[1] Este artigo é fruto da pesquisa de doutorado da autora, realizada entre 2005 e 2010 em cooperativas vinculadas aos programas sociais do poder público do município de Santo André e do Movimento dos Trabalhadores Rurais Sem Terra (MST). A tese, intitulada *Produção associada na era da precarização estrutural: uma análise da atuação das cooperativas de trabalho*, foi defendida em 2010 no Instituto de Filosofia e Ciências Humanas da Universidade Estadual de Campinas (Unicamp), sob orientação de Ricardo Antunes.

vidual de produção ou pela quantidade de horas trabalhadas na execução de um volume determinado de peças, em uma jornada de trabalho determinada.

O crescimento do número de cooperativas de trabalho, a partir da década de 1990, instaura um momento importante na história do cooperativismo no Brasil, por conter aspectos que se distanciam da cooperativa tradicional, vinculada ao desenvolvimento agroindustrial, aos setores dominantes da política agrária. As cooperativas surgem como formas sociais de produção atípicas, porque se constituem em um artifício que encobre uma relação de exploração entre o capitalista e o trabalhador, que se manifesta na relação entre vendedores de mercadorias em igual condição, estabelecida na esfera da circulação.

A atual fase do capitalismo tem produzido uma força de trabalho que está à procura de emprego. Esses trabalhadores são convertidos em uma nova categoria, conforme observa Giovanni Alves (2000, p. 76), em uma "população trabalhadora excedente", restando-lhes apenas "ocupações contingentes", ou ainda em "novos excluídos da nova ordem capitalista, que são massas de desempregados (e subproletários) do sistema de exploração do capital". Passam a ter um novo significado e incorporam-se em um processo de maior "heterogeneização, fragmentação e complexificação" da classe trabalhadora (Antunes, 1995, p. 50).

As cooperativas como manifestação das "novas" formas de organização do trabalho não resultam somente da inexorabilidade dos processos econômicos. Resultam também dos processos de transformação do mundo do trabalho – com posição defensiva do sindicalismo da CUT, que, em face do contexto neoliberal, passou a diversificar as práticas sindicais na direção da "cidadania" e da "empregabilidade" – e das ações do governo federal que representaram a formação de um pacto social na busca do desenvolvimento sob os ditames do sistema econômico capitalista.

No âmbito governamental, não só as cooperativas mas também os grupos de trabalhadores têm sido organizados como política de geração de trabalho e renda, e a tendência é que sejam reconhecidos como "futuros empresários", por meio do desenvolvimento de uma racionalidade voltada para as demandas do mercado. São soluções para o desemprego que têm adquirido uma grande expressividade em âmbito nacional, com significados e designações distintas: economia do trabalho (Coraggio, 2000), economia popular (Gaiger, 2008; Tiriba, 2001) e economia solidária (Paul Singer, 2002).

No geral, essa diversidade de conceituações sintetiza a noção de possibilidade de construção de uma "outra economia" e, assim, as cooperativas se caracterizam pela economia mercantil, e os grupos coletivos, pela mutualidade da economia não mercantil.

Nesse aspecto, as cooperativas não só reeditam uma forma de organização nos marcos da precarização do trabalho como buscam associar o processo de comercialização do produto de seu trabalho à construção de relações mercantis, não propriamente vinculadas à economia capitalista. Analisamos sob a perspectiva de que elas encobrem uma relação de exploração na esfera da circulação de mercadorias por meio da aparente ideia de libertação do trabalho assalariado, embora, para alguns, essa "libertação" possa significar desde processos de construção de "cidadania e de inclusão social" até a possibilidade de que essas experiências sigam rumo a um "novo modo de produção".

Mas, se de um lado, essa "outra economia" oculta uma relação de exploração e fetichiza as relações sociais, de outro, pode constituir-se como um recurso no processo de organização de movimentos sociais.

Essa discussão sobre a importância e os limites do trabalho em cooperativas na ordem do capital não é nova, mas uma problemática que se reconstitui desde os fins do século XVIII e, sobretudo, no século XIX, a partir das formulações dos socialistas, anarquistas e comunistas, enfim, como instrumento de organização política e econômica da classe trabalhadora. Mas, a partir da crise estrutural do capital, que se inicia na década de 1970, novas e velhas formas de organizar o trabalho são desenvolvidas, entre as quais as cooperativas, com o objetivo de repor os níveis de acumulação e dominação do capital.

O crescente desemprego se estabelece em todos os níveis das atividades de trabalho e, muitas vezes, encontra-se "disfarçado" na flexibilização e na precarização da força de trabalho. E revela-se na redução do padrão de vida desses trabalhadores, interferindo na reprodução de sua vida social. Os "sobrantes" ou "supérfluos" constituem, portanto, elementos para a reprodução ampliada do capital.

A particularidade desse processo no Brasil diz respeito ao ajuste estrutural da década de 1990, mas também à herança de processos políticos, econômicos e sociais subordinados e dependentes do mercado internacional. Caracteriza-se assim o mercado interno com pouco dinamismo e desenvolvimento na produção e no trabalho, em decorrência do caráter tardio da industrialização do país e das relações entre Estado e sociedade, marcadas pelo autoritarismo e pela rara participação popular em processos políticos e decisórios importantes.

O desemprego no Brasil é reflexo desse processo de transformações na economia e no quadro político e institucional, que "centrou os ajustes nas privatizações, na redução dos gastos sociais, na abertura comercial e na destituição do papel do Estado no desenvolvimento da produção e do emprego, impactando a economia e o mercado de trabalho do país" (Pochmann, 1999, p. 70).

Nos anos 1990, o arcabouço mais homogêneo, estruturado no trabalho assalariado em grandes empresas, sofre as transformações decorrentes da reestruturação produtiva. O mundo do trabalho tornou-se mais heterogêneo, multifacetado e excludente, devido às várias formas de contrato (assalariado sem carteira assinada, trabalho autônomo, subcontratação, trabalho temporário) e situações de trabalho (irregular, parcial, em domicílio), além do surgimento de ocupações atípicas e do aumento do desemprego (Dedecca e Montagner, 1993, p. 29; Antunes, 1995).

Esse desemprego é expresso no número de trabalhadores que permanecem na inatividade e no tempo que as pessoas permanecem desempregadas, ou seja, o perfil do desempregado mudou ao se verificar, por exemplo, o aumento desse índice sobre adultos e chefes de família. Segundo Mattoso (1999, p. 15), 3,3 milhões de postos de trabalho formais foram destruídos ao longo dos anos 1990, tendo sido os setores mais atingidos a indústria de transformação e a construção civil, enquanto houve crescimento do setor do comércio e de serviços. Desse modo, a reestruturação produtiva sob o processo de mundialização do capital impactou a dinâmica do trabalho assalariado industrial, engendrando processos de precarização e um sentimento de insegurança, na medida em que se conforma um mundo do trabalho, conforme apontamos, cada vez mais fragmentado e heterogêneo, dificultando e desmobilizando a organização da classe trabalhadora.

Na lógica da redução de custos, a tendência é tornar a flexibilidade do trabalho um modelo predominante de contratação. Por exemplo, como os modelos adotados nos setores calçadista e têxtil-vestuário, bem como no setor de serviços, sendo a terceirização a forma de contrato mais comum. As empresas utilizam formas de flexibilização dos contratos de trabalho, chamados "atípicos", comumente caracterizados por trabalho temporário, trabalho em tempo parcial (*part-time*), trabalho de tempo compartilhado (*job sharing*), suspensão temporária do contrato de trabalho (*lay-off*) e estágios. Ou ainda, por meio do deslocamento das atividades-meio ou atividades-fim para outras organizações, proporcionando o aumento do trabalho sem o aumento do quadro funcional, bem como por meio dos processos de terceirização/subcontratação, rede de empresas, trabalho em domicílio e cooperativa de trabalho (Piccinini, 2006, p. 98-104).

As diversas formas de flexibilização do trabalho se constituem em formas de precarização, em consequência da tendência cada vez mais frequente de destruição dos direitos e das garantias sociais, conforme Vasapollo:

> A nova condição de trabalho está sempre perdendo mais direitos e garantias sociais. Tudo se converte em precariedade, sem qualquer garantia de continuidade. O trabalhador precarizado se encontra, ademais, em uma fronteira incerta entre ocupação e não ocupação e também em um não menos incerto reconhecimento jurídico diante das garantias sociais. Flexibilização, desregulação da relação de trabalho, ausência de direitos. Aqui a flexibilização não é riqueza. A flexibilização, por parte do contratante mais frágil, a força de trabalho, é um fator de risco e a ausência de garantias aumenta essa debilidade. Nessa guerra de desgaste, a força de trabalho é deixada completamente descoberta, seja em relação ao próprio trabalho atual, para o qual não possui garantias, seja em relação ao futuro, seja em relação à renda, já que ninguém o assegura nos momentos de não ocupação. (Vasapollo, 2005, p. 10)

Empresas buscaram até mesmo deslocar a planta industrial de sua produção para regiões do Brasil que propiciavam ao capitalista impostos menores, incentivos governamentais, além da quase nula organização dos trabalhadores em sindicatos, como apontam os estudos de Jacob Lima sobre as cooperativas de produção industrial no Nordeste brasileiro:

> [...] são cooperativas formadas para atuarem como subcontratadas em redes empresariais geralmente de setores de trabalho intensivo como calçados e confecções. Nessas cooperativas o suporte governamental se manifesta na disponibilidade de prédios e infraestrutura complementada por empresas que cedem maquinaria e trabalhadores especializados. A dependência da cooperativa da empresa é total. Funcionando como seção desta. No meio dos anos 90 essas cooperativas foram implementadas em grande número no nordeste do país dentro da política de guerra fiscal. Além do baixo custo da força de trabalho, as empresas – com as cooperativas, organizadas pelo Estado – ficavam isentas de custos com obrigações sociais, além de receber incentivos fiscais por dez anos e receberem dos governos estaduais prédios e infraestrutura. (Lima, 2002, p. 11)

Nesse sentido, as falsas cooperativas de trabalho, também denominadas *cooperfraudes*, surgem em decorrência da estratégia do empresariado de burlar os encargos que fazem parte dos direitos trabalhistas, aproveitando-se das brechas do artigo 442 da Consolidação das Leis Trabalhistas (CLT), o qual suprime a necessidade de vínculo empregatício nas organizações cooperativas.

A repercussão das fraudes contra a legislação do trabalho via cooperativas, sobretudo o papel exercido por aquelas denominadas "mão de obra", foi a sua condenação por parte da Organização Internacional do Trabalho (OIT), por meio de uma resolução[2] que alertava os países sobre o crescimento de cooperativas fraudulentas.

No entanto, no interior da produção, o trabalho repetitivo e mecânico, modifica-se para a polivalência de atividades, visando atender, agora de forma mais intensa, as exigências de qualidade e produtividade, enquanto elementos do toyotismo[3], de acordo com a citação acima. As empresas descentralizaram suas atividades, "terceirizando" atividades consideradas secundárias, por meio de utilização do trabalho autônomo, cooperado e/ou temporário[4]. E "flexibilizar" o processo produtivo significa, de modo geral, ajustar as horas de trabalho às necessidades de

---

[2] Recomendação 193/2002: Recomendação sobre a Promoção de Cooperativas adotada pela Conferência em sua 90ª Reunião em Genebra, em 20 de junho de 2002. A OIT define, nessa recomendação, a cooperativa como "uma associação autônoma de pessoas unidas voluntariamente para satisfazer suas necessidades e aspirações econômicas, sociais e culturais em comum por meio de uma empresa de propriedade conjunta e de gestão democrática".

[3] Para o toyotismo, o parcelamento fordista das tarefas "já não é suficiente, e o trabalho não é mais individualizado e racionalizado conforme o taylorismo; é um trabalho de equipe" (Gounet, 1999, p. 27). O trabalhador deve tornar-se polivalente, operando várias máquinas diferentes e auxiliando seu colega quando for preciso. Em suma, "o toyotismo elimina, aparentemente, o trabalho repetitivo, ultrassimplificado, desmotivante, embrutecedor" (Gounet, 1999, p. 33). Para aprofundar a temática, sugerimos: Lima (2004), Marcelino (2002) e Pinto (2007a e 2007b).

[4] Como ilustra o anúncio de uma vaga de trabalho em uma agência de empregos: "Buscamos um profissional que tenha bastante experiência como programador PHP e que conheça também banco

produção, substituir a automação de base eletromecânica pela base microeletrônica, aumentando a rapidez das mudanças na produção em termos de volume e produtos, e gerir o processo de trabalho com a adoção de métodos participativos e do trabalho em equipe. Essas são algumas características do toyotismo, que, no geral, dissemina a ideia de que essas mudanças organizacionais estabelecem um relacionamento mais cooperativo no trabalho. Ou seja, espera-se que todos (trabalhadores e sindicatos) colaborem com os objetivos da empresa.

Nesse processo, com o crescimento do trabalho autônomo e das cooperativas como formas utilizadas na terceirização[5], as relações antagônicas entre capital e trabalho são metamorfoseadas em relações de cooperação, colaboração, mistificação da noção de coletividade.

Com as intensas transformações no processo produtivo industrial e os efeitos das políticas neoliberais, houve, de um lado, uma redução do proletariado fabril e, de outro, um aumento significativo da subcontratação, da terceirização, do trabalho temporário ou parcial, das cooperativas etc., o que ampliou as categorias de trabalhadores. Nesse ponto, a particularidade da forma de trabalho em cooperativa envolve a análise de alguns elementos históricos que se expressam de diversas formas. Como forma de luta dos trabalhadores na recuperação de fábricas e assentamentos rurais, surgiram as *coopergatos* e as cooperativas, que constituem a economia solidária enquanto política de governo.

## "Novo cooperativismo" e a particularidade da economia solidária

O "novo cooperativismo" surge das ações e concepções nascidas no interior do movimento sindical dos anos 1990. Ressaltamos o caráter de classe que envolve essa retomada do cooperativismo, como aponta Rios no final dos anos 1980:

> Existe um cooperativismo de elites e um cooperativismo dos pés-no-chão; um cooperativismo legalizado, letrado e financiado e um cooperativismo informal, "sem lei e sem documento", não financiado e mesmo reprimido. O cooperativismo não está, pois, imune à divisão da sociedade em classes. Isso é importante frisar, porque muitas vezes o cooperativismo é apresentado como se fora "uma borracha" que apagaria as diferenças de classe. Por isso mesmo ele costuma também ser apresentado como uma "terceira via" entre o capitalismo e o socialismo. Mas não existe "terceira via",

de dados SQL. Forma de contratação: autônomo por cooperativa. Período integral de trabalho, remuneração de novecentos reais e ajuda de custo de setecentos reais".

[5] A "superterceirização" é uma nova modalidade de prestação de serviços, segundo estudo realizado por Pochmann (2008), o qual demonstrou o ineditismo do crescimento desse fenômeno em um espaço curto de tempo: se em 1985 apenas 2,9% dos trabalhadores eram terceirizados, em 2005 esse número subiu para 41,9%. E as chamadas "PJ" (pessoas jurídicas), se em 1985 representavam 4,3%, em 2005 chegaram a 30,4%. O estudo conclui que 25% das ocupações criadas desde então estão no campo da terceirização.

> ou o cooperativismo se subordina ao capital e seus interesses, ou o cooperativismo é um instrumento e função de um projeto socialista. Não um socialismo burocrático, totalitário e estatizante, mas um socialismo democrático, autogestionário e participativo. (Rios, 1987, p. 65)

O cooperativismo não ressurge de um projeto socialista, mas como uma entre as variadas formas de trabalho que se multiplicaram nas últimas décadas. Essas formas de trabalho se caracterizam, de modo geral, pela baixa produtividade e por condições precárias de trabalho, podendo ser identificadas, de modo geral, ao "cooperativismo informal". Nesse sentido, esse cooperativismo corresponde aos efeitos de um contexto político e econômico no qual a força de trabalho começa a conviver com "a mais grave crise do emprego em sua história" (Pochmann, 2006, p. 59).

É importante ressaltar que o cooperativismo no Brasil tem suas origens[6] e organização no contexto do Estado Novo e, até a década de 1980, consolida-se como instrumento de modernização da agricultura, como meio de expansão do capitalismo no campo (Loureiro, 1981; Schneider, 1981; José Roberto Novaes, 1981).

Dois momentos na história do cooperativismo brasileiro merecem destaque: um em pleno regime militar e outro no processo de redemocratização. Primeiro, com a criação da Organização das Cooperativas do Brasil (OCB)[7] como principal órgão de representação das cooperativas, aliada à promulgação da Lei 5.764/71, consolidaram-se as bases para o privilégio e a concentração de poder dos grandes proprietários rurais e, dessa forma, estabeleceu-se uma estrutura rígida baseada no modelo conservador dos Pioneiros de Rochdale.

A estrutura de uma cooperativa sob a perspectiva da Lei 5.764/71 possui aspectos que são reproduzidos em qualquer ramo ou tipo de cooperativa. Há um roteiro de procedimentos formais e burocráticos obrigatórios para que uma cooperativa seja legalizada. Na assembleia geral, aprova-se o estatuto e elegem-se o presidente, o vice e os conselhos. O elemento fundamental, também definido em assembleia, é o capital da cooperativa. Este, de propriedade dos cooperados, é subdividido em quotas-partes, cujo valor e regras são fixados no estatuto. Consti-

[6] Entre o final do século XIX e o começo do XX, há alguns registros de cooperativas: por exemplo, em 1893, foi criado o Instituto de Assistência e Previdência na fábrica de Carlos A. Menezes, em Camaragibe (Pernambuco), em 1894, as "casas operárias" e, em 1896, a "cooperativa do proletário industrial" e a Caixa Rural de Goiana. Sob influência do pensamento de Fourier, Jean Maurice Favre fundou em 1847, no Paraná, com um grupo de europeus, uma colônia chamada "Tereza Cristina". Em 1889, sob influência do socialismo libertário, Giovanni Rossi fundou uma cooperativa, também no Paraná, e, em 1902, o jesuíta Teodor Amstadt organizou as cooperativas de crédito – as "caixas rurais" (do tipo Raiffeisen) no Rio Grande do Sul (Chacon, 1959; Pinho, 1966).

[7] As duas entidades criadas nos anos 1950, a Aliança Brasileira de Cooperativas (Abcop) e a União Nacional das Associações de Cooperativas (Unasco), unem-se e dão origem à Organização das Cooperativas Brasileiras (OCB), que centraliza e controla toda a organização de cooperativas. Até 1988, todas as cooperativas eram obrigadas a serem filiadas a essa entidade.

tui-se numa obrigatoriedade da cooperativa a dedução de 10% do valor das sobras líquidas do exercício para os fundos: Fundo de Reserva, Fundo de Assistência Técnica, Educacional e Social (Fates), entre outros.

> Em nenhuma hipótese existe a possibilidade de as cooperativas deixarem de constituir tais fundos", tendo em vista que "o fundo de reserva é a poupança interna da cooperativa que protege todo o quadro social das eventualidades; o Fates objetiva a promoção social de todos os associados. (Irion, 1997, p. 83)

Ou melhor, depois da apuração dos resultados da produção de uma cooperativa, caso haja excedentes, é obrigatório o recolhimento de 10% para o Fundo de Reserva e 5% para o Fates. Além desses fundos, a cooperativa pode estabelecer outros livremente, desde que formalizados em estatuto e aprovados pelos sócios. Em seguida, o valor é dividido entre os sócios de acordo com a forma de remuneração estabelecida no estatuto, se por horas ou dias trabalhados[8].

O segundo momento que ressaltamos na história do cooperativismo se refere às mudanças no cooperativismo a partir da Constituição Federal de 1988: a não intervenção estatal e a não obrigatoriedade de filiação à OCB[9].

Embora essas mudanças possam significar um avanço para a organização política e econômica do cooperativismo, é importante analisar, a partir desse contexto, a relação que se estabelece quando um trabalhador desempregado se torna membro cooperado.

Os trabalhadores cooperados são considerados sócios-proprietários das cooperativas, ou seja, possuem com a cooperativa uma relação de propriedade, que se vincula ao direito civil e cooperativo, "Art. 90 – Qualquer que seja o tipo de cooperativa, não existe vínculo empregatício entre ela e seus associados" (Lei 5.764/71).

Em dezembro de 1994, o projeto de lei 8.949, de autoria do deputado Adão Pretto, do Partido dos Trabalhadores do Rio Grande do Sul (PT-RS)[10], adicionou um parágrafo único ao artigo 422 da CLT, declarando, a partir de então, que todo trabalhador que se organize em cooperativas de trabalho passa a ser um trabalhador autônomo[11].

---

[8] Tramita no Congresso um projeto de lei que visa normatizar as cooperativas de trabalho e garantir que as retiradas sejam proporcionais às horas trabalhadas e não inferiores ao piso da categoria profissional. E também que sejam reconhecidas as obrigações trabalhistas da cooperativa e do tomador de serviços (*Jornal da Câmara*, Ano 8, n. 1710, 11 set. 2006).

[9] Como a Lei Cooperativista n. 5.674/71 não foi alterada, a filiação ou não à OCB é um tema ainda muito controverso, principalmente para os setores mais "tradicionais" do cooperativismo.

[10] Adão Pretto participou das Comunidades Eclesiais de Base (CEBs) e da Comissão Pastoral da Terra (CPT), foi um dos fundadores do MST do Rio Grande do Sul e deputado federal.

[11] "Art. 1º Acrescente-se ao art. 442 do Decreto-lei n. 5.452, de 1º de maio de 1943, que aprovou a Consolidação das Leis do Trabalho, o seguinte parágrafo único: Qualquer que seja o ramo de atividade da sociedade cooperativa, não existe vínculo empregatício entre ela e seus associados, nem entre este e os tomadores de serviço daquela."

De acordo com Veras Neto, esse parágrafo propiciou a brecha para a burla dos direitos trabalhistas[12], embora decorrente de iniciativa do referido deputado para auxiliar as cooperativas agrícolas do MST:

> O objetivo de Adão Pretto era impedir que ações trabalhistas fossem impetradas contra as cooperativas de trabalhadores rurais do MST. O tiro saiu pela culatra. Grandes empresas passaram a demitir seus empregados para recontratá-los por intermédio de cooperativas criadas por eles próprios e assim se livrar dos encargos sociais. Em Foz de Iguaçu, um hotel demitiu todos os seus empregados e terceirizou seus serviços para uma dessas cooperativas. O mesmo aconteceu no interior de São Paulo, onde 200 mil apanhadores de laranja perderam o vínculo empregatício. Essas pessoas continuaram executando as mesmas tarefas, nos mesmos locais, sob o mesmo comando, apenas deixaram de ter direito ao FGTS, férias, 13º, licenças maternidades, entre outros. (Caldas, citado em Veras Neto, 2005, p. 289-90)

O caráter fraudulento das cooperativas foi denunciado nos anos 1990 por entidades de representação dos trabalhadores, principalmente no campo e na região Nordeste. Em determinados estados dessa região, a organização de cooperativas não esteve vinculada ao caráter de "gato", como nas plantações de laranja, mas fez parte dos "pacotes de incentivos" de seus governos como estratégia política de desenvolvimento, por meio da utilização de cooperativas como principal forma de terceirização da força de trabalho, conforme estudo realizado em alguns estados do Nordeste, dos quais destacamos o Ceará[13]:

> A partir dessa experiência, surgiu o desenvolvimento do modelo associativo induzido, onde a empresa parceira repassaria tecnologia e estabeleceria o elo do mercado. Dessa forma, a cooperativa seria fruto do esforço governamental de favorecer as atividades de pequeno e médio porte. A tendência de as empresas explorarem ao máximo o trabalho nas cooperativas seria contrabalançada pela atuação do Estado como mediador e fiscalizador do processo. (Lima, 2002, p. 56)

---

[12] Há projetos tramitando no Senado Federal que visam modificar a Lei 8949/94. Uns propõem a manutenção do parágrafo único, outros propõem a sua revogação, mas com alterações na Lei Cooperativa 5764/71, indicando no artigo 25: "O associado de Cooperativa de Trabalho que, nessa condição, presta serviços a terceiros, será considerado trabalhador autônomo. § 1º ficará caracterizado o vínculo de emprego do trabalhador com o tomador de serviços, quando se verificar, na prestação de serviços, os pressupostos da subordinação jurídica, da não eventualidade, da pessoalidade e da onerosidade. § 2º o tomador de serviços responderá solidariamente com a Cooperativa de Trabalho pelas obrigações decorrentes da relação de trabalho" (Veras Neto, 2005, p. 295-6).

[13] Além das experiências induzidas pelo Estado e por empresas, de acordo com o último mapeamento oficial realizado em 2007, o Ceará aparece como o segundo estado no ranking com o maior número de empreendimentos econômicos solidários, perdendo apenas para o Rio Grande do Sul, o primeiro colocado. Os dados coletados revelam que existem atualmente cerca de 3 mil empreendimentos que trabalham segundo os princípios da economia solidária no estado. Ver: <https://diariodonordeste.verdesmares.com.br/editorias/negocios/ceara-e-o-segundo-em-economia-solidaria-1.666086>.

As cooperativas de produção industrial, dessa forma, integravam a estratégia de produção industrial para reforçar e favorecer um fator que já era favorável na atração de empresas para o Ceará: a mão de obra barata. Soma-se a esse fator a possibilidade de terceirizar partes do processo ou o processo todo em cooperativas, eliminando custos com obrigações trabalhistas. Mesmo que isso tenha ferido a concepção de cooperativa vinculada à livre organização dos trabalhadores, o modelo possibilitou atrair empresas que, possivelmente, não iriam para o estado do Ceará e para as cidades sertanejas se tivessem que enfrentar custos com obrigações trabalhistas.

O "modelo associativo induzido" nas experiências estudadas pelo autor, nessas regiões, demonstra o caráter fraudulento e o processo manipulatório de um conjunto de trabalhadores sem cultura de organização política e econômica anterior, submetidos a uma condição na qual inexistem opções de trabalho na região em que vivem. De acordo com Paul Singer (1998), o limite da cooperativa se encontra quando ela passa a fazer parte de uma cadeia de subcontratação para grandes empresas. Ou seja, para o autor, as cooperativas perdem sua autonomia quando vinculadas ao grande capital.

Entretanto, em alguns casos de experiências cooperativas, mesmo que elas não façam parte de uma cadeia de terceirização, como destacamos acima, seu funcionamento é marcado por uma grande precariedade. Com isso tornam-se frágeis diante da concorrência capitalista e submetem-se aos ditames da empresa contratante de seus serviços. E os trabalhadores dessas cooperativas são prestadores de serviços, mesmo que efetuem as funções de um trabalhador assalariado, pois o contrato não é de trabalho, mas resultado de uma negociação entre empresas, ou seja, com essa relação se disfarça a relação entre capital e trabalho.

A Central Única dos Trabalhadores (CUT) passa a defender o cooperativismo, desde que "autêntico", ou seja, que sejam respeitados os direitos e as conquistas dos trabalhadores. Nesse contexto, inicia-se a debate sobre a economia solidária:

> Assim, é fundamental contextualizar a economia solidária no campo ou visão de classe da Central. É preciso deixar claro que solidariedade de classe significa, antes de tudo, respeitar conquistas históricas da classe trabalhadora. Nisso, é preciso demarcar uma radical diferença com as práticas do tradicional cooperativismo brasileiro (geralmente agrícola e de prestação de mão de obra) e dentro da política direitista do sistema OCB (Organização das Cooperativas do Brasil) e suas ramificações estaduais que, quando não acobertam, promovem a precarização das condições de trabalho, inclusive por meio das "coopergatos". (CUT, 2003, p. 34)

Entretanto, a CUT assumiu uma posição defensiva diante das transformações do mundo do trabalho e do crescente desemprego, esvaziando o conteúdo político das formas de participação das bases ao assimilar o ideário da "empregabilidade" e da "cidadania", bem como o da inexorabilidade do neoliberalismo.

Ao atribuir a causa do desemprego à falta de qualificação profissional do trabalhador, são obscurecidos os determinantes sociais, econômicos e tecnológicos do processo de produção e transfere-se aos desempregados a culpa pelo não investimento em si mesmos como elemento fundamental para serem atrativos aos empregadores – com a utilização dos recursos do Fundo de Amparo ao Trabalhador (FAT), destinados aos programas de requalificação profissional, geração de emprego e renda e na criação/manutenção de agências de emprego[14].

A atuação sindical da CUT associa-se à defesa do emprego com a noção de "cidadania", na medida em que, após a experiência das Câmaras Setoriais do setor automotivo, sua participação sindical nas instituições foi ampliada. Essa atuação, portanto, decorre em grande medida do Acordo das Montadoras, que instituiu o relacionamento entre Estado, capital e trabalho nas negociações, afirmando a disposição ao consenso e ao entendimento entre as partes. De acordo com Francisco de Oliveira, esses acordos poderiam repercutir em uma "nova contratualidade", que se inspira no conceito de "antagonismo convergente":

> O Acordo, exatamente em razão da história pregressa que o possibilitou, é uma forma extremamente nova e inovadora das e nas relações capital-trabalho no Brasil [...] uma relação de anulação para uma relação que, sem deixar de ser antagônica quanto aos interesses em jogo, muda a natureza desse antagonismo, tornando-o agora algo como um antagonismo convergente. (Francisco de Oliveira et al., 1993, p. 5-6)

Nesse sentido, a CUT participa amplamente do campo social nas proposições e execuções de políticas públicas. E, desse modo, desenvolve o debate sobre os projetos de geração de trabalho e renda na perspectiva da economia solidária como uma resposta aos impactos das transformações na ação sindical. Nesse contexto é criada a Agência de Desenvolvimento Solidário (ADS) e as lutas pela ocupação de fábricas[15] resultaram na formação da Associação Nacional de Trabalhadores de Empresas de Autogestão e Participação Acionária (Anteag)[16]. E, nessa direção, o

[14] Para um maior aprofundamento, sugerimos: Tumolo (2002), Véras de Oliveira (2002 e 2007); Azeredo (1998) e Galvão (2007).

[15] De acordo com a reportagem sobre a ocupação da Cipla (indústria de plástico recuperada em Santa Catarina), "das 675 fábricas recuperadas, desde a década de 90, um terço delas conseguiu manter-se em atividade" e, nesse caso, a reivindicação é pela estatização; no entanto, a maioria das ações defende a gestão dos trabalhadores sem intervenções do Estado. "Não queremos trocar um patrão por outro", comenta o assessor técnico da Anteag. Mas há casos de intervenção estatal que ocorrem de modo diferenciado, como é constatado na mesma reportagem: "Na Venezuela, o Estado faz uma intervenção pontual em defesa dos trabalhadores, mesmo para facilitar processos jurídicos, mas não com o compromisso de assumir a fábrica. Aqui no Brasil, as empresas vêm tocando há dez anos, mesmo sem o apoio do Estado", *Brasil de Fato*, 10 nov. 2006.

[16] Algumas ocupações fazem parte do histórico dos trabalhadores apoiados pela Anteag, como Cobertores Parayba, Calçados Markeli, Remington e Cooperminas (Cooperativa de Extração de Carvão de Criciúma, Santa Catarina).

Programa Integrar[17], da Confederação Nacional dos Metalúrgicos, cujo objetivo era formar educadores na organização de núcleos[18] de discussões sobre o emprego nos estados e municípios.

## Conceituações e experiências relacionadas à economia solidária

No Brasil, a economia solidária expressa concepções que articulam três elementos que denotam a atuação das cooperativas: o "terceiro setor", seguindo uma direção filantrópica, desenvolve-se a partir de organizações da sociedade civil, sob a livre iniciativa e com estruturas similares às de uma empresa; a política de desenvolvimento, que busca enfatizar os impactos da geração de trabalho e renda em determinadas regiões do país; e, por último, a autogestão e a organização do trabalho em redes de cooperativas populares como um processo de autonomia e emancipação dos trabalhadores.

As experiências de trabalho em cooperativas ou em grupos coletivos, que buscam em políticas de governos, nos sindicatos e nas universidades o apoio para a sua consolidação, demonstram a seu modo uma compreensão positiva do fenômeno da economia solidária por este desafiar a possibilidade de organização da economia e da sociedade de outra forma em um contexto de transformações profundas no mundo do trabalho. Embora o processo de constituição de uma cooperativa seja distinto, é possível estabelecer uma relação dos princípios norteadores da economia solidária com o modo de distribuição da produção nas comunas do Movimento dos Trabalhadores Rurais sem Terra (MST).

## A cooperação e o cooperativismo como luta social

Desde o período da formação do MST, de 1979 a 1984[19], a produção nos assentamentos rurais era orientada para a coletivização do trabalho. As primeiras formas de organização da produção surgem nos cursos realizados nos Laboratórios Organizacionais do Campo (LOC)[20], que buscavam organizar cooperativas sob a pers-

[17] Esse programa teve início em 1996, inserindo-se no Plano Nacional de Qualificação do Trabalhador (Planfor), do Ministério do Trabalho e Emprego, com financiamento do FAT. Seus principais projetos: Integrar para Empregados (PIE), Integrar para Desempregados (PID) e Integrar Formação de Dirigentes (PIFD) (Programa Integrar, 2001).

[18] O núcleo do ABC (Santo André, São Bernardo Campo, São Caetano do Sul, Diadema, Mauá e Ribeirão Pires) apresentou uma proposta conjunta para o IV Congresso da Confederação Nacional dos Metalúrgicos (CNM-CUT) em 1998, na qual foi incorporada a pauta sobre cooperativismo e autogestão.

[19] É no I Encontro Nacional dos Trabalhadores Rurais Sem Terra, na cidade de Cascavel (Paraná), em 1984, que o MST passa a se constituir como um dos principais movimentos sociais pela reforma agrária no país.

[20] Fundamentado na metodologia desenvolvida por Clodomir Morais, o LOC se originou da chamada "teoria da organização do campo", sistematizada em *Elementos sobre a teoria da organização*

pectiva de minimizar os chamados "vícios" presentes nas formas coletivas de trabalho: individualismo, personalismo, imobilismo e autossuficiência, entre outros. Mas esse método continha muitos entraves que não permitiam que a produção crescesse nas unidades coletivas, implicando novos desafios e alteração na metodologia e organização:

> Pela primeira vez formulam-se linhas políticas para a organização dos assentados e para a organização da produção. Surge o desafio de fazer uma produção que envolvesse a subsistência e o mercado. O problema da produção passava a ser tão importante como ocupar. Percebeu-se que os pequenos coletivos e as grandes associações não conseguiam fazer avançar a produção, ora porque eram muito pequenas, ora por não se guiarem por critérios econômicos. (Concrab, 1999, p. 29)

Nos assentamentos, os trabalhadores se organizam em diferentes formas associativas e cooperativas. Em geral, as associações se constituem para a compra e venda de mercadorias e as cooperativas compreendem uma diversificação maior de funções, podendo ser de serviços, comercialização e produção. Embora a estrutura de produção em um assentamento compreenda outras formas de organização – por exemplo, em grupos coletivos e, em determinados momentos da colheita, em mutirões –, o núcleo de base representa a principal forma de organização em um assentamento. Por se configurar em

> um espaço de construção da democracia participativa e do poder popular, ele analisa as demandas, elabora e aprofunda as propostas, participa da elaboração e implementação da estratégia e elege os seus representantes para a coordenação do assentamento e conselho da cooperativa. (Concrab, 1999, p. 52)

Nos acampamentos são encontrados inúmeros desafios para a consolidação dos valores coletivos, pois nem todos permanecem ou acolhem essa forma de organização com facilidade. A rotatividade das pessoas nos acampamentos se deve, em geral, às condições de vida muito difíceis, em decorrência da insegurança de uma possível ação de despejo, ao trabalho árduo para obter o mínimo para a sobrevivência e ao abrigo sob lonas pretas, o que permite a exposição direta às intempéries. O trabalho coletivo ou em grupos é organizado sob um princípio educativo[21] com o objetivo de possibilitar aos acampados a realização das atividades coletivas de produção, bem como o estabelecimento de relações de cooperação, organizando

---

*no campo* (Caderno de Formação n. 11, MST, 1986), cuja principal influência é a experiência das Ligas Camponesas. As experiências pautadas nessa teoria foram criticadas por pesquisadores e militantes do MST por buscarem um sentido homogêneo a todas as experiências coletivas e serem muito rígidas na aplicação dos métodos. Ver Görgen e Stédile (1991); Medeiros e Leite (2004) e Maria Antonia Souza (2006).

[21] Ver Bonamigo (2001 e 2007); Caldart (1997); Menezes Neto (2003).

o acampamento em setores importantes para a convivência social e a discussão sobre os rumos políticos do acampamento. Para o MST, a luta pela terra é por si só uma experiência de cooperação.

A década de 1990 foi um período de avaliação dos limites do desenvolvimento socioeconômico nos assentamentos, incorporando linhas políticas para a sua organização e também para o incremento de grandes cooperativas de trabalho. Foram construídas grandes estruturas: silos, armazéns etc., indicando um alto grau de investimento em atividades com baixa rentabilidade e a ausência de planejamento e controle administrativo, aliada à falta de uma política agrícola pelo Estado. A crise que se instalou nas cooperativas gerou a falta de trabalho e a consequente ausência de renda aos assentados[22].

A crise dos anos 1990[23] das cooperativas do MST foi contornada com a criação de formas de organização e administração de recursos, como as Cooperativas de Produção Agropecuária (CPAs)[24], as Cooperativas de Prestação de Serviços (CPS), as Cooperativas de Produção e Prestação de Serviços (CPPS) e as de Cooperativas de Crédito, que integram o Sistema Cooperativista dos Assentados (SCA), organizado em 1992[25] com o objetivo de buscar que as experiências cooperativas não se isolem e possam desenvolver a economia com "base em outros valores", pois o papel do SCA "é formativo e politizador, no sentido de construir a ideia de que o mais importante não é o tipo ou forma de cooperativa, mas a adesão consciente aos princípios e ao método da cooperação autogestionária" (Raquel Scopinho e Martins, 2003, p. 126-7).

A partir da discussão sobre as Novas Formas de Assentamentos[26] com o uso da agroecologia, da nucleação de famílias e das formas de parcelamento nos lotes, surge a proposta da Comuna da Terra[27]. O que a diferencia de um assentamento

---

22 Informações obtidas por ocasião do Curso Especial de Gestão de Organizações Sociais e Cooperativas, ministrado na Escola Nacional Florestan Fernandes, em Guararema, em 2005, para assentados responsáveis pela administração das cooperativas em seus assentamentos, situados em várias regiões do país. Participei do curso como docente.

23 Ressaltamos que esse período foi marcado por massacres, denotando o intuito do governo de criminalizar os movimentos sociais e adotar políticas direcionadas para o "empreendedor rural", mas também foi um período de marchas e fortalecimento da base social do movimento, com a renovação de valores coletivos e da "mística" vivenciados pelos militantes. O principal objetivo das ações de massas desse período pode ser resumido da seguinte maneira: "mostrar para a sociedade que um problema social só é resolvido com a adoção de medidas políticas" (Stédile e Mançano Fernandes, 1999, p. 151).

24 Sugerimos, para análise da estrutura organizacional do MST, Christoffoli (1998); Mançano (2000 e 1996); Nunes e Martins (2004); Pagotto (2003).

25 Em 1993, foi criado o Curso Técnico de Administração de Cooperativas (TAC). E, em 1995, nasceu o Instituto Técnico de Capacitação e Pesquisa da Reforma Agrária em Veranópolis (Rio Grande do Sul).

26 Para aprofundamentos, indicamos a leitura da Carta de Maputo, resultado da V Conferência Internacional da Via Campesina, realizada em 2008 em Maputo, Moçambique (disponível em: <https://viacampesina.org/es/carta-de-maputo-v-conferencia-internacional-de-la-vcampesina/>) e Concrab (2006).

27 Atualmente são estas as Comunas da Terra do MST no Estado de São Paulo: Dom Tomás Balduíno, em Franco da Rocha; Dom Pedro Casaldáliga, em Cajamar; Irmã Alberta, em Perus;

rural é o fato de se encontrar próxima de centros urbanos, o que facilita o acesso aos serviços públicos, de desenvolver a produção agrícola em módulos de terra com aproximadamente três hectares para a subsistência e a comercialização direta nas proximidades, bem como de buscar rendas complementares. A Comuna da Terra é um modelo de assentamento que procura relacionar a dinâmica urbana e a rural, no sentido de ampliar a luta pela reforma agrária por meio da mobilização de trabalhadores desempregados nas cidades.

Destacamos algumas experiências dos trabalhadores organizados em cooperativas ou grupos coletivos de trabalho, que, mesmo sob condições pouco satisfatórias à sua sobrevivência, podem revelar aspectos de uma nova sociabilidade, assentada em valores democráticos e coletivos.

## Experiências de trabalho e produção associada

As atividades desenvolvidas pelas cooperativas ou grupos coletivos vinculados à Incubadora da Prefeitura de Santo André são diversas entre si e fazem parte da política de desenvolvimento regional implantada a partir da década de 1990, em decorrência do "novo pacto societal" (Leite, 2003, p. 163), que articulou as prefeituras da região, o governo do Estado de São Paulo, os sindicatos e as principais empresas e entidades da sociedade civil.

Destacamos algumas experiências de trabalho em cooperativas e grupos coletivos.

O grupo coletivo Renascer, que se localiza no Centro Comunitário São José Operário, no Bairro Cata Preta em Santo André, é composto de quatorze mulheres e realiza o trabalho de confecção e costura; o espaço e as máquinas são cedidos pela Igreja Católica. O trabalho consiste na produção de uniformes e compreende um montante de 3 mil a 4 mil peças no prazo de quinze dias. O pagamento por hora trabalhada resulta num valor médio de R$ 1,50. Contratos desse tipo possibilitam uma "retirada de R$ 360", sem fixação de jornada de trabalho. O trabalho se intensifica para cumprir os prazos e, assim, extenuadas, as mulheres se veem compelidas a deixar de lado a vida pessoal em troca da oportunidade oferecida pela comunidade católica, aliada à política pública de incubação de cooperativas do poder público municipal, para ampliar a renda familiar, mesmo em condições de trabalho informais e precárias.

A Eco-Costura é um grupo coletivo de cinco mulheres que realiza o restauro ou reciclagem de colchas, mantas e cobertores defeituosos da empresa Jolitex, em São Bernardo do Campo. A oficina, que faz parte da política de incubação de cooperativas da prefeitura, localiza-se em um dos cômodos da casa de uma das

Milton Santos, em Americana; Manoel Neto, em Taubaté; Olga Benário, em Tremembé; Nova Esperança, em São José dos Campos; Sepé Tiaraju e Mario Lago, em Ribeirão Preto, e Dom Hélder Câmara, em Jandira.

integrantes do grupo, que também é proprietária de cinco máquinas de costura industrial, uma das quais concessão da Jolitex. Ao comprar alguns cobertores, mantas e colchas com defeito, o grupo realiza uma minuciosa avaliação das peças e decide se irá restaurá-las integralmente ou reciclá-las. O resultado da venda desse material é dividido igualmente entre elas; em média, cada uma recebe R$ 100 por mês. A fiscalização é uma preocupação, principalmente com as medidas de segurança. O trabalho realizado por elas é de natureza artesanal e artística, além de ser um exemplo do aproveitamento de peças de descarte da fábrica. Mas as condições de trabalho precárias e a distribuição informal das mercadorias demonstram a falta de apoio do poder público no fomento dessa atividade de trabalho.

A cooperativa de costura, confecção e estamparia Olho Vivo iniciou seus trabalhos em 1999 com 24 moradoras do Núcleo de Favela Sacadura Cabral. A cooperativa participava da Incubadora da Prefeitura, que não só tinha a tarefa de oferecer às mulheres o aprendizado do ofício industrial de confecção e costura como também a de integrar essa atividade de trabalho coletiva e autogestionária ao desenvolvimento urbano e social da comunidade. Destacamos que essa forma de aprendizado do ofício ocorreu por meio de contratos por produção. A cooperativa, bem como os projetos sociais desenvolvidos nessa região da periferia de Santo André, foi vitrine para a promoção do poder público municipal em âmbito internacional.

Após dez anos, a cooperativa Olho Vivo continua com documentação irregular, o que a condiciona a somente firmar contratos informais, por produção, ao ritmo de trezentas peças diárias, com apenas seis mulheres. Como esses contratos por produção não são contínuos, no período de três anos essas mulheres receberam somente seis "retiradas", cujo valor de R$ 600 cobriu os custos do aluguel, água e luz da oficina. O local de trabalho é insalubre, devido à umidade e à falta de luminosidade, o maquinário é obsoleto, ocioso e não tem manutenção adequada. Podemos dizer que a cooperativa Olho Vivo é, desde o início, uma extensão terceirizada da cadeia de produção do setor de confecções e, em grande medida, está fadada à precariedade das relações de trabalho.

Por outro lado, em 2008, a Incubadora da Prefeitura, por meio do projeto Arranjos Produtivos Solidários, instalou um tear mecânico como parte da cadeia produtiva Justa Trama na Cooperativa Industrial de Trabalhadores em Confecção (CoopStillus). Integrada por treze mulheres, com formação em modelagem, o tear possibilitou a criação de novos produtos de acordo com o pedido do cliente contratante. A integração na cadeia produtiva possibilitou que a CoopStillus tivesse como seus principais clientes o Ministério da Cultura e o Sindicato dos Metalúrgicos do ABC. Na ocasião de nossa pesquisa, a cooperativa confeccionava uniformes e roupas para os pacientes do Hospital Municipal de Santo André, que doaram os tecidos à CoopStillus para esse fim.

Embora distinta da cooperativa Olho Vivo, a CoopStillus relata que o trabalho é intenso e as retiradas são sempre muito baixas, quando não inexistentes. A falta de perspectiva de avanço e apoio da Incubadora traz uma sensação constante de insegurança, o que ocasionou a saída de algumas mulheres e a diminuição do quadro dos membros da cooperativa.

A jornada de trabalho diária é de oito horas, com pausa para almoço. As férias não são garantidas, e as faltas, mesmo por motivo de doença, não são remuneradas. A extensão da jornada para além das oito horas é recorrente, bem como o trabalho aos finais de semana e feriados, conforme a necessidade do cumprimento de prazos.

Até 2010, o registro de entrada e saída em um livro-ponto auxiliava no controle das horas trabalhadas de cada cooperada. Em 2008, o valor da hora trabalhada era de R$ 1,60, e o valor médio de cada retirada era de R$ 250 mensais. No início de 2009, em decorrência da crise econômica do segundo semestre de 2008, não houve nenhuma encomenda. O resultado foi uma grande ociosidade e, obviamente, nenhuma retirada num período de três meses. As mulheres contornaram a situação realizando consertos ou costuras individualmente. A produção se caracteriza pelo ritmo intenso de trabalho, articulado a um rígido controle de qualidade do fornecedor, que invariavelmente solicita a revisão das peças e, assim, amplia a carga horária e a intensidade do trabalho. Além desse controle exercido por um membro externo à cooperativa, vale ressaltar que não são todas as cooperadas que participam da negociação do preço pago pelo fornecedor por peça produzida. Parece não haver questionamentos sobre essa falta de participação, pois elas preferem acatar o proposto para não perder a encomenda.

As cooperadas demonstram conhecer os procedimentos que envolvem a gestão de uma cooperativa, mas, mesmo com a elaboração de um planejamento organizacional em moldes cooperativos, com reuniões, assembleias etc., elas reproduzem na prática cotidiana formas de gerenciamento empresarial que implicam enfrentar a racionalidade econômica nas questões administrativas e contábeis. Notamos que aquelas que possuem experiência no trato das questões burocráticas passam a influenciar nas principais decisões coletivas da cooperativa.

A capacidade de produção da cooperativa em um mês, considerando o quadro atual de sete cooperadas, é de 3 mil a 4 mil camisetas. São, portanto, em torno de 160 as peças a serem produzidas por dia. Cada uma das cooperadas produz de 20 a 25 peças por dia. Mas há outras encomendas, como o pedido de quinhentas camisetas com prazo de entrega de uma semana ou o de mil capas de caixa-d'água em quinze dias. Elas explicam que o principal problema não se encontra no volume de produção, mas na produção de peças que, em princípio, necessitam de mais tempo: em quinze dias produzem mil camisetas e, no mesmo período, tiveram de produzir cem bolsas com muitos detalhes.

A organização da produção reproduz formas parcelares do trabalho, assemelhando-se à rigidez taylorista, pois introduz o controle do tempo como forma de ampliar a produtividade de cada cooperada, principalmente com a mudança para o pagamento por peça produzida, gerando um ambiente de concorrência entre elas. Verificamos que, durante a produção, elas demonstraram controlar o tempo e a produção umas das outras.

Esse controle despótico do trabalho, exercido por elas mesmas, não é algo ruim, pois, até o momento, elas entendem o "esforço" como uma necessidade para manter o "negócio", ou seja, a cooperativa. Por isso, de modo geral, o trabalho representa a possibilidade de complementar a renda familiar e exercer um horário flexível. Mas a falta de registro na carteira de trabalho, os altos encargos tributários e o fato de a retirada não ser estável, pois depende dos contratos, são pontos que demonstram, segundo seus relatos, que, em vez da forma cooperativa, a microempresa teria sido uma opção melhor.

Entretanto, a precariedade e a alternativa ao desemprego são os principais aspectos que envolvem essa cooperativa. O cooperativismo se restringe à gestão nos moldes de uma pequena empresa. É uma forma de inserção no mercado de trabalho, mas como uma experiência concreta de deterioração das condições de trabalho.

## Comuna urbana Dom Hélder Câmara

Na região da Grande São Paulo, são estas as experiências em meio urbano das Comunas da Terra do MST: Dom Tomás Balduíno, em Franco da Rocha, Irmã Alberta, em Perus, Dom Pedro Casaldáliga, em Cajamar, e Comuna Urbana Dom Hélder Câmara, em Jandira

Em 2005, em decorrência do processo judicial de reintegração de posse requerido pela Companhia Paulista de Trens Metropolitanos (CPTM), cem famílias foram expulsas de suas moradias na Vila Esperança.

O padre da paróquia São Francisco de Assis apoiou as famílias nas negociações com a CPTM. O processo não foi isento de conflitos, e somente com a resistência da população é que a indenização por família e o transporte dos bens pessoais para outros locais se cumpriram.

Na região entre Itapevi e Jandira, instalações estavam abandonadas havia mais de trinta anos em uma área conhecida como Chácara dos Padres. A área foi reivindicada pelas famílias para a construção de moradias, com o apoio do padre José Carlos Pacchin, da Cáritas e do MST.

A Chácara dos Padres se transformou na Comuna Urbana Dom Hélder Câmara. Os imóveis depredados foram reformados e formam agora um complexo que agrega um espaço para eventos culturais, uma cozinha comunitária, um espaço para formação educacional e uma cooperativa de costura.

A atividade agroecológica é desenvolvida nos mesmos moldes das Comunas da Terra de Ribeirão Preto, com hortas e viveiros comunitários. Essa é uma das atividades coletivas de trabalho na Comuna Urbana, que conta também com uma padaria comunitária, produção de documentários e instrumentos musicais e a cooperativa de costura. Assim, os assentados participam de alguma forma de trabalho de cooperação, seja no grupo coletivo, com afinidades e atividades de produção comuns, seja na comercialização dos produtos.

Após um novo processo de despejo, as famílias se mobilizaram e conquistaram junto ao poder público de Jandira um projeto de construção de moradias em mutirão. Para o desenvolvimento desse projeto, as famílias contam com o escritório de arquitetura Usina (que possui em seu histórico a construção de agrovilas em assentamentos rurais e casas nas Comunas da Terra do MST) e da Incubadora da Unicamp, que as ajudaram no processo de organização da cooperativa de trabalho para a construção das casas em regime de mutirão, pois o empreiteiro remunerava mal e precariamente os trabalhadores e havia muita lentidão na entrega das unidades. Os recursos que fomentam esse projeto, provenientes do financiamento a fundo perdido do Ministério das Cidades, do Ministério da Cultura e do FGTS, são administrados por uma entidade social, a Fraternidade do Povo de Rua.

Para as famílias, a autogestão significou não só a construção das moradias mas o desenvolvimento de uma nova comunidade. São 128 sobrados de 68 $m^2$, um por família, uma escola infantil e um berçário, um anfiteatro, praças e quadra esportiva, um viveiro de plantas, uma padaria comunitária, um núcleo audiovisual, uma oficina de costura e uma oficina de instrumentos musicais, com espaço para a escola de samba Unidos da Lona Preta.

A obra é gerida por representantes eleitos pelas famílias. No fim de semana, as atividades ocorrem em regime de mutirão. E a propriedade das casas, bem como a dos equipamentos, é coletiva, ou seja, as famílias terão a concessão de direito real de uso coletivo, pois é uma conquista do grupo de famílias que passaram por vários despejos e ocupações e possuem o entendimento da importância de suas conquistas, que são coletivas.

No caso da organização da cooperativa de costura, um grupo de quinze mulheres concluiu um curso de corte e costura de curta duração e se organizou em um espaço improvisado no local onde está morando atualmente. Elas consertaram as máquinas doadas pela Associação Cáritas São Francisco, que possui inúmeros projetos de políticas públicas na cidade de Jandira, por meio de convênio com a prefeitura e com os Amigos da Onlus[28], além de outras parcerias e voluntários que contribuem com doações às famílias em situação de pobreza[29]. O trabalho realizado na cooperativa ainda é muito incipiente em decorrência da pouca habilidade e da necessidade de um compromisso mais homogêneo entre as mulheres que realizaram o curso. Mas há um grupo que, após o conserto das máquinas, iniciou a produção com a doação de sobras de material da antiga oficina da Associação Cáritas, tecidos e acessórios comprados e também recursos doados. As peças produzidas (shorts infantis e adultos, blusas e camisetas) foram expostas na Feira da Reforma

[28] Organizzazione Non Lucrativa Di Utilità Sociale (Onlus), com sede em Roma.
[29] Mais informações em: <http://www.caritasfrancisco.org.br/?page_id=19>.

Agrária no centro de Jandira, ao lado dos produtos produzidos coletivamente na horta agroecológica localizada no terreno onde estão sendo construídas as casas.

## Considerações finais: qual é o sentido do trabalho em cooperativas?

As experiências das cooperativas pesquisadas expressam a possibilidade de transformar a atividade imediata de sobrevivência na integração da atividade de trabalho cooperado em projetos de transformação social. As cooperativas vinculadas ao poder público municipal de Santo André, por meio de sua Incubadora, integraram inúmeras trabalhadoras em uma promessa de trabalho coletivo e formal quando fosse implementado um Arranjo Produtivo do Setor Têxtil na região – conforme João Bernardo (1987, p. 13), como "gestores do mercado de trabalho por auxiliar a classe capitalista a organizar a exploração dos trabalhadores". Como o projeto não se sustentou em bases mais concretas, assim que o gestor saiu do cargo, os projetos de apoio a esse tipo de arranjo foram desintegrados e, como demostramos, as cooperativas se inserem, na verdade, em uma cadeia de terceirização nos padrões informais de trabalho.

Como parte integrante das conquistas resultantes do processo de luta por moradia na região de Jandira, as famílias despejadas e organizadas sob a condução do padre João, da Pastoral da Terra e do MST, formaram uma comuna no espaço urbano, o que significa que, além da moradia, elas buscam a geração de trabalho e renda sob a autogestão dos trabalhadores.

Observamos que as experiências cooperativas analisadas reproduzem ações na direção da organização dos trabalhadores, mas de modo isolado e com acento na organização econômica, e não na política. Nesse sentido, pudemos observar em cada cooperativa aspectos relacionados à dimensão econômica: possuem poucos membros cooperados e baixo volume de produção e comercialização. Os custos de produção são altos, com um número relativamente grande de mercadorias produzidas e comercializadas. Não encontramos nenhum tipo de centralização, ou algo que remeta a formas de autoridade ou poder concentrados em poucas mãos. Mas encontramos divisão técnica do trabalho, em razão do grau em que as atividades e funções são divididas e diferenciadas horizontalmente, o que demonstra que o ritmo da produção se impõe sobre o conjunto dos trabalhadores, não alterando a disciplina rígida dos moldes empresariais.

Há o envolvimento de todos no planejamento e na formalização de normas internas. Entretanto, nem sempre é possível às cooperativas o cumprimento dos dispositivos legais para a sua manutenção, por isso se inserem de modo informal nas relações de trabalho.

É fato que a produtividade das cooperativas analisadas é inferior à de outras empresas do ramo. Por demonstrar menos produtividade, são menos lucrativas, pois seus preços de venda estão mais próximos dos preços de custo da produção. Assim, a tendência é mudar a forma de pagamento de horas trabalhadas para pagamento por produção, bem como alterar a denominação de cooperativa para microempresa.

Ressaltamos que a cooperativa se insere no mercado de duas formas: produz para o consumidor direto ou para o distribuidor (intermediário). Essa pseudoliberdade de escolha de mercado não torna a cooperativa independente e autônoma. Na sua generalidade, não consegue ampliar mercado para além da área onde está situada. Atinge variavelmente a comunidade do entorno ou depende da indicação de seus serviços pelos clientes. Portanto, para manter seu reduzido mercado, mantém os preços baixos, embora possua custos elevados de produção, o que, com poucas vendas, resulta em retiradas reduzidas ou inexistentes. Se a inserção no mercado do produto da cooperativa é realizada por intermediários ou não, é certo que isso ocorre em condições desvantajosas.

A cooperativa tende, portanto, a reproduzir a racionalidade do trabalho e da economia capitalista, assemelhando-se a uma empresa no que se refere aos processos de gestão interna e ocultando relações assalariadas de trabalho que se estabelecem na venda de seus produtos. Essa contradição resulta da necessidade de imposição da intensificação do ritmo de produção pelos próprios trabalhadores cooperados, gerando conflitos e desembocando muitas vezes na dissolução da cooperativa. Essa forte ambiguidade, presente nas experiências recentes e apontada na pesquisa, parece que não foi superada.

Mesmo que a comercialização dos produtos busque reproduzir o chamado "mercado ético e moral", as cooperativas pesquisadas necessitam enfrentar a concorrência capitalista buscando novos "clientes". Estes se configuram não só como sua fonte de trabalho e renda, mas como o "novo chefe" dos trabalhadores cooperados, pois ditam o tempo de produção e o valor da mercadoria produzida na cooperativa, determinando a mensuração das retiradas dos cooperados pelo "quantum de trabalho cristalizado nas mercadorias" e alterando a forma de compra e venda da força de trabalho.

A economia solidária demonstra que as principais ações sociais não se pautam na transformação das relações de produção, mas na reformulação das relações mercantis, dando prevalência à circulação e à distribuição de produtos. O mercado, nessa concepção, se tornaria subordinado à sociedade, como nas culturas pré-industriais, permitindo que a sociedade construísse sua economia de acordo com seus valores e cultura, e seria regulado por instituições do Estado. No entanto, é na produção, não na circulação, que o capitalismo revela sua essência e estabelece a desigualdade. O mercado pode adquirir variadas formas, garantidas pela regulação estatal, sem que o modo de produção capitalista deixe de existir.

Em conjunto com a organização do trabalho em cooperativas, dissemina-se uma ideologia que mistifica esse processo de alternativa de trabalho, na qual os trabalhadores, na qualidade de "novos excluídos", veem na economia solidária uma forma de inserção na reprodução social e do trabalho para além do trabalho assalariado.

Embora o caráter coletivo e solidário das cooperativas indique a reprodução não da informalidade e do assalariamento, mas de processos autogestionários que influem na formação de novas sociabilidades e alternativas ao desemprego, a experiência cotidiana e a prática dos trabalhadores(as) nas cooperativas demonstram que tais concepções nem sempre se fundamentam com amplitude e geralmente se contradizem quando confrontadas com as relações sociais de produção capitalista, pois tendem a priorizar as funções burocráticas da gestão, não alterando a disciplina interna dos empreendimentos e subordinando-os às exigências da empresa contratante e do mercado. Aqui, ressalta-se a função da Incubadora de Cooperativas, que tende, no plano econômico, a dissimular a precarização do trabalho por meio de políticas de governo que visam minimizar a expansão do desemprego e de seus efeitos sociais, embora, por outro lado, na Comuna Urbana, as cooperativas, organizadas espontaneamente pelos trabalhadores e, de início, sem a intermediação de uma Incubadora para se constituírem, possam adquirir um papel importante no desenvolvimento de novas formas de relações sociais, ao buscarem a reprodução social fora dos marcos da ordem do capital.

A ambiguidade da cooperativa se revela no momento em que os trabalhadores passam a controlar o trabalho e a produção, podendo com isso alterar as relações sociais, mas encontram-se submetidos às determinações do capital, as quais os levam, conforme apontamos em nossa pesquisa, a intensificar o trabalho e, em alguns casos, a trabalhar sem fazer nenhuma "retirada", apenas para que a cooperativa possa subsistir no chamado "processo de incubação". Os trabalhadores passam, portanto, a integrar de modo precarizado o trabalho.

As cooperativas analisadas, assim como o fenômeno de expansão das experiências cooperativas e empreendimentos coletivos, possuem o mérito de demonstrar a possibilidade de alterar a disciplina e a hierarquia interna regidas segundo os moldes empresariais para formas autogestionárias e, com isso, indicar elementos de uma nova estrutura social. Mostram que os próprios trabalhadores podem assumir o controle do trabalho e da produção. No entanto, nas relações sociais de produção capitalista, a gestão cooperativa pode reproduzir os vícios do sistema mercantil capitalista e, por ser uma experiência isolada, não consegue minimizar os efeitos da crise estrutural do capital e das transformações do mundo do trabalho.

Em um contexto de desemprego e precarização, os aspectos contraditórios inerentes às cooperativas de trabalho tendem a ocultar as relações de inserção precária no trabalho. Ainda que as cooperativas possam ser resultantes de uma luta autônoma e, por isso, desenvolver novas relações sociais, nosso estudo tende a indicar que a subordinação aos imperativos mais gerais do mercado e do capital tem impedido esse salto qualitativo.

# 24

# União Geral dos Trabalhadores e o sindicalismo entre o mercado e a sociedade[1]

*Patrícia Rocha Lemos*

A União Geral dos Trabalhadores (UGT) foi fundada em julho de 2007, durante um congresso na cidade de São Paulo que reuniu cerca de 3.400 delegados, representando 623 entidades sindicais. Considerada, em 2016, a segunda maior central sindical brasileira, com representatividade menor apenas do que a CUT, a UGT ainda é pouco conhecida e estudada.

O objetivo deste capítulo é, num primeiro momento, apresentar brevemente alguns traços gerais dessa central: histórico de formação, base social e relação com partidos. Em seguida, analisar os aspectos que caracterizam seu discurso a respeito do papel do Estado e do sindicalismo enquanto ator social e sua atuação em relação às políticas trabalhistas. Busca-se evidenciar que, apesar do discurso crítico ao "financismo" e ao neoliberalismo, a UGT acabou por incorporar elementos de uma concepção neoliberal de Estado e sociedade civil, compatível com uma prática sindical que prioriza a conciliação de interesses entre capital e trabalho e aceita medidas que flexibilizam e precarizam o trabalho.

Tal interpretação apoia-se no entendimento do neoliberalismo como uma doutrina ou ideologia que prega fundamentalmente a livre iniciativa individual e a ideia de que o mercado é autorregulável. Esses pressupostos amparam uma visão de que o Estado deve priorizar políticas anti-inflacionárias monetaristas e realizar reformas orientadas para o mercado, no intuito de desmontar conquistas sociais que, segundo essa visão, oneram e desequilibram a economia (Reginaldo Moraes, 2001; Anderson, 2003).

---

[1] Este capítulo apresenta parte da pesquisa desenvolvida na dissertação de mestrado em ciência política, intitulada *Entre o mercado e a sociedade: o sindicalismo da União Geral dos Trabalhadores (UGT)*, apresentada em 2014 no Instituto de Filosofia e Ciências Humanas da Universidade Estadual de Campinas (Unicamp), sob orientação da profa. dra. Andréia Galvão.

Do ponto de vista do movimento sindical, o neoliberalismo é bastante hostil a sua ação, já que é contrário aos mecanismos de regulação do trabalho. Porém, como já destacou Patrícia Trópia, algumas experiências nos permitem verificar que, sob certas circunstâncias, "o sindicalismo pode ser tolerado e até se tornar funcional para os governos neoliberais" (Trópia, 2009, p. 17).

## Quem é a UGT?

A criação da UGT se deu a partir da "fusão" de três centrais sindicais: a Confederação Geral dos Trabalhadores (CGT), a Social-Democracia Sindical (SDS) e a Central Autônoma dos Trabalhadores (CAT), além de alguns setores independentes, oriundos principalmente da Força Sindical, como o Sindicato de Padeiros de São Paulo.

A CGT-Confederação tem origem na tendência Unidade Sindical, que criou, em 1986, a Central Geral dos Trabalhadores. Essas correntes se caracterizavam pela prudência nas mobilizações, rejeição à ideia de greve geral, defesa de uma transição pacífica da ditadura e da estrutura sindical (Leôncio Rodrigues, 1991; Silvio Costa, 1995). Em 1991, a ruptura de um segmento da CGT-Central fundou a Força Sindical.

A CAT foi criada em 1995, como demanda do sindicalismo internacional da Central Latino-Americana de Trabalhadores (Clat), e organizava setores do sindicalismo cristão. Já a SDS foi criada em 1997, a partir de uma divisão da Força Sindical, e visava representar o setor sindical do Partido da Social-Democracia Brasileira (PSDB).

A aprovação da Lei 11.648, em março de 2008, conhecida como Lei de Reconhecimento das Centrais Sindicais, foi um dos principais elementos que impulsionaram a criação da UGT, tendo em vista a necessidade de cumprimento de critérios específicos de representatividade que passaram a ser requeridos. A busca de reconhecimento legal estimulou um processo de reorganização da cúpula do movimento sindical durante os governos Lula, na medida em que tal legalização garantia tanto a representação das centrais nos organismos tripartites de diálogo social, criados pelo governo federal, quanto o acesso a uma parcela importante do imposto sindical.

Desde a sua criação, a UGT tem apresentado um crescimento bastante significativo[2]. Sua representatividade em 2008, aferida pelo Ministério do Trabalho e Emprego (MTE), era de 6,29 – quase metade da da Força Sindical. Em 2016, saltou para 11,29 – o que elevou a UGT à condição de segunda maior central sindical do Brasil, situada apenas abaixo da CUT, que mantém o primeiro lugar com índice de representatividade acima de 30.

[2] Informações da aferição divulgada no *Diário Oficial* em 1º de abril de 2016, referentes ao ano 2016. O índice de representatividade é calculado pela fórmula: IR = TFS/TSN*100, na qual IR = índice de representatividade, TFS = total de trabalhadores filiados aos sindicatos integrantes da estrutura organizativa da central sindical, comprovado nos termos do art. 5º, TSN = total de trabalhadores sindicalizados em âmbito nacional, comprovado nos termos do art. 5º (Rais e CNES).

A UGT possui atualmente 1.336 entidades filiadas, sendo 1.277 sindicatos validados no MTE, 120 sindicatos em processo de validação, 57 federações e 2 confederações nacionais. Representa cerca de 5,5 milhões de trabalhadores na base dos sindicatos, dos quais 20%, ou seja, 1,1 milhão de trabalhadores são sindicalizados[3].

Para além de seu crescimento, a importância da UGT está relacionada também a sua capacidade de aglutinar sindicatos que representam categorias com pouca tradição de organização, em atividades que têm crescido muito em comparação aos demais segmentos econômicos, como os sindicatos de trabalhadores do setor de comércio e serviços, inclusive de importantes setores terceirizados.

A partir da base de dados do MTE referente à aferição de 2013, é possível observar que a UGT concentra dois diferentes perfis de trabalhadores. De um lado, a base da pirâmide social, com uma variedade de tipos de trabalho reconhecidamente precários. Entre eles, destacam-se principalmente os comerciários e os trabalhadores de asseio e conservação, segurança e vigilância privada, e sindicatos de trabalhadores em empresas prestadoras de serviços a terceiros. Por outro lado, também estão representados na UGT trabalhadores de setores típicos de classe média, como médicos, contabilistas, corretores de imóveis etc.

Em sua carta de princípios, a central se declara um "sindicalismo cidadão, ético e inovador"[4]. Segundo Ricardo Patah, presidente da central, a UGT é uma central cidadã, "onde ética não é apenas conceito, mas sim um exercício diário no relacionamento com os trabalhadores, empresários e governos". E inovadora porque atua em frentes "até então ignoradas pelo sindicalismo, centrando ações na defesa dos excluídos e categorias que viviam à margem do mundo do trabalho" (UGT, 2012).

Os documentos e dirigentes da UGT destacam, entre suas principais características, a defesa dos seguintes princípios: 1) a unidade (do sindicalismo), que teria sido o motivo da fusão das três centrais e se manifesta na defesa da unicidade sindical; 2) o pluralismo político, que explica a convivência interna de diferentes partidos e determinada visão da atuação política; e 3) a busca de alternativas de inclusão social e cidadania, principalmente por meio da participação na formulação e controle de políticas públicas.

A UGT recusa a pluralidade sindical, defendendo reiteradamente a unicidade, assim como o imposto sindical e o conjunto da estrutura que constitui a relação de tutela com o Estado no que diz respeito aos direitos coletivos do trabalho[5]. Ao mesmo tempo, tem como um de seus princípios fundamentais a pluralidade política, que é evidenciada por parcerias que abrangem um espectro político razoavelmente amplo.

---

[3] Dados disponíveis em: <http://www.ugt.org.br/index.php/Historico>. Acesso em: jul. 2019.

[4] Ver: <http://www.ugt.org.br/upload/docs/ManifestodeFundacaoUGT.pdf>. Acesso em: jul. 2019.

[5] Sobre isso, consultar: "Considerações sobre o financiamento público dos sindicatos no Brasil". Disponível em: <http://www.ugt.org.br/upload/iae/img2-Consideracoes-sobre-o-financiamento-publ-6252.pdf>. Acesso em: jul. 2019.

Na relação com os governos, a UGT, desde a sua fundação, nunca se apresentou como oposição nem teceu críticas profundas a nenhum governo. Durante os governos do Partido dos Trabalhadores (PT), a UGT conformou sua base de apoio nas ações conjuntas com outras centrais sindicais. Contudo, durante os processos eleitorais, sempre manteve uma posição de não apoio a nenhum dos candidatos em disputa. A presença recorrente de José Serra, um dos principais quadros políticos do PSDB, nos eventos da central e o apoio de alguns de seus dirigentes aos candidatos José Serra (PSDB) e Marina Silva (Partido Verde) nas eleições presidenciais de 2010 ajudam a evidenciar a amplitude do espectro político-ideológico no qual se situa a UGT. É preciso considerar também que a UGT foi criada a partir de centrais sindicais que, na década de 1990, defendiam o então presidente, Fernando Henrique Cardoso.

As preferências político-ideológicas da central ficam evidentes também na filiação partidária de seus principais dirigentes, muitos dos quais eleitos deputados. Isso porque a UGT aprovou em seu estatuto que deputados e senadores eleitos oriundos de entidades filiadas à UGT se tornam vice-presidentes enquanto durar o mandato político. Dos vice-presidentes nomeados desde o seu surgimento, destacam-se: Antônio Carlos dos Reis, o Salim, que foi deputado federal pelo Democratas (DEM), vice-prefeito de Carapicuíba (São Paulo) e presidente do partido na cidade, Davi Zaia, que foi secretário do Trabalho do Estado de São Paulo e presidente do Partido Popular Socialista (PPS) no estado, e Roberto Santiago, deputado federal pelo Partido Verde (PV) de São Paulo. Além disso, o presidente da central e outros dirigentes filiaram-se ao Partido Social-Democrático (PSD) e garantiram com isso um espaço importante no novo partido.

Devido ao pouco tempo de existência e da concentração das pesquisas nas centrais sindicais mais antigas e, portanto, mais conhecidas, pouco se sabe ainda sobre essa organização sindical, que tem ganhado cada vez mais espaço no cenário político nacional. Apresentaremos a seguir algumas contribuições sobre as concepções e estratégias que vêm sendo defendidas pela UGT.

## Globalização, desenvolvimento e Estado no sindicalismo "ugetista"

No segundo congresso da UGT, realizado em 2011, a central propôs-se a formular uma agenda democrática de desenvolvimento nacional que abriria caminho para a construção de uma sociedade "fundada nos princípios de justiça para todos e na solidariedade; capaz de distribuir melhor a riqueza e de elevar o nível social e cultural de todos os cidadãos brasileiros" (UGT, 2011a, p. 6). Destacam-se nessa plataforma a defesa da sociedade democrática e da inserção do sindicalismo no mundo globalizado por meio de uma "globalização desenvolvimentista sustentável" (UGT, 2011b, p. 13).

A crítica ao neoliberalismo apresentada por essa central diz respeito à falta de regras e instituições que possam conter as "orgias do financismo". Ao mesmo tempo que reconhece uma crise da ideia do mercado autorregulado, a UGT defende uma resposta nos marcos do capitalismo que imponha limites ao capital financeiro, mas não implique uma mudança estrutural da economia e do modelo de desenvolvimento. Os interesses da nação e da "globalização" são entendidos, portanto, como convergentes:

> Defender uma reformulação do modelo institucional de controle planetário, tendo a Organização das Nações Unidas (ONU) como o seu principal centro articulador, e o redimensionamento dos seus organismos multilaterais, a exemplo do Banco Mundial (Bird), Fundo Monetário Internacional (FMI), Organização Mundial do Comércio (OMC), Organização para a Cooperação e Desenvolvimento Econômico (OCDE), Banco Interamericano de Desenvolvimento (BID), entre outros. (UGT, 2011b, p. 18)

Essa política combina a defesa do fortalecimento de uma governança global com a defesa de um Estado nacional de funções bastante limitadas, inclusive no que diz respeito à garantia de direitos. O Estado brasileiro é reiteradamente caracterizado como ineficiente e centralizador e, por isso, a UGT defende sua democratização e descentralização. Ao mesmo tempo que afirma que o "Estado com sua estrutura centralista, ineficiente, tem se colocado ao longo dos tempos a serviço do interesse de grupos privados – nacionais e estrangeiros", defende o incentivo às parcerias com o setor privado no desenvolvimento da ciência e tecnologia, nos programas de financiamento, infraestrutura, logística e educação, além da manutenção da Lei de Responsabilidade Fiscal[6]. A alternativa proposta pela central é o reforço da transparência, a austeridade, a descentralização dos recursos para estados e municípios, a aplicação do orçamento articulada com a discussão do Congresso Nacional e um "novo espírito empreendedor, que possa romper com velhos paradigmas do passado" (UGT, 2011b, p. 34-40).

Assim, em sua concepção, o papel do Estado nacional deveria ser restrito à criação de um ambiente econômico favorável ao mercado e à regulamentação geral de prestação de serviços pela via privada:

> Devemos, sim, querer um Estado Máximo, para a cidadania, nas esferas de poder local, este representando os municípios. O Estado da União pode e deve ser reduzido a uma dimensão necessária ao cumprimento de suas funções de manter a unidade nacional, garantir a defesa externa, zelar pela saúde da moeda e promover

[6] A chamada Lei de Responsabilidade Fiscal (LRF) refere-se à Lei Complementar n. 101, de 4 de maio 2000, criada no governo de Fernando Henrique Cardoso. Estabelece em nível nacional parâmetros que condicionam os gastos públicos à capacidade de arrecadação e impõem aos entes federativos metas fiscais trienais.

> programas de combate às desigualdades regionais, compartilhar projetos de infraestrutura e investir em ciência e tecnologia. Responder pelas relações com outros povos, regular e estabelecer diretrizes para educação, saúde pública, e concessionárias prestadoras de serviços públicos. (UGT, 2011b, p. 35)

Essa descentralização do Estado aparece combinada com a ampliação da participação da "sociedade civil", na qual o sindicalismo seria ator importante e ativo, ainda que numa perspectiva conciliatória e de construção do chamado diálogo social.

## Sociedade civil, cidadania e parceria social

A perspectiva de descentralização do Estado, combinada com a ampliação da participação da "sociedade civil", permite a retomada de algumas polêmicas em torno da definição de sociedade civil e cidadania. No Brasil e no mundo, essa discussão tomou novos contornos nas últimas décadas, devido aos processos vividos com a crise do capital, o neoliberalismo, a reestruturação produtiva e, concomitantemente, o enfraquecimento das ideias socialistas e as transformações sofridas por diversos partidos de esquerda. Nesse cenário, os fortes ataques aos direitos dos trabalhadores, somados às ideias do "fim do trabalho" e do "fim das ideologias", levaram a um ambíguo fortalecimento de espaços supostamente democráticos e da chamada "sociedade civil".

O processo participativo e democratizante formalizado na Constituição de 1988 emergiu no Brasil a partir da luta contra a ditadura militar e garantiu como conquista dos movimentos sociais o alargamento da democracia, expresso na criação de espaços públicos e na crescente participação da sociedade civil nos processos de discussão e tomada de decisão. No entanto, a aposta da sociedade civil na ação conjunta, ao invés da postura conflitiva anterior, afinou-se com o projeto neoliberal de encolhimento do Estado e progressiva transferência de suas responsabilidades sociais para a sociedade civil (Dagnino, 2004, p. 95-6).

Ao mesmo tempo que foram resultado da luta e da reivindicação dos trabalhadores e abriram um campo de possibilidades naquele momento defensivo dos anos 1990, esses espaços acabaram sendo, em grande medida, apropriados e impulsionados pelos organismos internacionais, como o FMI e o Banco Mundial. Essas organizações passaram, desde então, a propagar como parte de sua agenda a questão do diálogo social e da participação da sociedade civil como forma de legitimação das políticas neoliberais e na tentativa de tornar hegemônica a ideia de um possível e desejável consenso.

Nesse sentido, o projeto neoliberal promove uma ressignificação de noções centrais para o projeto participativo e democratizante, tais como participação, sociedade civil e cidadania. Reforçada pelas agências internacionais, a noção de sociedade civil tem sido identificada com o chamado terceiro setor, em especial com as ONGs que se colocam como parceiras do Estado e se incumbem da prestação de certos serviços sem assumir responsabilidades perante a sociedade da qual se intitulam representantes. Essa concepção rompe os vínculos orgânicos com os movimentos sociais e legitima a participação dessas organizações, independentemente de vínculos de representação coletiva (Dagnino, 2004, p. 101).

Essa perspectiva neoliberal da participação da sociedade civil enquanto diálogo social de construção de consensos, que retira do Estado a responsabilidade pela garantia de determinados direitos, como aponta Dagnino (2004), parece bastante próxima da noção de Estado propagada pela UGT e apresentada no item anterior.

É por esse caminho que a UGT vai sustentar a ideia de um sindicato cidadão que, em face da nova realidade do mundo do trabalho, precisaria reformular-se, "modernizar-se", desafiando-se a criar outros nichos de atuação, dialogando com outros públicos que não apenas os trabalhadores sindicalizados das categorias tradicionalmente mais organizadas e utilizando-se de novos métodos para além das greves e mobilizações de rua. A partir dessa visão, para a qual tais transformações são inevitáveis, o movimento sindical vai reforçar sua atuação nas estratégias de negociação, muitas vezes em oposição à postura conflitiva, buscando apresentar propostas "realistas" e "viáveis" a governos e empresários, dentro do já citado "espírito empreendedor".

No caso dos dirigentes da UGT, sua atuação nos espaços institucionais é anterior à fundação da central, por exemplo, no Fórum Nacional do Trabalho (FNT)[7]. Entretanto, essa forma de ação foi potencializada após o reconhecimento legal das centrais. A legitimação desses espaços, combinada com as noções já expostas, parece reproduzir uma determinada concepção de sociedade civil em que o Estado pode estar subordinado à coerção econômica do mercado:

> Nosso horizonte é a construção de uma sociedade profundamente democrática, onde o espaço público se afirme com uma crescente participação da população e dos trabalhadores nos assuntos públicos. Dessa forma, é a sociedade civil que deve democrática e socialmente controlar o Estado e não este àquela, isto é, o Estado não pode tutelar a sociedade civil. (UGT, 2011b, p. 34)

Dissolvida na ideia de sociedade civil, a contradição clássica entre capital e trabalho, entre a classe burguesa e a classe trabalhadora, tradicionalmente defendida pelos movimentos operários mundiais inspirados nas ideias socialistas de outrora, é substituída por uma suposta nova contradição, inspirada no individualismo e no livre mercado, característicos da concepção neoliberal de sociedade:

---

[7] O FNT foi criado em 2003 como um organismo tripartite, ligado à Secretaria de Relações de Trabalho do Ministério do Trabalho e Emprego. Tinha como objetivo formular uma proposta de reforma sindical e trabalhista a ser aprovada no Congresso Nacional.

> É preciso destacar que há um crescente antagonismo entre esse modelo de Estado [o tipo de Estado que aqui temos] e a cidadania brasileira. Esse antagonismo se constitui na contradição principal existente no país e que precisa ser resolvida. É uma contradição que opõe a nação que quer e precisa acelerar seu crescimento econômico e as amarras de um Estado que freiam seu pleno desenvolvimento. É a contradição que precisa ser resolvida com maior urgência, para que as forças produtivas tenham livre curso. Para que as forças do progresso e da democracia enfrentem e superem outras contradições. (UGT, 2011b, p. 36)

No intuito de superar essa contradição, a UGT propõe que esses espaços inovadores de participação tenham entre seus objetivos a compreensão do duplo papel da cidadania: o cidadão como "contribuinte/consumidor, envolvendo direitos e deveres claros e indiscutíveis" (UGT, 2011b, p. 38).

Essa ideia de sociedade civil e cidadania considera como representantes da nação, do progresso e da democracia tanto os trabalhadores como os empresários e lhes imputa a tarefa de confinar o Estado à obrigação de manter a estabilidade econômica "rumo ao desenvolvimento". Com isso, não só difunde um discurso compatível com o neoliberalismo como dissemina a perspectiva da cidadania do consumo, destituída de um sentido coletivo de luta por direitos universais. Ao mesmo tempo, reforça a compatibilidade de interesses e a possibilidade de consenso entre trabalhadores e empresários.

A UGT, apesar de compartilhar com outras centrais a visão de representação dos cidadãos, e não mais de uma classe, de aprovar e incentivar a atuação dos sindicatos na prestação de serviços, tem priorizado a atuação nos espaços institucionais. A central foca antes a organização para participar dos organismos tripartites e ampliar esses espaços que a prestação de serviços; parece mais preocupada em influenciar e construir lobbies no Congresso Nacional do que em construir organismos próprios de intermediação de mão de obra ou de incentivo ao cooperativismo.

Um exemplo dessa postura é o Instituto de Altos Estudos da UGT, que tem como foco o apoio técnico à formulação de estratégias e entendimentos sobre relações de emprego e trabalho, além de "contribuir com a formulação de políticas públicas e com projetos e estratégias de desenvolvimento do país, coerentes com as características de uma organização identificada com a produção de conhecimento e reflexão que contribuam para a defesa dos interesses dos trabalhadores"[8]. O instituto não está voltado, portanto, nem para a qualificação profissional nem para a execução de políticas públicas, mas destina-se principalmente a consolidar uma espécie de consultoria, ou apoio, à participação institucional.

Segundo a UGT, esses espaços de participação permitem, por meio do diálogo, a criação de soluções democráticas:

---

[8] Ver: <http://www.ugt.org.br/upload/iae/img2-Instituto-de-Altos-Estudos-da-UGT---Obje-6254.pdf>. Acesso em: jul. 2019.

> Não basta participar, a UGT deve ter um papel propositivo e atuar de forma consciente diante dos problemas que se apresentam. É fundamental a ampliação da nossa presença nesses fóruns, é crucial a ampliação da nossa representação política. Isso porque nenhuma luta econômica, por mais vigorosa que seja, pode trazer aos trabalhadores uma melhoria estável se nós tivermos uma baixa representação nos parlamentos e executivos. E para que isso ocorra, não basta a luta econômica. É preciso a luta política em torno de um projeto democrático de transformação da sociedade [...]. A luta pela conquista de nossos objetivos é uma luta essencialmente política. Isso significa [...] conquistar influência nos assuntos públicos, na direção dos parlamentos e dos executivos, na promulgação das leis. (UGT, 2011b, p. 164)

Destaca-se no seu plano de lutas a ênfase na atuação da central para ampliar a participação popular na administração pública, no sentido da cogestão de recursos públicos e da defesa de metas de produtividade, a partir da análise da ineficiência da estrutura tradicional da gestão pública.

É possível perceber na fala dos dirigentes, e mesmo nas resoluções do congresso da central, que a participação nesses organismos, fóruns e conselhos é entendida como parte do papel do sindicalismo de construir o desenvolvimento, em conjunto com o governo e os empresários. Nesse sentido, colocam-se lado a lado e no mesmo campo dos patrões, vistos como "produtores".

## Flexibilização do trabalho e terceirização

No campo das políticas para o trabalho, a UGT tem-se destacado por um discurso de rejeição "teórica, política e prática da chamada retórica da flexibilização do mercado de trabalho" e pelo reconhecimento de que esse processo desemboca em precarização, informalização, redução de salários e corte de benefícios conquistados por meio de negociações coletivas (UGT, 2011b, p. 83). Além disso, defende os direitos inscritos na legislação e rejeita qualquer reforma trabalhista que retire direitos dos trabalhadores. Suas bandeiras abarcam também reivindicações históricas importantes dos trabalhadores, como a redução da jornada para quarenta horas semanais sem redução de salário.

Entretanto, apesar do discurso crítico, determinadas propostas anunciadas pela central abrem as portas para o rebaixamento de direitos defendidos historicamente pelos trabalhadores, na medida em que pressupõem a viabilidade e aceitação do empresariado ou mesmo incorporam a preocupação com a competitividade das empresas – seja quando apoia medidas flexibilizantes, como a Lei de Falências[9], seja quando se omite na defesa de direitos para priorizar aspectos da política econômica, como a redução de juros durante a crise econômica de 2009.

---

[9] A Lei 11.101 foi aprovada em fevereiro de 2005, depois de discutida no Conselho de Desenvolvimento Econômico e Social com dirigentes das centrais. Essa lei tem como objetivo regular

A UGT defende a redução da jornada de trabalho, baseando-se no princípio de que "cada um trabalhe menos para que todos possam trabalhar" (UGT, 2011b, p. 87). Para a central, o aumento de produtividade permite que as empresas absorvam um maior número de trabalhadores sem perder a competitividade. Isso a levou a apoiar o projeto PLS 254/2005, de autoria do senador Paulo Paim (PT-RS). Tal projeto, na linha do que foi reivindicado pelas centrais, propõe a redução da jornada das atuais 44 horas semanais para 36 horas, em regime de seis horas diárias, sem redução de salários, com o compromisso ajustado entre empregados e empregadores de manter, no mínimo, o nível de produtividade obtido com a jornada atualmente em vigor. A adesão das empresas seria voluntária e, ao fim de um período de experiência, elas poderiam voltar atrás e reestabelecer a antiga jornada.

Da mesma maneira, a defesa do fim do banco de horas pela UGT fundamenta-se no descontentamento com o abuso das empresas, que passaram a adotá-lo de maneira indiscriminada, independentemente dos momentos de crise econômica. Isso demonstra, como ficou explícito na discussão das centrais com o governo e patrões sobre a crise econômica de 2009, que é possível aceitar medidas de flexibilização dos direitos até certo ponto, caso sejam necessárias para a "sobrevivência do setor produtivo", em nome do desenvolvimento e com a garantia de alguma participação dos trabalhadores nesses processos de (des)regulamentação.

Como parte da campanha contra as práticas antissindicais, a UGT propõe também a criação do Comitê Sindical de Empresa (CSE), cujo objetivo é reduzir as reclamações trabalhistas e criar formas mais apropriadas de solucionar conflitos, "com ampla participação dos trabalhadores e em consonância com as necessidades tecnológicas, organizativas e produtivas das empresas" (UGT, 2011b, p. 94). Esse comitê teria também o papel de incentivar a responsabilidade social corporativa.

Por fim, destacamos a atuação da central em relação à terceirização, pauta que recebeu destaque em 2013 por conta da discussão do PL 4.330/2004 (atual PLC30/2015)[10] e teve grande repercussão na UGT. Inicialmente, a central procurou não apenas defender a regulamentação da terceirização, mas articular outros setores[11] para a aprovação de um projeto a respeito do tema:

---

a recuperação judicial, a extrajudicial e a falência de empresas. Sua aprovação representou a perda de direitos dos empregados, na medida em que a lei oferece proteção aos créditos e às instituições financeiras em detrimento dos direitos dos trabalhadores (Krein, Santos e Nunes, 2012).

[10] O antigo PL 4.330/2004, que tramita agora como PLC 30/2015, foi uma iniciativa do deputado Sandro Mabel e dispõe sobre o contrato de prestação de serviço a terceiros e as relações de terceirização de trabalho dele decorrentes. Nos moldes de uma reforma trabalhista disfarçada, esse projeto não garante os mesmos direitos entre contratados diretos e terceirizados, precariza o trabalho e permite a terceirização inclusive da atividade-fim, de modo a legalizar toda e qualquer terceirização, sem exigência de responsabilidade ou garantia de direitos a esses trabalhadores. O impacto de um projeto como esse é transformar o trabalho terceirizado em regra geral e anular os direitos garantidos pela CLT. Além disso, o projeto também repercute na legislação sindical, já que não há definição e garantias de representação desses trabalhadores.

[11] A UGT impulsionou em 2013 a criação de uma "frente parlamentar mista em defesa do setor de serviços", proposta pelo deputado Laercio de Oliveira, vice-presidente da UGT, com o objetivo de

> O importante é garantir trabalho e renda, mas sem precarizar. Porém, é preciso entender que a atividade terceirizada é um fato nas relações trabalhistas, mas que precisa ser regulada como forma de dar garantia às partes, em especial aos trabalhadores, pois a insegurança jurídica prejudica também o trabalhador [...]. A terceirização não pode ser sinônimo de precarização. Porém, ela é parte inexorável das mudanças sociais e econômicas no mundo [..] que [se] refletem diretamente nas relações de trabalho. (UGT, 2011b, p. 95-6)

De início, a articulação dessa proposta foi feita pelo deputado Roberto Santiago, vice-presidente da UGT e relator do Projeto 4.330/2004. Devido a divergências das centrais em relação ao projeto apresentado, tentou-se construir uma proposta alternativa tanto a esse projeto quanto ao projeto de lei aprovado na Comissão de Constituição e Justiça (CCJ) e encaminhado para votação no Congresso. Em visita ao *Diário do Grande ABC*, o presidente da UGT, Ricardo Patah, disse:

> Não sou contra o PL 4.330, sobre a terceirização da mão de obra. A UGT acredita que alguns tópicos do Projeto de Lei precisam ser ajustados, como a questão da precarização do trabalho e a perda de direitos por parte dos trabalhadores. Isso sim, somos contra. No demais, é uma tendência do mercado que as empresas terceirizem serviços, principalmente aqueles relacionados à limpeza e à parte de segurança. É preciso estabelecer um ponto de equilíbrio entre as relações capital e trabalho.[12]

Dois meses depois, uma notícia publicada no *Diário de São Paulo* reafirmava o apoio da UGT ao projeto:

> Questionamos apenas que o Artigo 4, que não deixa claro que a atividade fim da empresa não pode ser terceirizada. Queremos um enunciado que deixe claro isso. Não somos contra a terceirização, somos contra a precarização. Queremos que só possa continuar sendo passível de terceirização a atividade-meio da empresa. Resolvido isso, a UGT não tem nenhuma contrariedade ao projeto, que dá segurança jurídica, resolve uma série de vulnerabilidades a que hoje os trabalhadores estão sujeitos no Judiciário. Isso cria insegurança tanto para o trabalhador quanto para o empresário.[13]

Essa posição favorável ao projeto de lei acabou contradizendo alguns sindicatos importantes de sua base, que haviam se posicionado contra o projeto, como o Sindicato dos Empregados em Empresas de Prestação de Serviço a Terceiros

---

promover debates e estudos para o aprimoramento da legislação federal sobre o setor de serviços e a criação de um marco regulatório da terceirização.

[12] "UGT é a favor da terceirização, mas luta por melhorias", *Diário do Grande ABC*, 18 out. 2013. Disponível em: <http://www.dgabc.com.br/Noticia/490823/ugt-e-a-favor-da-terceirizacao-mas-luta-por-melhorias?referencia=simples-titulo-editoria>. Acesso em: jul. 2019.

[13] "UGT defende lei que discipline terceirização", *Diário de São Paulo*, 7 dez. 2013.

(Sindeepres), o maior sindicato de representação dos trabalhadores terceirizados no Brasil, cuja base é o Estado de São Paulo[14], e a Federação dos Trabalhadores em Serviço, Asseio e Conservação Ambiental, Urbana e Áreas Verdes no Estado de São Paulo (Femaco). Ao mesmo tempo, significa que, ao fim do processo, a proposta inicial de regulamentação, mediada pelo deputado Roberto Santiago, acabou ganhando a posição da direção nacional e de parte dos sindicatos da base.

A posição oscilante da UGT nesse tema ajuda a evidenciar as tensões internas que resultam, por um lado, de sua aproximação política com os setores do Congresso Nacional e do empresariado que defendem a generalização da terceirização e, por outro, das críticas de parcela dos trabalhadores terceirizados de sua base àquela proposta de desregulamentação da terceirização.

O posicionamento da central nessas pautas, especialmente na regulamentação da terceirização, reforça o argumento sobre os limites concretos da atuação da central em face da precarização dos direitos. Nesses temas destacados, apesar de tecer algumas críticas, a UGT se posicionou mais favoravelmente à agenda dos empresários do que à condição de seus próprios membros filiados. Ainda que as pressões internas tenham feito recuar uma defesa mais aberta do projeto da terceirização, a concepção que guia a proposta parece seguir no sentido defendido pela central: o da terceirização como um fenômeno da sociedade moderna, ou mesmo como um processo natural do desenvolvimento econômico. Esse argumento tem servido de pano de fundo, na prática, para legitimar e ampliar esse setor de trabalhadores que representa um "nicho de mercado" importante para essa central.

## Conclusão

Ainda que seja uma das centrais sindicais brasileiras mais recentes, a UGT combina em seu interior setores importantes de um sindicalismo já organizado e oriundo de uma tradição sindical mais conciliadora e até mesmo politicamente mais conservadora. Apesar disso, tem difundido um discurso de modernização que, diferentemente do discurso modernizador de criação da Força Sindical, investe na participação institucional e na articulação com a política parlamentar.

No que diz respeito ao seu perfil político-ideológico, apesar das críticas ao neoliberalismo e às "orgias do financismo", a UGT combina a defesa da ordem estabelecida com críticas pontuais às "extravagâncias do neoliberalismo", ao mesmo tempo que legitima e reproduz elementos do neoliberalismo em sua concepção de Estado e sociedade civil.

A estratégia sindical desenvolvida por essa central, ao fim e ao cabo, parte de uma visão de conciliação e "parceria", voltada para a participação nos espaços

[14] "Projeto de terceirização: sindicato denuncia reforma sindical nociva aos trabalhadores", *Jornal de Três Lagoas*, 13 ago. 2013.

institucionais de diálogo social. Esse modelo de estratégia sindical, conforme evidenciam várias experiências pelo mundo, tem implicado perdas significativas para o sindicalismo. Isso ocorre na medida em que, ao incorporar elementos da visão empresarial, até mesmo as reivindicações salariais acabam por ter como referência a viabilidade financeira, e não mais a demanda dos trabalhadores (Terry, 2003). A centralidade da atuação institucional pauta-se, portanto, na conformação do consenso e na garantia de legitimidade de participação no processo político, em detrimento da representação e da capacidade de mobilização dos membros dos sindicatos (Dufresne e Germain, 2011).

Por fim, alguns limites da estratégia da UGT evidenciam-se na plataforma trabalhista adotada pela central. A defesa de certos direitos contidos na CLT e mesmo de reivindicações históricas, como a pauta da redução da jornada, são importantes, mas estão reféns da visão "modernizadora" da central, que acabou por aceitar e até promover a pactuação do sindicalismo com medidas de "flexibilização" e precarização das relações de trabalho.

# 25
# As experiências sindicais e de resistência no trabalho em *call centers*

*Bruna Martinelli*

## Introdução

Neste capítulo, trataremos das experiências políticas dos teleoperadores, a partir das análises do sindicalismo no setor. Faremos isso com base no que observamos nas entrevistas que realizamos para nossa pesquisa de mestrado com os teleoperadores de duas centrais de teleatendimento localizadas na cidade de Campinas (São Paulo)[1]. As entrevistas foram orientadas no sentido de buscarmos compreender como as teleoperadoras e teleoperadores em questão percebiam a atuação do Sindicato dos Trabalhadores em Telecomunicações no Estado de São Paulo (Sintetel) e do Sindicato dos Trabalhadores em Telemarketing (Sintratel), que atuam nas duas empresas estudadas (Atento e Actionline). Também nos apoiaremos na bibliografia sobre o tema do sindicalismo.

Para esta reflexão, levaremos em conta as especificidades da categoria dos teleoperadores, quais sejam: a presença majoritária de mulheres, de jovens e um número expressivo de LGBTs[2]. Sobre as especificidades do trabalho nos *call centers*, destacamos o modo particular de gestão do trabalho no setor, que busca introduzir aspectos dos modelos conhecidos na sociologia do trabalho como taylorismo e toyotismo em uma atividade do setor de serviços realizada em espaço empresarial. A partir disso, trabalharemos questões referentes à problemática da construção de uma identidade e possível organização política por parte desses trabalhadores.

Buscaremos contribuir com essa reflexão para as possibilidades de luta e emancipação das trabalhadoras e trabalhadores em face das contradições capita-

---

[1] Dissertação de mestrado em sociologia intitulada *Peculiaridades do trabalho nos* call centers*: um estudo sobre as teleoperadoras de Campinas-SP*, apresentada em novembro de 2015 no Instituto de Filosofia e Ciências Humanas da Universidade Estadual de Campinas (Unicamp), sob orientação de Ricardo Antunes.

[2] Para mais informações sobre as especificidades da categoria dos teleoperadores, ver: Venco (2009), Nogueira (2011) e Martinelli (2015).

listas, bem como para as possibilidades de futuro do movimento sindical. Faremos isso levando em conta a seguinte hipótese: sendo o setor de serviços um dos que mais crescem e empregam na atual fase do capitalismo – e o telemarketing é parte expressiva desse setor –, o estudo das questões políticas e sindicais referentes aos teleoperadores pode nos dar pistas importantes sobre os principais desafios que se colocam para a organização da classe trabalhadora atual.

## O CENÁRIO SINDICAL BRASILEIRO NO MOMENTO DO SURGIMENTO DOS *CALL CENTERS*

Os *call centers* surgem no Brasil como setor de informação nos anos 1990, em decorrência da privatização das telecomunicações – um dos desdobramentos dos avanços das políticas neoliberais no país. Esse processo de privatização ocorre de modo a transformar setores como o das telecomunicações, considerado até então improdutivo, em setores produtivos por meio do processo de industrialização pelo qual passa o setor de serviços em geral e "otimizar" os ganhos do setor. Essa busca por rentabilidade é impulsionada também pela tendência à financeirização da economia, que passa a demandar maior liquidez da esfera produtiva, impondo novos ritmos de produtividade. Grande parte das empresas passa a atuar como S.A. e coloca parte de seu capital no mercado de ações, ficando assim mais vulnerável a flutuações.

As dificuldades de organização sindical encontradas no telemarketing são uma tendência contemporânea, que afeta até mesmo setores de tradição de luta sindical. Isso porque o próprio movimento sindical passou por um importante processo de mudanças, no qual a linha mais "combativa" perdeu força, dando lugar a um sindicalismo mais "conciliatório" e pragmático. Para se compreender tal processo, é importante lembrar que, no final dos anos 1970 e no decorrer da década de 1980, o sindicalismo brasileiro se caracterizou como um movimento combativo. É nesse contexto que nasce o "novo sindicalismo", cuja expressão mais significativa foram as mobilizações no ABC paulista, lideradas por Lula: juntamente com as "oposições sindicais", ele mudou o panorama político brasileiro[3] e impulsionou a criação da Central Única dos Trabalhadores (CUT) em 1983[4]. A partir de então, a central se tornou o principal agente organizador das lutas e reivindicações num período de grande mobilização dos trabalhadores brasileiros, o que contrastava com

[3] Nesse contexto, milhares de trabalhadores paralisaram suas atividades em um número expressivo de greves, tanto em empresas, como por categorias ou gerais. Além da contestação da ditatura militar, as reivindicações desse período giravam em torno da luta contra o arrocho salarial e a superexploração do trabalho (Antunes, 1991). Esse movimento grevista teve início em 1978-1979 no ABC paulista, onde surgiram as pautas acima citadas, bem como a luta contra o burocratismo sindical e o peleguismo. Para melhor caracterização do "novo sindicalismo", ver: Antunes (1991).

[4] Para uma melhor caracterização do nascimento da CUT, ver: Iram Rodrigues (1997); Leôncio Rodrigues (1990) e Antunes (1991).

o que ocorria no restante do mundo, que vivia um refluxo sindical em razão dos processos de flexibilização e desregulamentação do trabalho ligados à consolidação do novo padrão de acumulação de capital (Bihr, 1998).

No entanto, na virada dos anos 1980 para os anos 1990, também se verificou um refluxo no sindicalismo brasileiro, que se deu em razão de aspectos gerais – reestruturação produtiva, ascensão das políticas neoliberais, crise das esquerdas em escala mundial – e de outros ligados à especificidade brasileira, como o fim da ditadura, a mudança político-estratégica no interior da CUT e o nascimento da Força Sindical em 1991[5]. Segundo Andréia Galvão (2007), essa central nasce em oposição à CUT, com um modelo de "sindicalismo de resultados", e ganha o apoio do governo e do patronato, bem como a adesão de parte considerável dos sindicatos de base[6]. Nesse mesmo momento, a própria CUT – num processo de grande tensão entre suas correntes internas, reforçado pela intenção de "concorrer" com a Força Sindical – passa por mudanças estratégicas. De modo geral, a central adota uma postura mais pautada pela proposição/negociação/participação. Sobretudo, esse é o cenário sindical brasileiro no momento em que surge a categoria dos teleoperadores.

## Especificidades do sindicalismo no setor de *call centers*

As mudanças ocorridas no mundo do trabalho, principalmente no que se refere ao aumento da terceirização, dos contratos por tempo determinado, da rotatividade dos postos e da insegurança no trabalho – aspectos presentes no telemarketing – fazem com que o movimento sindical encontre dificuldades na representação e na mobilização desses trabalhadores. Conforme Alain Bihr (1998), é possível perceber uma cisão entre os trabalhadores "mais estáveis" – com alguns direitos conquistados historicamente e contratos por tempo indeterminado – e os "mais instáveis" – que encontram dificuldades para assegurar ou conquistar seus direitos. Segundo o autor, os sindicatos tendem a acompanhar esse movimento, ligando-se mais aos estáveis, porque as perspectivas de ações são mais garantidas. Braga (2012) mostra os obstáculos que o sindicalismo encontra no telemarketing:

> [...] tão logo um teleoperador se aproximava do sindicato, desenvolvendo alguma atividade organizativa, era logo perseguido pelas empresas ou simplesmente perdia

---

[5] As análises sobre o tema variam de acordo com o peso dado aos aspectos que influenciaram tal mudança no interior da CUT. Por exemplo, Ferraz (2006) enfatiza o processo de redemocratização do país; Tumolo (2002), por outro lado, enfatiza a ascensão do neoliberalismo e a reestruturação produtiva.

[6] Com a ideia de "sindicalismo de resultados", a Força Sindical pretendia se apresentar ao patronato como uma interlocutora legítima e confiável na tentativa de conciliação das contradições entre capital e trabalho. Trópia (2009), em seu estudo sobre a Força Sindical, revela que esta queria se lançar como expressão da modernidade do movimento sindical, procurando ter a marca de uma central que aceita o capitalismo, a economia de mercado e o predomínio da negociação sobre o sindicalismo de confronto.

> o emprego devido ao encerramento do seu contrato, obrigando o sindicato a recomeçar sem maiores acúmulos todo o trabalho de novo. (Braga, 2012, p. 222)

Outros aspectos do telemarketing também colocam obstáculos à atuação sindical, como os indicados por Rosenfield (2009), que mostra que, no teleatendimento, não há um espaço favorável para a construção de uma identidade coletiva entre os trabalhadores, pois o controle rígido do tempo, das ações e das falas impede que eles se comuniquem entre si e compartilhem suas realidades no trabalho, havendo uma grande tendência à individualização[7].

Braga (2012) também relata as mudanças ocorridas no Sindicato dos Trabalhadores em Telecomunicações no Estado de São Paulo (Sintetel-SP), em decorrência das privatizações do setor de telefonia, como foi o caso da Telesp, representada pelo sindicato. Na sua análise, após a privatização, o Sintetel passou a substituir demandas de longo prazo por outras de curto prazo, como a manutenção do emprego, adotando assim uma postura mais defensiva. A representação da categoria dos teleoperadores é disputada também pelo Sindicato dos Trabalhadores em Telemarketing (Sintratel), que nasceu em 1992 com o objetivo de representar os teleoperadores da cidade de São Paulo e região. De acordo com o autor, o Sintratel assume contornos distintos dos do Sintetel:

> [...] por intermédio de um maior enraizamento nos movimentos sociais não sindicais, especialmente os movimentos negro e GLBTT, as lideranças do Sintratel buscaram fortalecer formas alternativas de solidariedade classista, alimentando coletivos destinados à discussão de questões raciais, orientação sexual e gênero, numa tentativa de aproximar os teleoperadores do cotidiano sindical. (Braga, 2012, p. 225)

O Sintetel, ligado à Força Sindical, representa os teleoperadores da Atento em Campinas, e o Sintratel, ligado à CTB, os da Actionline, atuando, ao que parece, de forma mais ativa junto a sua base. Em 10 de julho de 2012, cerca de 560 teleoperadores da Actionline realizaram uma greve pelo fim dos salários desiguais entre os que exerciam a mesma função e contra o assédio moral.

Nossa hipótese é que essa greve seja um indicativo de que a realidade do trabalho nos *call centers* coloca contradições para os teleoperadores e que, apesar de todas as suas particularidades (que dificultam a luta por melhores condições de trabalho e a mobilização dos trabalhadores pelos sindicatos), existem múltiplas possibilidades de ação. Sendo assim, vamos nos dedicar a seguir à análise dos depoimentos dos teleoperadores sobre suas experiências sindicais e do modo como se posicionam em relação aos seus "descontentamentos" com o trabalho que executam.

---

[7] Sobre a tendência individualizante e as influências de metas e políticas salariais na classe trabalhadora, ver: Linhart (2007).

## A perspectiva dos teleoperadores sobre suas experiências sindicais no setor

Quando perguntamos às teleoperadoras[8] se conheciam o sindicato que as representavam em suas respectivas empresas, obtivemos relatos como os seguintes:

> Eu sei que tem o sindicato, que, se eu precisar de alguma coisa, eu consigo o telefone e posso ir atrás, mas [...] eles já vieram aqui na porta, teve um momento que eles conseguiram um aumento pra gente. Eu sei que, às vezes, eles vêm aqui na porta, mas eu pessoalmente nunca encontrei com eles. (Teleoperadora Maria, 10 de julho de 2014)

> Tem o sindicato, só que eu não sei o nome. Mas, todo ano, eles vêm e fazem a reunião anual aqui na frente, e aí todo mundo desce para escutar as propostas da empresa, o que eles acham, e aí se eles aprovam ou não. Ou então a gente vai até eles e propõe alguma e aí eles vêm e falam com a empresa. (Teleoperadora Marisa, 11 de maio de 2012)

> Não sei bem o que o sindicato faz. Nunca me interessei e, mesmo quando me interessei, já me afastei [...]. Uma vez por ano, quando tem o aumento do salário, eles vêm aqui na frente e ficam entregando jornalzinho pra gente, mas não chega a parar nada. (Teleoperadora Paula, 11 de maio de 2012)

Quando perguntei à teleoperadora Maria, trabalhadora da Atento, se ela se sentia representada pelo Sintetel (sindicato que representa os teleoperadores dessa empresa), ela afirmou:

> Sinceramente, eu acho que não. Porque seria a obrigação deles. Mas eu já vi casos de amigas que foram até eles e eles ficarem do lado da empresa, entendeu? Então eu sinceramente não confio muito, não, acho que eles deveriam ficar do lado do funcionário, né? Mas, pelo que a minha amiga me falou, ela não faltou e eles [a Atento] falaram que ela tinha falta, e ela foi atrás dos direitos dela, e eles [o Sintetel] ficaram do lado da empresa. (Teleoperadora Maria, 10 de julho de 2014)

Em seguida, perguntamos à Maria como ela gostaria que fosse o sindicato: "Não sei, eu sou um pouco desatualizada do que eles poderiam estar fazendo pessoalmente pela gente, não sei". E, quando lhe foi perguntado se teria interesse em saber mais sobre as possíveis atuações de um sindicato: "Sim. Nem que fosse por panfletos, explicando o que eles podem fazer pela gente, quais são os nossos direitos. Porque a gente precisa saber e também saber quando recorrer a eles" (teleoperadora Maria, 10 de julho de 2014).

---

[8] Para preservar a integridade dos teleoperadores, todos os nomes citados ao longo do texto são fictícios.

Quando questionamos a teleoperadora Marisa a respeito do modo como ela percebia a atuação do Sintetel na Atento, ela declarou o seguinte:

> Eu acho que eles não são tão presentes. Eles aparecem mais em época de dissídio [...] acho que eles poderiam vir mais. Eles não entram na empresa, acho que eles deveriam entrar, checar como é o funcionamento da empresa, como é o tratamento. Porque, no meu setor, quanto ao gestor, supervisor, não tem problema, porém tem andares que não são. Você escuta que tem supervisores que são grossos, arrogantes [...] a gente escuta isso pelos corredores [...]. E acho que isso seria a função deles, entrar, verificar, fazer uma auditoria. (Teleoperadora Marisa, 11 de maio de 2012)

A teleoperadora Silvana, filiada ao Sintetel, expressa da seguinte forma sua percepção a respeito da atuação do sindicato na cidade de Campinas, bem como das possibilidades de realização de greves e mobilizações no setor de *call center*:

> Sendo sincera, o pessoal aqui da região de Campinas tem medo de se organizar para reivindicar alguma coisa. E depois é muito fácil cobrar do sindicato: "Ah, o sindicato não faz nada". O sindicato já veio aqui para parar a empresa, ninguém quis [...] aqui eu acho que as pessoas são muito mal informadas, elas não entendem que a partir do momento que o sindicato manda você parar [...] elas ficam com medo e dizem: "Ah, mas eu vou ser mandada embora". Não, isso está na CLT. A partir do momento que o sindicato tomou a frente de uma paralisação, a empresa não pode mandar embora em momento algum. Eu acho que o pessoal aqui não tem orientação nenhuma. O que falta aqui é isso [...]. O sindicato passa, mas o pessoal não acredita. O pessoal aqui descredibiliza muito o sindicato. Sindicato vai lá em São Paulo, vai na Barra Funda, vai ali na [rua] 7 de Abril, na República, o sindicato para. *Ele* fala: "Vamos parar". O pessoal para. Aqui eu acho que as pessoas são muito mal informadas [...]. O pessoal de lá [da cidade de São Paulo] não é tão acomodado quanto aqui [...]. O pessoal [de Campinas] não procura informação, lá em São Paulo a informação não chega na mão da gente, de mão beijada. A gente começa a perguntar, chega alguém em você e fala: "Ah, o sindicato hoje tá falando isso e isso". Aí é interessante pra você, você começa a ouvir, você começa a ter informação. Aqui já não, você vai falar de sindicato, o pessoal já: "Ah, sindicato"! Então o pessoal [de Campinas] já tem aquela visão de que o sindicato não funciona. O sindicato passa aqui, mas o pessoal descredibiliza. É igual você pegar um diamante bruto. Lapidar ele dá muito trabalho. O pessoal aqui é muito "bruto", 80% aqui do *site* [Atento de Campinas] são leigos nesse assunto, não sabem dos seus direitos. O sindicato passa, entrega encartes, jornalzinho, mas mesmo assim são poucos que procuram. (Teleoperadora Silvana, 11 de maio de 2012)

Pelos depoimentos citados até aqui, podemos observar que o modo como as teleoperadoras relatam a experiência sindical em sua categoria revela uma tendência a certo distanciamento dos sindicatos em relação às bases. Muitas teleoperadoras nem sequer sabem o nome do sindicato que as representa, ou mesmo como este poderia auxiliá-las na conquista de melhores condições de trabalho.

Ainda que a teleoperadora Silvana, filiada ao Sintetel, atribua a pouca atividade sindical nos *call centers* da região de Campinas-SP ao desinteresse ou à falta de conhecimento dos teleoperadores, sabemos que, para que esse quadro seja revertido, é necessário, justamente, uma proximidade mais eficaz dos sindicatos com a sua base, para que possam instruí-la e informá-la a respeito dessas atividades políticas.

Essa necessidade se torna ainda mais clara se relembrarmos que a categoria dos teleoperadores se constitui justamente de jovens, que vivenciam, na maioria dos casos, seu primeiro emprego e, portanto, não possuem experiência sindical. Assim, caso fosse do interesse dos sindicatos em questão construir um movimento mais orgânico e combativo, deveria fazer parte de suas estratégias a "informação" dessa jovem parcela da classe trabalhadora sobre o universo sindical e político, buscando desse modo uma forma de interação mais eficaz com as bases. Como vimos em alguns depoimentos, as teleoperadoras de fato se interessam pela atuação dos sindicatos e gostariam de ter uma vivência sindical mais intensa em seus espaços de trabalho.

Cabe aqui a ressalva de que a impressão da teleoperadora Silvana de que há um movimento sindical mais dinâmico nos *call centers* da cidade de São Paulo se deve justamente à construção de uma relação mais eficiente dos sindicatos com a base. Como é o caso da unidade do Sintratel em São Paulo, citado por Braga (2012).

## As resistências possíveis dos teleoperadores em seus espaços de trabalho

No intuito de explorar uma dimensão subjetiva e de organização mais autônoma das teleoperadoras em face das contradições que possam vivenciar no trabalho nos *call centers*, perguntamos à teleoperadora Maria a respeito da ocorrência de alguma mobilização independente de seus colegas no espaço de trabalho. Ela diz: "Eu já vi equipe [se] reunir aqui e ir falar com a gestora. Ela atendeu eles, pediu para escolherem um representante, mas até agora não resolveram" (teleoperadora Maria, 10 de julho de 2014).

A reivindicação em questão era a revisão de um dos índices analisados a respeito da qualidade de seus atendimentos. Segundo os teleoperadores, havia uma imprecisão na avaliação de determinado aspecto que os impedia de bater suas metas e, portanto, de obter suas bonificações.

Ainda com o objetivo de investigar as contradições vivenciadas pelas teleoperadoras no trabalho e o modo como se manifestariam diante disso, uma das teleoperadoras revelou um procedimento a que recorrem alguns colegas quando necessitam de uma "pausa extra" para se recompor do alto desgaste desse tipo de atividade:

> Tem uns truques [...] a gente dá uma enrolada com o cliente, às vezes desliga mesmo, às vezes faz de um jeito que ninguém vai saber que você está atendendo. A gente

enrola com o cliente, para aumentar o nosso TMO[9], e aí vai aumentar bastante o TMO. A gente aumenta porque depois a gente tira o fio, porque daí vai caindo uma ligação atrás da outra sem que a gente atenda, e aí o nosso TMO vai caindo, pra não ficar muito baixo enquanto a gente "enrola". A gente faz isso para dar uma desestressada. Quando a gente tá muito estressada a gente vai lá e tira [...]. Porque daí dá para a gente descansar um pouco, interagir um pouco com o colega do lado [...]. Quando a gente faz isso, aparece para o supervisor que estamos disponíveis para atender, mas as ligações que caíram nesse meio tempo não ficam registradas como atendidas, porque fica no mudo. (Teleoperadora Helena, 9 de maio de 2012)

Perguntamos à teleoperadora Helena como ela havia aprendido isso:

Ah, quando a gente entrou, tem o pessoal mais velho que dá umas dicas disso pra gente [...]. O pessoal mais velho não faz só isso, às vezes eles colocam que estão em treinamento e estão dando essa pausa na verdade. (Teleoperadora Helena, 9 de maio de 2012)

Em seguida, perguntamos sobre a possibilidade de reivindicarem a regulamentação de tempos maiores de pausa durante a jornadas de trabalho, e ela disse:

Muita gente reclama, mas não faz nada, ou já estão tão acostumados que já têm os macetes. Não só que nem a gente faz, sabe? Mas uma mão lava a outra. Por exemplo, um teleoperador com um supervisor, dependendo do tempo que eles se conhecem. Por exemplo, tem uma menina que é filha da supervisora dela, e aí pode fazer tudo que a mãe encobre ela. Tem uma amiga nossa, ela é muito amiga de um supervisor [...] eles se conhecem há bastante tempo, então quando ela precisa que ele encoberte ela, ele encoberta. Por exemplo, às vezes consegue folga, consegue ficar sexta, sábado e domingo, ou desconta no banco de horas. (Teleoperadora Helena, 9 de maio de 2012)

Sobre o último relato da teleoperadora Maria – a respeito da reivindicação organizada independentemente por seus colegas –, cabe ressaltarmos que os teleoperadores, apesar de jovens e "inexperientes" no universo político e sindical, também estão expostos aos dilemas que podem surgir da contradição entre capital e trabalho, gerência e trabalhadores. E, diante disso, mostram disposição de se organizar

[9] TMO (Tempo Médio de Operação) refere-se ao tempo que o teleoperador fica na linha para atender um cliente. Esse tempo é medido por um *software* instalado no computador do atendente. A empresa estipula um tempo médio para cada setor do *call center*. Uma equipe, ou teleoperador, que tenha um TMO menor que o estipulado é considerado ocioso e, portanto, avaliado de forma negativa pela empresa; ter um TMO maior do que o estipulado significa que há baixa eficiência no trabalho, ou seja, muitos clientes esperando na linha para serem atendidos, consequentemente a avaliação da equipe ou do teleoperador também fica negativa nesses casos. Estar dentro do TMO estabelecido é um dos critérios de avaliação de qualidade do teleoperador, além de ser uma de suas "metas" relacionadas à possível obtenção de bônus salarial.

e marcar seus limites dentro dessa disputa. Esse caso poderia servir de estímulo à reflexão para sindicatos e partidos políticos interessados na atualidade da luta de classes, para que possam pensar e ajudar a construir novas formas de aproximação dessa categoria, fortalecendo a luta por suas demandas específicas e contribuindo, assim, para a construção – em um plano mais amplo – de uma possível solidariedade entre os diversos setores da classe trabalhadora.

Quanto aos relatos de Helena, principalmente no que se refere às burlas praticadas pelos teleoperadores, eles são importantes por mostrar que, para além de todo o rígido controle do trabalho nos *call centers* e dos apontamentos das tendências de preponderância dos discursos corporativistas sobre os trabalhadores – fato que resultaria, entre outros, na tendência do chamado "roubo da subjetividade" do trabalhador, típico da época toyotista –, a contradição entre capital e trabalho continua viva. Mesmo em condições de trabalho extremamente adversas, os teleoperadores não perderam a capacidade de se posicionar diante dessa contradição, buscando uma "brecha", ainda que mínima, para exercer alguma autonomia em face de toda tentativa de controle sobre si mesmos. Sabemos que essas burlas se dão mais no sentido da "sobrevivência" dos teleoperadores sob as condições de trabalho nos *call centers* do que no de uma expressão de "rebeldia no trabalho". Porém, por menor que seja, pode ser um indicativo de que, mesmo nessas novas frações da classe trabalhadora, em que há pouca ou nenhuma tradição de lutas políticas, alta rotatividade de postos e dificuldade de organização sindical, pode haver espaço para a construção de movimentos trabalhistas mais amplos e combativos.

Vale notarmos também, no depoimento de Helena, um traço de possível construção de solidariedade entre os teleoperadores. Podemos considerar essa hipótese quando ela menciona que as burlas praticadas foram ensinadas pelos teleoperadores mais velhos. Nesse mesmo sentido, também podemos considerar a relação de "proteção" que se estabelece entre alguns supervisores e seus teleoperadores. Por mais que a existência dessas relações coloque alguns teleoperadores em posição privilegiada, é interessante notar que, sendo supervisor, geralmente um teleoperador que subiu de cargo – estando assim mais próximo dos patrões do que dos trabalhadores –, ele continua estabelecendo uma relação de alteridade com os teleoperadores, realizando algumas "concessões".

## Conclusão

Apesar das dificuldades que a alta rotatividade e a falta de experiência sindical da maioria dos teleoperadores coloca para a organização política e sindical dessa categoria, a falta de interesse pelo movimento sindical não parece ser uma tendência, como vimos nos depoimentos acima. A questão da gestão por metas, individuais e coletivas, nos *call centers*, bem como a perseguição dos poucos trabalhadores sindicalizados e a ameaça de demissão dos que estão "mais presos" ao trabalho (como é o caso de mulheres com filhos e/ou aqueles de idade mais avançada e/ou com pouca qualificação para a entrada no mercado de trabalho formal, e LGBTs com baixa qualificação), também dificulta a construção de uma solidariedade entre esses trabalhadores, na medida em que cria um clima de individualização, competição e supervisão de uns pelos outros. Da mesma forma, o rígido controle do tempo de trabalho nos *call centers* dificulta o diálogo e a interação dos trabalhadores em direção a uma possível construção de laços de solidariedade. Porém isso não impossibilita a sua construção, como também pudemos observar em algumas passagens acima. Além disso, mesmo diante desse cenário adverso, é possível ver algumas greves realizadas no setor, como as organizadas pelo Sintratel em alguns *call centers* de São Paulo e Campinas, também mencionadas por nós.

Para além da alta rotatividade desse setor, pensar a organização da luta por melhores condições de trabalho dos teleoperadores – e não só – é uma tarefa de extrema importância. Isso na medida em que um grande contingente da força de trabalho feminina, LGBT e, sobretudo, jovem do nosso país ingressa no mercado de trabalho via telemarketing e, futuramente, poderá compor outros setores (serviços, indústria etc.), levando com eles as experiências políticas adquiridas nesse setor. É importante lembrar que os *call centers* estão entre os setores de serviços e privados que mais empregam no país, e têm um papel importante nos tempos da acumulação flexível, realizando a mediação entre as esferas produtiva e de consumo, o que reforça a necessidade de organização sindical, e sobretudo política, dessa fração da classe trabalhadora.

# 26

# Trabalho e crise social no Brasil contemporâneo

*Ricardo Lara*
*Mauri Antônio da Silva*

## Introdução

A crise do capitalismo manifestada nos anos 1970 chega até nossos dias como crise estrutural do sistema do capital e está destinada a se agravar consideravelmente no sentido de "invadir não apenas o mundo das finanças globais mais ou menos parasitárias" mas também todos os domínios de nossa vida social, econômica e cultural, "afetando cada aspecto da vida, desde as dimensões reprodutivas diretamente materiais às mais mediadas dimensões intelectuais e culturais" (Mészáros, 2011a, p. 17).

No século XXI, persistem as enormes desigualdades sociais provocadas pela centralização e concentração de capitais em mãos de uma minoria cada vez menor de capitalistas. A concentração de riquezas continua se acelerando. O ano de 2017 registrou o maior aumento no número de bilionários da história – um novo bilionário a cada dois dias. Esse montante acumulado nas mãos de poucos teria sido suficiente para acabar mais de sete vezes com a pobreza extrema global. Oitenta e dois por cento de toda a riqueza gerada em 2017 ficou nas mãos de 1% da população mundial (os mais ricos) e nada ficou com os 50% mais pobres (Oxfam, 2019, p. 2).

As regressões nos direitos sociais, inclusive trabalhistas, visam à manutenção da reprodução ampliada do capital, que se intensifica com a destruição da natureza e da humanidade por meio do desemprego e da precarização do trabalho.

O desemprego tem gerado insegurança nos trabalhadores e debilita suas forças para lutar coletivamente pelos seus direitos. Estudo da Organização Internacional do Trabalho (OIT, 2015) registrou 201 milhões de pessoas desempregadas no mundo em 2014, 30 milhões a mais do que antes do início da crise capitalista de 2008. Em 2018, o desemprego atingiu 211 milhões de pessoas[1]. No Brasil, a

[1] A OIT (2019), em seu relatório anual "Tendências do Emprego Global 2019", afirma que o desemprego está em queda globalmente, mas as condições de trabalho não melhoraram. Mais de 3,3 bilhões de pessoas empregadas no mundo em 2018 não tinham níveis adequados de

taxa de desemprego atingiu 6,5% em 2013, 6,8% em 2014 e chegou a 12,4% em março de 2019 (IBGE, 2019).

A crise social que atinge o Brasil tende a se agravar pela política de ajuste fiscal implantada pelo governo federal, ancorada na política de restrição de acesso aos direitos sociais e no aumento da taxa de juros, que, no final de julho de 2015, já estava em 14,25% ao ano.

Portanto, os fatos e os dados indicam que a crise social vem se manifestando com maior intensidade na sociedade brasileira e a conjuntura nacional colocará em prova, mais uma vez, as forças de resistência do trabalho contra as ofensivas do capital em todas as dimensões da vida social.

## Ascenso conservador e regressões de direitos trabalhistas

O desgaste do modelo econômico neoliberal do presidente Fernando Henrique Cardoso resultou em baixas taxas de crescimento econômico, destruição do patrimônio público por meio das privatizações, aumento da pobreza, altas taxas de desemprego e intensa flexibilização de direitos trabalhistas[2]. Nas eleições de 2002 elegeu-se o presidente Luiz Inácio Lula da Silva, despertando a esperança do povo brasileiro em mudanças sociais, mas, para a classe trabalhadora, estas se deram em doses homeopáticas: na maioria dos casos, atingiram contingentes empobrecidos da sociedade brasileira por meio de políticas de transferência de renda, fortalecimento da agricultura familiar e acesso ao ensino superior; políticas de flexibilização dos direitos dos trabalhadores tiveram continuidade e pouco foi feito para refrear as contrarreformas nas políticas sociais.

No primeiro mandato de Lula da Silva, uma de suas medidas iniciais de governo, com o apoio da maioria do Congresso Nacional, foi a retirada de direitos previdenciários dos servidores públicos, instituindo a cobrança de contribuição para servidores aposentados, estabelecendo o teto do Regime Geral da Previdência Social (RGPS) para as aposentadorias e autorizando a criação de fundo privado de pensão para os futuros servidores que almejassem complementar sua aposentadoria, que seria concedida pelo Regime Próprio de Previdência Social (RPPS). Na economia, o ministro da Fazenda, Antonio Palocci, deu continuidade à política macroeconômica conservadora, com base nos mesmos pressupostos de Fernando Collor, Itamar Franco e Fernando Henrique Cardoso. Já na posse, o governo deu indicativo da direção da política econômica, nomeando como presidente do Banco Central Henrique de Campos Meirelles, ex-gerente-geral

segurança econômica, bem-estar material ou oportunidades para avançar. No total, 172 milhões de trabalhadores não tinham emprego em 2018. Outro desafio é o tamanho do setor informal, com 2 bilhões de trabalhadores, ou 61% da força de trabalho global.

2 Sobre as reformas trabalhistas no governo Cardoso, ver Galvão (2007).

do Banco Fleet Boston, sétimo banco em importância nos Estados Unidos e segundo no que se refere à hierarquia dos credores brasileiros (Borón, 2010).

A retomada cíclica do crescimento da economia mundial, a partir de 2004, possibilitou ao Brasil a expansão do Produto Interno Bruto (PIB), com melhoria na distribuição de renda, incremento real do salário mínimo[3] e ampliação significativa de empregos, dando assim sólida base de apoio social para a reeleição de Lula da Silva em 2006. Isso manteve a continuidade da política que combinou rigoroso equilíbrio fiscal, nos moldes preconizados pelo FMI, com expansão das políticas sociais compensatórias para aliviar a pobreza.

No que se refere à distribuição de renda, houve queda no índice de Gini de 0,596 em 2001 para 0,543 em 2009. A partir de 2003, a melhoria da distribuição de renda foi acompanhada de elevação da renda média dos brasileiros, porém, no Brasil, ainda há uma alta concentração de renda. Em 2009, os 10% mais ricos se apropriavam de 42,8% da renda identificada pela PNAD (Dieese, 2012a).

De acordo com Ricardo Antunes, "o governo Lula, que poderia ter ao menos iniciado o primeiro embate contra o neoliberalismo no Brasil [...] se tornou dele prisioneiro", convertendo-se em "uma variante social-liberal que *fortaleceu* ao invés de *desestruturar* os pilares da dominação burguesa no país" (Antunes, 2011a, p. 148). A gestão de Lula da Silva atenuou a primazia dos financistas em favor de maior equilíbrio com o agronegócio e os exportadores industriais, e "com esta variante de social-liberalismo os principais grupos econômicos mantiveram altas taxas de rentabilidade" à custa da maioria da população pobre trabalhadora (Katz, 2012, p. 89).

Dilma Rousseff, eleita para administrar o país a partir de 2011, continuou a governar priorizando a destinação de recursos para o grande capital em prejuízo dos direitos sociais universais, fortalecendo assim a formação de novos megaconglomerados brasileiros e a internacionalização da economia. Para Gonçalves (2013), os governos de Lula da Silva e Dilma Rousseff praticaram um "desenvolvimentismo" às avessas, mantendo o caráter dependente da economia brasileira.

Segundo Gonçalves (2013), o modelo liberal periférico, que teve início com o governo Collor, progrediu significativamente no governo Cardoso e se consolidou nos governos Lula e Dilma, quando não houve "grandes transformações estruturais". Para o autor, os eixos do nacional-desenvolvimentismo foram invertidos. O que se constata é

> desindustrialização, dessubstituição de importações; reprimarização das exportações; maior dependência tecnológica; maior desnacionalização; perda de competitividade

[3] A partir de 2008, o salário mínimo passou a ser reajustado com base na variação do INPC apurado desde a correção anterior, acrescido de um ganho real que equivale à variação do PIB de dois anos antes (Dieese, 2012, p. 369). Essa política de valorização trabalhista, que resultou da mobilização e pressão das centrais sindicais, vigorou até janeiro de 2019, fazendo parte de medidas dos governos Lula e Dilma que ampliaram a regulação pública do mercado de trabalho (Krein e Biavaschi, 2015).

> internacional, crescente vulnerabilidade externa estrutural na esfera financeira, que expressa a subordinação da política de desenvolvimento à política monetária focada no controle à inflação. (Gonçalves, 2013, p. 169)

Durante o ano de 2014, os sinais de colapso já estavam presentes, a economia cresceu pouco e a tendência de agravamento da crise econômica levou os empresários a pressionar o governo e os candidatos à Presidência a assumir a retomada da ofensiva neoliberal no país, buscando com isso colocar na agenda política a flexibilização de direitos trabalhistas, a redução da carga tributária e a ampliação das privatizações.

No segundo turno das eleições presidenciais de 2014, Dilma foi reeleita por uma apertada margem de votos, e o ano de 2015 se iniciou com manifestações de milhares de pessoas que foram às ruas, seguidas de ameaças de *impeachment* animadas por setores de direita e da grande mídia reacionária. O objetivo da burguesia brasileira, associada à burguesia internacional, com a crise social e sua face de "crise política" apresentada por meio das manifestações por ela organizadas, seria forçar o governo e o parlamento a atender as pautas de reivindicações do grande capital, que destruiriam os direitos sociais, a proteção do mercado interno e a soberania nacional. Em contraponto, as centrais sindicais e os movimentos sociais, que se manifestaram com milhares de trabalhadores contra as tentativas de desestabilização da democracia, realizaram um ato nacional em defesa da Petrobras, dos direitos trabalhistas e da convocação de um plebiscito por uma Constituinte para a reforma do sistema político.

No final de 2014, ainda durante a campanha para a Presidência da República, prenunciava-se que o eleito, fosse da situação ou da oposição, realizaria um ajuste fiscal na economia brasileira. Em dezembro de 2014, a presidenta eleita apresentou um pacote que restringiu o acesso a direitos trabalhistas e previdenciários com o objetivo de economizar 18 bilhões de reais. As medidas provisórias 664 e 665, aprovadas no Congresso Nacional, em 2015, implicaram reduções no pagamento do abono salarial do Programa de Integração Social (PIS), no seguro-desemprego, nas pensões por morte, no auxílio-doença e no seguro-defeso. Depois de enviadas ao Congresso Nacional, as medidas provisórias sofreram rejeição unânime das centrais sindicais em declarações oficiais, manifestações de rua e protestos que se estenderam por todo o país no dia 1º de maio, sem, no entanto, alcançar o objetivo de impedir a sua aprovação parcialmente modificada pelos deputados federais e senadores em negociação com o governo.

Voltando um pouco na história: em 2012 os empresários apresentaram ao parlamento e ao governo federal o estudo *101 Propostas para Modernização Trabalhista*. Entre essas propostas encontra-se a terceirização das atividades-fim das empresas. A redução dos direitos trabalhistas é defendida pela Confederação Nacional da Indústria (CNI) como "fator necessário para aumentar a competitividade da indústria brasileira" (CNI, 2012). Em consonância com essa ofensiva empresarial, a Câmara dos Deputados aprovou, em abril de 2015, o projeto de lei que amplia as terceirizações no Brasil (PL 4.330/2004), permitindo que as atividades-fim também sejam terceirizadas, e enviou esse PL para análise do Senado.

A ampliação das possibilidades de terceirização desejada pelos capitalistas significará principalmente o crescimento da precarização das condições de trabalho, com o aumento da rotatividade no trabalho e de acidentes nos locais de trabalho. Atualmente, o tempo de permanência no trabalho é de 5,8 anos para os trabalhadores diretamente contratados, em média. Para os terceirizados, é de 2,7 anos (CUT e Dieese, 2014).

O movimento de ampliação da terceirização no Brasil ganhou impulso a partir dos anos 1990, coincidindo com o movimento de abertura da economia, a desregulamentação das leis trabalhistas e a "estabilização" da moeda por meio do Plano Real, em 1994 (Pochmann, 2012). A ampliação da terceirização está associada à busca de redução de custos com a força de trabalho, o que corresponde à lógica empresarial de que, em momentos de baixas taxas de crescimento econômico e condição desfavorável de competição em relação ao exterior, a saída é reduzir ao mínimo o custo da força de trabalho. Desse modo, explica-se a voracidade dos capitalistas em buscar uma ampliação das possibilidades de terceirização, no momento em que as taxas do PIB apontam para uma possível recessão econômica no país.

De acordo com o dossiê *Terceirização e desenvolvimento: uma conta que não fecha*, produzido pela CUT em parceria com o Dieese, 26,8% dos trabalhadores assalariados no Brasil já são terceirizados. Os terceirizados ganham menos, trabalham mais e correm mais risco de sofrer acidentes. Em dezembro de 2013, os trabalhadores terceirizados recebiam 24,7% menos do que aqueles que tinham contrato direto com as empresas e trabalharam três horas a mais semanalmente, sem considerar o total de horas extras ou banco de horas que não são objeto de levantamento estatístico do Ministério do Trabalho e Emprego.

Para piorar a situação do trabalhador brasileiro, em julho de 2015, as duas maiores centrais sindicais do país, a CUT e a Força Sindical, deram aval para a medida provisória que autorizará a redução de jornada com redução de salários em empresas com comprovada dificuldade financeira. A medida provisória 680, que institui o Programa de Proteção ao Emprego (PPE), permitirá a empresas que alegarem dificuldades financeiras temporárias diminuir em até 30% a jornada de trabalho, com a redução proporcional do salário do trabalhador, desde que aprovado em acordo coletivo com os sindicatos e mediante deliberação em assembleias dos trabalhadores.

No Brasil, a idade mínima para o trabalho é dezesseis anos e entre catorze e dezesseis anos os menores podem ser contratados como aprendizes. Porém, outra iniciativa de regressão social em curso no Congresso Nacional é a tentativa de redução da idade mínima para o trabalho infantil no Brasil (Marques; Silva, 2012).

Em julho de 2015, as Propostas de Emenda à Constituição Federal n. 35/11, 18/11 e 274/13, que reduzem para catorze anos a idade mínima para o trabalho infantil, aguardavam votação na Comissão de Constituição e Justiça e de Cidadania da Câmara dos Deputados (Câmara dos Deputados, 2019).

## Sindicalismo, ofensivas ao trabalho e greves

O conjunto de transformações nas relações laborais ocorridas nas últimas décadas implicou uma crise sindical decorrente da incapacidade dos sindicatos de enfrentar os efeitos do projeto neoliberal e das novas estratégias de organização e gestão do trabalho. O sindicalismo de participação surge como estratégia da maior central sindical brasileira, a CUT, em detrimento de um sindicalismo de classe e de confronto com o capitalismo para a defesa dos direitos dos trabalhadores.

A reconfiguração do movimento sindical brasileiro se estabelece pela maior pulverização das centrais sindicais. Em termos organizacionais, um momento central desse processo talvez seja a integração das centrais sindicais à estrutura sindical corporativa de Estado, com anuência e apoio da CUT. Com a Lei 11.648/2008, que aprovou seu reconhecimento legal e pertencimento à estrutura, a pulverização e a fragmentação de centrais sindicais passaram à ordem do dia. Nesse contexto, de um lado estão as centrais que romperam com a CUT, tecendo críticas ao consenso com as políticas regressivas do governo, entre as quais a CSP-Conlutas, a Intersindical e, mais recentemente, em 2014, a Intersindical – Central da Classe Trabalhadora; de outro, as centrais por pragmatismo e aquelas de olho nos vultosos montantes de recursos cedidos pelo governo mediante a contribuição obrigatória do imposto sindical – algumas das quais romperam com a CUT, outras com a Força Sindical –, ou mesmo aquelas que se aglutinaram para conter o mínimo legal de cem sindicatos filiados, que é requisitado para serem reconhecidas pelo Estado.

De acordo com Galvão (2012, p. 187-8), esse processo de reconfiguração do movimento sindical pode ter sido causado por três fatores. O primeiro deles é a manutenção da política macroeconômica conservadora do governo Fernando Henrique Cardoso, além da série de contrarreformas que reduziram direitos trabalhistas, como a "reforma da previdência", que levou à retirada de direitos dos servidores públicos. Esse primeiro fator levou ao processo de cisão que resultou na criação de novas organizações: a Coordenação Nacional de Lutas (Conlutas) em 2004 e a Intersindical em 2006. O segundo fator foi a aproximação da CUT e da Força Sindical na base de apoio ao governo Lula, com a participação de dirigentes da Força Sindical no Ministério do Trabalho e Emprego. Em terceiro lugar, destaca-se a criação dos órgãos consultivos pelo governo Lula para envolver o movimento sindical numa estratégia de negociações tripartites com o empresariado – o Conselho de Desenvolvimento Econômico e Social (CDES) e o Fórum Nacional do Trabalho (FNT) – para discutir as "reformas" previdenciária, tributária, trabalhista e sindical.

Esses fatores estão presentes no movimento sindical brasileiro, os quais indicam uma crise permanente nas tradicionais formas de organização classista e defesa dos interesses dos trabalhadores. Galvão (2012) indica ainda que, por um lado, pode estar ocorrendo uma revitalização de parcela do movimento sindical quando se buscam reorganizações em face do descontentamento com as políticas do governo e com as centrais sindicais mais próximas a ele, ou, por outro lado, pode estar havendo uma acomodação política à nova legislação sindical de Estado para auferir benefícios por ela introduzidos.

Diante desse quadro do movimento sindical, o que temos concretamente são os ataques aos direitos sociais e a crescente precarização do trabalho, mesmo que, em alguns momentos, os dados ofereçam indicativos de melhores condições sociais para as classes populares. Nas conjunturas de recuperação econômica que ocorrem de 2004 até 2008, houve conquista de ganhos salariais acima da inflação para parte significativa das categorias, embora, na maior parte do período analisado, os indicadores sejam bastante modestos: de 0,01% a 1% acima do INPC-IBGE (Dieese, 2012a, p. 294). Uma análise mais recente das negociações de 2011 registra um aumento real médio de 1,68% em 2010 e de 1,38% em 2011 (Dieese, 2012c, p. 26).

Contudo, a instabilidade no trabalho permanece como traço estrutural da realidade brasileira, como mostra a alta taxa de rotatividade no mercado de trabalho, que impede a estabilidade dos trabalhadores. Na primeira década deste século, a rotatividade apresentou taxas que variaram de 43,6% (2004) a 52,5% (2008), chegando a 53,8% (2010) (Dieese, 2012a, p. 284).

O aumento da geração de empregos na última década foi um fato positivo, que manteve a base social de Lula e Dilma, mas cabe ressaltar que os maiores saldos líquidos das novas ocupações abertas estão concentrados na faixa de 1,5 salário mínimo: "Dos 2,1 milhões de vagas abertas anualmente, em média 2 milhões encontram-se na faixa de até 1,5 salário mínimo mensal" (Pochmann, 2012, p. 22).

A inquietação social dos trabalhadores, por meio das greves, ressurge como resposta a essa realidade adversa do mercado de trabalho. Registra-se que, somados, os funcionários públicos em luta por melhores salários e planos de carreira e os trabalhadores da iniciativa privada em reivindicação de mais direitos, garantia de manutenção das cláusulas dos acordos coletivos e contra a retirada de direitos realizaram 518 greves em 2009 e 446 em 2010 (Dieese, 2012b). Nos anos seguintes, há aumento das greves, o que se correlaciona com uma conjuntura mais favorável para as reivindicações em face do aumento da formalização de empregos. Porém os ganhos salariais ainda não são suficientes para recompor as perdas salariais de anos anteriores. Em diversas categorias, existe a percepção de que as más condições de trabalho e o descumprimento de leis trabalhistas persistem, o que leva os trabalhadores a recorrer a novas mobilizações para reverter a situação.

De acordo com o Dieese (2015a), entre 2010 e 2012, o número de greves passou de 444 no primeiro ano desse intervalo e para 552 em 2011, chegando a 870 no ano seguinte, registrando aumento de 96%.

**Quadro 1. Total de greves, por esfera, no Brasil (2010-2012)**

| Esfera | 2010 | 2011 | 2012 | Variação (2010-2012) |
|---|---|---|---|---|
| | n. | n. | n. | % |
| Esfera pública | 268 | 325 | 409 | 53 |
| Esfera privada | 176 | 227 | 461 | 162 |
| Total | 444 | 552 | 870 | 96 |

Fonte: Dieese (2015a), Sistema de Acompanhamento de Greve (SAG) (adaptado).

Em relação ao número de horas paradas, foram 44.718 horas não trabalhadas nas greves de 2010 e 63.004 nas de 2011, atingindo 86.622 em 2012, o que configura um aumento de 93% em relação a 2010.

**Quadro 2. Total de horas paradas, por esfera, no Brasil (2010-2012)**

| Esfera | 2010 | 2011 | 2012 | Variação (2010-2012) |
|---|---|---|---|---|
| | n. | n. | n. | % |
| Esfera pública | 38.077 | 52.735 | 65.393 | 72 |
| Esfera privada | 6.641 | 10.269 | 21.229 | 220 |
| Total | 44.718 | 63.004 | 86.622 | 93 |

Fonte: Dieese (2015a), Sistema de Acompanhamento de Greve (SAG) (adaptado).

As greves na esfera pública registraram um crescimento de 53%, enquanto, na esfera privada, esse aumento chegou a expressivos 162%. Em 2012, as greves da esfera pública deixaram de ser predominantes em relação às da esfera privada, diferentemente do que ocorreu nos anos de 2010 e 2011. Quanto ao caráter das reivindicações, os estudos do Dieese sobre as cláusulas reivindicadas mostram que há predomínio das greves defensivas (luta pela manutenção de direitos) em relação às greves propositivas (luta por novos direitos).

**Quadro 3. Caráter das reivindicações das greves, por esfera, no Brasil (2010-2012)**

| Esfera pública | Caráter | 2010 | 2011 | 2012 | Variação (2010-2012) |
|---|---|---|---|---|---|
| | | n. | n. | n. | % |
| | Propositivas | 224 | 264 | 270 | 21 |
| | Defensivas | 117 | 214 | 289 | 147 |
| | Propositivas | 127 | 159 | 289 | 128 |
| | Defensivas | 84 | 227 | 285 | 239 |

| Esfera pública | Caráter | 2010 | 2011 | 2012 | Variação (2010-2012) |
|---|---|---|---|---|---|
| | | n. | n. | n. | % |
| | Propositivas | 352 | 425 | 561 | 59 |
| | Defensivas | 202 | 343 | 589 | 192 |

Fonte: Dieese (2015a), Sistema de Acompanhamento de Greve (SAG).

Em 2013, as greves seguem numa espiral crescente. Levantamento preliminar do Dieese (2015d) registrou 1.901 greves, com a hegemonia daquelas de caráter defensivo (74,6%) contra as de caráter propositivo (57,7%)[4]. Esse é o maior registro da série histórica do Sistema de Acompanhamento de Greve (SAG) do Dieese. Houve elevação do número de greves no setor privado, mas o tempo de duração das greves no setor público é maior. No setor privado, as greves atingem o núcleo do capitalismo, a produção da mais-valia, por isso a tendência é que se resolvam mais rapidamente por meio de negociações ou atuação da Justiça do Trabalho. Quanto às principais reivindicações, destacam-se nas greves dos servidores públicos: reajuste salarial (46%), plano de cargos e salários (38,5%), condições de trabalho (36, 2%), piso salarial (17,7%), contratação (17,1%). Já no setor privado, as principais reivindicações são: alimentação (37,8%), reajuste salarial (28,5%), atrasos de salário (26,1%), participação nos lucros e resultado (21,6%) e assistência médica (14,4%).

### Quadro 4. Total de greves e horas paradas nas esferas pública e privada, por setor, no Brasil (2013)

| Esfera/Setor | Greves | | Horas Paradas | |
|---|---|---|---|---|
| | n. | % | n. | % |
| **Esfera pública** | **855** | **45** | **71.545** | **68,7** |
| Funcionalismo público | 729 | 38,3 | 67.652 | 65 |
| Federal | 30 | 1,6 | 1.069 | 1 |
| Estadual | 241 | 12,7 | 24.732 | 23,7 |
| Municipal | 449 | 23,6 | 41.747 | 40,1 |
| Multiníveis[1] | 9 | 0,5 | 104 | 0,1 |
| Empresas estatais | 126 | 6,6 | 3.893 | 3,7 |
| **Esfera privada** | **1.039** | **54,7** | **32.354** | **31,1** |
| **Esfera pública e privada[2]** | **7** | **0,4** | **256** | **0,2** |
| Total | 1.901 | 100 | 104.155 | 100 |

Fonte: Dieese (2015a), Sistema de Acompanhamento de Greves (SAG). [1] Greves de funcionários públicos de diferentes níveis da administração. [2] Greves das esferas pública e privada. Observação: as horas paradas são o somatório da duração, em horas, de cada greve, com limite máximo de oito horas para cada dia de cada paralisação.

[4] Arquivo com o *Levantamento preliminar* enviado ao e-mail dos autores, em 21 de julho de 2015, pelo supervisor regional do Dieese no estado de Santa Catarina, José Álvaro Cardoso de Lima, que autorizou o seu uso e divulgação nas pesquisas por nós realizadas. Na ocasião da redação deste artigo, ele nos informou que o levantamento estava atrasado e que, ao final da mensuração,

Ressaltamos que o levantamento das greves de 2013 ainda não foi concluído – por isso seu caráter preliminar –, como também não foi realizado o levantamento do número de greves de 2014. Mas, adiantamos, por ora, que o Dieese analisou os resultados das negociações coletivas de 716 unidades de negociação da indústria, do comércio e dos serviços em 2014, em todo o território nacional, e uma significativa maioria dos reajustes ao longo do ano teve ganhos reais. "Do total dos reajustes examinados, 92% apresentaram aumento real, enquanto 6% se igualaram ao índice inflacionário e 2% não alcançaram a recomposição salarial. O aumento real médio equivaleu a 1,39%" (Dieese, 2015b, p. 2). Segundo o Dieese, o bom resultado das negociações em 2014, superando as conquistas de 2013 num contexto de baixo crescimento econômico e alta da inflação, refletiu uma trajetória de "resultados positivos para a classe trabalhadora" (Dieese, 2015b).

A hegemonia das greves defensivas demonstra que há um grande descumprimento da legislação trabalhista da parte dos empregadores e um descontentamento dos trabalhadores em relação aos padrões salariais, que estão muito distantes do salário mínimo efetivamente necessário para manter uma família de dois adultos e duas crianças[5].

A maioria das greves estão centradas na busca de melhores condições de salário e trabalho. O movimento sindical não conseguiu canalizar as insatisfações dos trabalhadores do setor público e privado para greves gerais contra a política de austeridade fiscal e a retirada de direitos. Várias mobilizações e dias nacionais de luta vêm sendo convocados pelas centrais sindicais, porém sem grande adesão.

O agravamento do desemprego, resultante do ajuste fiscal aprovado pelo governo federal, é fator que pode contribuir para a desmobilização sindical. De acordo com o IBGE (2015), o desemprego nas seis regiões metropolitanas do Brasil chegou a 6,9% em junho de 2015, o pior índice para o mês desde 2010. Em junho do ano anterior, esse índice era de 4,8% (Pavan, 2015). O aperto do ajuste fiscal vem sendo depositado nas costas dos trabalhadores, tanto do setor privado como do público, piorando suas condições de vida.

O aumento das greves evidencia uma breve retomada da disposição da classe trabalhadora para a luta, contrariando a tendência de declínio que vinha sendo experimentada desde o início dos anos 1990. As 873 greves registradas em 2012 são o maior número registrado desde 1996 e são reveladoras de um crescimento significativo, nos últimos anos, do recurso à paralisação do trabalho como instrumento máximo de luta contra os baixos salários, a perda de direitos e as péssimas

---

o número poderia chegar a 2.100 ou 2.150 greves. De fato, em 2013, o Sag-Dieese registrou 2.050 greves, conforme estudo finalizado em 2015. Ver: Dieese, Balanço das greves em 2013. *Estudos e Pesquisas*, n. 79, 2015. Disponível em: https://www.dieese.org.br/balancodasgreves/2013/estPesq79balancogreves2013.pdf). Acesso em: 8 jul. 2019.

[5] Conforme cálculos do Dieese, em maio de 2015 o salário mínimo real deveria ser de R$ 3.377,62. Disponível em: <https://www.dieese.org.br/analisecestabasica/salarioMinimo.html>. Acesso em: jul. 2019.

condições de trabalho – que têm gerado uma onda crescente de acidentes de trabalho, especialmente em setores como o da construção civil (Mattos, 2014).

Lutas por mais verbas e qualidade na saúde e na educação pública, por exemplo, ocorreram por meio de sindicatos do setor público, que mantiveram acesa a chama da luta de enfrentamento às restrições orçamentárias impostas pela política macroeconômica. As manifestações de 2013 impulsionaram greves e táticas dos sindicatos mais combativos. Em muitos estados do país, sindicatos de profissionais da educação fizeram greves no segundo semestre de 2013. No primeiro semestre de 2014, ocorreu a grande greve dos garis no Rio de Janeiro, que obteve ganhos significativos para os trabalhadores. A base dos trabalhadores passou por cima da direção sindical conciliadora, a qual anunciou acordos com a municipalidade jamais aprovados em assembleia da categoria profissional. Para Mattos (2014), o recente ciclo grevista revela a existência de um setor combativo no movimento sindical que convoca e mobiliza os trabalhadores para as greves. Por vezes, até as burocracias acomodadas são obrigadas a convocar paralisações do trabalho. O que chama a atenção nos movimentos grevistas recentes é que, em alguns casos, eles se fazem à margem das direções sindicais e até mesmo contra elas.

Historicamente, o aprofundamento das crises sociais obriga os trabalhadores a se organizarem sindicalmente para defender seus direitos. Torna-se necessário aprofundar as discussões sobre a retomada do sindicalismo classista para revitalizar a luta dos trabalhadores no cenário nacional e mundial, sem ilusões com o Estado burguês. Greves e protestos de massas têm ocorrido em todo o mundo, como a greve nacional da educação federal em 2015 no Brasil, que uniu professores e trabalhadores técnico-administrativos, pressionando o governo federal e o Ministério da Educação a atender sua pauta de reivindicações; longas greves de professores estaduais duramente reprimidas pela Polícia Militar; greves de metalúrgicos contra as demissões; e a paralisação nacional dos petroleiros em julho de 2015, em defesa da manutenção da empresa pública, do patrimônio nacional e contra a desativação de investimentos anunciada pela direção da Petrobras.

A retomada do ciclo grevista e sua continuidade dependerão do fortalecimento da ação sindical combativa, unindo os setores formalizados e terceirizados, em defesa dos seus direitos trabalhistas. Diante desse contexto, entendemos que a redução das taxas de crescimento da economia brasileira em 2014 e as previsões de recessão e crise em 2015 e 2016 já apontavam para a necessidade de fortalecimento da luta pela garantia dos direitos dos trabalhadores e sua ampliação. Além disso, as centrais sindicais estão desafiadas a lutar contra uma série de medidas legislativas que buscam retirar ou reduzir os direitos já conquistados.

Para Antunes (2014a): "Ora contra as direções sindicais, ora com o seu apoio, as greves encontram seu principal elemento causal na precariedade das condições de trabalho e salário" impostas pelo patronato. Portanto, o maior desafio para a classe trabalhadora é buscar a criação de um polo social e político de base que procure oferecer ao país um programa de mudanças anticapitalistas significativas, combatendo as causas reais e históricas que mantêm a estrutura social e política da dominação burguesa no Brasil (Antunes, 2014a).

## Conclusão

O sindicalismo mundial e brasileiro sofreu os impactos da reestruturação da produção e do Estado a partir de 1970, quando se iniciou a crise estrutural do capital, passando da postura ofensiva para a defensiva. No Brasil, o fato de as organizações sindicais e partidárias de esquerda terem adotado a linha de menor resistência durante a época neoliberal significou derrotas importantes para os direitos sociais da classe trabalhadora.

Uma onda conservadora em defesa das regressões sociais no plano laboral e societário vem crescendo no país, exigindo do movimento sindical combativo e de seus aliados nos movimentos sociais uma luta unitária contra o ajuste fiscal e em defesa da democracia, dos direitos sociais, da soberania nacional, da reforma agrária, da reforma urbana, da democratização dos meios de comunicação, da redução da jornada de trabalho para quarenta horas sem redução salarial, dos reajustes automáticos de salários de acordo com a inflação, da taxação das grandes fortunas por meio de uma reforma tributária progressiva, da auditoria da dívida pública, da redução da taxa de juros, entre outras medidas de justiça social que possam melhorar as condições de vida da classe trabalhadora.

As articulações entre o movimento social e sindical são extremamente necessárias para potencializar as lutas contra os ataques aos direitos sociais e a possibilidade de construir genuínas alternativas para o conjunto da sociedade. O caráter cada vez mais mundializado da produção capitalista e da resistência dos trabalhadores impôs, já no século XIX, a constituição da Associação Internacional dos Trabalhadores (AIT), tendo em vista a necessidade de dar ao movimento da classe trabalhadora a orientação de uma estratégia socialista internacional que vise ao reconhecimento das contradições sociais e à superação do sistema do capital em sua totalidade, por meio da unidade de todos aqueles que constroem a sociedade. Enfim, diante dos ataques do capital que se articula em escala internacional, cabe aos trabalhadores conjugar as lutas de resistência do trabalho em escala global.

# Bibliografia geral

ABREU, Alice Rangel de Paiva. *O avesso da moda*: trabalho a domicílio na indústria de confecção. São Paulo, Hucitec, 1986.

______ et al. Produção flexível e relações interfirmas: a indústria de autopeças em três regiões do Brasil. In: ______ (org.). *Produção flexível e novas institucionalidades na América Latina*. Rio de Janeiro, Editora da UFRJ, 2000.

ADAMS, Abi; FREEDLAND, Mark; PRASSL, Jeremias. The "Zero-Hours Contract": Regulating Casual Work, or Legitimating Precarity? In: Labour Law Research Network, Working paper. Londres, 2014. Disponível em: <http://www.labourlawresearch.net/sites/default/files/papers/ZHC%20Working%20Paper%20%28January%202015%29.pdf>. Acesso em: 19 maio 2015.

ADVISORY, CONCILIATION AND ARBITRATION SERVICE (ACAS). Give and Take? Unravelling the True Nature of Zero-hours Contracts. In: Acas Policy Discussion Papers series. Londres, 2014. Disponível em: <http://www.acas.org.uk/media/pdf/6/n/Acas-Policy-Discussion-Paper-Zero-Hours-May-2014.pdf>. Acesso em: 24 out. 2015.

AIZICZON, Fernando. *La experiencia de los obreros de cerámica Zanon, Neuquén, 1983-2002*. Trabalho final de graduação, Departamento de História, Faculdade de Humanidades, Universidade Nacional de Comahue, Neuquén, 2004.

______. *Izquierda y conflicto social*: el clasismo y la práctica del control obrero en Cerámica Zanon, Neuquén (2002-2005). Informe final do concurso: Partidos, movimentos e alternativas políticas na América Latina. Programa Regional de Bolsas Clacso, 2005. Disponível em: <http://bibliotecavirtual.clacso.org.ar/ar/libros/becas/2005/partijov/aiziczon.pdf>.

______. Teoría y práctica del control obrero: el caso de Cerámica Zanon, Neuquén, 2002-2005. *Herramienta*, Buenos Aires, n. 31, mar. 2006.

______. El clasismo revisitado. La impronta del trotskismo en la politización del sindicato ceramista: Zanon bajo control obrero, Neuquén 1998-2006. *Labour Again Publications*, 2007. Disponível em: <http://www.workerscontrol.net/sh/node/25>.

______. Expropiar Zanon. *Herramienta*, Buenos Aires, n. 42, out. 2009a.

______. *Zanon, una experiencia de lucha obrera*. Buenos Aires, *Herramienta*, 2009b.

ALIANÇA Grupo Capoava. *Responsabilidade social empresarial*: por que o guarda-chuva ficou pequeno? São Paulo, GIFE, 2010. Disponível em: <http://site.gife.org.br/publicacao-responsabilidade-social-empresarial-por-que-o-guardachuva-ficou-pequeno-da3c5fff52ec6f.asp>.

ALMEIDA, F. J. Coutinho de. O papel e as funções do sindicato nos diversos países europeus. *Questões Laborais*, v. 7, 1996. p. 31-44.

ALVES, Douglas Santos. *Neoliberalismo, democracia e crise na América Latina*: a gênese do Argentinazo (1976-2001). Dissertação (Mestrado em Ciência Política) – Instituto de Filosofia e Ciências Humanas, Universidade Estadual de Campinas, Campinas, 2009.

ALVES, Francisco José da Costa. Por que morrem os cortadores de cana? *Saúde e Sociedade*, v. 15, n. 3, set.-dez. 2006. p. 90-8.

______. Trabalho e trabalhadores no corte de cana: ainda a polêmica sobre o pagamento por produção e as mortes por excesso de trabalho. In: BISON, Nelson; PEREIRA, José Carlos Alves (orgs.). *Agrocombustíveis, solução?* A vida por um fio no eito dos canaviais. São Paulo, CCJ, 2008.

______; NOVAES, José Roberto Pereira. Precarização e pagamento por produção: a lógica do trabalho na agroindústria canavieira. In: FIGUEIRA, Ricardo Rezende; PRADO, Adonia Antunes; SANT'ANA Jr., Horácio Antunes de (orgs.). *Trabalho escravo contemporâneo*: um debate transdisciplinar. Rio de Janeiro, Mauad X, 2011.

ALVES, Giovanni. *Ofensiva neoliberal, toyotismo e fragmentação de classe*. São Paulo, Universidade e Sociedade, 1996.

______. *O novo (e precário) mundo do trabalho*: reestruturação produtiva e crise do sindicalismo. São Paulo, Boitempo, 2000.

______. *Dimensões da reestruturação produtiva*: ensaios de sociologia do trabalho. Londrina, Práxis, 2007.

______. *A condição de proletariedade*: a precariedade do trabalho no capitalismo global. Londrina, Práxis, 2009.

______. *Trabalho e subjetividade*: o espírito do toyotismo na era do capitalismo manipulatório. São Paulo, Boitempo, 2011.

ALVES, Maria Aparecida. *Setor informal ou trabalho informal?* Uma abordagem crítica sobre o conceito de informalidade. Dissertação (Mestrado em Sociologia) – Instituto de Filosofia e Ciências Humanas, Universidade Estadual de Campinas (Unicamp), Campinas, 2001.

______; TAVARES, Maria Augusta. A dupla face da informalidade do trabalho: "autonomia" ou precarização. In: ANTUNES, Ricardo (org). *Riqueza e miséria do trabalho no Brasil*. São Paulo: Boitempo, 2006. v. 1.

AMORIM, Elaine Regina Aguiar. *No limite da precarização?* Terceirização e trabalho feminino na indústria de confecção. Dissertação (Mestrado em Sociologia) – Instituto de Filosofia e Ciências Humanas, Universidade Estadual de Campinas (Unicamp), Campinas, 2003.

ANDERSON, Perry. Balanço do neoliberalismo. In: SADER, Emir; GENTILI, Pablo (orgs.). *Pós-neoliberalismo*: as políticas sociais e o Estado democrático. 6. ed. Rio de Janeiro, Paz e Terra, 2003.

ANISI, David. *Creadores de escassez*: del bienestar al miedo. Madri, Alianza, 1995.

ANTUNES, Ricardo. Setor informal e urbano e formas de participação na produção. São Paulo, Instituto de Pesquisas Econômicas, 1983.

______. *O novo sindicalismo*. São Paulo, Brasil Urgente, 1991.

______. *O que é sindicalismo*. São Paulo, Círculo do Livro, 1992.

______. *Adeus ao trabalho?* Ensaio sobre as metamorfoses e a centralidade do mundo do trabalho. 2. ed. São Paulo, Cortez, 1995.

______ et al. Trabalho, reestruturação produtiva e algumas repercussões no sindicalismo brasileiro. In: ______ (org.). *Neoliberalismo, trabalho e sindicatos*: reestruturação produtiva na Inglaterra e no Brasil. São Paulo, Boitempo, 1997a.

______ et al. A terceira alternativa. In: Dilemas da Atualidade, São Paulo, Centro de Estudos Sindicais, 1997b.

______. *Adeus ao trabalho?* Ensaio sobre as metamorfoses e a centralidade no mundo do trabalho. 6. ed. São Paulo, Cortez, 1999.

______. *Os sentidos do trabalho*: ensaio sobre a afirmação e a negação do trabalho. São Paulo, Boitempo, 1999.

______. Padrão de acumulação e processo de informalidade na América Latina contemporânea: Brasil e México. *Revista Pesquisa & Debate*, São Paulo, v. 12, n. 1, 2001.

______. *Il lavoro in trappola*. Milão, Jaca Book, 2006.

______ (org.). *Riqueza e miséria do trabalho no Brasil*. São Paulo, Boitempo, 2006. v. 1.

______. Dimensões da precarização estrutural do trabalho. In: DRUCK, Graça; FRANCO, Tânia (orgs.). *A perda da razão social do trabalho*: terceirização e precarização. São Paulo, Boitempo, 2007.

______. Desenhando a nova morfologia do trabalho, *Revista Crítica de Ciências Sociais*, n. 1, 2008. p. 19-34.

______. *Os sentidos do trabalho*. 2. ed. São Paulo, Boitempo, 2009.

______. *Adeus ao trabalho?* Ensaio sobre as metamorfoses e a centralidade do mundo do trabalho. 13. ed. rev. e ampl. São Paulo, Cortez/Editora da Unicamp, 2009a.

______. Os modos de ser da informalidade: rumo a uma nova era da precarização estrutural do trabalho? *Revista Praia Vermelha*, v. 20, n. 1, jan.-jun. 2010.

______. Produção liofilizada e precarização estrutural do trabalho. In: SANT'ANA, Raquel Santos et al. *O avesso do trabalho*: trabalho, precarização e saúde do trabalhador. São Paulo, Expressão Popular, 2010. v. 2.

______. *O continente do labor*. São Paulo, Boitempo, 2011.

______. Os exercícios da subjetividade: as reificações inocentes e as reificações estranhadas. *Caderno CRH*, Salvador, v. 24, n. 1, 2011b. p. 121-31.

______. A corrosão do trabalho e a precarização estrutural. In: LOURENÇO, Edvânia Ângela de Souza; NAVARRO, Vera Lúcia (orgs.). *O avesso do trabalho*: saúde do trabalhador e questões contemporâneas. São Paulo, Outras Expressões, 2013. v. 3.

______. A classe trabalhadora hoje e a nova morfologia do trabalho: informalidade, infoproletariado, (i)materialidade e valor. In: VARELA, Raquel (org.). *A segurança social é sustentável*. Lisboa, Bertrand, 2013a.

______. A nova morfologia do trabalho e suas principais tendências: informalidade, infoproletariado, (i)materialidade e valor. In: ______ (org.). *Riqueza e miséria do trabalho no Brasil*. São Paulo, Boitempo, 2013c. v. 2.

______ (org.). *Riqueza e miséria do trabalho no Brasil*. São Paulo, Boitempo, 2013d. v. 2.

______. Direito de se conformar. *O Estado de S. Paulo*, 14 jun. 2014a. Disponível em: <http://m.estadao.com.br/noticias/ali%E3%A1s,direito-de-se-conformar,1511591,0.htm>. Acesso em: 18 jun. 2014.

______ (org.). *Riqueza e miséria do trabalho no Brasil*. São Paulo, Boitempo, 2014b. v. 3.

______. *O privilégio da servidão*. São Paulo, Boitempo, 2018.

______; BRAGA, Ruy (orgs.). *Infoproletários*: degradação real do trabalho virtual. São Paulo, Boitempo, 2009.

______; PRAUN, Luci. A sociedade dos adoecimentos do trabalho. *Revista Serviço Social e Sociedade*, São Paulo, n. 123, jul.-set. 2015. p. 407-27.

APPELBAUM, Richard P. Giant Transnational Contractors in East Asia. *Competition & Change*, v. 12, n. 1, 2008. p. 69-87.

APPLE. *Annual Report for the Fiscal Year Ended September 29, 2012*. Disponível em: <http://investor.apple.com/secfiling.cfm?filingID=1193125-12-444068&CIK=320193>. Acesso em: 31 dez. 2012.

______. *Our Suppliers*. Disponível em: <http://www.apple.com/supplierresponsibility/our-suppliers.html>. Acesso em: 1° mar. 2013.

ARCARY, Valério. Quando o futuro era agora. Trinta anos da Revolução Portuguesa. *Outubro*, São Paulo, Xamã, n. 11, out. 2004a. p. 71-92.

______. *As esquinas perigosas da história*: situações revolucionárias em perspetiva marxista. São Paulo, Xamã, 2004b.

ARRIGHI, G. China's Market Economy in the Long Run. In: HUNG, H. (org.) *China and the Transformation of Global Capitalism*. Baltimore, The Johns Hopkins University Press, 2009.

ARRUZZA, Cinzia. Rumo a uma "união queer" de marxismo e feminismo? São Paulo, *Lutas Sociais*, n. 27, 2011. p. 159-91.

AUGUSTO PINTO, Geraldo. *A máquina automotiva em suas partes*: um estudo das estratégias do capital na indústria de autopeças. São Paulo, Boitempo, 2011.

AUTOGESTION: l'encyclopédie internationale. Paris, Syllepse/Association Autogestion, 2015.

AZEREDO, Beatriz. Políticas públicas de emprego no Brasil: limites e possibilidades. In: OLIVEIRA, Marco Antonio (org.). *Reforma do Estado e políticas de emprego no Brasil*. Campinas, Editora da Unicamp/Instituto de Economia, 1998.

BAIR, J. Global Capitalism and Commodity Chains. *Competition & Change*, v. 9, n. 2, 2005. p. 153-80.

BARBOSA, Mariana. Boeing e Airbus copiam Embraer para reduzir custos. *O Estado de S. Paulo*, 23 abr. 2008.

BARCELLONA, Pietro. *Posmodernidad y comunidad*: el regreso de la vinculación social. Madri, Trotta, 1992.

BARRETO, António. Mudança Social em Portugal: 1960-2000. In: PINTO, Costa. *Portugal contemporâneo*. Lisboa, D. Quixote, 2005.

BARRETO, Margarida. Assédio moral: trabalho, doenças e morte. In: Seminário Compreendendo o Assédio Moral no Ambiente de Trabalho [manuscrito]: [anais] / coordenação técnica, Cristiane Queiroz, Juliana Andrade Oliveira, Maria Maeno. São Paulo, Fundacentro, 2013.

______; HELOANI, Roberto. Assédio laboral e as questões contemporâneas à saúde do trabalhador. In: LOURENÇO, Edvânia Ângela de Souza; NAVARRO, Vera Lúcia. *O avesso do trabalho*: saúde do trabalhador e questões contemporâneas. São Paulo, Outras Expressões, 2013. v. 3.

BASSO, Pietro. Trade Union Responses to Racism in Italy's Shipbuilding and Metalworking Industries. *Transfer*, n. 13, 3, 2007. p. 432-46.

______. *Razzismo di stato*. Milão, Angeli, 2010.

______. Imigração na Europa. Características e perspectivas. In: ANTUNES, Ricardo (org.). *Riqueza e miséria do trabalho no Brasil*. São Paulo, Boitempo, 2013. v. 2.

BECK, Ulrich. *Sociedade de risco*: rumo a uma outra modernidade. Trad. Sebastião Nascimento. São Paulo, Editora 34, 2011.

BENSAÏD, Daniel. Le domaine public contre la privatisation du monde. *Contretemps*. Paris, n. 5, set. 2002. p. 28-37.

BERLINGUER, Giovanni. *A saúde nas fábricas*. São Paulo, Cebes/Hucitec, 1983.

BERNARDES, Roberto. Embraer: elos entre Estado e mercado. São Paulo, Hucitec, 2000a.

______. Redes de inovação e cadeias produtivas globais: impactos da estratégia de competição da Embraer no arranjo aeronáutico da região de São José dos Campos. Nota Técnica 23. Instituto de Economia da Universidade Federal do Rio de Janeiro – IE/UFRJ, 2000b.

BERNARDO, João. *Capital, sindicatos e gestores*. São Paulo, Vértice, 1987.

______. *Democracia totalitária*: teoria e prática da empresa soberana. São Paulo, Cortez, 2004.

______; DELGADO, Rita. Acidentes de trabalho: contribuição para uma análise. *Revista de Administração de Empresas*. Lisboa, Portugal, v. 27, n. 3, 1985. p. 39-44.

______; PEREIRA, Luciano. *Capitalismo sindical*. São Paulo, Xamã, 2008.

BERNARDOTTI, M. A. Sindacati e discriminazioni razziali nella Sanità italiana. In: MEGALE, A. et al. (org.) *Immigrazione e sindacato*. Roma, Eds, 2006.

______; PEROCCO, F.; SUKHWANT, D. Confronting Racism in the Health Services. *Transfer*, n. 13, 3, 2007. p. 413-30.

BERNHARDT, A. et al. *Broken Laws, Unprotected Workers*. Los Angeles, Ucla, 2009. Disponível em: <http://www.nelp.org/content/uploads/2015/03/BrokenLawsReport2009.pdf>. Acesso em: 22 set. 2014.

BHOWMIK, Sharit. India: Nation-Wide Strike on 20-21 February 2013. *Global Labour Column*, n. 125, 2013a. Disponível em: <http://www.global-labour-university.org/fileadmin/GLU_Column/papers/no_125_Bhowmik.pdf>.

______. The Labour Movement in India: Fractured Trade Unions and Vulnerable Workers. *Rethinking Development and Inequality*, v. 2, 2013b. p. 84-96.

______. Fixing Minimum Wages in India: Skirting Real Issues. *Global Labour Column*, 2015a. Disponível em: <http://column.global-labour-university.org/2015/11/fixing-minimum-wages-in-india-skirting.html>.

______. The Labour Code on Industrial Relations Bill 2015: Tough Times ahead for Labour in India. *Global Labour Column*, 2015b. Disponível em: <http://column.global-labour-university.org/2015/06/the-labour-code-on-industrial-relations.html>.

BIHR, Alain. *Da grande noite à alternativa*: o movimento operário europeu em crise. Trad. Wanda Caldeira Brant. São Paulo, Boitempo, 1998.

BIODIESELBR. Proálcool. Disponível em: <http://www.biodieselbr.com/proalcool/pro-alcool/programa-etanol.htm>. Acesso em: 6 abr. 2013.

BISC Comunitas. *Relatório 2008*: primeiros números e achados. São Paulo, Marca d'Água, 2008. Disponível em: <http://www.comunitas.org/portal/bisc-publicacoes/>.

______. *Relatório 2011*. São Paulo, Comunitas, 2011. Disponível em: <http://www.comunitas.org/portal/bisc-publicacoes/>.

BLECHER, N.; MARTINS, J. R. *O império das marcas*: como alavancar o maior patrimônio da economia global. São Paulo, Negócio, 1997.

BOITO Jr., Armando. A crise do sindicalismo. In: SANTANA, Marco Aurélio; RAMALHO, José Ricardo (orgs.). *Além da fábrica*: trabalhadores, sindicatos e a nova questão social. São Paulo, Boitempo, 2003.

______. A burguesia no governo Lula. *Crítica Marxista*, n. 21. Rio de Janeiro, Revan, 2005.

______; GALVÃO, Andréia; MARCELINO, Paula. Brasil: o movimento sindical e popular na década de 2000. In: OSAL (Buenos Aires: Clacso), año X, n. 26, out. 2009.

BONACICH, E.; HAMILTON, G. G. Global Logistics, Global Labor. In: HAMILTON, G. G.; PETROVIC, M.; SENAUER, B. (orgs.) *The Market Makers*. Oxford, Oxford University Press, 2011.

BONAMIGO, C. A. *O trabalho cooperativo como princípio educativo*: a trajetória de uma cooperativa de produção agropecuária do Movimento dos Trabalhadores Rurais Sem Terra. Dissertação (Mestrado em Educação) – Universidade do Rio Grande do Sul (UFRGS), Porto Alegre, 2001.

BORGES, Beatriz. Mais de 80 empresas colaboraram com a ditadura militar no Brasil. *El País*, 8 set. 2014. Disponível em: <http://brasil.elpais.com/brasil/2014/09/08/politica/1410204895_124898.html>. Acesso em: 17 ago. 2015.

BORÓN, Atílio. *O socialismo no século 21*: há vida após o neoliberalismo? São Paulo, Expressão Popular, 2010.

BOULOS, Guilherme. *De que lado você está?* Reflexões sobre a conjuntura política e urbana no Brasil. São Paulo, Boitempo, 2015.

BOURDIEU, Pierre. A precariedade está hoje por toda parte. In: ______. *Contrafogos*: táticas para enfrentar a invasão neoliberal. Rio de Janeiro, Jorge Zahar, 1998a.

______. *Contrafogos*. Rio de Janeiro, Jorge Zahar, 1998b.

______. *A distinção:* crítica social do julgamento. Trad. Daniela Kern e Guilherme J. F. Teixeira. São Paulo/ Porto Alegre, Edusp/ Zouk, 2007.

BRAGA, Ruy. *A política do precariado*: do populismo à hegemonia lulista. Tese de Livre-Docência. Faculdade de Filosofia, Letras e Ciências Humanas, Universidade de São Paulo (USP), São Paulo, 2012.

BRAND Finance Global 500. Apple Pips Samsung but Ferrari World's Most Powerful Brand. 18 fev. 2013. Disponível: <http://www.brandfinance.com/news/press_releases/apple-pips-samsung-butferrari-worlds-most-powerful-brand>. Acesso em: 19 fev. 2013.

BRASIL. Decreto-Lei n. 395, de 29 de abril de 1938. Declara de utilidade pública e regula a importação, exportação, transporte, distribuição e comércio de petróleo bruto e seus derivados, no território nacional, e bem assim a indústria da refinação de petróleo importado em produzido no país, e dá outras providências. Rio de Janeiro, 1938.

______. Decreto-Lei n. 16, de 6 de agosto de 1966. Dispõe sobre a produção, o comércio e o transporte clandestino de açúcar e do álcool e dá outras providências. Brasília, 1966.

______. Lei n. 8.029, de 12 de abril de 1990. Dispõe sobre a extinção e dissolução de entidades da administração Pública Federal, e dá outras providências. Brasília, 1990a.

______. Decreto n. 99.288, de 6 de junho de 1990. Dispõe sobre a correção monetária das demonstrações financeiras. Brasília, 1990b.

______. Lei n. 8.176, de 8 de fevereiro de 1991. Define crimes contra a ordem econômica e cria o Sistema de Estoques de Combustíveis. Brasília, 1991a.

______. Decreto n. 238, de 24 de outubro de 1991. Dispõe sobre o Sistema Nacional de Estoques de Combustíveis e dá outras providências. Brasília, 1991b.

______. Lei n. 9.478, de 6 de agosto de 1997. Dispõe sobre a política energética nacional, as atividades relativas ao monopólio do petróleo, institui o Conselho Nacional de Política Energética e a Agência Nacional do Petróleo e dá outras providências. Brasília, 1997.

______. Ministério da Saúde. Organização Pan-Americana da Saúde/Brasil. Doenças relacionadas ao trabalho. Manual de Procedimentos para os Serviços de Saúde. Série A. Normas e Manuais Técnicos; n. 114. Brasília/DF – Brasil, 2001.

______. Ministério da Saúde. Secretaria de Atenção à Saúde. Departamento de Vigilância em Saúde Ambiental e Saúde do Trabalhador. Dor relacionada ao trabalho. Lesões por esforços repetitivos (LER) / Distúrbios Osteomusculares Relacionados ao Trabalho (Dort). Caderno 10. Saúde do Trabalhador / Protocolos de Complexidade Diferenciada. Série A Normas e Manuais Técnicos. Brasília, Editora do Ministério da Saúde, 2012.

______. Ministério Público do Trabalho. Inquérito Civil – Processo n. 000.385.2008.15.002/0-41, v. 6.

BRASIL/MINISTÉRIO DO TURISMO. Mais de 6,4 milhões de turistas estrangeiros visitaram o Brasil em 2014. Disponível em: <http://www.turismo.gov.br/ultimas-noticias/5227-mais-de-6,-4-milh%C3%B5es-de-turistas-estrangeiros-visitaram-o-brasil-em-2014.html>. Acesso em: 14 dez. 2015.

______. Turismo movimenta R$ 492 bilhões no Brasil. Disponível em: <http://www.turismo.gov.br/ultimas-noticias/957-turismo-movimenta-r-492-bilhoes-no-brasil.html>. Acesso em: 16 dez. 2015.

BRAVERMAN, Harry. *Trabalho e capital monopolista:* a degradação do trabalho no século XX. Trad. Nathanael C. Caixeiro. Rio de Janeiro, Zahar, 1977.

______. *Trabalho e capital monopolista*: a degradação do trabalho no século XX. 2. ed. Trad. Nathanael C. Caixeiro. Rio de Janeiro, Zahar, 1980.

BRESSER-PEREIRA, Luiz Carlos. Crise e recuperação da confiança. *Rev. Econ. Polit.*, v. 29, n. 1, São Paulo, 2009.

BRIALES, Júlio Aragon; FERRAZ, Fernando Toledo. Melhoria contínua através do Kaizen. *Revista Eletrônica de Economia*, ano IV, n. 7, mar. 2006. Disponível em: <http://www.viannajr.edu.br/site/menu/publicacoes/revista_economia/artigos/edicao7/artigo_70002.pdf>. Acesso em: 25 set. 2012.

BRINKLEY, Ian. Zero-hours – The New Figures and What They (Might) Mean. The Work Foundation. Londres, 2015. Disponível em: <http://www.theworkfoundation.com/blog/2521/Zero-Hours-The-new-figures-and-what-they-might-mean>. Acesso em: 9 out. 2015.

BROWN, G. Global Electronics Factories in Spotlight. *Occupational Health and Safety*, 4 ago. 2010. Disponível em: <http://ohsonline.com/articles/2010/08/04/global-electronics-factories-in-spotlight.aspx>. Acesso em: 5 ago. 2010.

BROWNE, David. Trade Unions Go on the Offensive in India. *Equal Times*, 2014. Disponível em: <http://www.equaltimes.org/trade-unions-go-on-the-offensive?lang=en#.VRWSlVdgiGR>.

BURKHALTER, Larry. *Privatización portuaria*: bases, alternativas y consecuencias. Santiago do Chile, Comisión Económica para América Latina y el Caribe, 1999.

BUTLER, Judith. *Gender Trouble*: Feminism and the Subversion of Identity. Nova York/Londres, Routledge, 1990.

BUTOLLO, Florian; BRINK, Tobias ten. Challenging the Atomization of Discontent, *Critical Asian Studies*, v. 44, n. 3, 2012. p. 419-40.

CACCIAMALI, Maria Cristina. Globalização e o processo de informalidade. *Economia e Sociedade*. Campinas, IE/Unicamp, n. 14, jun. 2000. p. 152-74.

CALDART, Roseli Salete. *Educação em movimento*: formação de educadoras e educadores no MST. Petrópolis, Vozes, 1997.

CAMPELLO, Tereza; NERI, Marcelo Côrtes (orgs.). *Programa Bolsa Família*: uma década de inclusão e cidadania. Brasília, Ipea, 2013.

CAPUCHA, Luís Antunes. Assistência social. In: MÓNICA, Maria Filomena; BARRETO, António (coord.). *Dicionário de História de Portugal*, v. 7, 1999. p. 134-7.

CARCANHOLO, Reinaldo; NAKATANI, Paulo. O capital especulativo parasitário: uma precisão teórica sobre o capital financeiro, característico da globalização. *Ensaios FEE*, Porto Alegre, v. 20, n. 1, 1999.

______; SABADINI, Maurício. Capital fictício e lucros fictícios. In: GOMES, Helder (org.). *Especulação e lucros fictícios*: formas parasitárias da acumulação contemporânea. São Paulo, Expressão Popular, 2015.

CARCHEDI, Francesco. *Schiavitù di ritorno*. Santarcangelo di Romagna, Maggioli, 2010.

CARITAS. *Dossier statistico immigrazione*. Roma, Idos, 2012.

CARPINTERO, Enrique; HERNÁNDEZ, Mario. *Produciendo realidad*: las empresas comunitarias (Grissinopoli, Río Turbio, Zanon, Brukman y Gral. Mosconi). Buenos Aires, Topía, 2002.

CARR, Nicholas. *Superficiales*: ¿Qué está haciendo Internet con nuestras mentes? Bogotá, Taurus, 2011.

CARRILLO, Beatriz; GOODMAN, David S. G. (orgs.) *China's Peasants and Workers*: Changing Class Identities. Cheltenham, Edward Elgar, 2012.

CARTER, Bob et al. "They Can't Be the Buffer Any Longer": Front-Line Managers and Class. *Capital & Class*, v. 38, n. 2, 2014. p. 323-43.

CARVALHO, José Murilo de. *Cidadania no Brasil*: o longo caminho. Rio de Janeiro, Civilização Brasileira, 2001.

CARVALHO, Soraia de. Neuquén: águas revoltas e vermelhas. *Lutas & Resistências*, Londrina, n. 2, 1º sem. 2007. p. 113-7.

CASTEL, Robert. *El ascenso de las incertidumbres*: trabajo, protecciones, estatuto del individuo. Buenos Aires, Fondo de Cultura Económica, 2010.

CASTRO, B. Mothering and Fathering in Flexible and Precarious Working Contexts: The Brazilian IT Sector Case. *International Journal of Gender, Science and Technology*, v. 6, 2014. p. 125-43.

______. A gestão informal de contratos atípicos: o caso dos PJ's do setor de TI. In: ARAÚJO, Angela Maria Carneiro; NUNES, Jordão Horta (orgs.). *Trabalho, trajetórias e identidades*: qualificação, deslocamentos e crises. São Paulo, Annablume, 2015a.

______. O paradigma da CLT: negação e afirmação do modelo de regulação do trabalho entre profissionais de Tecnologia da Informação. In: RAMALHO, José Ricardo; RODRIGUES, Iram Jácome (org.). *Trabalho e ação sindical no Brasil contemporâneo*. São Paulo, Annablume, 2015b.

CASTRO, Bárbara Geraldo de. *A economia solidária de Paul Singer*: a construção de um projeto político. Dissertação (Mestrado em Ciências Sociais) – Instituto de Filosofia e Ciências Humanas, Universidade Estadual de Campinas (Unicamp), Campinas, 2009.

______. *Afogados em contratos*: o impacto da flexibilização do trabalho nas trajetórias dos profissionais de TI. Tese (Doutorado em Ciências Sociais), Universidade Estadual de Campinas (Unicamp), Campinas, 2013.

CASTRO, Bárbara. Trabalho perpétuo: o viés de gênero e o ideal de juventude no capitalismo flexível. *Lua Nova* [on-line], n. 99, 2016. p. 169-99. Disponível em: <http://dx.doi.org/10.1590/0102-6445169-199/99>.

CAT – GMB/ SJC – Comunicações de Acidentes de Trabalho da General Motors do Brasil, planta de São José dos Campos, emitidas de 2011 a 2012. Sindicato dos Metalúrgicos de São José dos Campos, SP.

CATANI, Afrânio et al. Política educacional, mudanças no mundo do trabalho e reforma curricular dos cursos de graduação no Brasil. *Educação & Sociedade*, ano XXII, n. 75, ago. 2001. p. 67-83.

CATTANI, Antônio David (org.). *Trabalho e tecnologia*. Petrópolis, Vozes, 1997.

______; HOLSMANN, Lorena (orgs.). *Dicionário de trabalho e tecnologia*. Porto Alegre, Editora da UFRS, 2006.

CAVALCANTE, S. M.; CASTRO, B. *A precariedade é heterogênea*: classes sociais e transformações do trabalho. Anais do 17º Congresso Brasileiro de Sociologia, 2015.

CESAR, Monica de Jesus. *Empresa-cidadã*: uma estratégia de hegemonia. São Paulo, Cortez, 2008.

CESCHI, S.; MAZZONIS, M. Le forme di sfruttamento servile e paraschiavistico nel mondo del lavoro. In: CARCHEDI, F. et al. (org.) *Il lavoro servile e le nuove schiavitù*. Milão, Angeli, 2003.

CHACON, Vamireh. *Cooperativismo e comunitarismo*. Belo Horizonte, Universidade de Minas Gerais, 1959.

CHAN, A. (org.) *Walmart in China*. Ithaca, Cornell University Press, 2011.

CHAN, Jenny. A Suicide Survivor. *New Technology, Worker and Employment*, v. 28, n. 2, 2013.

CHARTERED Institute of Personnel and Development (CIPD). Zero-hours Contracts: Myth and Reality, nov. 2013. Disponível em: <http://www.cipd.co.uk/binaries/zero-hours-contracts_2013-myth-reality.pdf>. Acesso em: 24 ago. 2015.

CHEN, H.-H. Professionals, Students, and Activists in Taiwan Mobilize for An Unprecedented Collective-Action Lawsuit against A Former Top American Electronics Company, *East Asian Science, Technology and Society*, v. 5, n. 4, 2011. p. 555-65.

CHESNAIS, François. *A mundialização do capital*. Trad. Silvana Finzi Foá. São Paulo, Xamã, 1996.

______; DIVÈS, Jean-Philippe. ¡Que se vayan todos! Le peuple d'Argentine se soulève. Paris, Nautilus, 2002.

CHESNEAUX, Jean. *Habiter le temps*. Présent, passé, futur: esquisse d'un dialogue politique. Paris, Bayard, 1996.

CHINA'S National Bureau of Statistics (2010). Monitoring and Investigation Report on the Rural Migrant Workers in 2009. Disponível em: <http://www.stats.gov.cn/tjfx/fxbg/t20100319_402628281.htm>. Acesso em: 20 mar. 2010.

CHOMSKY, Noam. *O lucro ou as pessoas?* Neoliberalismo e ordem global. São Paulo, Bertrand Brasil, 1999.

CHRISTIN, Rodolphe. Le tourisme enfermé. In: ______; BOURDEAU, Philippe (orgs.) *Le tourisme*: émancipation ou contrôle social? Bellecombe-en-Bauges, Éditions du Croquant, 2011.

______; BOURDEAU, Philippe. Réveillons le touriste qui sommeille en nous! In: ______; ______ (orgs.). *Le tourisme*: émancipation ou contrôle social? Bellecombe-en-Bauges, Éditions du Croquant, 2011.

CHRISTO, Anthony de. *Proálcool, este programa ainda pode dar certo*. Disponível em: <www.udop.com.br/versao_impressao.php?cod=886>. Acesso em: 20 jul. 2013.

CHRISTOFFOLI, Pedro Ivan. *Eficiência econômica e gestão democrática nas cooperativas de produção coletiva do MST*. Monografia (Especialização em Cooperativismo) – Centro de Documentação e Pesquisa, Universidade do Vale do Rio dos Sinos (Unisinos), São Leopoldo, 1998.

CHU, Y. (org.) *Chinese Capitalisms*. Basingstoke, Palgrave Macmillan, 2010.

COMO, E. Le condizioni degli stranieri nell'industria metalmeccanica. In: CARRERA, F.; GALOSSI, E. (org.) *Immigrazione e sindacato*. Roma, Ediesse, 2014.

CONCRAB. *Sistema Cooperativista dos Assentados*. Concrab, São Paulo, 1999. (Cadernos de Formação, n. 5.)

CORAGGIO, J. L. *Desenvolvimento humano e educação*. São Paulo, Cortez/Instituto Paulo Freire, 1996.

CORNELIUS, Wayne A. Japan: The Illusion of Immigration Control. In: CORNELIUS, Wayne; MARTINS, Phillip L.; HOLLIFIELD, James F. (orgs.) *Controlling Immigration*: A Global Perspective. Standford, Standford University Press, 1995.

COSER, Lewis. *The Functions of Social Conflict*. Nova York, The Free Press, 1956.

COSTA, Américo da Silva. Associativismo, mutualismo e movimento operário em Guimarães nas primeiras décadas do século XX. Disponível em: <http://www.afvimaranense.pt/documentos/Livro_Mutualismo_AFV.pdf>. Acesso em: 22 mar. 2013.

COSTA, Hermes Augusto. *Sindicalismo global ou metáfora adiada?* Os discursos e as práticas transnacionais da CGTP e da CUT. Tese (Doutorado em Sociologia) – Faculdade de Economia, Universidade de Coimbra, Coimbra, 2005.

______. Do enquadramento teórico do sindicalismo às respostas pragmáticas. In: ESTANQUE, Elísio Estanque; COSTA, Hermes Augusto (orgs.). *O sindicalismo português e a nova questão social*: crise ou renovação? Coimbra, Almedina, 2011.

______. From Europe as a Model to Europe as Austerity: The Impact of the Crisis on Portuguese Trade Unions. *Transfer – European Review of Labour and Research*, v. 18, n. 4, 2012a. p. 397-410.

______. Wage Cuts in the Portuguese Public Sector: The Negative Effects of a Court Decision on Labour Relations. *Transfer – European Review of Labour and Research*, v. 18, n. 2, 2012b. p. 229-31.

______. O sindicalismo em questão em tempos de austeridade. In: OLIVEIRA, Roberto Véras de; BRIDI, Maria Aparecida; FERRAZ, Marcos (orgs.). *O sindicalismo na era Lula*: paradoxos, perspectivas e olhares. Belo Horizonte, Fino Traço, 2014.

______. Do contexto das reformas laborais às respostas do campo sindical. *Cadernos do Observatório sobre Crises e Alternativas*, v. 4, 2015. p. 1-18.

______; DIAS, Hugo. A greve e a democracia: desafios para o Norte e o Sul. In: COLÓQUIO INTERNACIONAL, Epistemologias do Sul: Aprendizagens Globais Sul-Sul, Sul-Norte e Norte-Sul. Coimbra, 2014. Faculdade de Economia, Universidade de Coimbra, 2014.

______; DIAS, Hugo; SOEIRO, José. As greves e a austeridade em Portugal: olhares, expressões e recomposições. *Revista Crítica de Ciências Sociais*, n. 103, 2014. p. 173-202.

COSTA, Luciano Rodrigues. *Trabalhadores em construção*: mercado de trabalho, redes sociais e qualificações na construção civil. Tese (Doutorado em Ciências Sociais) – Instituto de Filosofia e Ciências Humanas, Universidade Estadual de Campinas (Unicamp), Campinas, 2010.

COSTA, Maria Alice Nunes. Mudanças no mundo empresarial: a responsabilidade social empresarial. *Revista Oficina do CES*, 2005.

COSTA, Silvio. *Tendências e centrais sindicais*: o movimento sindical brasileiro de 1978 a 1994. Goiânia, Anita Garibaldi, 1995.

COUTINHO, Carlos Nelson. Apresentação. In: NEVES, Lúcia Maria Vanderley. *A nova pedagogia da hegemonia*: estratégias do capital para educar o consenso. São Paulo, Xamã, 2005.

CROCCO, Marco. APL como instrumento de interiorização do desenvolvimento. In: SEMINÁRIO DE ARRANJOS PRODUTIVOS LOCAIS – APL's – Gerando desenvolvimento em cada canto do Espírito Santo. Vitória, 13 maio 2009. Vitória, Cadernos GEAP, 2009. Disponível em: <http://www.mdic.gov.br/arquivos/dwnl_1295538249.pdf>. Acesso em: 12 abr. 2012.

______; SANTOS, Fabiana; SIMÕES, Rodrigo; HORÁCIO, Francisco. O arranjo produtivo de Nova Serrana. In: TIRONI, Luis Fernando. *Industrialização descentralizada*: sistemas industriais locais. Brasília, Ipea, 2001.

CROUCH, Colin. *Post-Democracy*. Cambridge, Polity, 2004.

CUT (Central Única dos Trabalhadores). Desenvolvimento sustentável e solidário: um novo projeto, um novo sindicato. Mimeo, 2003.

______; DIEESE. *Terceirização e desenvolvimento*: uma conta que não fecha. Dossiê acerca do impacto da terceirização sobre os trabalhadores e propostas para garantir a igualdade de direitos.

São Paulo, CUT, 2014. Disponível em: <https://www.cut.org.br/system/uploads/ck/files/Dossie-Terceirizacao-e-Desenvolvimento.pdf>.

D'INCAO, Maria Conceição. *O "boia-fria"*: acumulação e miséria. Petrópolis, Vozes, 1976.

DAGNINO, Evelina. Sociedade civil, participação e cidadania: de que estamos falando? In: MATO, Daniel (org.). *Políticas de ciudadanía y sociedad civil en tiempos de globalización*. Caracas, FaCES, Universidad Central de Venezuela, 2004.

DAHRENDORF, Ralph. Elementos para uma teoria do conflito social. In: ______. *Sociedade e liberdade*. Brasília, Universidade de Brasília, 1981.

DAL ROSSO, Sadi. *Mais trabalho!* A intensificação do labor na sociedade contemporânea. São Paulo, Boitempo, 2008.

DAVIS, Charles Aasgaard. *FASINPAT*: Zanon es del pueblo. The Struggle of the Fábrica Sin Patrón in Neuquén, Argentina. Senior Comprehensive Project. Carleton College, Minnesota, 2005.

DECRETO n. 2.208, de 17 de abril de 1997. Disponível em: <http://www.planalto.gov.br/ccivil_03/decreto/D2208.htm>. Acesso em: 1º set. 2015.

DECRETO n. 5.154, de 23 de julho de 2004. Disponível em: <http://www.planalto.gov.br/ccivil_03/_ato2004-2006/2004/decreto/d5154.htm>. Acesso em: 15 set. 2015.

DEDECCA, Claudio Salvadori; MONTAGNER, Paula. Flexibilidade produtiva e das relações de trabalho: considerações sobre o caso brasileiro. Texto para Discussão, n. 29, 1993. Instituto de Economia, Universidade Estadual de Campinas (Unicamp), 1993.

DEDRICK, J.; KRAEMER, K. L. Market Makingin the Personal Computer Industry. In: HAMILTON, G. G.; PETROVIC, M.; SENAUER, B. (org.) *The Market Makers*. Oxford, Oxford University Press, 2011.

DEJOURS, Christophe. *A banalização da injustiça social*. Rio de Janeiro, Editora FGV, 2007.

______. A avaliação do trabalho submetida à prova do real. In: SZNELWAR, Laerte Idal; MASCIA, Fausto Leopoldo (orgs.). *Cadernos TTO*. São Paulo, Blucher, 2008.

______; BÈGUE, Florence. *Suicídio e trabalho*: o que fazer? Brasília, Paralelo 15, 2010.

DETHYRE, Richard. *Avec les saissoniers*: une experience de transformation du travail dans le tourisme social. Paris, La Dispute, 2007.

DEYO, F. C. *Beneath the Miracle*. Berkeley, University of California Press, 1989.

DIAP (Departamento Intersindical de Assessoria Parlamentar). Radiografia do Novo Congresso: Legislatura 2015-2019. Brasília, Diap, 2014. Disponível em: <http://www.diap.org.br/downloads/Radiografia%20do%20Novo%20Congresso/radiografia_do_novo_congresso_-_legislatura_de_2015_a_2019.pdf#view=FitV&page=65>. Acesso em: 30 jul. 2015.

DIÁRIO Oficial da União. Edital Sisutec n. 1, 2 de agosto de 2013. Processo seletivo para ocupação de vagas gratuitas em cursos técnicos. *Diário Oficial da União*, seção 3, n. 149, 5 ago. 2013. p. 61. Disponível em: <http://pesquisa.in.gov.br/imprensa/jsp/visualiza/index.jsp?jornal=3&pagina=61&data=05/08/2013>. Acesso em: 20 mar. 2014.

DIAS, Mónica Costa; VAREJÃO, José. Estudo da avaliação das políticas ativas de emprego, IEFP, Relatório de Progresso, fev. 2012.

DIEESE. Embraer reduz salários e aumenta vendas. Documento setorial, 1998.

______. O movimento grevista nos anos 90. São Paulo, Dieese, 1999.

______. Redução da Jornada de Trabalho – Resposta à "cartilha" da CNI, "Redução da Jornada de Trabalho – Mitos e Verdades". São Paulo, Dieese, 2009.

______. *A situação do trabalho no Brasil na primeira década dos anos 2000*. São Paulo, Dieese, 2012a.

______. Balanço das greves em 2009 e 2010. *Estudos e Pesquisas*, n. 60, 2012b.

______. Balanço das negociações dos reajustes salariais em 2011. *Estudos e Pesquisas*, n. 59, 2012c.

______. Balanço das greves em 2012. *Estudos e Pesquisas*, n. 66, maio 2013.

______. Balanço das greves em 2012. *Estudos e Pesquisas*, n. 66, 2013a.

______. Balanço das negociações de reajustes salariais de 2012. *Estudos e Pesquisas*, n. 64, 2013b.

______. O mercado de trabalho assalariado rural brasileiro. *Estudos e Pesquisas*, n. 74, out. 2014.

______. A saúde do trabalhador no processo de negociação coletiva no Brasil. São Paulo, Dieese, 2015a.

______. Balanço das negociações dos reajustes salariais de 2014. *Estudos e Pesquisas*, n. 75, 2015b.

______. Um primeiro trimestre difícil. *Boletim de Conjuntura*, n. 3, 2015c.

______. Greves 2013: informações preliminares. São Paulo, Dieese, 2015d.

______. Pesquisa nacional da cesta básica de alimentos. Salário mínimo nominal e necessário. 2015e. Disponível em: <http://www.dieese.org.br/analisecestabasica/salarioMinimo.html>. Acesso em: 30 jun. 2015.

______. Dilma sanciona com vetos mudanças no seguro-desemprego e abono salarial. Disponível em: <http://www.diap.org.br/index.php?option=com_content&view=article&id=25326:dilma-sanciona-com-vetos-mudancas-no-seguro-desemprego-e-abono-salarial&catid=59&Itemid=392>. Acesso em: 3 jul. 2015.

______. Regra 85/95 progressiva: prazo para emendar MP vai até quarta (24). Disponível em: <http://www.diap.org.br/index.php?option=com_content&view=article&id=25344:regra-85-95-progressiva-prazo-para-emendar-mp-vai-ate-quarta-4&catid=59:noticias&Itemid=392>. Acesso em: 3 jul. 2015.

______. Senado aprova MP 665/14 do ajuste fiscal; vai à sanção presidencial. Disponível em: <http://www.diap.org.br/index.php?option=com_content&view=article&id=25264:senado-aprova-mp-665-14-do-ajuste-fiscal-vai-a-sancao-presidencial&catid=59&Itemid=392>. Acesso em: 3 jul. 2015.

______. Senado aprova MP que altera regras de pensão por morte, auxílio-doença e fator. Disponível em: <http://www.diap.org.br/index.php?option=com_content&view=article&id=25267:senado-aprova-mp-que-altera-regras-de-pensao-por-morte-auxilio-doenca-e-fator&catid=59&Itemid=392>. Acesso em: 3 jul. 2015.

DIÉGUEZ, C. M. *OGMO (Órgão Gestor de Mão de Obra)*: modernização e cultura do trabalho no porto de Santos. Dissertação (Mestrado em Sociologia) – Faculdade de Filosofia, Letras e Ciências Humanas, Universidade de São Paulo (USP), São Paulo, 2007.

DONADONE, Julio César; GRÜN, Roberto. Participar é preciso! Mas de que maneira? *Revista Brasileira de Ciências Sociais*, v. 16, n. 47, 2001.

DORNELAS, António. Perante a crise: problemas e perspectivas do emprego, do trabalho e da equidade social em Portugal. *Finisterra*, v. 65-6, 2009. p. 101-33.

DRUCK, Graça. Os sindicatos, os movimentos sociais e o governo Lula: cooptação e resistência. Buenos Aires, OSAL/CLACSO, ano VII, n. 19, jan.-abr. 2006. Disponível em: <http://bibliotecavirtual.clacso.org.ar/ar/libros/osal/osal19/debatesdruck.pdf>.

______. Trabalho, precarização e resistências. *Caderno CRH (UFBA)*, v. 24, Salvador, EDUFBA, 2011.

______; FRANCO, Tânia. Terceirização e precarização: o binômio anti-social em indústrias. In: ______ (org.). *A perda da razão social do trabalho*: precarização e terceirização, São Paulo, Boitempo, 2007.

DRUCK, Maria da Graça; BORGES, Ângela. Terceirização: balanço de uma década. *Caderno CRH*, Salvador, n. 37, 2002. p. 111-39.

DRUMOND, Cosme Degenar. *Asas do Brasil*: uma história que voa pelo mundo. São Paulo, Cultura, 2008.

DUFRESNE, Anne; GERMAIN, Nicole Maggi. De la negociación colectiva al diálogo social: la transformación de las relaciones profesionales en la Unión Europea y Francia. *Revista de Ciencias Sociales*, Montevidéu, v. 24, n. 29, dez. 2011. p. 13-30.

DURÃES, Bruno. *Trabalhadores de rua de Salvador*: precários nos cantos do século XIX para os encantos e desencantos do século XXI. Dissertação (Mestrado em Sociologia) – Instituto de Filosofia e Ciências Humanas, Universidade Estadual de Campinas (Unicamp), Campinas, 2006c.

EHRENBERG, A. *O culto da performance*: da aventura empreendedora à depressão nervosa. Aparecida, Ideias & Letras, 2010.

ELDRING, L.; FITZGERALD, I.; ARNHOLTZ, J. Post-accession Migration in Construction and Trade Union Responses in Denmark, Norway and the UK. *European Journal of Industrial Relations*, n. 18, 1, 2012. p. 21-36.

EMBRAER. Lean. Guia de Consulta, s.d.a.

EMBRAER. Projetos Kaizen e melhoria contínua. Guia de Consulta, s.d.b.

______. Relatório anual. São José dos Campos, 1999.

______. Relatório anual. São José dos Campos, 2000.

______. Relatório anual. São José dos Campos, 2001.

______. Relatório anual. São José dos Campos, 2002.

______. Relatório anual. São José dos Campos, 2003.

______. Relatório anual. São José dos Campos, 2004.

______. Relatório anual. São José dos Campos, 2005.

______. Relatório anual. São José dos Campos, 2006.

______. Relatório anual. São José dos Campos, 2007.

______. Relatório anual. São José dos Campos, 2008.

______. Relatório anual. São José dos Campos, 2009.

______. Relatório anual. São José dos Campos, 2010.

______. Relatório anual. São José dos Campos, 2011.

______. Relatório anual. São José dos Campos, 2012.

______. Relatório anual. São José dos Campos, 2013.

______. Relatório anual. São José dos Campos, 2014.

______. Relatório anual. São José dos Campos, 2015.

EMENDA CONSTITUCIONAL n. 59, de 11 de novembro de 2009. Disponível em: <http://www.planalto.gov.br/ccivil_03/Constituicao/Emendas/Emc/emc59.htm>. Acesso em: 1º set. 2015.

ENOQUE, Alessandro Gomes. *A fábrica e a casa*: configurações do trabalho na indústria calçadista de Nova Serrana-MG. Dissertação (Mestrado em Administração) – Faculdade de Ciências Econômicas, Universidade Federal de Minas Gerais, Belo Horizonte, 2003.

ERNST, Dieter. *From Partial to Systemic Globalization. Berkeley Roundtable on the International Economy*. Working Paper 98, abr. 1997. Disponível em: <https://www.researchgate.net/publication/237344412_From_Partial_to_Systemic_Globalization_International_Production_Networks_in_the_Electronics_Industry>. Acesso em: 5 jul. 2019.

ESTANQUE, Elísio. Trabalho, sindicalismo e acção colectiva: desafios no contexto de crise. In: ______; COSTA, Hermes Augusto (orgs.). *O sindicalismo português e a nova questão social*: crise ou renovação? Coimbra, Almedina, 2011.

______; COSTA, Hermes Augusto. Portugal's New Social and Political Context. *Global Labour Column*, n. 219, 2015. Disponível em: <http://column.global-labour-university.org/2015/11/portugals-new-social-and-political.html#more>.

EVANS, P. Is It Labor's Turn to Globalize? *Global Labour Journal*, v. 1, n. 3, 2010. p. 352-79. Disponível em: <http://digitalcommons.mcmaster.ca/globallabour/vol1/iss3/3>. Acesso em: 31 dez. 2010.

EVANS, Peter. *Embedded Autonomy*. Princeton, Princeton University Press, 1995.

FAGIANI, Cílson César. *Educação e trabalho*: a formação do jovem trabalhador no Brasil e em Portugal a partir da década de 1990. Tese (Doutorado em Educação) – Faculdade de Educação, Universidade Federal de Uberlândia, Uberlândia, 2016.

FAJARDO, Rita de Cássia. *Qualidade e trabalho*: um estudo de caso em sindicato de trabalhadores sobre os programas de controle de qualidade total. Dissertação de mestrado, Universidade Federal de São Carlos, 2005.

FAJN, Gabriel (org.). *Fábricas y empresas recuperadas*: protesta social, autogestión y rupturas en la subjetividad. Buenos Aires, Instituto Mobilizador de Fondos Cooperativos C. L., 2003.

______. Fábricas recuperadas: la organización en cuestión. Working paper, 2004. Disponível em: <http//:www.iisg.nl/labouragain/documents/fajn.pdf>.

______; REBÓN, Julián. El taller ¿sin cronómetro? Apuntes acerca de las empresas recuperadas. *Herramienta*, Buenos Aires, n. 28, mar. 2005.

FARAH, Marta Ferreira Santos. *Processo de trabalho na construção habitacional*: tradição e mudança. São Paulo, Annablume/Fapesp, 1996.

FARES, Seme Taleb. O pragmatismo do petróleo: as relações entre o Brasil e o Iraque. *Rev. Bras. Polít. Int.*, v. 2, n. 50, 2007. p. 129-45.

FAVARO, Orietta; AIZICZON, Fernando. Al filo de la cornisa: la resistencia obrera en la fábrica Zanon, Neuquén. *Revista Realidad Económica*, Buenos Aires, n. 197, jul.-ago. 2003. Disponível em: <http://www.iade.org.ar>.

FEDERMECCANICA, 2008. Disponível em: <http://www.federmeccanica.it/pubb/pdf/ind_annuale/2008/Indag32.pdf>. Acesso em: 22 set. 2014.

FERNANDES, António Monteiro. Uma estranha decisão. *Público*, 20 jun. 2012.

FERNANDES, Florestan. O que é revolução. In: SAMPAIO JÚNIOR, Plínio de Arruda (org.). *Clássicos sobre a revolução brasileira*. São Paulo, Expressão Popular, 2005.

FERNANDES, Paulo Jorge Martins. *As relações sociais de trabalho na Lisnave, crise ou redefinição do papel dos sindicatos?*, v. I, Instituto Superior de Ciências do Trabalho e da Empresa, junho de 1999.

FERRARI HAINES, Andrés Ernesto. *A economia argentina nos anos noventa*: reformas estruturais e lei de convertibilidade. Dissertação (Mestrado em Ciência Econômica) – Instituto de Economia, Universidade Estadual de Campinas (Unicamp), Campinas, 1998.

FERRAZ, Marcos. Do confronto à negociação: a CUT na passagem dos anos 1990. In: ARAÚJO, Sílvia Maria de; BRIDI, Maria Aparecida; FERRAZ, Marcos (orgs.). *O sindicalismo equilibrista*: entre o continuísmo e as novas práticas. Curitiba, Editora da UFPR, 2006.

FERREIRA, António Casimiro. *Sociedade da austeridade e direito do trabalho de exceção*. Lisboa, Vida Económica, 2012.

______; COSTA, Hermes Augusto. Para uma sociologia das relações laborais em Portugal. *Revista Crítica de Ciências Sociais*, v. 52-3, 1998-1999. p. 141-71.

FERREIRA, Mariana Ribeiro Jansen. Financeirização: impacto nas prioridades de gasto do Estado – 1990 a 2007. In: MARQUES, Rosa Maria; FERREIRA, Mariana Ribeiro Jansen (orgs.). *O Brasil sob a nova ordem*: a economia brasileira contemporânea: uma análise dos governos Collor a Lula. São Paulo, Saraiva, 2010.

FERREIRA, Sónia. *A fábrica e a rua*: resistência operária em Almada. Alentejo, 100 Luz, 2010.

FESTI, Ricardo C. Zanon e a crise capitalista: uma experiência de controle operário e classismo. *Revista ISKRA: de teoria e política marxista*, n. II, 2009.

______. *Zanon, fábrica sem patrão*: um debate sobre classismo e controle operário na vanguarda operária. Dissertação (Mestrado em Sociologia) – Instituto de Filosofia e Ciências Humanas, Universidade Estadual de Campinas (Unicamp), Campinas, 2010.

FIGUEIREDO, Mariana Leite. *Uma alternativa sindical?* A negação do "propositivismo" no sindicalismo metalúrgico paulista. Dissertação (Mestrado em Ciência Política) – Instituto de Filosofia e Ciências Humanas, Universidade Estadual de Campinas (Unicamp), Campinas, 2007.

FILGUEIRAS, Luiz. O neoliberalismo no Brasil: estrutura, dinâmica e ajuste do modelo econômico. In: BASUALDO, Eduardo; ARCEO, Enrique. *Neoliberalismo y sectores dominantes*: tendencias globales y experiencias nacionales. Buenos Aires, Consejo Latinoamericano de Ciencias Sociales, 2006.

FIOM-CGIL. *Le condizioni di lavoro e di vita nel settore metalmeccanico in Italia*. Roma, Meta, 2008.

FONDAZIONE MORESSA. Le imprese condotte da stranieri. 2012a. Disponível em: <www.fondazioneleonemoressa.org/newsite/wp-content/uploads/2012/08/Imprese-condotte-da-stranieri.pdf>. Acesso em: 22 set. 2014.

______. Rapporto annuale sull'economia dell'immigrazione. Bologna, Il Mulino, 2012b.

______. Rapporto annuale sull'economia dell'immigrazione. Bologna, Il Mulino, 2014.

FONSECA, Bernardete Maria. "Ideologia ou Economia? Evolução da Proteção no Desemprego em Portugal", Tese de Mestrado, Universidade de Aveiro, 2008.

FONSECA, Paulus Vinícius da Rocha. Embraer: um caso de sucesso com o apoio do BNDES. In: *Revista do BNDES*, n. 37, jun. 2012.

FONTENELLE, Isleide Arruda. *O nome da marca*: McDonald's, fetichismo e cultura descartável. São Paulo, Boitempo, 2002.

FONTES, Edilza. O peão de trecho e o peão de casa: identidade operária entre os trabalhadores da construção civil de Barbacena, no canteiro de obras da ALBRAS/ALUNORTE. *Novos Cadernos NAEA*, v. 6, n. 1, jun. 2003. p. 65-82.

FONTES, Virgínia. *O Brasil e o capital-imperialismo*: teoria e história. Rio de Janeiro, EPSJV/Editora da UFRJ, 2010.

FOXCONN Technology Group. 2008 Corporate Social and Environmental Responsibility Annual Report. 2009. Disponível em: <http://ser.foxconn.com/ViewAnuReport.do?action=showAnnual>. Acesso em: 1º fev. 2013.

______. Non-Consolidated Results for the Twelve Month Periods Ended December 31, 2011. 27 mar. 2012a.

______. Non-Consolidated Results for the Three Month Periods Ended March 31, 2012. 14 maio 2012b.

______. Non Consolidated Results for the Six Month Periods Ended June 30, 2012. 31 ago. 2012c.

______. Non-Consolidated Results for the Nine Month Periods Ended September 30, 2012. 30 out. 2012d.

______. 2011 Corporate Social and Environmental Responsibility Annual Report. 2012e. Disponível em: <http://ser.foxconn.com/ViewAnuReport.do?action=showAnnual>. Acesso em: 1º fev. 2013.

______. Global Distribution. 2013a. Disponível em: <http://www.foxconn.com.cn/GlobalDistribution.html>. Acesso em: 10 fev. 2013.

______. Consolidated Results for the Twelve Month Periods Ended December 31, 2012. 25 mar. 2013b.

FRANÇA, Gilberto Cunha. *O trabalho no espaço da fábrica*: um estudo da General Motors em São José dos Campos. São Paulo, Expressão Popular, 2007.

FRANÇA, Robson Luiz. O discurso e a educação profissional de nível técnico e tecnológico. In: SCOCUGLIA, Afonso et al. *O controle do trabalho no contexto da reestruturação produtiva do capital.* Curitiba, CRV, 2011.

FRIEDMAN, E.; LEE, C. K. Remaking the World of Chinese Labour. *British Journal of Industrial Relations*, v. 48, n. 3, 2010. p. 507-33.

FRIGOTTO, Gaudêncio. Globalização e crise do emprego: mistificações e perspectivas da formação técnico-profissional. *Boletim Técnico do Senac*, Rio de Janeiro, v. 25, n. 2, 1999. Disponível em: <http://www.senac.br/BTS/252/boltec252c.htm>. Acesso em: 12 fev. 2011.

______. Globalização e crise do emprego: mistificações e perspectivas da formação técnico-profissional. *Coordenadoria de Ensino Médio do Estado de Mato Grosso (CEM) - Site Oficial*, 2010.

______. Educação, crise do trabalho assalariado e do desenvolvimento: teorias em conflito. In: ______ (org.). *Educação e crise do trabalho*. Petrópolis, Vozes, 2012.

______. A relação da educação profissional e tecnológica com a universalização da educação básica. *Educação & Sociedade*, v. 28, n. 100, 2007. p. 1.129-52.

FRUIN, Mark. The Family as a Firm and the Firm as a Family in Japan: the Case of Kikkoman Shoyu Co. Ltd. *Journal of Family History*, v. 5, n. 4, 1980. p. 432-49.

FULLIN, G.; REYNERI, E. Low Unemployment and Bad Jobs for New Immigrants in Italy. *International Migration*, v. 49, 2011. p. 118-47.

FUZETTI, Luciana; CORRÊA, Marco Fábio Maia. Perfil e renda dos pescadores artesanais e das vilas da Ilha do Mel – Paraná, Brasil. *Boletim do Instituto de Pesca*, São Paulo, v. 35, n. 4, 2009. p. 609-21. Disponível em: <ftp://ftp.sp.gov.br/ftppesca/35_4_609-621.pdf>. Acesso em: 8 nov. 2015.

GAIGER, Luiz Inacio. Brasil: un retrato de la lucha emancipatoria de los pobres. *Otra Economía*, Los Polvorines, v. 1, n. 2, jan.-jun. 2008. p. 17-20.

GALEAZZI, I. Precarização do trabalho. In: CATTANI, A. D.; HOLSMANN, L. (orgs.) *Dicionário de Trabalho e Tecnologia*. Porto Alegre, Editora da UFRS, 2006.

GALOSSI, E.; FERRUCCI, G. Lavoro e immigrazione nei sistemi logistici in Italia. 2014. Disponível em: <www.filtcgil.it/10_congresso/4_TRENTIN.pdf>. Acesso em: 27 abr. 2015.

GALVÃO, Andréia. *Neoliberalismo e reforma trabalhista do Brasil.* Rio de Janeiro/ São Paulo, Revan/ Fapesp, 2007.

______. A reconfiguração do movimento sindical nos governos Lula. In: BOITO Jr., Armando; GALVÃO, Andréia (orgs.). *Política e classes sociais no Brasil dos anos 2000*. São Paulo, Alameda, 2012.

GAMBINA, Julio et al. Las resistencias latinoamericanas del siglo XXI: empresas recuperadas en Argentina. In: CECEÑA, Ana Esther. *Los desafíos de las emancipaciones en un contexto militarizado*. Buenos Aires, Clacso, 2006.

GARCIA Jr., Afrânio Raul. *O Sul: caminho do roçado*. Estratégias de reprodução camponesa e transformação social. São Paulo, Marco Zero, 1989.

GARCIA, Carlos; MUSSALEM, Josué. *Suape*: muito mais que um porto. Recife, Comunigraf, 2011.

GAULEJAC, Vincent de. *Gestão como doença social*. Ideologia, poder gerencialista e fragmentação social. Aparecida, Ideias e Letras, 2007.

GHIOLDI, Carlos. *Supermercado Tigre*: crónica de un conflicto en curso. Rosario, Prohistoria, 2004.

GIFE (Grupo de Institutos, Fundações e Empresas). *Censo GIFE 2009-2010*. Coord. Andre Degenszajn, São Paulo, GIFE, 2010. Disponível em: <https://sinapse.gife.org.br/download/censo-gife-2009-2010>.

______; IBGC (Instituto Brasileiro de Governança Corporativa). *Guia das melhores práticas de governança para fundações e institutos empresariais*. 2. ed. São Paulo, IBGC/GIFE, 2014.

GLOBAL LABOUR JOURNAL. *Politics of Precarity:* Critical Engagements with Guy Standing, Special Issue, v. 7, n. 2, 2016.

GLOBALCAPITAL. Eximbank. Disponível em: <http://globalcn.com.br/BR/exim-bank.php>. Acesso em: 13 fev. 2014.

GODEIRO (org.). *A Embraer é nossa!* São Paulo, Sundermann, 2009.

GODOY, Raúl. Secretario General del Sindicato de Obreros y Empleados de Neuquén; André Blanco, integrante de la Comisón Interna de Zanon y; Pepe y Eduardo. *Lucha de Clases*, n. 1, 2002.

GOLDMANN, Lucien. *Le Dieu caché*: étude sur la vision tragique dans les *Pensées* de Pascal et dans le théatre de Racine. Paris, Gallimard, 1959.

GOMES, Pedro Botelho. Uma bomba atómica social? *Público*, 24 jun., 2012.

GOMEZ, Carlos Minayo; LACAZ, Francisco Antonio de Castro. Saúde do trabalhador: novas-velhas questões. *Ciênc. saúde coletiva* [on-line]. v. 10, n. 4, 2005. p. 797-807.

GOODMAN, D. S. G. The Campaign to "Open Up the West", *The China Quarterly*. n. 178, jun. 2004. p. 317-34.

GÖRGEN, Sérgio Antônio; STÉDILE, João Pedro (orgs.). *Assentamentos*: a resposta econômica da reforma agrária. Petrópolis, Vozes, 1991.

GOUNET, Thomas. *Fordismo e toyotismo na sociedade do automóvel*. Trad. Bernardo Jofilly. São Paulo, Boitempo, 1999.

GOWAN, Peter. Crisis in the Heartland: Consequences of the New Wall Street System. *Estud. av.*, v. 23, n. 65, São Paulo, 2009.

GRACIOLLI, Edilson José. Responsabilidade social empresarial: "terceiro setor" ou aparelho de hegemonia? In: COLÓQUIO INTERNACIONAL MARX E ENGELS, 4, 2005, Campinas. *Anais*... Campinas, Grupo temático Economia e Sociedade no Capitalismo Contemporâneo (Cemarx), Universidade Estadual de Campinas (Unicamp), 2005.

______. Responsabilidade social empresarial: possibilidades, limites e significados. In: WORKSHOP EMPRESA, EMPRESÁRIOS E SOCIEDADE: o mundo empresarial e a questão social, 5, 2006, Porto Alegre. *Resumos*... Porto Alegre, Pontifícia Universidade Católica do Rio Grande do Sul, 2006.

GRAMSCI, Antonio. *A questão meridional*. Trad. Carlos Nelson Coutinho e Marco Aurélio Nogueira. São Paulo, Paz e Terra, 1987.

______. *Cadernos do cárcere*. Rio de Janiero, Civilização Brasileira, 2000. v. 2.

______. *Cadernos do cárcere*. Rio de Janeiro, Civilização Brasileira, 2000. v. 3.

______. *Cadernos do cárcere*. Rio de Janeiro, Civilização Brasileira, 2002. v. 5.

GRANEMANN, Sara et al. *Financeirização, Fundo Público e Previdência Social*. São Paulo, Cortez, 2012.

______. Segurança Social: fundo universal de solidariedade ou mercado privado de capitais? In: VARELA, Raquel (org.). *A Segurança Social é sustentável:* trabalho, Estado e Segurança Social em Portugal. Lisboa, Bertrand, 2013.

GU, B.; CAI, Y. (2011) *Fertility Prospects in China*. United Nations Population Division, Expert Paper No. 2011/14. Disponível em: <http://www.un.org/esa/population/publications/expertpapers/2011-14_Gu&Cai_Expert-paper.pdf>. Acesso em: 20 abr. 2012.

GUANAIS, Juliana Biondi. *No eito da cana, a quadra é fechada*: estratégias de dominação e resistência entre patrões e cortadores de cana em Cosmópolis/SP. Dissertação (Mestrado em Sociologia) – Instituto de Filosofia e Ciências Humanas, Universidade Estadual de Campinas (Unicamp), Campinas, 2010.

______. *Pagamento por produção, intensificação do trabalho e superexploração na agroindústria canavieira brasileira*. São Paulo, Outras Expressões/Fapesp, 2018.

GUEDES, Renato; PEREIRA, Rui Viana. Quem paga o Estado social em Portugal?. In: VARELA, Raquel (org.). *Quem paga o Estado social em Portugal?* Lisboa, Bertrand, 2012.

______; ______. E se houvesse pleno emprego? A sustentabilidade da segurança social e o desemprego. In: VARELA, Raquel (org.). *A Segurança Social é sustentável:* trabalho, Estado e Segurança Social em Portugal. Lisboa, Bertrand, 2013.

GUIMARÃES, Heloisa Werneck Mendes. *Reestruturação produtiva e subcontratação de mão de obra: onde está a modernidade do trabalho?* Dissertação (Mestrado em Administração) – Faculdade de Ciências Econômicas, Universidade Federal de Minas Gerais, Belo Horizonte, 1997.

GUIMARÃES, N. A. Qualificação como relação social. In: *Dicionário Educação da Profissional em Saúde*. Rio de Janeiro, Fundação Oswaldo Cruz/Escola Politécnica de Saúde Joaquim Venâncio, 2009. Disponível em: <http://www.sites.epsjv.fiocruz.br/dicionario/verbetes/quarelsoc.html>. Acesso em: 14 nov. 2015.

GUMBRELL-MCCORMICK, R.; HYMAN, R. *Trade Unions in Western Europe*. Oxford, Oxford University Press, 2013.

HABERMAS, Jünger. *Técnica e ciência como "ideologia"*. São Paulo, Abril, 1975.

HAMILTON, G. G.; KAO, C. The Asia Miracle and the Rise of Demand-Responsive Economies. In: ______; PETROVIC, M.; SENAUER, B. (orgs.) *The Market Makers*. Oxford, Oxford University Press, 2011.

______; PETROVIC, M.; SENAUER, B. (orgs.) *The Market Makers*. Oxford, Oxford University Press, 2011.

HARDT, Michael; NEGRI, Antonio. *Empire*. Cambridge, Harvard University Press, 2001.

______; ______. *Multitude*: War and Democracy in the Age of Empire. Nova York, Penguin, 2004.

HARRISON, B. *Lean and Mean*. Nova York, The Guilford Press, 1997.

HARVEY, David. *A condição pós-moderna*: uma pesquisa sobre as origens da mudança cultural. 5. ed. Trad. Adail Ubirajara Sobral. São Paulo, Loyola, 1992.

______. *A condição pós-moderna*. São Paulo, Loyola, 1993.

______. *Condição pós-moderna*: uma pesquisa sobre as origens da mudança mundial. São Paulo, Loyola, 2008.

______. *O enigma do capital*. Trad. João Alexandre Peschanski. São Paulo, Boitempo, 2011.

HELOANI, Roberto; PIOLLI, Evaldo. A falácia da qualificação. *Revista USP*, São Paulo, n. 64, fev. 2005. p. 201-10.

HENDERSON, J.; NADVI, K. Greater China, the Challenges of Global Production Networks and the Dynamics of Transformation, *Global Networks*, v. 11, n. 3, 2011. p. 285-97.

HENSMAN, Rohini. Labour and Globalization: Union Responses in India. *Global Labour Journal*, v. 1, n. 1, 2010. p. 112-31. Disponível em: <https://mulpress.mcmaster.ca/globallabour/article/view/1067>.

HERMANN, Jennifer. Da liberalização à crise financeira norte-americana: a morte anunciada chega ao Paraíso. In: FILHO, Fernando Ferrari (org.). *Dossiê da crise*. Porto Alegre, AKB, 2008.

HERNÁNDEZ, Isabel. ¡Que se vayan todos! *Herramienta*, Buenos Aires, n. 20, 2002.

HESPANHA, Pedro et al. *Entre o Estado e o mercado*: as fragilidades das instituições de proteção social em Portugal. Coimbra, Quarteto, 2000.

HIRATA, Helena; KERGOAT, Danièle. Novas configurações da divisão sexual do trabalho. *Cadernos de Pesquisa*, v. 37, n. 132, set.-dez. 2007. p. 595-609.

______; ZARIFIAN, Philippe. Força e fragilidade do modelo japonês. *Estudos Avançados*, São Paulo, v. 5, n. 12, maio-ago. 1991. p. 173-85.

HOCHSCHILD, A. *The Time Bind*: When Home Becomes Work and Work Becomes Home. Nova York, Paperback, 2010.

HOLLOWAY, John. *Mudar o mundo sem tomar o poder*: o significado da revolução hoje. Trad. Emir Sader. São Paulo, Boitempo, 2003.

HOOD, Christopher. The "New Public Management" in the 1980s: Variations on a Theme. *Accounting, Organizations and Society*, v. 20, n. 2-3, 1995. p. 93-109.

HOSOKAWA, Kiyoshi. Toyota Shock no Gaikokujin Roudousha no Koyou e no Eikyou. In: SHIOMI, Haruhito; UMEHARA, Koujirou (orgs.). Toyota Shock to Aichi Keizai, Totota Densetsu to Genjitsu (トヨタショックと愛知経済、トヨタ伝説と現実). Kyoto, Koyo Shobo Publisher, 2011.

HUANG, Y. *Selling China*. Cambridge, Cambridge University Press, 2003.

HUI, E. S.; CHAN, C. K. The Prospect of Trade Union Reform in China. In: TRAUB-MERZ, R.; NGOK, K. (orgs.) *Industrial Democracy in China*. Beijing, China Social Sciences Press, 2012. p. 103-20. Disponível em: <http://chinastudygroup.net/wp-content/uploads/2012/07/Industrial-Democracy2012.pdf>. Acesso em: 2 jan. 2013.

HUNG, H. (org.) *China and the Transformation of Global Capitalism*. Baltimore, The Johns Hopkins University Press, 2009.

HUSSON, Michel. Finança, hiperconcorrência e reprodução do capital. In: BRUNHOFF, Suzanne de et al. *A finança capitalista*. São Paulo, Alameda, 2010.

HUWS, Ursula. *The Making of a Cybertariat:* Virtual Work in a Real World. Nova York, Monthly Review/The Merlin, 2003.

______. *Labor in the Global Digital Economy:* The Cybertariat Comes of Age. Nova York, Monthly Review/The Merlin, 2014.

______; PODRO, Sara. Outsourcing and the Fragmentation of Employment Relations: The Challenges Ahead. Acas Policy Discussion Paper, 2012. Disponível em: <http://www.acas.org.uk/media/pdf/p/8/Outsourcing-and-the-fragmentation-of-employment-relations-the-challenges-ahead.pdf>. Acesso em: 22 set. 2014.

IAMAMOTO, Marilda Vilela; CARVALHO, Raul de. *Relações sociais e Serviço Social no Brasil*. São Paulo, Cortez, 1998.

IANNI, Octavio. *A ditadura do grande capital.* Rio de Janeiro, Civilização Brasileira, 1981.

______. *A sociedade global.* Rio de Janeiro, Civilização Brasileira, 1992.

IBASE (Instituto Brasileiro de Análises Sociais e Econômicas). *Balanço social, dez anos:* o desafio da transparência. Rio de Janeiro, Ibase, 2008.

IBGE (Instituto Brasileiro de Geografia e Estatística). O setor de tecnologia da informação e comunicação no Brasil: 2003-2006. In: Estudos e Pesquisas, Informação Econômica. Rio de Janeiro, n. 11, 2009.

______. *Censo 2010.* Disponível em: <http://censo2010.ibge.gov.br/>. Acesso em: 10 dez. 2015.

______. *Indicadores IBGE:* pesquisa mensal de emprego (junho de 2015), Rio de Janeiro, IBGE, 2015. Disponível em: <ftp://ftp.ibge.gov.br/Trabalho_e_Rendimento/Pesquisa_Mensal_de_Emprego/fasciculo_indicadores_ibge/2015/pme_201506pubCompleta.pdf>.

IGLECIAS, Wagner. Entre ganhadores e perdedores: o novo terciário brasileiro que emerge no pós-reformas. In: MANCUSO, W. P; LEOPOLDI, M. A; IGLECIAS, W. *Estado, empresariado e desenvolvimento no Brasil*: novas teorias, novas trajetórias. São Paulo, Editora de Cultura, 2010.

INÁCIO, J. R. *Sindicalismo e ética*: (re)ação, sanidade e trabalho. Belo Horizonte, Crisálida, 2012.

INCALCATERRA, Danièle. *Fasinpat (Fábrica sin Patrón).* Roteiro e direção: Danièle Incalcaterra. Argentina, 2004. Documentário, 1h47min.

INDUSTRIALL. Indian Trade Unions Intensify Struggle to win Workers' Rights, 2016. IndustriALL, 14 abr. 2016. Disponível em: <http://www.industriall-union.org/indian-trade-unions-intensify-struggle-to-win-workers-rights>.

INEP (Instituto Nacional de Estudos e Pesquisas Educacionais Anísio Teixeira). Censo escolar da educação básica de 1995 até 2014. Disponível em: <http://inep.gov.br/web/guest/resultados-e-resumos>. Acesso em: 10 maio 2015.

______. Microdados do Enade (2009, 2010 e 2011). Disponível em: <http://portal.inep.gov.br/microdados>. Acesso em: 22 maio 2015.

IÑIGO CARRERA, Nicolás; PODESTÁ, Jorge. La disposición de fuerzas sociales objetivas: hitos y tendencias en el desarollo del capitalismo argentino. *Lucha de Clases*, Buenos Aires, v. 1, n. 1, 1997. p. 151-7.

INSEE (Institut National de la Statistique et des Études Économiques de la France). Emplois salariés dans le tourisme : un poids localement important. *6 pages de l'Insee*, n. 145, 2012. Disponível em: <https://www.insee.fr/fr/statistiques/1291090>. Acesso em: 20 dez. 2015.

INSTITUTO Nacional de Estatística. Rendimento e Condições de Vida, 2011 (dados provisórios). 13 jul. 2012.

______. Estatísticas demográficas 2015. Edição 2016. Disponível em: <https://www.ine.pt/xportal/xmain?xpid=INE&xpgid=ine_publicacoes&PUBLICACOESpub_boui=275535921&PUBLICACOESmodo=2>. Acesso em: jul. 2019.

INSTITUTO Nacional do Seguro Social. Instrução Normativa DC/INSS n. 98 de 5/12/2003.

IPEA (Instituto de Pesquisa Econômica Aplicada). *A iniciativa privada e o espírito público*: um retrato da ação social das empresas no Sudeste brasileiro. Brasília, Ipea, mar. 2000.

______. Quarto relatório anual com estimativas definitivas da ocupação formal e informal, a partir dos últimos dados divulgados da RAIS e da PNAD, para o Brasil, região Centro-Oeste e Distrito Federal. Brasília, Ipea, mar. 2013. Disponível em: <http://www.ipea.gov.br/portal/images/ocupao%20formal%20e%20informal%20do%20turismo%20-%20brasil%20centro-oeste%20e%20df%20-%202011.pdf>. Acesso em: 20 dez. 2015.

______. Apresentação. *Políticas Sociais: acompanhamento e análise*, n. 23, 2015a. p. 9-17. Disponível em: <http://www.ipea.gov.br/portal/images/stories/PDFs/politicas_sociais/bps_23_14072015.pdf>. Acesso em: 14 ago. 2015.

______. Assistência social. *Políticas Sociais: acompanhamento e análise*, n. 23, 2015b. p. 53-116. Disponível em: <http://www.ipea.gov.br/portal/images/stories/PDFs/politicas_sociais/bps_23_14072015.pdf>. Acesso em: 14 ago. 2015.

______; MINISTÉRIO DO TURISMO. Relatório com as estimativas da caracterização da ocupação formal e informal do turismo, com base nos dados da RAIS e da Pnad 2013, para o Brasil e regiões. Brasília, Ipea, fev. 2011. Disponível em: <http://www.ipea.gov.br/portal/images/stories/PDFs/150317_estimativas_ocupacao-2015.pdf>. Acesso em: 20 dez. 2015.

IRES, FILLEA-CGIL. *I lavoratori stranieri nel settore delle costruzioni*. Roma, IRES, 2012.

IRION, João Eduardo. *Cooperativismo e economia social*: a prática do cooperativismo. São Paulo, STS, 1997.

JAMES, C. L. R. *Os jacobinos negros*. São Paulo, Boitempo, 2001.

KAMATA, Satoshi. Jidousha Zetsubou-koujyou (自動車絶望工場Japan in the Passing Lane: an Insider's Account of Life in a Japanese Auto Factory). Tóquio, Koudansha Bunko, 2011.

KAMEYAMA, Nabuco. Filantropia empresarial e entidades da sociedade civil. In: CAPACITAÇÃO EM SERVIÇO SOCIAL E POLÍTICA SOCIAL, Módulo 4: *O trabalho do assistente social e as políticas sociais*. Brasília, UnB/Cead, 2000.

KASSOUF, Ana Lúcia. O que conhecemos sobre o trabalho infantil? *Nova Economia*, Belo Horizonte, n. 17, v. 2, maio-ago. 2007. p. 323-350.

KELAN, Elisabeth. *Performing Gender at Work*. Basingstoke, Palgrave Macmillan, 2009.

KERGOAT, D. Dinâmica e consubstancialidade das relações sociais. *Novos Estudos Cebrap*, São Paulo, n. 86, mar. 2010. p. 93-103. Disponível em: <http://www.scielo.br/scielo.php?script=sci_arttext&pid=S0101-33002010000100005&lng=en&nrm=iso>. Acesso em: 13 nov. 2015.

KERGOAT, Daniele. Divisão sexual do trabalho e relações sociais de sexo. In: HIRATA, Helena et al. *Dicionário crítico do feminismo*. São Paulo, Editora Unesp, 2009.

KLACHKO, Paula. *Cutral-Có y Plaza Huincul*: el primer corte de ruta, del 20 al 26 de junio de 1996): cronología e hipótesis. Buenos Aires, Pimsa, 1999. Documento de Trabajo, n. 20.

KONDO, Atsushi. Development of Immigration Policy in Japan. *Asia and Pacific Migration Journal*, v. 11, n. 4, 2002. p. 415-36. Disponível em: <http://www.smc.org.ph/administrator/uploads/apmj_pdf/APMJ2002N4ART2.pdf> Acesso em: 12 jul. 2011.

KONDO, Toshio. Nikkei Burajirujin no Shuurou to Seikatsu (日系ブラジル人の就労と生活), Bukkyou Daigaku, Shakai Gakubu Ronshuu, n. 10, 2004. p. 1-18. Disponível em: <www.bukkyo-u.ac.jp/pdfs/ronsyu/SYAKAI40/S040L001.pdf>. Acesso em: 1º jun. 2010.

KOO, H. *Korean Workers*. Ithaca, Cornell University Press, 2001.

KRAEMER, K. L.; LINDEN, G.; DEDRICK, J. Capturing Value in Global Networks. 2011. Disponível em: <http://pcic.merage.uci.edu/papers/2011/Value_iPad_iPhone.pdf>. Acesso em: 1º out. 2011.

KREIN, José Dari. Balanço da reforma trabalhista de FHC. In: ______; PRONI, M.; HENRIQUES, W. (orgs.) *Trabalho, mercado e sociedade*: o Brasil nos anos 90. São Paulo, Editora Unesp, 2003.

______. *Tendências recentes nas relações de emprego no Brasil: 1990-2005*. Tese (Doutorado em Desenvolvimento Econômico) – Instituto de Economia, Universidade Estadual de Campinas (Unicamp), Campinas, 2007.

______; SANTOS, Anselmo Luis; NUNES, Bartira Tardeli. Trabalho no governo Lula: avanços e contradições. Texto para discussão n. 201, 2012. Instituto de Economia, Universidade Estadual de Campinas (Unicamp), 2012.

KRENN, M.; HAIDINGER, B. Un(der)documented Migrant Labour, Uwt Project, 6th FP, contract n. 044272, 2008.

KU, Y. Human Lives Valued Less Than Dirt. In: SMITH, T.; SONNENFELD, D. A.; PELLOW, D. N. (orgs.) *Challenging the Chip*. Filadélfia, Temple University Press, 2006.

KUENZER, A. Z. *Pedagogia da fábrica*: as relações de produção e a educação do trabalhador. São Paulo, Cortez, 1995.

KURUVILLA, S.; LEE; C. K.; GALLAGHER, M. E. (orgs.) *From Iron Rice Bowl to Informalization*. Ithaca, Cornell University Press, 2011.

LAAT, Erivelton Fontana de. *Trabalho e risco no corte manual de cana-de-açúcar: a maratona perigosa nos canaviais*. Tese (Doutorado em Engenharia de Produção), Universidade Metodista de Piracicaba (Unimep), Santa Bárbara d'Oeste, 2010.

LACAZ, Francisco Antônio de Casto. O campo saúde do trabalhador: epistemologia, desafios e lacunas. In: LOURENÇO, Edvânia Ângela de Souza; NAVARRO, Vera Lúcia. *O avesso do trabalho*: saúde do trabalhador e questões contemporâneas. São Paulo, Outras Expressões, 2013. v. 3.

LASHINSKY, A. *Inside Apple*. Londres, John Murray, 2012.

LAURELL, A. C.; NORIEGA, M. *Processo de produção e saúde*: trabalho e desgaste operário. São Paulo, Hucitec, 1989.

LAVINAS, Lena; SORJ, Bila; BARSTED, Leila Linhares; JORGE, Ângela. *Trabalho a domicílio*: novas formas de contratualidade. Rio de Janeiro, Ipea, 2000. (Textos para discussão n. 717).

LEE, Ching Kwan. *Against the Law*. Berkeley, University of California Press, 2007.

______. Pathways of Labor Activism. In: PERRY, E. J.; SELDEN, M. (orgs.) *Chinese Society*. 3. ed. Londres, Routledge, 2010.

LEE, J.; GEREFFI, G. (2013) The Co-Evolution of Concentration in Mobile Phone Value Chains and its Impact on Social Upgrading in Developing Countries. Capturing the Gains Working Paper 25. Disponível em: <http://www.capturingthegains.org/pdf/ctg-wp-2013-25.pdf>. Acesso em: 1° abr. 2013.

LEFEBVRE, Henri. *The Critique of Everyday Life*. Londres/Nova York, Verso, 1991. v. 1.

______. *A revolução urbana*. Trad. Sérgio Martins. Belo Horizonte, Editora da UFMG, 1999.

______. *Espaço e política*. Trad. Margarida Maria de Andrade e Sérgio Martins. Belo Horizonte, Editora da UFMG, 2008.

LEI DE BASES da Segurança Social, n. 4/2007, de 16 de janeiro de 2007.

LEI N. 12.796, de 4 de abril de 2013. Disponível em: <http://www.planalto.gov.br/ccivil_03/_ato2011-2014/2013/lei/l12796.htm>. Acesso em: 1° set. 2015.

LEI N. 13.005/2014, de 25 de junho. Disponível em: <http://www.planalto.gov.br/ccivil_03/_Ato2011-2014/2014/Lei/L13005.htm>. Acesso em: 5 maio 2015.

LEI N. 9.394/1996, de 20 de dezembro. Disponível em: <https://www.planalto.gov.br/ccivil_03/Leis/L9394.htm>. Acesso em: 25 abr. 2015.

LEITE, Fabiane; COLLUCCI, Cláudia. Trabalho infantil migra para o "quintal". *Folha de S.Paulo*, São Paulo, 10 jul. 2005, Caderno Cotidiano, p. 1.

LEITE, Jorge et al. Austeridade, reformas laborais e desvalorização do trabalho. In: OBSERVATÓRIO SOBRE CRISES E ALTERNATIVAS (org.). *A economia política do retrocesso*: crise, causas e objetivos. Coimbra, Almedina, 2014.

LEITE, Marcia de Paula. *Trabalho e sociedade em transformação*: mudanças produtivas e atores sociais. São Paulo, Fundação Perseu Abramo, 2003.

LEMOS, Ciro Antônio Pereira. *Repercussões do turnover na indústria calçadista de Nova Serrana*. Dissertação (Mestrado em Administração) – Faculdades Integradas de Pedro Leopoldo, Pedro Leopoldo-MG, 2010.

LENG, T.-K. State and Business in the Era of Globalization. *The China Journal*, 53, jan. 2005. p. 63-79.

LESSA, Ricardo. Marketing social melhora a imagem e aumenta o lucro. O futuro da comunicação. *Relatório Gazeta Mercantil*, São Paulo, 7 fev. 2002.

LEWIN, Moshe. *El siglo soviético*: ¿qué sucedió realmente en la Unión Soviética? Barcelona, Crítica, 2006.

LICHTENSTEIN, Nelson. *The Retail Revolution*. Nova York, Metropolitan Books, 2009.

LIMA FILHO, Domingos Leite. *A desescolarização da escola*: impactos da reforma da educação profissional (período 1995-2002). Curitiba, Torre de Papel, 2003.

LIMA, Eurenice de Oliveira. *O encantamento da fábrica*. Tese (Doutorado em Ciências Sociais) – Instituto de Filosofia e Ciências Humanas, Universidade Estadual de Campinas (Unicamp), 2002.

______. *O encantamento da fábrica*: toyotismo e os caminhos do envolvimento no Brasil. São Paulo, Expressão Popular, 2004.

______. *Toyotismo no Brasil:* desencantamento da fábrica, envolvimento e resistência. São Paulo, Expressão Popular, 2004.

LIMA, J. C. *As artimanhas da flexibilização*: o trabalho terceirizado em cooperativas de produção. São Paulo, Terceira Margem, 2002.

LIMA, Jacob. Negócios da China: a nova industrialização no Nordeste. *Novos Estudos Cebrap*, São Paulo, n. 49, nov. 1997. p. 141-58.

LIMA, Vítor. A dívida à Segurança Social. Blog *Grazia Tanta*, 29 jul. 2012.

LINHART, Danièle. O indivíduo no centro da modernização das empresas: um reconhecimento esperado, mas perigoso. *Revista Trabalho & Educação*, Belo Horizonte, n. 7, jul.-dez. 2000. p. 24-36.

______. *A desmedida do capital*. Trad. Wanda Caldeira Brant. São Paulo, Boitempo, 2007.

LIVING Wage Foundation. *The Calculation*. Disponível em: <http://www.livingwage.org.uk/calculation>. Acesso em: 13 out. 2015.

______. *What is the Living Wage?* Disponível em: <http://www.livingwage.org.uk/what-living-wage>. Acesso em: 13 out. 2015.

LIZARRAGUE, Freddy; WERNER, Ruth; CASTILLO, Christian. Del Cordobazo al Jujeñazo. *Lucha de Clases*, Buenos Aires, v. 1, n. 1, 1997. p. 9-56.

LOJKINE, Jean. *A revolução informacional*. Trad. José Paulo Netto. São Paulo, Cortez, 1995.

LOUREIRO, Maria Rita (org.). *Cooperativas agrícolas e capitalismo no Brasil*. São Paulo, Cortez, 1981.

LUCCHESI, Celso Fernando. Petróleo. *Estudos Avançados*, n. 12, v. 33, 1998.

LUCENA, Manuel de. Previdência Social. In: MÓNICA, Maria Filomena; BARRETO, António (coord.). *Dicionário de História de Portugal*. Porto, Figueirinhas, suplemento 9. p. 149-67.

LUCHA DE CLASES. Entrevistas: Raúl Godoy, secretario general del Sindicato de Obreros y Empleados Ceramistas de Neuquén; André Blanco, integrante de la Comisión Interna de Zanon;

y Pepe y Eduardo, militantes del MTD Neuquén. *Lucha de Clases*, n. 1, 2002. Disponível em: <http://www.ips.org.ar/?p=826>.

LUDWIG, T.; THOLEN, J. Shipbuilding in China and its Impacts on European Shipbuilding Industry. University of Bremen, 2006. Disponível em: <http://www.iaw.uni-bremen.de/downloads/ShipbuildingChina2006.pdf>. Acesso em: 22 set. 2014.

LÜTHJE, B. The Changing Map of Global Electronics. In: Smith, T.; SONNENFELD, D. A.; PELLOW, D. N. (orgs.) *Challenging the Chip*. Filadélfia, Temple University Press, 2006.

MACHADO FILHO, Cláudio Antonio Pinheiro; ZYLBERSZTAJN, Decio. Capital reputacional e responsabilidade social: considerações teóricas. *Caderno de Pesquisas em Administração*, v. 11, n. 2, abr.-jun. 2004.

MACHADO, Rosana Pinheiro. China-Paraguai-Brasil: uma rota para pensar a economia informal. *RBCS*, v. 23, n. 67, jun. 2008.

MAGNANI, Esteban. *El cambio silencioso*: fábricas y empresas recuperadas. Buenos Aires, Prometeo/ Centro Cultural de la Cooperación, 2003.

MALAGUTI, Manuel Luiz. *Crítica à razão informal*: imaterialidade do salariado. São Paulo, Boitempo, 2000.

MALANGA, Umberto César Chacon. *Análise das transformações da gestão operacional e organizacional da Embraer após a sua privatização*. (Trabalho de Graduação, Divisão de Engenharia de Aeronáutica, Centro Técnico Aeroespacial/Instituto Tecnológico de Aeronáutica, 1997.)

MANDEL, Ernest. *A crise do capital*. São Paulo/ Campinas, Ensaio/ Editora da Unicamp, 1990.

MARCELINO, P.; CAVALCANTE, S. Por uma definição de terceirização. *Cad. CRH*, Salvador, v. 25, n. 65, ago. 2012. p. 331-46. Disponível em: <http://www.scielo.br/scielo.php?script=sci_arttext&pid=S0103-49792012000200010&lng=en&nrm=iso>. Acesso em: 13 nov. 2015.

MARCELINO, Paula. *A logística da precarização*: terceirização do trabalho na Honda do Brasil. São Paulo, Expressão Popular, 2004.

MARINI, Ruy Mauro. Dialética da dependência. In: TRASPADINI, Roberta; STEDILE, João Pedro (orgs.). *Ruy Mauro Marini*: vida e obra. 2. ed. São Paulo, Expressão Popular, 2011.

MARQUES, A. H. Oliveira; SERRÃO, Joel. *Portugal, da Monarquia para a República*. Lisboa, Presença, 1991. (Coleção Nova História de Portugal).

MARQUES, Fernando. *Evolução e problemas da segurança social em Portugal no após 25 de Abril*. Lisboa, Cosmos, 1997.

MARQUES, Gislei Lemes; AVELAR, Gilmar Alves de. A precarização do trabalho metalúrgico na Mitsubishi Motors Company e as implicações na saúde do trabalhador. *Revista Eletrônica da Rede de Estudos do Trabalho*, ano IV, n. 7, 2010.

MARQUES, Oliveira. *A Primeira República portuguesa*. Lisboa, Livros Horizontes, 1980.

MARQUES, Rosa Maria. Globalização e Estados nacionais. *Crítica Marxista*, n. 3, São Paulo, Brasiliense, v. 1, n. 3, 1996. p. 136-9.

MARTINELLI, Bruna. *Peculiaridades do trabalho nos* call centers: um estudo das teleoperadoras de Campinas-SP. Dissertação (Mestrado em Sociologia) – Instituto de Filosofia e Ciências Humanas, Universidade Estadual de Campinas (Unicamp), Campinas, 2015.

MARTÍNEZ, Josefina. Fábricas ocupadas y gestión obrera directa. *Lucha de Clases*, n. 1, 2002.

MARTINEZ, Maria Regina Estevez. *A globalização da indústria aeronáutica*: o caso da Embraer. Tese (Doutorado em Relações Internacionais) – Instituto de Relações Internacionais da Universidade de Brasília, Brasília, 2007.

MARTINS, Conceição Andrade. Trabalho e condições de vida em Portugal (1850-1913). *Análise Social*, v. XXXII (142), 1997. p. 483-535.

MARTINS, José. Observações em torno do movimento real das crises e dos ciclos económicos. In: VARELA, Raquel (org.). *Quem paga o Estado social em Portugal?* Lisboa, Bertrand, 2012.

MARTINS, José; COGGIOLA, Osvaldo. Dinâmicas da globalização: mercado mundial e ciclos econômicos (1970-2005). Santa Catarina, UFSC, 2006.

MARTONI, Rodrigo Meira. Trabalho produtivo no turismo e as aventuras laborativas do "cortês trabalhador". *Revista Cenário*, Brasília, v. 15, n. 1, abr. 2012. p. 49-84.

MARX, Karl. *O capital*: capítulo VI (inédito). São Paulo, Ciências Humanas, 1978.

______. *Teorías sobre la plusvalía*. Cidade do México, Fondo de Cultura Económica, 1980.

______. *O capital*. Livro 1, v. 1. Rio de Janeiro, Civilização Brasileira, 1994.

______. *O capital*: crítica da economia política, Livro I, v. I. Trad. Reginaldo Sant'Anna. 26. ed. Rio de Janeiro, Civilização Brasileira, 2008.

______. *O capital*: crítica da economia política, Livro III, v. IV. Trad. Reginaldo Sant'Anna. Rio de Janeiro, Civilização Brasileira, 2008.

______. *El capital*. Capítulo VI [Inédito]. Libro I. Resultados del proceso inmediato de producción. Espanha, Siglo Veintiuno, 2009.

______. *Atualidade histórica da ofensiva socialista*. São Paulo, Boitempo, 2010.

______. *Grundrisse*: manuscritos econômicos de 1857-1858: esboços da crítica da economia política. Trad. Nélio Schneider. São Paulo, Boitempo, 2011.

______. *O capital*: crítica da economia política. Livro I: *O processo de produção do capital*. Trad. Rubens Enderle. São Paulo, Boitempo, 2013.

______. *O capital:* crítica da economia política. Livro II. Trad. Rubens Enderle. São Paulo, Boitempo, 2014.

______. *O capital*: crítica da economia política. Livro III: *O processo global da produção capitalista*. Trad. Rubens Enderle. São Paulo, Boitempo, 2017.

______; ENGELS, Friedrich. *A ideologia alemã*. Trad. Rubens Enderle, Nélio Schneider e Luciano Cavini Martorano. São Paulo, Boitempo, 2007.

______; ______. *Manifesto Comunista*. São Paulo, Boitempo, 2010.

MASON, Rowena. Solution to Zero-hours Contracts is to Rebrand Them, Says Iain Duncan Smith. *The Guardian*. Londres, 17 abr. 2015. Disponível em: <http://www.theguardian.com/uk-news/2015/apr/17/solution-to-zero-hours-contracts-is-to-rebrand-them-say-iain-duncan-smith>. Acesso em: 5 maio 2015.

MATEUS, Dalila Cabrita. *A PIDE/DGS e a guerra colonial*. Lisboa, Terramar, 2004.

______. O trabalho forçado nas colónias portuguesas. Comunicação apresentada no I Colóquio de História do Movimento Operário e dos Movimentos Sociais em Portugal, 15 de março de 2013, Faculdade de Ciências Sociais e Humanas, Universidade Nova de Lisboa (FCSH-UNL).

MATO Grosso do Sul. Lei n. 3.357, de 9 de janeiro de 2007. Estabelece normas para a redução gradual da queima da palha da cana-de-açúcar, sem prejuízo da atividade agroindustrial canavieira e dá outras providências. Campo Grande, 2007.

MATOS, M. I. S. História, memória e cotidiano privado: o feminino e o masculino no Porto do Café (1980-1930). In: PEREIRA, M. A. F. et al. *Santos, café e história*. Santos, Leopoldianum, 1995.

MATSUNAGA, L. Y. T. *As relações sociais de trabalho no porto de Santos*: a naturalização da precarização da força de trabalho feminina. Relatório de Pesquisa (Iniciação Científica, Curso Serviço Social). Universidade Federal de São Paulo, Santos, 2015.

MATTOS, Marcelo Badaró. Greves no Brasil: o despertar de um novo ciclo de lutas? *Rubra*, 10 maio 2014. Disponível em: <http://www.revistarubra.org/greves-brasil-o-despertar-de-um-novo-ciclo-de-lutas/#sthash.rH1iCYze.dpuf>. Acesso em: 20 jul. 2015.

MATTOSO, Jorge. *O Brasil desempregado*: como foram destruídos mais de 3 milhões de empregos nos anos 90. São Paulo, Fundação Perseu Abramo, 1999.

MAYRINK, J. M. Privatizado, Santos mais que duplica movimento. *O Estado de S. Paulo*, São Paulo, 28 jan. 2008, Especial, Caderno H. p. 4.

MCGAUGHEY, Ewan. Are Zero Hours Contracts Lawful? *Social Science Research Network*, 29 nov. 2014. Disponível em: <http://ssrn.com/abstract=2531913>. Acesso em: 6 maio 2015.

MCKAY, Steven C. *Satanic Mills or Silicon Islands?* The Politics of High-tech Production in the Philippines. Ithaca, Cornell University Press, 2006.

MCNALLY, C. A. Sichuan: Driving Capitalist Development Westward. *The China Quarterly*, n. 178, jun. 2004. p. 426-47.

MEDEIROS, Leonilde Sérvolo de; LEITE, Sérgio Pereira. *Assentamentos rurais mudança social e dinâmica regional*. Rio de Janeiro, Mauad, 2004.

MENDES, J. Serviço social e saúde do trabalhador. Curso pré-congresso no VI CONASSS – Congresso Nacional de Serviço Social em Saúde e XI SIMPSSS – Simpósio de Serviço Social em Saúde. São José dos Campos, 2012 (mimeo).

MENDES, L. O. *Expansão do capital, territorialidade do trabalho e as respostas do Senai em Catalão (GO) no século XXI*: uma contribuição à geografia do trabalho. Dissertação (Mestrado em Geografia) – Faculdade de Ciências e Tecnologia, Universidade Estadual Paulista (Unesp), Presidente Prudente, 2007.

MENEZES NETO, Antonio J. *Além da terra*: cooperativismo e trabalho na educação do MST. Rio de Janeiro, Quartet, 2003.

MENON, Sindhu. When 100 Million Indians Went on Strike. *Equal Times*, 26 fev. 2013. Disponível em: <http://www.equaltimes.org/when-100-million-indians-went-on-strike#.VRW6W1dgiGQ>.

MÉSZÁROS, István. *O poder da ideologia*. Trad. Paulo Cezar Castanheira. São Paulo, Boitempo, 2004.

______. *A educação para além do capital*. Trad. Isa Tavares. São Paulo, Boitempo, 2005.

______. *O desafio e o fardo do tempo histórico*: o socialismo no século XXI. Trad. Ana Cotrim e Vera Cotrim. São Paulo, Boitempo, 2007.

______. *A crise estrutural do capital*. Trad. Francisco Raul Cornejo. 2. ed. São Paulo, Boitempo, 2011a.

______. *Para além do capital*: rumo a uma teoria da transição. 1. ed. revista. Trad. Paulo Cezar Castanheira e Sérgio Lessa. São Paulo, Boitempo, 2011b.

MEULDERS, Danièle; TYTGAT, Bernard. L'Émergence d'emplois atypiques dans les pays de la CEE. In: RODGERS; Gerry; RODGERS, Janine (orgs.). *Les Emplois précaires dans la régulation du marché du travail*: la croissance du travail atypique en Europe de l'Ouest. Genebra, BIT, 1990.

MEYER, Laura; CHAVES, María. Aires de libertad: Zanon bajo gestión obrera. *Observatorio Social de América Latina*, Clacso, ano IX, n. 24, out. 2008.

MILKMAN, Ruth; LUCE, Stephanie. The State of the Unions 2013: A Profile of Organized Labor in New York City, New York State, and the United States. Nova York, The Joseph S. Murphy Institute for Worker Education and Labor Studies and The Center for Urban Research (CUNY Graduate Center), 2013. Disponível em: <https://sps.cuny.edu/filestore/8/6/3_bc4b97196c5659e/863_916e1989d05f0e6.pdf>. Acesso: 12 dez. 2013.

MINISTÈRE de L'Économie, de L'industrie et du Numérique. *Chiffres clés du turisme*. Paris, DGE, 2015. Disponível em: <http://www.entreprises.gouv.fr/files/files/directions_services/etudes-et-statistiques/stats-tourisme/chiffres-cles/2015-Chiffres-cles-tourisme-FR.pdf>. Acesso em: 14 dez. 2015.

MINISTÉRIO da Solidariedade e Segurança Social. Evolução do sistema de segurança social – conteúdo final". Atualizado em 14 maio 2015. Disponível em: <http://www4.seg-social.pt/evolucao-do-sistema-de-seguranca-social?p_p_id=56_INSTANCE_R6s5&p_p_lifecycle=1&p_p_state=exclusive&p_p_mode=view&p_p_col_id=column&p_p_col_count=1&_56_INSTANCE_R6s5_struts_action=%2Fjournal_content%2Fexport_article&_56_INSTANCE_R6s5_groupId=10152&_56_INSTANCE_R6s5_articleId=135838&_56_INSTANCE_R6s5_targetExtension=pdf>. Acesso em: 4 jan. 2013.

MINISTÉRIO do Turismo. Mais de 6,4 milhões de turistas estrangeiros visitaram o Brasil em 2014. Ministério do Turismo, 8 jul. 2015b. Disponível em: <http://www.turismo.gov.br/ultimas-noticias/5227-mais-de-6,4-milh%C3%B5es-de-turistas-estrangeiros-visitaram-o-brasil-em-2014.html>. Acesso em: 14 dez. 2015.

______. Turismo movimenta R$ 492 bilhões no Brasil. Ministério do Turismo, 25 mar. 2015a. Disponível em: <http://www.turismo.gov.br/ultimas-noticias/957-turismo-movimenta-r-492-bilhoes-no-brasil.html>. Acesso em: 16 dez. 2015.

MINISTÉRIO Público do Trabalho. Inquérito Civil - Processo n. 000.385.2008.15.002/0-41, v. 6.

MINISTÉRIO do Trabalho fiscaliza fábricas. *Jornal Correio da Serra*. Nova Serrana, 14 set. 1995.

MINISTERO dei Trasporti, 2004, Relazione sull'industria cantieristica navale ai sensi dell'art. 5, comma 4, della legge n. 413/98, Roma.

MINTZ, Sydney W. *Sabor a comida, sabor a libertad*: incursiones en la comida, la cultura y el pasado. Cidade do México, Conaculta, 2003.

MIRANDA, Zil. *O voo da Embraer*: a competitividade brasileira na indústria de alta tecnologia. São Paulo, Papagaio, 2007.

MIZUSHIMA, Hiroaki. *Net Café Nanmin to Hinkon Nippon* (ネットカフェ難民と貧困ニッポン). Tóquio, Nihon Terebi Housoumou Kabushiki-gaisha, 2009.

MONTAÑO, Carlos. *Terceiro setor e questão social*: crítica ao padrão emergente de intervenção social. São Paulo, Cortez, 2002.

MORAES, Lívia de Cássia Godoi. Privatização e reestruturação no setor aeronáutico brasileiro. In: ANTUNES, Ricardo (org.). *Riqueza e miséria do trabalho no Brasil*. São Paulo, Boitempo, 2013a. v. 2.

______. *Pulverização de capital e intensificação do trabalho*: o caso da Embraer. Tese (Doutorado em Sociologia) – Instituto de Filosofia e Ciências Humanas, Universidade Estadual de Campinas (Unicamp), Campinas, 2013b.

______. Financeirização na Embraer e impactos sobre os trabalhadores. Anais do XIV Encontro Nacional da ABET. Campinas, Editora da Unicamp, 2015.

______. Nas asas do capital: Embraer, financeirização e implicações sobre os trabalhadores. Cad. CRH, Salvador, v. 30, n. 79, abr. 2017. p. 13-31. Disponível em: <http://www.scielo.br/scielo.php?script=sci_arttext&pid=S0103-49792017000100013&lng=en&nrm=iso>. Acesso em: 7 jul. 2019.

______. Joint-venture entre Embraer e Boeing: uma "união de risco" para trabalhadores e trabalhadoras da Embraer. Revista *A Embraer é nossa*. Edição especial. São José dos Campos, Sindicato dos Metalúrgicos de São José dos Campos, 2018.

MORAES, Reginaldo. *Neoliberalismo*: de onde vem, para onde vai? São Paulo, Senac, 2001.

MORRIS, L. *Managed Migration*. Londres, Routledge, 2002.

MORRIS-SUZUKI, Tessa. Invisible Immigrants: Undocumented Migration and Border Controls in Early Postwar Japan. *The Journal of Japanese Studies*, v. 32, n. 1, 2006. p. 119-53.

MOTA, Ana Elizabete. *Cultura da crise e seguridade social*. São Paulo, Cortez, 1995.

MTE/SIT (Ministério do Trabalho e Emprego/Secretaria de Inspeção do Trabalho). Contrato de Safra: manual. Brasília, 2002.

NAKATANI, Paulo; SABADINI, Maurício de Souza. Sistema financeiro e mercado de capitais. In: MARQUES, Rosa Maria; FERREIRA, Mariana Ribeiro Jansen (orgs.). *O Brasil sob a nova ordem*. A economia brasileira contemporânea: uma análise dos governos Collor a Lula. São Paulo, Saraiva, 2010.

NAUGHTON, B. China's Distinctive System: Can It Be A Model for Others? *Journal of Contemporary China*, v. 19, n. 65, 2010. p. 437-60.

NAVARRO, Vera Lúcia. O trabalho e a saúde do trabalhador na indústria de calçados. *São Paulo em Perspectiva*, v. 17, n. 2, 2003. p. 32-41.

______; NELI, Marcos Acácio. Reestruturação produtiva e saúde do trabalhador na agroindústria avícola do Brasil. In: ANTUNES, Ricardo (org.). *Riqueza e miséria do trabalho no Brasil*. Boitempo, 2013. v. 2.

NETTO, José Paulo. *Capitalismo monopolista e serviço social*. 6. ed. São Paulo, Cortez, 2007.

______. Introdução ao método da teoria social. In: BOSCHETTI, Ivanete Salete (orgs.). *Serviço social*: direitos sociais e competências profissionais. Brasília, CFESS, 2009.

______. Uma face contemporânea da barbárie. III Encontro Internacional "Civilização ou Barbárie". Serpa, 2010.

NEUVILLE, Richard. La Capital mondiale des entreprises récupérées. In: ______ et al. *Autogestion:* l'encyclopédie internationale. Paris, Syllepse/Association Autogestion, 2015.

NEVES, Delma Pessanha. *Por trás dos verdes canaviais*: estudo das condições sociais de constituição e das formas de encaminhamento dos conflitos entre trabalhadores rurais e usineiros. Niterói, EDUFF, 1989.

NEVES, Lúcia Maria Vanderley. *A nova pedagogia da hegemonia*: estratégias do capital para educar o consenso. São Paulo, Xamã, 2005.

NEVES, Magda de Almeida. Reestruturação produtiva, qualificação e relações de gênero. In: ROCHA, Maria Isabel Baltar. *Trabalho e gênero*: mudanças, permanências e desafios. São Paulo, Editora 34, 2000.

NEVILLE, Simon et al. Buckingham Palace Uses Zero-hours Contracts for Summer Staff. *The Guardian*, 30 jul. 2013. Disponível em: <http://www.theguardian.com/money/2013/jul/30/buckingham-palace-zero-hours-contracts>. Acesso em: 20 fev. 2015.

NGAI, Pun; CHAN, Jenny. The Advent of Capital Expansion in China: A Case Study of Foxconn Production and the Impacts on its Workers. 2012. Disponível em: <http://rdln.files.wordpress.com/2012/01/pun-ngai_chan-jenny_on-foxconn.pdf>.

NOGUEIRA, Claudia Mazzei. *A feminização no mundo do trabalho*. Campinas, Autores Associados, 2004.

______. A feminização do trabalho no mundo do telemarketing. In: ANTUNES, Ricardo (org.). *Riqueza e miséria do trabalho no Brasil*. São Paulo, Boitempo, 2006. v. 1.

______. As relações sociais de gênero no trabalho e na reprodução. *Revista Aurora*, Marília, v. 3, n. 2, ago. 2010. p. 59-62. Disponível em: <http://www2.marilia.unesp.br/ojs-2.4.5/index.php/aurora/article/view/1231/1098>. Acesso em: 29 set. 2015.

______. *O trabalho duplicado*. 2. ed. São Paulo, Expressão Popular, 2011.

______. *A divisão sexual do trabalho no porto de Santos*: um novo espaço de trabalho feminino? Projeto de Bolsa Produtividade (CNPq), 2012, mimeo.

NORONHA, Eduardo. Ciclo de greves, transição política e estabilização: Brasil, 1978-2007. *Lua Nova: Revista de Cultura e Política*, São Paulo, n. 76, 2009.

NOVAES, Henrique Tahan. De tsunami a marola: uma breve história das fábricas recuperadas na América Latina. *Lutas & Resistência*, Londrina, v. 2, n. 2-3, 2007a. p. 123-36.

______. *O fetiche da tecnologia*: a experiência das fábricas recuperadas. São Paulo, Expressão Popular, 2007b.

______. *A relação universidade-movimentos sociais na América Latina*: habitação popular, agroecologia e fábricas recuperadas. Tese (Doutorado em Política Científica e Tecnológica) – Instituto de Geociências, Universidade Estadual de Campinas (Unicamp), Campinas. 2010.

NOVAES, José Roberto Pereira. Cooperativismo: acumulação e mudança social. In: LOUREIRO, Maria Rita (org.). *Cooperativas agrícolas e capitalismo no Brasil.* São Paulo, Cortez, 1981.

______. Heróis anônimos. *Democracia Viva*, n. 36, set/2007. p. 58-67.

NOWAK, Jörg. Worker's Unrest in Automobile Plants in India: Strikes and Occupations at Maruti Suzuki and Bajaj Auto in 2011/12 and 2013. *Global Labour Column*, n. 66, 2014. Disponível em: <http://column.global-labour-university.org/2014/04/workers-unrest-in-automobile-plants-in.html>.

______; GALLAS, Alexander. Mass Strikes against Austerity in Western Europe: A Strategic Assessment. *Global Labour Journal*, v. 5, n. 3, 2014. Disponível em: <https://escarpmentpress.org/globallabour/article/view/2278>.

NUNES, Brasilmar Ferreira; MARTINS, Paulo Henrique. Dádivas e solidariedades urbanas. *Revista Sociedade e Estado*, Brasília, v. 16, n. 1-2, 2001.

NUNNS, C. Apple Profits Unharmed by Foxconn Factory Riots. *GlobalPost*. 26 set. 2012. Disponível em: <http://www.alaskadispatch.com/article/apple-profits-unharmed-foxconn-factory-riots>. Acesso em: 27 set. 2012.

O PORTO de Santos. Disponível em: <http://www.portodesantos.com.br/institucional/o-porto-de-santos/?pagina=art2>. Acesso em: 25 abr. 2019.

OCADA, Fábio. *A tecelagem da vida com fios partidos*: as motivações invisíveis da emigração *dekassegui* ao Japão em quatro estações. Tese (Doutorado em Sociologia) – Universidade Estadual Paulista (Unesp), Araraquara, 2006.

OIT (Organização Internacional do Trabalho). S.O.S. estrés en el trabajo: aumentan los costes del estrés en el trabajo y la incidencia de la depreción es cada vez mayor. *Revista Trabajo*, n. 37, dez. 2000.

______. Riscos emergentes e novas formas de prevenção num mundo de trabalho em mudança. 2010. Disponível em: <http://www.ilo.org/public/portugue/region/eurpro/lisbon/pdf/28abril_10_pt.pdf>. Acesso em: 5 jan. 2014.

______. Relatório sobre perspectivas sociais e de emprego no mundo. Mudanças nas modalidades do emprego. Genebra, 2015. Sumário executivo em português. Disponível em: <http://www.ilo.org/wcmsp5/groups/public/---dgreports/---dcomm/---publ/documents/publication/wcms_369023.pdf>. Acesso em: 15 ago. 2015.

OLIVEIRA, Francisco de et al. Quanto melhor, melhor: o acordo das montadoras. *Novos Estudos Cebrap*, São Paulo, n. 36, jul. 1993.

OLIVEIRA, Kelly. O desenvolvimento da comunicação interna na Embraer, entre os períodos estatal e privado: "Quem sabe faz a hora, não espera acontecer" (Monografia do Curso de Pós-

-Graduação em Gestão Estratégica em Comunicação Organizacional e Relações Pública, Escola de Comunicação e Artes, Universidade de São Paulo, 2002).

OLSON, Mancur. *A lógica da acção colectiva*: bens públicos e teoria dos grupos. Oeiras, Celta, 1998.

ORTIZ, Isabel et al. *World Protests 2006-2013*. Columbia/ Nova York, Initiative for Policy Dialogue/ Friedrich-Ebert-Stiftung, 2013.

ORTIZ, Renato. *O próximo distante*. Japão e modernidade-Mundo. São Paulo, Brasiliense, 2000.

OURIQUES, Helton Ricardo. *A produção do turismo*: fetichismo e dependência. Campinas, Alínea, 2005.

PADILHA, V. Qualidade de vida no trabalho num cenário de precarização: panaceia delirante. *Trabalho, Educação e Saúde*. Rio de Janeiro, v. 7, n. 3, nov. 2009/fev. 2010. p. 549-63.

PAGOTTO, Claudete. *Ajustes e rupturas*: cooperativismo e lutas sociais no Brasil contemporâneo. Dissertação (Mestrado em Ciências Sociais) – Pontifícia Universidade Católica de São Paulo (PUC-SP), São Paulo, 2003.

______. *Produção associada na era da precarização estrutural*: uma análise da atuação das cooperativas de trabalho. Tese (Doutorado em Ciências Sociais) – Instituto de Filosofia e Ciências Humanas, Universidade Estadual de Campinas (Unicamp), Campinas, 2010.

PARANÁ. Resolução SEMA n. 076, de 20 de dezembro de 2010. Dispõe sobre eliminação gradativa da despalha da cana-de-açúcar através da queima controlada e dá outras providências. Curitiba, 2010.

PASOLINI, Pier Paolo. *El caos*: contra el terror. Barcelona, Crítica, 1981.

______. *Escritos corsarios*. Barcelona, Planeta, 1983.

PASQUALUCCI, Élcio. Relacionamento entre institutos de pesquisa e empresas industriais em São José dos Campos: o caso do setor aeroespacial. Pesquisa realizada pela Divisão de Transferência e Difusão Tecnológica (DTI/DDD) do Instituto de Pesquisas Espaciais (INPE). São José dos Campos, jan. 1986.

PATARRA, N.; BAENINGER, R. Mobilidade espacial da população no Mercosul: metrópoles e fronteiras. *Revista Brasileira de Ciências Sociais*, 2006. p. 83-102.

PAULANI, Leda. A autonomização das formas verdadeiramente sociais na teoria de Marx: comentários sobre o dinheiro no capitalismo contemporâneo. *Economia*, Brasília, v. 12, n. 1, jan.-abr. 2011.

PAULUCCI, Maria Alejandra. *O internacionalismo e as fábricas recuperadas*. Dissertação (Mestrado em Sociologia Política) – Centro de Filosofia e Ciências Humanas, Universidade Federal de Santa Catarina, Florianópolis, 2007.

PAVAN, Bruno. Desemprego continuará crítico enquanto austeridade não for revertida, dizem economistas. *Brasil de Fato*, 23 jul. 2015. Disponível em: <http://www.brasildefato.com.br/node/32488)>. Acesso em: 2 ago. 2015.

PEDROSA, Célia Maria. *Limites e potencialidades do desenvolvimento local*: a indústria da confecção de Divinópolis. Dissertação (Mestrado em Ciências Sociais) – Pontifícia Universidade Católica de Minas Gerais. Belo Horizonte, 2005.

PEÑALVA, Susana. Libéralisation de l'économie et "désalarisation" sous contrainte: l'Argentine de l'an 2000 en proie à une crise structurelle. In: ROLLAND, Denis; CHASSIN, Joëlle (orgs.). *Pour comprendre la crise argentine*. Paris, L'Harmattan, 2003.

PENNYCOOK, Matthew. The Forward March of Zero-hours Contracts Must Be Halted. *NewStatesman*. Londres, 25 jun. 2013. Disponível em: <http://www.newstatesman.com/politics/2013/06/forward-march-zero-hours-contracts-must-be-halted>. Acesso em: 20 fev. 2015.

PEREIRA, Leonardo C. *A reestruturação produtiva e o processo de trabalho em Catalão (Goiás)*: uma abordagem sobre o modo de vida da classe trabalhadora. Dissertação (Mestrado em Sociologia) – Faculdade de Ciências Sociais (FCS), Universidade Federal de Goiás (UFG), 2012.

PEREIRA, M. A. F. et al. *Santos, café e história*. Santos, Leopoldianum, 1995.

PEREIRA, Rosângela Maria; ARANHA, Antônia Vitória Soares. O saber das costureiras faccionistas da indústria de confecção de Divinópolis. *Trabalho e Educação*, Belo Horizonte, v. 15, n. 2, jul.-dez. 2006. p. 101-15.

PERELMAN, Michael. Propriedade intelectual e a forma da mercadoria: novas dimensões na transferência legislada da mais-valia. In: MARQUES, Rodrigo Moreno; RASLAN, Filipe; MELO, Flávia; KERR PINHEIRO, Marta. *Informação e conhecimento sob as lentes do marxismo*. Rio de Janeiro, Garamond, 2013.

PEREYRA, Sebastián. ¿La lucha es una sola? La movilización social entre la democratización y el neoliberalismo. Buenos Aires/ Los Polvorines, Biblioteca Nacional/ Universidade Nacional de General Sarmiento, 2008.

PERRY, Elizabeth J. *Challenging the Mandate of Heaven*. Armonk, M. E. Sharpe, 2002.

PESSANHA, Elina Gonçalves. *Vida operária e política*: os trabalhadores da construção naval de Niterói. Tese (Doutorado em Antropologia Social) – Faculdade de Filosofia, Letras e Ciências Humanas, Universidade de São Paulo (USP), São Paulo, 1986.

PETRINI, Carlo. Slow food contra la comida chatarra. *Café Massimiliano*, 16 ago. 2006. Disponível em: <http://cafemassimiliano.blogia.com/2006/081602-slow-food-contra-la-comida-chatarra.php>.

PICCININI, Valmiria et al. *O mosaico do trabalho na sociedade contemporânea*: persistências e inovações. Porto Alegre, Editora da UFRGS, 2006.

PINHO, D. B. *O que é cooperativismo*. São Paulo, Buriti, 1966.

PINTO, Geraldo Augusto. *A máquina automotiva em suas partes*: um estudo das estratégias do capital nas autopeças em Campinas. Tese (Doutorado em Sociologia) – Instituto de Filosofia e Ciências Humanas, Universidade Estadual de Campinas (Unicamp), Campinas, 2007a.

______. *A organização do trabalho no século XX*: taylorismo, fordismo e toyotismo. São Paulo, Expressão Popular, 2007b.

PLATAFORMA BNDES. Impactos da indústria canavieira no Brasil: poluição atmosférica, ameaça a recursos hídricos, riscos para a produção de alimentos, relações de trabalho atrasadas e proteção insuficiente à saúde de trabalhadores. Brasília, 2008.

PLIHON, Dominique. As grandes empresas fragilizadas pela finança. In: CHESNAIS, François (org.). *A finança mundializada*. São Paulo, Boitempo, 2005.

POCHMANN, Marcio. *O trabalho sob o fogo cruzado*: exclusão, desemprego e precarização no final do século. São Paulo, Contexto, 1999.

______. Desempregados do Brasil. In: ANTUNES, Ricardo (org.). *Riqueza e miséria do trabalho no Brasil*. São Paulo, Boitempo, 2006. v. 1.

______. A superterceirização do trabalho. In: Debates contemporâneos: economia social e do trabalho. São Paulo, Ltr, 2008.

______. *Força de trabalho e tecnologia no Brasil*: uma visão da história com foco atual na produção de cana-de-açúcar. Rio de Janeiro, Revan, 2009.

______. *Nova classe média?* O trabalho na base da pirâmide social brasileira. São Paulo, Boitempo, 2012.

______. A retomada neoliberal. *Revista do Brasil*. São Paulo, Atitude, maio 2015.

POLLERT, A. Dismantling Flexibility. *Capital & Class*, 1998. p. 42-75.

PORTAL BRASIL. Crédito de carbono. Disponível em: <http://www.brasil.gov.br/meio-ambiente/2012/04/credito-carbono>. Acesso em: 16 fev. 2014.

PORTARIA N. 168/2013, de 7 de março. Disponível em: <http://pronatec.mec.gov.br/images/stories/pdf/port_168_070313.pdf>. Acesso em: 20 maio 2015.

POSSAN, Magali. A malha entrecruzada das ações. Campinas, Área de publicações CMU, Unicamp, 1997.

POTTS, Lydia. *The World Labour Market*. Londres, Zed, 1990.

POZZI, Pablo A. Treinta años de transformaciones de la clase obrera argentina. In: BONAVENA, Pablo et al. *Los '90: fin de ciclo*: el retorno a la contradicción. Buenos Aires, Final Abierto, 2007.

PRAUN, Lucieneida Dováo. *Não sois máquina!* Reestruturação produtiva e adoecimento na General Motors do Brasil. Tese (Doutorado em Sociologia) – Instituto de Filosofia e Ciências Humanas, Universidade Estadual de Campinas (Unicamp), Campinas, 2014.

PRAZERES, Taísa Junqueira. *Na costura do sapato, o desmanche das operárias*: um estudo das condições de trabalho e saúde das pespontaderas da indústria de calçados de Franca. Dissertação (Mestrado em Medicina Social) – Faculdade de Medicina de Ribeirão Preto, Universidade de São Paulo, São Paulo, 2010.

______; NAVARRO, Vera Lúcia. Na costura do sapato, o desmanche das operárias: estudo das condições de trabalho e saúde das pespontadeiras da indústria de calçados de Franca, São Paulo, Brasil. *Cadernos de Saúde Pública*, Rio de Janeiro, v. 27, n. 10, out. 2011. p. 1.930-8.

PREVITALI, Fabiane. *As relações de subcontratação no setor de autopeças*: um estudo de caso. Dissertação (Mestrado em Sociologia) – Instituto de Filosofia e Ciências Humanas, Universidade Estadual de Campinas (Unicamp), Campinas, 1996.

______. *Controle e resistência na organização do trabalho no setor automotivo*: o caso de uma empresa montadora nos anos 90. Dissertação de doutorado não publicada, Universidade Estadual de Campinas (Unicamp), Campinas, 2002.

______. O controle do trabalho pelo discurso da qualificação do trabalhador no contexto da reestruturação produtiva do capital. *Publicatio UEPG*, Ponta Grossa, v. 17, n. 2, dez. 2009. p. 141-55.

______; FAGIANI, Cílson César. Deskilling and Degradation of Labour in Contemporary Capitalism: The Continuing Relevance of Braverman. *Work Organisation, Labour and Globalisation*, v. 9, n. 1, 2015. p. 76-91.

PRINGLE, T. Reflections on Labor in China. *The South Atlantic Quarterly*, v. 112, n. 1, 2013. p. 191-202.

PUN, N.; CHAN, C. K.; CHAN, J. The Role of the State, Labour Policy and Migrant Workers' Struggles in Globalized China. *Global Labour Journal* 1, 1, 2010. p. 132-51.

______; CHAN, J. The Spatial Politics of Labor in China. *The South Atlantic Quarterly*, 112, 1, 2013. p. 179-90.

______; LU, H. Unfinished Proletarianization. *Modern China*, 36, 5, 2010. p. 493-519.

QIU, J. L. *Working-Class Network Society*. Cambridge, MIT Press, 2009.

QUEIROZ, M. F. F.; MACHIN, R. Processo de modernização portuária em Santos: implicações na saúde e no adoecimento dos trabalhadores. Pesquisa vinculada à Unifesp-Baixada Santista, 2008 (mimeo).

QUENAN, Carlos. Une crise inédite. In: ROLLAND, Denis; CHASSIN, Joëlle (orgs.). *Pour Comprendre la crise argentine*. Paris, L'Harmattan, 2003.

QUIJOUX, Maxime. *Néolibéralisme et autogestion*: l'expérience argentine. Paris, Éditions de l'IHEAL, 2015.

RAMALHO, J. R. Precarização do trabalho e impasses da organização coletiva no Brasil, In: ANTUNES, Ricardo et al. (orgs.) *Neoliberalismo, trabalho e sindicatos*: reestruturação produtiva na Inglaterra e no Brasil. São Paulo, Boitempo, 1997.

RAMOS, Pedro. O uso de mão de obra na lavoura canavieira: da legislação (agrária) do Estado Novo ao trabalho superexplorado na atualidade. Anais II Seminário de História do Açúcar: Trabalho, População e Cotidiano. São Paulo, Editora do Museu Paulista da USP, 2007. p. 1-23.

RASLAN, Filipe Oliveira. *Resistindo com classe*: o caso da ocupação da Flaskô. Dissertação (Mestrado em Sociologia) – Instituto de Filosofia e Ciências Humanas, Universidade Estadual de Campinas (Unicamp), Campinas, 2007.

______. A Flaskô entre a sobrevivência econômica e a luta política: apontamentos sobre a ocupação de uma fábrica. In: ANTUNES, Ricardo (org.). *Riqueza e miséria do trabalho no Brasil*. São Paulo, Boitempo, 2013. v. 2.

REBELO, Glória. Tempo e condições de trabalho. *Público*, 6 abr. 2012.

REBELO, José; BRITES, Rui. *A comunicação sindical da CGTP-IN*. Lisboa, CGTP, 2012.

REBÓN, Julián. *La empresa de la autonomía*: trabajadores recuperando la producción. Buenos Aires, Picaso, 2007.

REIS, Leonardo Ferreira. *Mecanização e intensificação do trabalho no corte de cana do CAI canavieiro do estado de São Paulo*. Dissertação (Mestrado em Engenharia de Produção) – Centro de Ciências Exatas e Tecnologia, Universidade Federal de São Carlos (UFSCar), São Carlos, 2012.

RESOLUÇÃO CNE/CEB N. 2/2012. Diário Oficial da União, Brasília, 31 de janeiro de 2012, Seção 1, p. 20.

RESOLUÇÃO CNE/CEB N. 4/2010. Diário Oficial da União, Brasília, 14 de julho de 2010, Seção 1, p. 824.

REUTERS. Embraer SA (EMBR3.SA). EMBR3.SA on Sao Paolo Stock Exchange. Disponível em: <http://www.reuters.com/finance/stocks/chart?symbol=EMBR3.SA>. Acesso em: 24 dez. 2015.

REZENDE, Sergio Machado. O engano de Elio Gaspari. *GGN*, 16 mar. 2012.

RIBEIRO, Gustavo Lins. Bichos-de-obra: fragmentação e reconstrução de identidades. In: ______. *Cultura e política no mundo contemporâneo*: paisagens e passagens. Brasília, Editora da UnB, 2000.

______. *O capital da esperança*: a experiência dos trabalhadores na construção de Brasília. Brasília, Editora da UnB, 2008.

RIBEIRO, Rosana; GUIMARÃES, Eduardo Nunes. A nova fronteira industrial do sudeste de Goiás. *Multiciência*, Unicamp, v. 6, 2006. p. 1-21. Disponível em: <https://www.multiciencia.unicamp.br/artigos_06/rede_2.pdf>.

RIECHMANN, Jorge. *Biomímesis*: ensayos sobre imitación de la naturaleza, ecosocialismo y autocontención. Madri, Catarata, 2006.

RIOS, Gilvando Sá Leitão. *O que é cooperativismo*. São Paulo, Brasiliense, 1987.

ROBERSON, James. *Japanese Working Class Lives*: An Ethnographic Study of Factory. Taylor & Francis e-Library, 2003.

ROCHA, Sandra Regina Ayres. Depressão relacionada aos distúrbios osteomusculares no trabalho bancário. In: MENDES, Maria Magnólia (org.). *Psicodinâmica do trabalho*: teoria, método e pesquisas. São Paulo, Casa do Psicólogo, 2007.

RODRIGUES, Iram J. *Sindicalismo e política*: a trajetória da CUT. São Paulo, Scritta, 1997.

RODRIGUES, Leôncio Martins. *CUT*: os militantes e a ideologia. Rio de Janeiro, Paz e Terra, 1990.

______. As tendências políticas na formação das centrais sindicais. In: BOITO Jr., Armando (org.). *O sindicalismo brasileiro nos anos 80*. São Paulo, Paz e Terra, 1991.

RODRIGUES-FILHO, Luciano Ferreira. *O (des)pertencer do trabalhador terceirizado em uma instituição de ensino*. Trabalho de Conclusão de Curso de Psicologia, Faculdades Integradas de Ourinhos – FIO/FEMM, Ourinhos, 2011.

______. Trabalhadores rurais e sindicato: configurações sindicais em um universo neoliberal. Anais do IX Seminário do Trabalho da Unesp. Marília, Unesp/RET, 2014.

______. *O trabalhador do corte de cana no Norte Pioneiro do Paraná*: o fim da atividade e os sentidos do trabalho. Dissertação (Mestrado em Psicologia Social), Pontifícia Universidade Católica de São Paulo (PUC-SP), São Paulo, 2015.

RONCATO, Mariana S. *Dekassegui, cyber-refugiado e working poor*: o trabalho imigrante e o lugar do outro na sociedade de classes. Dissertação (Mestrado em Sociologia), Instituto de Filosofia e Ciências Humanas, Universidade Estadual de Campinas (Unicamp), Campinas, 2013.

ROSA, Eugénio. Por que razão a banca pretende transferir os fundos de pensões para a segurança social. In: ROSAS, Fernando. *Pensamento e ação política*: Portugal século XX (1890-1976). Lisboa, Editorial Notícias, 2004.

______. Emprego parcial, a contrato e a recibos verdes. 17 maio 2008. Disponível em: <http://resistir.info/e_rosa/precariedade.html>. Acesso em: 23 mar. 2013.

______. A baixa competitividade das empresas não é devido aos salários porque são muito baixos. Dados de 2010. Disponível em: <http://www.eugeniorosa.com/Sites/eugeniorosa.com/Documentos/2011/4-2011-Salario-liquido2006-2010.pdf>. Acesso em: 23 mar. 2013.

ROSENFIELD, Cinara Lerrer. A identidade no trabalho em *call centers*: a identidade provisória. In: ANTUNES, Ricardo; BRAGA, Ruy (orgs.). *Infoproletários*. São Paulo, Boitempo, 2009.

______. Trabalho decente e precarização. *Tempo Social*: revista de sociologia da USP, v. 23, n. 1, jun. 2011. p. 247-68. Disponível em: <http://www.scielo.br/pdf/ts/v23n1/v23n1a12.pdf>. Acesso em: 15 jun. 2012.

ROSS, Andrew. *Fast Boat to China*. Nova York, Pantheon Books, 2006.

ROVELLI, Marco. *Lavorare uccide*. Milão, Bur, 2008.

RUBERY, Jill; GRIMSHAW, Damian; HEBSON, Hebson; UGARTE, Sebastian M. It's All about Time: Time as Contested Terrain in the Management and Experience of Domiciliary Care Work in England. *Human Resource Management*, v. 54, n. 4, set.-out. 2015. p. 753-72. Disponível em: <wileyonlinelibrary.com>. Acesso em: 15 out. 2015.

RUGGERI, Andrés. *Informe del IV Relevamiento de Empresas Recuperadas en la Argentina (2014)*: las empresas recuperadas en el período 2010-2013. Buenos Aires, Cooperativa Chilavert Artes Gráficas, 2014.

______. *"Occuper, résister, produire"*: autogestion ouvrière et entreprises récupérées en Argentine. Paris, Syllepse, 2015. (Tradução de: ¿Qué son las empresas recuperadas? Buenos Aires, Continente, 2014.)

RUGGIERO, Vincenzo; SOUTH, Nigel. The Late-Modern City as a Bazaar: Drug Markets, Illegal Enterprise and the "Barricades". *British Journal of Sociology*, Londres, v. 48, n. 1, mar. 1997. p. 54-70.

RUMMERT, Sônia Maria; ALGEBAILE, Eveline; VENTURA, Jaqueline. Educação da classe trabalhadora brasileira: expressão do desenvolvimento desigual e combinado. *Revista Brasileira de Educação*, Rio de Janeiro, v. 18, n. 54, 2013. p. 717-99.

RUNNING, Katherine. The Liberalisation of India's Labour Laws within the National Manufacturing Policy 2011: Where Business Power and Social Policy Collide. *Journal of International and Comparative Social Policy*, v. 31, n. 2, 2015. p. 192-208.

SABEL, Charles F. *Work and Politics*: The Division of Labor in Industry. Nova York, Cambridge University Press, 1982.

______; PIORE, Michael J. *La segunda ruptura industrial*. Madri, Alianza, 1990.

SAES, Décio. Escola pública e classes sociais no Brasil atual. *Linhas Críticas*. Brasília, v. 14, n. 27, jul.-dez. 2008. p. 165-76.

SAFFIOTI, Heleieth I. B. *A mulher na sociedade de classes*: mito e realidade. Petrópolis, Vozes, 1976.

______. *O poder do macho*. São Paulo, Moderna, 1987.

______. Rearticulando gênero e classe social. In: COSTA, Albertina de Oliveira; BRUSCHINI, Cristina. *Uma questão de gênero*. Rio de Janeiro/ São Paulo, Rosa dos Tempos/ Fundação Carlos Chagas, 1992.

______. Violência de gênero: lugar da práxis na construção da subjetividade. *Lutas Sociais*, n. 2, 1997. Disponível em: <http://www.pucsp.br/neils/downloads/v2_artigo_saffioti.pdf>. Acesso em: 10 fev. 2013.

______. *A mulher na sociedade de classes*: mito e realidade. Expressão Popular, São Paulo, 2013.

SALATTI, Rita de Cássia. *Flexibilização do trabalho em empresas de desenvolvimento de sistemas*. Dissertação (Mestrado em Política Científica e Tecnológica) – Instituto de Geociências, Universidade Estadual de Campinas (Unicamp), Campinas, 2005.

SAMPAIO, Inayá Maria; FRANÇA, Robson Luiz. O Pnpe na política do Ministério do Trabalho e Emprego e a formação do jovem: precarização e captura da subjetividade. *Revista da RET*, n. 5, 2009, p. 1-37. Disponível em: <http://www.estudosdotrabalho.org/RevistaRET05.htm>. Acesso em: 14 jun. 2013.

SAMPAIO, José Jackson Coelho; MESSIAS, Erick Leite Maia de. A epidemiologia em saúde mental e do trabalho. In: JACQUES, Maria da Graça; CODO, Wanderley (orgs.). *Saúde mental e trabalho*: leituras. Petrópolis, Vozes, 2003.

SANDRONI, Paulo. *Novíssimo dicionário de economia*. 3. ed. Rio de Janeiro, Best Seller, 1999.

______. *Dicionário de administração e finanças*. Rio de Janeiro, Record, 2008.

SANTANA, Alex Tristão de. *A territorialização da indústria automobilística em Catalão e as mudanças no trabalho*. Dissertação (Mestrado em Geografia), Universidade Federal de Goiás, Catalão, 2011.

SANTOS, Ariovaldo de Oliveira. *Concertação social e luta de classes*: o sindicalismo norte-americano. Bauru, Práxis, 2004.

______. A nova crise do sindicalismo internacional. In: ANTUNES, Ricardo (org.). *Riqueza e miséria do trabalho no Brasil*. São Paulo, Boitempo, 2006. v. 1.

SANTOS, Boaventura de Sousa. A greve geral. *Visão*, 17 nov. 2011. Disponível em: <http://www.boaventuradesousasantos.pt/pages/pt/opiniao/2011.php>.

______; MENESES, Maria Paula (orgs.). *Epistemologias do Sul*. Coimbra, Almedina, 2009.

SANTOS, Cleusa. Rendimento de facto mínimo? Estado, assistência e questão social. In: VARELA, Raquel. *A segurança social é sustentável*. Lisboa, Bertrand, 2019.

SANTOS, Fagner Firmo de Souza. *A alternativa clandestina*: um estudo dos grupos de fábrica de Campinas e Região (1984-1990). Dissertação de mestrado não publicada, Universidade Estadual Paulista, Araraquara, 2009.

SANTOS, Norma Breda dos (org.). *Brasil e Israel*: diplomacia e sociedades. Brasília, Editora da UnB, 2000.

SANTOS, Rogério Pereira dos. *O trabalhador portuário avulso do porto de Santos*: relações entre trabalho e saúde. Dissertação (Mestrado em Saúde Coletiva) – Universidade Católica de Santos, Santos, 2009.

SANTOS, Vinícius Oliveira. *Trabalho imaterial e teoria do valor em Marx*. São Paulo, Expressão Popular, 2013.

SÃO PAULO. Lei n. 11.241, de 19 de setembro de 2002. Dispõe sobre a eliminação gradativa da queima da palha da cana-de-açúcar e dá providências correlatas. São Paulo, 2002.

SARTELLI, Eduardo. *La plaza es nuestra*: el argentinazo a luz de la lucha de la clase obrera en la Argentina del siglo XX. 3. ed. Buenos Aires, RyR, 2007.

SARTORE, Marina de Souza; PURINI, Marcela. Responsabilidade social empresarial ou finanças sustentáveis? As mudanças na dinâmica do campo da responsabilidade social no Brasil. In: REUNIÓN DE ANTROPOLOGÍA DEL MERCOSUR, 8, 2009, Buenos Aires. *Resumos...*, Buenos Aires, 2009.

SASAKI, Elisa. A imigração para o Japão. *Estudos Avançados*, São Paulo, v. 20, n. 57, 2006. p. 99--117.

SATARIANO, Adam; BURROWS, Peter. Apple's Supply-Chain Secret?, *Bloomberg Businessweek*, 3 nov. 2011. Disponível em: <https://www.bloomberg.com/news/articles/2011-11-03/apples-supply-chain-secret-hoard-lasers>. Acesso em: 17 mar. 2013.

SAUVIAT, Catherine. Os fundos de pensão e os fundos mútuos: principais atores da finança mundializada e do novo poder acionário. In: CHESNAIS, François (org.). *A finança mundializada*: raízes sociais e políticas, configuração, consequências. Trad. Rosa Marques e Paulo Nakatani. São Paulo, Boitempo, 2005.

SCHIERUP, C. U. "Bloody Subcontracting" in the Network Society: Migration and Post-Fordist Restructuring across the European Union. In: BERGGREN E. et al. (orgs.) *Irregular Migration, Informal Labour and Community*. Maastricht, Shaker, 2007.

SCHNEIDER, J. E. O cooperativismo agrícola na dinâmica social do desenvolvimento periférico dependente: o caso brasileiro. In: LOUREIRO, M. R. (org.) *Cooperativas agrícolas e capitalismo no Brasil.* São Paulo, Cortez, 1981.

SCOPINHO, Raquel Aparecida; MARTINS, Adalberto Floriano Grecco. Desenvolvimento organizacional e interpessoal em cooperativas de reforma agrária: reflexão sobre o método. *Psicologia e Sociedade*, v. 15, n. 2, 2003. p. 124-43.

SCOPINHO, Rosemeire Aparecida. Qualidade total, saúde e trabalho: uma análise em empresas sucroalcooleiras paulistas. *Rev. adm. contemp.*, Curitiba, v. 4, n. 1, abr. 2000.

SCOTT, Joan W. Gênero: uma categoria útil de análise histórica. *Educação & Realidade*. Porto Alegre, v. 20, n. 2, jul.-dez. 1995. p. 71-99.

SCOTT-DIXON, Krista. *Doing IT*: Women Working in Information Technology. Toronto, Sumach Press, 2004.

SEGAL, Adam. *Digital Dragon*. Ithaca, Cornell University Press, 2003.

SELDEN, Mark. China, Japan, and the Regional Political Economy of East Asia, 1945-1995. In: KATZENSTEIN, Peter J.; SHIRAISHI, Takashi (orgs.). *Network Power*. Ithaca, Cornell University Press, 1997.

______; PERRY, Elizabeth J. Introduction. In: ______; ______ (orgs.). *Chinese Society*. 3. ed. Londres, Routledge, 2010.

______; WU, Jieh-min. The Chinese State, Incomplete Proletarianization and Structures of Inequality in Two Epochs. *The Asia-Pacific Journal*, v. 9, n. 5, 2011. p. 1-35.

SELIGMANN-SILVA, Edith. Acidentes de trabalho e a dimensão psíquica. Fórum de Saúde do Trabalhador, 2004.

______. Psicopatologia no trabalho: aspectos contemporâneos. In: Congresso Internacional sobre Saúde Mental no Trabalho, 2., 2006, Goiânia. Anais... Goiânia, CIR, 2007. p. 64-98.

______. *Trabalho e desgaste mental*: o direito de ser dono de si mesmo. São Paulo, Cortez, 2011.

______. O assédio moral no trabalho. In: Seminário Compreendendo o Assédio Moral no Ambiente de Trabalho [manuscrito]: [anais] / coordenação técnica, Cristiane Queiroz, Juliana Andrade Oliveira, Maria Maeno. São Paulo, Fundacentro, 2013. p. 49-55.

SENNETT, Richard. *A cultura do novo capitalismo*. Rio de Janeiro, Record, 2006.

______. *La culture du nouveau capitalism*. Paris, Albin Michel, 2006.

______. *La corrosión del carácter*: las consecuencias personales del trabajo en el nuevo capitalismo. Madri, Anagrama, 2006.

______. *A corrosão do caráter*: consequências pessoais do trabalho no novo capitalismo. Rio de Janeiro, Record, 2009.

SEPÚLVEDA, Luis. *Mundo del fin del mundo*. Buenos Aires, Tusquets, 2010.

SHIKIDA, Pery Francisco Assis; PEROSA, Bruno Benzaquen. Álcool combustível no Brasil e Path Dependence. *RESR*, Piracicaba-SP, v. 50, n. 2, abr.-jun. 2012. p. 243-62.

SIGA A ESQUERDA. Uma história de luta em defesa dos direitos dos trabalhadores. *Siga a Esquerda*, 29 jun. 2012. Disponível em: <https://sigaesquerda.blogspot.com/2012/06/uma-historia-de-luta-em-defesa-dos.html>.

SIGAUD, Lygia. *A nação dos homens*: uma análise regional de ideologia. Dissertação (Mestrado em Antropologia Social) – Departamento de Economia Rural, Museu Nacional, Universidade Federal do Rio de Janeiro (UFRJ), Rio de Janeiro, 1971.

______. *Os clandestinos e os direitos*: estudo sobre os trabalhadores da cana-de-açúcar de Pernambuco. São Paulo, Duas Cidades, 1979.

SILVA, Edil Ferreira; OLIVEIRA, Keila Kaionara Medeiros; SOUZA, Paulo César Zambroni de. Saúde mental do trabalhador: o assédio moral praticado contra trabalhadores com LER/Dort. *Revista Brasileira de Saúde Ocupacional*, São Paulo, 36, 2011. p. 56-70.

SILVA, Magda Valéria da. *A indústria automobilística em Catalão/Goiás*. Tese (Doutorado em Geografia), Universidade Federal de Uberlândia, Uberlândia, 2010.

SILVA, Manuel Carlos. Pobreza, exclusão social e desigualdade. In: VARELA, Raquel. *A segurança social é sustentável*. Lisboa, Bertrand, 2019.

SILVA, Manuela. A repartição do rendimento em Portugal no pós 25 de Abril 74. *Revista Crítica de Ciências Sociais*, n. 15-16-17, maio 1985. p. 269-79.

SILVA, Maria Aparecida de Moraes. A morte ronda os canaviais paulistas. *Revista da Associação Brasileira de Reforma Agrária*, v. 33, n. 2, ago.-dez. 2006. p. 111-41.

SILVA, Maria Moraes. Trabalhadores rurais: a negação dos direitos. *Raízes*, Campina Grande, UFCG, v. 27, n. 1, jan.-jun. 2008.

SILVA, Ozires. *Nas asas da educação*: a trajetória da Embraer. Rio de Janeiro, Elsevier, 2008.

SILVA, Ronaldo da. *A implantação da Mitsubishi em Catalão*: estratégias políticas e territoriais da indústria automobilística nos anos 90. Dissertação (Mestrado em Geografia) – Instituto de Estudos Socioambientais, Universidade Federal de Goiás, Goiânia, 2002.

SILVER, B. J.; ZHANG, L. China as an Emerging Epicenter of World Labour Unrest. In: HUNG, H. (org.) *China and the Transformation of Global Capitalism*. Baltimore, The Johns Hopkins University Press, 2009.

SILVER, Beverly J. *Forces of Labor*. Cambridge, Cambridge University Press, 2003. [Ed. bras.: *Forças do trabalho*: movimentos de trabalhadores e globalização desde 1870. Trad. Fabrizio Rigout. São Paulo, Boitempo, 2005.]

SINDEHOTÉIS (Sindicado dos Trabalhadores no Comércio Hoteleiro, Meios de Hospedagem e Gastronomia de Curitiba e Região). *Informativo*, Curitiba, ano VIII, n. 94, maio 2013.

SINDICATO dos Trabalhadores em Hotéis, Apart-Hotéis, Motéis, Flats, Restaurantes, Bares, Lanchonetes e Similares de São Paulo e Região (Sinthoresp). Acordo McDonald's, 2015a. Disponível em: <http://www.sinthoresp.com.br/site/categoria/acordo-mcdonalds>. Acesso em: 18 out. 2015.

______. Denúncia MPT e trabalhadores, 10 out. 2015b. Duração: 15:59. Disponível em: <http://www.sinthoresp.com.br/site/videos/denuncia-mpt-e-trabalhadores>. Acesso em: 26 out. 2015.

SINGER, André. *Os sentidos do lulismo*: reforma gradual e pacto conservador. São Paulo, Companhia das Letras, 2012.

SINGER, Paul. Mercado e cooperação: um caminho para o socialismo. In: HADDAD, Fernando (org.). *Desorganizando o consenso*: nove entrevistas com intelectuais à esquerda. Petrópolis, Vozes, 1998.

______. *Introdução à economia solidária*. São Paulo, Fundação Perseu Abramo, 2002.

______. A América Latina na crise mundial. *Estudos Avançados*, v. 23, n. 66, 2009.

SMITH, T.; SONNENFELD, D. A.; PELLOW, D. N. (orgs.) *Challenging the Chip*. Filadélfia, Temple University Press, 2006.

SOARES, Ângelo. Assédio moral: o estresse das vítimas e das testemunhas. In: Seminário Compreendendo o Assédio Moral no Ambiente de Trabalho [manuscrito]: [anais] / coordenação técnica, Cristiane Queiroz, Juliana Andrade Oliveira, Maria Maeno. São Paulo, Fundacentro, 2013.

SOBREIRA, Rogério. Os derivativos e a crise de crédito. In: FILHO, Fernando Ferrari (org.). *Dossiê da crise*. Porto Alegre, AKB, 2008.

SOFTEX. Software e Serviços de TI: A indústria brasileira em perspectiva – n. 2 / Observatório SOFTEX. Campinas, [s.n.], 2012.

SOLINGER, Dorothy J. *Contesting Citizenship in Urban China*. Berkeley, University of California Press, 1999.

______. *States' Gains, Labor's Losses*. Ithaca, Cornell University Press, 2009.

SOTELO VALENCIA, Adrián. *Los rumbos del trabajo*: superexplotación y precariedad social en el siglo XXI. Cidade do México, Miguel Angel Porra/Unam, 2012.

______. *Precariado ou proletariado?* Bauru, Práxis, 2016.

SOUSA, Erik R. B. *Um estudo sobre o modelo de organização do trabalho na montadora Mitsubishi em Catalão*. Monografia de conclusão de curso. Departamento de História e Ciências Sociais, Universidade Federal de Goiás, Catalão, 2010.

SOUZA, Davisson C. Sindicalismo combativo na ordem propositiva. In: ______; TRÓPIA, Patrícia V. *Sindicatos metalúrgicos no Brasil contemporâneo*. Belo Horizonte, Fino Traço, 2012.

SOUZA, Davisson. Notas para uma análise comparada das tradições de luta do movimento operário e sindical no Brasil e na Argentina. In: SIMPÓSIO DE PESQUISA DE PÓS-GRADUANDOS EM SOCIOLOGIA DA USP, 2., 2009a. FFLCH/USP.

______. Tradições de luta sindical e emergência do movimento de desempregados na Argentina. *Lutas Sociais*, n. 3, 2009b.

SOUZA, Jessé. *A ralé brasileira*: quem é e como vive. Belo Horizonte, Editora da UFMG, 2009.

SOUZA, Maria Antonia. *Educação e cooperação nos assentamentos do MST*. Ponta Grossa, Editora da UEPG, 2006.

SRIVASTAVA, Ravi. Employment Conditions of the Indian Workforce and Implications for Decent Work. *Global Labour Journal*, v. 3, n. 1, 2012. p. 63-90. Disponível em: <https://escarpmentpress.org/globallabour/article/view/1113>.

STAGLIANÒ, Riccardo. Cantieri navali, la crisi la pagano gli immigrati. *Rassegna Sindacale*, 23 mar. 2010. Disponível em: <www.rassegna.it/articoli/2010/03/23/60200/cantieri-navali-la-crisi-la-pagano-gli-immigrati>. Acesso em: 22 set. 2014.

STANDING, Guy. *The Precariat*: The New Dangerous Class. Londres, Bloomsbury, 2011.

______. Why Zero-hours Contracts Remind me of the Horrors of 1990s Russia. *The Guardian*, 9 abr. 2013. Disponível em: <http://www.theguardian.com/commentisfree/2013/apr/09/zero-hours-contracts-1990s-russia>. Acesso em: 7 maio 2015.

STAROSTA, G. The Outsourcing of Manufacturing and the Rise of Giant Global Contractors. *New Political Economy* 15, 4, 2010. p. 543-63.

STÉDILE, João Pedro; GÖRGEN, Frei Sergio. *A luta pela terra no Brasil*. São Paulo, Página Aberta, 1993.

______; MANÇANO FERNANDES, Bernardo. *Brava gente*: a trajetória do MST e a luta pela terra no Brasil. 2. ed. São Paulo, Fundação Perseu Abramo, 1999.

STOLEROFF, Alan. Sindicalismo e relações industriais em Portugal. *Sociologia*, n. 4, 1988. p. 146--64.

______. A crise e as crises do sindicalismo: há uma revitalização possível? In: VARELA, Raquel (org.). *A segurança social é sustentável*: trabalho, Estado e segurança social em Portugal. Lisboa, Bertrand, 2013.

STOPES, Harry. *Zero-hours Academics*. 17 nov. 2014. Disponível em: <http://www.lrb.co.uk/blog/2014/11/17/harry-stopes/zero-hours-academics/>. Acesso em: 10 out. 2015.

STRATH, Bo. *La política de desindustrialización*: la contracción de la industria de la construcción naval en Europa Occidental. Madri, Ministerio de Trabajo y Seguridad Social, 1989.

STURGEON, T.; HUMPHREY, J.; GEREFFI, G. Making the Global Supply Base. In: HAMILTON, G. G.; PETROVIC, M.; SENAUER, B. (orgs.) *The Market Makers*. Oxford, Oxford University Press, 2011.

SUZIGAN, Wilson; FURTADO, João; GARCIA, Renato; SAMPAIO, Sérgio E. K. A indústria de calçados de Nova Serrana (MG). *Nova Economia*, Belo Horizonte, v. 15, n. 3, 2005. p. 97-116.

TANNO, Kiyoto. Gaikokujin Roudou Mondai no Kongen wa Doko ni Aruka. (外国人労働者問題の根源はどこにあるのか) *Nihon Roudou Kenkeuu Zasshi*, n. 587, 2009. p. 27-35. Disponível em: <www.jil.go.jp/institute/zassi/backnumber/2009/06/pdf/027-035.pdf>. Acesso em: 10 jul. 2010.

TAVARES, Maria Augusta. Trabalho informal: os fio (in)visíveis da produção capitalista. *Outubro*, São Paulo, n. 7, 2002. p. 49-60.

______. *Os fios invisíveis da produção capitalista*. São Paulo, Cortez, 2004.

TAYLOR, Frederick Winslow. *Princípios da administração científica*. 8. ed. São Paulo, Atlas, 1990.

TAYLOR, P.; BAIN, P. 'United by A Common Language?', Antipode: A Radical Journal of Geography 40, 1, 2008. p. 131-54.

______; NEWSOME, K.; RAINNIE, A. Putting Labourin Its Place, *Competition & Change*, 17, 1, 2013. p. 1-5.

TELLES, Vera da Silva. Ilegalismos urbanos e cidade. *Novos Estudos Cebrap*, São Paulo, n. 84, 2009. p. 153-73.

TENGARRINHA, José. As greves em Portugal: uma perspectiva histórica do século XVIII a 1920. *Análise Social*, v. XVII, n. 67-8, 1981. p. 573-601.

TERRY, Michael. Can Partnership Reverse the Decline of British Trade Unions? *Work, Employment and Society*, v. 17, n. 3, 2003. p. 459-72.

THOMPSON, E. P. *Tradición, revuelta y consciencia de clase*: estudios sobre la crisis de la sociedad preindustrial. Barcelona, Crítica, 1987.

______. Tempo, Disciplina de trabalho e capitalismo industrial. In: ______. *Costumes em comum*: estudos sobre a cultura popular tradicional. São Paulo, Companhia das Letras, 1998.

TIRIBA, Lia Vargas. *Economia popular e cultura do trabalho*: pedagogia(s) da produção associada. Ijuí, Editora da Unijuí, 2001.

TORRES, Michelangelo Marques. *Cidadania do capital?* A intervenção social das corporações empresariais no Brasil. Dissertação (Mestrado em Sociologia) – Instituto de Filosofia e Ciências Humanas, Universidade Estadual de Campinas (Unicamp), Campinas, 2012.

______. *Cidadania do capital?*: a estratégia da intervenção social das corporações empresariais. São Paulo, Alameda, 2019.

TOSEL, André. Centralité et non-centralité du travail ou La passion des hommes superflus. In: BIDET, Jacques; TEXIER, Jacques (orgs.). *La crise du travail*. Paris, PUF, 1995.

TOURISME EN FRANCE 2013-2014: poids et impacts économiques. *Veille Info Tourisme*, 2015. Disponível em: <http://www.veilleinfotourisme.fr/tourisme-en-france-en-2014-poids-et-impacts-economiques--92345.kjsp>. Acesso em: 12 dez. 2015.

TRADES Union Congress. Ending the Abuse of Zero-hours Contracts. Mar. 2014a. Disponível em: <https://www.tuc.org.uk/sites/default/files/TUC%20final%20response% 20to%20BIS%20 consultation%20on%20zero-hours%20contracts.pdf>. Acesso em: 12 out. 2015.

______. Most Workers in Zero-hours Contracts Earn Less than the Living Wage. Abr. 2014b. Disponível em: <https://www.tuc.org.uk/workplace-issues/employment-rights/vulnerable-workers/most-workers-zero-hours-contracts-earn-less>. Acesso em: 12 out. 2015.

______. The Decent Jobs Deficit: The Human Cost of Zero-hours Working in the UK. Jan. 2015. Disponível em: <https://www.tuc.org.uk/sites/default/files/DecentJobsDeficitReport_0.pdf>. Acesso em: 16 out. 2015.

TRAUB-MERZ, R. All-China Federation of Trade Unions. In: TRAUB-MERZ, R.; NGOK, K. (orgs.) *Industrial Democracy in China*. Beijing, China Social Sciences Press, 2012. Disponível em: <http://chinastudygroup.net/wp-content/uploads/2012/07/Industrial-Democracy-2012.pdf>. Acesso em: 2 jan. 2013.

TRIBUNAL de Contas da União. Acompanhamento do processo de desestatização da Embraer – 2ª fase, 1994. Disponível em: <http://www.tcu.gov.br/Consultas/Juris/Docs/judoc%5CDec%5C19960611%5CGERADO_TC-20615.pdf>. Acesso em: 26 dez. 2015.

TRIGO, Luiz Gonzaga Godoi. "Regulamentação" do turismólogo: enganos e engodos. 19 jan. 2012. Blog de Luiz Trigo. Disponível em: <http://luiztrigo.blogspot.com.br/2012/01/regulamentacao-do-turismologo-enganos-e.html>. Acesso em: 14 dez. 2015.

______. Você vive em um país perfeito para viajar. Blog de Luiz Trigo, 2 jan. 2014. Disponível em: <http://luiztrigo.blogspot.com.br/2014/01/voce-vive-em-um-pais-perfeito-para.html>. Acesso em: 14 dez. 2015.

TRÓPIA, Patrícia. *Força sindical*: política e ideologia no sindicalismo brasileiro. São Paulo, Expressão Popular, 2009.

TROTSKY, Leon. *O Programa de Transição*: documentos da IV Internacional. São Paulo, Iskra, 2008.

TUMOLO, Paulo S. *Da contestação à conformação*: a formação sindical da CUT e a reestruturação capitalista. Campinas, Editora da Unicamp, 2002.

TURFFREY, Belinda. Zero Hours: Public Consultation. *38 Degrees*. Publicado em 11 de março de 2014. Disponível em: <https://home.38degrees.org.uk/2014/03/11/zero-hours-public-consultation/>. Acesso em: 27 abr. 2015.

UGT Global. Cinco anos de construção de um novo sindicalismo, *Boletim de Informação Internacional da União Geral dos Trabalhadores*, ano 5, n. 100, 13 set. 2012.

UGT. Caderno de Resoluções do 2° Congresso: rumo à sociedade do conhecimento com justiça social, julho de 2011a. (1ª versão)

______. Caderno de Resoluções do 2° Congresso: rumo à sociedade do conhecimento com justiça social, julho de 2011b. (2ª versão)

UNAR. *Dossier statistico immigrazione*. Roma, Idos, 2014.

UNESP (Universidade Estadual Paulista Júlio de Mesquita Filho). Anuário estatístico 2012. São Paulo, Universidade Estadual Paulista Júlio de Mesquita Filho, 2012. Disponível em: <http://www.unesp.br/ape/mostra_arq_multi.php?arquivo=9453>. Acesso em: 25 maio 2015.

UNICA. União da Indústria de Cana-de-Açúcar. Coletiva de Imprensa, 20 de dezembro de 2012. Disponível em: <http://www.unica.com.br>. Acesso em: 27 jul. 2013.

UNICAMP (Universidade Estadual de Campinas). Perfil socioeconômico dos inscritos e matriculados nos vestibulares dos anos 1995 até 2014. Campinas, Universidade Estadual de Campinas, 1995-2014. Disponível em: <http://www.comvest.unicamp.br/estatisticas-comvest>. Acesso em: 25 maio 2015.

UNITE. Decent Work: Fight for 5. set. 2015. Disponível em: <http://www.unitetheunion.org/growing-our-union/youngmembers/decent-work-for-all/>. Acesso em: 10 out. 2015.

UNITED KINGDOM. Department for Business Innovation & Skills (BIS). Consultation: Zero Hours Employment Contracts. Dez. 2013. Disponível em: <https://www.gov.uk/government/uploads/system/uploads/attachment_data/file/267634/bis-13-1275-zero-hours-employment-contracts-FINAL.pdf>. Acesso em: 14 abr. 2015.

______. Parliament. Zero Hours Contracts Bill 2013-2014. Disponível em: <http://www.publications.parliament.uk/pa/bills/cbill/2013-2014/0079/14079.pdf>. Acesso em: 8 set. 2015.

______. Zero Hours Contracts Bill 2014-2015. Disponível em: <http://www.publications.parliament.uk/pa/bills/cbill/2014-2015/0023/15023.pdf>. Acesso em: 28 jul. 2015.

______. Office for National Statistics (ONS). Analysis of Employee Contracts that Do Not Guarantee a Minimum Number of Hours. Relatório publicado em 2014a. Disponível em: <http://www.ons.gov.uk/ons/dcp171776_361578.pdf>. Acesso em: 27 abr. 2015.

______. Analysis of Employee Contracts that Do Not Guarantee a Minimum Number of Hours. Planilha publicada em 2014b. Disponível em: <http://www.ons.gov.uk/ons/about-ons/business-transparency/freedom-of-information/what-can-i-request/published-ad-hoc-data/labour/february-2014/zero-hours-analysis.xls>. Acesso em: 13 out. 2015.

______. Employee Contracts that Do Not Guarantee a Minimum Number of Hours: 2015 update. Relatório atualizado em 2015. Disponível em: <http://www.ons.gov.uk/ons/dcp171776_415332.pdf>. Acesso em: 14 out. 2015.

______. Government Response to the "Banning Exclusivity Clauses: Tackling Avoidance" Consultation. Mar. 2015. Disponível em: <https://www.gov.uk/government/uploads/system/uploads/attachment_data/file/410114/BIS-15-59-zero-hours-contracts-government-response-to-the-banning-exclusivity-clauses-tackling-avoidance-consultation.pdf>. Acesso em: 15 out. 2015.

______. Zero Hours Employment Contracts. Banning Exclusivity Clauses: Tackling Avoidance. Publicado em 25 de agosto de 2014a e atualizado em 11 de março de 2015. Disponível em: <https://www.gov.uk/government/consultations/zero-hours-employment-contracts-exclusivity-clause-ban-avoidance>. Acesso em: 13 out. 2015.

______. Zero Hours Employment Contracts. Banning Exclusivity Clauses: Tackling Avoidance. Publicado em 2014b. Disponível em: <https://www.gov.uk/government/uploads/system/uploads/attachment_data/file/347034/bis-14-992-zero-hours-employment-contracts-exclusivity-clause-ban-avoidance.pdf>. Acesso em: 27 out. 2015.

______. Government. Contract Types and Employer Responsabilities. Última atualização em 8 de setembro de 2015a. Disponível em: <https://www.gov.uk/contract-types-and-employer-responsibilities/zero-hour-contracts>. Acesso em: 24 nov. 2015.

______. Government. Employment Status. Última atualização em 21 de outubro de 2015b. Disponível em: <https://www.gov.uk/employment-status/employee>. Acesso em: 17 nov. 2015.

UNIVERSITY and College Union. Times Higher Education: World University Rankings. UCU Homes in on Widespread Use of Zero-hours Deals. 5 set. 2013. Disponível em: <https://www.timeshighereducation.com/news/ucu-homes-in-on-widespread-use-of-zero-hours-deals/2007035.article>. Acesso em: 13 out. 2015.

______. UCU Bargaining and Negotiations. Ending Zero-hours Contracts Infurther and Higher Education. Publicado em nov. 2014. Disponível em: <http://www.ucu.org.uk/media/ pdf/l/3/ucu_zerohourscontracts_bargainingpack_nov14.pdf>. Acesso em: 16 out. 2015.

______. Increase in Number of People on "Pernicious" Zero-hours Contracts. 25 fev. 2015. Disponível em: <http://www.ucu.org.uk/ index.cfm?articleid=7417>. Acesso em: 6 out. 2015.

VALENCIA, Adrián Sotelo. A reestruturação do mundo do trabalho: superexploração e novos paradigmas da organização do trabalho. Uberlândia, Edufu, 2009.

VAN DER LINDEN, Marcel. Greves. In: VARELA, Raquel; NORONHA, Ricardo; PEREIRA, Joana Dias (coords.). *Greves e conflitos sociais em Portugal no século XX*. Lisboa, Colibri, 2012.

______. *Trabalhadores do mundo*: ensaios para uma história global do trabalho. Campinas, Editora da Unicamp, 2013.

VANNUCHI, Maria Lúcia. Trabalho e gênero na indústria calçadista de Franca. In: Seminário Nacional de Trabalho e Gênero, I, 2006, Goiânia. Anais... Goiânia: UFG, 2006. Disponível em: <http://strabalhoegenero.cienciassociais.ufg.br/uploads/245/original_stg2006_04.pdf>. Acesso em: 20 jul. 2013.

VARELA, Raquel. *História do PCP na Revolução dos Cravos*. Lisboa, Bertrand, 2011a.

______. A persistência do conflito industrial organizado. *Mundos do Trabalho*, v. 3, n. 6, jul.-dez. 2011b. p. 151-75.

______ (coord.). *Quem paga o Estado social em Portugal?* Lisboa, Bertrand, 2012a.

______. Rutura e pacto social em Portugal: um olhar sobre as crises económicas, conflitos políticos e direitos sociais em Portugal (1973-1975, 1981-1986). In: ______ (coord.). *Quem paga o Estado social em Portugal?* Lisboa, Bertrand, 2012b.

______; NORONHA, Ricardo; PEREIRA, Joana Dias (orgs.). *Greves e conflitos sociais em Portugal no século XX*. Lisboa, Colibri, 2012.

VASAPOLLO, Luciano. *O trabalho atípico e a precariedade*. São Paulo, Expressão Popular, 2005.

VENCO, Selma. *As engrenagens do telemarketing*: vida e trabalho na contemporaneidade. Campinas, Arte Escrita, 2009.

VERAGO, Josiane L. *Fábricas ocupadas e controle operário*: Brasil e Argentina (2002-2010): os casos da Cipla, Interfibra, Flaskô e Zanon. Campinas, Cemop, 2011.

VÉRAS DE OLIVEIRA, Roberto. *Sindicalismo e democracia no Brasil*: atualizações do novo sindicalismo ao sindicato cidadão. Tese (Doutorado em Sociologia) – Universidade de São Paulo (USP), São Paulo, 2002.

______. O sindicalismo e a questão democrática na história recente do Brasil: o que se pode esperar? In: OLIVEIRA, Francisco de; RIZEK, Cibele Saliba (orgs.). *A era da indeterminação*. São Paulo, Boitempo, 2007.

______. Suape em construção, peões em luta: o novo desenvolvimento e os conflitos do trabalho. *Caderno CRH*, Salvador, v. 26, n. 68, 2013.

VERAS NETO, Francisco Quintanilha. *Cooperativismo*: uma abordagem sócio-jurídica. Curitiba, Juruá, 2005.

VIEGAS, Flávio. Imitações baratas. *Update* – revista mensal da Câmara Americana de Comércio, São Paulo, n. 440, ano 23, jul. 2007. p. 10-4.

VIGNA, Xavier. *L'Insubordination ouvrière dans les années 68*: essai d'histoire politique des usines. La Harpe, Presses Universitaires de Rennes, 2007.

______. Las huelgas de mayo-junio de 1968. In: ______ et al. *Mayo francés*: cuando obreros y estudiantes desafiaron al poder: reflexiones y documentos. Buenos Aires, Ediciones del IPS, 2008.

VILLEN, Patricia. *Imigração na modernização dependente*: "braços civilizatórios" e atual configuração polarizada. Tese (Doutorado em Sociologia) – Instituto de Filosofia e Ciências Humanas, Universidade Estadual de Campinas (Unicamp), Campinas, 2015.

WATERMAN, Peter. *Recovering Internationalism*: Creating the New Global Solidarity: Labour, Social Movements and Emancipation in the 21st Century. Helsinki, Into, 2012.

WEBSTER, E.; LAMBERT, R.; BEZUIDENHOUT, A. *Grounding Globalization*. Malden, Blackwell Publishing, 2008.

WESTPHAL, Márcia Faria. CAMPOS, Leonor de; CHIESA, Anna Maria. Influência do trabalho terceirizado da indústria de calçados de Franca-SP, no desenvolvimento da criança trabalhadora: uma proposta metodológica. *Revista Brasileira de Saúde Ocupacional*, São Paulo, v. 24, n. 89-90, dez. 1997. p. 23-9.

WOLFF, Simone. *O espectro da reificação em uma empresa do setor de telecomunicações*: o processo de trabalho sob os novos parâmetros gerenciais e tecnológicos. Tese (Doutorado em Ciências Sociais) – Instituto de Filosofia e Ciências Humanas, Universidade Estadual de Campinas (Unicamp), Campinas, 2004.

WOOD, Alex J.; BURCHELL, Brendan. What Dave, Vince and Ed Don't Tell You about Zero-hours Contracts. 14 abr. 2015. Disponível em: <https://www.opendemocracy.net/ourkingdom/alex-j-wood-brendan-burchell/what-dave-vince-and-ed-don't-tell-you-about-zerohours-contr>. Acesso em: 25 ago. 2015.

WRIGHT, E. O. Working-Class Power, Capitalist-Class Interests, and Class Compromise. *American Journal of Sociology*, v. 105, n. 4, 2000. p. 957-1.002.

WYCZYKIER, Gabriela. *De la dependencia a la autogestión laboral*: sobre la reconstrucción de experiencias colectivas de trabajo en la Argentina contemporánea. Buenos Aires/ Los Polvorines, Prometeo/ Universidade Nacional de General Sarmiento, 2009.

YOKOTA, Satoshi. *A fábrica do futuro e o caso da EMBRAER*. São Paulo, 2004. Disponível em: <http://www.numa.org.br/download/Livro_F%E1brica%20do%20Futuro/apres_pdf/embraer_Fabr%20Futuro-V07%20-1.pdf>. Acesso em: 10 jun. 2012.

ZANIN, Valter, WU, Bin. *Profili e dinamiche della migrazione cinese in Italia e nel Veneto*. Veneza, Coses, 2009.

ZHAO, J. Suicide Occurs after Foxconn Ceo's Visit. *Caixin*, 27 maio 2010. Disponível em: <http://english.caixin.com/2010-05-27/100147763.html>. Acesso em: 28 maio 2010.

ZHOU, Y. *The Inside Story of China's Hi-Tech Industry*. Lanham, Rowman and Littlefield, 2008.

# Sobre os autores

**Ricardo Antunes** é professor titular de sociologia do trabalho no Instituto de Filosofia e Ciências Humanas da Universidade Estadual de Campinas (IFCH/Unicamp). É autor, entre outros livros, de *O privilégio da servidão* (2. ed., Boitempo, 2020), *Os sentidos do trabalho* (2. ed. rev. e amp., Boitempo, 2009) – publicado também nos Estados Unidos, na Holanda/Inglaterra, na Itália, na Índia e na Argentina – e *Adeus ao trabalho?* (16. ed., Cortez, 2018) – publicado também na Itália, na Espanha, na Argentina, na Venezuela e na Colômbia – e organizador de *Uberização, trabalho digital e indústria 4.0* (Boitempo, 2020) e *Riqueza e miséria do trabalho no Brasil*, volumes I, II, III e IV (Boitempo). Coordena as coleções Mundo do Trabalho (Boitempo) e Trabalho e Emancipação (Expressão Popular). Colabora em revistas acadêmicas no Brasil e no exterior.

**Barbara Castro** é professora do Departamento de Sociologia da Unicamp, é mestre em ciência política (2009) e doutora em ciências sociais (2013) pela Unicamp, com estágio doutoral no Departamento de Sociologia da The Open University (Milton Keynes, Reino Unido). Tem-se dedicado à pesquisa na área de sociologia do trabalho, tecnologia e estudos de gênero, em especial à organização flexível do trabalho (tempo, espaço e contratos atípicos) e aos seus impactos na subjetividade das trabalhadoras e dos trabalhadores. Essas preocupações articulam-se com o campo de estudos de família e usos do tempo.

**Bruna Martinelli** é graduada em ciências sociais, mestre em sociologia e doutoranda em ciências sociais pelo IFCH/Unicamp.

**Cílson César Fagiani** é doutor em educação pelo programa de pós-graduação em educação da Universidade Federal de Uberlândia (UFU). Pesquisador associado no Instituto de História Contemporânea da Universidade Nova de Lisboa, Portugal (IHC/UNL), é também pesquisador do Grupo de Pesquisa Trabalho, Educação e Sociedade (GPTES/UFU).

**Claudete Pagotto** é doutora em sociologia pela Unicamp. Atualmente leciona na Universidade Metodista de São Paulo (Umesp) e é pesquisadora do CNPq. É membro do grupo de pesquisa "Para onde vai o mundo do trabalho?" e do Núcleo de Estudos de Ideologias e Lutas Sociais da Pontifícia Universidade Católica de São Paulo (PUC-SP).

Claudia Mazzei Nogueira é professora-doutora associada do curso de serviço social e do Programa de Pós-Graduação Interdisciplinar da Universidade Federal de São Paulo (Unifesp-BS) e coordenadora do programa de pós-graduação em serviço social e políticas sociais da Unifesp-BS. É pesquisadora Bolsa Produtividade CNPq na área de serviço social, com ênfase em relações e processo de trabalho, atuando principalmente nos seguintes temas: mundo do trabalho, força de trabalho feminina, divisão sociossexual do trabalho nos espaços da produção e reprodução e saúde do trabalhador. Coordena o Núcleo de Estudos do Trabalho e Gênero (NETeG) e é autora dos livros *A feminização no mundo do trabalho* (Autores Associados, 2004) e *O trabalho duplicado* (Expressão Popular, 2006), além de diversos artigos em periódicos nacionais e internacionais.

Fabiane Santana Previtali é professora adjunta na Universidade Federal de Uberlândia (UFU), docente do Programa de Pós-Graduação em Educação - FACED/UFU e do Programa de Pós-Graduação em Ciências Sociais (INCIS/UFU). É mestre e doutora em sociologia pela Universidade Estadual de Campinas (Unicamp). Coordena o Grupo de Pesquisa Trabalho, Educação e Sociedade (GPTES). Pesquisadora PPM – Fapemig. Pesquisadora CNPq e Fapemig.

Fabio Perocco é professor de sociologia das desigualdades e sociologia das migrações na Universidade Ca' Foscari de Veneza, onde coordena o Laboratório de Pesquisa Social. É coautor e organizador de diversos livros, entre os quais *Trasformazioni globali e nuove disuguaglianze: il caso italiano* (Franco Angeli, 2016), *Vulnerable Workers in Times of Social Trasformations* (Ca' Foscari, 2015), *Trasformazioni e crisi della cittadinanza sociale* (Ca' Foscari, 2014) e *Razzismo al lavoro* (Franco Angeli, 2011).

Fagner Firmo de Souza Santos é graduado em ciências sociais pela Universidade Estadual Paulista (Unesp) de Araraquara e mestre pelo programa de pós-graduação em sociologia pela mesma universidade. Possui doutorado pelo programa de pós-graduação em sociologia da Unicamp. Atualmente é professor substituto de sociologia na Universidade Federal de Juiz de Fora.

Filipe Oliveira Raslan (*in memoriam*) atuou como professor do Centro Federal de Educação Tecnológica de Minas Gerais (Cefet-MG). Graduado em ciências sociais pela Unicamp, mestre e doutor em sociologia pela mesma universidade.

Hermes Augusto Costa é professor auxiliar com agregação da Faculdade de Economia da Universidade de Coimbra e pesquisador do Centro de Estudos Sociais da mesma universidade. É cocoordenador do Programa de Doutoramento em Sociologia: Relações de Trabalho, Desigualdades Sociais e Sindicalismo. Tem publicado nacional e internacionalmente inúmeros artigos, capítulos de livros e livros sobre relações laborais, sindicalismo e conselhos de empresa europeus.

Hugo Dias é sociólogo, doutorado pela Faculdade de Economia da Universidade de Coimbra. Desde 2009, é pesquisador do Centro de Estudos Sociais da Universidade de Coimbra e, desde 2014, do Centro de Estudos Sindicais e de Economia do Trabalho (Cesit) da Unicamp. É professor do Instituto de Economia da Unicamp e leciona no Programa de Mestrado de Economia Social e do Trabalho, da Global Labour University, sediado no referido instituto.

**Jenny Chan** (ph.D. em 2014), é professora de sociologia e estudos chineses na Escola de Áreas Interdisciplinares e pesquisadora júnior (2015-2018) na Kellog College, na Universidade de Oxford. Formada na Universidade Chinesa de Hong Kong e na Universidade de Hong Kong, foi pesquisadora bolsista do programa Reid enquanto trabalhava em seu doutorado na Universidade de Londres. Em 2013-2014, recebeu o prêmio educacional Great Britain-China. Foi coordenadora-chefe do grupo Students and Scholars against Corporate Misbehavior – SACOM (2006-2009) e membro do Comitê de Pesquisa de Movimentos Trabalhistas da Associação Internacional de Sociologia (2014-2018).

**José de Lima Soares** é professor do Instituto de História e Ciências Sociais da Universidade Federal de Goiás/RC, mestre em sociologia pela Unicamp e doutor em sociologia pela Universidade de Brasília (UnB). É pesquisador do CNPq e do Grupo de Estudos sobre Trabalho (GEPT/UnB). É autor dos livros *Ensaios de sociologia do trabalho* (Ciência Moderna, 2011) e *Sindicalismo no ABC Paulista: reestruturação produtiva e parceria e outros ensaios* (CRV, 2014), entre outros.

**Juliana Biondi Guanais** é graduada em ciências sociais (2007), mestre em sociologia (2010) e doutora em sociologia (2016) pela Unicamp. Atualmente é professora adjunta do Instituto Latino-Americano de Economia, Sociedade e Política (Ilaesp) da Universidade Federal da Integração Latino-Americana (Unila). É pesquisadora colaboradora do Centro de Estudos Rurais (Ceres) da Unicamp.

**Lívia de Cássia Godoi Moraes** é professora adjunta do Departamento de Ciências Sociais da Universidade Federal do Espírito Santo. Bacharel e licenciada em ciências sociais pela Unesp de Araraquara (2001), mestre em ciências sociais pela Unesp de Marília (2007), doutora em sociologia pela Unicamp (2013) e pós-doutora em política social pelo Programa de Pós-graduação em Política Social da Universidade Federal do Espírito Santo (Ufes), bolsista PNPD/Capes.

**Luci Praun** é doutora em sociologia e professora da Universidade Federal do Acre. É autora do livro *Reestruturação produtiva, saúde e degradação do trabalho* (Papel Social, 2016). Integra o grupo de pesquisa "Para onde vai o mundo do trabalho?", coordenado pelo prof. Ricardo Antunes.

**Luciano Ferreira Rodrigues-Filho** é doutorando do Programa de Psicologia Social da PUC-SP e membro do Núcleo de Estudos e Pesquisa Trabalho e Ação Social (NUTAS). Pesquisador do Grupo de Pesquisa em Constituição, Educação, Relações de Trabalho e Organizações Sociais (GPCERTOS), do curso de Direito da Universidade Estadual do Norte Pioneiro (Uenp), Jacarezinho-PR. Docente da Faculdade de Educação, Administração e Tecnologia de Ibaiti (Feati).

**Luísa Barbosa Pereira** é doutora em sociologia pela Universidade Federal do Rio de Janeiro (UFRJ) (2014). É pesquisadora integrada ao Arquivo da Memória Operária do Rio de Janeiro (UFRJ) e associada ao grupo de estudos da História Global do Trabalho e dos Conflitos Sociais (Universidade Nova de Lisboa). É autora de *Justa causa pro patrão* (Multifoco, 2012) e *Navegar é preciso* (Multifoco, 2015), além de ser coautora de obras sobre a Revolução Portuguesa 1974-1975.

**Mauri Antônio da Silva** é graduado em história pela Universidade do Estado de Santa Catarina (Udesc), mestre em sociologia política pela Universidade Federal de Santa Catarina (UFSC) e doutorando do Programa de Pós-Graduação em Serviço Social da UFSC. É bolsista da Capes.

**Mariana Shinohara Roncato** é doutoranda do Programa de Pós-Graduação em Sociologia do IFCH/Unicamp e bolsista da Fundação de Amparo à Pesquisa do Estado de São Paulo (Fapesp).

**Marina Coutinho de Carvalho Pereira** é assistente social judiciária do Tribunal de Justiça do Estado de São Paulo, mestre em serviço social pela UFSC, doutoranda do Programa de Pós-graduação Interdisciplinar em Ciências da Saúde da Unifesp e pesquisadora do Núcleo de Estudos do Trabalho e Gênero (NETeG/Unifesp).

**Mark Selden** é pesquisador associado sênior no Programa Leste Asiático da Universidade Cornell, pesquisador visitante no Instituto de Estudos Asiáticos/Pacíficos/Americanos da Universidade de Nova York e editor do *Asia-Pacific Journal* e especialista em geopolítica moderna e contemporânea, economia política e história da China, Japão e Ásia-Pacífico. Seu trabalho aborda amplamente os temas de guerra e revolução, desigualdade, desenvolvimento, mudanças sociais locais e mundiais, movimentos sociais e memória histórica.

**Michelangelo Torres** atualmente desenvolve pesquisa de doutorado em ciências sociais pela Unicamp, é mestre em sociologia pela mesma instituição e graduado em ciências sociais pela Universidade de São Paulo (USP). É professor universitário e docente do quadro permanente do Centro Estadual de Educação Tecnológica Paula Souza e membro do Núcleo de Estudos Trabalho, Saúde e Subjetividades (Netss) da Unicamp.

**Patrícia Maeda** é juíza do trabalho no Tribunal Regional do Trabalho da 15ª Região (Campinas/SP) e membro da Associação Juízes para a Democracia (AJD). Foi escrevente técnica judiciária no Tribunal de Justiça do Trabalho e auditora fiscal do trabalho do Ministério do Trabalho. Apresentou sua dissertação de mestrado com o título *Trabalho no capitalismo pós-fordista: trabalho decente, terceirização e contrato zero-hora* na Faculdade de Direito da Universidade de São Paulo. É pesquisadora do Grupo de Pesquisas Trabalho e Capital (GPTC) da USP.

**Patrícia Rocha Lemos** é mestre em ciência política pelo IFCH/Unicamp e doutoranda em ciências sociais na Unicamp.

**Pedro H. Queiroz** é graduado em ciências sociais pela Universidade Federal de Pernambuco (2011), mestre em sociologia pela Unicamp (2014) e atualmente cursa o doutorado em ciências sociais pela mesma universidade.

**Pun Ngai** é professora do Departamento de Ciências Sociais Aplicadas e diretora da Rede de Desenvolvimento e Pesquisa Chineses na Universidade Politécnica de Hong Kong. É autora do livro *Made in China: Women Factory Workers in a Global Workplace* [Made in China: mulheres operárias em um ambiente de trabalho global] (2005), pelo qual ganhou o prêmio C. W. Mills. Recentemente, foi coautora e coeditora de diversos livros sobre trabalho e economia social em Hong Kong e na China.

**Raquel Varela** é historiadora e pesquisadora do Instituto de História Contemporânea da Universidade Nova de Lisboa, onde coordena o Grupo de História Global do Trabalho e dos Conflitos Sociais. Também é pesquisadora do Instituto Internacional de História Social, onde coordena o projeto internacional In the Same Boat? Shipbuilding and Ship Repair Workers around the World (1950-2010). É coordenadora do projeto História das Relações Laborais no Mundo Lusófono. É doutora em história política e institucional (ISCTE – Instituto Universitário de Lisboa). É presidente da International Association Strikes and Social Conflicts e vice-coordenadora da Rede de Estudos do Trabalho, do Movimento Operário e dos Movimentos Sociais em Portugal.

**Renán Vega Cantor** é historiador e professor titular da Universidad Pedagógica Nacional de Bogotá, Colômbia. É autor e organizador dos livros *Marx y el siglo XXI* (2 v., Pensamiento Crítico, 1998-1999), *El caos planetario* (Herramienta, 1999), *Gente muy rebelde* (4 v., Pensamiento Crítico, 2002), *Los economistas neoliberales, nuevos criminales de guerra: el genocidio económico y social del capitalismo contemporâneo* (Centro Bolivariano, 2005).

**Ricardo Festi** é doutor em sociologia pelo IFCH/Unicamp e professor do Cotil-Unicamp. Entre 2015 e 2017, fez estágio na École des Hautes Études en Sciences Sociales (EHESS) de Paris. Pesquisa sobre sociologia do trabalho brasileira e francesa, história da sociologia e movimento operário. É membro do grupo de pesquisa "Para onde vai o mundo do trabalho?", coordenado pelo prof. Ricardo Antunes.

**Ricardo Lara** é professor do Departamento de Serviço Social da Universidade Federal de Santa Catarina (UFSC). Fez estágio pós-doutoral no Instituto de História Contemporânea da Universidade Nova de Lisboa (2015). Apoio: Capes.

**Rodrigo Meira Martoni** é professor no Departamento de Turismo da Universidade Federal de Ouro Preto, Minas Gerais. Graduado em turismo pelas Faculdades Nobel (atual PUC-PR), mestre em geografia pela Universidade Estadual de Londrina (2005) e doutor em geografia pela Universidade Federal do Paraná (2014).

**Rossana Cillo** é pesquisadora do Departamento de Filosofia e Patrimônio Cultural da Universidade Ca' Foscari de Veneza e doutoranda em sociologia na Université Libre de Bruxelles. Seus principais interesses de investigação incluem as condições de trabalho dos imigrantes, as discriminações raciais no trabalho, a relação entre os trabalhadores imigrantes e os sindicatos, a exploração laboral na agricultura e o trabalho precário das gerações jovens. É autora de "Labour, Exploitation and Migration in Western Europe: An International Political Economy Perspective" (org. Waite L. et al., *Vulnerability, Exploitation and Migrants. Insecure Work in a Globalised Economy*. Londres, Palgrave, 2015) e coautora com F. Perocco de "Crisi e immigrazione in Europa" (orgs. F. Carrera e E. Galossi, *Immigrazione e sindacato. VII Rapporto*. Roma, Ediesse, 2014).

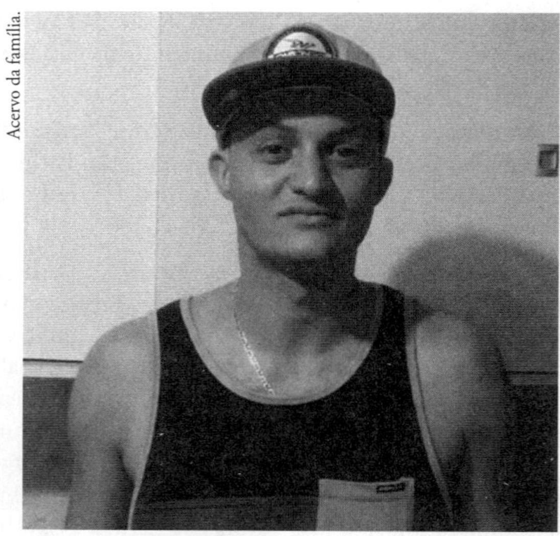

Acervo da família.

Thiago de Jesus Dias morreu no dia 8 de julho de 2019, aos 33 anos, em decorrência de um AVC sofrido dias antes enquanto trabalhava para o Rappi, aplicativo de compras e entregas. Sua morte, no entanto, poderia ter sido evitada se o socorro tivesse chegado mais rápido. O aplicativo não prestou auxílio, o Samu demorou para atender o chamado e um motorista da Uber solicitado se recusou a transportá-lo ao hospital.

Publicado em agosto de 2019, um mês após a morte de Thiago de Jesus Dias, este livro foi composto em Adobe Garamond, corpo 11/14,3, e reimpresso em papel Avena 70 g/m² pela gráfica Rettec para a Boitempo, em junho de 2021, com tiragem de 1.000 exemplares.